THE MI

GERMAN DICTIONARY

D0330564

Foreword

This dictionary aims to give concise and accurate definitions of 24,000 of the most important words in use in the English and German languages today.

A pronunciation system based on the International Phonetic Alphabet is used (see *Key to symbols used in pronunciation*). Pronunciation is given for all headwords in both sections of the dictionary, and also for selected subentries in the German-English section.

Modern technical, commercial, and informal usage is given particular attention, in preference to outmoded terms or other expressions not in common contemporary use. Definitions are numbered in order to distinguish senses, and abbreviations are used to indicate use in specific technical, scientific, or commercial fields (see *Abbreviations used in the Dictionary*). An additional feature is the inclusion of idiomatic expressions and phrases, so necessary for the understanding and use of the foreign language.

This dictionary, with its emphasis on modernity, together with its compact form and clear typeface, should prove indispensable in the home, at school, in the office, and abroad.

Abbreviations used in the Dictionary

adj	adjective	*indef art*	indefinite article	*pol*	politics
adv	adverb	*inf*	informal	*poss*	possessive
anat	anatomy	*infin*	infinitive	*pref*	prefix
arch	architecture	*interj*	interjection	*prep*	preposition
aux	auxiliary	*invar*	invariable	*pron*	pronoun
aviat	aviation	*lit*	literature	*rel*	religion
bot	botany	*m*	masculine	*s*	singular
cap	capital	*math*	mathematics	*sci*	science
comm	commerce	*med*	medical	*sl*	slang
conj	conjunction	*mil*	military	*suff*	suffix
cul	culinary	*min*	minerals	*tab*	taboo
def art	definite article	*mod*	modal	*Tdmk*	trademark
derog	derogatory	*mot*	motoring	*tech*	technical
dom	domestic	*mus*	music	*Th*	theatre
educ	education	*n*	noun	*US*	United States
fam	familiar	*naut*	nautical	*v*	verb
fml	formal	*neg*	negative	*vi*	intransitive verb
game	cards, chess, etc.	*neu*	neuter	*v imp*	impersonal verb
gram	grammar	*pers*	person	*vr*	reflexive verb
geog	geography	*phot*	photography	*vt*	transitive verb
				zool	zoology

Key to symbols used in pronunciation

English

Vowels

iː	m*ee*t	u	p*u*t	ai	fl*y*
i	b*i*t	uː	sh*oo*t	au	h*ow*
e	g*e*t	ʌ	c*u*t	ɔi	b*oy*
æ	h*a*t	ə	*a*go	iə	h*ere*
ɑː	h*ea*rt	əː	s*ir*	ɛə	*air*
ɔ	h*o*t	ei	l*a*te	uə	p*oor*
ɔː	*ough*t	ou	g*o*		

Consonants

θ	*th*in
ð	*th*en
ŋ	si*ng*
j	*y*es
ʃ	*sh*ip
ʒ	me*a*sure
tʃ	*ch*in
dʒ	*g*in

' indicates that the following syllable is stressed, as in *ago* (ə'gou).
, placed under an *n* or *l* indicates that the *n* or *l* is pronounced as a syllable, as in *button* ('bʌtn̩) and *flannel* ('flæn l̩).

However, a dash is used to indicate that a plural does not vary, or only takes an umlaut, as in the following examples:–

Kanzler . . . *nm* — (plural is *die Kanzler*)
Apfel . . . *nm* —̈ (plural is *die Äpfel*)

Exceptions are nouns that cannot form a plural, such as *Kost* or *Unterrichtung*. To form the plural of compounds, the user should refer to the headword of the principal (final) component, which is always the part that takes the plural, e.g. for *Armbanduhr*, see *Uhr*.

Parentheses are used to show optional forms, particularly in the English-German section, thus:–

deliver . . . *vt* . . . (ab-, aus-)liefern . . . (indicates that *liefern* may be used alone or with the prefixes shown, as *abliefern* or *ausliefern*)
inoculation . . . *n* (Ein)Impfung *f* . . . (indicates that *Impfung* or *Einimpfung* may be used)
wash . . . (*vi*),*vt* . . . (sich) waschen . . . (indicates that *waschen* is transitive, but that the intransitive sense of *to wash* may be translated by *sich waschen*)

Adverbs: German adjectives can function as adverbs without modification. Therefore, in the German-English section, no translation of such adverbs is given where the adverbial form of the English adjective shown in the definition would be appropriate. In the English-German section, regular adverbial forms of English adjectives (i.e. those ending in *-ly*) are not shown where the given German translation could be used as an adverb, or where the English adverb has no special meaning requiring a separate translation.

English attributive adjectives can often be translated in German by using nouns to form compounds. This is shown by a dash as follows:–

manual . . . *adj* Hand—.

Thus, *manual worker* may be translated as *Handarbeiter*.

Feminine forms: Only the most common feminine forms of nouns have been selected for inclusion. However the feminine of agent nouns or nationalities ending in *-er* is formed by adding the suffix *-in* to the masculine; for example, *Arbeiterin* – female worker; *Dichterin* – poetess; *Italienerin* – Italian woman, etc. Weak nouns drop the final *-e* and add *-in*; thus *Chinese* becomes *Chinesin*. Adjectival nouns, shown with a final *r* in parentheses, behave as a masculine or feminine adjective. Thus the feminine nominative singular of *Abgeordnete*(*r*) is *die Abgeordnete*.

German

Vowels

i	*ist*	a:	Wagen	y:	fühlen		
i:	wieder	ɔ	Holz	œ	Hölle		
e	General	o	Forelle	œ:	lösen		
e:	gegen	o:	*ohne*	ə	besser		
ɛ	setzen	u	rund	ai	frei		
ɛ:	Fähre	u:	Kugel	au	Haus		
a	hat	y	Hütte	ɔy	treu		

Consonants

ç	*ich*
ʒ	Garage
ŋ	lang
ʃ	Tisch
j	*ja*
x	lachen

' indicates that the following syllable is stressed, as in *gegen* ('ge:gən).
In pronunciations of certain words borrowed from French, nasalization is indicated by a tilde(~) over the appropriate vowel, as in *Pension* (pa'sjo:n).

Notes on the use of the Dictionary

An oblique stroke in a headword in the German-English section indicates that the part of the word before the oblique may be combined with other words or word endings shown in the text of the entry in heavy type after a dash, thus:–

einwillig/en . . . *vi* agree, consent. **—ung** *nf* . . . agreement, consent.

In headwords with no oblique, the ending combines with the whole word. Since all German nouns are spelt with a capital initial letter, the subentry above should be spelt *Einwilligung*. Verbs, adjectives, or adverbs entered under a noun headword with an initial capital should be written with a lower-case letter. Where a reflexive verb is the headword, subentries do not take the pronoun *sich*.

A swung dash (~) before a change of part of speech indicates that the part of speech refers to the headword, not the preceding subentry shown in heavy type.

Irregular verbs in the headword lists of both sections are marked with an asterisk. The principal parts of these verbs are shown in the verb tables. For compounds with either separable or inseparable prefixes, see the base form shown in the table, e.g. for *verstehen*, see *stehen*.

Plurals of German nouns are shown after a hyphen immediately after the part of speech, as follows:–

Feind . . . *nm* **-e** (plural is *die Feinde*)
Empfang . . . *nm* **=e** (plural is *die Empfänge*)
Ablaß . . . *nm* **-lässe** (plural is *die Ablässe*)

Infinitive	Past Tense	Past Participle
abide	abode *or* abided	abode *or* abided
arise	arose	arisen
awake	awoke *or* awaked	awoke *or* awaked
be	was	been
bear[1]	bore	borne *or* born
beat	beat	beaten
become	became	become
begin	began	begun
bend	bent	bent
bet	bet	bet
beware[2]		
bid	bid	bidden *or* bid
bind	bound	bound
bite	bit	bitten *or* bit
bleed	bled	bled
blow	blew	blown
break	broke	broken
breed	bred	bred
bring	brought	brought
build	built	built
burn	burnt *or* burned	burnt *or* burned
burst	burst	burst
buy	bought	bought
can	could	
cast	cast	cast
catch	caught	caught
choose	chose	chose
cling	clung	clung
come	came	come
cost	cost	cost
creep	crept	crept
crow	crowed *or* crew	crowed
cut	cut	cut
deal	dealt	dealt
dig	dug *or* digged	dug *or* digged
do	did	done
draw	drew	drawn
dream	dreamed *or* dreamt	dreamed *or* dreamt
drink	drank	drunk
drive	drove	driven
dwell	dwelt	dwelt
eat	ate	eaten
fall	fell	fallen
feed	fed	fed
feel	felt	felt
fight	fought	fought
find	found	found
flee	fled	fled
fling	flung	flung
fly	flew	flown
forbid	forbade *or* forbad	forbidden *or* forbid
forget	forgot	forgotten *or* forgot
forgive	forgave	forgiven
forsake	forsook	forsaken
freeze	froze	frozen
get	got	got
give	gave	given
go	went	gone
grind	ground	ground
grow	grew	grown
hang[3]	hung *or* hanged	hung *or* hanged
have	had	had
hear	heard	heard
hide	hid	hidden *or* hid
hit	hit	hit
hold	held	held
hurt	hurt	hurt
keep	kept	kept
kneel	knelt	knelt
knit	knitted *or* knit	knitted *or* knit
know	knew	known
lay	laid	laid
lead	led	led
lean	leant *or* leaned	leant *or* leaned
leap	leapt *or* leaped	leapt *or* leaped
learn	learnt *or* learned	learnt *or* learned
leave	left	left
lend	lent	lent
let	let	let
lie	lay	lain
light	lit *or* lighted	lit *or* lighted
lose	lost	lost
make	made	made
may	might	
mean	meant	meant
meet	met	met
mow	mowed	mown
must		
ought		
panic	panicked	panicked
pay	paid	paid
picnic	picnicked	picnicked
put	put	put
quit	quitted *or* quit	quitted *or* quit
read	read	read

English irregular verbs

Infinitive	Past Tense	Past Participle
rid	rid *or* ridded	rid *or* ridded
ride	rode	ridden
ring	rang	rung
rise	rose	risen
run	ran	run
saw	sawed	sawn *or* sawed
say	said	said
see	saw	seen
seek	sought	sought
sell	sold	sold
send	sent	sent
set	set	set
sew	sewed	sewn *or* sewed
shake	shook	shaken
shall	should	
shear	sheared	sheared *or* shorn
shed	shed	shed
shine	shone	shone
shoe	shod	shod
shoot	shot	shot
show	showed	shown
shrink	shrank *or* shrunk	shrunk *or* shrunken
shut	shut	shut
sing	sang	sung
sink	sank	sunk
sit	sat	sat
sleep	slept	slept
slide	slid	slid
sling	slung	slung
slink	slunk	slunk
slit	slit	slit
smell	smelt *or* smelled	smelt *or* smelled
sow	sowed	sown *or* sowed
speak	spoke	spoken
speed	sped *or* speeded	sped *or* speeded
spell	spelt *or* spelled	spelt *or* spelled
spend	spent	spent
spill	spilt *or* spilled	spilt *or* spilled
spin	spun	spun
spit	spat *or* spit	spat *or* spit
split	split	split
spread	spread	spread
spring	sprang	sprung
stand	stood	stood
steal	stole	stolen
stick	stuck	stuck
sting	stung	stung
stink	stank *or* stunk	stunk
stride	strode	stridden
strike	struck	struck
string	strung	strung
strive	strove	striven
swear	swore	sworn
sweep	swept	swept
swell	swelled	swollen *or* swelled
swim	swam	swum
swing	swung	swung
take	took	taken
teach	taught	taught
tear	tore	torn
tell	told	told
think	thought	thought
throw	threw	thrown
thrust	thrust	thrust
traffic	trafficked	trafficked
tread	trod	trodden *or* trod
wake	woke	woken
wear	wore	worn
weave	wove	woven *or* wove
weep	wept	wept
will	would	
win	won	won
wind	wound	wound
wring	wrung	wrung
write	wrote	written

[1] when *bear* means *give birth to*, the past participle is always *born*.

[2] used only in the infinitive or as an imperative.

[3] the preferred form of the past tense and past participle when referring to death by hanging is *hanged*.

Infinitive	Present Indicative	Imperfect Indicative	Past Participle
backen	bäckt	backte	gebacken
befehlen	befiehlt	befahl	befohlen
beginnen	beginnt	begann	begonnen
beißen	beißt	biß	gebissen
bergen	birgt	barg	geborgen
bewegen[1]	bewegt	bewog	bewogen
biegen	biegt	bog	gebogen
bieten	bietet	bot	geboten
binden	bindet	band	gebunden
bitten	bittet	bat	gebeten
blasen	bläst	blies	geblasen
bleiben	bleibt	blieb	geblieben
bleichen[2]	bleicht	blich	geblichen
braten	brät	briet	gebraten
brechen	bricht	brach	gebrochen
brennen	brennt	brannte	gebrannt
bringen	bringt	brachte	gebracht
dreschen	drischt	drosch	gedroschen
dringen	dringt	drang	gedrungen
dürfen	darf	durfte	gedurft[3]
empfehlen	empfiehlt	empfahl	empfohlen
erschrecken[2]	erschrickt	erschrak	erschrocken
essen	ißt	aß	gegessen
fahren	fährt	fuhr	gefahren
fallen	fällt	fiel	gefallen
fangen	fängt	fing	gefangen
fechten	ficht	focht	gefochten
finden	findet	fand	gefunden
flechten	flicht	flocht	geflochten
fliegen	fliegt	flog	geflogen
fliehen	flieht	floh	geflohen
fließen	fließt	floß	geflossen
fressen	frißt	fraß	gefressen
frieren	friert	fror	gefroren
gären[4]	gärt	gor	gegoren
gebären	gebiert	gebar	geboren
geben	gibt	gab	gegeben
gedeihen	gedeiht	gedieh	gediehen
gehen	geht	ging	gegangen
gelingen	gelingt	gelang	gelungen
gelten	gilt	galt	gegolten
genesen	genest	genas	genesen
genießen	genießt	genoß	genossen
gerinnen	gerinnt	gerann	geronnen
geschehen	geschieht	geschah	geschehen
gewinnen	gewinnt	gewann	gewonnen
gießen	gießt	goß	gegossen
gleichen	gleicht	glich	geglichen
gleiten	gleitet	glitt	geglitten
graben	gräbt	grub	gegraben
greifen	greift	griff	gegriffen
haben	hat	hatte	gehabt

Infinitive	Present Indicative	Imperfect Indicative	Past Participle
halten	hält	hielt	gehalten
hangen	hängt	hing	gehangen
hauen	haut	haute *or* hieb	gehauen
heben	hebt	hob	gehoben
heißen	heißt	hieß	geheißen
helfen	hilft	half	geholfen
kennen	kennt	kannte	gekannt
klingen	klingt	klang	geklungen
kneifen	kneift	kniff	gekniffen
kommen	kommt	kam	gekommen
können	kann	konnte	gekonnt[3]
kriechen	kriecht	kroch	gekrochen
laden	lädt	lud	geladen
lassen	läßt	ließ	gelassen
laufen	läuft	lief	gelaufen
leiden	leidet	litt	gelitten
leihen	leiht	lieh	geliehen
liegen	liegt	lag	gelegen
lügen	lügt	log	gelogen
mahlen	mahlt	mahlte	gemahlen
meiden	meidet	mied	gemieden
melken	melkt	melkte *or* molk	gemelkt *or* gemolken
messen	mißt	maß	gemessen
mißlingen	mißlingt	mißlang	mißlungen
mögen	mag	mochte	gemocht[3]
müssen	muß	mußte	gemußt[3]
nehmen	nimmt	nahm	genommen
nennen	nennt	nannte	genannt
pfeifen	pfeift	pfiff	gepfiffen
preisen	preist	pries	gepriesen
quellen[2]	quillt	quoll	gequollen
raten	rät	riet	geraten
reiben	reibt	rieb	gerieben
reißen	reißt	riß	gerissen
reiten	reitet	ritt	geritten
rennen	rennt	rannte	gerannt
riechen	riecht	roch	gerochen
ringen	ringt	rang	gerungen
rufen	ruft	rief	gerufen
saufen	säuft	soff	gesoffen
saugen	saugt	sog	gesogen
schaffen	schafft	schuf	geschaffen
scheiden	scheidet	schied	geschieden
scheinen	scheint	schien	geschienen
schieben	schiebt	schob	geschoben
schießen	schießt	schoß	geschossen
schinden	schindet	schund	geschunden
schlafen	schläft	schlief	geschlafen
schleichen	schleicht	schlich	geschlichen
schleifen[5]	schleift	schliff	geschliffen
schleißen	schleißt	schliß	geschlissen

German irregular verbs

Infinitive	Present Indicative	Imperfect Indicative	Past Participle
schließen	schließt	schloß	geschlossen
schlingen	schlingt	schlang	geschlungen
schmeißen	schmeißt	schmiß	geschmissen
schmelzen	schmelzt	schmolz	geschmolzen
schneiden	schneidet	schnitt	geschnitten
schreiben	schreibt	schrieb	geschrieben
schreien	schreit	schrie	geschrie(e)n
schreiten	schreitet	schritt	geschritten
schweigen	schweigt	schwieg	geschwiegen
schwellen	schwillt	schwoll	geschwollen
schwimmen	schwimmt	schwamm	geschwommen
schwingen	schwingt	schwang	geschwungen
schwören	schwört	schwur	geschworen
sehen	sieht	sah	gesehen
sein	ist	war	gewesen
senden	sendet	sandte	gesandt
singen	singt	sang	gesungen
sinken	sinkt	sank	gesunken
sinnen	sinnt	sann	gesonnen
sitzen	sitzt	saß	gesessen
sollen	soll	sollte	gesollt[3]
spinnen	spinnt	spann	gesponnen
sprechen	spricht	sprach	gesprochen
sprießen	sprießt	sproß	gesprossen
springen	springt	sprang	gesprungen
stechen	sticht	stoch	gestochen
stehen	steht	stand	gestanden
stehlen	stiehlt	stahl	gestohlen
steigen	steigt	stieg	gestiegen
sterben	stirbt	starb	gestorben
stinken	stinkt	stank	gestunken

Infinitive	Present Indicative	Imperfect Indicative	Past Participle
stoßen	stößt	stieß	gestoßen
streichen	streicht	strich	gestrichen
streiten	streitet	stritt	gestritten
tragen	trägt	trug	getragen
treffen	trifft	traf	getroffen
treiben	treibt	trieb	getrieben
treten	tritt	trat	getreten
triefen	trieft	troff	getrieft
trinken	trinkt	trank	getrunken
trügen	trügt	trog	getrogen
tun	tut	tat	getan
verderben	verdirbt	verdarb	verdorben
verdrießen	verdrießt	verdroß	verdrossen
vergessen	vergißt	vergaß	vergessen
verlieren	verliert	verlor	verloren
verzeihen	verzeiht	verzieh	verziehen
wachsen	wächst	wuchs	gewachsen
weben	webt	wob	gewoben
weichen	weicht	wich	gewichen
weisen	weist	wies	gewiesen
wenden	wendet	wandte *or* wendete	gewandt *or* gewendet
werben	wirbt	warb	geworben
werden	wird	wurde	geworden[3]
werfen	wirft	warf	geworfen
wiegen	wiegt	wog	gewogen
winden	windet	wand	gewunden
wissen	weiß	wußte	gewußt
wollen	will	wollte	gewollt[3]
ziehen	zieht	zog	gezogen
zwingen	zwingt	zwang	gezwungen

[1] strong conjugation in the meaning *induce, persuade*, but weak in the meaning *move*.
[2] strong conjugation when intransitive, but weak when transitive.
[3] when used as an auxiliary verb, the past participle has the same form as the infinitive.
[4] weak conjugation when figurative.
[5] strong conjugation in the meaning *polish, sharpen*, but weak in the meaning *drag*.

A

Aal (a:l) *nm* **-e** eel.

ab (ap) *adv* **1** off. **2** away. **3** down. **4** from. **ab und zu** sometimes, now and then. **weit ab** far off. *prep* from.

abänder/lich ('apɛndərliç) *adj* **1** alterable. **2** variable. **—n** *vt* **1** alter, change. **2** *pol* amend. **—ung** *nf* **-en** alteration.

abarbeiten ('apərbaitən) *vt* work off. **sich abarbeiten** *vr* overwork oneself.

Abbau ('apbau) *nm* reduction, dismantling, cutting down. **—en** *vt* **1** demolish. **2** reduce.

abberufen* ('apbəru:fən) *vt* recall.

abbestellen ('apbəʃtɛlən) *vt* cancel.

abbiegen* ('apbi:gən) *vi* turn off. *vt* turn aside.

Abbild ('apbilt) *n neu* **-er** **1** image, copy. **2** likeness. **—en** *vt* **1** copy. **2** illustrate. **3** model. **—ung** ('apbilduŋ) *nf* **-en** **1** copy(ing). **2** illustration. **3** picture.

abblenden ('apblɛndən) *vt* dim (one's headlights).

abbrechen* ('apbrɛçən) *vt,vi* **1** break off. **2** stop. *vt* tear down (houses).

abbremsen ('apbrɛmzən) *vi,vt* brake, slow down.

abbringen* ('apbriŋən) *vt* **1** divert. **2** dissuade.

Abbruch ('apbrux) *nm* **¨-e** **1** sudden end. **2** damage. **3** demolition.

abdank/en ('apdaŋkən) *vi* resign, abdicate. **—ung** *nf* **-en** abdication, resignation.

abdecken ('apdɛkən) *vt* **1** uncover. **2** *sport* protect or cover. **3** clear, strip.

abdichten ('apdiçtən) *vt* seal.

abdrehen ('apdre:ən) *vt* turn off.

Abdruck ('apdruk) *nm* **1** *pl* **-e** copy, print. **2** *pl* **¨-e** cast, impression. **¨-en** ('apdrykən) *vt* squeeze. *vt,vi* shoot, fire (gun).

Abend ('a:bənt) *nm* **-e** evening, night. **gestern abend** last night. **heute abend** this evening. **abends** in the evening. **—brot** *n neu* supper. **—essen** *n neu* evening meal, supper. **—dämmerung** *nf* dusk. **—kleid** *n neu* evening dress or gown. **—land** *n neu* Occident, West. **—mahl** *n neu* (Holy) Communion.

Abenteuer ('a:bəntɔyər) *n neu* adventure. **—er** *nm* — **1** adventurer. **2** crook. **—lich** *adj* **1** adventurous. **2** fantastic.

aber ('a:bər) *conj* **1** but. **2** however. *adv* **1** however. **2** again. **aber ja** yes indeed.

Aberglaub/e ('a:bərglaubə) *nm* superstition. **¨-isch** ('a:bərglɔybiʃ) *adj* superstitious.

Aberkennung ('apɛrkɛnuŋ) *nf* **-en** deprivation.

abermals ('a:bərma:ls) *adv* (once) again.

Abessin/ien (abɛ'si:niən) *n neu* Abyssinia. **—ier** *nm* — Abyssinian. **—isch** *adj* Abyssinian.

abfahr/en* ('apfa:rən) *vi* depart, start. *vt* drive off. **—t** *nf* **-en** departure.

Abfall ('apfal) *nm* **¨-e** **1** waste, rubbish. **2** slope. **3** decrease. **4** defection. **—eimer** *nm* dustbin. **—en*** *vi* **1** fall down or off. **2** desert. **3** decrease. **abfällig** ('apfɛliç) *adj* **1** disapproving, disparaging. **2** sloping.

abfassen ('apfasən) *vt* word, formulate.

abfertigen ('apfɛrtigən) *vt* **1** dispatch. **2** deal with.

Abfindung ('apfinduŋ) *nf* **-en** settlement, compensation.

abfliegen* ('apfli:gən) *vi* fly away, take off.

abfließen* ('apfli:sən) *vi* flow or drain away.

Abflug ('apfluk) *nm* **¨-e** take-off, departure.

Abfluß ('apflus) *nm* **-flüsse** **1** drain(ing). **2** discharge.

Abfuhr ('apfu:r) *nf* **-en** **1** removal. **2** *inf* rebuff. **¨-en** ('apfy:rən) *vt* lead off, take away. **¨-mittel** ('apfy:rmitəl) *n neu* laxative.

abfüllen ('apfylən) *vt* **1** fill. **2** bottle.

Abgabe ('apga:bə) *nf* **-n** **1** delivery. **2** duty, tax, levy. **—nfrei** *adj* duty-free. **—npflichtig** *adj* taxable, liable to duty.

Abgang ('apgaŋ) *nm* **¨-e** **1** departure, exit. **2** loss.

Abgas ('apgas) *n neu* **-e** exhaust (gas).

abgeben* ('apge:bən) *vt* hand over, give up.

sich abgeben *vr* associate with, occupy oneself with.

abgegriffen ('apgəgrifən) *adj* **1** worn. **2** (of a book) well-thumbed.

abgehen* ('apge:ən) *vi* **1** go away or off, leave. **2** come or fall off. **3** branch off. **es ist alles gut abgegangen** everything went well.

Abgeordnete(r) ('apgəɔrdnətə) *nm* **-n** deputy, representative, Member of Parliament. **Abgeordnetenhaus** *n neu* Chamber of Deputies.

abgestanden ('apgəʃtəndən) *adj* stale, flat.

abgestorben ('apgəʃtɔrbən) *adj* dead, numb.

abgezehrt ('apgətse:rt) *adj* emaciated.

Abgott ('apgɔt) *nm* **¨er** idol.

abgrenz/en ('apgrɛntsən) *vt* mark off, delimit. **—ung** *nf* **-en** demarcation, delimitation.

Abgrund ('apgrunt) *nm* **¨e 1** precipice. **2** abyss.

abhalten ('aphaltən) *vt* **1** keep or hold off. **2** prevent.

Abhandlung ('aphandluɡ) *nf* **-en** essay, treatise.

Abhang *nm* **¨e** slope, incline. **¨-en** ('aphɛŋən) *vt* **1** take down or off. **2** unhook. **3** disconnect. *vi* **1** depend on. **2** slope. **¨-ig** ('aphɛŋiç) *adj* **1** dependent. **2** sloping. **3** subject (to). **¨-igkeit** *nf* dependence.

abhauen ('aphauən) *vt* cut down or off. *vi sl* leave, go away.

Abhilfe ('aphilfə) *nf* **-n** remedy, relief.

abholen ('aphoːlən) *vt* fetch (away), call for.

abhören ('aphœːrən) *vt* overhear, listen to.

Abitur (abi'tu:r) *n neu* **-e** school leaving examination or certificate.

abkanzeln ('apkantsəln) *vt* scold, rebuke.

abkehren ('apkeːrən) *vi* turn away.

abklingen ('apkliŋən) *vi* (of sound) die out, fade away.

Abkommen ('apkɔmən) *n neu* — agreement, treaty. *vi* **1** deviate. **2** lose one's way.

abkühl/en ('apkyːlən) *vt* chill, cool. **—ung** *nf* cooling.

abkürz/en ('apkyrtsən) *vt* shorten, abbreviate. **—ung** *nf* **-en** abbreviation.

abladen* ('apla:dən) *vt* unload, dump.

Ablauf ('aplauf) *nm* **¨e 1** course of events. **2** end, expiry. **3** drain. **—en*** *vi* **1** run off or down. **2** expire. **gut ablaufen** pass off well, be a success.

Ablaut ('aplaut) *nm* **-e** gradation of vowels.

ablegen ('apleːgən) *vt* **1** take off (clothes). **2** lay down. **3** give up.

ablehn/en ('apleːnən) *vt* refuse, decline. **—ung** *nf* **-en** refusal, rejection.

ableit/en ('aplaitən) *vt* **1** divert. **2** derive. **3** draw off. **—ung** *nf* **-en 1** diversion. **2** derivation.

ablenk/en ('aplɛŋkən) *vt* turn aside, divert. **—ung** *nf* **-en** diversion, distraction.

abliefer/n ('apliːfərn) *vt* deliver. **—ung** *nf* **-en** delivery.

ablös/en ('aplœzən) *vt* **1** loosen, detach. **2** relieve (someone). **—ung** *nf* **-en 1** loosening, detachment. **2** relief.

abmach/en ('apmaxən). *vt* settle, arrange. **abgemacht!** agreed! **—ung** *nf* **-en** agreement, arrangement.

sich abmeld/en ('apmɛldən) *vr* announce one's departure. **—ung** *nf* **-en 1** notice of departure. **2** cancellation.

abmessen* ('apmɛsən) *vt* **1** measure off. **2** survey. **3** weigh (words).

Abnahme ('apna:me) *nf* **-n 1** removal, collection. **2** lessening, decrease. **3** acceptance.

abnehmen* ('apneːmən) *vt* take from or off. *vi* decrease.

Abneigung ('apnaiguŋ) *nf* **-en** dislike, aversion.

abnutzen ('apnutsən) *vt also* **abnützen** wear out.

Abonn/ement (abɔn'mã) *n neu* **-s** subscription. **—ent** (abɔ'nɛnt) *nm* **-en** subscriber. **—ieren** *vi* subscribe.

Abort (a'bɔrt) *nm* **-e** lavatory.

abräumen ('aprɔymən) *vt* clear away.

abrechn/en ('aprɛçnən) *vt* **1** deduct. **2** reckon up. **3** settle (with someone). **—ung** *nf* **-en** deduction, settlement.

Abrede ('apreːdə) *nf* **-n** agreement. **in Abrede stellen** deny, dispute.

Abreise ('apraizə) *nf* **-n** departure. **—n** *vi* depart, set out.

abreißen* ('apraisən) *vt* **1** pull down. **2** tear off.

abrufen* ('apruːfən) *vt* **1** call back, recall. **2** cancel, call off.

Abrüstung ('aprystuŋ) *nf* **-en** disarmament.

Absage ('aɒzaːgə) *nf* **-n 1** refusal. **2** cancellation. **—n** *vt* **1** refuse. **2** cancel. **3** renounce.

Absatz ('apzats) *nm* **¨e 1** sale. **2** heel (of a shoe). **3** paragraph. **4** pause, intermission.

abschaff/en* ('apʃafən) *vt* abolish. **—ung** *nf* abolition.

abschalten ('apʃaltən) *vt* switch off.

abschätz/en ('apʃɛtsən) *vt* estimate, assess. **—ung** *nf* **-en** assessment, valuation.

Abscheu ('apʃɔy) *nm,f* horror, loathing. **—lich** (apˈʃɔyliç) *adj* loathsome, repugnant.

abschicken ('apʃikən) *vt* send off, dispatch.

Abschied ('apʃi:t) *nm* **-e** parting, departure. **Abschied nehmen** take one's leave.

abschießen* ('apʃi:sən) *vt* **1** fire (a gun), shoot (off). **2** launch (a rocket).

Abschlag ('apʃla:k) *nm* **¨e** reduction. **auf Abschlag** on account.

abschließen* ('apʃli:sən) *vt* **1** lock up, close (up). **2** settle, conclude.

Abschluß ('apʃlus) *nm* **-schlüsse 1** conclusion, end. **2** settlement, deal.

abschnallen ('apʃnalən) *vt* unbuckle.

abschneiden* ('apʃnaidən) *vt* cut off or out. **gut/schlecht abschneiden** do well/badly.

Abschnitt ('apʃnit) *nm* **-e** section, portion.

abschrauben ('apʃraubən) *vt* unscrew.

abschrecken ('apʃrɛkən) *vt* frighten (off).

abschreiben* ('apʃraibən) *vt* **1** copy, write out. **2** write off.

Abschrift ('apʃrift) *nf* **-en** copy.

Abschuß ('apʃus) *nm* **-schüsse 1** discharge, firing. **2** launching. **—rampe** *nf* launching pad.

abschwächen ('apʃvɛçən) *vt* weaken.

absehbar ('apze:ba:r) *adj* **1** within sight. **2** foreseeable. **—en*** *vt* **1** foresee. **2** perceive. **3** aim at. **4** copy. **abgesehen von** apart from.

absend/en ('apzɛndən) *vt* send, dispatch. **—er** *nm* — sender. **—ung** *nf* **-en** dispatch(ing).

absetzen ('apzɛtsən) *vt* **1** put down. **2** remove, dismiss (someone). **3** sell.

Absicht ('apziçt) *nf* **-en** intention, purpose. **—lich** *adj* intentional.

absolut (apzo'lu:t) *adj* absolute.

absonder/n ('apzɔndərn) *vt* separate, isolate. **—ung** *nf* **-en** separation.

Absorption (apzɔrpti'o:n) *nf* **-en** absorption.

absperren ('apʃpɛrən) *vt* **1** cordon off, barricade. **2** shut off or away.

abspielen ('apʃpi:lən) *vt* perform (music). **sich abspielen** *vr* take place.

abspringen* ('apʃpriŋən) *vi* **1** jump off. **2** break off, shatter. **3** desert.

abspülen ('apʃpy:lən) *vt* **1** wash up. **2** rinse.

Abstammung ('apʃtamuŋ) *nf* **-en** descent, ancestry.

Abstand ('apʃtənt) *nm* **¨e** distance. **Abstand halten** keep one's distance.

abstatten ('apʃtatən) *vt* **1** give, render. **2** pay (a visit). **3** extend (thanks). **4** discharge (an obligation).

absteigen* ('apʃtaigən) *vi* **1** descend. **2** dismount, alight. **3** *sport* be relegated.

Abstieg ('apʃti:k) *nm* **-e 1** descent. **2** *sport* relegation.

Abstimmung ('apʃtimuŋ) *nf* **-en** vote, poll.

Abstinenz (apsti'nɛnts) *nf* **1** abstinence. **2** teetotalism. **—ler** *nm* — **1** abstainer. **2** teetotaller.

abstoßen* ('apʃto:sən) *vt* push away, repel.

abstrakt (ap'strakt) *adj* abstract.

Abstufung ('apʃtu:fuŋ) *nf* **-en** graduation.

Absturz ('apʃturts) *nm* **¨e 1** fall. **2** *aviat* crash. **¨—en** ('apʃtyrtsən) *vi* **1** fall (down). **2** *aviat* crash.

absurd (ap'zurt) *adj* absurd.

Abszeß (aps'tsɛs) *nm* **-zesse** abcess.

Abt (apt) *nm* **¨e** abbott. **Äbtissin** (ɛp'tisin) *nf* **-nen** abbess. **Abtei** (ap'tai) *nf* **-en** abbey.

Abteil (ap'tail) *n neu* **-e** compartment. **—en** ('aptailən) *vt* divide. **—ung** ('aptailuŋ) *nf* **-en** division, department, group, section.

abtreib/en ('aptraibən) *vt* **1** drive off. **2** abort. *vi* drift off. **—ung** *nf* **-en** abortion.

abtreten* ('aptre:tən) *vt* **1** cede. **2** wear out (shoes, etc). *vi* resign.

Abtritt ('aptrit) *nm* **-e 1** withdrawal. **2** lavatory.

abtrocknen ('aptrɔknən) *vt* dry (up).

abtrünnig ('aptrynig) *adj* disloyal, rebellious.

abtun* ('aptu:n) *vt* **1** abolish. **2** settle. **3** put aside. **4** take off (clothes).

abwägen* ('apvɛ:gən) *vt* consider, weigh.

abwand/eln ('apvandəln) *vt* **1** *gram* conjugate. **2** vary. **—lung** *nf* **-en 1** *gram* inflection. **2** variation.

abwarten ('apvartən) *vt* wait for.

abwärts ('apvɛrts) *adv* **1** downwards. **2** aside.

abwaschen* ('apvaʃən) *vt* **1** wash off or away. **2** wash up.

abwechsel/n ('apvɛksəln) *vi* alternate. *vt* change. **—nd** *adj* alternating. **—ung** *nf* **-en** change, alternation.

Abwehr ('apvɛ:r) *nf* **-en** defence, guard. **—en** *vt* ward off. **—stoff** *nm* antibody.

abweichen* ('apvaiçən) *vi* deviate, differ from. **—d** *adj* irregular, different.

abweisen* ('apvaisən) *vt* **1** turn away, dismiss. **2** reject.

abwenden* ('apvɛndən) *vt* **1** turn away. **2** prevent. **sich abwenden von** turn away from.

abwerfen* ('apvɛrfən) *vt* **1** throw off or away. **2** knock down. **3** yield. **4** drop (bombs).

abwert/en ('apvɛrtən) *vt,vi* devalue, devaluate. **—ung** *nf* **-en** devaluation.

abwesen/d ('apve:zənt) *adj* **1** absent. **2** absent-minded. **—heit** *nf* **-en** absence.
abwischen ('apviʃən) *vt* wipe off.
abzahlen ('aptsa:lən) *vt* pay off.
abzäunen ('aptsɔynən) *vt* fence off or in.
Abzeichen ('aptsaiçən) *n neu* badge, mark.
abziehen* ('aptsi:ən) *vt* **1** draw off, remove. **2** subtract. **3** distract. *vi* go away.
Abzug ('aptsu:k) *nm* **¨-e 1** deduction. **2** copy. **3** departure. **4** trigger. **5** outlet, vent. **6** (printing) proof. **¨-lich** ('aptsy:kliç) *adv* minus, less.
Abzweigung ('aptsvaigug) *nf* **-en** branch.
ach (ax) *interj* oh!
Achse ('aksə) *nf* **-n 1** axle. **2** axis.
Achsel ('aksəl) *nf* **-n** shoulder.
acht (axt) *adj,nf* eight. **—e** *adj* eighth. **heute in acht Tagen** today week.
Acht (axt) *nf* attention. **sich in Acht nehmen** look out, be on one's guard.
acht/en ('axtən) *vt* respect. **achten auf** pay attention to. **—sam** *adj* attentive. **—geben** *vi* pay attention. **—ung** *nf* respect. *interj* attention, look out! **—ungsvoll** *adj* respectful.
achtzehn ('axtse:n) *adj,nf* eighteen. **achtzehnte** *adj* eighteenth.
achtzig ('axtsiç) *adj,nf* eighty. **achtzigste** *adj* eightieth.
ächzen ('ɛçtsən) *vi* groan.
Acker ('akər) *nm* **¨-** **1** field, arable land. **2** (German) acre. **—bau** *nm* agriculture.
addier/en (a'di:rən) *vt* add. **—maschine** *nf* adding machine.
ade, adieu (a'de:, a'djœ:) *interj* farewell.
Adel ('a:dəl) *nm* nobility, aristocracy. **adelig** *adj also* **adlig** noble. **Adlige(r)** ('a:dligə) *nm* **-n** nobleman, aristocrat. **Adelsstand** ('a:dəlsʃtant) *nm* **1** nobility. **2** peerage.
Ader ('a:dər) *nf* **-n 1** vein. **2** artery.
Adjektiv ('atjɛkti:f) *n neu* **-e** adjective.
Adjutant (atju'tant) *nm* **-en** adjutant, aide.
Adler ('a:dlər) *nm* — eagle.
Admiral (atmi'ra:l) *nm* **-e** admiral.
adoptieren (adɔp'ti:rən) *vt* adopt. **Adoptivkind** (adɔp'ti:fkint) *n neu* adopted child.
Adrenalin (adre:na'li:n) *n neu* adrenaline.
Adress/e (a'drɛsə) *nf* **-n** address. **—ieren** (adrɛ'si:rən) *vt* address.
Adriatisches Meer (adri'a:tiʃəs) *n neu* Adriatic (Sea).
Advokat (atvo'ka:t) *nm* **-en** lawyer, advocate.
Affäre (a'fɛ:rə) *nf* **-n 1** affair. **2** love affair.

Affe ('afə) *nm* **-n 1** ape, monkey. **2** *inf* silly ass. **¨-n** ('ɛfən) *vt* **1** deceive. **2** ape.
Afrika ('a:frika) *n neu* Africa. **—ner** *nm* — African. **—nisch** *adj* African.
Ägäisches Meer (a'gɛiʃəs) *n neu* Aegean (Sea).
Agent (a'gɛnt) *nm* **-en** agent. **—ur** (agɛn'tu:r) *nf* **-en** agency.
Agitation (agitatsi'o:n) *nf* **-en** agitation.
Agnost/iker (a'gnɔstikər) *nm* — agnostic. **—isch** *adj* agnostic. **—izismus** (agnɔsti'tsismus) *nm* agnosticism.
Ägypt/en (ɛ'gyptən) *n neu* Egypt. **—isch** *adj* Egyptian.
Ahn (a:n) *nm* **-en** ancestor.
ähneln ('ɛ:nəln) *vi* resemble.
ahn/en ('a:nən) *vt* **1** suspect, guess. **2** foresee. **—ung** *nf* **-en 1** idea, suspicion. **2** presentiments.
ähnlich ('ɛ:nliç) *adj* similar, like. **—keit** *nf* **-en** similarity, likeness.
Ahorn ('a:hɔrn) *nm* **-e** maple.
Akademie (akade'mi:) *nf* **-n** academy, college. **Akademiker** (aka'de:mikər) *nm* — academic. **akademisch** (aka'de:miʃ) *adj* academic.
Akkord (a'kɔrt) *nm* **-e 1** arrangement, settlement. **2** *mus* chord. **im Akkord arbeiten** do piecework. **—arbeit** *nf* piecework.
Akrobat (akro'ba:t) *nm* **-en** acrobat.
Akt (akt) *nm* **-e 1** act, action. **2** nude study. **3** document.
Akte ('aktə) *nf* **-n 1** document. **2** report. **3** file. **—nmappe** *nf* **1** folder. **2** portfolio. **3** briefcase. **—nschrank** *nm* filing-cabinet. **—ntasche** *nf* briefcase.
Aktie ('aktsiə) *nf* **-n** *comm* share. **—ngesellschaft** *nf* limited company.
Aktionär (aktsio'nɛ:r) *nm* **-e** shareholder.
aktiv (ak'ti:f) *adj* **1** active. **2** effective.
aktuell (aktu'ɛl) *adj* **1** topical. **2** present-day.
Akzent (ak'tsɛnt) *nm* **-e** accent, stress.
akzeptieren (aktsɛp'ti:rən) *vt* accept.
Alabaster (ala'bastər) *nm* alabaster.
Alarm (a'larm) *nm* **-e** alarm. **—ieren** *vt* alarm.
Alaun (a'laun) *nm* **-e** alum.
Alban/ien (al'ba:niən) *n neu* Albania. **—ier** *nm* — Albanian. **—isch** *adj* Albanian.
Albatros ('albatrɔs) *nm* **-se** albatross.
albern ('albərn) *adj* silly, foolish.
Alge (algə) *nf* **-n** seaweed.
Alger/ien (al'ge:riən) *n neu* Algeria. **—ier** *nm* — Algerian. **—isch** *adj* Algerian.
Alimente (ali'mɛntə) *n pl* alimony.

Alkohol ('alkohol) *nm* **-e** alcohol. **—frei** *adj* non-alcoholic. **—verbot** *n neu* prohibition. **—isch** (alko'ho:liʃ) *adj* alcoholic. **—iker** (alko'ho:likər) *nm* alcoholic.

all (al) *pron* all everything. *adj* all, every. **alles in allem** on the whole. **—e** *adv inf* finished, all gone. **alledem** ('alədə:m) *pron* **bei** *or* **trotz alledem** in spite of all that.

All (al) *n neu* universe.

Allee (a'le:) *nf* **-n** avenue.

Allegorie (alego'ri:) *nf* **-n** allegory.

allein (a'lain) *adv, adj* alone, single. *conj* but. **—ig** *adj* **1** sole. **2** exclusive

allemal ('aləma:l) *adv* always. **ein für allemal** once and for all.

allenfalls ('alənfals) *adv* if need be.

allerbest ('alərbɛst) *adj* best of all.

allerdings ('alərdiŋs) *adv* indeed, certainly.

allererst ('alərɛ:rst) *adj,adv* first of all.

allerhand ('alərhant) *adj* of all kinds, various.

allerhöchst ('alərhœçst) *adj* supreme.

allerlei ('alərlai) *adj* of all kinds, various.

allerliebst ('alərli:pst) *adj* **1** dearest (of all). **2** most lovely.

allerwenigst ('alərve:niçst) *adj* the very least.

allezeit ('alətsait) *adv* always.

allgemein ('algəmain) *adj* general, common.

Alliierte(r) (a'li:rtə) *nm* **-n** ally.

alljährlich ('aliɛ:rliç) *adj* annual, yearly.

Allmacht ('almaxt) *nf* omnipotence. **—ig** ('almɛçtiç) *adj* almighty.

allmählich ('almɛ:liç) *adj* gradual.

allseitig ('alzaitiç) *adj* universal.

alltäglich ('altɛ:kliç) *adj* daily, common(place).

allzu ('altsu:) *adv* much too, far too.

Almanach ('almanax) *nm* **-e** almanac.

Almosen ('almo:zən) *n neu* alms.

Alpen ('alpən) *n pl* Alps.

Alphabet (alfa'be:t) *n neu* **-e** alphabet.

Alptraum ('alptraum) *nm* **-e** *also* **Alpdrücken** *n neu* — nightmare.

als (als) *conj* **1** when. **2** as. **3** than. **als ob** *also* **als wenn** as if. ~*prep* as. **nichts als** nothing but.

alsbald (als'balt) *adv* at once.

alsdann (als'dan) *adv* **1** then. **2** after.

also ('alzo:) *conj* therefore. *adv* so.

alt (alt) *adj* old, ancient. **—e(r)** ('altə) *nm* old one or man. **—klug** *adj* precocious. **—modisch** *adj* old-fashioned. **—papier** *n neu* wastepaper **—stadt** *nf* old part of a town. **—warenhändler** *nm* second-hand dealer.

Alt (alt) *nm* **-e** *also* **Altstimme** *nf* alto (voice).

Alter ('altər) *n neu* — (old) age. **im Alter von** at the age of. **—sheim** *n neu* old people's home. **—sversicherung** *nf* life insurance.

Altertum ('altərtu:m) *n neu* antiquity.

Aluminium (alu'mi:nium) *n neu* aluminium.

am (am) contraction of **an dem**

Amboß ('ambɔs) *nm* **-bosse** anvil.

Ameise ('a:məizə) *nf* **-n** ant.

Amerika (a'me:rika) *n neu* America. **—ner** (ameri'ka:nər) *nm* — American. **amerikanisch** (ameri'ka:niʃ) *adj* American.

Ampel ('ampəl) *nf* **-n 1** (hanging) lamp. **2** traffic light.

Amsel ('amzəl) *nf* **-n** blackbird.

Amt (amt) *n neu* **¨er 1** office, (official) position. **2** charge. responsibility. **von Amts wegen** officially, ex officio. **—lich** *adj* official. **—mann** *nm* **1** official. **2** bailiff. **—sgeheimnis** *n neu* official secret. **—sgericht** *n neu* district court.

amüs/ant (amy'zant) *adj* amusing. **—ieren** (amy'zi:rən) *vt* amuse. **sich amusieren** *vr* enjoy oneself.

an (an) *prep* **1** at. **2** on. **3** to. **4** against. **5** in. **6** by. **an (und für) sich** in itself. **von jetzt an** from now on.

analog (ana'lo:k) *adj* analogous. **—ie** (analo'gi:) *nf* **-n** analogy.

Analphabet (analfa'be:t) *nm* **-en** illiterate.

Analys/e (ana'ly:zə) *nf* **-n** analysis. **—ieren** (analy'zi:rən) *vt* analyse.

Ananas ('ananas) *nf* **-se** pineapple.

Anarchie (anar'çi:) *nf* **-n** anarchy.

Anatomie (anato'mi:) *nf* **-n** anatomy.

Anbau ('anbau) *nm* **1** *pl* **-e** cultivation. **2** *pl* **-ten** annexe, outbuilding. **—en** *vt* **1** cultivate. **2** build (an extension).

anbeißen* ('anbaisən) *vt* bite into. *vi* swallow the bait.

anbelangen ('anbəlaŋən) *vt* **was mich anbelangt** as for me.

anbet/en ('anbe:tən) *vt* worship, adore. **—ung** *nf* worship.

Anbetracht ('anbətraxt) *nf* **in Anbetracht** in view of.

anbetreffen* ('anbətrɛfən) *vt* concern.

anbieten* ('anbi:tən) *vt* offer.

Anblick ('anblik) *nm* **-e** view, sight. **—en** *vt* look at.

anbrechen* ('anbrɛçən) *vt* break into, open. *vi* dawn.

anbringen* ('anbriŋən) *vt* **1** attach. **2** place. **3** install. **4** bring (a complaint).

Anbruch ('anbrux) *nm* ¨**e** beginning, opening. **Anbruch des Tages** daybreak.

Andacht ('andaxt) *nf* **-en** devotion, prayers. —¨**ig** ('andɛçtiç) *adj* **1** devout. **2** attentive.

andauern ('andauərn) *vi* continue, last.

Anden ('andən) *n pl* Andes.

Andenken ('andɛŋkən) *n neu* — **1** remembrance, memory. **2** souvenir, keepsake.

ander ('andər) *adj* other, different. **am anderen Tag** the next day. **einmal über das andere** again and again. **ein andermal** ('andərma:l) *adv* another time. **anderntfalls** ('andərnfals) *adv* otherwise. **anderntags** ('andərnta:ks) *adv* the next day. **anderseits** ('andərzaits) *adv or* **andrerseits** on the other hand. **anders** ('andərs) *adv* differently, otherwise. **anderswo** ('andərsvo) *adv also* **anderwärts** elsewhere, in another place. **anderweit** ('andərvait) *adv* **1** in another place. **2** in another way.

ändern ('ɛndərn) *vt* **sich ändern** *vr* change, alter. —**ung** *nf* **-en** change, alteration.

anderthalb ('andərthalp) *adj* one and a half.

andeut/en ('andɔytən) *vt* indicate, suggest. —**ung** *nf* **-en** indication, hint, suggestion.

Andrang ('andraŋ) *nm* press, rush, crowd.

andrehen ('andre:ən) *vt* turn or switch on.

aneignen ('anaignən) *vt* appropriate, acquire.

aneinander (anain'andər) *adv* **1** together. **2** to one another.

Anerbieten ('anɛrbi:tən) *n neu* — *also* **Anerbietung** *nf* **-en** offer, proposal.

anerkannt ('anɛrkant) *adj* recognized, acknowledged.

anerkenn/en* ('anɛrkɛnən) *vt* recognize, acknowledge. —**ung** *nf* **-en** recognition, acknowledgment.

anfahr/en* ('anfa:rən) *vt* **1** carry. **2** collide with. *vi* **1** approach. **2** (of a vehicle) begin to move. —**t** *nf* **-en** **1** arrival. **2** drive(way).

Anfall ('anfal) *nm* ¨**e** **1** attack. **2** fit.

Anfang ('anfaŋ) *nm* ¨**e** **1** beginning, introduction. **2** basis. **am Anfang** at the beginning. **von Anfang an** from the outset. —**en*** *vt,vi* begin, start. —¨**er** ('anfɛŋər) *nm* — beginner, novice. —¨**lich** ('anfɛŋliç) *adj* initial. —**s** *adv* at first, at the beginning.

anfassen ('anfasən) *vt* **1** seize. **2** touch, handle.

anfecht/en ('anfɛçtən) *vt* **1** contest, oppose. **2** trouble, bother. —**ung** *nf* **-en** **1** opposition. **2** temptation.

anfertig/en ('anfɛrtigən) *vt* manufacture, produce. —**ung** *nf* **-en** manufacture, fabrication.

Anforderung ('anfɔrdəruŋ) *nf* **-en** **1** claim, demand. **2** requirement.

Anfrage ('anfra:gə) *nf* **-n** enquiry. **anfragen** ('anfra:gən) *vi,vt* enquire, ask.

anführ/en ('anfy:rən) *vt* **1** lead. **2** quote, state. **3** deceive. —**er** *nm* — **1** commander, leader. **2** agitator. —**ung** *nf* **-en** **1** lead(ership). **2** quotation. —**ungszeichen** *n pl* quotation marks inverted commas.

anfüllen ('anfylən) *vt* fill up.

Angabe ('anga:bə) *nf* **-n** **1** announcement, declaration. **2** information, details.

angeb/en* ('ange:bən) *vt* announce, state, give (reasons). *vi* **1** boast, pretend. **2** *game* deal first, serve. —**er** *nm* — **1** informer. **2** show-off, poseur. —**lich** ('ange:pliç) *adj* supposed, alleged.

angeboren ('angəbo:rən) *adj* inborn.

Angebot ('angəbo:t) *n neu* **-e** **1** bid, offer. **2** supply.

angehen* ('ange:ən) *vi* begin. **das geht nicht an** that won't do. *vt* **1** approach (a person). **2** concern (a person). **3** tackle, attack. **das geht dich nichts an** that's none of your business.

angehör/en ('angəhœ:rən) *vi* belong. —**ige(r)** *nm* **-n** **1** member. **2** relative.

Angeklagte(r) ('angəkla:ktə) *nm* **-n** accused, defendant.

Angelegenheit ('angəle:gənhait) *nf* **-en** matter, affair, business.

angeln ('aŋəln) *vt,vi* angle, fish (for). *n neu* fishing, angling.

Angelsachs/e ('aŋəlzaksə) *nm* **-n** Anglo-Saxon. —¨**isch** ('aŋəlzɛksiʃ) *adj* Anglo-Saxon.

angemessen ('angəmɛsən) *adj* suitable.

angenehm ('angəne:m) *adj* pleasant, agreeable.

angenommen ('angənɔmən) *adj* **1** supposing, assuming. **2** approved.

angesehen ('angəze:n) *adj* respected, distinguished.

Angesicht ('angəziçt) *n neu* **-er** face. —**s** *prep* in view of, considering.

Angestellte(r) ('angəʃtɛltə) *nm* **-n** **1** employee. **2** office worker.

angetan ('angəta:n) *adj* **1** dressed up. **2** likely.

angewandt ('angəvant) *adj* applied.

angewöhnen ('angəvœ:nən) *vt* accustom. **sich angewöhnen** *vr* grow accustomed to.

Angewohnheit ('angəvo:nhait) *nf* **-en** habit, custom.

Angler ('aŋlər) *nm* — angler.

anglikanisch (angli'ka:niʃ) *adj* Anglican.

angreif/en* ('angraifən) *vt* **1** attack, assault. **2**

touch, grasp. **3** undertake. **—er** *nm* — aggressor, assailant.

angrenzen ('angrɛntsən) *vi* border on.

Angriff ('angrif) *nm* **-e** **1** attack. **2** undertaking. **—slustig** *adj* aggressive.

Angst (aŋst) *nf* **¨-e** fear, fright, anxiety. **Angst haben** be afraid. **jemandem Angst machen** frighten someone. **¨—igen** ('ɛŋstigən) *vt* frighten. **sich ¨—igen** *vr* worry, be anxious. **¨—lich** ('ɛŋstliç) *adj* timid, anxious, cautious.

anhaben* ('anha:bən) *vt* wear, have on.

Anhalt ('anhalt) *nm* **-e** **1** support, hold. **2** clue, essential fact. **3** halt, stop. **—en*** *vt* check, stop. *vi* **1** stop. **2** continue, persist. **per Anhalter fahren** hitch-hike. **—spunkt** *nm* clue, lead.

Anhang ('anhaŋ) *nm* **¨-e** **1** appendix. **2** following. **¨—en** ('anhɛŋən) *vt* hang on, attach. **¨—er** ('anhɛŋər) *nm* — **1** follower, disciple. **2** (baggage) tag, label. **3** *mot* trailer.

anheimfallen* ('anhaimfalən) *vi* fall or come to (someone).

Anhöhe ('anhœ:ə) *nf* **-n** hill, rise.

anhören ('anhœ:rən) *vt* listen to.

Ankauf ('ankauf) *nm* **¨-e** purchase. **—en** *vt* purchase.

Anker ('aŋkər) *nm* — anchor. **—n** *vi* anchor.

Anklage ('anklɑ:gə) *nf* **-n** **1** accusation. **2** prosecution. **—n** *vt* accuse, charge.

Anklang ('anklaŋ) *nm* **¨-e** **1** approval. **2** reminiscence.

anknüpf/en ('anknypfən) *vt* **1** fasten. **2** begin.

ankommen* ('ankɔmən) *vi* arrive. **es kommt darauf an 1** it depends (on) . **2** it is important (to).

ankündigen ('ankyndigən) *vt* announce.

Ankunft ('ankunft) *nf* **¨-e** arrival.

Anlage ('anlɑ:gə) *nf* **-n** **1** plan, lay-out. **2** park, gardens. **3** tendency. **4** talent, gift. **5** investment. **6** equipment, apparatus.

anlangen ('anlaŋən) *vi* arrive. *vt* concern (someone).

Anlaß ('anlas) *nm* **—lässe** **1** cause. **2** occasion. **anlassen*** *vt* **1** leave on (a machine, etc.). **2** start, begin. **3** *mot* start (engine). **4** scold. **anläßlich** ('anlɛsliç) *prep* on the occasion of.

Anlauf ('anlauf) *nm* **¨-e** start, take-off, run-up.

anlegen ('anle:gən) *vt* **1** lay or put on or against. **2** found. **3** invest. *vi naut* **1** berth. **2** land. **Feuer anlegen** start a fire.

Anleihe ('anlaiə) *nf* **-n** loan.

Anleitung ('anlaituŋ) *nf* **-en** instruction.

anlieg/en* ('anli:gən) *vi* **1** lie near. **2** fit well. *n neu* — request. **—end** *adj* adjacent.

anlocken ('anlɔkən) *vt* entice, attract.

Anmarsch ('anmarʃ) *nm* **¨-e** *mil* approach, advance.

Anmaßung ('anmasuŋ) *nf* **-en** **1** presumption. **2** insolence.

anmeld/en ('anmɛldən) *vt* **1** report. **2** declare, announce. **—ung** *nf* **-en** **1** registration (with the police). **2** application. **3** announcement.

Anmerk/en ('anmɛrkən) *vt* note, observe. **—ung** *nf* **-en** **1** remark, observation. **2** footnote.

Anmut ('anmu:t) *nf* grace, charm. **—ig** *adj* graceful, charming.

annähernd ('annɛ:ərnt) *adj* **1** approaching. **2** approximate.

Annahme ('anna:mə) *nf* **-n** **1** supposition. **2** acceptance.

annehmen* ('anne:mən) *vt* **1** accept, receive. **2** assume, suppose.

anonym (ano'ny:m) *adj* anonymous.

anordn/en ('anɔrdnən) *vt* arrange, order. **—ung** *nf* **-en** **1** regulation. **2** direction, order.

anpacken ('anpakən) *vt* grasp, seize.

anpassen ('anpasən) *vt* **1** fit. **2** adapt, adjust. **sich anpassen** *vr* adapt, conform.

anrechn/en ('anrɛçnən) *vt* **1** think well of, value. **2** charge. **3** credit. **—ung** *nf* **-en** charge.

Anrede ('anre:də) *nf* **-n** address, speech. **—n** *vt* address, speak to.

anreg/en ('anre:gən) *vt* stimulate, excite, stir up. **—end** *adj* stimulating, exciting. **—ung** *nf* **-en** **1** excitement. **2** inspiration. **3** suggestion.

anrichten ('anriçtən) *vt* **1** serve. **2** prepare. **3** cause.

Anruf ('anru:f) *nm* **-e** **1** shout, call. **2** (telephone) call. **—en*** *vt* **1** ring up. **2** call, hail.

anrühren ('anry:rən) *vt* **1** touch. **2** mix.

ans (ans) contraction of **an das.**

Ansag/e ('anza:gə) *nf* **-n** announcement. **—er** *nm* — (radio) announcer.

ansammeln ('anzaməln) *vt* collect, amass. **sich ansammeln** *vr* gather, assemble.

ansässig ('anzɛsiç) *adj* **1** resident. **2** settled.

Ansatz ('anzats) *nm* **¨-e** start, onset.

anschaffen* ('anʃafən) *vt* procure, buy.

anschalten ('anʃaltən) *vt* switch on, plug in.

anschau/en ('anʃauən) *vt* look at, view. **—lich** *adj* **1** vivid. **2** evident. **—ung** *nf* **-en** **1** opinion, view. **2** conception, idea.

Anschein ('anʃain) *nm* **-e** appearance. **allem Anschein nach** to all appearances. **—end** *adj* apparent.

Anschlag ('anʃla:k) *nm* **¨-e** 1 striking, stroke. 2 poster. 3 plan, plot. 4 estimate. 5 (bomb) attack. **—en*** ('anʃla:gən) *vt* 1 strike at. 2 affix. 3 value. *vi* 1 take effect. 2 attack, strike.

anschließen* ('anʃli:sən) *vt* connect, add, chain (up). **sich anschließen** *vr* join.

Anschluß ('anʃlus) *nm* **-schlüsse** connection, addition. **im Anschluß an** following.

anschnallen ('anʃnalən) *vt* fasten, buckle (on).

Anschovis (an'ʃo:vis) *nf* — anchovy.

Anschrift ('anʃrift) *nf* **-en** address.

anschuldigen ('anʃuldigən) *vt* accuse, charge.

ansehen* ('anze:ən) *vt* 1 look at or upon. 2 consider. **ansehen für** take for. **—nlich** ('anze:nliç) *adj* 1 good-looking. 2 considerable, important.

ansetzen ('anzetsən) *vt* 1 set or put on. 2 fasten. 3 add. 4 apply. *vi* begin.

Ansicht ('anziçt) *nf* **-en** 1 view, sight. 2 opinion. **meiner Ansicht nach** in my opinion. **zur Ansicht** on approval. **—s(post)karte** *nf* picture postcard.

ansiedeln ('anzi:dəln) *vt* settle, colonize.

anspiel/en ('anʃpi:lən) *vt* allude, insinuate. **—ung** *nf* **-en** reference, allusion.

Anspruch ('anʃprux) *nm* **¨-e** 1 claim, demand. 2 right, entitlement. **—slos** *adj* unassuming. **—svoll** *adj* 1 demanding. 2 sophisticated. 3 fastidious.

Anstalt ('anʃtalt) *nf* **-en** 1 institution. 2 *pl* arrangements.

Anstand ('anʃtant) *nm* **¨-e** 1 decency, decorum. 2 hesitation. **¨-ig** ('anʃtəndiç) *adj* decent, respectable. **¨-igkeit** *nf* decency, respectability.

anstatt (an'ʃtat) *prep* instead of.

ansteck/en ('anʃtekən) *vt* 1 fasten or pin on. 2 set fire to, light. 3 infect. **—end** *adj* infectious, contagious.

anstell/en ('anʃtelən) *vt* 1 employ, appoint. 2 turn on, start. 3 place near. 4 carry out, implement. *vi* 1 queue up. 2 behave, act. **—ung** *nf* **-en** appointment, post.

anstiften ('anʃtiftən) *vt* 1 cause. 2 instigate, incite.

Anstoß ('anʃto:s) *nm* **-stösse** 1 impulse, stimulus. 2 knock, collision. 3 offence. 4 kickoff. **Anstoß nehmen** take offence. **—en*** *vt* 1 push (on or against). 2 knock. *vi* offend.

anstreng/en ('anʃtrɛŋən) *vt* 1 exert. 2 strain. 3 tire. **—ung** *nf* **-en** 1 exertion. 2 strain.

Antarktis (ant'arktis) *nf* Antarctic. **antarktisch** (ant'arktiʃ) *adj* Antarctic.

antasten ('antastən) *vt* 1 touch. 2 damage.

Anteil ('antail) *nm* **-e** 1 share. 2 interest. 3 sympathy.

Antenne (an'tɛnə) *nf* **-n** antenna, aerial.

Anthropologie (antropolo'gi:) *nf* anthropology.

Antibiotikum (antibi'o:tikum) *n neu* **-ka** antibiotic.

antik (an'ti:k) *adj* 1 classical, ancient. 2 antique. **Antike** (an'ti:kə) *nf* antiquity.

Antiquar (anti'kva:r) *nm* **-e** 1 second-hand bookseller. 2 antique dealer. **Antiquariat** (antikvari'a:t) *n neu* **-e** second-hand bookshop. **Antiquität** (antikvi'tɛ:t) *nf* **-en** antique.

antisemitisch (antize'mi:tiʃ) *adj* anti-Semitic.

antiseptisch (anti'zɛptiʃ) *adj* antiseptic.

Antonym (anto'ny:m) *n neu* **-e** antonym.

Antrag ('antra:k) *nm* **¨-e** 1 application. 2 proposal. **—steller** *nm* — 1 applicant. 2 mover (of a proposal).

antreffen* ('antrefən) *vt* meet (with).

antreiben* ('antraibən) *vt* push or drive on. *vi* drift ashore.

antreten* ('antre:tən) *vt* 1 begin. 2 take up. 3 enter into. 4 approach.

Antrieb ('antri:p) *nm* **-e** 1 impulse. 2 power. 3 motive force.

Antritt ('antrit) *nm* **-e** 1 beginning. 2 taking up, assumption.

antun* ('antu:n) *vt* 1 put on. 2 do to.

Antwerpen (ant'vɛ:rpən) *n neu* Antwerp.

Antwort ('antvɔrt) *nf* **-en** answer, reply. **in Antwort auf** in reply to. **—en** *vi* answer, reply.

anvertrauen ('anfɛrtrauən) *vt* entrust.

Anwalt ('anvalt) *nm* **¨-e** lawyer, advocate.

anwärmen ('anvɛrman) *vt* warm (gently).

anweis/en* ('anvaizən) *vt* 1 assign. 2 instruct. 3 *comm* remit. **—ung** *nf* **-en** 1 money order, remittance. 2 instruction.

anwend/bar ('anvəntba:r) *adj* 1 applicable. 2 practicable. **—en*** ('anvəndən) *vt* use, apply. **—ung** ('anvəndug) *nf* **-en** application, use.

anwesen/d ('anve:zənt) *adj* present. **—heit** *nf* **-en** presence.

Anzahl ('antsa:l) *nf* 1 number. 2 quantity.

Anzeichen ('antsaiçən) *n neu* sign, sympton.

Anzeig/e ('antsaigə) *nf* **-n** 1 advertisement, notice, announcement. 2 denunciation. 3 notification, indication. **—en** *vt* 1 announce, advertise. **2** denounce. **—er** *nm* **1** indicator. **2** informer. **3** advertiser. **4** newspaper.

anzieh/en* ('antsi:ən) *vt* **1** put on (clothes). **2** attract. **3** pull or draw on. **4** tighten. **sich anziehen** *vr* dress. **—ungskraft** *nf* **1** attractive force, gravitation. **2** attractiveness.

Anzug ('antsu:k) *nm* ¨**-e 1** suit. **2** clothing, dress. **3** approach.

anzünden ('antsyndən) *vt* light, set fire to.

Apennin (apɛ'ni:n) *nm also* **Appenninen** *n pl* Apennines.

Apfel ('apfəl) *nm* ¨**—** apple.

Apfelsine ('apfəlzi:nə) *nf* **-n** orange.

Apostel (a'pɔstəl) *nm* **—** apostle.

Apotheke (apo'te:kə) *nf* **-n** chemist's shop, pharmacy. **—r** *nm* **—** chemist, pharmacist.

Apparat (apɛ'ra:t) *nm* **-e 1** apparatus, equipment. **2** device. **3** telephone. **am Apparat bleiben** hold the line.

appellieren (apɛ'li:rən) *vi* appeal.

Appetit (apɛ'ti:t) *nm* **-e** appetite. **—lich** *adj* appetizing.

Aprikose (apri'ko:zə) *nf* **-n** apricot.

April (a'pril) *nm* **-e** April.

Aquarell (akvɛ'rɛl) *n neu* **-e** watercolour.

Aquarium (a'kva:rium) *n neu* **-rien** aquarium.

Äquator (ɛ'kva:tɔr) *nm* Equator.

Äquivalent (ɛkviva'lɛnt) *n neu* **-e** equivalent.

Arab/er ('arabar) *nm* **—** Arab. **—ien** (a'ra:-biən) *n neu* Arabia. **—isch** (a'ra:biʃ) *adj* Arabian, Arabic. *n neu* Arabic (language).

Arbeit ('arbait) *nf* **-en 1** work, labour. **2** job. **3** effort. **—en** *vi,vt* work, labour. **—er** *nm* **—** worker, workman, labourer. **—erklasse** *nf also* **—erschaft** *nf* **-en** working class(es). **—geber** *nm* **—** employer. **—nehmer** *nm* **—** employee. **—sgemeinschaft** *nf* **1** syndicate. **2** partnership (employers and employees). **3** working party, study group. **—skräfte** *nf pl* personnel, staff, workforce. **—slos** *adj* unemployed. **—slosigkeit** *nf* unemployment.

Archäologie (arçɛolo'gi:) *nf* archaeology.

Architekt (arçi'tɛkt) *nm* **-en** architect. **—ur** (arçitɛk'tu:r) *nf* **-en** architecture.

Archiv (ar'çi:f) *n neu* **-e** archives, records.

arg (ark) *adj* **1** bad, evil. **2** serious. *n neu* evil, malice. **—los** *adj* unsuspecting, innocent. **—wohn** ('arkvo:n) *nm* suspicion, distrust.

Argentin/ien (argɛn'ti:niən) *n neu* Argentina. **—ier** *nm* **—** Argentine. **—isch** *adj* Argentinian.

Ärger ('ɛrgər) *nm* **1** anger. **2** irritation, annoyance. **—lich** *adj* **1** angry. **2** annoying, troublesome. **—n** *vt* annoy, irritate, bother. **—nis** *n neu* **-se 1** nuisance. **2** offence.

Argument (argu'mɛnt) *n neu* **-e** argument, case.

Aristokrat (aristo'kra:t) *nm* **-en** aristocrat. **—ie** *nf* **-n** aristocracy. **—isch** *adj* aristocratic.

Arithmetik (arit'me:tik) *nf* arithmetic.

Arktis ('arktis) *nf* Arctic. **arktisch** ('arktiʃ) *adj* arctic.

arm (arm) *adj* poor. **—e(r)** *nm* **-n** poor man. ¨**—lich** ('ɛrmliç) *adj* poor, lowly (of clothes, a house, etc.). **—selig** *adj* miserable, wretched (of persons). **—ut** ('armu:t) *nf* poverty.

Arm (arm) *nm* **-e 1** arm. **2** (of rivers, etc.) branch. **—band** *n neu* bracelet. **—banduhr** *nf* wrist-watch. **—stuhl** *nm* arm-chair.

Armee (ar'me:) *nf* **-n** army. **—korps** *n neu* army corps.

Ärmel ('ɛrməl) *nm* **—** sleeve. **—kanal** *nm* (English) Channel.

Arrest (a'rɛst) *nm* **-e 1** arrest, seizure. **2** detention, imprisonment.

Art (a:rt) *nf* **-en 1** sort, type, kind. **2** way, manner. **3** nature. **4** species. **—en nach** *vi* take after. **—ig** *adj* **1** well-behaved, polite. **2** kind. **3** good. **—igkeit** *nf* **-en 1** politeness, good behaviour. **2** compliment.

—artig ('a:rtiç) *suff* -like.

Artikel (ar'ti:kəl) *nm* **—** article.

Artillerie (artilə'ri:) *nf* **-n** artillery.

Artischocke (a:ti'ʃɔkə) *nf* **-n** artichoke.

Arznei (arts'nai) *nf* **-en,** *also* **Arzneimittel** *n neu* medicine, drug.

Arzt (a:rtst) *nm* ¨**-e** doctor, physician. ¨**—in** ('ɛ:rtstin) *nf* **-nen** (woman) doctor. ¨**—lich** ('ɛ:rtstliç) *adj* medical.

As (as) *n neu* **-se** ace.

Asbest (as'bɛst) *nm* **-e** asbestos.

Asche ('aʃə) *nf* **-n** ash, ashes, cinders. **—nbahn** *nf* cinder-track, dirt-track. **—nbecher** *nm* ashtray. **—rmittwoch** (aʃər'mitvɔx) *nm* Ash Wednesday.

aß (a:s) *v* see **essen.**

Assistent (asis'tɛnt) *nm* **-en** assistant.

Ast (ast) *nm* ¨**-e 1** bough, branch. **2** knot (in wood).

ästhetisch (es'te:tiʃ) *adj* aesthetic.

Astronaut (astro'naut) *nm* **-en** astronaut.

Astronom (astro'no:m) *nm* **-en** astronomer. **—ie** (astrono'mi:) *nf* astronomy.

Asyl (a'zy:l) *n neu* **-e** asylum, sanctuary.

Atelier (atə'lje:) *n neu* **-s** studio.

Atem ('a:təm) *nm* breath. **außer Atem**

breathless. **—raubend** *adj* **1** breath-taking, terrifying. **2** fascinating. **—los** *adj* breathless.

Athe/ismus (ate'ismus) *nm* atheism. **—ist** (ate'ist) *nm* **-en** atheist.

Äthen (a'te:n) *n neu* Athens.

Äther ('ɛ:tər) *nm* ether. **—isch** (ɛ'te:riʃ) *adj* ethereal.

Äthiop/ien (ɛti'o:piən) *n neu* Ethiopia. **—ier** *nm* — Ethiopian. **—isch** *adj* Ethiopian.

Athletik (at'le:tik) *nf* athletics.

Atlantik (at'lantik) *nm also* **Atlantischer Ozean** (at'lantiʃər) Atlantic.

Atlas[1] ('atlas) *nm* **-lasse** satin.

Atlas[2] ('atlas) *nm* **-lanten** atlas.

atmen ('a:tmən) *vi,vt* breathe, respire.

Atmosphäre (atmos'fɛ:rə) *nf* **-n** atmosphere. **atmosphärisch** (atmos'fɛ:riʃ) *adj* atmospheric.

Atom (a'to:m) *n neu* **-e** atom. **—bombe** *nf* atom(ic) bomb. **—energie** *nf* atomic energy. **—kern** *nm* atomic nucleus. **—kraftanlage** *nf* nuclear power station. **—waffen** *nf pl* nuclear weapons.

Atten/tat (atɛn'ta:t) *n neu* **-e** murderous attack, assault, (attempted) assassination. **—täter** (atɛn'tɛ:tər) *nm* — assassin, assailant.

ätzen ('ɛtsən) *vt* corrode, etch.

Aubergine (obɛr'ʒi:nə) *nf* **-n** aubergine.

auch (aux) *adv, conj* **1** also, as well, too. **2** even. **3** indeed. **auch wenn** *also* **wenn auch** even if. **nicht nur...sondern auch** not only...but also. **wer auch** whoever.

Audienz (audi'ɛnts) *nf* **-en** audience, hearing.

auf (auf) *prep* **1** (up)on. **2** in. **3** to. **4** at. **5** up. **6** against. **auf einmal** all at once. ~*adv* open, up(wards). *interj* (get) up!

Aufbau ('aufbau) *nm* **-e** or **-ten** **1** construction, erection. **2** composition, organization. **3** superstructure. **—en** *vt* construct, build up.

Aufbesserung ('aufbɛsəruŋ) *nf* **-en** **1** improvement. **2** increase (of salary etc.).

aufbewahren ('aufbəva:rən) *vt* store, keep.

aufbleiben* ('aufblaibən) *vi* **1** stay up. **2** remain open.

aufblicken ('aufblikən) *vi* look up.

aufbrauchen ('aufbrauxən) *vt* use up, consume.

aufbrechen* ('aufbrɛçən) *vt* break open. *vi* **1** burst, open. **2** set off.

aufbringen* ('aufbriŋən) *vt* **1** bring up, raise. **2** irritate, anger.

aufdrehen ('aufdre:ən) *vt* **1** unscrew. **2** turn on.

aufdring/en* ('aufdriŋən) *vt* force on (someone). **—lich** *adj* intrusive, importunate.

aufeinander (aufain'andər) *adv* **1** successively. **2** one on or against the other.

Aufenthalt ('aufɛnthalt) *nm* **-e** **1** stop, halt, delay. **2** stay, period (of residence).

auferlegen ('aufɛrle:gən) *vt* impose.

aufersteh/en* ('aufɛrʃte:ən) *vi* rise from the dead. **—ung** *nf* **-en** resurrection.

auffahren* ('auffa:rən) *vi* **1** rise (up). **2** drive up. **3** start, jump. **4** become angry.

auffallen* ('auffalən) *vi* **1** fall upon. **2** be noticeable, evident. **es fiel mir auf, daß** it struck me that. **auffallend** ('auffalənt) *adj also* **auffällig** ('auffɛliç) striking, remarkable.

auffangen* ('auffaŋən) *vt* catch up, intercept.

auffass/en ('auffasən) *vt* **1** understand, interpret. **2** pick up. **—ung** *nf* **-en** **1** comprehension. **2** opinion. **3** conception.

auffinden* ('auffindən) *vt* find (out), discover.

auffliegen* ('auffli:gən) *vi* **1** fly up. **2** explode. **3** (of a door) fly open.

aufforder/n ('auffɔrdərn) *vt* **1** challenge, invite. **2** summon. **—ung** *nf* **-en** **1** challenge, invitation. **2** summons.

auffressen* ('auffrɛsən) *vt* devour.

auführ/en ('auffy:rən) *vt* **1** build. **2** perform. **3** specify. **4** list. **5** bring forward, introduce. **—ung** *nf* **-en** performance, presentation.

Aufgabe ('aufga:bə) *nf* **-n** **1** task, duty. **2** problem. **3** giving up. **4** delivery.

Aufgang ('aufgaŋ) *nm* **-e** **1** ascent, rise. **2** staircase.

aufgeben* ('aufge:bən) *vt* **1** give up or in. **2** deliver, surrender. **3** post (mail, etc.).

Aufgebot ('aufgəbo:t) *n neu* **-e** public notice.

aufgehen* ('aufge:ən) *vi* **1** rise. **2** open. **3** *math* divide exactly, work out correctly.

aufgeklärt ('aufgəklɛ:rt) *adj* enlightened.

aufgelegt ('aufgəle:kt) *adj* disposed, inclined. **gut/schlecht aufgelegt** in a good/bad mood.

aufhalten* ('aufhaltən) *vt* **1** hold open. **2** delay. **sich aufhalten** *vr* stay.

aufhängen* ('aufhɛŋən) *vt* hang (up).

aufheb/en* ('aufhe:bən) *vt* **1** pick up, raise. **2** keep, store. **3** annul, cancel. **4** suspend. **5** reverse. *n neu* — **1** lifting up. **2** fuss, ado. **—ung** *nf* **-en** **1** abolition, repeal. **2** suspension.

aufhören ('aufhœ:rən) *vi* cease, stop, discontinue.

aufklappen ('aufklapən) *vt* open.

aufklär/en ('aufklɛ:rən) *vt,vi* **1** clear up. **2**

enlighten. **3** correct. **—ung** *nf* **-en 1** clearing up. **2** enlightenment. **3** explanation.

aufkleben ('aufkle:bən) *vt* paste on, affix.

aufknüpfen ('aufknypfən) *vt* **1** tie or hang up. **2** untie.

aufkommen* ('aufkɔmən) *vi* **1** rise. **2** recover. **3** make good. *n neu* — **1** yield (of taxes). **2** recovery, rise.

aufladen* ('aufla:dən) *vt* load.

Auflage ('aufla:gə) *nf* **-n 1** edition, impression. **2** circulation. **3** tax, duty.

auflassen* ('auflasən) *vt* leave open.

Auflauf ('auflauf) *nm* **¨e 1** riot. **2** soufflé.

auflös/en ('auflœ:zən) *vt* **1** untie, loosen. **2** dissolve. **3** break up. **—ung** *nf* **-en 1** dissolution. **2** decomposition.

aufmachen ('aufmaxən) *vt* **1** open, undo. **2** put up (an umbrella). **sich aufmachen** *vr* set out.

Aufmarsch ('aufmarʃ) *nm* **¨e** *mil* **1** approach, marching up (of troops). **2** deployment. **3** parade.

aufmerk/sam ('aufmɛrkza:m) *adj* attentive. **—samkeit** *nf* attentiveness.

aufmuntern ('aufmuntərn) *vt* **1** rouse, encourage. **2** cheer up.

Aufnahme ('aufna:mə) *nf* **-n 1** acceptance, reception, admission. **2** recording. **3** photograph.

aufnehmen* ('aufne:mən) *vt* **1** take or pick up. **2** receive, admit. **3** record. **4** photograph.

aufopfer/n ('aufɔpfərn) *vt* sacrifice. **—ung** *nf* **-en 1** sacrifice. **2** devotion.

aufpassen ('aufpasən) *vi* **1** watch. **2** pay attention.

Aufputz ('aufputs) *nm* finery, ornament.

aufräumen ('aufrɔymən) *vt* **1** tidy up. **2** clear away or out.

aufrecht ('aufrɛçt) *adj* **1** upright, erect. **2** honourable. **—erhalten*** *vt* maintain, support. **—erhaltung** *nf* maintenance.

aufreg/en ('aufre:gən) *vt* **1** excite. **2** irritate. **3** alarm. **sich aufregen** *vr* get excited. **—ung** *nf* **-en** excitement, agitation.

aufreiben* ('aufraibən) *vt* **1** chafe. **2** exhaust. **3** harass. **4** destroy, wipe out (an enemy).

aufricht/en ('aufriçtən) *vt* **1** erect, set up. **2** establish. **sich aufrichten** *vr* get or sit up. **—ig** *adj* honest, sincere. **—igkeit** *nf* sincerity.

Aufriß ('aufris) *nm* **1** sketch. **2** section. **3** plan.

aufrücken ('aufrykən) *vi* move up(wards).

Aufruf ('aufru:f) *nm* **-e 1** call. **2** summons. **3** appeal.

Aufruhr ('aufru:r) *nm* **-e 1** riot, uproar. **2** revolt. **¨—erisch** ('aufry:rəriʃ) *adj* mutinous.

aufrüsten ('aufrystən) *vt* (re)arm.

aufs (aufs) contraction of **auf das.**

aufsagen ('aufzagən) *vt* recite.

Aufsatz ('aufzats) *nm* **¨e 1** essay, article. **2** top piece. **3** centrepiece.

aufschieben* ('aufʃi:bən) *vt* **1** push open. **2** delay, postpone.

Aufschlag ('aufʃla:k) *nm* **¨e 1** hit, impact. **2** rise (of prices). **3** cuff, lapel, facing (of clothes). **4** *sport* service. **—en*** ('aufʃla:gən) *vt* **1** break open, open. **2** put up, erect. **3** look or glance up.

aufschließen* ('aufʃli:sən) *vt* **1** unlock. **2** open up.

Aufschluß ('aufʃlus) *nm* **1** information. **2** explanation. **—reich** *adj* informative.

aufschneiden* ('aufʃnaidən) *vt* cut open or up. *vi* brag, exaggerate.

Aufschnitt ('aufʃnit) *nm* **-e** slices of cold meats.

Aufschrei ('aufʃrai) *nm* **-e 1** scream. **2** outcry.

aufschreiben* ('aufʃraibən) *vt* write down.

Aufschrift ('aufʃrift) *nf* **-en 1** inscription. **2** address.

Aufschub ('aufʃup) *nm* **¨e** delay, postponement.

Aufschwung ('aufʃvuŋ) *nm* **¨e 1** rise, upward [illegible]etus. **2** *comm* boom. **3** enthusiasm. **einen** [illegible]**n Aufschwung nehmen** revive.

[illegible]**/en*** ('aufze:ən) *vi* look up. *n neu* — [illegible]tion, stir. **—er** *nm* — inspector, over-[illegible] superintendant.

[illegible]**zen** ('aufzɛtsən) *vt* **1** set up. **2** put [illegible] **sich aufsetzen** *vr* sit up.

[illegible]**icht** ('aufziçt) *nf* **-en 1** supervision. **2** [illegible]arge, care. **—sbehörde** *nf* controlling [illegible]uthority. **—srat** *nm* board of directors.

[illegible]ufspringen* ('aufʃpriŋən) *vi* **1** jump up. **2** fly open. **3** crack.

Aufstand ('aufʃtant) *nm* **¨e** revolt, riot. **¨—isch** ('aufʃtɛndiʃ) *adj* rebellious.

aufstapeln ('aufʃta:pəln) *vt* **1** heap up. **2** store.

aufstehen* ('aufʃte:ən) *vi* **1** get or stand up. **2** rebel. **3** stand open.

aufsteigen* ('aufʃtaigən) *vi* **1** climb (up), mount. **2** rise.

aufstell/en ('aufʃtɛlən) *vt* **1** put or set up. **2** draw up. **3** nominate. **4** display. **5** state. **—ung** *nf* **-en 1** erection. **2** position. **3** arrangement. **4** list, table. **5** nomination.

Aufstieg ('aufʃti:k) *nm* **-e 1** ascent. **2** rise.

aufstützen ('aufʃtytsən) *vt* prop up.
aufsuchen ('aufzu:xən) *vt* seek (out). **jemanden aufsuchen** look up or visit someone.
auftanken ('auftaŋkən) *vt* fuel, fill up (with fuel).
auftauchen ('auftauxən) *vi* 1 emerge. 2 surface. 3 appear, crop up.
aufteilen ('auftailən) *vt* distribute, divide up.
Auftrag ('auftra:k) *nm* ¨-e 1 instructions, order. 2 task. 3 contract. 4 mandate. **im Auftrag von** by order of. **—geber** *nm* — *comm* customer.
auftreiben* ('auftraibən) *vt* 1 procure, obtain. 2 startle, rouse. 3 swell.
auftreten* ('auftre:tən) *vi* 1 come forward. 2 occur, appear. *vt* kick open. *n neu* — 1 appearance. 2 behaviour, manner.
Auftritt ('auftrit) *nm* -e 1 appearance. 2 *Th* scene.
auftun* ('auftu:n) *vt* 1 open. 2 start (up).
aufwachen* ('aufvaxən) *vi* wake up.
aufwachsen* ('aufvaksən) *vi* grow up.
Aufwand ('aufvant) *nm* ¨-e 1 expenditure. 2 extravagance.
aufwärmen ('aufvɛrmən) *vt* 1 warm up. 2 rake up, revive (a dispute, story, etc.).
aufwärts ('aufvɛrts) *adv* upward(s).
aufwecken ('aufvɛkən) *vt* wake, rouse.
aufweisen* ('aufvaizən) *vt* present, show.
aufwend/en* (aufvendən) *vt* spend, expend. **—ung** *nf* **-en** expenditure.
aufwerfen* ('aufvɛrfən) *vt* 1 cast up. 2 throw open. 3 raise (a question).
aufwert/en ('aufvɛrtən) *vt* revalue (upwards). **—ung** *nf* **-en** revaluation.
aufwischen ('aufviʃən) *vt* wipe up.
aufwühlen ('aufvy:lən) *vt* 1 dig up, turn up. 2 stir up.
aufzählen ('auftsɛ:lən) *vt* count (up), enumerate.
aufzeichn/en ('auftsaiçnən) *vt* 1 draw, sketch. 2 note, record. **—ung** *nf* **-en** note, record.
aufziehen* ('auftsi:ən) *vt* 1 pull or draw up, raise. 2 open. 3 bring up, rear.
Aufzug ('auftsu:k) *nm* ¨-e 1 lift, elevator, hoist. 2 parade. 3 act (of a play). 4 attire.
Augapfel ('aukapfəl) *nm* eyeball.
Auge ('augə) *n neu* -n 1 eye. 2 bud. **blaues Auge** black eye. **ein Auge zudrücken** 1 wink at. 2 shut one's eyes to. **unter vier Augen** face to face (in private). **—nblick** *nm* instant, moment. **—nfällig** *adj* conspicuous, obvious.
August (au'gust) *nm* August.
Aula ('aula) *nf* **-len** (great) hall.
au pair (o'pɛ:r) *adj* au pair.
aus (aus) *prep* 1 out (of). 2 from. 3 of. 4 by. *adv* 1 out. 2 over, finished.
ausarbeiten ('ausarbaitən) *vt* 1 work out. 2 prepare.
Ausbau ('ausbau) *nm* -e 1 completion. 2 extension (of a building).
ausbessern ('ausbɛsərn) *vt* 1 repair, refit. 2 rectify.
Ausbeut/e ('ausbɔytə) *nf* -n 1 profit, gain. 2 output. **—en** *vt* exploit, profit from. **—ung** *nf* **-en** exploitation.
ausbild/en ('ausbildən) *vt* 1 educate, train. 2 form, develop. **—ung** *nf* 1 education, training. 2 development.
ausbleiben* ('ausblaibən) *vi* stay away or out, be absent. *n neu* — absence, default.
Ausblick ('ausblik) *nm* -e view, outlook.
ausbrechen* ('ausbrɛçən) *vi* break out. *vt* vomit.
ausbreit/en ('ausbraitən) *vt* 1 spread (out). 2 stretch, extend. 3 spread. **—ung** *nf* **-en** spread, increase.
ausbringen* ('ausbriŋən) *vt* bring out. **eine Gesundheit ausbringen** propose a toast.
Ausbruch ('ausbrux) *nm* ¨-e 1 burst. 2 outbreak. 3 eruption. 4 escape.
ausbrüten ('ausbrytən) *vt* 1 hatch. 2 plot.
Ausdauer ('ausdauər) *nf* 1 endurance. 2 perseverance.
ausdehn/en ('ausde:nən) *vt* extend, stretch, expand. **—ung** *nf* 1 expansion. 2 range, extent.
ausdenken* ('ausdɛŋkən) *vt* think out, work out. **sich ausdenken** *vr* think up, invent.
ausdrehen ('ausdre:ən) *vt* turn or switch off.
Ausdruck ('ausdruk) *nm* ¨-e 1 expression, look. 2 expression, term. **¨—en** ('ausdrykən) *vt* 1 express. 2 press or squeeze out. **¨—lich** ('ausdrykliç) *adj* explicit.
auseinander (ausain'andər) *adv* separately, apart (from one another). **—gehen*** 1 disperse. 2 separate. 3 differ. **—setzen** *vt* explain, expound. **—setzung** *nf* **-en** 1 discussion. 2 conflict. 3 arrangement. **—treiben*** *vt* disperse.
ausersehen* ('auszɛrze:ən) *vt* 1 select, choose. 2 destine. *adj* (pre)destined.
auserwählen ('auszɛrve:lən) *vt* choose, select.
ausfahr/en* ('ausfa:rən) *vi* go for a drive. *vt* take (someone) for a drive. **—t** *nf* 1 drive, excursion. 2 way out, gateway. 3 departure.

Ausfall ('ausfal) *nm* ¨**e** **1** loss. **2** falling out. **3** result. **4** attack, sortie.

ausfertigen ('ausfɛrtigən) *vt* **1** complete. **2** draw up. **3** issue. **4** execute.

ausfind/en* (ˌausfindən) *vt* find out. **ausfindig machen** **1** trace. **2** find out.

Ausflug ('ausflu:k) *nm* ¨**e** excursion.

Ausfluß ('ausflus) *nm* **1** outflow, discharge. **2** outlet. **3** result.

ausfragen ('ausfra:gən) *vt* interrogate, question.

Ausfuhr ('ausfu:r) *nf* **-en** export(ing). **—handel** *nm* export trade.

ausführ/bar ('ausfy:rbɑ:r) *adj* **1** practicable. **2** exportable. **—en** *vt* **1** lead out. **2** carry out, perform. **3** export. **—lich** *adj* detailed, full.

ausfüllen ('ausfylən) *vt* fill up or in.

Ausgabe ('ausga:bə) *nf* **-n** **1** delivery. **2** issue. **3** edition. **4** expense, expenditure.

Ausgang ('ausgaŋ) *nm* ¨**e** **1** door, exit. **2** result, end. **3** going out.

ausgeben* ('ausge:bən) *vt* **1** give out. **2** spend. **sich ausgeben für** pose as.

ausgeglichen ('ausgəgliçən) *adj* balanced.

ausgeh/en* ('ausge:ən) *vi* **1** go out, depart. **2** proceed. **3** end, run out. **4** fade. **—verbot** *n neu* curfew.

ausgelassen ('ausgəlasən) *adj* boisterous, unrestrained.

ausgemacht ('ausgəmaxt) *adj* settled, agreed.

ausgenommen ('ausgənɔmən) *prep* except.

ausgeprägt ('ausgəprɛ:kt) *adj* distinct, marked.

ausgerechnet ('ausgərɛçnət) *adv* just, precisely. **ausgerechnet ich** I of all people.

ausgeschlossen ('ausgəʃlɔsən) *adj* impossible, out of the question.

ausgesprochen ('ausgəʃprɔçən) *adj* marked, pronounced.

ausgezeichnet ('ausgətsaiçnət) *adj* excellent.

ausgießen ('ausgi:sən) *vt* pour out.

Ausgleich ('ausglaiç) *nm* **-e** **1** balance. **2** agreement, settlement. **3** compromise. **4** compensation. **5** adjustment. **—en*** *vt* **1** equalize, balance. **2** settle. **3** adjust.

Ausguß ('ausgus) *nm* **-güsse** **1** pouring out. **2** spout. **3** gutter. **4** sink.

aushalten* ('aushaltən) *vi* **1** hold out. **2** persevere. *vt* endure, bear.

Aushang ('aushaŋ) *nm* ¨**e** poster, notice. **¨—en*** ('aushɛŋən) *vt, vi* hang out.

ausharren ('ausharən) *vi* persevere.

ausheben* ('aushe:bən) *vt* **1** lift out. **2** enlist, recruit. **3** raid.

aushelfen* ('aushɛlfən) *vi* help out.

Aushilfe ('aushilfə) *nf* **-n** assistance, help, (temporary) aid.

sich auskennen* ('auskɛnən) *vr* know thoroughly.

auskleiden ('ausklaidən) *vt* **1** undress. **2** *tech* coat, line. **sich auskleiden** *vr* undress.

auskommen* ('auskɔmən) *vi* **1** come out. **2** escape. **3** manage, make do. **mit jemandem gut auskommen** get on well with someone. *n neu* — livelihood.

Auskunft ('auskunft) *nf* **-künfte** information. **—büro** *n neu* information bureau. **—smittel** *n neu* **1** escape. **2** expedient.

auslachen ('auslaxən) *vt* laugh at.

ausladen* ('ausla:dən) *vt* unload.

Auslage ('ausla:gə) *nf* **-n** **1** outlay. **2** expense. **3** display.

Ausland ('auslant) *n neu* foreign countries. **im/ins Ausland** abroad. **¨—er** ('auslɛndər) *nm* — foreigner, alien. **¨—isch** ('auslɛndiʃ) *adj* foreign.

auslass/en* ('auslasən) *vt* **1** let out. **2** leave out, omit. **sich auslassen** *vr* express one's opinion. **—ung** *nf* **-en** **1** omission. **2** remark. **—ungszeichen** *n neu* apostrophe.

Auslauf ('auslauf) *nm* ¨**e** **1** flowing out. **2** outlet. **3** departure (of a ship). **4** *aviat* landing run. **5** (gradual) finish, run-out. **—en*** *vi* **1** run out. **2** leak. **3** come to an end.

ausleg/en ('ausle:gən) *vt* **1** lay out. **2** spend. **3** explain, interpret. **—ung** *nf* **-en** interpretation, explanation.

Auslese ('ausle:zə) *nf* **-n** **1** selection. **2** choice wine.

ausliefer/n ('ausli:fərn) *vt* hand over, deliver (up). **—ung** *nf* **1** delivery. **2** extradition.

auslöschen ('auslœʃən) *vt* **1** extinguish. **2** erase. **3** switch off.

auslös/en ('auslœ:zən) *vt* **1** release. **2** loosen. **3** ransom, redeem. **4** cause. **5** arouse. **—er** *nm* — **1** trigger. **2** release.

ausmachen ('ausmaxən) *vt* **1** put out (fire, lights). **2** constitute, make up. **3** make out, discern. **4** arrange. **5** agree. **es macht nichts aus** it doesn't matter.

Ausnahm/e ('ausna:mə) *nf* **-n** exception. **—efall** *nm* exceptional case. **—ezustand** *nm* state of emergency. **—slos** *adj* without exception. **—sweise** *adv* exceptionally, for once.

ausnehmen* ('ausne:mən) *vt* **1** take out. **2** except, exempt.

ausnutzen ('ausnytsən) *vt also* **ausnützen** exploit, utilize.

auspacken ('auspakən) *vt* unpack.

ausprägen ('ausprɛ:gən) *vt* **1** stamp, mark. **2** coin. **—ung** *nf* **1** coinage. **2** stamp(ing).

ausprobieren ('ausprobi:rən) *vt* try, sample.

Auspuff ('auspuf) *nm* **-e** exhaust. **—rohr** *n neu* exhaust pipe. **—topf** *nm* silencer.

ausradieren ('ausradi:rən) *vt* erase.

ausräumen ('ausrɔyman) *vt* **1** clear (out). **2** empty.

ausrechnen ('ausrɛçnən) *vt* calculate.

Ausrede ('ausre:də) *nf* **-n** (false) excuse.

ausreichen ('ausraiçən) *vi* suffice. **—d** *adj* sufficient.

Ausreise ('ausraizə) *nf* **-n** departure.

ausrichten ('ausriçtən) *vt* **1** carry out, accomplish. **2** deliver. **3** adjust. **4** straighten.

ausrotten ('ausrɔtən) *vt* **1** root out. **2** destroy (utterly), eradicate.

Ausruf ('ausru:f) *nm* **-e** **1** cry. **2** proclamation. **—en*** *vt, vi* cry out, exclaim. **—ewort** *n neu* interjection. **—ung** *nf* **-en** **1** exclamation. **2** proclamation. **—ungszeichen** *n neu* exclamation mark.

ausruhen ('ausru:ən) *vi* rest.

ausrüst/en ('ausrystən) *vt* **1** provide with, equip. **2** arm. **—ung** *nf* **-en** **1** equipment. **2** armament.

aussäen ('auszɛ:ən) *vt* sow.

Aussag/e ('ausza:gə) *nf* **-n** **1** declaration, deposition. **2** evidence. **—en** *vt* **1** declare, state. **2** give evidence.

Aussatz ('auszats) *nm* leprosy. **—ig** ('auszɛtsiç) *adj* leprous.

ausschalten ('ausʃaltən) *vt* **1** switch off, disconnect, break. **2** eliminate, exclude.

ausscheid/en* ('ausʃaidən) *vt* **1** eliminate. **2** separate. *vi* withdraw, retire.

ausschicken ('ausʃikən) *vt* send out, dispatch.

ausschießen* ('ausʃi:sən) *vt* shoot or cast out.

ausschiffen ('ausʃifən) *vt* **1** disembark. **2** set sail.

ausschimpfen ('ausʃimpfən) *vt* scold.

ausschlafen* ('ausʃla:fən) *vi* sleep late, lie in.

Ausschlag ('ausʃla:k) *nm* **-e** **1** deflection. **2** rash, eruption. **den Ausschlag geben** tip the scales. **—en*** ('ausʃla:gən) *vt* **1** beat or knock out. **2** refuse, reject. **3** line or trim with. *vi* **1** lash out. **2** sprout, break into leaf. **3** turn out, develop. **—gebend** *adj* decisive.

ausschließ/en* ('ausʃli:sən) *vt* shut out, exclude, bar. **—lich** *adj* exclusive. *prep* excluding, exclusive of. **Ausschluß** ('ausʃlus) *nm* exclusion.

ausschneiden* ('ausʃnaidən) *vt* cut out.

ausschöpfen ('ausʃœpfən) *vt* **1** scoop out. **2** drain (off). **3** exhaust.

ausschreiben* ('ausʃraibən) *vt* **1** write out, copy. **2** announce, advertise.

Ausschreitung ('ausʃraitun) *nf* **-en** **1** excess. **2** transgression.

Ausschuß ('ausʃus) *nm* **1** committee, commission. **2** scrap. **3** rejects.

ausschweif/en ('ausʃvaifən) *vi* lead an immoral or dissolute life. **—ung** *nf* debauchery.

aussehen* ('auszɛ:ən) *vi* appear, look. **gut aussehend** good looking. *n neu* **—** **1** appearance. **2** exterior.

außen ('ausən) *adv* **1** out(side), out of doors. **2** outwards. **—bordmotor** *nm* outboard motor. **—handel** *nm* foreign trade. **—minister** *nm* foreign minister. **—politik** *nf* foreign policy, foreign affairs. **—seite** *nf* outside. **—stände** *nm pl* arrears, outstanding debts or accounts. **—welt** *nf* **1** external world. **2** visible world.

aussenden* ('auszɛndən) *vt* **1** send out. **2** emit, transmit.

außer ('ausər) *prep* **1** outside. **2** out of. **3** besides. **4** except for. **außer Betrieb** out of order. **außer Dienst** off duty. **außer Fassung** disconcerted. **außer Kraft setzen** annul, cancel. ~*conj* except, but. **außer daß** except that. **—dem** *adv, conj* besides, moreover. **—gewöhnlich** *adj* extraordinary. **—halb** *prep* outside, beyond. **—ordentlich** (ausər'ɔrdəntliç) *adj* extraordinary, uncommon.

äußer/e ('ɔysərə) *adj* external. *n neu* **-n** exterior, appearance. **—st** ('ɔysərst) *adj* **1** outermost. **2** utmost. **3** extreme.

äußerlich ('ɔysərliç) *adj* **1** external. **2** superficial.

äußer/n ('ɔysərn) *vt* utter, express. **—ung** *nf* **-en** remark.

aussetzen ('auszɛtsən) *vt* **1** set or put out. **2** suspend. **3** expose. **4** offer (money). **5** lower (a boat). *vi* stop, stall.

Aussicht ('auszict) *nf* **-en** outlook, prospect. **—slos** *adj* hopeless. **—spunkt** *nm* viewpoint.

aussondern ('auszɔndərn) *vt* single out, separate.

ausspannen ('ausʃpanən) *vt* stretch, extend. *vi* rest, relax.

ausspeien ('ausʃpaijən) *vt* spit out.

Aussprache ('ausʃpra:xə) *nf* **-n** **1** pronunciation. **2** discussion.

aussprechen* ('ausʃprɛçən) *vt* **1** pronounce. **2** express, say.

Ausspruch ('ausʃprux) *nm* saying, utterance.

ausspülen ('ausʃpy:lən) *vt* **1** wash or rinse out. **2** clean.

Ausstand ('ausʃtant) *nm* strike.

ausstatt/en ('ausʃtatən) *vt* **1** equip. **2** furnish. **—ung** *nf* **-en** **1** equipment. **2** fittings.

ausstehen* ('ausʃte:ən) *vt* endure, bear.

ausstell/en ('ausʃtɛlən) *vt* **1** exhibit. **2** issue. **—ung** *nf* exhibition.

aussterben* ('ausʃtɛrbən) *vi* die out.

Aussteuer ('ausʃtɔyər) *nf* **-n** **1** dowry. **2** trousseau.

ausstoßen* ('ausʃto:sən) *vt* **1** push or drive out, expel. **2** utter.

ausstrahlen ('ausʃtra:lən) *vt,vi* radiate.

ausstrecken ('ausʃtrɛkən) *vt* extend.

ausstreichen* ('ausʃtraiçən) *vt* cross out.

ausströmen ('ausʃtrœ:mən) *vi* **1** stream out. **2** escape.

aussuchen ('auszu:xən) *vt* select, pick.

Austausch ('austauʃ) *nm* **-e** exchange, barter. **—en** *vt* exchange.

austeilen ('austailən) *vt* distribute, hand out.

Auster ('austər) *nf* **-n** oyster.

austragen* ('austra:gən) *vt* **1** distribute. **2** deliver. **3** decide (a contest).

Austral/ien (au'stra:liən) *n neu* Australia. **—ier** *nm* Australian. **—isch** *adj* Australian.

austreiben* ('austraibən) *vt* **1** drive out, expel. **2** exorcize.

austreten* ('austre:tən) *vi* **1** go or step out. **2** withdraw. **3** resign from. *vt* tread out, stamp out. **Austritt** ('austrit) *nm* **-e** **1** departure, exit. **2** resignation. **3** withdrawal.

ausüb/en ('ausy:bən) *vt* **1** practise. **2** carry out. **—ung** *nf* practice, execution.

Ausverkauf ('ausfɛrkauf) *nm* (clearance) sale.

Auswahl ('ausva:l) *nf* **-en** **1** selection. **2** variety. **¨—en** ('ausvɛ:lən) *vt* choose, select.

Auswander/er ('ausvandərər) *nm* — emigrant. **—n** *vi* emigrate. **—ung** *nf* **-en** emigration.

auswärtig ('ausvɛrtiç) *adj* foreign. **das auswärtige Amt** foreign office.

auswärts ('ausvɛrts) *adv* **1** outward(s). **2** abroad. **3** outside.

Ausweg ('ausve:k) *nm* way out, expedient.

ausweich/en* ('ausvaiçən) *vi* **1** make way for. **2** avoid.

ausweiden ('ausvaidən) *vt* gut, disembowel.

Ausweis ('ausvais) *nm* **-e** **1** ticket. **2** identity card. **3** passport. **4** statement. **—en*** ('ausvaizən) *vt* turn out, expel, banish. **sich —en** *vr* prove one's identity. **—karte** *nf* identity card. **—papiere** *n neu pl* identification papers. **—ung** ('ausvaizuŋ) *nf* expulsion, deportation.

auswendig ('ausvɛndiç) *adj* external. **auswendig lernen** learn by heart, memorize.

auswerfen* ('ausvɛrfən) *vt* throw out, cast out.

auswerten ('ausvɛrtən) *vt* evaluate, analyse.

auswirken ('ausvirkən) *vt* **1** work out. **2** effect, bring about.

auswischen ('ausviʃən) *vt* wipe out, obliterate.

Auswuchs ('ausvuks) *nm* growth, deformity.

auszahlen ('austsa:lən) *vt* pay out or off.

auszeichn/en ('austsaiçnən) *vt* **1** mark out. **2** honour. **3** label. **—ung** *nf* **1** distinction, honour. **2** mark.

ausziehen* ('austsi:ən) *vt* **1** draw or pull out. **2** make out (a bill). **3** take off (clothes). *vi* **1** move (out). **2** set forth. **sich ausziehen** *vr* undress.

Auszug ('austsu:k) *nm* **1** departure. **2** extract, abstract. **3** move, removal. **4** statement of account.

Auto ('auto) *n neu* **-s** (motor) car, automobile. **—bahn** *nf* motorway. **—bus** *nm* **-se** bus. **—fahrer** *nm* motorist, driver. **—heber** *nm* jack. **—rennen** *n neu* motor racing. **—stop** *nm* hitchhiking. **per Autostop fahren** hitchhike. **—unfall** *nm* motoring accident.

Autogramm (auto:'gram) *n neu* **-e** autograph.

Auto/mat (auto'ma:t) *nm* **-en** automat, vending machine. **—matisch** *adj* automatic. **—nom** (auto'no:m) *adj* autonomous.

Autor ('autɔr) *nm* **-en** writer, author.

Autorität (autori'tɛ:t) *nf* **-en** authority.

Axt (akst) *nf* **¨-e** axe.

Azoren (a'tso:rən) *n pl* Azores.

B

Baby ('be:bi) *n neu* **-s** baby.

Bach (bax) *nm* **¨-e** stream, brook.

Backbord ('bakbɔrt) *n neu naut* port (side).

Backe ('bakə) *nf* **-n** *also* **Backen** ('bakən) *nm* — cheek.

back/en* ('bakən) *vt* **1** bake. **2** fry. **¨—er** ('bɛkər) *nm* — baker. **¨—erei** (bɛkə'rai) *nf* **-en** bakery. **—pulver** *n neu* baking powder.

Bad (ba:t) *n neu* **¨-er** **1** bath. **2** spa. **—ehose**

(ˈbaːdəhoːzə) *nf* bathing trunks. **—ekappe** (ˈbaːdəkapə) *nf* bathing cap. **—en** (ˈbaːdən) *vi,vt* bathe. **—etuch** (ˈbaːdətuːx) *n neu* bath towel. **—ewanne** (ˈbaːdəvanə) *nf* bath tub. **—ezimmer** (ˈbaːdətsimər) *n neu* bathroom.

Bagger (ˈbagə) *nm* — excavator.

Bahn (baːn) *nf* **-en 1** way, path, track. **2** railway. **—hof** *nm* (railway) station. **—steig** *nm* **-e** platform. **—übergang** *nm* level crossing.

Bahre (ˈbaːrə) *nf* **-n** stretcher, bier.

Bai (bai) *nf* **-en** bay.

Bajonett (bajoˈnɛt) *n neu* **-e** bayonet.

Bakterium (bakˈteːrium) *n neu* **-rien** *also* **Bakterie** (bakˈteːriə) *nf* **-n** bacterium.

balancieren (balāˈsiːrən) *vt* balance.

bald (balt) *adv* **1** soon, shortly. **2** almost. **bald...bald** now...now. **—ig** (ˈbaidiç) *adj* **1** early. **2** quick, speedy. **—möglichst** *adv* as soon as possible.

Balken (ˈbalkən) *nm* — beam, rafter, girder.

Balkon (balˈkōː) *nm* **-s** balcony.

Ball[1] (bal) *nm* **¨-e 1** ball. **2** globe.

Ball[2] (bal) *nm* **¨-e** dance, ball.

Ballade (baˈlaːdə) *nf* **-n** ballad.

Ballast (ˈbalast) *nm* **-e** ballast.

Ballen (ˈbalən) *nm* — **1** bale. **2** package.

Ballet (baˈlɛt) *n neu* **-e** ballet.

Ballon (baˈlōː) *nm* **-e** balloon.

Balsam (ˈbalzaːm) *nm* **-e** balsam, balm.

baltisch (ˈbaltiʃ) *adj* baltic. **baltisches Meer** *n neu* Baltic (sea).

Bambus (ˈbambus) *nm* **-se** bamboo.

Banane (baˈnaːnə) *nf* **-n** banana.

Band[1] (bant) *n neu* **1** *pl* **-ër** band, tape, ribbon. **2** *pl* **-ër** ligament. **3** *pl* **-e** bond, tie. **—aufnahme** *nf* tape-recording.

Band[2] (bant) *nm* **¨-e** volume, tome.

Bandage (banˈdaːʒə) *nf* **-n** bandage.

Bande (ˈbandə) *nf* **-n** band, gang.

bändigen (ˈbɛndigən) *vt* tame, subdue.

Bandit (banˈdiːt) *nm* **-en** bandit.

bang(e) (baŋ) *adj* afraid, anxious.

Bank[1] (baŋk) *nf* **¨-e** bench, seat.

Bank[2] (baŋk) *nf* **-en** *comm* bank. **—ier** (baŋkˈjeː) *nm* **-s** banker. **—konto** *n neu* bank account. **—note** *nf* bank note. **—wesen** *n neu* banking.

Bankett (baŋˈkɛt) *n neu* **-e** banquet.

bankrott (baŋˈkrɔt) *adj* bankrupt. *nm* **-e** bankruptcy.

Bann (ban) *nm* **-e 1** ban, proscription. **2** excommunication. **3** spell. **—en** *vt* **1** banish. **2** excommunicate. **3** enchant.

bar (baːr) *adj* (of money) ready, in cash. **—fuß** *adj* barefoot. **—geld** *n neu* cash, ready money.

Bar (baːr) *nf* **-s** tavern, bar.

Bär (bɛːr) *nm* **-en** bear.

Barbar (barˈbaːr) *nm* **-en** barbarian. **—ei** (barbaˈrai) *nf* **-en** barbarism. **—isch** *adj* barbarous.

Barbiturat (barˈbituraːt) *n neu* barbiturate.

Bariton (ˈbariton) *nm* **-e** baritone.

Barmädchen (ˈbarmɛːdçən) *n neu* — barmaid.

barmherzig (barmˈhɛrtsiç) *adj* merciful.

Barock (baˈrɔk) *nm,neu* baroque.

Barometer (baˈromɛtər) *n neu* — barometer.

Baron (baˈroːn) *nm* **-e** baron. **—in** *nf* **-nen** baroness.

Barre (ˈbarə) *nf* **-n** bar.

Barriere (bariˈɛːrə) *nf* **-n** barrier, gate.

barsch (barʃ) *adj* **1** harsh, rough. **2** rude.

Bart (baːrt) *nm* **¨-e** beard.

Base[1] (ˈbaːzə) *nf* **-n** female relative (especially a cousin).

Base[2] (beːs) *nf* **-n** base.

Basel (ˈbaːzəl) *n neu* Basle.

bas/ieren (baˈziːrən) *vi* be based. **—is** (ˈbaːzis) *nf* **-sen** base, basis.

Baß (bas) *nm* **Bässe** bass. **—geige** *nf* double bass.

Bassist (baˈsist) *nm* **-en** bass singer, bass player.

Bastard (ˈbastart) *nm* **-e 1** bastard. **2** hybrid.

bas/teln (ˈbastəln) *vt* tinker with, potter around with. **—ler** (ˈbastlər) *nm* — **1** dabbler. **2** handyman.

bat (baːt) *v* see **bitten.**

Bataillon (bataiˈljōːn) *n neu* **-e** battalion.

Batterie (bataˈriː) *nf* **-n** battery.

Bau (bau) *nm* **-e, -ten 1** construction, building. **2** burrow. **3** mine. **4** cultivation. **—en** *vt* **1** build. **2** grow. **—fällig** *adj* in disrepair, dilapidated. **—herr** *nm* **1** builder. **2** person for whom a building is being constructed. **—kunst** *nf* architecture. **—meister** *nm* **1** builder. **2** architect. **—platz** *nm also* **—stelle** *nf* building site. **—sparkasse** *nf* building society. **—stein** *nm* building stone. **—werk** *n neu* building, structure.

Bauch (baux) *nm* **¨-e** belly, stomach. **—schmerzen** *nm pl* stomach-ache. **—tanz** *nm* belly dance.

Bauer (ˈbauər) *nm* **-n 1** farmer. **2** peasant.

Bäuerin (ˈbɔyərin) *nf* **-nen** farmer's wife, peasant woman. **Bauernhaus** (ˈbauərnhaus) *n neu* farmhouse. **Bauernhof** (ˈbauərnhoːf) *nm* farm(yard).

Baum (baum) *nm* **¨e** 1 tree. 2 *naut* boom, mast. **—garten** *nm* orchard. **—wolle** *nf* cotton.

Bay/er (ˈbaiər) *nm* **-n** Bavarian. **—ern** (ˈbaiərn) *n neu* Bavaria. **—risch** (ˈbairiʃ) *adj* Bavarian.

Bazillus (baˈtsilus) *nm* **-illen** bacillus.

beabsichtigen (bəˈapziçtigən) *vt* intend.

beacht/en (bəˈaxtən) *vt* pay attention to. **—enswert** *adj* noteworthy, notable. **—ung** *nf* consideration, attention.

Beamte(r) (bəˈamtə) *nm* **-n, Beamtin** (bəˈamtin) *nf* **-nen** 1 official. 2 civil servant.

beängstigen (bəˈɛŋstigən) *vt* frighten.

beanspruchen (bəˈanʃpruxən) *vt* claim, require.

beanstand/en (bəˈanʃtəndən) *vt* object to. **—ung** *nf* **-en** objection.

beantragen (bəˈantraːgən) *vt* 1 apply for. 2 propose.

beantwort/en (bəˈantvɔrtən) *vt* answer. **—ung** *nf* **-en** reply, answer.

bearbeit/en (bəˈarbaitən) *vt* 1 work. 2 revise, adapt. 3 cultivate. **—ung** *nf* **-en** 1 working. 2 treatment. 3 revision, adaptation.

beaufsichtig/en (bəˈaufziçtigən) *vt* 1 supervise. 2 inspect. **—ung** *nf* **-en** supervision, control.

beauftragen (bəˈauftraːgən) *vt* commission.

bebauen (bəˈbauən) *vt* 1 build on. 2 cultivate.

beben (ˈbeːbən) *vi* shake, tremble, shiver.

Becher (ˈbɛçər) *nm* — 1 cup. 2 beaker.

Becken (ˈbɛkən) *n neu* — 1 basin. 2 cymbal. 3 pelvis.

bedacht (bəˈdaxt) *adj* thoughtful. **bedacht auf** intent on. ~*nm* 1 caution. 2 consideration. **mit Bedacht** deliberately. **—ig** (bəˈdɛçtiç) *adj* 1 deliberate. 2 cautious.

Bedarf (bəˈdarf) *nm* 1 need, want. 2 demand.

bedauer/lich (bəˈdauərliç) *adj* unfortunate, regrettable. **—n** *vt* 1 regret. 2 deplore. 3 pity. *n neu* — 1 regret. 2 pity.

bedeck/en (bəˈdɛkən) *vt* 1 cover. 2 protect. **—t** *adj* 1 covered. 2 (of the sky) overcast. **—ung** *nf* 1 covering. 2 protection. 3 escort.

bedenk/en* (bəˈdɛŋkən) *vt* consider, think about. **sich bedenken** *vr* deliberate. ~*n neu* — 1 doubt, reservation. 2 consideration. **—lich** *adj* 1 doubtful. 2 risky.

bedeut/en (bəˈdɔytən) *vt* 1 mean. 2 signify. **—end** *adj also* **—sam** (bəˈdɔytzaːm) significant, important. **—ung** *nf* **-en** 1 meaning. 2 importance. **—ungslos** *adj* 1 meaningless. 2 insignificant. **—ungsvoll** *adj* significant.

bedien/en (bəˈdiːnən) *vt* 1 wait on, serve. 2 operate (a machine). **sich bedien/en** *vr* make use of. **bedienen Sie sich!** help yourself! **—te(r)** (bəˈdiːntə) *nm* **-n** servant. **—ung** *nf* **-en** service, attendance.

beding/t (bəˈdiŋkt) *adj* 1 conditional. 2 determined (by something). **—ung** *nf* **-en** condition, term. **—ungslos** *adj* unconditional.

Bedrängnis (bəˈdrɛŋnis) *nf* **-se** 1 distress. 2 oppression.

bedrohen (bəˈdroːən) *vt* threaten.

bedürf/en* (bəˈdyrfən) *vi* need, require. **—nis** *n neu* **-se** need, want, requirement.

sich beeilen (bəˈailən) *vr* hurry, hasten.

beeinflussen (bəˈainflusən) *vt* influence.

beeinträchtigen (bəˈaintrɛçtigən) *vt* 1 injure. 2 wrong. 3 interfere with. 4 impair.

beenden (bəˈɛndən) *vt* conclude, end, finish.

Beerdigung (bəˈeːrdigug) *nf* **-en** burial.

Beere (ˈbeːrə) *nf* **-n** berry.

Beet (beːt) *n neu* **-e** flower bed.

befähig/en (bəˈfɛːigən) *vt* enable. **—ung** *nf* **-en** 1 ability. 2 qualification.

befahl (bəˈfaːl) *v* see **befehlen.**

befahr/bar (bəˈfaːrbaːr) *adj* 1 passable, navigable. 2 practicable. **—en*** *vt* 1 drive over. 2 navigate.

befallen* (bəˈfalən) *vt* 1 befall. 2 strike.

befangen (bəˈfaŋən) *adj* 1 embarrassed. 2 confused. 3 biased.

befassen (bəˈfasən) *vt* touch. **sich befassen mit** be occupied with.

Befehl (bəˈfeːl) *nm* **-e** command, order. **—en*** *vt* command, order. **—shaber** (bəˈfeːlshaːbər) *nm* — commander, commanding officer.

befestig/en (bəˈfɛstigən) *vt* 1 fasten. 2 fortify, strengthen. **—ung** *nf* **-en** 1 fortification. 2 strengthening. 3 fastening.

Befind/en (bəˈfindən) *n neu* — 1 health. 2 opinion. **sich befinden*** *vr* 1 be, be present. 2 feel. **—lich** (bəˈfintliç) *adj* situated, present, existing.

beflecken (bəˈflɛkən) *vt* stain, soil, dishonour.

beflissen (bəˈflisən) *adj* 1 studious. 2 assiduous.

befohlen (bəˈfoːlən) *v* see **befehlen.**

befolgen (bəˈfɔlgən) *vt* 1 follow. 2 obey.

befördern (bəˈfœrdərn) *vt* 1 transport, convey. 2 promote. 3 support. **—ung** *nf* **-en** 1 forwarding. **2** transport. **3** advancement, promotion.

befragen (bə'fra:gən) *vt* question.

befrei/en (bə'fraiən) *vt* free, liberate. **—ung** *nf* **-en 1** liberation. **2** exemption.

sich befreunden (bə'frɔyndən) *vr* **sich mit jemandem befreunden** befriend someone.

befriedig/en (bə'fri:digən) *vt* **1** satisfy. **2** pacify. **—end** *adj* satisfactory. **—ung** *nf* **1** satisfaction. **2** pacification.

befruchten (bə'fruxtən) *vt* **1** fertilize. **2** impregnate. **3** stimulate.

befug/en (bə'fu:gən) *vt* empower, authorize. **—nis** (bə'fu:knis) *nf* **-se** authority, right.

befürcht/en (bə'fyrçtən) *vt* fear. **—ung** *nf* **-en** anxiety, fear.

befürworten (bə'fy:rvərtən) *vt* advocate.

begab/t (bə'ge:pt) *adj* talented, gifted. **—ung** (bə'ge:buŋ) *nf* **-en** talent, ability.

begann (bə'gan) *v* see **beginnen.**

begeben* (bə'ge:bən) *vt comm* **1** endorse. **2** negotiate. **sich begeben** *vr* **1** go, proceed. **2** surrender, give up. **—heit** *nf* **-en** occurrence, event.

begegn/en (bə'ge:gnən) *vi* meet, encounter. **—ung** *nf* **-en** meeting, encounter.

begehen* (bə'ge:ən) *vt* **1** walk (on), go (along). **2** commit (a crime, error, etc.).

begehr/en (bə'ge:rən) *vt* desire, long for. *n neu* — desire, longing. **—enswert** *adj* desirable.

begeister/n (bə'gaistərn) *vt* inspire. **—t** *adj* enthusiastic. **—ung** *nf* enthusiasm.

Begier (bə'gi:r) *nf* — *also* **Begierde** (bə'gi:rdə) *nf* **-n 1** desire, longing. **2** lust. **—ig** *adj* **1** covetous. **2** eager.

Beginn (bə'gin) *nm* **-e** beginning. **—en*** *vt,vi* begin, start.

beglaubigen (bə'glaubigən) *vt* certify, authenticate.

begleit/en* (bə'glaitən) *vt* accompany. **—er** *nm* **1** companion, attendant. **2** accompanist. **—ung** *nf* **-en 1** escort, retinue. **2** accompaniment.

beglück/en (bə'glykən) *vt* make happy. **—wünschen** *vt* congratulate.

begnadig/en (bə'gna:digən) *vt* pardon, reprieve. **—ung** *nf* **-en** pardon, reprieve, amnesty.

sich begnügen (bə'gny:gən) *vr* be satisfied.

begonnen (bə'gɔnən) *v* see **beginnen.**

begrab/en* (bə'gra:bən) *vt* bury, inter. **¨—nis** (bə'grɛ:pnis) *n neu* **-se 1** burial, funeral. **2** tomb.

begreif/en* (bə'graifən) *vt* understand, grasp. **—lich** *adj* understandable.

begrenzt (bə'grɛntst) *adj* limited, restricted.

Begriff (bə'grif) *nm* **-e 1** idea, concept. **2** understanding. **—en** *adj* engaged or occupied (in).

begründ/en (bə'gryndən) *vt* **1** found, establish. **2** base. **3** substantiate. **—er** *nm* — founder. **—et** (bə'gryndət) *adj* established. **—ung** *nf* **-en 1** foundation. **2** reason, substantiation.

begrüßen (bə'gry:sən) *vt* greet, welcome.

begünstig/en (bə'gynstigən) *vt* **1** favour. **2** further, promote. **—ung** *nf* **-en 1** favour. **2** encouragement.

begütert (bə'gy:tərt) *adj* wealthy, well-off.

behäbig (bə'hɛ:biç) *adj* **1** comfortable. **2** stout.

behaftet (bə'haftət) *adj* **1** burdened. **2** afflicted.

behag/en (bə'ha:gən) *vi* please, suit. *n neu* — **1** pleasure. **2** comfort. **—lich** (bə'ha:kliç) *adj* comfortable, snug.

behalt/en* (bə'haltən) *vt* **1** keep. **2** remember. **3** retain. **¨—er** (bə'hɛltər) *nm* — *also* **¨—nis** (bə'hɛltnis) *n neu* **-se 1** container, holder. **2** case. **3** tank.

behand/eln (bə'handəln) *vt* treat, handle, manage. **—lung** *nf* treatment, handling, management.

beharr/en (bə'harən) *vi* **1** insist, remain firm. **2** endure. **—lich** *adj* persistent, stubborn. **—lichkeit** *nf* perseverance, determination.

behaupt/en (bə'hauptən) *vt* maintain, affirm, assert. **sich behaupten** *vr* be firm, hold one's own. **—ung** *nf* **-en** statement, assertion.

behend/(e) (bə'hɛnt) *adj* **1** agile. **2** dexterous. **—igkeit** (bə'hɛndiçkait) *nf* **1** agility. **2** dexterity.

beherbergen (bə'hɛrbɛrgən) *vt* lodge, put up, house, shelter.

beherrschen (bə'hɛrʃən) *vt* **1** rule, govern, reign over. **2** master (a language). **3** control.

beherzigen (bə'hɛrtsigən) *vt* take to heart.

behilflich (bə'hilfliç) *adj* helpful.

behinder/n (bə'hindərn) *vt* hinder, obstruct. **—ung** *nf* **-en** hindrance, obstruction.

Behörd/e (bə'hœ:rdə) *nf* **-n 1** authority. **2** administrative or governing body. **3** *comm* board. **—lich** *adj* official.

behüten (bə'hy:tən) *vt* **1** preserve. **2** guard. **behutsam** (bə'hu:tza:m) *adj* careful, cautious.

bei (bai) *prep* **1** by. **2** at. **3** near. **4** beside. **5** with. **bei mir 1** at my house or home. **2** with or on me.

beibehalt/en* ('baibəhaltən) *vt* retain, maintain. **—ung** *nf* **-en** retention.
beibringen* ('baibriŋən) *vt* **1** bring forward, produce. **2** teach, impart.
Beicht/e ('baiçtə) *nf* **-n** confession. **—en** *vi,vt* confess. **—stuhl** *nm* confessional.
beide ('baidə) *adj,pron* both. **—rseitig** ('baidərzaitiç) *adj* joint, mutual, on both sides. **—rseits** ('baidərzaits) *adv* on both sides, mutually.
Beifahrer ('baifa:rər) *nm* **1** passenger. **2** co-driver.
Beifall ('baifal) *nm* **1** applause. **2** approval.
beifügen ('baify:gən) *vt* **1** add. **2** enclose.
beigeben* ('baige:bən) *vt* add. **klein beigeben** give in, knuckle under.
Beigeschmack ('baigəʃmak) *nm* **1** flavour, (after)taste. **2** tang, savour. **3** tinge, hint.
Beiheft ('baihɛft) *n neu* supplement.
Beihilfe ('baihilfə) *nf* **1** aid, subsidy. **2** assistance, abetting.
Beil (bail) *n neu* **-e** hatchet, axe.
Beilage ('bailə:gə) *nf* **1** supplement, insert, enclosure. **2** garnish.
beiläufig ('bailɔyfiç) *adj* **1** incidental. **2** casual. *adv* by the way.
Beileid ('bailait) *n neu* condolence.
beiliegend ('baili:gənt) *adj* enclosed.
beim (baim) contraction of **bei dem.**
Bein (bain) *n neu* **-e 1** leg. **2** bone. **—bruch** *nm* fractured leg.
beinah(e) ('baina:) *adv* almost, nearly.
Beiname ('baina:mə) *nm* **1** nickname. **2** surname.
beirren (bə'irən) *vt* **1** mislead. **2** dissuade.
beisammen (bai'zamən) *adv* together.
beiseite (bai'zaitə) *adv* aside, apart.
beisetz/en ('baizɛtsən) *vt* **1** add. **2** put on or beside. **3** bury. **—ung** *nf* **-en** burial.
Beispiel ('baiʃpi:l) *n neu* example. **zum/als Beispiel** for example. **—haft** *adj* exemplary, model. **—los** *adj* unprecedented. **—sweise** *adv* for example, for instance.
beiß/en* ('baisən) *vt,vi* **1** bite. **2** burn. **3** itch.
Beistand ('baiʃtant) *nm* help, assistance.
beistehen* ('baiʃte:ən) *vi* aid, assist.
beistimmen ('baiʃtimən) *vi* agree (with).
Beitrag ('baitra:k) *nm* **¨-e 1** contribution. **2** fee. **—en*** ('baitra:gən) *vt* contribute. *vi* help.
beitreten* ('baitre:tən) *vi* **1** join. **2** assent (to).
Beiwagen ('baiva:gən) *nm* **1** side-car. **2** extra carriage.
beiwohnen ('baivo:nən) *vi* be present, attend.
beizeiten (bai'tsaitən) *adv* early, on time.
beizen ('baitsən) *vt* **1** corrode. **2** cauterize. **3** tan. **4** marinate. **5** stain (wood).
bejahen (bə'ja:ən) *vt* **1** affirm. **2** accept.
bekämpf/en (bə'kɛmpfən) *vt* **1** fight, combat. **2** oppose. **—ung** *nf* **-en 1** fight, struggle. **2** opposition.
bekannt (bə'kant) *adj* (well-)known. **—e(r)** *nm* acquaintance, friend. **—lich** *adv* as is well known. **—machen** *vt* announce, make known. **—machung** *nf* **-en 1** publication. **2** announcement. **—schaft** *nf* **-en** acquaintance.
bekehr/en (bə'ke:rən) *vt* convert (to a religion, etc.). **—ung** *nf* **-en** (religious) conversion.
bekenn/en* (bə'kɛnən) *vt* confess, acknowledge. **Farbe bekennen 1** be frank. **2** *game* follow suit. **—tnis** (bə'kɛntnis) *n neu* **-se 1** confession. **2** denomination.
beklag/en (bə'kla:gən) *vt* **1** mourn. **2** deplore. **sich beklag/en** *vr* complain. **—te(r)** (bə'kla:ktə) *nm* **-n** accused, defendant.
bekleid/en (bə'klaidən) *vt* **1** clothe, dress. **2** cover. **3** occupy (a position, office). **—ung** *nf* clothing.
beklemmen (bə'klɛmən) *vt* stifle, oppress.
bekommen* (bə'kɔmən) *vt* **1** get, obtain. **2** receive. *vi* agree with (one's health).
bekräftigen (bə'krɛftigən) *vt* **1** confirm. **2** strengthen.
bekreuz(ig)en (bə'krɔytsigən) *vt* make the sign of the cross over.
bekümmern (bə'kymərn) *vt* trouble, distress. **sich bekümmern um 1** care for. **2** worry about.
bekunden (bə'kundən) *vt* **1** state. **2** show.
beladen* (bə'la:dən) *vt* load, burden.
Belag (bə'la:k) *nm* **-e** coat(ing), cover(ing).
belager/n (bə'la:gərn) *vt* besiege. **—ung** *nf* **-en** siege.
Belang (bə'laŋ) *nm* **-e 1** importance. **2** interest. **—los** *adj* unimportant, insignificant.
belast/en (bə'lastən) *vt* **1** load. **2** weigh down (on), burden. **3** accuse. **—ung** *nf* **-en 1** burden, load. **2** charge.
belästig/en (bə'lɛstigən) *vt* molest, bother. **—ung** *nf* **-en 1** molestation. **2** inconvenience.
sich belaufen* (bə'laufən) *vr* **sich belaufen auf** total, amount to.
belauschen (bə'lauʃən) *vt* eavesdrop on.
beleb/en (bə'le:bən) *vt* **1** enliven, animate. **2** revive. **—t** *adj* **1** lively. **2** alive. **3** (of streets) crowded.

Beleg (bə'le:k) *n* **-e** **1** proof. **2** record. **3** evidence. **4** document. **—en** (bə'le:gən) *vt* **1** cover, lay (on). **2** reserve. **—schaft** *nf* **-en** **1** personnel, staff. **2** shift.

belehr/en (bə'le:rən) *vt* teach, instruct. **—ung** *nf* **-en** instruction.

beleidig/en (bə'laidigən) *vt* **1** insult. **2** offend. **—ung** *nf* **-en** **1** insult. **2** offence.

beleucht/en (bə'lɔyçtən) *vt* **1** light (up), illuminate. **2** elucidate. **—ung** *nf* **-en** **1** lighting. **2** elucidation.

Belg/ien ('bɛlgiən) *n neu* Belgium. **—ier** *nm* — Belgian. **—isch** *adj* Belgian.

Belgrad ('bɛlgra:t) *n neu* Belgrade.

belicht/en (bə'liçtən) *vt phot* expose. **—ung** *nf* **-en** exposure. **—ungsmesser** *nm* exposure or light meter.

belieb/en (bə'li:bən) *vt* like. *vi* please. *n neu* — **1** liking. **2** pleasure. **3** wish. **nach Belieben** according to one's liking or taste. **—ig** *adj* any, whatever. **—t** (bə'li:pt) *adj* **1** beloved. **2** favourite. **—theit** (bə'li:pthait) *nf* **-en** popularity.

bellen ('bɛlən) *vi* bark, bay.

belohn/en (bə'lo:nən) *vt* reward, remunerate. **—ung** *nf* **-en** reward, remuneration.

sich bemächtigen (bə'mɛçtigən) *vr* seize, take possession of.

bemerk/bar (bə'mɛrkba:r) *adj* noticeable, perceptible. **—en** *vt* perceive, notice, observe. **—enswert** *adj* remarkable, notable. **—ung** *nf* **-en** remark.

bemessen* (bə'mɛsən) *vt* **1** measure, judge. **2** adjust. **3** regulate.

bemitleiden (bə'mitlaidən) *vt* pity, sympathize with.

sich bemüh/en (bə'my:ən) *vr* **1** strive, endeavour. **2** take pains. **—ung** *nf* **-en** effort, trouble, pains.

benachbart (bə'naxba:rt) *adj* neighbouring.

benachrichtig/en (bə'naxriçtigən) *vt* **1** inform. **2** report. **—ung** *nf* **-en** **1** notification. **2** information.

Benehmen (bə'ne:mən) *n neu* — behaviour. **sich benehmen** *vr* act, behave.

beneiden (bə'naidən) *vt* envy. **—swert** *adj* enviable.

Benennung (bə'nɛnuŋ) *nf* **-en** name, term.

Bengel ('bɛŋəl) *nm* — **1** club, cudgel. **2** brat, urchin. **3** rascal. **4** lout.

benutz/en (bə'nutsən) *vt* use, make use of. **—ung** *nf* utilization.

Benzin (bɛn'tsi:n) *n neu* **-e** *mot* petrol. **—motor** *nm* petrol engine.

beobacht/en (bə'o:baxtən) *vt* **1** observe, watch. **2** keep (silence, etc.). **—er** *nm* — observer. **—ung** *nf* **-en** observation.

bepflanzen (bə'pflantsən) *vt* plant.

bequem (bə'kve:m) *adj* **1** comfortable. **2** convenient. **—lichkeit** *nf* **-en** **1** comfort. **2** convenience.

berat/en* (bə'ra:tən) *vt* advise, counsel. **—er** *nm* — adviser. **—ung** *nf* **-en** **1** consultation. **2** deliberation. **—ungsstelle** *nf* advisory board or office.

berauben (bə'raubən) *vt* **1** rob. **2** deprive.

berauschen (bə'rauʃən) *vt* intoxicate. **sich berauschen** *vr* become enchanted (with).

berechn/en (bə'rɛçnən) *vt* calculate, reckon. **—ung** *nf* calculation, estimate.

berechtig/en (bə'rɛçtigən) *vt* empower, authorize. **—ung** *nf* **-en** authorization, right, title.

bered/en (bə're:dən) *vt* **1** talk over. **2** persuade. **—sam** (bə're:tza:m) *adj also* **—t** (bə're:t) eloquent. **—samkeit** *nf* eloquence.

Bereich (bə'raiç) *nm* **-e** **1** region, area, district. **2** range, scope.

bereichern (bə'raiçərn) *vt* enrich.

bereit (bə'rait) *adj* ready, prepared. **—en** *vt* prepare, make (ready). **—halten*** *vt* keep or hold in readiness. **—s** *adv* already. **—schaft** *nf* **-en** **1** readiness. **2** (police) squad. **—stehen*** *vi* be prepared, stand by. **—ung** *nf* **-en** preparation. **—willig** *adj* willing, ready.

bereuen (bə'rɔyən) *vt* regret, repent of.

Berg (bɛrk) *nm* **-e** mountain, hill. **über Berg und Tal** over hill and dale. **—ab** (bɛrk'ap) *adv* downhill. **—auf** (bɛrk'auf) *adv also* **—an** uphill, upwards. **—arbeiter** *nm* miner. **—bau** *nm* mining. **—kette** *nf* mountain range. **—mann** *nm* **-leute** miner. **—rutsch** *nm also* **—sturz** landslide. **—steiger** *nm* mountaineer, climber. **—werk** *n neu* mine.

bergen* ('bɛrgən) *vt* **1** save. **2** protect. **3** rescue. **4** conceal.

Bericht (bə'riçt) *nm* **-e** report, account. **—en** *vt, vi* report. **—erstatter** *nm* — reporter, informant.

berichtig/en (bə'riçtigən) *vt* correct, rectify. **—ung** *nf* **-en** correction, adjustment.

beritten (bə'ritən) *adj* mounted.

Bernstein ('bɛrnʃtain) *nm* amber.

berüchtigt (bə'ryçtiçt) *adj* notorious.

berücksichtig/en (bə'rykziçtigən) *vt* **1** consider. **2** take into account. **—ung** *nf* **-en** regard, consideration.

Beruf (bə'ru:f) *nm* **-e 1** occupation, profession, trade. **2** vocation. **—en*** *vt* **1** call. **2** summon. **3** appoint. *adj* competent. **sich —en** *vr* **1** appeal. **2** refer to. **—lich** *adj* professional. **—sberatung** *nf* career guidance. **—smäßig** *adj* professional. **—sschule** *nf* **1** vocational school. **2** training college. **—ung** *nf* **-en 1** call(ing). **2** nomination. **3** appointment. **4** (law) appeal.

beruhen (bə'ru:ən) *vi* rest on, be based on.

beruhig/en (bə'ru:igən) *vt* quieten, calm, pacify. **—ung** *nf* calming (down).

berühmt (bə'ry:mt) *adj* famous. **—heit** *nf* **-en 1** fame. **2** famous person, celebrity.

berühr/en (bə'ry:rən) *vt* **1** touch, affect. **2** mention. **—ung** *nf* **-en** contact, touch(ing).

besäen (bə'zɛ:ən) *vt* sow. **besät** (bə'zɛ:t) *adj* strewn, covered.

besänftig/en (bə'zɛnftigən) *vt* calm, soothe.

Besatz/ung (bə'zatsuŋ) *nf* **-en 1** *mil* occupation. **2** garrison. **3** crew. **—ungsbehörde** *nf* military administration (in occupied territory).

beschädig/en (bə'ʃɛ:digən) *vt* damage, injure. **—ung** *nf* **-en** damage, injury.

beschaffen (bə'ʃafən) *vt* **1** obtain, procure. **2** provide. *adj* constituted. **gut beschaffen sein** be in good condition. **—heit** *nf* **-en** condition, character, nature.

beschäftig/en (bə'ʃɛftigən) *vt* employ. **sich beschäftig/en** *vr* busy oneself (with). **-ung** *nf* **-en** occupation, employment.

beschämen (bə'ʃɛ:mən) *vt* shame.

beschatten (bə'ʃatən) *vt* **1** shade, overshadow. **2** shadow, tail.

Beschau/er (bə'ʃauər) *nm* — **1** observer. **2** inspector (of food, goods, etc.). **—lich** *adj* contemplative.

Bescheid (bə'ʃait) *nm* **-e 1** answer. **2** information. **3** (law) decision. **Bescheid wissen** be well-informed, know. **—en** (bə'ʃaidən) *adj* modest, moderate, unassuming. **—enheit** *nf* modesty, moderation, discretion.

bescheinig/en (bə'ʃainigən) *vt* certify, attest. **—ung** *nf* **-en** certificate, acknowledgment.

beschenken (bə'ʃɛnkən) *vt* give a present to.

Bescherung (bə'ʃe:ruŋ) *nf* **-en** presentation.

beschieß/en* (bə'ʃi:sən) *vt* shoot at, bombard.

beschimpf/en (bə'ʃimpfən) *vt* insult. **—ung** *nf* **-en** abuse, insult.

Beschlag (bə'ʃla:k) *nm* **-e 1** metal-work, fittings. **2** moisture. **in Beschlag nehmen** seize. **—nahme** *nf* **-n** confiscation.

beschleunig/en (bə'ʃbɔynigən) *vt* accelerate, hasten. **—er** *nm* — accelerator. **—ung** *nf* acceleration.

beschließen* (bə'ʃli:sən) *vt* **1** enclose. **2** decide, resolve, conclude.

Beschluß (bə'ʃlus) *nm* **-schlüsse 1** resolution, decision. **2** conclusion. **—fassung** *nf* decision, resolution.

beschmutzen (bə'ʃmutsən) *vt* soil, blemish.

beschneid/en* (bə'ʃnaidən) *vt* **1** cut, clip, trim. **2** circumcise.

beschränk/en (bə'ʃrɛnkən) *vt* limit, restrict. **—t** *adj* **1** limited. **2** narrow(-minded). **—ung** *nf* **-en** restriction, limitation.

beschreib/en* (bə'ʃraibən) *vt* **1** describe. **2** write, draw on. **—ung** *nf* **-en** description.

beschuldig/en (bə'ʃuldigən) *vt* accuse, charge. **—ung** *nf* **-en** accusation.

beschützen (bə'ʃytsən) *vt* protect.

Beschwer/de (bə'ʃve:rdə) *nf* **-n 1** complaint. **2** trouble, difficulty. **—en** *vt* burden, weigh down. **sich —en** *vr* complain. **—lich** *adj* **1** troublesome. **2** tiresome.

beschwichtigen (bə'ʃviçtigən) *vt* calm, pacify.

beschwipst (bə'ʃvipst) *adj inf* tipsy, merry.

beschwören (bə'ʃvœ:rən) *vt* **1** swear, take an oath (on). **2** implore, beg of. **3** summon, invoke or exorcize (spirits).

beseelen (bə'ze:lən) *vt* **1** inspire. **2** enliven.

besehen* (bə'ze:ən) *vt* look at, inspect.

beseitig/en (bə'zaitigən) *vt* **1** remove, do away with. **2** overcome. **—ung** *nf* **-en** removal.

Besen ('be:zən) *nm* — broom.

besessen (bə'zɛsən) *adj* **1** possessed (of the devil, etc.). **2** obsessed.

besetz/en (bə'zɛtsən) *vt* **1** occupy. **2** man. **3** fill. **4** trim, decorate. **—t** *adj* **1** occupied. **2** full, crowded. **3** (telephone) engaged. **—ung** *nf* **-en 1** *mil* occupation. **2** *Th* cast(ing).

besichtig/en (bə'ziçtigən) *vt* **1** inspect, look at. **2** go sight-seeing (in). **—ung** *nf* **-en 1** inspection. **2** sight-seeing.

besieg/en (bə'zi:gən) *vt* conquer, defeat. **—er** *nm* conqueror.

sich besinn/en* (bə'zinən) *vr* **1** consider, reflect. **2** remember, recall. **—ung** *nf* **1** consciousness. **2** contemplation.

Besitz (bə'zits) *nm* **-e** possession, property. **—en*** *vt* possess. **—er** *nm* — owner, proprietor. **—tum** *n neu* **-ɛr** property, possession. **—ung** *nf* **-en 1** possession. **2** estate.

besoffen (bə'zɔfən) *adj inf* drunk.

Besoldung (bə'zɔlduŋ) *nf* **-en** pay, salary.

besonder/e (bə'zɔndərə) *adj* special, particular, peculiar. **—s** *adv* **1** especially. **2** separately.

besonnen (bə'zɔnən) *adj* **1** prudent, cautious. **2** thoughtful. **—heit** *nf* **1** prudence. **2** thoughtfulness.

besorg/en (bə'zɔrgən) *vt* **1** take care of, attend to. **2** provide, procure. **3** fear. **—nis** (bə'zɔrknis) *nf* **-se** fear, worry, anxiety. **—t** (bə'zɔrkt) *adj* anxious, apprehensive. **—ung** *nf* **-en 1** care. **2** matter (to attend to).

bespannen (bə'ʃpanən) *vt* **1** harness. **2** stretch over (covering). **3** (re)string (a guitar, etc.).

besprech/en* (bə'ʃprɛçən) *vt* **1** discuss, debate, talk over. **2** review (a book, etc.). **—ung** *nf* **-en 1** discussion. **2** conference. **3** review.

bespritzen (bə'ʃpritsən) *vt* splash, sprinkle.

besser ('bɛsər) *adj* better. **desto besser** so much the better. **um so besser** all the better. **—n** *vt* improve, better. **—ung** *nf* **-en 1** improvement. **2** recovery. **—wisser** ('bɛsərvisər) *nm* — know-all.

Bestand (bə'ʃtant) *nm* **¨-e 1** continuance, duration. **2** *comm* stock, supply. **3** *comm* reserves, (cash-)balance. **¨-ig** (bə'ʃtɛndiç) *adj* continuous, constant. **—teil** *nm* constituent, part.

bestärken (bə'ʃtɛrkən) *vt* **1** strengthen. **2** confirm.

bestätig/en (bə'ʃtɛ:tigən) *vt* **1** confirm, verify. **2** acknowledge. **—ung** *nf* **-en** confirmation, verification.

bestatten (bə'ʃtatən) *vt* **1** bury. **2** cremate.

beste ('bɛstə) *adj* best. **aufs beste** in the best way possible. **~***n neu* **-n** best.

bestech/en* (bə'ʃtɛçən) *vt* **1** bribe. **2** corrupt. **—lich** *adj* corrupt(ible). **—ung** *nf* **-en 1** bribery. **2** corruption.

Besteck (bə'ʃtɛk) *n neu* **-e 1** set of cutlery, place-setting. **2** set of instruments.

bestehen* (bə'ʃte:ən) *vi* **1** be, exist. **2** last, endure. *vt* pass (a test, etc.). **bestehen auf** insist on. **bestehen aus/in** consist of/in.

besteigen* (bə'ʃtaigən) *vt* **1** ascend. **2** mount (a horse). **3** board (a ship).

bestell/en (bə'ʃtɛlən) *vt* **1** order. **2** appoint. **3** till (fields). **4** deliver (a message). **—ung** *nf* **1** order. **2** message. **3** cultivation. **4** arrangement.

bestenfalls ('bɛstənfals) *adv* at best. **bestens** ('bɛstəns) *adv* **1** at best. **2** in the best way.

besteuer/n (bə'ʃtɔyərn) *vt* tax. **—ung** *nf* **-en** taxation.

Bestie ('bɛstiə) *nf* **-n** beast, brute.

bestimm/en (bə'ʃtimən) *vt* **1** determine, fix. **2** assign, intend. **—t** *adj* **1** certain, definite. **2** assigned. **3** intended. **—theit** *nf* **-en** certainty. **—ung** *nf* **-en 1** determination. **2** destination. **3** regulation. **4** destiny.

bestrafen (bə'ʃtra:fən) *vt* punish.

Bestrahlung (bə'ʃtra:luŋ) *nf* **1** irradiation. **2** radiotherapy.

sich bestreben (bə'ʃtre:bən) *vr* strive. **Bestrebung** *nf* **-en** attempt, effort.

bestreiten* (bə'ʃtraitən) *vt* **1** contest. **2** deny. **3** meet, defray (expenses).

bestürmen (bə'ʃtyrmən) *vt* **1** attack, storm. **2** implore.

bestürz/t (bə'ʃtyrtst) *adj* **1** upset. **2** dismayed. **—ung** *nf* dismay.

Besuch (bə'zu:x) *nm* **-e 1** visit. **2** visitors, company. **—en** *vt* **1** visit. **2** attend (a school). **—er** *nm* — visitor, guest.

betagt (bə'ta:kt) *adj* aged, elderly.

betätigen (bə'tɛ:tigən) *vt* operate, set in action. **sich betätigen** *vr* busy oneself, participate (in).

betäub/en (bə'tɔybən) *vt* **1** stun. **2** deafen. **3** deaden. **4** anaesthetize. **—ungsmittel** *n neu* **1** anaesthetic. **2** narcotic.

beteilig/en (bə'tailigən) *vt* give a share to. **sich beteiligen** *vr* take part (in). **—ung** *nf* **1** participation. **2** share.

Bete ('be:tə) *nf* **-n** beetroot.

bet/en ('be:tən) *vi, vt* pray.

beteuern (bə'tɔyərn) *vt* **1** protest. **2** declare, aver.

Beton (be'tõ:) *nm* **-e** concrete.

betonen (bə'tonən) *vt* emphasize, stress.

Betracht (bə'traxt) *nm* **in Betracht kommen** come into question. **außer Betracht stehen** be out of the question. **—en** *vt* look at, view, regard. **¨-lich** (bə'trɛçliç) *adj* considerable. **—ung** *nf* **-en 1** view, consideration. **2** reflection. **3** meditation.

Betrag (bə'tra:k) *nm* **¨-e** sum, amount. **—en*** (bə'tra:gən) *vt* amount to. *n neu* behaviour. **sich —en** *vr* behave.

betrauen (bə'trauən) *vt* entrust (someone).

Betreff (bə'trɛf) *nm* **in Betreff** *also* **betreffs** with regard to, concerning. **—en*** (bə'trɛfən) *vt* **1** affect, concern. **2** catch (in the act). **—end** *adj* concerned, in question. *prep* concerning.

betreiben* (bə'traibən) *vt* operate, carry on (a business, etc.).

betreten* (bə'tre:tən) *vt* **1** step on. **2** enter, set foot in. *adj* **1** embarrassed. **2** disconcerted.

Betrieb (bə'tri:p) *nm* **-e 1** works, factory. **2** business. **3** working, operation, running. **4** bustle. **5** traffic. **außer Betrieb** out of order. **in Betrieb** in operation, working. **—sfähig** *adj* in working order. **—skapital** *n neu* working capital. **—skosten** *nf pl* working costs or expenses. **—sleiter** *nm* (works) manager. **—sordnung** *nf* company rules. **—sstoff** *nm mot* fuel. **—sunfall** *nm* industrial accident, accident at work.

betroffen (bə'trɔfən) *adj* **1** affected. **2** perplexed.

betrüb/en (bə'try:bən) *vt* grieve, sadden. **—nis** *nf* **-se** sorrow, grief.

Betrug (bə'tru:k) *nm* deceit, fraud. **¨-en** (bə'try:gən) *vt* defraud, deceive, cheat. **¨-er** (bə'try:gər) *nm* — swindler, cheat, deceiver.

betrunken (bə'trʊŋkən) *adj* drunk. **—heit** *nf* drunkenness.

Bett (bɛt) *n neu* **-en** bed. **—decke** *nf* **1** bedspread. **2** blanket. **—en** *vt* put to bed. **—tuch** *n neu* sheet. **—wäsche** *nf also* **—zeug** *n neu* bedding.

betteln ('bɛtəln) *vi* beg. **Bettler** ('bɛtlər) *nm* — beggar.

beugen ('bɔygən) *vt* **1** bend. **2** *gram* inflect. **sich beugen** *vr* **1** bend down or over. **2** bow. **3** humble oneself.

Beule ('bɔylə) *nf* **-n 1** swelling, boil. **2** dent.

beunruhigen (bə'unru:igən) *vt* disturb, upset.

beurkunden (bə'u:rkundən) *vt* prove, authenticate (by means of documents).

beurlauben (bə'u:rlaubən) *vt* give leave (of absence) to.

beurteil/en (bə'u:rtailən) *vt* judge, pass judgment on. **—ung** *nf* **-en** judgment.

Beute ('bɔytə) *nf* booty, spoil(s).

Beutel ('bɔytəl) *nm* — **1** bag. **2** purse.

bevölker/n (bə'fœlkərn) *vt* populate. **—ung** *nf* **-en** population. **—ungsdichte** *nf* population density.

bevollmächtig/en (bə'fɔlmɛçtigən) *vt* empower, authorize. **—te(r)** (bə'fɔlmɛçtiçtə) *nm* **1** (authorized) representative. **2** proxy. **3** deputy.

bevor (bə'fo:r) *conj* before. **bevor...nicht** until.

bevorstehen* (bə'fo:rʃte:ən) *vi* be near, be imminent.

bevorzugen (bə'fo:rtsu:gən) *vt* prefer.

bewachen (bə'vaxən) *vt* guard.

bewaffnen (bə'vafnən) *vt* arm.

bewahr/en (bə'va:rən) *vt* preserve, keep. **sich —en** *vr* prove oneself (efficient, successful, etc.). **—ung** *nf* **-en** test, trial. **—ungsfrist** *nf* probation.

bewältigen (bə'vɛltigən) *vt* **1** overcome. **2** finish.

bewandert (bə'vandərt) *adj* knowledgeable, expert.

Bewandtnis (bə'vantnis) *nf* **-se** condition, circumstance.

bewässer/n (bə'vɛsərn) *vt* water, irrigate. **—ung** *nf* watering, irrigation.

beweg/en* (bə've:gən) *vt* **1** move. **2** induce, persuade. **sich —en** *vr* move. **—grund** *nm* motive. **—lich** (bə've:kliç) *adj* **1** movable, mobile, moving. **2** versatile. **—lichkeit** *nf* mobility. **—ung** *nf* **-en** motion, movement.

Beweis (bə'vais) *nm* **-e** proof. **—aufnahme** *nf* hearing of evidence. **—en*** (bə'vaizən) *vt* prove, demonstrate, show. **—grund** *nm* argument. **—kraft** *nf* conclusiveness. **—mittel** *n neu* evidence. **—stück** *n neu* **1** exhibit. **2** evidence.

bewenden (bə'vɛndən) *vi* **es dabei bewenden lassen** let the matter rest (at that).

sich bewerb/en* (bə'vɛrbən) *vr* **sich bewerben um 1** apply for. **2** seek. **—er** *nm* — **1** applicant. **2** competitor. **3** suitor.

bewerkstelligen (bə'vɛrkʃtɛligən) *vt* manage, accomplish.

bewillig/en (bə'viligən) *vt* **1** allow, grant. **2** approve. **—ung** *nf* **-en 1** consent, approval. **2** grant, allowance.

bewirken (bə'virkən) *vt* cause, effect.

bewirten (bə'virtən) *vt* **1** entertain. **2** receive.

bewohn/en (bə'vo:nən) *vt* inhabit. **—er** *nm* — inhabitant.

bewölkt (bə'vœlkt) *adj* cloudy, overcast.

Bewunder/er (bə'vundərər) *nm* — admirer. **—n** *vt* admire. **—nswert** *adj* admirable. **—ung** *nf* admiration.

bewußt (bə'vust) *adj* **1** conscious, aware. **2** deliberate. *adv* knowingly. **die bewußten Personen** the people in question. **—heit** *nf* awareness, consciousness. **—los** *adj* unconscious. **—sein** *n neu* consciousness.

bezahl/en (bə'tsa:lən) *vt* pay (for). **—ung** *nf* **-en** payment.

bezaubern (bə'tsaubərn) *vt* bewitch, enchant, charm.

bezeichn/en (bə'tsaiçnən) *vt* **1** mark. **2** designate, indicate. **—end** *adj* characteristic.

—ung *nf* **-en 1** mark, sign. **2** marking. **3** designation.

bezeugen (bə'tsɔygən) *vt* bear witness to, certify.

bezieh/en* (bə'tsi:ən) *vt* **1** cover. **2** move into. **3** receive. **4** obtain. **sich beziehen auf** *vr* relate to, refer to. **—ung** *nf* **-en 1** reference. **2** relation(ship), connection. **—ungsweise** *adv* **1** or. **2** that is to say.

Bezirk (bə'tsirk) *nm* **-e** district, area.

Bezug (bə'tsu:k) *nm* **1** cover(ing). **2** *comm* supply, purchase. **3** *pl* income. **bezüglich (auf)** *also* **in Bezug auf** with regard to, concerning.

bezwecken (bə'tsvɛkən) *vt* aim at.

bezweifeln (bə'tsvaifəln) *vt* doubt, question.

bezwingen* (bə'tsviŋən) *vt* **1** overcome. **2** master.

Bibel ('bi:bəl) *nf* **-n** Bible.

Biber ('bi:bər) *nm* — beaver.

Bibliographie (bibliogra'fi:) *nf* **-n** bibliography.

Bibliothek (biblio'te:k) *nf* **-en** library. **—ar** (bibliote'ka:r) *nm* **-e** librarian.

biblisch ('bi:bliʃ) *adj* biblical.

bieder ('bi:dər) *adj* **1** upright, honest. **2** simple-minded. **—mann** *nm* honest fellow.

biegen* ('bi:gən) *vt* bend.

Biene ('bi:nə) *nf* **-n** bee. **—nkorb** *nm* beehive.

Bier (bi:r) *n neu* **-e** beer. **—garten** *nm* beer garden, (open air) cafe. **—krug** *nm* beer-mug.

bieten* ('bi:tən) *vt* offer.

Bigamie (biga'mi:) *nf* **-n** bigamy.

bigott (bi'gɔt) *adj* bigoted.

Bikini (bi'ki:ni:) *nm* **-s** bikini.

Bilanz (bi'lants) *nf* **-en** balance (sheet).

Bild (bilt) *n neu* **-er** picture, image. **—erbuch** ('bildərbu:x) *n neu* picture book. **—fläche** *nf* **1** field of vision. **2** television or cinema screen. **—hauer** *nm* — sculptor. **—nis** *n neu* **-se** likeness, portrait. **—säule** *nf* statue. **—schön** *adj* lovely, (most) beautiful.

bild/en ('bildən) *vt* **1** form. **2** educate. **—ung** *nf* **-en 1** education. **2** culture. **3** formation, creation.

Billard ('biljart) *n neu* **-s** billiards.

Billett (bil'jɛt) *n neu* **-e 1** note. **2** ticket.

billig ('biliç) *adj* **1** cheap. **2** reasonable, just. **—en** ('biligən) *vt* approve (of), sanction. **—keit** *nf* **-en 1** cheapness. **2** fairness. **—ung** ('biligun) *nf* approval.

Bimsstein ('bimsʃtain) *nm* pumice-stone.

bin (bin) *v* see **sein**[2].

Bind/e ('bində) *nf* **-n 1** band **2** bandage, sling. **3** sanitary towel. **—eglied** *n neu* connecting link. **—estrich** *nm* hyphen. **—ewort** *n neu* conjunction. **—faden** ('bintfa:dən) *nm* string, twine. **—ung** *nf* **-en 1** bond. **2** binding.

binden* ('bindən) *vt* bind, tie.

binnen ('binən) *prep* within. **—handel** *nm* domestic trade. **—land** *n neu* interior, inland.

Biographie (biogra'fi:) *nf* **-n** biography.

Biolog/e (bio'lo:gə) *nm* **-n** biologist. **—ie** (biolo'gi:) *nf* biology. **—isch** (bio'lo:giʃ) *adj* biological.

Birne ('birnə) *nf* **-n 1** pear. **2** (light) bulb.

bis (bis) *prep* **1** to. **2** up to. **3** until. *conj* **1** until. **2** by. **er wird bis morgen ankommen** he will arrive by tomorrow.

Bisam ('bi:zam) *nm* **-e** musk.

Bischof ('biʃɔf) *nm* **¨-e** bishop.

bisexuell (bizɛksu'ɛl) *adj* hermaphroditic, bisexual.

bisher (bis'he:r) *adv* until now, so far. **—ig** *adj* previous, until now.

biß (bis) *v* see **beißen.**

Biß (bis) *nm* **Bisse** bite. **—chen** ('bisçən) *n neu,adj* a little, a bit. **Bissen** ('bisən) *nm* — morsel, bite. **bissig** ('bisiç) *adj* **1** (of dogs) snappish. **2** cutting, biting.

bist (bist) *v* see **sein**[2].

Bistum ('bistu:m) *n neu* **¨-er** bishopric.

bisweilen (bis'vailən) *adv* sometimes.

bitt/e ('bitə) *interj* please! *nf* **-n** request. **—en*** ('bitən) *vt* ask, beg, request. **—schreiben** *n neu also* **—schrift** *nf* petition.

bitter ('bitər) *adj* **1** bitter. **2** severe. **—keit** *nf* bitterness.

Biwak ('bi:vak) *n neu* **-s** bivouac.

Bizeps ('bi:tsɛps) *nm* **-e** biceps.

Blam/age (bla'ma:ʒə) *nf* **-n** disgrace, scandal. **—ieren** (bla'mi:rən) *vt* disgrace, compromise (someone). **sich —ieren** *vr* make a fool of oneself.

blank (blaŋk) *adj* **1** shiny, bright. **2** bare, naked.

blanko ('blaŋko) *adj* blank. **—scheck** *nm* blank cheque. **—vollmacht** *nf* full power of attorney.

Blas/e ('bla:zə) *nf* **-n 1** blister. **2** bubble. **3** bladder. **—en*** *vi,vt* blow. **—instrument** *n neu* wind instrument. **—kapelle** *nf* brass band.

blaß (blas) *adj* pale. **Blässe** ('blɛsə) *nf* pallor, paleness.

Blatt (blat) *n neu* **¨-er 1** leaf, blade. **2** page, sheet (of paper). **3** newspaper. **¨-ern**

('blɛtərn) *vi* **1** turn over the pages. **2** skim through a book. **—erteig** ('blɛtərtaik) *nm* puff-pastry.

blau (blau) *adj* **1** blue. **2** *inf* tipsy. *n neu* blue. **—beere** *nf* bilberry. **¨—e** ('blɔyə) *nf* blueness, azure. **—papier** *n neu* carbon paper.

Blech (blɛç) *n neu* **-e 1** sheet metal. **2** tin.

Blei (blai) *n neu* **-e** lead.

bleiben* ('blaibən) *vi* remain, stay.

bleich (blaiç) *adj* pale, pallid. **—e** *nf* **-n** paleness, pallor. **—en*** *vt* bleach. *vi* turn white or pale. **—sucht** *nf* anaemia.

Bleistift ('blaiʃtift) *nm* **-e** pencil. **—spitzer** *nm* — pencil-sharpener.

Blend/e ('blɛndə) *nf* **-n 1** blind, shutter. **2** *phot* diaphragm. **—en** *vt* **1** blind, dazzle. **2** deceive.

Blick (blik) *nm* **-e 1** look, glance. **2** gaze. **—en** *vi* look, glance.

blieb (bli:p) *v* see **bleiben.**

blind (blint) *adj* **1** blind. **2** false. **3** hidden. **4** tarnished. **blinder Passagier** *nm* stowaway. **—darm** *nm anat* appendix. **—darmentzündung** *nf* appendicitis. **—heit** *nf* blindness.

blinzeln ('blintsəln) *vi* **1** twinkle. **2** blink. **3** wink.

Blitz (blits) *nm* **-e** lightning. **—ableiter** *nm* — lightning-conductor. **—en** *vi* flash, lighten. **—krieg** *nm* lightning war, blitzkrieg. **—licht** *n neu* (photographic) flash. **—schnell** *adj* as quick as lightning.

Block/ade (blɔ'ka:də) *nf* **-n** blockade. **—flöte** ('blɔkflœ:tə) *nf mus* recorder. **—ieren** (blɔ'ki:rən) *vt* **1** obstruct, block. **2** blockade. **3** jam.

blöd ('blœ:t) *adj* **1** silly, stupid. **2** imbecile. **3** shy, timid. **—heit** ('blœ:thait) *nf* **-en** stupidity. **—sinn** ('blœ:tsin) *nm* **1** nonsense. **2** idiocy. **—sinnig** ('blœ:tsiniç) *adj* idiotic, silly.

blond (blɔnt) *adj* blond, light-coloured, fair.

bloß (blɔs) *adj* **1** bare. **2** mere. *adv* only, simply. **—stellen** *vt* expose.

blühen ('bly:ən) *vi* **1** bloom, blossom. **2** flourish.

Blume ('blu:mə) *nf* **-n 1** flower. **2** aroma. **3** (of wine) bouquet. **—nkohl** *nm* cauliflower. **—nstrauß** *nm* bouquet. **—nzwiebel** *n* bulb.

Bluse ('blu:zə) *nf* **-n** blouse.

Blut (blu:t) *n neu* blood. **—arm** *adj* **1** anaemic. **2** extremely poor. **—egel** *nm* — leech. **—en** *vi* bleed. **—ig** *adj* **1** bloody. **2** complete, total. **—rünstig** *adj* bloody, blood-thirsty. **—schande** *nf* incest. **—spender** *nm med* blood-donor. **—sturz** *nm* bleeding, haemorrhage. **—übertragung** *nf* blood transfusion. **—wurst** *nf* black pudding.

Blüte ('bly:tə) *nf* **-n 1** blossom, flower. **2** prime. **—zeit** *nf* **1** blossom-time. **2** prosperity, heyday.

Bö (bœ:) *nf* **-en** squall, gust.

Bock (bɔk) *nm* **¨-e 1** ram, he-goat. **2** buck. **3** *sport* buck (for vaulting). **4** trestle. **5** strut. **—bier** *n neu* strong dark beer. **—wurst** *nf* (thick) frankfurter sausage.

Boden ('bo:dən) *nm* **¨—** **1** ground, soil. **2** bottom, bed. **—reform** *nf* land reform. **—schätze** *nm pl* mineral resources. **—tür** *nf* trap-door.

Bodensee ('bo:dənze:) *nm* Lake Constance.

Bogen ('bo:gən) *nm* — **1** curve, arch. **2** *mus, sport* bow. **3** sheet (of paper). **—gang** *nm* arcade, colonnade. **—linie** *nf* curve. **—schütze** *nm* archer.

Böhm/e ('bœ:mə) *nm* **-n** Bohemian. **—en** *n neu* Bohemia. **—isch** *adj* Bohemian.

Bohne ('bo:nə) *nf* **-n** bean.

Bohnenkaffee ('bo:nənkafe:) *nm* pure coffee.

bohr/en ('bo:rən) *vt,vi* bore, drill. **—er** *nm* **¨—** borer, drill, gimlet.

Boje ('bo:jə) *nf* **-n** buoy.

Bollwerk ('bɔlvɛrk) *n neu* bulwark.

Bolzen ('bɔltsən) *nm* — **1** bolt, peg. **2** bolt, arrow.

Bombe ('bɔmbə) *nf* **-n** bomb. **—nerfolg** *nm* huge success. **—r** *nm* — bomber.

Bonbon (bõ'bõ) *nm,neu* **-s** sweet.

Bonze ('bɔntsə) *nm* **-n** *sl* boss, bigwig.

Boot (bo:t) *n neu* **-e** boat.

Bord (bɔrt) *nm* **-e** border, rim. **an Bord** on board.

Bordell (bɔr'dɛl) *n neu* **-e** brothel.

borgen ('bɔrgən) *vt* borrow.

Borke ('bɔrkə) *nf* **-n** bark, rind.

Börse ('bœ:rzə) *nf* **-n 1** purse. **2** stock exchange. **—nkurs** *nm* market rate.

Borste ('bɔrstə) *nf* **-n** bristle.

bös/artig ('bœ:zartiç) *adj* **1** evil, malicious. **2** (illness) malignant. **—e** ('bœ:zə) *adj* **1** evil, bad. **2** angry. **3** (of disease) malignant. **—ewicht** ('bœ:zəviçt) *nm* **-e** villain, evil person.

bos/haft ('bo:shaft) *adj* spiteful, malicious. **—heit** ('bo:shait) *nf* **-en 1** spite, malice. **2** wickedness.

Boß (bɔs) *nm* **-e** *inf* boss, manager.

bot (bo:t) *v* see **bieten.**

Botan/ik (bo'ta:nik) *nf* botany. **—iker** *nm* — botanist. **—isch** *adj* botanic(al).

Bot/e ('bo:tə) *nm* **-n** messenger. **—schaft** *nf* **-en** 1 embassy. 2 message. **—schafter** *nm* — ambassador.

Bottich ('bɔtiç) *nm* **-e** vat, tub.

Bowle ('bo:lə) *nf* **-n** 1 bowl. 2 fruit cup, punch.

box/en ('bɔksən) *vi* box. **—er** *nm* — boxer.

brach[1] (brax) *v* see **brechen.**

brach[2] (brax) *adj* fallow, uncultivated.

brachte ('braxtə) *v* see **bringen.**

Branche ('brãʃə) *nf* **-n** 1 trade, line (of business). 2 department, branch.

Brand (brant) *nm* ¨**e** 1 fire, burning. 2 gangrene. 3 mildew. **in Brand setzen** or **stecken** set on fire. **—bombe** *nf* incendiary bomb. **—sohle** *nf* inner sole, welt. **—stifter** *nm* incendiary, fire-raiser. **—stiftung** *nf* arson.

Brandung ('brandʊŋ) *nf* **-en** surf, breakers.

Branntwein ('brantvain) *nm* **-e** brandy.

Brasil/ianer (brazili'a:nər) *nm* — Brazilian. **—ianisch** *adj* Brazilian. **—ien** (bra'zi:liən) *n neu* Brazil.

brat/en* ('bra:tən) *vt,vi* 1 roast. 2 fry. 3 grill, broil. *n neu* — roast, joint. **—kartoffel** *nf* fried or roast potato. **—pfanne** *nf* frying pan. **—wurst** *nf* fried sausage.

Brauch (braux) *nm* ¨**e** 1 custom. 2 usage. **—bar** *adj* 1 useful. 2 serviceable. **—en** *vt* 1 need, want. 2 use.

Braue ('brauə) *nf* **-n** brow.

brau/en ('brauən) *vt* brew. **—er** *nm* — brewer. **—erei** (brauə'rai) *nf* **-en** brewery.

braun (braun) *adj* brown. ¨**—en** ('brɔynən) *vi,vt* brown, tan.

Braunschweig ('braunʃvaik) *n neu* Brunswick.

Brause ('brauzə) *nf* **-n** 1 shower. 2 nozzle, spray. 3 mineral water. 4 lemonade. **—n** *vi* 1 effervesce. 2 spray, shower. 3 roar, rage.

Braut (braut) *nf* ¨**e** 1 bride. 2 fiancée. ¨**—igam** ('brɔytigam) *nm* **-e** 1 bridegroom. 2 fiancé. **—jungfer** *nf* bridesmaid. **—kleid** *n neu* wedding dress. **—paar** *n neu* 1 bridal pair. 2 engaged couple.

brav (bra:f) *adj* 1 good. 2 honest. 3 brave.

brech/en* ('brɛçən) *vt* 1 break, crush. 2 refract. **—bohne** *nf* French bean.

Brei (brai) *nm* **-e** 1 pap, pulp 2 porridge.

breit (brait) *adj* broad, wide. **—e** *nf* **-n** 1 breadth, width. 2 latitude. 3 verbosity. **—en** *vt* spread (out), broaden. **—engrad** *nm* degree of latitude.

Brems/e[1] ('brɛmzə) *nf* **-n** brake. **—en** *vt,vi* brake, apply the brakes. **—schuh** *nm* brake shoe.

Bremse[2] ('brɛmzə) *nf* **-n** gadfly, horse-fly.

brenn/bar ('brɛnba:r) *adj* inflammable. **—en*** *vi* burn, sting. *vt* 1 burn. 2 roast. 3 distil. **—er** *nm* — 1 (gas) burner. 2 distiller. 3 fire-raiser. **—erei** (brɛnə'rai) *nf* **-en** distillery, still. **—essel** ('brɛnnəsəl) *nf* **-n** stinging-nettle. **—holz** *n neu* firewood. **—material** *n neu* fuel. **—punkt** *nm* focus, focal point. **—stoff** *nm* fuel.

Brett (brɛt) *n neu* **-er** 1 board, plank. 2 shelf.

Brezel ('bre:tsəl) *nf* **-n** pretzel.

bricht (briçt) *v* see **brechen.**

Brief (bri:f) *nm* **-e** letter. **—fach** *n neu* 1 pigeon-hole. 2 post-office box. **—kasten** *nm* letter box. **-lich** *adj* by letter. **—marke** *nf* (postage) stamp. **—tasche** *nf* wallet, pocket-book. **—träger** *nm* postman. **—umschlag** *nm* envelope. **—wechsel** *nm* correspondence.

Brigade (bri'ga:də) *nf* **-n** brigade.

Brikett (bri'kɛt) *n neu* **-s** briquette.

brillant (bril'jant) *adj* brilliant.

Brille ('brilə) *nf* **-n** 1 spectacles. 2 goggles.

bringen* ('briŋən) *vt* 1 bring. 2 take. 3 fetch. 4 lead. 5 carry. **jemanden um etwas bringen** deprive someone of something. **jemanden dazu bringen** induce someone to.

Brit/annien (bri'taniən) *n neu* Britain. **—e** ('britə) *nm* **—n** Briton. **—isch** ('britiʃ) *adj* British.

bröckel/ig ('brœkəliç) *adj* crumbly. **—n** *vt,vi* crumble.

Brokkoli ('brɔkoli) *n pl* broccoli.

Brom (bro:m) *n neu* bromine.

Brombeere ('brɔmbe:rə) *nf* **-n** blackberry.

Bronze ('brõsə) *nf* **-n** bronze.

Brosche ('brɔʃə) *nf* **-n** brooch.

Broschüre (brɔ'ʃy:rə) *nf* **-n** pamphlet, booklet, brochure.

Brot (bro:t) *n neu* **-e** 1 bread. 2 loaf. ¨**—chen** ('broe:tçən) *n neu* — roll, bun.

Bruch (brux) *nm* ¨**e** 1 break(ing), breach. 2 fracture. 3 rupture. 4 fraction. 5 crease, fold. ¨**—ig** ('bryçiç) *adj* 1 fragile, brittle. 2 cracked. **—stück** *n neu* fragment. **—teil** *nm* fraction.

Brücke ('brykə) *nf* **-n** bridge.

Bruder ('bru:dər) *nm* ¨ brother. ¨**—lich** ('bry:-dərliç) *adj* fraternal. **—schaft** *nf* **-en** fraternity, brotherhood. ¨**—schaft** ('bry:dərʃaft) *nf* **-en** friendship.

Brühe ('bry:ə) *nf* **-n** broth, stock, soup.
brüllen ('brylən) *vi* **1** bellow. **2** roar.
Brumm/bär ('brumbɛ:r) *nm,inf* grumbler. **—en** *vi* **1** hum, buzz. **2** growl, grumble.
brünett (bry'nɛt) *adj* brunette.
Brunnen ('brunən) *nm* — **1** well. **2** fountain. **3** spring. **—kresse** *nf* watercress.
Brunst (brunst) *nf* **¨e 1** *zool* rut, heat. **2** (sexual) lust. **¨-ig** ('brynstiç) *adj* **1** in heat. **2** lustful.
Brüssel ('brysəl) *n neu* Brussels.
Brust (brust) *nf* **¨e** breast, chest. **—bild** *n neu* half-length portrait. **—kasten** *nm* chest, thorax.
brutal (bru'ta:l) *adj* brutal.
brüten ('brytən) *vi,vt* **1** brood. **2** incubate.
brutto ('bruto) *adj* gross.
Bub(e) ('bu:bə) *nm* **-(e)n 1** boy. **2** rogue. **3** *game* knave.
Buch (bu:x) *n neu* **¨er** book. **¨-erei** (by:çə'rai) *nf* **-en** library. **¨-erschrank** ('by:çərʃraŋk) *nm* bookcase. **—fink** *nm* chaffinch. **—halter** *nm comm* bookkeeper. **—handel** *nm* **1** book trade. **2** bookselling. **—händler** *nm* bookseller. **—handlung** *nf* bookshop. **¨-lein** ('by:çlain) *n neu* — booklet.
Buche ('bu:xə) *nf* **-n** beech.
Büchse ('byksə) *nf* **-n 1** box. **2** tin, can.
Buchstab/e ('bu:xʃta:bə) *nm* **-n** letter, character. **großer Buchstabe** capital letter. **—ieren** (bu:xʃta'bi:rən) *vt* spell. **—ierung** (bu:xʃta'bi:ruŋ) *nf* **-en** spelling. **—lich** ('bu:-xʃtɛ:pliç) *adj* literal.
Bucht (buxt) *nf* **-en 1** bay, inlet. **2** bight.
Buck/el ('bukəl) *nm* — **1** bulge, hump. **2** humpback. **3** stud, boss.
sich bücken ('bykən) *vr* **1** bow. **2** stoop.
Bude ('bu:də) *nf* **-n 1** stall, booth. **2** *inf* digs, rooms.
Büfett (by'fɛt) *n neu* **-s** buffet.
Büffel ('byfəl) *nm* — buffalo, bison.
Bug (bu:k) *nm* **-e 1** *naut* bow. **2** *aviat* nose. **3** (of animals) shoulder.
Bügel ('by:gəl) *nm* — **1** hanger. **2** grip. **3** stirrup. **—eisen** *n neu* (clothes) iron. **—n** *vt* iron, press.
Bühne ('by:nə) *nf* **-n 1** stage. **2** theatre.
Bulgar/ien (bul'ga:riən) *n neu* Bulgaria. **—ier** *nm* — Bulgarian. **—isch** *adj* Bulgarian.
Bulle ('bulə) *nm* **—n 1** bull. **2** *sl* policeman, copper.
Bumm/el ('buməl) *nm* — stroll. **—eln** *vi* **1** stroll. **2** loiter. **—ler** *nm* — idler, loafer.
bumsen ('bumzən) *vi* bump. *vi,vt tab* copulate, have sexual intercourse.
Bund (bunt) *nm* **¨e 1** band. **2** league, (con)-federation. *n neu* **-e** bundle, bunch. **—esgenosse** *nm* ally, confederate. **—eskanzler** *nm* Federal Chancellor. **—espräsident** *nm* president (of a federal state). **—esrat** *nm* **1** Upper House of Parliament (in Austria and West Germany). **2** Executive Federal Council (in Switzerland). **—esrepublik** *nf* Federal Republic. **Bundesrepublik Deutschland, B.R.D.** *nf* Federal Republic of Germany, F.R.G. **—esstaat** *nm* **1** federal state. **2** member state of a federation. **—estag** *nm* (Lower House of) West German Parliament. **—eswehr** *nf* West German armed forces. **¨-nis** ('byntnis) *n neu* **-se** alliance.
Bündel ('byndəl) *n neu* — bundle, bunch.
bunt (bunt) *adj* colourful, bright.
Bürde ('byrdə) *nf* **-n** burden.
Burg (burk) *nf* **-en 1** castle. **2** fortress.
Bürg/e ('byrgə) *nm* **-n** surety, guarantor, bail. **—en** *vi* **1** vouch (for). **2** stand bail (for). **—schaft** ('byrkʃaft) *nf* surety, bond.
Bürger ('byrgər) *nm* —, **Bürger/in** *nf* **-nen 1** citizen. **2** townsman or townswoman. **3** bourgeois. **—krieg** *nm* civil war. **—lich** *adj* **1** middle-class. **2** civil(ian). **3** unpretentious, simple. **—meister** *nm* mayor. **—recht** *n neu* **1** civic rights. **2** citizenship. **—schaft** *nf* **-en** citizens. **—stand** *nm* middle class(es). **—steig** *nm* pavement.
Büro (by'ro:) *n neu* **-s** office. **—krat** (byro-'kra:t) *nm* **-en** bureaucrat. **—kratie** (byrokra-'ti:) *nf* bureaucracy.
Bursche ('burʃə) *nm* **-n 1** youth, lad. **2** student. **3** orderly. **4** servant. **5** apprentice.
Bürst/e ('byrstə) *nf* **-n** brush. **—en** *vt* brush.
Busch (buʃ) *nm* **¨e 1** bush(land). **2** shrub(s). **3** thicket. **4** tuft. **—ig** *adj* bushy.
Busen ('bu:zən) *nm* — **1** breast, bosom. **2** gulf, bay.
Buß/e ('bu:sə) *nf* **-n 1** penance. **2** fine. **¨-en** ('by:sən) *vt,vi* atone for, pay (for), do penance (for). **¨-er** ('by:sər) *nm* penitent.
Büste ('bystə) *nf* **-n** bust. **—nhalter** *nm* bra, brassiere.
Butter ('butər) *nf* butter. **—brot** *n neu* (slice of) bread and butter.

C

Café (ka'fe:) *n neu* **-s** cafe, coffee-house.
Camping ('kɛmpiŋ) *n neu* camping.
Cape (ke:p) *n neu* **-s** cape.
Cell/ist (tʃɛ'list) *nm* **-en** cellist. **—o** ('tʃɛlo) *n neu* **-s** cello.
Champagner (ʃam'panjər) *nm* — champagne.
Champignon ('ʃampinjɔ̃) *nm* **-s** mushroom.
Chance ('ʃã:sə) *nf* **-n** chance.
Chao/s ('ka:ɔs) *n neu* chaos. **—tisch** (ka'o:tiʃ) *adj* chaotic.
Charakter ('karaktər) *nm* **-e** **1** character, nature. **2** letter, character. **—isieren** (karaktəri'zi:rən) *vt* characterize. **—istik** (karakta'ristik) *nf* **-en** characterization. **—istisch** (karakta'ristiʃ) *adj* characteristic.
charmant (ʃar'mant) *adj* charming.
Chauffeur (ʃo'fœ:r) *nm* **-e** driver, chauffeur.
Chaussee (ʃo'se:) *nf* **-n** main or high road.
Chef (ʃɛf) *nm* **-s** head, boss.
Chemi/e (çe'mi:) *nf* chemistry. **—kalien** (çemi'ka:liən) *nf pl* chemicals. **—ker** ('çe:mikər) *nm* — chemist (in science or industry). **—sch** ('çe:miʃ) *adj* chemical. **chemische Reinigung** dry cleaning.
Chil/e ('tʃi:lə) *n neu* Chile. **—ene** (tʃi'le:nə) *nm* **-n** Chilean. **—enisch** (tʃi'le:niʃ) *adj* Chilean.
Chin/a ('çi:na) *n neu* China. **—ese** (çi'ne:zə) *nm* **-n** Chinaman, Chinese. **—esisch** (çi'ne:ziʃ) *adj* Chinese.
Chirurg (çi'rurk) *nm* **-en** surgeon. **—ie** (çirur'gi:) *nf* surgery.
Chlor (klo:r) *n neu* chlorine.
Chloroform (kloro'fɔrm) *n neu* **-e** chloroform.
Chor (ko:r) *nm* **¨-e** choir, chorus.
Christ (krist) *nm* **-en** Christian. **—baum** *nm* Christmas tree. **—enheit** *nf* Christendom. **—entum** *n neu* Christianity. **—kind** *n neu* Christ-child. **—lich** *adj* Christian. **—us** ('kristus) *nm* Christ.
Chrom (kro:m) *n neu* chromium, chrome.
Chronik ('kro:nik) *nf* **-en** chronicle.
Computer (kɔm'pju:tər) *nm* — computer.
Creme (kre:m) *nf* **-s** **1** cream. **2** cream pudding.

D

da (da) *adv* **1** there. **2** here. **3** then. *conj* **1** as. **2** when. **3** since.
dabei (da'bai) *adv* **1** by it. **2** nearby. **3** present. **4** at the same time. **5** thereby.
Dach (dax) *n neu* **¨-er** roof. **—boden** *nm* attic. **—fenster** *n neu also* **—luke** *nf* **-n** skylight. **—rinne** *also* **—traufe** *nf* **-n** **1** eaves. **2** gutter.
Dachs (daks) *nm* **-e** badger.
Dachshund ('dakshunt) *nm* dachshund.
dachte ('daxtə) *v* see **denken.**
dadurch (da'durç) *adv* **1** through there. **2** thus, in that way.
dafür (da'fy:r) *adv* for that, in return.
dagegen (da'ge:gən) *adv* **1** against it. **2** in comparison. *conj* on the other hand, but.
daher (da'he:r) *adv* **1** from there. **2** therefore.
dahin (da'hin) *adv* there, to that place. **bis dahin** until then. **dahin sein** be lost or gone.
dahinten (da'hintən) *adv* behind (there).
dahinter (da'hintər) *adv* behind it or that. **—kommen*** *vi* find out (about it).
damals ('da:ma:ls) *adv* then, at that time.
Dame ('da:mə) *nf* **-n** **1** lady. **2** *game* queen. **—spiel** *n neu* draughts.
damit (da'mit) *adv* **1** with or by it. **2** thereby. *conj* in order to, so (that).
Damm (dam) *nm* **¨-e** **1** dam, dyke, embankment. **2** roadway. **¨—en** ('dɛmən) *vt* dam, restrain.
Dämmerung ('dɛmərun) *nf* **-en** **1** dawn. **2** dusk, twilight.
Dampf (dampf) *nm* **¨-e** steam, vapour. **—en** *vi* **1** steam. **2** *inf* smoke. **—maschine** *nf* steam engine. **—schiff** *n neu* steamship.
dämpf/en ('dɛmpfən) *vt* **1** quieten, muffle. **2** steam. **—er** *nm* — **1** damper, silencer **2** extinguisher.
danach (da'na:x) *adv* **1** after(wards). **2** accordingly.
Dän/e ('dɛ:nə) *nm* **-n** Dane. **—emark** ('dɛ:nəmark) *n neu* Denmark. **—isch** ('dɛ:niʃ) *adj* Danish. *n neu* Danish (language).
daneben (da'ne:bən) *adv* **1** near it. **2** nearby. **3** beside. *conj.* moreover, as well.
Dank (daŋk) *nm* thanks. **vielen** or **schönen Dank!** many thanks! **—bar** *adj* thankful, grateful. **—barkeit** *nf* gratitude. **—e** *interj* thanks! thank you! **—en** *vi* thank.
dann (dan) *adv* then.

daran (da'ran) *adv also* **dran** at, on or by it or that. **daran gehen** set to work.
darauf (da'rauf) *adv also* **drauf** 1 on it or that, thereupon. 2 later.
daraus (da'raus) *adv also* **draus** 1 from or out of it or that. 2 from there.
darbieten* (ˌda:rbi:tən) *vt* offer, tender.
darein (da'rain) *adv also* **drein** into it or that, therein.
darf (da:rf) *v* see **dürfen.**
darin (da'rin) *adv also* **drin** in it, that or there, within.
Darlegung ('da:rle:guŋ) *nf* **-en** statement, exposition.
Darlehen ('da:rle:ən) *n neu* — loan.
Darm (darm) *nm* **¨-e** intestine, bowel, gut.
darstell/en ('da:rʃtɛlən) *vt* 1 present, show. 2 represent, depict. **—ung** *nf* **-en** 1 presentation. 2 description, statement.
darüber (da'ry:bər) *adv* 1 about it or that. 2 over, above or beyond it or that. **darüber hinaus** 1 moreover. 2 over and above that, beyond that.
darum (da'rum) *adv* 1 about or around it or that. 2 therefore.
darunter (da'runtər) *adv* 1 under it or that, underneath. 2 among them.
das (das) *def art* the. *pron* that, which.
dasein* ('da:zain) *vi* exist, be present. *n neu* existence, being, presence.
daß (das) *conj* that. **daß nicht** lest. **so daß** so that.
datieren (da'ti:rən) *vt* date.
Datum ('da:tum) *n neu* **-ten** date.
Dauer ('dauər) *nf* duration, period. **auf die Dauer** in the long run. **—haft** *adj* durable, lasting. **—lauf** *nm* endurance run. **—n** *vi* last, continue, take (time). **lange dauern** take a long time. **—nd** *adj* lasting, constant, permanent.
Daumen ('daumən) *nm* — thumb.
Daunendecke ('daunəndɛkə) *nf* (continental) quilt, duvet, eiderdown.
davon (da'fɔn) *adv* of, from or about it or that. **—kommen*** *vi* get away. **—tragen*** *vt* carry off.
davor (da'fo:r) *adv* 1 before or in front of it or that. 2 of or from it or that.
dawider (da'vi:dər) *adv* against it or that.
dazu (da'tsu:) *adv* 1 to or for it or that. 2 for that purpose. 3 in addition. **—kommen*** *vi* arrive, happen. **—tun*** *vt* add.
dazwischen (da'tsviʃən) *adv* 1 between or among (them). 2 meanwhile. **—kommen*** *vi* 1 intervene, prevent. 2 come between. **—treten*** *vi* intervene.
Debatt/e (de'batə) *nf* -n debate, discussion.
Debet ('de:bɛt) *n neu* **-s** debit.
Deck (dɛk) *n neu* **-e** *naut* deck.
Deck/e ('dɛkə) *nf* **-n** 1 cover, blanket. 2 ceiling. **—el** *nm* — lid, cover. **—en** *vt* cover. **den Tisch decken** set or lay the table. **—mantel** *nm* 1 pretext. 2 cloak. 3 cover. **—name** *nm* assumed name. **—ung** *nf* **-en** 1 cover(ing), protection. 2 *mil* cover. 3 *comm* security.
defensiv (defɛn'zi:f) *adj* defensive. **—e** (defɛn'zi:və) *nf* **-n** 1 defensive. 2 defence.
defin/ieren (defi'ni:rən) *vt* define. **—ition** (definitsi'o:n) *nf* **-en** definition.
Defizit ('de:fitsit) *n neu* **-e** deficit.
Degen ('de:gən) *nm* — sword.
degenerieren (degene'ri:rən) *vi* degenerate.
dehnen ('de:nən) *vt* stretch, lengthen, expand.
Deich (daiç) *nm* **-e** dyke, embankment.
dein (dain) *poss adj,pron 2nd pers s fam* your, yours. **—er** *poss pron 2nd pers s fam also* **der —e** *or* **der —ige** yours. **—erseits** ('dainərzaits) *adv* on your part. **—esgleichen** *pron* people like you. **—ethalben** *adv* also **—etwegen** *or* **—etwillen** for your sake, on your account.
dekaden/t (deka'dɛnt) *adj* decadent. **—z** (deka'dɛnts) *nf* decadence.
Dekan (de'ka:n) *nm* **-e** dean.
Deklination (deklinatsi'o:n) *nf* **-en** *gram* declension.
Dekret (de'kre:t) *n neu* **-e** decree.
delikat (deli'ka:t) *adj* 1 delicate. 2 delicious.
Delikt (de'likt) *n neu* **-e** offence, crime.
Delphin (dɛl'fi:n) *nm* **-e** dolphin.
dem (de:m) *def art* to the. *pron* to it, that or whom.
dementieren (demɛn'ti:rən) *vt* deny.
demgemäß ('de:mgəmɛ:s) *adv* accordingly.
Demission (demisi'o:n) *nf* **-en** resignation.
demnach ('de:mna:x) *adv* accordingly.
demnächst ('de:mnɛ:çst) *adv* soon.
Demokrat (demo'kra:t) *nm* **-en** democrat. **—isch** *adj* democratic. **—ie** (demokra'ti:) *nf* **-n** democracy.
Demonstr/ation (demɔnstratsi'o:n) *nf* **-en** demonstration. **—ieren** (demɔn'stri:rən) *vt,vi* demonstrate.
Demut ('de:mu:t) *nf* humility. **¨-ig** ('de:my:tiç)

adj humble. **—igen** ('de:my:tigən) *vt* humble, humiliate.

demzufolge ('de:mtsufɔlgə) *adv* accordingly.

den (de:n) *def art* **1** the. **2** *pl* (to) the. *pron* **1** that, which, whom. **2** *pl* to these or those. **denen** *pron* to these or those.

denk/en* ('dɛŋkən) *vt,vi* think. **denken an** or **über** think of or about. **—bar** *adj* conceivable. **—er** *nm* — thinker. **-mal** *n neu* **¨-er** monument, memorial. **—schrift** *nf* **-en 1** inscription, memorial. **2** report. **3** memorandum. **—(ungs)art** *nf* **-en** way of thinking, mentality. **—würdig** *adj* notable, memorable.

denn (dɛn) *conj* for. *adv* then. **es sei denn, (daß)** unless.

dennoch ('dɛnɔx) *adv* yet, however.

Departement (depart'mã:) *n neu* **-s** department.

Depesche (de'pɛʃə) *nf* **-n 1** dispatch. **2** telegram.

deponieren (depo'ni:rən) *vt* deposit.

Depression (depresi'o:n) *nf* **-en** depression.

deprimieren (depri'mi:rən) *vt* depress.

der (de:r) *def art* **1** the. **2** of the. *pron* that, which, who.

derart ('de:ra:rt) *adv* in such a way. **—ig** *adj* such, of that kind.

derb (dɛrp) *adj* **1** sturdy, sound. **2** rough, coarse, crude.

deren ('de:rən) *pron* whose, of which.

dergestalt ('de:rgəʃtalt) *adv* in such a way.

dergleichen (de:r'glaiçən) *pron* such (a thing), the like, of the kind.

derjenige, diejenige, dasjenige ('de:rje:nigə, 'di:je:nigə, 'dasje:nigə) *pron m,f,neu* he or she who, that which, the one which.

dermaßen ('de:rma:sən) *adv* to such a degree.

derselbe, dieselbe, dasselbe (de:r'zɛlbə, di:-'zɛlbə, das'zɛlbə) *pron m,f,neu* the same.

derzeitig ('de:rtsaitiç) *adj* **1** present. **2** of or at that time.

des (dɛs) *def art* of the.

desgleichen (dɛs'glaiçən) *pron* such (a thing). *adv* likewise.

deshalb ('dɛshalp) *adv* therefore.

Desin/fektionsmittel (dezinfɛktsi'o:nzmitəl) *n neu* — disinfectant. **—fizieren** (dezinfi'tsi:-rən) *vt* disinfect.

dessen ('dɛsən) *pron* whose, of which. **—ungeachtet** (dɛsənunge'axtət) *adv* nevertheless.

desto ('dɛsto) *adv* so much, the. **je...desto** the...the. **je mehr, desto besser** the more the better.

deswegen ('dɛsve:gən) *adv* therefore.

Detail (de'tai) *n neu* **-s** detail, item. **—handel** *nf* retail trade. **en detail** *adv* retail.

deut/en ('dɔytən) *vi* point (to). *vt* **1** explain. **2** show. **—lich** *adj* clear, distinct. **—lichkeit** *nf* distinctness. **—ung** *nf* **-en** explanation, interpretation.

deutsch (dɔytʃ) *adj* German. *n neu* German (language). **auf Deutsch** in German. **—e(r)** *nm* German. **—e Demokratische Republik, D.D.R.** *nf* German Democratic Republic, G.D.R. **—kunde** *nf* German studies. **—land** *n neu* Germany. **—sprachig** *adj* German-speaking. **—tum** *n neu* German nature or culture.

Devise (de'vi:zə) *nf* **-n 1** *pl* foreign exchange. **2** motto, slogan.

Dezember (de'tsɛmbər) *nm* December.

Dialekt (dia'lɛkt) *nm* **-e** dialect.

Diamant (dia'mant) *nm* **-en** diamond.

Diapositiv (di:apɔzi'ti:f) *n neu* slide, transparency.

Diät (di'ɛ:t) *nf* — diet.

Diäten (di'ɛ:tən) *nf pl* allowance(s).

dich (diç) *pron 2nd pers s fam* you, yourself.

dicht (diçt) *adj* **1** dense, thick. **2** tight. **3** close (to). **—igkeit** *nf* **-en** *also* **—heit 1** density, thickness. **2** imperviousness.

dicht/en ('diçtən) *vt* compose (poetry). **—er** *nm* — poet. **—ung** *nf* **-en 1** poetry, poem. **2** fiction.

dick (dik) *adj* thick, fat, large. **—e** *nf* **-n 1** thickness, fatness. **2** size. **—kopf** *nm* thickhead. **—icht** *n neu* **-e** thicket.

die *def art* the. *pron* that, which, who, whom.

Dieb (di:p) *nm* **-e** thief, robber. **—isch** ('di:biʃ) *adj* thieving, dishonest. **—stahl** *nm* **¨-e** theft.

Diele ('di:lə) *nf* **-n 1** board, plank. **2** hall(way).

dien/en ('di:nən) *vi* serve. **—er** *nm* — manservant. **—erin** *nf* **-nen** maid-servant. **—erschaft** *nf* **-en** servants. **—st** (di:nst) *nm* **-e 1** service. **2** duty. **außer Dienst** off duty. **—stbereit** *adj* ready for service. **—ststelle** *nf* place of work or service.

Dienstag ('di:nsta:k) *nm* Tuesday.

dieser, diese, dieses ('di:zər, 'di:zə, 'di:zəs) *pron,adj m,f,neu* this.

diesmal ('di:sma:l) *adv* this time.

diesseits ('di:szaits) *adv* on this side.

Dietrich ('di:triç) *nm* **-e** skeleton key.

Diktat (dik'ta:t) *n neu* **-e 1** dictation. **2**

command, decree. **—or** (dik'ta:tɔr) *nm* **-en** dictator. **—ur** (dikta'tu:r) *nf* **-en** dictatorship.
diktieren (dik'ti:rən) *vt* dictate.
Diner (di'ne:) *n neu* **-s** dinner.
Ding (diŋ) *n neu* **-e** thing, object.
Diplom (di'plo:m) *n neu* **-e** diploma, certificate.
dir (di:r) *pron 2nd pers s fam* (to) you, yourself.
Dirig/ent (diri'gɛnt) *nm* **-en** *mus* conductor. **—ieren** (diri'gi:rən) *vt* **1** direct. **2** *mus* conduct.
Dirne ('dirnə) *nf* **-n 1** prostitute. **2** girl.
diskont/ieren (diskɔn'ti:rən) *vt comm* discount. **—satz** *nm* bank rate.
Diskothek (disko:'te:k) *nf* **-en** discotheque.
Disku/ssion (diskusi'o:n) *nf* **-en** discussion. **—tieren** (disku'ti:rən) *vt,vi* discuss, debate.
disponieren (dispo'ni:rən) *vt,vi* arrange, dispose.
Distel ('distəl) *nf* **-n** thistle.
Disziplin (distsi'pli:n) *nf* **-en** discipline.
doch (dɔx) *adv* **1** nevertheless. **2** indeed, really. *conj* but, however, yet.
Docht (dɔxt) *nm* **-e** wick.
Dock (dɔk) *n neu* **-s** dock(yard). **—arbeiter** *nm* docker.
Dogge ('dɔgə) *nf* **-n** bulldog.
Dogma ('dɔgma) *n neu* **-s** dogma. **—tisch** (dɔg'ma:tiʃ) *adj* dogmatic.
Doktor ('dɔktɔr) *nm* **-en** doctor.
Dolch (dɔlç) *nm* **-e** dagger.
dolmetsch/en ('dɔlmɛtʃən) *vt,vi* interpret. **—er** *nm* — interpreter.
Dom (do:m) *nm* **-e** cathedral. **—herr** *nm rel* canon.
dominieren (domi'ni:rən) *vi,vt* dominate, domineer.
Donau ('do:nau) *nf* Danube.
Donner ('dɔnər) *nm* thunder. **—n** *vi* thunder, roar.
Donnerstag ('dɔnərsta:k) *nm* Thursday.
Doppel ('dɔpəl) *n neu* — **1** duplicate. **2** double. **—bett** *n neu* double bed. **—deckerbus** *nm* double-decker bus. **—ehe** *nf* bigamy. **—n** *vt* double. **—punkt** *nm* colon. **—sinn** *nm* ambiguity. **—t** *adj* double.
Dorf (dɔrf) *n neu* **¨-er** village, hamlet. **—bewohner** also **¨-ler** ('dɔrfbəvo:nər, 'dɔerflər) *nm* — villager.
Dorn (dɔrn) *nm* **-en** thorn. **—ig** *adj* thorny.
Dorsch (dɔrʃ) *nm* **-e** cod.
dort (dɔrt) *adv* there. **—her** *adv* from there. **—hin** *adv* to there or that place. **—ig** *adj* of that place or there.
Dose ('do:zə) *nf* **-n 1** box. **2** tin, can.
dösen ('dœzən) *vi inf* doze.
Dosis ('do:zis) *nf* **-sen** dose (of medicine etc.). **zu starke Dosis** overdose.
Dotter ('dɔtə) *nm* — yolk.
Dozent (do'tsɛnt) *nm* **-en** university or college lecturer.
Drache ('draxə) *nm* **-n** dragon.
Draht (dra:t) *nm* **¨-e** wire, cable. **—los** *adj* wireless. **—seilbahn** *nf* funicular, cable railway.
Drama ('dra:ma) *n neu* **-men** drama. **—tiker** (dra'ma:tikər) *nm* — playwright. **—tisch** (dra'ma:tiʃ) *adj* dramatic.
dran (dran) *adv* see **daran.**
Drang (draŋ) *nm* **¨-e 1** drive, urge, stress. **2** pressure. **¨-en** ('drɛŋən) *vi,vt* **1** press, hurry, urge. **2** crowd.
drapieren (dra'pi:rən) *vt* drape.
drauf (drauf) *adv* see **darauf.**
draußen ('drausən) *adv* outside, out of doors.
Dreck (drɛk) *nm* **1** filth, dirt. **2** excrement. **—ig** *adj* filthy, dirty, muddy.
dreh/en ('dre:ən) *vt,vi* **1** turn, twist, wind. **2** shoot (a film). **—bank** *nf* **¨-e** lathe. **—buch** *n neu* (film) script. **—punkt** *nm* pivot. **—scheibe** *nf* turntable. **—ung** *nf* **-en** turn, rotation, revolution.
drei (drai) *adj,nf* three. **—bein** *n neu* tripod. **—eck** *n neu* triangle. **—eckig** *adj* triangular. **—einigkeit** *nf also* **—faltigkeit** Trinity. **—erlei** ('draiərlai) *adj* of three kinds. **—fach** *adj* triple, threefold. **—mal** *adv* three times. **—rad** *n neu* tricycle.
dreißig ('draisiç) *adj,nf* thirty. **dreißigste** *adj* thirtieth.
dreist (draist) *adj* **1** impudent. **2** bold.
dreizehn ('draitse:n) *adj,nf* thirteen. **dreizehnte** *adj* thirteenth.
dresch/en* ('drɛʃən) *vt* thresh. **—flegel** *nm* flail.
dressieren (dre'si:rən) *vt* train (an animal).
drin (drin) *adv* see **darin.** **—nen** *adv* inside, indoors.
dring/en* ('driŋən) *vi* **1** urge, force, press. **2** penetrate. **—end** *adj also* **—lich** urgent.
dritt(e) (drit) *adj* third. **—el** *n neu* — one third, third part. **—ens** *adv* thirdly.
Drog/e ('dro:gə) *nf* **-n** drug. **—erie** (drogə'ri:) *nf* **-n** chemist's shop.
droh/en ('dro:ən) *vi* threaten. **—ung** *nf* **-en** threat.
Drohne ('dro:nə) *nf* **-n** drone.

drollig ('drɔliç) *adj* droll, funny.
Drossel ('drɔsəl) *nf* **-n** 1 thrush. 2 *tech* throttle.
drüben ('dry:bən) *adv* on the other side, over there.
drüber ('dry:bər) *adv* see **darüber.**
Druck (druk) *nm* 1 **-e** print, printing. 2 **¨-e** pressure. **—en** *vt* print. **—er** *nm* — printer. **—erei** (druka'rai) *nf* **-en** printing works. **—fehler** *nm* misprint. **—knopf** *nm* 1 snap fastener. 2 push-button.
drück/en ('drykən) *vt,vi* 1 press (on), squeeze. 2 oppress. **sich drücken** *vr* dodge work, shirk.
drunten ('druntən) *adv* (there) below, down there.
drunter ('druntər) *adv* see **darunter.**
Drüse ('dry:zə) *nf* **-n** gland.
Dschungel ('dʒuŋəl) *nm,f,neu* **-n** jungle.
du (du:) *pron 2nd pers s fam* you.
ducken ('dukən) *vt* duck.
Dudelsack ('du:dəlzak) *nm* **¨-e** bagpipes.
Duell (du'el) *n neu* **-e** duel. **sich —ieren** (du:'li:rən) *vr* duel.
Duett (du'et) *n neu* **-e** duet.
Duft (duft) *nm* **¨-e** aroma, scent. **—en** *vi* smell (sweet), be fragrant.
dulden ('duldən) *vt* suffer, bear, tolerate.
dumm (dum) *adj* stupid, silly. **—heit** *nf* **-en** 1 stupidity. 2 foolish action. **—kopf** *nm* blockhead, fool.
dumpf (dumpf) *adj* 1 musty, close (atmosphere). 2 dull, hollow (sound).
Düne ('dy:nə) *nf* **-n** dune.
Dünger ('dyŋər) *nm* dung, manure.
dunkel ('dyŋkəl) *adj* 1 dark, dim, gloomy. 2 obscure. **—kammer** *nf* darkroom.
dünn (dyn) *adj* 1 thin. 2 sparse.
Dunst (dunst) *nm* **¨-e** vapour, haze, smoke. **¨-en** ('dynstən) *vt cul* 1 steam. 2 stew.
Dur (du:r) *n neu mus* major.
durch (durç) *prep* through, during, by. *adv* completely, thoroughly.
durchaus (durç'aus) *adv* absolutely, completely.
durchblicken ('durçblikən) *vt,vi* look through, see through. **durchblicken lassen** give to understand.
durchbohren ('durçbo:rən) *vt* bore through, pierce.
durchbrechen* ('durçbreçən) *vt,vi* break through or out. (durç'breçən) *vt* break through.
durchdringen* (*vi* 'durçdriŋən; *vt* durç'driŋən) *vi* press or get through. *vt* 1 permeate. 2 penetrate.
durcheinander (durçain'andər) *adv* 1 in confusion. 2 upset. *n neu* — disorder.
Durchfahrt ('durçfa:rt) *nf* **-en** 1 passage or journey through. 2 passageway. 3 gateway.
Durchfall ('durçfal) *nm* **¨-e** 1 failure. 2 diarrhoea.
durchforschen (durç'fɔrʃən) *vt* investigate.
durchführen ('durçfy:rən) *vt* 1 lead through. 2 carry out.
Durchgang ('durçgaŋ) *nm* **¨-e** passage. **durchgehen*** ('durçge:ən) *vi* 1 go or walk through. 2 run away. *vt* 1 examine. 2 wear out.
durch/lassen* ('durçlasən) *vt* let through, pass. **—lässig** ('durçlɛsiç) *adj* permeable.
durchlaufen* ('durçlaufən) *vi* run through. *vt* wear out. (durç'laufən) *vt* run through.
durchleuchten (*vi* 'durçlɔyçtən; *vt* durç'lɔyçtən) *vi* shine through. *vt* 1 X-ray. 2 investigate. 3 search.
durchlöchern (durç'lœçərn) *vt* perforate, pierce.
durchmachen ('durçmaxən) *vt* go through, experience, endure.
Durchmesser ('durçmɛsər) *nm* — diameter.
durchqueren (durç'kve:rən) *vt* cross, traverse.
Durchreise ('durçraizə) *nf* **-n** passage, transit, journey through.
durchs (durçs) contraction of **durch das.**
durchschauen (*vi* 'durçʃauən; *vt* durç'ʃauən) *vi* look through. *vt* 1 see through. 2 penetrate.
Durchschlag ('durçʃla:k) *nm* **¨-e** 1 carbon (copy). 2 strainer. 3 *tech* punch. **—papier** *n neu* carbon paper.
Durchschnitt ('durçʃnit) *nm* **-e** 1 average. 2 cutting through. 3 (cross-)section. **—lich** *adj* average. **—smensch** *nm* man in the street.
durchsehen* ('durçze:ən) *vt* 1 look through. 2 examine.
durchsichtig ('durçziçtiç) *adj* transparent.
durchsuchen ('durçzu:xən) *vt* examine (closely).
durchtrieben (durç'tri:bən) *adj* cunning.
durchweg ('durçvɛk) *adv* throughout.
sich durchwinden* ('durçvindən) *vr* struggle through.
durchziehen* ('durçtsi:ən) *vi* march through. *vt* interlace. (durç'tsi:ən) *vt* draw or pass through.
dürfen* ('dyrfən) *v mod aux* be allowed, may.
dürftig ('dyrftiç) *adj* needy, poor.
dürr (dyr) *adj* 1 dry, arid. 2 thin. 3 barren.

Durst (durst) *nm* thirst. **—ig** *adj* thirsty.
Dusche ('duʃə) *nf* **-n** shower. **—n** *vt* shower.
Düse ('dy:zə) *nf* **-n** jet, nozzle. **—nflugzeug** *n neu* jet (plane).
düster ('dy:stər) *adj* dark, dusky, gloomy.
Dutzend ('dutsənt) *n neu* **-e** dozen.
duzen ('du:tsən) *vt* address (someone) familiarly with **du.**
Dynam/ik (dy'na:mik) *nf* dynamics. **—isch** *adj* dynamic.
Dynamit (dyna'mi:t) *n neu* **-e** dynamite.
Dynast/ie (dynas'ti:) *nf* **-n** dynasty.
D-Zug ('de:tsu:k) *nm* **¨-e** express train.

E

Ebbe ('ɛbə) *nf* **-n** ebb, low-tide. **—n** *vi* ebb.
eben ('e:bən) *adj* **1** level, even. **2** smooth. *adv* just, precisely. **—bild** *n neu* image. **—bürtig** ('e:bənbyrtiç) *adj* equal, of equal rank. **—e** *nf* **-n** **1** plain. **2** *math* plane. **—falls** *adv* likewise. **—heit** *nf* **-en** evenness, smoothness. **—holz** *n neu* ebony. **—so** *adv* just as. **der eine ist ebenso gut wie der andere** the one is just as good as the other. **—soviel** *adv* just as much.
Eber ('e:bər) *nm* — boar.
ebnen ('e:bnən) *vt* level, make smooth.
Echo ('ɛço) *n neu* **-s** echo.
echt (ɛçt) *adj* **1** genuine, real, authentic. **2** pure.
Eck (ɛk) *n neu* **-e** also **Eck/e** ('ɛkə) *nf* **-n** **1** corner. **2** angle. **—ig** *adj* angular. **—stein** *nm* **1** corner stone. **2** *game* diamonds.
edel ('e:dəl) *adj* noble, aristocratic. **—frau** *nf* noblewoman. **—mann** *nm, pl* **-leute** nobleman. **—mütig** ('e:dəlmy:tiç) *adj* magnanimous, generous. **—stein** *nm* precious stone, gem.
Edikt (e'dikt) *n neu* **-e** edict.
Edinburg ('e:dinburk) *n neu* Edinburgh.
Efeu ('e:fɔy) *nm* **-s** ivy.
Effekt/en (ɛ'fɛktən) *n pl* **1** *comm* securities, bonds. **2** personal effects, belongings. **—iv** (ɛfɛk'ti:v) *adj* **1** actual. **2** effective.
egal (e'ga:l) *adv* **1** even. **2** equal, the same.
Egoismus (ego'ismus) *nm* egoism.
ehe (e:) *conj* before. **—dem** (e:ə'de:m) *adv also* **—mals** formerly. **—malig** ('e:əma:liç) *adj* former. **—r** *adv* **1** sooner, before. **2** rather.
Ehe ('e:ə) *nf* **-n** marriage. **—brecher** *nm* — adulterer. **—brecherin** *nf* **-nen** adulteress. **—bruch** *nm* adultery. **—frau** *nf* wife. **—lich** *adj* **1** matrimonial. **2** (of a child) legitimate. **—mann** *nm* husband. **—paar** *n neu* married couple. **—stand** *nm* matrimony, married state. **—scheidung** *nf* divorce.
Ehr/e ('e:rə) *nf* **-n** honour. **—en** *vt* honour. **—enwort** *n neu* word of honour. **—erbietig** *adj* respectful, deferential. **—furcht** *nf* reverence, awe, respect. **—geiz** *nm* ambition. **—geizig** *adj* ambitious. **—lich** *adj* **1** honest. **2** sincere. **3** fair. **—lichkeit** *nf* honesty. **—würdig** *adj* venerable.
Ei (ai) *n neu* **-er** egg.
Eich/e ('aiçə) *nf* **-n** oak. **—el** *nf* **-n** **1** acorn. **2** *game* clubs. **—hörnchen** ('aiçhœrnçən) *n neu* — squirrel.
Eid (ait) *nm* **-e** oath. **einen Eid abnehmen** administer an oath. **unter Eid** on oath. **—bruch** *nm* perjury. **—genosse** *nm* — **1** confederate. **2** Swiss. **—genossenschaft** *nf* **-en** **1** confederation. **2** Swiss Confederation, Switzerland. **—genössisch** ('aitgənœsiʃ) *adj* **1** federal. **2** Swiss.
Eidechse ('aidɛksə) *nf* **-n** lizard.
Eier/becher ('aiərbɛçər) *nm* eggcup. **—kuchen** *nm* **1** (sweet) omelette. **2** pancake. **—schale** *nf* eggshell.
Eif/er ('aifər) *nm* zeal, fervour. **—ersucht** *nf* jealousy. **—ersüchtig** *adj* jealous. **—rig** *adj* zealous, eager.
Eigelb ('aigɛlp) *n neu* **-e** (egg) yolk.
eigen ('aigən) *adj* **1** own, proper. **2** characteristic. **3** strange. **4** particular, exact.
Eigenart ('aigəna:rt) *nf* **-en** **1** peculiarity. **2** character. **—ig** *adj* peculiar.
eigenhändig ('aigənhɛndiç) *adj* in or by one's own hand, by oneself.
eigenmächtig ('aigənmɛçtiç) *adj* arbitrary.
Eigenname ('aigənna:mə) *nm* proper name.
Eigennutz ('aigənnuts) *nm* self-interest, selfishness. **¨-ig** *adj* selfish.
Eigenschaft ('aigənʃaft) *nf* **-en** characteristic, trait, quality. **—swort** *n neu* adjective.
Eigensinn ('aigənzin) *nm* obstinacy. **—ig** *adj* obstinate.
eigentlich ('aigəntliç) *adj* **1** real. **2** proper. **3** true. *adv* **1** actually. **2** just. **3** indeed.
Eigentum ('aigəntu:m) *n neu* **-er** property. **¨-er** *nm* — owner. **¨-lich** *adj* **1** peculiar, characteristic. **2** peculiar, strange.
sich eignen ('aignən) *vr* suit, be qualified.
Eil/bote ('ailbo:tə) *nm* express messenger. **—brief** *nm* express letter. **—e** *nf* haste,

hurry, speed. **—en** *vi* also **sich —en** *vr* hurry, hasten. **—ig** *adj* hurried, hasty. **—zug** *nm* fast train.

Eimer ('aimər) *nm* — bucket, pail.

ein, eine, ein (ain, 'ainə) *indef art m,f,neu* a, an. *adj* one. **einer, eine, eins** ('ainər, 'ainə, ains) *pron* one.

einander (ai'nandər) *pron* each other, one another.

einatmen ('aina:tmən) *vt,vi* inhale, breathe in.

Einbahnstraße ('ainba:nʃtra:sə) *nf* one-way street.

einbalsamieren (ainbalza'mi:rən) *vt* embalm.

Einband ('ainbant) *nm* ¨**-e** binding, cover (of a book).

einbegreifen* ('ainbəgraifən) *vt* comprise, include.

einbiegen* ('ainbi:gən) *vt* bend in(wards). *vi* turn in(to).

sich einbild/en ('ainbildən) *vr* imagine. **—ung** *nf* imagination. **—ungskraft** *nf* (power of) imagination.

Einblick ('ainblik) *nm* **1** insight. **2** glimpse.

einbrech/en* ('ainbrεçən) *vt,vi* **1** break open, down or into. **2** burgle. **—er** *nm* — burglar.

einbürgern ('ainbyrgərn) *vt* naturalize. **sich einbürgern** *vr* **1** settle. **2** (of a word, etc.) come into use.

einbüßen ('ainby:sən) *vt* **1** lose. **2** forfeit.

eindeutig ('aindɔytiç) *adj* unequivocal, clear.

eindring/en* ('aindriŋən) *vi* **1** enter by force, invade. **2** penetrate.

Eindruck ('aindruk) *nm* ¨**-e** impression. **—svoll** *adj* impressive.

einerlei ('ainərlai) *adj* of one sort or kind.

einerseits ('ainərzaits) *adv* on the one hand.

einfach ('ainfax) *adj* **1** simple, plain. **2** single.

einfahr/en* ('ainfa:rən) *vi* drive in. *vt* **1** bring in. **2** break in (horses). **—t** *nf* **-en** entrance, drive.

Einfall ('ainfal) *nm* ¨**-e** **1** collapse, fall. **2** invasion. **3** brainwave, sudden idea. **—en*** *vi* collapse, fall. *v imp* occur (to someone). **es fiel mir ein** it (suddenly) occurred to me.

einfältig ('ainfεltiç) *adj* simple, stupid.

Einfassung ('ainfassuŋ) *nf* **-en** **1** border (of a dress). **2** enclosure.

sich einfinden* ('ainfindən) *vr* turn up, appear.

einflechten* ('ainflεçtən) *vt* **1** plait, interlace. **2** put in (a word, etc.).

Einfluß ('ainflus) *nm* **-flüsse** **1** influx. **2** influence. **—reich** *adj* influential.

einförmig ('ainfœrmiç) *adj* **1** uniform. **2** monotonous.

einfügen ('ainfy:gən) *vt* **1** insert. **2** join. **sich einfügen** *vr* adapt, fit in.

Einfuhr ('ainfu:r) *nf* **-en** import(ation). ¨**—en** ('ainfy:rən) *vt* **1** bring in, introduce. **2** import. **3** install. ¨**—er** ('ainfy:rər) *nm* — importer. ¨**—ung** ('ainfy:ruŋ) *nf* **-en** introduction. **—zoll** *nm* import duty.

Eingang ('aingaŋ) *nm* ¨**-e** **1** entrance. **2** arrival, receipt (of a letter, etc.). **3** introduction, beginning.

eingebildet ('aingəbildət) *adj* **1** imaginary. **2** conceited.

eingeboren ('aingəbo:rən) *adj* **1** native. **2** innate. **—e(r)** *nm* native.

Eingebung ('ainge:buŋ) *nf* **-en** inspiration.

eingehen* ('ainge:ən) *vi* **1** go or walk in(to), enter. **2** cease. **3** shrink, wither. **4** die. *vt* conclude (agreement, etc.). **ein Risiko eingehen** run a risk.

eingenommen ('aingənəmən) *adj* biased, prejudiced.

Eingeweide ('aingəvaidə) *n neu pl* intestines, bowels.

eingießen* ('aingi:sən) *vt* pour in or out.

eingreifen* ('aingraifən) *vi* **1** intervene, interfere. **2** catch.

einhalten* ('ainhaltən) *vt* **1** observe, respect (conditions). **2** restrain. *vi* stop.

einhändigen ('ainhəndigən) *vt* deliver, hand over.

einheimisch ('ainhaimiʃ) *adj* native.

Einheit ('ainhait) *nf* **-en** **1** unit. **2** unity. **—lich** *adj* uniform.

einholen ('ainho:lən) *vt* **1** gather (in). **2** shop. **3** catch up.

einig ('ainiç) *adj* united, agreed. **—e** ('ainigə) *pron,adj* a few, some. **—en** *vt* unite. **sich —en** *vr* agree. **—ermaßen** (ainigər'ma:sən) *adv* to a certain extent, somewhat. **—keit** ('ainiçkait) *nf* unity, concord. **—ung** ('ainiguŋ) *nf* **-en** **1** unification. **2** agreement.

einkassieren ('ainkasi:rən) *vt* cash.

Einkauf ('ainkauf) *nm* ¨**-e** purchase. **—en** *vt* buy. **einkaufen gehen** go shopping. ¨**—er** ('ainkɔyfər) *nm* — purchaser. **—spreis** *nm* wholesale or trade price.

einkehren ('ainke:rən) *vi* stop or stay overnight.

Einklang ('ainklaŋ) *nm* unison, harmony.

einkommen* ('ainkɔmən) *vi* **1** come in. **2** apply. *n neu* — income, revenue. **—steuer** *nf* income tax.

einkreisen ('ainkraizən) *vt* encircle.
Einkünfte ('ainkynftə) *nf pl* revenue, income.
einlad/en* ('ainla:dən) *vt* **1** invite. **2** load. **—ung** *nf* **-en 1** invitation. **2** loading.
Einlage ('ainla:gə) *nf* **-n 1** insert, enclosure. **2** deposit, investment. **3** *med* arch-support. **4** *cul* meat or vegetables, etc., added to soup. **—rn** *vt* store up.
Ein/laß ('ainlas) *nm* **-lässe** entrance, admission. **—lassen*** *vt* admit, put or let in. **sich —lassen*** *vr* engage in.
einlaufen* ('ainlaufən) *vi* **1** enter, arrive. **2** shrink.
einleg/en ('ainle:gən) *vt* **1** lay or put in, inlay. **2** insert, enclose. **3** deposit. **4** preserve, pickle. **—er** *nm* — depositor.
einleit/en ('ainlaitən) *vt* **1** introduce. **2** begin. **—ung** *nf* **-en** introduction.
einlösen ('ainlœzən) *vt comm* redeem.
einmachen ('ainmaxən) *vt* preserve, pickle (food).
einmal ('ainma:l) *adv* **1** once, one time. **2** formerly, sometime. **noch einmal** once again. **—eins** *n neu* multiplication table. **—ig** *adj* unique.
Einmarsch ('ainmarʃ) *nm* **-e** marching in, entry. **—ieren** (ainmar'ʃi:rən) *vi* march in.
sich einmischen ('ainmiʃən) *vr* interfere.
einmünden ('ainmyndən) *vi* **1** flow into. **2** join, run into.
Ein/nahme ('ainna:mə) *nf* **-n 1** income. **2** takings. **—nehmen*** ('ainne:mən) *vt* **1** take in (food etc.). **2** receive. **3** influence.
Einöde ('ainœ:də) *nf* **-n 1** desert. **2** isolated place.
einordnen ('ainɔrdnən) *vt* **1** arrange, order. **2** file. **3** *mot* get in lane.
einpacken ('ainpakən) *vt* pack or wrap up. *vi* pack or give up.
einprägen ('ainprɛ:gən) *vt* impress, imprint.
einrahmen ('ainra:mən) *vt* frame.
einräumen ('ainrɔymən) *vt* **1** give up, vacate. **2** clear away. **3** concede, admit.
einreden ('ainre:dən) *vt* persuade. *vi* interrupt.
einreichen ('ainraiçən) *vt* hand in, submit.
einreihen ('ainraiən) *vt* **1** arrange, order. **2** insert. **3** enrol.
Einreise ('ainraizə) *nf* **-n** entry (into a country). **—n** *vi* enter (a country).
einricht/en ('ainriçtən) *vt* **1** arrange. **2** establish, set up. **3** fit out, furnish. **—ung** *nf* **-en 1** arrangement. **2** institution. **3** furnishing, fittings.
einrücken ('ainrykən) *vi* enter. *vt* insert.
eins (ains) *nf* **-en 1** one. **2** ace. *pron* see **ein.**
einsam ('ainza:m) *adj* lonely. **—keit** *nf* loneliness, solitude.
Einsatz ('ainzats) *nm* **1** insertion, putting in. **2** stake, deposit. **3** employment, engagement.
einschalten ('ainʃaltən) *vt* **1** insert. **2** switch on. **3** tune in.
einschiffen ('ainʃifən) *vt* load onto a ship.
einschlafen* ('ainʃla:fən) *vi* fall asleep.
Einschlag ('ainʃla:k) *nm* **1** impact. **2** jacket (of a book). **3** touch, hint. **4** woof, weft. **—en*** ('ainʃla:gən) *vt* **1** drive in. **2** strike. **3** wrap. *vi* shake hands (on a deal).
einschließ/en* ('ainʃli:sən) *vt* **1** lock up or in, confine. **2** include. **—lich** *adj* inclusive of.
einschränk/en ('ainʃrɛŋkən) *vt* **1** restrict, confine. **2** curb. **—ung** *nf* **-en 1** restriction. **2** reduction.
Einschreib/ebrief ('ainʃraibəbri:f) *nm* registered letter. **—en*** *vt* **1** write in. **2** take down. **3** register. **—ung** *nf* **-en** registration.
einschüchtern ('ainʃyçtərn) *vt* intimidate.
einsehen* ('ainze:ən) *vt* **1** understand. **2** look into.
einseitig ('ainzaitiç) *adj* one-sided. **—keit** *nf* bias, one-sidedness.
einsetz/en ('ainzɛtsən) *vt* **1** set or put in. **2** insert. **3** institute. **4** employ. *vi* begin. **—ung** *nf* **-en 1** putting in. **2** institution. **3** appointment.
Einsicht ('ainziçt) *nf* **-en 1** insight, understanding. **2** judgment. **3** inspection.
Einsiedler ('ainzi:dlər) *nm* — hermit, recluse.
einspannen ('ainʃpanən) *vt* **1** harness. **2** stretch. **3** clamp.
einsperren ('ainʃpɛrən) *vt* lock up, imprison.
einspritzen ('ainʃpritsən) *vt* inject.
Einspruch ('ainʃprux) *nm* objection, protest. **—srecht** *n neu* veto.
einst (ainst) *adv* **1** once. **2** some day.
einsteigen* ('ainʃtaigən) *vi* get or climb in.
einstell/en ('ainʃtɛlən) *vt* **1** put in. **2** stop, cease, shut down. **3** employ. **4** strike. **5** adjust, tune in. **—ung** *nf* **-en 1** attitude. **2** adjustment. **3** stoppage, suspension. **4** appointment, taking on.
einstig ('ainstiç) *adj* former.
einstimm/en ('ainʃtimən) *vi* **1** agree. **2** join in. **—ig** *adj* unanimous, in unison. **—igkeit** *nf* unanimity, unison.
einstmalig ('ainstma:liç) *adj* former.

einstoßen* ('ainʃto:sən) *vt* **1** push in. **2** knock down.

einströmen ('ainʃtrœ:mən) *vi* stream or flock in, pour in.

einstufen ('ainʃtu:fən) *vt* grade, classify.

einstürmen ('ainʃtyrmən) *vi* **1** rush in. **2** assault.

Einsturz ('ainʃturts) *nm* **1** collapse. **2** fall. **¨-en** ('ainʃtyrtsən) *vi* fall in. *vt* demolish.

einstweil/en ('ainstvailən) *adv* **1** meanwhile. **2** for now. **—ig** *adj* temporary.

eintägig ('aintɛ:giç) *adj* one-day.

Eintausch ('aintauʃ) *nm* **-e** exchange. **—en** *vt* barter, exchange.

Einteilung ('aintailuŋ) *nf* **-en** **1** division. **2** classification.

eintönig ('aintœ:niç) *adj* monotonous. **—keit** *nf* monotony.

Eintopf ('aintɔpf) *nm* stew, casserole.

Eintracht ('aintraxt) *nf* harmony, unity.

Eintrag ('aintra:k) *nm* **¨-e** **1** *comm* registration, entry. **2** damage, detriment. **—en*** ('aintra:gən) *vt* **1** bring in, yield. **2** register, enter.

eintreten* ('aintre:tən) *vi* **1** step or come in. **2** happen. **3** intercede. *vt* kick in.

Eintritt ('aintrit) *nm* **1** entry. **2** beginning. **—skarte** *nf* admission ticket.

einüben ('ainy:bən) *vt* **1** practise. **2** train.

einverleiben ('ainfɛrlaibən) *vt* **1** incorporate. **2** annex.

einverstanden ('ainfɛrʃtandən) *adj* **1** agreed. **2** agreeable.

Einwand ('ainvant) *nm* **¨-e** **1** objection. **2** pretext. **—frei** *adj* faultless.

Einwander/er ('ainvandərər) *nm* — immigrant. **—n** *vi* immigrate. **—ung** *nf* **-en** immigration.

einwärts ('ainvɛrts) *adv* inward(s).

einwechseln ('ainvɛksəln) *vt* (ex)change.

einweichen* ('ainvaiçən) *vt* soak, steep.

einweih/en ('ainvaiən) *vt* **1** inaugurate. **2** consecrate. **3** initiate. **—ung** *nf* **-en** **1** inauguration. **2** consecration. **3** initiation.

Einwendung ('ainvɛnduŋ) *nf* **-en** objection.

einwickel/n ('ainvikəln) *vt* **1** wrap (up). **2** entangle, implicate (someone). **—papier** *n neu* wrapping paper.

einwillig/en ('ainviligən) *vi* agree, consent. **—ung** *nf* **-en** consent.

Einwirkung ('ainvirkuŋ) *nf* **-en** **1** influence. **2** effect.

Einwohner ('ainvo:nər) *nm* — inhabitant.

Einzahl ('aintsa:l) *nf gram* singular. **—en** *vt* pay in. **—ung** *nf* **-en** **1** payment. **2** deposit.

Einzel/fall ('aintsəlfal) *nm* individual case. **—gänger** *nm* — outsider, loner. **—heit** *nf* **-en** detail, item. **—person** *nf* individual.

einziehen* ('aintsi:ən) *vt* **1** draw in. **2** collect. **3** call up. **4** seize. *vi* **1** move in. **2** enter.

einzig ('aintsiç) *adj* single, sole, unique. **—artig** *adj* unique, singular.

Einzug ('aintsu:k) *nm* entry.

Eis (ais) *n neu* **-e** **1** ice. **2** ice cream. **—bahn** *nf* skating rink. **—bär** *nm* polar bear. **—bein** *n neu* knuckle of pork. **—berg** *nm* iceberg. **—ig** *adj* icy. **—kalt** *adj* ice-cold. **—schrank** *nm* refrigerator. **—zapfen** *nm* icicle. **—zeit** *nf* ice age.

Eisen ('aizən) *n neu* iron. **—bahn** *nf* **1** railway. **2** train. **—bahnwagen** *nm* railway carriage. **—beton** *nm* reinforced concrete. **—warenhändler** *nm* ironmonger.

eisern ('aizərn) *adj* **1** iron. **2** hard, inflexible. **Eiserner Vorhang** *nm* Iron Curtain.

eitel ('aitəl) *adj* **1** vain, conceited. **2** frivolous. **3** idle. **—keit** *nf* vanity.

Eiter ('aitər) *nm* pus. **—n** *vi* suppurate.

Eiweiß ('aivais) *n neu* **-e** egg white, albumen.

Ekel ('e:kəl) *nm* aversion, disgust. **—haft** *adj* loathsome, repulsive. **sich —n** *vr* feel disgust or loathing.

elastisch (e'la:stiʃ) *adj* elastic.

Elefant (ele'fant) *nm* **-en** elephant.

elegant (ele'gant) *adj* elegant.

elektr/ifizieren (elɛktrifi'tsi:rən) *vt* electrify (railway). **—iker** (e'lɛktrikər) *nm* — electrician. **—isch** (e'lɛktriʃ) *adj* electric(al). **—isieren** (elɛktri'zi:rən) *vt* electrify. **—izität** (elɛktritsi'tɛ:t) *nf* electricity. **—ode** (elɛk'tro:də) *nf* **-n** electrode. **—on** (e'lɛktrɔn) *n neu* **-en** electron.

Element (ele'mɛnt) *n neu* **-e** **1** element. **2** battery, cell. **—ar** (elemɛn'ta:r) *adj* elementary, elemental.

elend ('e:lɛnt) *adj* miserable. *n neu* **1** misery. **2** poverty. **—sviertel** *n neu* slum(s).

elf (ɛlf) *adj, nf* eleven. **—te** *adj* eleventh.

Elf (ɛlf) *nm* **-en** *also* **Elfe** *nf* **-n** elf, fairy.

Elfenbein ('ɛlfənbain) *n neu* ivory.

Elite (e'li:tə) *nf* **-n** elite.

Ellbogen ('ɛlbo:gən) *nm* — elbow.

Ellipse (ɛ'lipsə) *nf* **-n** ellipse.

El/saß ('ɛlzas) *n neu* Alsace. **—sässich** *adj* Alsatian. **—sässer** *nm* — Alsatian.

Elster ('ɛlstər) *nf* **-n** magpie.

elter/lich ('ɛltərliç) *adj* parental. **—n** *n pl* parents.

Email (e'ma:j) *n neu* **-s** enamel.
Emigr/ant (emi'grant) *nm* **-en 1** emigrant. **2** refugee. **—ieren** (emi'gri:rən) *vi* emigrate.
empfahl (ɛm'pfa:l) *v* see **empfehlen.**
Empfang (ɛm'pfaŋ) *nm* ¨- reception, welcome. **in Empfang nehmen** receive. **—en*** *vt* receive. *vi* conceive. ¨**—er** ('ɛm'pfɛŋər) *nm* — receiver. ¨**—lich** (ɛm'pfɛŋliç) *adj* susceptible, impressionable.
empfehl/en* (ɛm'pfe:lən) *vt* recommend. **sich empfehlen** *vr* take one's leave. **—ung** *nf* **-en** recommendation.
empfind/en* (ɛm'pfindən) *vt* feel, sense. **—lich** (ɛm'pfintliç) *adj* **1** sensitive. **2** grievous, severe. **—lichkeit** *nf* sensitivity, touchiness. **—ung** *nf* **-en 1** perception. **2** feeling. **3** sentiment.
empfohlen (ɛm'pfo:lən) *v* see **empfehlen.** *adj* recommended.
empor (ɛm'po:r) *adv* up(wards). ¨**—en** (ɛm'pœ:rən) *vt* **1** rouse. **2** shock. **sich** ¨**—en** *vr* revolt. ¨**—end** (ɛm'pœ:rənt) *adj* revolting. **—kommen*** *vi* rise. **—kömmling** (ɛm'po:r-kœmliŋ) *nm* **-e** upstart. ¨**—ung** (ɛm'pœ:ruŋ) *nf* **-en 1** indignation. **2** rebellion.
emsig ('ɛmziç) *adj* busy, industrious.
End/e ('ɛndə) *n neu* **-n** end. **am Ende** in the end. **zu dem Ende** to that purpose. **zu Ende** over. **—en** *vi,vt also* **—igen** end, stop, finish. **—gültig** ('ɛntgy:ltiç) *adj* final, definitive. **—lich** ('ɛntliç) *adj* **1** final. **2** finite. *adv* at last. **—los** ('ɛntlo:s) *adj* endless. **—punkt** ('ɛntpuŋkt) *nm* end point, extremity. **—spiel** ('ɛntʃpi:l) *n neu sport* final. **—station** ('ɛntstatsio:n) *nf* **-en** terminus. **—ung** *nf* **-en** ending.
Energi/e (ɛnɛr'gi:) *nf* **-n** energy. **—sch** (e'nɛrgiʃ) *adj* energetic.
eng (ɛŋ) *adj* **1** narrow. **2** tight. **3** close. **—e** *nf* **-n 1** narrowness. **2** defile, straits. **—herzig** *adj* petty. **—paß** *nm* **1** narrow pass. **2** bottle-neck. **—stirnig** *adj* narrow-minded.
Engel ('ɛŋəl) *nm* — angel. **—gleich** *adj also* **—haft** angelic.
Eng/land ('ɛŋlant) *n neu* England. **—länder** ('ɛŋlɛndər) *nm* — Englishman. **—länderin** *nf* **-nen** Englishwoman. **—lisch** *adj, n neu* English (language).
en gros (ã'gro:) *adv* wholesale.
Enkel ('ɛŋkəl) *nm* — grandson, grandchild. ¨**—in** *nf* **-nen** granddaughter. **—kind** *n neu* grandchild.
enorm (e'nɔrm) *adj* enormous.
entart/en (ɛnt'artən) *vi* degenerate. **—ung** *nf* degeneration, degeneracy.
entbehrlich (ɛnt'be:rliç) *adj* superfluous.
entbinden* (ɛnt'bindən) *vt* **1** untie, release. **2** *med* deliver.
entblößen (ɛnt'blœ:sən) *vt* **1** uncover, bare. **2** denude, deprive.
entdeck/en (ɛnt'dɛkən) *vt* discover, disclose, invent. **—er** *nm* — discoverer, explorer. **—ung** *nf* **-en 1** discovery. **2** disclosure. **3** invention.
Ente ('ɛntə) *nf* **-n 1** duck. **2** hoax.
entehren (ɛnt'e:rən) *vt* dishonour.
enteign/en (ɛnt'aignən) *vt* expropriate. **—ung** *nf* **-en** expropriation.
enterben (ɛnt'ɛrbən) *vt* disinherit.
entfallen* (ɛnt'falən) *vi* **1** escape the memory of. **2** fall out of. **entfällt** not applicable.
entfalt/en (ɛnt'faltən) *vt* **1** unfold. **2** exhibit, display. **—ung** *nf* **-en 1** unfolding. **2** display.
entfern/en (ɛnt'fɛrnən) *vt* remove. **sich entfernen** *vr* go away, withdraw. **—t** *adj* distant. **—ung** *nf* **-en 1** distance. **2** removal, departure.
entfliehen* (ɛnt'fli:ən) *vi* escape, flee.
entfremd/en (ɛnt'frɛmdən) *vt* alienate, antagonize. **—ung** *nf* alienation.
entführ/en (ɛnt'fy:rən) *vt* carry off, abduct, kidnap. **—ung** *nf* **-en** abduction, kidnapping.
entgegen (ɛnt'ge:gən) *prep,adv* **1** contrary (to), against. **2** towards. **—gehen*** *vi* go to meet. **—gesetzt** *adj* opposite, opposed. **—halten*** *vt* **1** hold out (towards). **2** point out. **3** contrast. **—kommen*** *vi* (come to) meet. *n neu* **1** cooperation. **2** kindness. **—laufen*** *vi* **1** run to meet. **2** oppose. **—setzen** *vt* oppose. **—stellen** *vt* set against, contrast.
entgeg/nen (ɛnt'ge:gnən) *vi* answer. **—nung** *nf* **-en** answer.
entgehen* (ɛnt'ge:ən) *vi* **1** escape. **2** avoid.
Entgelt (ɛnt'gɛlt) *n neu* **1** compensation. **2** remuneration. **—en*** *vt* **1** pay for. **2** compensate.
entgleisen (ɛnt'glaizən) *vi* run off the rails.
entgräten (ɛnt'grɛ:tən) *vt* bone (fish).
enthaaren (ɛnt'ha:rən) *vt* remove hair from, depilate.
enthalt/en* (ɛnt'haltən) *vt* contain, include. **sich enthalten** *vr* abstain. **—sam** *adj* abstemious. **—samkeit** *nf* moderation, abstemiousness.
enthaupten (ɛnt'hauptən) *vt* behead.
enthüllen (ɛnt'hylən) *vt* reveal, disclose, unveil.

Enthusiasmus (ɛntuzi'asmus) *nm* enthusiasm.
entkernen (ɛnt'kɛrnən) *vt* stone (fruit, etc.).
entkommen* (ɛnt'kɔmən) *vi* escape.
entkuppeln (ɛnt'kupəln) *vt* 1 disconnect. 2 declutch.
entladen* (ɛnt'la:dən) *vt* 1 unload. 2 (of guns) fire. **sich entladen** *vr* get rid (of).
entlang (ɛnt'laŋ) *adv,prep* along.
entlarven (ɛnt'larfən) *vt* unmask.
entlass/en* (ɛnt'lasən) *vt* dismiss. **—ung** *nf* **-en** dismissal.
entlast/en (ɛnt'lastən) *vt* 1 unload. 2 relieve. 3 clear, exonerate. **—ung** *nf* 1 relief. 2 exoneration. **—sstraße** *nf* bypass.
sich entledigen (ɛnt'le:digən) *vr* rid oneself of.
entlegen (ɛnt'le:gən) *adj* remote, distant.
entmilitarisieren (ɛntmilitari'zi:rən) *vt* demilitarize.
entmutig/en (ɛnt'mu:tigən) *vt* discourage. **—ung** *nf* discouragement.
entnehmen* (ɛnt'ne:mən) *vt* 1 take out or away, remove. 2 infer. 3 learn.
entrahmen (ɛn'tra:mən) *vt* skim.
entrüst/en (ɛnt'rystən) *vt* anger, provoke. **sich entrüsten** *vr* grow angry. **—et** *adj* indignant, angry. **—ung** *nf* indignation, anger.
entsagen (ɛnt'za:gən) *vi* give up, renounce.
entschädig/en (ɛnt'ʃɛ:digən) *vt* 1 compensate. 2 indemnify. **—ung** *nf* **-en** 1 compensation. 2 indemnity.
Entscheid (ɛnt'ʃait) *nm* **-en** *also* **Entscheid/ung** (ɛnt'ʃaiduŋ) *nf* **-en** decision, verdict. **—en*** *vt,vi* decide, resolve. **sich —en** *vr* make up one's mind, decide (on). **—end** *adj* decisive.
entschieden (ɛnt'ʃi:dən) *adj* 1 decided. 2 determined. **—heit** *nf* determination.
sich entschließ/en* (ɛnt'ʃli:sən) *vr* decide. **—ung** *nf* **-en** resolution.
entschlossen (ɛnt'ʃlɔsən) *adj* determined. **—heit** *nf* resoluteness, determination.
Entschluß (ɛnt'ʃlus) *nm* **-schlüsse** decision.
entschlüsseln (ɛnt'ʃlysəln) *vt* decode, decipher.
entschuldig/en (ɛnt'ʃuldigən) *vt* 1 pardon. 2 justify. **sich entschuldigen** *vr* apologize. **—ung** *nf* **-en** excuse, apology. **Entschuldigung!** sorry! excuse me!
entsetz/en (ɛnt'zɛtsən) *vt* 1 frighten. 2 relieve. *n neu* terror. **—lich** *adj* terrible, dreadful.
entspann/en (ɛnt'ʃpanən) *vt* 1 release. 2 relax. **sich entspannen** *vr* relax, rest. **—ung** *nf* 1 relaxation. 2 recreation. 3 détente.
entsprechen* (ɛnt'ʃprɛçən) *vi* correspond (to), answer (to).
entspringen* (ɛnt'ʃpriŋən) *vi* 1 rise or spring from. 2 escape.
entstammen (ɛnt'ʃtamən) *vi* descend (from), spring (from).
entsteh/en* (ɛnt'ʃte:ən) *vi* arise. **—ung** *nf* **-en** origin.
enttäusch/en (ɛnt'tɔyʃən) *vt* disappoint, disillusion. **—ung** *nf* **-en** disappointment.
entvölkern (ɛnt'fœlkərn) *vt* depopulate.
entwaffnen (ɛnt'vafnən) *vt* disarm.
entwässer/n (ɛnt'vɛsərn) *vt* 1 drain. 2 dehydrate. **—ung** *nf* 1 drainage. 2 dehydration.
entweder (ɛnt've:dər) *conj* **entweder...oder** either...or.
entweichen* (ɛnt'vaiçən) *vi* 1 flee. 2 escape.
entweihen (ɛnt'vaiən) *vt* desecrate.
entwerf/en* (ɛnt'vɛrfən) *vt* 1 design, plan. 2 sketch, draw up. **—er** *nm* — designer, planner.
entwert/en (ɛnt'vɛrtən) *vt* 1 devalue. 2 cancel (postage stamps, etc.). **—ung** *nf* **-en** 1 devaluation. 2 cancellation.
entwick/eln (ɛnt'vikəln) *vt* 1 develop. 2 explain. 3 unfold. **—ler** *nm* — developer. **—lung** *nf* **-en** 1 development. 2 exposition. **—lungsländer** *n neu pl* developing countries.
entwirren (ɛnt'virən) *vt* unravel.
entwischen (ɛnt'viʃən) *vi* escape, slip away.
entwürdigen (ɛnt'wyrdigən) *vt* degrade.
Entwurf (ɛnt'vurf) *nm* **-e** plan, draft, outline.
entwurzeln (ɛnt'vurtsəln) *vt* uproot.
entziehen* (ɛnt'tsi:ən) *vt* withdraw, take away. **sich entziehen** *vr* evade, shun.
entziffern (ɛnt'tsifərn) *vt* decipher.
entzück/en (ɛnt'tsykən) *vt* charm, delight. *n neu* — delight. **—end** *adj* charming, delightful.
entzünd/bar (ɛnt'tsyntba:r) *adj* inflammable. **—en** (ɛnt'tsyndən) *vt* 1 inflame. 2 ignite. **—ung** (ɛnt'tsynduŋ) *nf* **-en** 1 inflammation. 2 ignition.
entzwei (ɛnt'tsvai) *adj* in two, broken.
Enzyklopäd/ie (ɛntsyklopɛ'di:) *nf* **-n** encyclopedia. **-isch** (ɛntsyklo'pɛ:diʃ) *adj* encyclopedic.
Enzym (ɛn'tsym) *n neu* **-e** enzyme.
Epidem/ie (epide'mi:) *nf* **-n** epidemic. **—isch** (epi'de:miʃ) *adj* epidemic.
Epik ('e:pik) *nf* epic poetry.
Epilepsie (epilɛp'si:) *nf* epilepsy.
Episode (epi'zo:də) *nf* **-n** episode.

Epos (ˈeːpɔs) *n neu* **Epen** epic.
er (eːr, er) *pron 3rd pers s* he.
erachten (ɛrˈaxtən) *vt* think, deem. *n neu* — opinion. **meines Erachtens** in my opinion.
Erbarm/en (ɛrˈbarmən) *n neu* pity, mercy. **sich erbarmen** *vr* have pity. **—lich** (ɛrˈbɛrmliç) *adj* pitiful. **—ungslos** *adj* merciless.
erbauen (ɛrˈbauən) *vt* construct, build.
Erb/e (ˈɛrbə) *n neu* **-n** inheritance. *nm* **-n** heir. **—en** (ˈɛrbən) *vt* inherit. **—feind** (ˈɛrpfaint) *nm* traditional enemy, sworn enemy. **—folge** (ˈɛrpfɔlgə) *nf* hereditary succession. **—in** (ˈɛrbin) *nf* **-nen** heiress. **—sünde** *nf* original sin. **—lich** (ˈɛrpliç) *adj* hereditary. **—schaft** (ˈɛrpʃaft) *nf* **-en** inheritance. **—stück** (ˈɛrpʃtyk) *n neu* heirloom.
erbittern (ɛrˈbitərn) *vt* embitter.
erblassen (ɛrˈblasən) *vi also* **erbleichen*** **1** grow pale. **2** die.
erblinden (ɛrˈblindən) *vi* grow or go blind.
Erbse (ˈɛrpsə) *nf* **-n** pea.
Erd/beben (ˈeːrtbeːbən) *n neu* — earthquake. **—beere** *nf* strawberry. **—boden** *nm* soil, ground. **—e** (ˈeːrdə) *nf* **-n** **1** earth, world. **2** ground. **3** soil. **auf der Erde** on earth. **zu ebener Erde** at ground level. **—en** (ˈeːrdən) *vt sci, tech* earth. **—geschoß** *n neu* ground floor. **—kreis** *nm* globe. **—kunde** *nf* geography. **—nuß** *nf* peanut. **—öl** *n neu* petroleum. **—teil** *nm* continent.
erdenk/en* (ɛrˈdɛŋkən) *vt* **1** invent, think up. **2** imagine. **—lich** *adj* conceivable.
Erdichtung (ɛrˈdiçtuŋ) *nf* **-en** figment, fiction.
erdrosseln (ɛrˈdrɔsəln) *vt* strangle, throttle.
sich ereign/en (ɛrˈaignən) *vr* happen. **—is** *n neu* **-se** event.
erfahr/en* (ɛrˈfaːrən) *vt* **1** experience. **2** learn. *adj* experienced. **—ung** *nf* **-en** experience.
erfassen (ɛrˈfasən) *vt* **1** grasp. **2** include. **3** understand.
erfind/en* (ɛrˈfindən) *vt* **1** invent. **2** find out. **—er** *nm* — inventor. **—erisch** *adj* inventive. **—ung** *nf* **-en** invention, discovery.
Erfolg (ɛrˈfɔlk) *nm* **-e** **1** success. **2** result. **—en** (ɛrˈfɔlgən) *vi* follow, ensue. **—los** *adj* unsuccessful. **—reich** *adj* successful.
erfordern/lich (ɛrˈfɔrdərliç) *adj* necessary, required. **—n** *vt* call for, necessitate, require. **—nis** *n neu* **-se** requisite, requirement.
erforsch/en (ɛrˈfɔrʃən) *vt* **1** investigate.. **2** explore. **—er** *nm* — **1** investigator. **2** explorer. **—ung** *nf* **-en** **1** investigation. **2** exploration.
erfreu/en (ɛrˈfrɔyən) *vt* delight. **sich erfreuen** *vr* **1** enjoy. **2** be pleased. **—lich** *adj* delightful, pleasing.
erfrieren (ɛrˈfriːrən) *vi* freeze to death.
erfrisch/en (ɛrˈfriʃən) *vt* refresh. **—ung** *nf* **-en** refreshment. **—ungsraum** *nm* snack bar.
erfüllen (ɛrˈfylən) *vt* **1** fill (up). **2** fulfil.
ergänz/en (ɛrˈgɛntsən) *vt* **1** complete. **2** supplement. **3** replenish. **—ung** *nf* **-en** completion.
ergeb/en* (ɛrˈgeːbən) *vt* **1** yield, produce. **2** show, prove. **sich ergeben** *vr* surrender, yield. **sich ergeben aus** follow from. *adj* **1** devoted. **2** addicted. **—enheit** *nf* **-en** **1** devotion. **2** submission. **3** resignation. **—nis** (ɛrˈgeːpnis) *n neu* **-se** result. **—nislos** *adj* without result, vain. **—ung** *nf* **-en** **1** surrender. **2** resignation.
ergehen* (ɛrˈgeːən) *vi* be published or issued. **sich ergehen** *vr* **1** (take a) walk. **2** indulge.
ergiebig (ɛrˈgiːbiç) *adj* productive, fertile.
ergreifen* (ɛrˈgraifən) *vt* **1** seize. **2** take up.
erhaben (ɛrˈhaːbən) *adj* **1** raised. **2** sublime. **3** noble.
erhalt/en* (ɛrˈhaltən) *vt* **1** receive. **2** maintain, support. **—ung** *nf* **1** maintenance. **2** preservation.
erheb/en* (ɛrˈheːbən) *vt* **1** raise (up). **2** demand. **3** levy. **4** praise. **sich erheben** *vr* **1** rise up. **2** rebel. **—lich** (ɛrˈheːpliç) *adj* considerable.
erheitern (ɛrˈhaitərn) *vt* cheer (up).
erhöh/en (ɛrˈhœːən) *vt* raise, increase. **—ung** *nf* **-en** **1** rise, increase. **2** elevation.
sich erhol/en (ɛrˈhoːlən) *vr* **1** recover. **2** recuperate. **—ung** *nf* **-en** **1** recovery. **2** recreation.
erinner/n (ɛrˈinərn) *vt* remind. **sich erinnern** *vr* remember. **—ung** *nf* **-en** **1** memory. **2** reminder.
erkält/en (ɛrˈkɛltən) *vt* cool, chill. **sich erkälten** *vr* catch cold. **—ung** *nf* **-en** cold.
erkämpfen (ɛrˈkɛmpfən) *vt* win or gain by fighting.
erkenn/bar (ɛrˈkɛnbaːr) *adj* recognizable. **—en*** *vt* **1** recognize. **2** perceive. **3** realize. **—ung** *nf* **-en** recognition. **—ungswort** *n neu* password.
Erkenntnis[1] (ɛrˈkɛntnis) *n neu* **-se** judgment.
Erkenntnis[2] (ɛrˈkɛntnis) *nf* **-se** recognition, realization.
erklär/en (ɛrˈklɛːrən) *vt* **1** explain. **2** declare. **—ung** *nf* **-en** **1** explanation. **2** declaration.

erkrank/en (ɛr'kraŋkən) *vi* fall ill. **—ung** *nf* **-en** illness.

sich erkund/igen (ɛr'kundigən) *vr* inquire. **—igung** *nf* **-en** enquiry.

erlahmen (ɛr'la:mən) *vi* become tired or lame.

erlangen (ɛr'laŋən) *vt* attain, obtain.

Erlaß (ɛr'las) *nm* **-lasse** **1** decree, ordinance. **2** remission. **erlassen*** (ɛr'lasən) *vt* **1** proclaim. **2** issue. **3** remit, pardon.

erlaub/en (ɛr'laubən) *vt* permit, allow. **—nis** (ɛr'laupnis) *nf* **-se** permission.

erläutern (ɛr'lɔytərn) *vt* explain, illustrate.

erleb/en (ɛr'le:bən) *vt* experience, live to see. **—nis** (ɛr'le:pnis) *n neu* **-se** **1** experience. **2** adventure.

erledig/en (ɛr'le:digən) *vt* **1** settle. **2** finish (off). **3** deal with. **—ung** *nf* **-en** **1** completion. **2** execution.

erlegen (ɛr'le:gən) *vt* kill, shoot.

erleichter/n (ɛr'laiçtərn) *vt* lighten, relieve, ease. **—ung** *nf* relief.

erlernen (ɛr'lɛrnən) *vt* learn.

erleucht/en (ɛr'lɔyçtən) *vt* **1** illuminate. **2** enlighten. **—ung** *nf* **-en** **1** illumination. **2** enlightenment.

erliegen* (ɛr'li:gən) *vi* be defeated, succumb.

Erlös (ɛr'lœ:s) *nm* **-e** proceeds. **-en** (ɛr'lœ:zən) *vt* **1** release. **2** save. **—er** (ɛr'lœ:zər) *nm* **—** **1** liberator, deliverer. **2** saviour. **—ung** (ɛr'lœ:zuŋ) *nf* **1** deliverance. **2** salvation.

ermächtig/en (ɛr'mɛçtigən) *vt* empower. **—ung** *nf* **-en** authorization.

ermäßig/en (ɛr'mɛ:sigən) *vt* reduce, moderate. **—ung** *nf* **-en** reduction, moderation.

ermitteln (ɛr'mitəln) *vt* find out, ascertain.

ermöglichen (ɛr'mœ:gliçən) *vt* render possible, enable.

ermorden (ɛr'mɔrdən) *vt* murder, assassinate.

ermüden (ɛr'my:dən) *vi,vt* tire.

ermuntern (ɛr'muntərn) *vt* rouse, cheer (up).

ermutig/en (ɛr'mu:tigən) *vt* encourage, hearten. **—ung** *nf* **-en** encouragement.

ernähr/en (ɛr'nɛ:rən) *vt* **1** feed. **2** maintain, support. **—er** *nm* **—** breadwinner. **—ung** *nf* **1** nourishment. **2** nutrition. **3** maintenance.

ernenn/en* (ɛr'nɛnən) *vt* **1** appoint. **2** nominate. **—ung** *nf* **-en** **1** appointment. **2** nomination.

erneuer/n (ɛr'nɔyərn) *vt* **1** renew. **2** restore. **—ung** *nf* **-en** **1** renewal. **2** restoration.

erniedrigen (ɛr'ni:drigən) *vt* **1** lower. **2** degrade, humiliate.

ernst (ɛrnst) *adj* serious, earnest. *nm* **1** seriousness. **2** severity. **—haft** *adj* earnest. **—lich** *adj* serious, earnest.

Ernte ('ɛrntə) *nf* **-n** harvest, crop. **—dankfest** *n neu* harvest festival. **—n** *vt,vi* harvest, gather in.

ernüchtern (ɛr'nyçtərn) *vt* **1** sober (up). **2** disillusion.

Erober/er (ɛr'o:bərər) *nm* **—** conqueror. **—n** *vt* conquer. **—ung** *nf* **-en** conquest.

eröffn/en (ɛr'œfnən) *vt* **1** open. **2** inaugurate, begin. **—ung** *nf* **-en** **1** opening. **2** inauguration, beginning.

erörter/n (ɛr'œrtərn) *vt* discuss. **—ung** *nf* **-en** discussion.

Eroti/k (e'ro:tik) *nf* eroticism. **—sch** *adj* erotic.

erpress/en (ɛr'prɛsən) *vt* blackmail. **—er** *nm* **—** blackmailer. **—ung** *nf* **-en** blackmail.

erproben (ɛr'pro.bən) *vt* try, test.

erraten* (ɛr'ra:tən) *vt* **1** guess. **2** solve.

erreg/bar (ɛr're:kba:r) *adj* excitable. **—en** (ɛr're:gən) *vt* **1** excite. **2** irritate. **—ung** (ɛr're:guŋ) *nf* **-en** excitement.

erreich/bar (ɛr'raiçba:r) *adj* attainable. **—en** *vt* reach, obtain.

erricht⁄en (ɛr'riçtən) *vt* **1** erect. **2** establish. **—ung** *nf* **-en** **1** erection. **2** establishment.

erröten (ɛr'rœ:tən) *vi* blush.

Errungenschaft (ɛr'ruŋənʃaft) *nf* **-en** **1** acquisition. **2** achievement.

Ersatz (ɛr'zats) *nm* **1** substitute, replacement. **2** reserve. **3** compensation. **—reifen** *nm* spare tyre. **—teil** *n neu* spare (part).

erschaff/en* (ɛr'ʃafən) *vt* create.

erschein/en* (ɛr'ʃainən) *vi* appear. **—ung** *nf* **-en** **1** appearance. **2** vision. **3** phenomenon.

erschlagen* (ɛr'ʃla:gən) *vt* kill.

erschließen* (ɛr'ʃli:sən) *vt* **1** open (up). **2** infer.

erschöpf/en (ɛr'ʃœpfən) *vt* exhaust. **—ung** *nf* exhaustion.

erschrak (ɛr'ʃra:k) *v* see **erschrecken.**

erschrecken* (ɛr'ʃrɛkən) *vt* frighten. *vi* be frightened.

erschrocken (ɛr'ʃrɔkən) *v* see **erschrecken.** *adj* frightened.

erschüttern (ɛr'ʃytərn) *vt* shake, upset.

ersehen* (ɛr'ze:ən) *vt* **1** see, perceive. **2** observe.

ersetzen (ɛr'zɛtsən) *vt* replace, make good.

ersichtlich (ɛr'ziçtliç) *adj* evident.

erspar/en (ɛr'ʃpa:rən) *vt* spare, save. **—nis** *nf* **-se** **1** saving. **2** savings.

erst (ɛrst) *adj* first. *adv* **1** at first. **2** only, not till. **der erste beste** the first that comes, anyone or anything. **erste Hilfe** first aid.

erstarren (ɛr'ʃtarən) *vi* grow stiff or rigid.

erstatten (ɛr'ʃtatən) *vt* **1** compensate, repay. **2** return. **3** give.

Erstaufführung ('ɛrstauffy:ruŋ) *nf* **-en** premiere, first night.

erstaun/en (ɛr'ʃtaunən) *vt* astonish. *vi* be astonished. *n neu* amazement. **-lich** *adj* astonishing.

erstens ('ɛ:rstəns) *adv* first(ly).

ersticken (ɛr'ʃtikən) *vt,vi* suffocate, choke.

erstklassig ('e:rstklasiç) *adj* first-class, prime.

ersuchen (ɛr'zu:xən) *vt* request.

ertappen (ɛr'tapən) *vt* **1** surprise. **2** catch. **auf frischer Tat ertappt** caught red-handed.

Ertrag (ɛr'tra:k) *nm* ¨**e** yield, return, profit. **—en*** (ɛr'tra:gən) *vt* bear, endure. ¨**—lich** (ɛr'trɛ:kliç) *adj* bearable, tolerable.

ertränken (ɛr'trɛŋkən) *vt* drown.

ertrinken* (ɛr'triŋkən) *vi* drown.

erwachen (ɛr'vaxən) *vi* awake.

erwachsen* (ɛr'vaksən) *vi* **1** grow up. **2** arise (from). *adj* adult. **—e(r)** *nm* adult.

erwäg/en* (ɛr'vɛ:gən) *vt* **1** consider. **2** weigh. **—ung** *nf* **—en** consideration.

erwähnen (ɛr'vɛ:nən) *vt* mention.

erwärmen (ɛr'vɛrmən) *vt* warm.

erwart/en (ɛr'vartən) *vt* **1** await. **2** expect. **—ung** *nf* **-en** expectation.

erwecken (ɛr'vɛkən) *vt* awaken, (a)rouse.

erweisen* (ɛr'vaizən) *vt* **1** render. **2** prove.

erweiter/n (ɛr'vaitərn) *vt* enlarge. **—ung** *nf* **-en** extension.

Erwerb (ɛr'vɛrp) *nm* **-e** **1** acquisition. **2** gain, profit. **3** livelihood. **—en*** (ɛr'vɛrbən) *vt* **1** acquire. **2** earn. **—stätig** *adj* (gainfully) employed.

erwider/n (ɛr'vi:dərn) *vt* respond (to), reply (to). **—ung** *nf* **-en** reply, response.

erwischen (ɛr'viʃən) *vt* **1** catch. **2** surprise.

erwünscht (ɛr'vynʃt) *adj* desired.

erwürgen (ɛr'vyrgən) *vt* strangle.

Erz (e:rts) *n neu* **-e** ore.

erzähl/en (ɛr'tsɛ:lən) *vt* tell, report, relate. **—er** *nm* **—** **1** narrator, story-teller. **2** reporter. **—ung** *nf* **-en** **1** narrative, story. **2** report.

Erz/bischof ('ɛrtsbiʃɔf) *nm* archbishop. **—engel** *nm* archangel. **—feind** *nm* arch-enemy.

erzeug/en (ɛr'tsɔygən) *vt* **1** beget, breed. **2** produce, manufacture. **—nis** (ɛr'tsɔyknis) *n neu* **-se** **1** product. **2** produce. **—ung** *nf* **1** procreation. **2** production.

erzieh/en* (ɛr'tsi:ən) *vt* **1** bring up. **2** educate. **—ung** *nf* education.

erzwingen* (ɛr'tsviŋən) *vt* obtain by force.

es (ɛs) *pron neu* s it.

Esche ('ɛʃə) *nf* **-n** ash (tree).

Esel ('e:zəl) *nm* — ass, donkey.

esoterisch (ezo'tɛ:riʃ) *adj* esoteric.

essen* ('ɛsən) *vt,vi* eat. *n neu* **—** **1** food. **2** meal.

eß/bar ('ɛsbar) *adj* edible. **—löffel** *nm* tablespoon. **—tisch** *nm* dining table. **—zimmer** *n neu* dining room.

Essenz (ɛ'sɛnts) *nf* **-en** essence.

Essig ('ɛsiç) *nm* **-e** vinegar.

etablieren (eta'bli:rən) *vt* establish.

Etage (e'ta:ʒə) *nf* **-n** floor, storey.

Etat (e'ta:) *nm* **-s** **1** budget. **2** balance-sheet.

Eth/ik ('e:tik) *nf* ethics. **—isch** *adj* ethical.

ethnisch ('e:tniʃ) *adj* ethnic.

Etikett (eti'kɛt) *n neu* **-e** (price) label, tag.

Etikette (eti'kɛtə) *nf* **-en** etiquette.

etliche ('ɛtliçə) *pron,adj pl* some, a few.

Etui (ɛt'vi:) *n neu* **-s** small case or box.

etwa ('ɛtva) *adv* **1** about, nearly **2** perhaps. **—ig** *adj* possible.

etwas ('ɛtvas) *pron invar* some(thing), anything. *adj* some. *adv* somewhat. *n neu* a something.

Etymologie (etymolo'gi:) *nf* **-n** etymology.

euch (ɔyç) *pron 2nd pers pl fam* you, to you.

euer ('ɔyər) *poss adj 2nd pers pl fam* your. *poss pron 2nd pers pl also* **eure, der —e,** *or* **der —ige** yours. **—ethalben** *adv also* **—etwegen** *or* **—etwillen** for your sake, on your account.

Eukalyptus (ɔyka'lyptus) *nm* **-ten** eucalyptus.

Eule ('ɔylə) *nf* **-n** owl.

Eunuch (ɔy'nu:x) *nm* **-en** eunuch.

Europa (ɔy'ro:pa) *n neu* Europe. ¨**—er** (ɔyropɛ:ər) *nm* — European. ¨**—isch** (ɔyro'pe:iʃ) *adj* European.

evakuieren (evaku'i:rən) *vt* **1** empty. **2** evacuate.

evangel/isch (evan'ge:liʃ) *adj* **1** Protestant. **2** evangelical. **—ist** (evange'list) *nm* **-en** evangelist. **—ium** (evan'ge:lium) *n neu* **-ien** gospel.

eventuell (evɛntu'ɛl) *adj* possible.

ewig ('e:viç) *adj* eternal. **—keit** *nf* eternity.

exakt (ɛ'ksakt) *adj* exact, accurate.

Examen (ɛ'ksa:mən) *n neu* — examination.

Exekutionskommando (ɛksekutsi'o:nskɔmando) *n neu* **—s** firing squad.
Exempel (ɛ'ksɛmpəl) *n neu* — example.
Exemplar (ɛksɛm'pla:r) *n neu* **-e** 1 specimen. 2 copy. **—isch** *adj* model, exemplary.
Exil (e'ksi:l) *n neu* **-e** exile.
Exist/enz (ɛksis'tɛnts) *nf* **-en** 1 existence. 2 livelihood. **—ieren** (ɛksis'ti:rən) *vi* exist.
exklusiv (ɛksklu'zi:f) *adj* exclusive.
exotisch (ɛ'kso:tiʃ) *adj* exotic.
Expedition (ɛkspeditsi'o:n) *nf* **-en** 1 expedition. 2 dispatching.
Experiment (ɛksperi'mɛnt) *n neu* **-e** experiment. **—ell** (ɛksperimɛn'tɛl) *adj* experimental. **—ieren** (ɛksperimɛn'ti:rən) *vi* experiment.
explodieren (ɛksplo'di:rən) *vi* explode.
explosiv (ɛksplo'zi:f) *adj* explosive.
Export (ɛks'pɔrt) *nm* **-e** export. **—ieren** (ɛkspɔr'ti:rən) *vt* export.
extrem (ɛks'tre:m) *adj* extreme.
exzentrisch (ɛks'tsɛntriʃ) *adj* eccentric.

F

Fabel ('fa:bəl) *nf* **-n** 1 fable. 2 plot, story. **—haft** *adj* fabulous.
Fabrik (fa'bri:k) *nf* **-en** factory. **—at** (fabri'ka:t) *n neu* **-e** manufacture, product.
fabrizieren (fabri'tsi:rən) *vt* manufacture.
Fach (fax) *n neu* **¨-er** 1 compartment, pigeonhole. 2 drawer. 3 subject, field. 4 department. 5 speciality. **—arbeiter** *nm* skilled worker. **—arzt** *nm med* specialist. **—berater** *nm* technical consultant. **—bildung** *nf* technical education. **—lehrer** *nm* specialist teacher. **—lich** *adj* 1 professional. 2 technical. **—mann** *nm* **¨-er** *or* **-leute** specialist, expert. **—schule** *nf* technical school. **—werk** *n neu* 1 half-timbered work. 2 framework.
fächeln ('fɛçəln) *vt* fan.
Fackel ('fakəl) *nf* **-n** torch.
fade ('fa:də) *adj* 1 dull. 2 insipid. 3 stale.
Faden ('fa:dən) *nm* **¨-** thread, string.
Fagott (fa'gɔt) *n neu* **-e** bassoon.
fähig ('fɛ:iç) *adj* 1 able, capable. 2 competent. **—keit** *nf* **—en** ability, capacity, capability.
fahl (fa:l) *adj* pale, faded.
fahnd/en ('fa:ndən) *vi* **nach jemandem fahnden** search for someone. **—ung** *nf* **-en** search.
Fahne ('fa:nə) *nf* **-n** flag, standard.
fahr/en* ('fa:rən) *vt,vi* 1 go. 2 drive. 3 travel. 4 sail. **—bahn** *nf* roadway, carriageway. **—bar** *adj* 1 passable, negotiable, navigable. 2 mobile. **—er** *nm* — driver. **—gast** *nm* passenger. **—geld** *n neu* fare. **—karte** *nf* ticket. **—lässig** *adj* negligent. **—plan** *nm* timetable. **—rad** *n neu* bicycle. **—schein** *nm* ticket. **—schule** *nf* driving school. **—stuhl** *nm* lift, elevator. **—zeug** *n neu* 1 vehicle. 2 vessel.
Fähre ('fɛ:rə) *nf* **-n** ferry.
Fahrt (fa:rt) *nf* **-en** 1 drive. 2 ride. 3 journey. 4 voyage.
Fährte ('fɛ:rtə) *nf* **-n** 1 track, trail. 2 scent.
Faktur (fak'tu:r) *nf* **-en** invoice. **—ieren** (faktu'ri:rən) *vt* invoice.
Fakultät (fakul'tɛ:t) *nf* **-en** (university) faculty.
Falke ('falkə) *nm* **-n** falcon.
Fall (fal) *nm* **¨-e** 1 fall, downfall. 2 case. **auf jeden Fall** in any case. **für diesen Fall, in diesem Fall** in this case. **—s** *conj* in case, if.
Fall/e ('falə) *nf* **-n** 1 trap, snare. 2 catch, latch. **—en*** *vi* fall. **es fällt mir leicht/schwer** I find it easy/hard. **fallen lassen** drop, let fall. **—schirm** *nm* **-e** parachute. **—schirmjäger** *nm* paratrooper. **—schirmspringer** *nm* parachutist. **—sucht** *nf* epilepsy.
fäll/en ('fɛlən) *vt* 1 fell (a tree, etc.). 2 pass (judgment).
fällig ('fɛliç) *adj* payable, due.
falsch (falʃ) *adj* 1 false. 2 wrong. **¨-en** ('fɛlʃən) *vt* 1 falsify, forge. 2 adulterate. **¨-er** ('fɛlʃər) *nm* — falsifier, forger. **—heit** *nf* **-en** 1 falsehood. 2 deceitfulness.
Falt/e ('faltə) *nf* **-n** fold, crease, wrinkle. **—en** *vt* fold, crease, wrinkle.
familiär (famil'jɛ:r) *adj* familiar.
Familie (fa'mi:liə) *nf* **-n** family. **—nname** *nm* surname.
Fanati/ker (fa'na:tikər) *nm* — fanatic. **—sch** *adj* fanatic(al).
Fanfare (fan'fa:rə) *nf* **-n** fanfare.
fand (fant) *v* see **finden.**
Fang (faŋ) *nm* **¨-e** 1 catching, capture. 2 catch, prey. 3 *pl* fangs. 4 *pl* claws. **—en*** *vt* catch, capture. **sich —en** *vr* become entangled or ensnared.
Farb/e ('farbə) *nf* **-n** 1 colour. 2 paint, dye. 3 *game* suit. **Farbe bekennen** show one's true colours. **¨-en** ('fɛrbən) *vt* dye, colour. **—enblind** ('farbənblint) *adj* colour-blind. **¨-er** ('fɛrbər) *nm* — dyer. **—film** *nm* colour film. **—ig** ('farbiç) *adj* coloured. **—ige(r)**

('farbigə) *nm* **-n** coloured man. **—los** *adj* colourless. **—stoff** *nm* pigment, dye.

Fasan (fa'za:n) *nm* **-e** pheasant.

Fasching ('faʃiŋ) *nm* **-e** (Shrovetide) carnival.

Faschis/mus (fa'ʃismus) *nm* fascism. **—t** *nm* **-en** fascist.

Faser ('fa:zər) *nf* **-n** fibre, strand.

Faß (fas) *n neu* **Fässer** barrel, cask, drum.

fass/en ('fasən) *vt* **1** take hold of, seize, catch. **2** contain, hold. **3** comprehend, grasp. **sich fassen** *vr* **1** pull oneself together. **2** control oneself. **sich kurz fassen** express oneself briefly, be brief. **—ung** *nf* **-en 1** composure, self control. **2** setting (of gems). **3** wording, version.

fast (fast) *adv* almost, nearly.

fast/en ('fastən) *vi* fast. **—nacht** *nf* **1** the night of Shrove Tuesday. **2** carnival.

fatal (fa'ta:l) *adj* **1** unfortunate. **2** disastrous. **—ist** (fata'list) *nm* **-en** fatalist.

faul (faul) *adj* **1** lazy. **2** rotten. **—enzen** *vi* idle, loaf about. **—heit** *nf* laziness. **—nis** ('fəylnis) *nf* decay, rottenness.

Faust (faust) *nf* **¨e** fist.

Februar ('fe:bru̯a:r) *nm* February.

fechten* ('fεçtən) *vi* fence, fight.

Feder ('fe:dər) *nf* **-n 1** feather. **2** pen(-nib). **3** spring. **—ball** *nm* shuttlecock. **—n** *vi* **1** moult. **2** spring, be elastic. **—ung** *nf* **1** (spring) suspension. **2** elasticity.

Fee (fe:) *nf* **-n** fairy.

fegen ('fe:gən) *vt,vi* sweep.

fehl/bar ('fe:lba:r) *adj* fallible. **—betrag** *nm* deficit. **—druck** *nm* misprint. **—en** *vi* **1** be absent. **2** be wanting. **3** fail. **4** err. **—er** *nm* — **1** fault, failing. **2** mistake. **—geburt** *nf* miscarriage. **—schlag** *nm* **1** failure. **2** miss. **—schlagen*** *vi* **1** fail. **2** miss. **—schuß** *nm* bad shot, miss. **—zünden** *vi* misfire.

Feier ('faiər) *nf* **-n** celebration, festival. **—abend** *nm* **1** evening leisure. **2** (at work) finishing-time, knocking-off time. **—lich** *adj* **1** ceremonial. **2** festive. **3** solemn, dignified. **—lichkeit** *nf* **1** ceremony, pomp. **2** solemnity. **—n** *vt,vi* celebrate, *vi* rest (from work). **—tag** *nm* holiday.

feig/e ('faigə) *adj* cowardly. **—heit** ('faikhait) *nf* cowardice. **—ling** ('faikliŋ) *nm* **-e** coward.

Feige ('faigə) *nf* **-n** fig.

feil (fail) *adj* **1** for sale. **2** venal.

Feil/e ('failə) *nf* **-n** file. **—en** *vt,vi* **1** file. **2** polish.

feilschen ('failʃən) *vi* barter, haggle.

fein (fain) *adj* **1** fine. **2** delicate. **3** elegant. **4** distinguished. **5** acute. **6** sensitive. **—fühlig** *adj* sensitive, delicate. **—schmecker** *nm* — gourmet. **—sinnig** *adj* subtle, sensitive.

Feind (faint) *nm* **-e** enemy. **—schaft** *nf* enmity. **—selig** *adj* hostile.

Feld (fεlt) *n neu* **-er** field. **—bett** *n neu* camp bed. **—herr** *nm* commander, general. **—messer** *nm* surveyor. **—stecher** *nm* — field-glasses. **—wache** *nf mil* picket. **—webel** *nm* — sergeant. **—zug** *nm* **1** campaign. **2** expedition.

Fell (fεl) *n neu* **-e 1** hide, skin. **2** fur.

Fels (fεls) *nm* **-en** *also* **Felsen** ('fεlzən) *nm* — **1** cliff. **2** rock.

Fenster ('fεnstər) *n neu* — window. **—brett** *n neu* window-sill. **—laden** *nm* shutter. **—scheibe** *nf* window-pane.

Ferien ('fe:riən) *n pl* holidays.

Ferkel ('fεrkəl) *n neu* — piglet.

fern (fεrn) *adj* distant, far. **Ferne(r) Osten** *nm* Far East. **—e** *nf* **-n** distance, remoteness. **—er** *adj* farther. *adv* moreover. **—erhin** *adv* **1** in the future. **2** moreover. **—gespräch** *n neu* trunk call, long-distance call. **—meldung** *nf* **1** telecommunication. **2** remote signalling. **—rohr** *n neu* telescope. **—sehapparat** *nm* television set. **—sehen*** *vi* watch television. *n neu* television. **—sprecher** *nm* telephone. **—sprechzelle** *nf* call-box.

Ferse ('fεrzə) *nf* **-n** heel.

fertig ('fεrtiç) *adj* **1** ready. **2** finished. **—en** ('fεrtigən) *vt* manufacture, produce. **—keit** *nf* dexterity, proficiency. **—machen** *vt* finish.

Fessel ('fεsəl) *nf* **-n** fetter, bond. **—n** *vt* **1** fetter. **2** captivate.

fest (fεst) *adj* **1** solid, hard. **2** stable, fixed. **—halten*** *vt* **1** seize. **2** hold tight. **3** record. **4** portray. *vi* hold fast, stick to (something). **—igen** *vt* make firm or stable. **—land** *n neu* mainland. **—machen** *vt* make fast, fasten. **—stehen*** *vi* stand firm. **—stellen** *vt* establish, ascertain. **—ung** *nf* **-en** fortress.

Fest (fεst) *n neu* **-e** festival, feast. **—lich** *adj* festive. **—lichkeit** *nf* **-en** festivity.

fett (fεt) *adj* **1** fat. **2** fertile. **3** greasy. *n neu* **-e** fat, grease. **—arm** *adj* low in fat. **—en** *vt* oil. **—ig** *adj* **1** fatty. **2** oily.

Fetzen ('fεtsən) *nm* — **1** scrap, piece. **2** rag.

feucht (fəyçt) *adj* damp, moist. **—igkeit** *nf* damp, moisture, humidity.

Feuer ('fəyər) *n neu* — fire. **—fest** *adj* fireproof. **—löscher** *nm* fire-extinguisher.

—**melder** *nm* fire-alarm. —**n** *vi* **1** fire (on). **2** make a fire. —**wehr** *nf* fire brigade. —**werk** *n neu* fireworks. —**zeug** *n neu* cigarette-lighter.

Feuilleton ('fœjətɔ̃) *n neu* **-s** cultural section of a newspaper.

feurig ('fɔyriç) *adj* fiery.

Fibel ('fi:bəl) *nf* **-n** **1** primer, spelling-book. **2** brooch.

Fichte ('fiçtə) *nf* **-n** pine, spruce.

ficken ('fikən) *vi* move to and fro. *vt* rub. *vi,vt tab* copulate.

Fieber ('fi:bər) *n neu* — fever. —**haft** *adj* feverish.

Fied/el ('fi:dəl) *nf* **-n** fiddle, violin. —**eln** *vt* fiddle. —**ler** *nm* — fiddler.

fiel (fi:l) *v* see **fallen.**

Figur (fi'gu:r) *nf* **-en** **1** figure. **2** chessman.

Filiale (fili'a:lə) *nf* **-n** *comm* branch.

Film (film) *nm* **-e** film. —**star** *nm* **-s** film star.

Filt/er ('filtər) *nm,neu* — filter. —**ern** *vt also* —**rieren** (fil'tri:rən) filter, strain.

Filz (filts) *nm* **-e** **1** felt. **2** miser, skin-flint. —**en** *vt* **1** line with felt. **2** *sl* search, frisk. —**ig** *adj* **1** felt. **2** miserly.

Finanz (fi'nants) *nf* **-en** finance. —**iell** (finanˈtsjɛl) *adj* financial. —**ieren** (finanˈtsi:rən) *vt* finance. —**mann** *nm* financier.

find/en* ('findən) *vt* **1** find. **2** think, consider. —**igkeit** *nf* ingenuity.

fing (fiŋ) *v* see **fangen.**

Finger ('fiŋər) *nm* — finger. —**abdruck** *nm* fingerprint. —**hut** *nm* thimble. —**nagel** *nm* fingernail. —**spitze** *nf* fingertip.

Fink (fiŋk) *nm* **-en** finch.

Finn/e ('fina) *nm* **-n** *also* **Finn/länder** *nm* — Finn. —**isch** *adj* Finnish. *n neu* Finnish (language). —**land** *n neu* Finland.

finster ('finstər) *adj* **1** dark, gloomy. **2** ominous, sinister. —**nis** *nf* **-se** **1** darkness, gloom. **2** *sci* eclipse.

Firma ('firmə) *nf* **Firmen** firm.

Firnis ('firnis) *nm* **-e** varnish. —**sen** *vt* varnish.

Fisch (fiʃ) *nm* **-e** **1** fish. **2** *pl* Pisces. —**en** *vt* fish (for), catch. —**er** *nm* — fisherman. —**erei** (fiʃə'rai) *nf* **-en** fishery, fishing. —**heber** *nm* fish-slice.

fix (fiks) *adj* **1** fixed. **2** quick, agile. —**ieren** (fi'ksi:rən) *vt* **1** fix. **2** stare at.

flach (flax) *adj* **1** flat. **2** shallow. —**e** ('flɛçə) *nf* **-n** **1** surface. **2** plain. **3** expanse. **4** (surface) area. —**enmaß** ('flɛçənmas) *n neu* square measure. —**land** *n neu* plain, lowland.

Flachs (flaks) *nm* flax.

flackern ('flakərn) *vi* (of light, flame) flicker.

Flagge ('flagə) *nf* **-n** flag, standard.

Flamme ('flamə) *nf* **-n** flame. —**n** *vi* flame, blaze.

Flanell (flaˈnɛl) *n neu* **-e** flannel.

Flank/e ('flaŋkə) *nf* **-n** flank. —**ieren** (flaŋ'ki:rən) *vt* (out)flank.

Flasche ('flaʃə) *nf* **-n** bottle, flask. —**nöffner** *nm* bottle opener.

flattern ('flatərn) *vi* flutter.

flau (flau) *adj* **1** weak. **2** slack. **3** dull. **4** stale.

Flaute ('flautə) *nf* **-n** lull, calm.

Flechte ('flɛçtə) *nf* **-n** **1** plait, braid. **2** lichen. —**n*** *vt* braid, plait.

Fleck (flɛk) *nm* **-e** **1** spot. **2** blemish. **3** patch. —**en** *vt,vi* spot, stain. *nm* — **1** spot. **2** blemish. **3** market town. —**ig** *adj* spotted, stained.

Fledermaus ('fle:dərmaus) *nf* **¨-e** bat.

flehen ('fle:ən) *vi* implore.

Fleisch (flaiʃ) *n neu* **-e** meat, flesh. —**er** *nm* — *also* —**hauer** butcher. —**erei** (flaiʃə'rai) *nf* **-en** butcher's shop. —**fressend** *adj* carnivorous. —**ig** *adj* fleshy, meaty. —**lich** *adj* **1** carnal, of the flesh. **2** sensual.

Fleiß (flais) *nm* industry, diligence. —**ig** *adj* industrious, diligent, hard-working.

flicken ('flikən) *vt* mend, patch. *nm* — patch.

Fliege ('fli:gə) *nf* **-n** fly. —**nklappe** *nf* fly-swatter.

flieg/en* ('fli:gən) *vi* fly. —**er** *nm* — flier, aviator.

fliehen* ('fli:ən) *vi,vt* flee (from).

Fließ/band ('fli:sbant) *n neu* **1** conveyor belt. **2** production line. —**en*** *vi* flow. —**end** *adj* **1** flowing. **2** fluent.

flimmern ('flimərn) *vi* glimmer, twinkle.

flink (fliŋk) *adj* nimble, quick. —**heit** *nf* nimbleness, quickness.

Flinte ('flintə) *nf* **-n** **1** rifle. **2** shotgun.

Flitterwochen ('flitərvɔxən) *nf pl* honeymoon.

Flocke ('flɔkə) *nf* **-n** **1** flake. **2** flock, tuft.

flog (flo:k) *v* see **fliegen.**

Floh (flo:) *nm* **¨-e** flea.

Florenz (floˈrɛnts) *n neu* Florence.

floß (flɔs) *v* see **fließen.**

Floß (flo:s) *n neu* **¨-e** **1** raft. **2** (fishing) float.

Flosse ('flɔsə) *nf* **-n** fin, flipper.

Flöt/e ('flœ:tə) *nf* **-n** flute. —**ist** *nm* **-en** flautist.

flott (flɔt) *adj* **1** afloat. **2** brisk. **3** stylish, gay. —**e** ('flɔtə) *nf* **-n** fleet, navy.

Fluch (flu:x) *nm* ¨-e curse, swear word. **—en** *vi* curse, swear.
Flucht (fluxt) *nf* **-en** 1 flight, escape. 2 row, line. **¨-ig** ('flyçtiç) *adj* 1 fleeing. 2 fugitive. 3 brief, fleeting. 4 superficial. **¨-ling** ('flyçtliŋ) *nm* **-e** 1 refugee. 2 fugitive.
Flug (flu:k) *nm* ¨-e 1 flight, flying. 2 flock, flight. **—abwehr** *nf* anti-aircraft defence. **—blatt** *n neu* leaflet, pamphlet. **—deck** *n neu* flight deck. **—hafen** *nm* airport. **—post** *nf* airmail. **—zeug** *n neu* aeroplane, aircraft.
Flügel ('fly:gəl) *nm* — wing.
Fluor ('flu:ɔr) *n neu* fluorine.
Flur (flu:r) *nm* **-e** (entrance) hall. *nf* **-en** field, meadow-land.
Fluß (flus) *nm* **Flüsse** 1 river, stream. 2 flow.
flüssig ('flysiç) *adj* liquid, fluid. **—keit** *nf* **-en** 1 liquid, fluid. 2 liquidity.
flüstern ('flystərn) *vi, vt* whisper.
Flut (flu:t) *nf* **-en** 1 flood. 2 (high) tide.
Fohlen ('fo:lən) *n neu* — foal.
Föhn (fœ:n) *nm* **-e** warm south wind.
Folg/e ('fɔlgə) *nf* **-n** 1 succession, series. 2 consequence, result. **—en** *vi* 1 follow. 2 ensue. 3 obey. **—endermaßen** *adv* in the following manner. **—ern** *vt* infer, conclude. **—erung** *nf* **-en** inference, conclusion. **—lich** ('fɔlkliç) *conj* consequently.
Folter ('fɔltər) *nf* **-n** torture. **—n** *vt* torture.
Fön (fœ:n) *nm Tdmk* **-e** hair-dryer.
Fonds (fõ) *nm comm* fund(s), stock.
forcieren (fɔr'si:rən) *vt* 1 force, take by force. 2 overdo.
forder/n ('fɔrdərn) *vt* 1 demand, claim. 2 challenge, summon. **—ung** *nf* **-en** 1 demand. 2 challenge.
förder/n ('fœ:rdərn) *vt* 1 further, promote. 2 transport, convey. **—lich** *adj* 1 conducive. 2 advantageous. **—ung** *nf* **-en** advancement.
Forelle (fo'rɛlə) *nf* **-n** trout.
Form (fɔrm) *nf* **-en** 1 form, shape. 2 mould. **—el** *nf* **-n** formula. **—ell** (fɔr'mɛl) *adj also* **¨-lich** ('fœrmliç) formal. **—en** *vt* form, mould. **—ieren** (fɔr'mi:rən) *vt* 1 form. 2 arrange. **sich —ieren** *vr mil* fall in. **—ieren** (fɔrmu'la:r) *n neu* **-e** 1 form. 2 schedule. **—ulieren** (fɔrmu'li:rən) *vt* formulate.
forsch/en ('fɔrʃən) *vi* 1 search. 2 investigate. 3 research. **—er** *nm* — 1 researcher. 2 investigator. 3 explorer. **—ung** *nf* **-en** 1 research. 2 investigation.
Forst (fɔrst) *nm* **-e** forest, wood. **¨-er** ('fœrstər) *nm* — forester.
fort (fɔrt) *adv* 1 away. 2 off. 3 on. 4 forward.
fortan (fɔrt'an) *adv* henceforth.
fortbestehen* ('fɔrtbəʃte:ən) *vi* 1 continue (to exist). 2 persist.
Fortbildung ('fɔrtbildu̯ŋ) *nf* further education or training.
fortdauern ('fɔrtdau̯ərn) *vi* continue, last.
fortfahren* ('fɔrtfa:rən) *vi* 1 keep or go on. 2 depart. *vt* 1 remove. 2 drive away.
fortgehen* ('fɔrtge:ən) *vi* go away or on.
fortkommen* ('fɔrtkɔmən) *vi* 1 get away. 2 make progress.
fortlaufend ('fɔrtlau̯fənt) *adj* continuous.
fortpflanzen ('fɔrtpflantsən) *vt* propagate. **sich fortpflanzen** *vr* multiply, propagate.
fortschreiten* ('fɔrtʃrai̯tən) *vi* 1 proceed. 2 progress. **—d** *adj* 1 advancing. 2 progressive.
Fortschritt ('fɔrtʃrit) *nm* **-e** progress. **—lich** *adj* progressive.
fortsetz/en ('fɔrtzɛtsən) *vt* continue. **—ung** *nf* **-en** continuation.
fortwährend ('fɔrtvɛ:rənt) *adj* perpetual, continual.
Fossil (fɔ'si:l) *n neu* **-ien** fossil.
Fötus ('fœtus) *nm* **-usse** foetus.
Fracht (fraxt) *nf* **-en** freight, cargo. **—en** *vt* ship, freight. **—er** *nm* — freighter. **—gut** *n neu* freight, goods.
Frack (frak) *nm* ¨-e dress coat, tails.
Frag/e ('fra:gə) *nf* **-n** question. **—ebogen** *nm* questionnaire. **—en** *vt* ask, question, inquire. **—ezeichen** *n neu* question mark. **—lich** ('fra:kliç) *adj* questionable. **—los** ('fra:klo:s) *adv* unquestionably. **—würdig** ('fra:kvyrdiç) *adj* doubtful.
Fragment (frag'mɛnt) *n neu* **-e** fragment.
Fraktion (fraktsi'o:n) *nf* **-en** 1 fraction. 2 parliamentary party.
Fraktur (frak'tu:r) *nf* **-en** 1 fracture. 2 Gothic type or script.
Franken ('fraŋkən) *nm* — (Swiss) franc.
frankieren (fraŋ'ki:rən) *vt* frank, stamp.
Frankreich ('fraŋkrai̯ç) *n neu* France.
Franse ('franzə) *nf* **-n** fringe.
Franz/ose (fran'tso:zə) *nm* **-n** Frenchman. **—ösin** (fran'tsœ:zin) *nf* **-nen** Frenchwoman. **—ösisch** (fran'tsœ:ziʃ) *adj* French. *n neu* French (language).
Fratze ('fratsə) *nf* **-n** grimace. **Fratzen schneiden** pull faces.
Frau (frau) *nf* **-en** woman, wife. **—enarzt** *nm* gynaecologist. **—enzimmer** *n neu* 1 woman, female. 2 slut.

Fräulein ('frɔylain) *n neu* — **1** young or unmarried woman. **2** Miss.
frech (freç) *adj* impudent, cheeky. **—heit** *nf* impudence, cheek.
frei (frai) *adj* **1** free, at liberty, unconstrained. **2** free (of charge). **3** vacant. **freier Grundbesitz** freehold.
Freibad ('fraibat) *n neu* open-air swimming pool.
Freibrief ('fraibri:f) *nm* charter.
Freie ('fraiə) *n neu* open air. **im Freien** out of doors.
freigebig ('fraige:biç) *adj* generous.
Freiheit ('fraihait) *nf* freedom. **—sstrafe** *nf* imprisonment.
Frei/herr ('fraihɛr) *nm* baron. **—herrin** *nf* baroness.
freilassen* ('frailasən) *vt* release.
freilich ('frailiç) *adv* certainly, of course.
freimütig ('fraimy:tiç) *adj* frank, candid.
freisprechen* ('fraiʃprɛçən) *vt* acquit.
Freitag ('fraita:k) *nm* Friday.
frei/willig ('fraiviliç) *adj* willing, voluntary. **—willige(r)** ('fraiviligə) *nm* volunteer.
Freizeit ('fraitsait) *nf* leisure, spare time.
fremd (frɛmt) *adj* **1** foreign. **2** strange. **—artig** *adj* strange, odd. **—e** ('frɛmdə) *nf* **-n** foreign country. **—e(r)** ('frɛmdə) *nm* **1** foreigner. **2** stranger. **—enführer** ('frɛmdənfy:rər) *nm* guide. **—enverkehr** ('frɛmdənferke:r) *nm* tourism. **—enzimmer** ('frɛmdəntsimər) *n neu* **1** guest-room. **2** room to let. **—sprache** *nf* foreign language. **—wort** *n neu* foreign word.
Frequenz (fre'kvɛnts) *nf* **-en** frequency.
fressen* ('frɛsən) *vt* (of animals) eat.
Freud/e ('frɔydə) *nf* **-n** joy, pleasure. **—ig** *adj* joyful. **—igkeit** *nf* joyfulness.
freuen ('frɔyən) *vt* please. **sich freuen** *vr* be glad. **sich freuen auf** look forward to.
Freund (frɔynt) *nm* **-e** friend, boyfriend. **—in** ('frɔyndin) *nf* **-nen** friend, girlfriend. **—lich** *adj* **1** friendly. **2** kind, pleasant. **—schaft** *nf* **-en** friendship.
Frevel ('fre:fəl) *nm* — crime, outrage.
Fried/e(n) ('fri:də) *nm* peace. **—ensstifter** *nm* peace-maker. **—ensvertrag** *nm* peace treaty. **—fertig** ('fri:tfɛrtiç) *adj* peaceable. **—hof** ('fri:tho:f) *nm* cemetery. **—lich** ('fri:tliç) *adj* peaceful, peaceable.
frieren* ('fri:rən) *vi, vt* freeze.
Fries (fri:s) *nm* **-e** frieze.

frigid (fri'gi:t) *adj* frigid. **—ität** (frigidi'tɛ:t) *nf* frigidity.
frisch (friʃ) *adj* **1** fresh. **2** cool. **3** new. **—e** *nf* freshness.
Fris/eur (fri'zœ:r) *nm* **-e** hairdresser, barber. **—iersalon** (fri'zi:rzalɔ̃) *nm* hairdresser's salon. **—ur** (fri'zu:r) *nf* **-en** hair style, hairdo.
Frist (frist) *nf* **-en** (period of) time, time-limit. **—los** *adj* without notice.
froh (fro:) *adj* happy, glad, merry. **—lich** ('frœ:liç) *adj* happy, merry. **—lichkeit** *nf* joyfulness, mirth. **—sinn** *nm* cheerfulness.
fromm (frɔm) *adj* **1** devout, pious. **2** docile. **—eln** ('frœməln) *vi* feign piety. **—igkeit** ('frœmiçkait) *nf* piety. **—ler** ('frœmlər) *nm* — bigot.
Fronleichnam (fro:n'laiçna:m) *nm rel* Corpus Christi Day.
Front (frɔnt) *nf* **-en** front, facade.
fror (frɔ:r) *v* see **frieren.**
Frosch (frɔʃ) *nm* **-e** frog.
Frost (frɔst) *nm* **-e** frost, chill. **—ig** *adj* frosty, chilly.
Frucht (fruxt) *nf* **-e** fruit. **—bar** *adj* fruitful, fertile. **—barkeit** *nf* fertility. **—los** *adj* fruitless.
früh (fry:) *adj* early. *adv* **1** early. **2** in the morning. **—e** *nf* early hour, morning. **—er** *adj* earlier, former, sooner. **—jahr** *n neu also* **—ling** *nm* **-e** spring. **—reif** *adj* precocious, premature, forward. **—stück** *n neu* breakfast. **—stücken** *vi* breakfast. **—zeitig** *adj* early, premature.
Fuchs (fuks) *nm* **-e** fox.
Fug/e ('fu:gə) *nf* **-n** **1** joint. **2** fugue. **—en** ('fy:gən) *vt* **1** add. **2** join. **sich —en** *vr* submit, acquiesce.
fühl/en ('fy:lən) *vt* **1** feel, touch. **2** sense. **sich fühlen** *vr* feel. **sich traurig fühlen** feel sad. **—er** *nm* — feeler.
führ/en ('fy:rən) *vt* **1** lead. **2** direct. **3** manage, control, carry on. **4** keep (books). **—er** *nm* — **1** leader. **2** manager. **3** guide(book). **4** driver. **5** pilot. **—erschein** *nm* driving licence. **—ung** *nf* **1** direction, control. **2** leadership. **3** administration.
Füll/e ('fylə) *nf* **1** fullness. **2** abundance. **—en** *vt* fill. **—feder** *nf also* **—er** *nm* — fountain pen.
Fundament (funda'mɛnt) *n neu* **-e** foundation.
fünf (fynf) *adj,nf* five. **—te** *adj* fifth. **—zehn** *adj,nf* fifteen. **—zehnte** *adj* fifteenth. **—zig** *adj,nf* fifty. **—zigste** *adj* fiftieth.

fungieren (fuŋ'gi:rən) *vi* **fungieren als** act as.
Funk (fuŋk) *nm* radio, wireless. **—eln** *vi* sparkle, twinkle. **—en** *nm* — spark. *vi* spark. *vt* **1** radio. **2** broadcast. **—er** *nm* — radio operator. **—gerät** *n neu* radio (set).
Funktion (fuŋktsi'o:n) *nf* **-en** function. **—är** (fuŋktsio'nɛ:r) *nm* **-e** functionary, official. **—ieren** (fuŋktsio'ni:rən) *vi* function.
für (fy:r) *prep* **1** for. **2** in place of. **3** in favour of. **4** on behalf of. **für sich 1** for oneself. **2** exceptional. **was für** what sort of. **—sorge** *nf* **1** care. **2** welfare. **—sorger** *nm* — social or welfare worker. **—wahr** *adv* truly, indeed. **—wort** *n neu* pronoun.
Furch/e ('furçə) *nf* **-n 1** furrow. **2** wrinkle. **—en** *vt* furrow.
Furcht (furçt) *nf* fear. **—bar** *adj* frightful, horrible. **¨—en** ('fyrçtən) *vt* fear. **sich ¨—en** *vr* be afraid. **—los** *adj* fearless.
Furnier (fur'ni:r) *nm* **-e** veneer.
Fürst (fyrst) *nm* **-en** prince. **—entum** ('fyrstentu:m) *n neu* **¨-er** principality. **—in** *nf* **-nen** princess. **—lich** *adj* princely.
Fuß (fu:s) *nm* **¨-e** foot. **zu Fuß gehen** walk, go on foot. **—ball** *nm* football. **—boden** *nm* floor. **—bremse** *nf* foot-brake. **—gänger** ('fu:sgɛŋər) *nm* — pedestrian. **—tritt** *nm* **1** kick. **2** footstep.
Futter ('futər) *n neu* **1** feed, fodder. **2** lining. **¨—n** ('fytərn) *vt* **1** feed. **2** line.

G

gab (ga:p) *v* see **geben.**
Gabe ('ga:bə) *nf* **-n** gift.
Gabel ('ga:bəl) *nf* **-n** fork.
gackern ('gakərn) *vi* cackle.
gähnen ('gɛ:nən) *vi* yawn.
galant (ga'lant) *adj* gallant.
Galeere (ga'le:rə) *nf* **-n** galley.
Galerie (galə'ri:) *nf* **-n** gallery.
Galgen ('galgən) *nm* — gallows.
Galione (gali'o:nə) *nf* **-n** galleon.
Galopp (ga'lɔp) *nm* **-e** gallop. **—ieren** (galɔ'pi:rən) *vi* gallop.
galvanisieren (galvani'zi:rən) *vt* galvanize.
Gang (gaŋ) *nm* **¨-e 1** gait. **2** walking, progress. **3** functioning, operation. **4** corridor, aisle. **5** (of a meal) course. **6** *mot* gear. **im Gang 1** going on. **2** working. **—art** *nf* walk, gait.
Gans (gans) *nf* **¨-e** goose. **¨—ebraten** ('gɛnzəbratən) *nm* roast goose. **¨—efüßchen** ('gɛnzəfy:sçən) *n neu pl inf* quotation marks. **¨—emarsch** ('gɛnzəmarʃ) *nm* single file. **¨—erich** ('gɛnzəriç) *nm* **-e** gander.
ganz (gants) *adj* whole, all. *adv* **1** quite. **2** wholly, very. **im ganzen** on the whole. **—e(s)** *n neu* whole. **¨—lich** ('gɛntsliç) *adj* whole, entire.
gar (ga:r) *adj* **1** ready, finished. **2** *cul* tender, done. *adv* **1** quite. **2** about. **3** very. **gar nicht** not at all.
Garantie (garan'ti:) *nf* **-n** guarantee. **—ren** *vt* guarantee.
Garde ('gardə) *nf* **-n** guard(s).
Garderobe (gardə'ro:bə) *nf* **-n 1** cloakroom. **2** wardrobe.
Gardine (gar'di:nə) *nf* **-n** curtain.
gär/en* ('gɛ:rən) *vi* ferment. **¨—ung** *nf* fermentation.
garnieren (gar'ni:rən) *vt* **1** garnish. **2** trim.
Garnison (garni'zo:n) *nf* **-en** garrison.
Gart/en ('gartən) *nm* **¨-** garden. **¨—ner** ('gɛrtnər) *nm* — gardener.
Gas (ga:s) *n neu* **-e** gas. **—herd** *nm* gas cooker or stove. **—ofen** *nm* gas stove or oven, gas fire.
Gasse ('gasə) *nf* **-n** alley, lane.
Gast (gast) *nm* **¨-e 1** guest, visitor. **2** stranger. **3** customer. **—arbeiter** *nm* immigrant worker. **¨—ebuch** ('gɛstəbu:x) *n neu* visitors' book. **—freundlich** *adj* hospitable. **—freundschaft** *nf* hospitality. **—geber** *nm* — host. **—geberin** *nf* **-nen** hostess. **—haus** *n neu* **1** inn. **2** restaurant. **—hof** *nm* **1** hotel. **2** restaurant. **—stätte** *nf* restaurant, cafe.
Gatt/e ('gatə) *nm* **-n** husband, spouse. **—in** *nf* **-nen** wife, spouse.
Gattung ('gatuŋ) *nf* **-en 1** kind, sort. **2** species.
gaukeln ('gaukəln) *vi* **1** juggle. **2** conjure.
Gaul (gaul) *nm* **-e** horse, nag.
Gaumen ('gaumən) *nm* — palate.
Gauner ('gaunər) *nm* — swindler, rogue.
Gaze ('ga:zə) *nf* **-n** gauze.
Gazelle (ga'tsɛlə) *nf* **-n** gazelle.
Gebäck (gə'bɛk) *n neu* **-e** cakes, pastries.
Gebärde (gə'bɛ:rdə) *nf* **-n** gesture.
gebär/en* (gə'bɛ:rən) *vt* give birth to, bear. **—mutter** *nf* womb, uterus.
Gebäude (gə'bɔydə) *n neu* — building.
geben* ('ge:bən) *vt* give, present. **sich geben** *vr* **1** act, behave. **2** pass, abate. **es gibt** there is or are. **von sich geben** utter.
Gebet (gə'be:t) *n neu* **-e** prayer.
gebeten (gə'be:tən) *v* see **bitten.**

Gebiet (gə'bi:t) *n neu* **-e** territory, district, area. **—en*** *vt,vi* command. **—er** *nm* — commander, master. **—erisch** *adj* masterful, imperious.

Gebilde (gə'bildə) *n neu* — **1** creation, work. **2** form.

gebildet (gə'bildət) *adj* educated.

Gebirg/e (gə'birgə) *n neu* — mountains, mountain range. **—ig** *adj* mountainous.

Gebiß (gə'bis) *n neu* **-bisse 1** teeth. **2** denture. **3** bit.

gebissen (gə'bisən) *v* see **beißen.**

Gebläse (gə'blɛ:zə) *n neu* — bellows.

geblieben (gə'bli:bən) *v* see **bleiben.**

Gebot (gə'bo:t) *n neu* **-e** command(ment).

gebracht (gə'braxt) *v* see **bringen.**

Gebrauch (gə'braux) *nm* **¨e 1** use. **2** custom. **—en** *vt* use. **¨—lich** (gə'brɔyçliç) *adj* customary, usual. **—sanweisung** *nf* directions for use. **—t** *adj* used, second-hand.

gebrechlich (gə'brɛçliç) *adj* fragile, weak.

gebrochen (gə'brɔxən) *v* see **brechen.**

Gebrüder (gə'brydər) *nm pl comm* brothers, bros.

Gebühr (gə'by:r) *nf* **-en 1** fee, charge. **2** tax, duty. **—lich** *adj* proper, appropriate.

gebunden (gə'bundən) *adj* **1** bound. **2** connected.

Geburt (gə'burt) *nf* **-en** birth. **—enbeschränkung** *nf also* **—enkontrolle** birth control. **—sort** *nm* birthplace. **—sschein** *nm also* **—surkunde** *nf* birth certificate. **—stag** *nm* birthday.

Gebüsch (gə'byʃ) *n neu* **-e** undergrowth, (clump of) bushes.

gedacht (gə'daxt) *v* see **denken.**

Gedächtnis (gə'dɛçtnis) *n neu* **-se** memory, remembrance.

Gedanke (gə'daŋkə) *nm* **-n** thought, idea.

Gedärm (gə'dɛrm) *n neu* **-e** bowels, intestines.

Gedeck (gə'dɛk) *n neu* **-e 1** cover. **2** menu.

gedeih/en* (gə'daiən) *vi* prosper, flourish.

gedenk/en* (gə'dɛŋkən) *vi* **1** remember. **2** mention. **3** intend. **—stätte** *nf* memorial.

Gedicht (gə'diçt) *n neu* **-e** poem.

gediegen (gə'di:gən) *adj* **1** pure. **2** solid, reliable, good-quality.

Gedräng/e (gə'drɛŋə) *n neu* crowd, press.

Geduld (gə'dult) *nf* patience. **—ig** (gə'duldiç) *adj* patient.

geeignet (gə'aignət) *adj* suitable, appropriate.

Gefahr (gə'fa:r) *nf* **-en** danger. **¨—den** (gə'fɛ:rdən) *vt* endanger. **¨—lich** (gə'fɛ:rliç) *adj* dangerous.

Gefährte (gə'fɛ:rtə) *nm* **-n** companion.

gefall/en* (gə'falən) *vi* please. **dieses Bild gefällt mir** I like this picture, this picture pleases me. *~n neu* — pleasure. *nm* — favour. **¨—ig** (gə'fɛliç) *adj* pleasing, agreeable. **¨—igkeit** (gə'fɛliçkait) *nf* **-en 1** kindness. **2** favour. **¨—igst** (gə'fɛliçst) *adv* please.

gefangen (gə'faŋən) *adj* captive. **gefangen nehmen** take prisoner. **—e(r)** *nm* prisoner, captive. **—schaft** *nf* imprisonment, captivity.

Gefängnis (gə'fɛŋnis) *n neu* **-se 1** prison. **2** imprisonment. **—wärter** *nm* warder, jailer.

Gefäß (gə'fɛ:s) *n neu* **-e** vessel, container.

Gefecht (gə'fɛçt) *n neu* **-e 1** fight. **2** action.

geflogen (gə'flo:gən) *v* see **fliegen.**

geflossen (gə'flɔsən) *v* see **fließen.**

Geflügel (gə'fly:gəl) *n neu* poultry.

Gefolge (gə'fɔlgə) *n neu* retinue, followers.

gefräßig (gə'frɛ:siç) *adj* gluttonous, greedy.

Gefreite(r) (gə'fraitə) *nm* **1** lance corporal. **2** able seaman.

Gefrierpunkt (gə'fri:rpuŋkt) *nm* freezing point.

gefroren (gə'frɔ:rən) *v* see **frieren.**

gefügig (gə'fy:giç) *adj* pliant, compliant.

Gefühl (gə'fy:l) *n neu* **-e 1** sense, touch. **2** feeling, emotion.

gefunden (gə'fundən) *v* see **finden.**

gegangen (gə'gaŋən) *v* see **gehen.**

gegebenenfalls (gə'ge:bənənfals) *adv* should the occasion or need arise.

gegen ('ge:gən) *prep* **1** against. **2** towards. **3** about. **—angriff** *nm* counter-attack. **—einander** (ge:gənain'andər) *adv* against one another. **—gewicht** *n neu* counterweight. **—gift** *n neu* antidote. **—satz** *nm* **1** contrast. **2** opposition. **im Gegensatz zu 1** contrary to. **2** as opposed to. **—seitig** *adj* **1** mutual. **2** reciprocal. **—stand** *nm* object. **—teil** *n neu* **1** contrary. **2** reverse. **im Gegenteil** on the contrary. **—über** (ge:gən'y:bər) *prep,adv* opposite. *n neu* — person or object opposite. **—wart** *nf* **-en 1** the present (time). **2** presence. **—wärtig** *adj* present, current. **—wehr** *nf* defence.

Gegend ('ge:gənt) *nf* **-en** district, area, neighbourhood.

gegessen (gə'gɛsən) *v* see **essen.**

Gegner ('ge:gnər) *nm* — opponent, enemy.

gegossen (gə'gɔsən) *v* see **gießen.**

gegriffen (gə'grifən) *v* see **greifen.**

gehabt (gə'ha:pt) *v* see **haben.**

Gehalt (gə'halt) *n neu* **¨er** salary. *nm* **-e** content, contents, capacity.
gehässig (gə'hɛsiç) *adj* **1** hateful. **2** spiteful.
geheim (gə'haim) *adj* secret. **—dienst** *nm* secret service. **—nis** *n neu* **-se** secret. **—nisvoll** *adj* mysterious.
gehen* ('ge:ən) *vi* **1** go, walk. **2** function, work. **es geht** it's all right. **wie geht es Ihnen?** how are you?
Gehilfe (gə'hilfə) *nm* **-n** assistant.
Gehirn (gə'hirn) *n neu* **-e** brain. **—erschütterung** *nf* concussion.
geholfen (gə'hɔlfən) *v* see **helfen.**
Gehör (gə'hœ:r) *n neu* hearing.
gehorchen (gə'hɔrçən) *vi* obey.
gehör/en (gə'hœ:rən) belong. **es gehört sich** it is proper. **—ig** *adj* **1** belonging. **2** suitable, proper.
gehorsam (gə'ho:rza:m) *adj* obedient. *nm* obedience.
Gehrock ('ge:rɔk) *nm* frock coat.
Gehsteig ('ge:ʃtaik) *nm* **-e** pavement.
Gehwerk ('ge:vɛrk) *n neu* clockwork.
Geier ('gaiər) *nm* — vulture.
Geifer ('gaifər) *nm* **1** spittle. **2** foam.
Geige ('gaigə) *nf* **-n** violin, fiddle. **—nspieler** *nm* violinist, fiddler.
Geisel ('gaizəl) *nm* **—**, *nf* **-n** hostage.
Geist (gaist) *nm* **-er** **1** spirit. **2** mind, intellect. **3** ghost. **—esabwesend** *adj* absent-minded. **—esgestört** *adj also* **—eskrank** insane, mentally ill. **—eswissenschaften** *nf pl* humanities, the Arts. **—ig** *adj* **1** spiritual. **2** intellectual, mental. **3** alcoholic (beverage, etc.). **—lich** *adj* **1** spiritual. **2** clerical. **—liche(r)** *nm* **-n** cleric. **—reich** *adj also* **—voll** **1** witty. **2** ingenious.
Geiz (gaits) *nm* **1** avarice. **2** miserliness. **—hals** *nm* miser. **—ig** *adj* miserly.
gekannt (gə'kant) *v* see **kennen.**
gekünstelt (gə'kynstəlt) *adj* **1** artificial. **2** affected. **3** feigned.
Gelächter (gə'lɛçtər) *n neu* laughter.
geladen (gə'la:dən) *adj* loaded.
Gelage (gə'la:gə) *n neu* — feast, drinking-bout.
Gelände (gə'lɛndə) *n neu* — ground, land.
Geländer (gə'lɛndər) *n neu* — railing, banisters.
gelang *v* see **gelingen.**
gelangen (gə'laŋən) *vi* arrive at, reach.
gelassen (gə'lasən) *adj* calm. **—heit** *nf* calmness, composure.
Gelatine (ʒɛla'ti:nə) *nf* gelatine. **—dynamit** *n neu* gelignite.
geläufig (gə'lɔyfiç) *adj* **1** common. **2** current. **3** familiar. **4** fluent.
gelb (gɛlp) *adj,n neu* yellow. **—sucht** *nf* jaundice.
Geld (gɛlt) *n neu* **-er** money. **—anweisung** *nf* money order. **—mittel** *n neu pl* funds, means. **—schrank** *nm* safe, strong-box. **—strafe** *nf* fine.
Gelee (ʒe'le:) *n neu* **-s** jelly.
gelegen (gə'le:gən) *adj* **1** situated. **2** convenient. **—heit** *nf* **-en** **1** opportunity. **2** occasion. **—tlich** *adj* **1** occasional. **2** incidental.
gelehr/t (gə'le:rt) *adj* learned. **—te(r)** *nm* scholar.
Geleit (gə'lait) *n neu* **-e** retinue, escort. **—en** *vt* escort.
Gelenk (gə'lɛŋk) *n neu* **-e** joint.
gelernt (gə'lɛrnt) *adj* trained, skilled.
Geliebte(r) (gə'li:ptə) *nm* sweetheart, lover.
gelinde (gə'lində) *adj* mild, soft.
gelingen* (gə'liŋən) *vi imp* succeed. **es gelingt mir, etwas zu tun** I am successful or I succeed in doing something.
gelitten (gə'litən) *v* see **leiden.**
geloben (gə'lo:bən) *vt* vow. **Gelübde** (gə'lyptə) *n neu* — vow.
gelogen (gə'lo:gən) *v* see **lügen.**
gelt/en* ('gɛltən) *vi* **1** be valid. **2** be worth. **3** pass for. **4** apply to. **—ung** *nf* **-en** **1** value. **2** validity.
gelungen (gə'luŋən) *v* see **gelingen.**
Gemach (gə'max) *n neu* **¨er** room, apartment. **¨-lich** (gə'mɛçliç) *adj* **1** comfortable. **2** leisurely.
Gemahl (gə'ma:l) *nm* **-e** husband, consort. **—in** *nf* **-nen** wife, consort.
Gemälde (gə'mɛ:ldə) *n neu* — picture, painting.
gemäß (gə'mɛ:s) *prep* according to. *adj* conformable, appropriate. **—igt** *adj* moderate.
gemein (gə'main) *adj* **1** common, general. **2** vulgar. **3** mean. **4** nasty. **—e(r)** *nm mil* private. **—gut** *n neu* public property. **—heit** *nf* **-en** **1** vulgarity. **2** mean trick. **—hin** *adv* ordinarily, commonly. **—sam** *adj* common, joint. **—schaft** *nf* **-en** **1** community. **2** association, union.
Gemeinde (gə'maində) *nf* **-n** **1** community. **2** municipality. **3** parish. **4** congregation, communion. **—steuer** *nf* rates.

Gemenge (gə'mɛŋə) *n neu* — **1** mixture. **2** scuffle.

gemessen (gə'mɛsən) *adj* **1** measured, precise. **2** dignified, deliberate.

Gemisch (gə'miʃ) *n neu* **-e** mixture.

gemocht (gə'mɔxt) *v* see **mögen.**

Gemse ('gɛmzə) *nf* **-n** chamois.

Gemurmel (gə'murməl) *n neu* murmuring.

Gemüse (gə'my:zə) *n neu* — vegetable(s). **—händler** *nm* greengrocer.

Gemüt (gə'my:t) *n neu* **-er** **1** mind, soul. **2** temperament, disposition. **—lich** *adj* **1** good-natured, genial. **2** comfortable, cosy, agreeable. **—lichkeit** *nf* **1** geniality, kindliness. **2** comfort, cosiness.

Gen (gɛn) *n neu* **-e** gene.

genannt (gə'nant) *v* see **nennen.**

genau (gə'nau) *adj* exact, precise.

genehmig/en (gə'ne:migən) *vt* **1** approve. **2** ratify. **—ung** *nf* **-en** **1** approval. **2** permit. **3** ratification.

geneigt (gə'naikt) *adj* inclined or prone (to).

General (gene'ra:l) *nm* **-e** general. **—bevollmächtigte(r)** *nm* **1** chief representative. **2** commissioner. **—direktor** *nm* **1** general manager. **2** managing director. **—probe** *nf* dress rehearsal.

Generation (generatsi'o:n) *nf* **-en** generation.

genesen* (gə'ne:zən) *vi* recover, convalesce.

Genetik (ge'ne:tik) *nf* genetics.

Genf (gɛnf) *n neu* Geneva.

genial (geni'a:l) *adj* brilliant, inspired. **—ität** (geniali'tɛ:t) *nf* genius, brilliance.

Genick (gə'nik) *n neu* **-e** nape of the neck.

Genie (ʒe'ni:) *n neu* **-s** genius.

genieren (ʒe'ni:rən) *vt* **1** embarrass. **2** inconvenience. **sich genieren** *vr* feel embarrassed.

genieß/bar (gə'ni:sba:r) *adj* **1** enjoyable. **2** edible. **3** drinkable. **—en*** *vt* **1** enjoy. **2** eat. **3** drink.

Genitalien (geni'taliən) *n pl* genitals.

genommen (gə'nɔmən) *v* see **nehmen.**

genoß (gə'nɔs) *v* see **genießen.**

Genosse (gə'nɔsə) *nm* **-n** comrade, colleague. **—nschaft** *nf* **-en** **1** association. **2** company. **3** cooperative.

genossen (gə'nɔsən) *v* see **genießen.**

genug (gə'nu:k) *adj* enough, sufficient. **—e** (gə'ny:gə) *nf* sufficiency. **—en** (gə'ny:gən) *vi* suffice. **—end** (gə'ny:gənt) *adj* sufficient. **—sam** (gə'ny:kza:m) *adj* **1** easily satisfied. **2** unassuming. **3** frugal. **—tuung** (gə'nu:ktu:uŋ) *nf* **-en** satisfaction.

Genuß (gə'nus) *nm* **-nüsse** **1** enjoyment, pleasure. **2** use. **3** consumption (of food, etc.).

Geograph (geo'gra:f) *nm* **-en** geographer. **—ie** (geogra'fi:) *nf* geography. **—isch** *adj* geographic(al).

Geolog/e (geo'lo:gə) *nm* **-n** geologist. **—ie** (geolo'gi:) *nf* geology. **—isch** *adj* geological.

Geometrie (geome'tri:) *nf* **-n** geometry.

Gepäck (gə'pɛk) *n neu* luggage. **—aufbewahrung** *nf* left-luggage office. **—netz** *n neu* luggage rack. **—träger** *nm* porter.

gepfiffen (gə'pfifən) *v* see **pfeifen.**

Gepflogenheit (gə'pflo:gənhait) *nf* **-en** habit, custom.

Geplapper (gə'plapər) *n neu* babble, prattle.

Geplauder (gə'plaudər) *n neu* chatter, talk.

Gepräge (gə'prɛ:gə) *n neu* — **1** impression, stamp. **2** character.

gerade (gə'ra:də) *adj* **1** straight. **2** even. **3** upright. **4** exact. *adv* **1** precisely. **2** just (now). **3** directly. **—aus** (gəradə'aus) *adv* straight ahead or on. **—zu** (gəra:də'tsu:) *adv* directly, frankly.

Geradheit (gə'ra:thait) *nf* **1** straightness, evenness. **2** honesty.

Geranie (gɛ'ra:niə) *nf* **-n** *bot* geranium.

gerannt (gə'rant) *v* see **rennen.**

Gerät (gə'rɛ:t) *n neu* **-e** tool, implement, appliance.

geraten* (gə'ra:tən) *vi* **1** come or get into. **2** turn out. *adj* advisable.

geräumig (gə'rɔymiç) *adj* spacious, roomy.

Geräusch (gə'rɔyʃ) *n neu* **-e** noise.

gerben ('gɛrbən) *vt* tan (hides).

gerecht (gə'rɛçt) *adj* **1** straight. **2** just, fair. **3** suitable. **4** righteous. **—igkeit** *nf* **1** justice, fairness. **2** righteousness.

Gerede (gə're:də) *n neu* talk, gossip, rumour.

Gericht (gə'riçt) *n neu* **-e** **1** (law) court. **2** judgment. **—lich** *adj* judicial, legal. **—sbarkeit** *nf* jurisdiction. **—sdiener** *nm* bailiff. **—shof** *nm* (law) court.

gerieben (gə'ri:bən) *v* see **reiben.**

gering (gə'riŋ) *adj* **1** small, insignificant. **2** poor, inferior. **—fügig** *adj* insignificant, trivial **—schätzung** *nf* disdain.

gerinnen* (gə'rinən) *vi* coagulate, congeal.

Gerippe (gə'ripə) *n neu* — skeleton.

gerissen (gə'risən) *v* see **reißen.** *adj* **1** torn. **2** clever, wily.

geritten (gə'ritən) *v* see **reiten.**

German/e (gɛr'ma:nə) *nm* **-n** Teuton. **—isch** *adj* Germanic, Teutonic.

gern(e) (gɛrn) *adv* gladly, readily. **etwas gern haben** like something.

gerochen (gə'rɔxən) *v* see **riechen.**

Gerste ('gɛrstə) *nf* barley.

Geruch (gə'ru:x) *nm* **¨-e** smell, odour. **—sinn** *nm* sense of smell.

Gerücht (gə'rʏçt) *n neu* **-e** rumour.

Gerüst (gə'rʏst) *n neu* **-e** scaffold(ing), frame.

gesamt (gə'zamt) *adj* total, whole, entire. **—ausgabe** *nf* complete edition. **—schule** *nf* comprehensive school.

gesandt (gə'zant) *v* see **senden.**

Gesand/te(r) (gə'zantə) *nm* envoy, diplomatic representative. **—schaft** *nf* **-en** legation, embassy.

Gesang (gə'zaŋ) *nm* **¨-e** 1 singing. 2 song.

Gesäß (gə'zɛ:s) *n neu* **-e** buttocks, seat.

Geschäft (gə'ʃɛft) *n neu* **-e** 1 business. 2 shop. **—lich** *adj* commercial. **—führer** *nm* manager. **—smann** *nm* **-leute** businessman. **—sträger** *nm* 1 representative. 2 chargé d'affaires.

geschah (gə'ʃa:) *v* see **geschehen.**

gescheh/en* (gə'ʃe:ən) *vi* happen, occur. *n neu* events, occurrences. **—nis** *n neu* **-se** event.

gescheit (gə'ʃait) *adj* intelligent, clever.

Geschenk (gə'ʃɛŋk) *n neu* **-e** present.

Geschicht/e (gə'ʃiçtə) *nf* **-n** 1 history. 2 story. 3 affair. **—lich** *adj* historical. **—sschreiber** *nm* historian.

Geschick (gə'ʃik) *n neu* **-e** 1 skill, aptitude. 2 fate. **—lichkeit** *nf* **-en** skill, dexterity. **—t** *adj* skilful, dexterous.

geschieden (gə'ʃi:dən) *v* see **scheiden.** *adj* divorced.

geschienen (gə'ʃi:nən) *v* see **scheinen.**

Geschirr (gə'ʃir) *n neu* **-e** 1 dishes, crockery. 2 harness. **—tuch** *n neu* tea-towel.

Geschlecht (gə'ʃlɛçt) *n neu* **-er** 1 sex. 2 race. 3 species, kind. 4 family, blood. 5 gender. **—lich** *adj* sexual. **—skrankheit** *nf* venereal disease. **—sreife** *nf* puberty, sexual maturity. **—steile** *nm pl* genitals. **—sverkehr** *nm* sexual intercourse.

geschlossen (gə'ʃlɔsən) *v* see **schließen.**

Geschmack (gə'ʃmak) *nm* **¨-e** 1 taste. 2 flavour. 3 liking, fancy. **—los** *adj* tasteless. **—ssinn** *nm* sense of taste. **—voll** *adj* tasteful.

Geschnatter (gə'ʃnatər) *n neu* cackling.

geschnitten (gə'ʃnitən) *v* see **schneiden.**

geschoben (gə'ʃo:bən) *v* see **schieben.**

Geschöpf (gə'ʃœpf) *n neu* **-e** 1 creature. 2 creation.

Geschoß (gə'ʃɔs) *n neu* **-schosse** 1 missile. 2 bullet. 3 storey, floor.

geschossen (gə'ʃɔsən) *v* see **schießen.**

Geschrei (gə'ʃrai) *n neu* 1 shouting, clamour. 2 fuss.

geschrieben (gə'ʃri:bən) *v* see **schreiben.**

geschrie(e)n (gə'ʃri:(ə)n) *v* see **schreien.**

geschritten (gə'ʃritən) *v* see **schreiten.**

Geschütz (gə'ʃʏts) *n neu* **-e** gun, cannon.

geschwätzig (gə'ʃvɛtsiç) *adj* talkative.

geschweige (gə'ʃvaigə) *adv,conj also* **geschweige denn** not to mention, let alone.

geschwiegen (gə'ʃvi:gən) *v* see **schweigen.**

geschwind (gə'ʃvint) *adj* swift, quick. **—igkeit** (gə'ʃvindiçkait) *nf* **-en** speed. **—igkeitsmesser** *nm* speedometer. **—igkeitsbegrenzung** *nf* speed limit.

Geschwister (gə'ʃvistər) *n pl* brothers and sisters.

Geschworene(r) (gə'ʃvo:rənə) *nm* juror, jurymen.

Geschwür (gə'ʃvy:r) *n neu* **-e** 1 ulcer. 2 abscess.

Gesell/e (gə'zɛlə) *nm* **-n** 1 companion, fellow. 2 assistant. 3 journeyman. **—ig** *adj* sociable, companionable, gregarious. **—igkeit** *nf* sociability. **—schaft** *nf* **-en** 1 society. 2 company. 3 firm. 4 party, social gathering. **—schaftlich** *adj* 1 social. 2 sociable.

Gesetz (gə'zɛts) *n neu* **-e** 1 law. 2 statute. **—gebend** *adj* legislative. **—geber** *nm* — legislator. **—gebung** *nf* **-en** legislation. **—lich** *adj* lawful, legal. **—los** *adj* lawless. **—mäßig** *adj* 1 legal. 2 legitimate. 3 regular. **—widrig** *adj* illegal.

gesetzt (gə'zɛtst) *adj* 1 calm. 2 grave.

Gesicht (gə'ziçt) *n neu* **-er** face. **—skreis** *nm* horizon. **—spunkt** *nm* point of view.

Gesims (gə'zims) *n neu* **-e** 1 moulding, cornice. 2 ledge.

gesinn/t (gə'zint) *adj* minded, disposed. **—ung** *nf* **-en** 1 convictions, beliefs. 2 attitude.

Gespann (gə'ʃpan) *n neu* **-e** team (of horses, oxen, etc.). **—t** *adj* 1 tense, strained. 2 curious. 3 anxious, agog.

Gespenst (gə'ʃpɛnst) *n neu* **-er** ghost, spectre.

Gespräch (gə'ʃprɛ:ç) *n neu* **-e** conversation, talk.

gesprochen (gə'ʃprɔxən) *v* see **sprechen.**

gesprungen (gə'ʃpruŋən) *v* see **springen.**

Gestalt (gə'ʃtalt) *nf* **-en** 1 form, shape. 2 aspect. 3 figure. 4 stature. **—en** *vt* form. **sich —en** *vr* take shape.

gestanden (gə'ʃtandən) *v* see **stehen.**

Geständnis (gə'ʃtɛntnis) *n neu* **-nisse** confession.

Gestank (gə'ʃtaŋk) *nm* stench.

gestatten (gə'ʃtatən) *vt* permit, allow. **sich gestatten** *vr* 1 venture. 2 presume.

Geste ('gɛstə) *nf* **-n** gesture.

gestehen* (gə'ʃte:ən) *vt* confess.

Gestein (gə'ʃtain) *n neu* **-e** 1 stone. 2 mineral.

Gestell (gə'ʃtɛl) *n neu* **-e** 1 stand. 2 frame. 3 trestle.

gest/ern ('gɛstərn) *adv* yesterday. **—rig** ('gɛstriç) *adj* yesterday's.

gestiegen (gə'ʃti:gən) *v* see **steigen.**

gestohlen (gə'ʃto:lən) *v* see **stehlen.**

Gesträuch (gə'ʃtrɔyç) *n neu* **-e** bush(es), shrubbery.

Gesuch (gə'zu:x) *n neu* **-e** petition, request.

gesund (gə'zunt) *adj* healthy, wholesome. **—heit** *nf* health, fitness.

gesungen (gə'zuŋən) *v* see **singen.**

gesunken (gə'zuŋkən) *v* see **sinken.**

getan (gə'ta:n) *v* see **tun.**

Getränk (gə'trɛŋk) *n neu* **-e** drink.

Getreide (gə'traidə) *n neu* cereals, grain, corn.

getreu (gə'trɔy) *adj* faithful, true, loyal.

getrieben (gə'tri:bən) *v* see **treiben.**

getroffen (gə'trɔfən) *v* see **treffen.**

getrost (gə'tro:st) *adj* confident.

getrunken (gə'truŋkən) *v* see **trinken.**

Getto ('getɔ) *n neu* **-s** ghetto.

gewagt (gə'va:kt) *adj* risky, bold.

gewählt (gə'vɛ:lt) *adj* 1 selected. 2 refined.

Gewähr (gə'vɛ:r) *nf* guarantee, surety. **—en** *vt* allow, grant. **—leisten** *vt* guarantee.

Gewalt (gə'valt) *nf* **-en** 1 violence, force. 2 power, might. **—ig** *adj* powerful, mighty. **—sam** *adj* violent, forcible.

Gewand (gə'vant) *n neu* **¨-er** gown, robe.

gewandt (gə'vant) *v* see **wenden.** *adj* agile, skilful.

gewann (gə'van) *v* see **gewinnen.**

Gewässer (gə'vɛsər) *n neu* — waters, stretch of water.

Gewebe (gə've:bə) *n neu* — 1 tissue. 2 textile, fabric.

geweckt (gə'vɛkt) *adj* alert, bright.

Gewehr (gə'vɛ:r) *n neu* **-e** gun, rifle.

Gewerb/e (gə'vɛrbə) *n neu* — trade, business, industry. **—lich** (gə'vɛrpliç) *adj* commercial.

Gewerkschaft (gə'vɛrkʃaft) *nf* **-en** trade union. **—ler** *nm* — trade-unionist.

gewesen (gə've:zən) *v* see **sein.**

Gewicht (gə'viçt) *n neu* **-e** 1 weight. 2 importance. **—ig** *adj* important, weighty.

gewiesen (gə'vi:zən) *v* see **weisen.**

Gewimmel (gə'viməl) *n neu* swarms, throngs.

Gewinn (gə'vin) *nm* **-e** 1 winning. 2 profit, gain. 3 winnings. **—en*** *vt* 1 win. 2 earn.

Gewirr (gə'vir) *n neu* **-e** confusion, tangle.

gewiß (gə'vis) *adj* sure, certain. **ein gewisser Herr** a certain gentleman. **~***adv* indeed, certainly. **—ermaßen** *adv* to a certain extent. **—heit** *nf* **-en** certainty.

Gewissen (gə'visən) *n neu* conscience. **—los** *adj* unscrupulous.

Gewitter (gə'vitər) *n neu* — (thunder)storm. **—n** *vi* thunder.

gewogen (gə'vo:gən) *v* see **wiegen.** *adj* 1 affectionate. 2 well-disposed.

gewöhnen (gə'vœ:nən) *vt* accustom. **sich gewöhnen** *vr* become accustomed or used (to).

Gewohnheit (gə'vo:nhait) *nf* **-en** habit. **—srecht** *n neu* common law.

gewöhnlich (gə'vœ:nliç) *adj* usual, ordinary.

gewohnt (gə'vo:nt) *adj* accustomed.

Gewölbe (gə'vœlbə) *n neu* — arch, vault.

gewonnen (gə'vɔnən) *v* see **gewinnen.**

geworden (gə'vɔ:rdən) *v* see **werden.**

geworfen (gə'vɔ:rfən) *v* see **werfen.**

Gewürz (gə'vyrts) *n neu* **-e** seasoning, spice. **—ig** *adj* spicy.

gewußt (gə'vust) *v* see **wissen.**

gezogen (gə'tso:gən) *v* see **ziehen.**

gezwungen (gə'tsvuŋən) *v* see **zwingen.** *adj* 1 forced. 2 unnatural.

gibt (gi:bt) *v* see **geben.**

Gicht (giçt) *nf* **-en** gout.

Giebel ('gi:bəl) *nm* — gable.

Gier (gi:r) *nf* greed(iness). **—ig** *adj* greedy.

gießen* ('gi:sən) *vt* 1 pour. 2 water. 3 mould, found.

Gift (gift) *n neu* **-e** poison. **—ig** *adj* poisonous.

Gigue (ʒi:g) *nf* **-n** jig.

ging (giŋ) *v* see **gehen.**

Gipfel ('gipfəl) *nm* — peak, summit. **—höhe** *nf aviat* ceiling. **—n** *vi* culminate.

Gips (gips) *nm* **-e** plaster (of Paris), gypsum.

Giraffe (gi'rafə) *nf* **-n** giraffe.

Giro ('dʒi:ro:) *n neu* **-s** 1 giro transfer. 2 endorsement.

Gischt (giʃt) *nm* **-e** spray, foam.

Gitarre (gi'tarə) *nf* **-n** guitar.

Gitter ('gitər) *n neu* — **1** grating, lattice. **2** railings, fence.

Glanz (glants) *nm* **1** brilliance, shine, lustre. **2** splendour. **—en** ('glɛntsən) *vi* shine, gleam.

Glas (gla:s) *n neu* **¨er 1** glass. **2** drinking-glass. **¨ern** ('glɛ:zərn) *adj* glass(y). **—ur** (gla'zu:r) *nf* **-en 1** glaze. **2** enamel. **3** *cul* icing.

glatt (glat) *adj* **1** smooth, even. **2** slippery. **3** plain, downright. *adv* smoothly, easily. **¨en** ('glɛtən) *vt* smooth, plane, polish.

Glaub/e ('glaubə) *nm* belief, faith. **—en** *vi* believe (in), trust. *vt* think. **¨ig** ('glɔybiç) *adj* believing, faithful. **¨ige(r)** ('glɔybigə) *nm* believer. **¨iger** ('glɔybigər) *nm* — creditor. **—würdig** ('glaupvyrdiç) *adj* credible, trustworthy.

gleich (glaiç) *adj* **1** same, like. **2** equal. **3** level, even. *adv* **1** equally, alike. **2** just. **3** at once, immediately.

gleichbedeutend ('glaiçbədɔytənt) *adj* **1** synonymous. **2** equivalent.

gleichberechtigt ('glaiçbəreçtikt) *adj* having equal rights.

gleichen* ('glaiçən) *vi* be like or equal.

gleichermaßen ('glaiçərmasən) *adv* in like manner, equally.

gleichfalls ('glaiçfals) *adv* likewise, equally.

Gleichgewicht ('glaiçgəviçt) *n neu* balance, equilibrium.

gleichgültig ('glaiçgyltiç) *adj* **1** indifferent. **2** unimportant.

Gleichheit (glaiçhait) *nf* **-en 1** equality. **2** uniformity. **gleichmäßig** ('glaiçmɛsiç) *adj* **1** equal. **2** uniform. **3** symmetrical.

Gleichnis ('glaiçnis) *n neu* **-se 1** parable. **2** simile. **3** image.

gleichschalten ('glaiçʃaltən) *vt* coordinate, synchronize.

Gleichschritt ('glaiçʃrit) *nm* marching in step.

Gleichstrom ('glaiçʃtro:m) *nm* direct current.

Gleichung ('glaiçuŋ) *nf* **-en** equation.

gleichviel ('glaiçvi:l) *adv* **1** no matter. **2** just as much.

gleichwohl ('glaiçvo:l) *adv* nevertheless.

gleichzeitig ('glaiçtsaitiç) *adj* simultaneous.

Gleis (glais) *n neu* **-e 1** track. **2** rails.

gleiten* ('glaitən) *vi* **1** glide. **2** slide.

Gletscher ('glɛtʃər) *nm* — glacier.

Glied (gli:t) *n neu* **-er 1** member, limb. **2** row, rank. **—erung** ('gli:dəruŋ) *nf* **-en 1** arrangement. **2** structure. **3** division. **—maßen** *n pl anat* extremities.

glimpflich ('glimpfliç) *adj* **1** gentle. **2** lenient.

Glocke ('glɔkə) *nf* **-n** bell. **—nblume** *nf* **1** bluebell. **2** harebell. **—nstuhl** *nm* belfry.

glor/ifizieren (glorifi'tsi:rən) *vt* glorify. **—reich** ('glo:raiç) *adj* glorious.

glotzen ('glɔtsən) *vi* stare, gape.

Glück (glyk) *n neu* **1** (good) luck. **2** fortune. **3** happiness. **—en** *vi* succeed, prosper. **—lich** *adj* **1** lucky. **2** happy. **—licherweise** *adv* fortunately. **—wunsch** *nm* congratulation(s).

glüh/en ('gly:ən) *vi* glow, burn. **—birne** *nf* (light) bulb.

Glut (glu:t) *nf* **-en 1** blaze, glow. **2** live coals, embers. **3** passion.

Gnad/e ('gna:də) *nf* **-n 1** grace. **2** mercy. **3** favour. **—enfrist** *nf* reprieve, respite. **¨ig** ('gnɛ:diç) *adj* **1** gracious. **2** merciful. **gnädige Frau** Madam.

Gold (gɔlt) *n neu* gold. **—en** ('gɔldən) *adj* gold(en). **—ig** ('gɔldiç) *adj* sweet, lovely, cute.

Golf[1] (gɔlf) *nm* **-e** gulf. **—strom** *nm* Gulf Stream.

Golf[2] (gɔlf) *n neu* golf.

gönn/en ('gœnən) *vt* grant, allow. **—er** *nm* — patron, benefactor.

goß (gɔs) *v* see **gießen.**

Gosse ('gɔsə) *nf* **-n** gutter.

Gott (gɔt) *nm* **¨er** god. **—esdienst** ('gɔtəsdi:nst) *nm* **1** church service. **2** worship. **—eslästerung** ('gɔtəslɛstəruŋ) *nf* blasphemy. **¨in** ('gœtin) *nf* **-nen** goddess. **¨lich** ('gœtliç) *adj* divine.

Götze ('gœtsə) *nm* **-n** idol.

Grab (gra:p) *n neu* **¨er** grave. **—en*** ('gra:bən) *vt* dig. **—mal** *n neu* **1** tomb. **2** tombstone. **—schrift** *nf* epitaph. **—stätte** *nf* tomb, grave. **—stein** *nm* tombstone.

Grad (gra:t) *nm* **-e 1** degree. **2** grade, rank.

Graf (gra:f) *nm* **-en** count, earl. **¨in** ('grɛ:fin) *nf* **-nen** countess. **—schaft** *nf* **-en** county.

Gram (gra:m) *nm* grief, sorrow.

Gramm (gram) *n neu* **-e** gramme.

Grammat/ik (gra'matik) *nf* **-en** grammar. **—isch** *adj* grammatical.

Granatapfel (gra'na:tapfəl) *nm* pomegranate.

Granat/e (gra'na:tə) *nf* **-n** grenade, shell.

Granit (gra'ni:t) *nm* **-e** granite.

graphisch ('gra:fiʃ) *adj* graphic.

Gras (gra:s) *n neu* **¨er** grass. **—en** ('gra:zən) *vi* graze.

gräßlich ('grɛsliç) *adj* terrible, horrible.

Grat (gra:t) *nm* **-e 1** edge. **2** ridge. **3** crest.

Gräte ('grɛ:tə) *nf* **-n** fishbone.

gratis ('gra:tis) *adj,adv* free (of charge).

gratulieren (gratu'li:rən) *vi* congratulate.

grau (grau) *adj* grey.

grauen[1] ('grauən) *vi* **1** become grey. **2** dawn.

grauen[2] ('grauən) *n neu* — horror, dread. **sich grauen** *vr* be afraid or horrified. **grauenhaft** *adj* horrible, dreadful.

grausam ('grauza:m) *adj* cruel, ferocious.

grausig ('grauzic) *adj* horrible, fearful.

gravieren (gra'vi:rən) *vt* engrave.

greifen* ('graifən) *vt* grasp, seize. *vi* **1** touch. **2** reach. **3** grope.

Greis (grais) *nm* **-e** old man. **—in** ('graisin) *nf* **-nen** old woman.

grell (grɛl) *adj* **1** harsh, sharp. **2** glaring.

Grenz/e ('grɛntsə) *nf* **-n** **1** frontier. **2** boundary, limit. **—en** *vi* border (on). **—enlos** *adj* limitless, boundless.

Greuel ('grɔyəl) *nm* — horror, abomination.

Griech/e ('gri:çə) *nm* **-n** Greek. **—enland** *n neu* Greece. **—isch** *adj* Greek. *n neu* Greek (language).

Grieß (gri:s) *nm* **-e** **1** gravel, grit. **2** semolina.

griff (grif) *v* see **greifen.**

Griff (grif) *nm* **-e** **1** grip, hold. **2** handle.

Grille ('grilə) *nf* **-n** **1** *zool* cricket. **2** whim.

grinsen ('grinzən) *vi* grin.

Grippe ('gripə) *nf* **-n** influenza, flu.

grob (gro:p) *adj* **1** coarse, crude. **2** gross.

Groll (grɔl) *nm* **1** grudge. **2** resentment.

Grönland ('grœ:nlant) *n neu* Greenland.

Gros (grɔs) *n neu* **1** gross. **2** main body. **en gros** wholesale.

Groschen ('grɔʃən) *nm* — ten-pfennig (piece).

groß (gro:s) *adj* **1** large, big. **2** tall. **3** great. **im großen** **1** in bulk. **2** wholesale. **im großen und ganzen** on the whole.

großartig ('gro:sa:rtiç) *adj* **1** grand, splendid. **2** lofty.

Großbritannien (gro:sbri'taniən) *n neu* Great Britain.

Größe ('grœ:sə) *nf* **1** size. **2** height. **3** greatness. **4** importance.

Großeltern ('gro:seltern) *n pl* grandparents.

großenteils ('gro:sentails) *adv* in large part, mostly.

Großhandel ('gro:shandəl) *nm* wholesale trade.

großherzig ('gro:she:rtsik) *adj* magnanimous.

Großindustrie ('gro:sindustri:) *nf* heavy industry.

Großmacht ('gro:smaxt) *nf* great power.

Großmaul ('gro:smaul) *n neu* braggart, boaster.

Großmutter ('gro:smutər) *nf* grandmother.

Großstadt ('gro:sʃtat) *nf* (big) city.

größtenteils ('grœ:stəntails) *adv* for the most part, largely.

Großteil ('gro:stail) *nm* bulk.

Großvater ('gro:sfatə) *nm* grandfather.

großzügig ('gro:stsy:giç) *adj* **1** on a large scale. **2** generous.

grotesk (gro'tɛsk) *adj* grotesque.

Grube ('gru:bə) *nf* **-n** **1** hole, pit. **2** mine, quarry.

grübeln ('gry:bəln) *vi* brood, ponder.

grün (gry:n) *adj,n neu* green. **—kohl** *nm* kale.

Grund (grunt) *nm* **¨-e** **1** ground. **2** (plot of) land. **3** soil. **4** bottom, depth. **5** reason. **6** basis.

Grundbau ('gruntbau) *nm* foundation.

Grundbesitz ('gruntbəzits) *nm* landed property.

gründ/en ('gryndən) *vt* **1** found. **2** ground. **¨-er** *nm* — founder.

Grundgesetz ('gruntgəzɛts) *n neu* **1** basic law. **2** constitution.

Grundlage ('gruntla:gə) *nf* foundation.

gründlich ('gryntliç) *adj* **1** thorough. **2** complete.

grundlos ('gruntlo:s) *adj* baseless, groundless.

Grundriß ('gruntris) *nm* **1** outline. **2** plan.

Grundsatz ('gruntzats) *nm* **1** basic or fundamental principle. **2** axiom. **¨-lich** *adj* fundamental.

Grundstück ('gruntʃtyk) *n neu* piece of land.

Gründung ('gryndug) *nf* **-en** foundation, establishment.

grunzen ('gruntsən) *vi* grunt.

Grupp/e ('grupə) *nf* **-n** group. **—ieren** (gru'pi:rən) *vt* group, arrange.

gruselig ('gru:zəliç) *adj* uncanny, creepy.

Gruß (gru:s) *nm* **¨-e** greeting. **¨-en** ('gry:sən) *vt* greet. **grüß Gott!** good day!

gucken ('gukən) *vi* look, peep.

Gulasch ('gu:laʃ) *nm,neu* **-e** goulash.

gültig ('gyltiç) *adj* **1** valid, good. **2** current. **—keit** *nf* **1** validity. **2** currency.

Gummi ('gumi) *nm,neu* **-s** **1** rubber. **2** gum. **3** eraser. **—band** *n neu* rubber band, elastic. **—schuh** *nm* overshoe, galosh.

Gunst (gunst) *nf* **¨-e** goodwill, favour. **¨-ig** ('gynstiç) *adj* favourable. **¨-ling** ('gynstliŋ) *nm* **-e** favourite.

gurgel/n ('gurgəln) *vi* **1** gargle. **2** gurgle. **—wasser** *n neu* gargle.

Gurke ('gurkə) *nf* **-n** cucumber.

Gürtel ('gyrtəl) *nm* — **1** belt. **2** zone.

Guß (gus) *nm* **-üsse** **1** pouring out, gush. **2** downpour. **3** casting. **4** *cul* icing.

gut (guːt) *adj* good. *adv* well. **—achten** *n neu* — (expert) opinion. **¨-e** (ˈgyːtə) *nf* **1** goodness. **2** kindness. **3** excellence. **—heißen** *vt* approve (of). **¨-ig** (ˈgyːtiç) *adj* **1** kind. **2** good. **3** good-natured. **—willig** *adj* voluntary, willing.

Gut (guːt) *n neu* **¨-er** **1** possession. **2** landed estate. **3** goods, wares. **¨-erbahnhof** (ˈgyː-bərbaːnhɔf) *nm* goods yard. **¨-erzug** (ˈgyː-bərtsuːk) *nm* goods train. **—sherr** *nm* **1** lord of the manor. **2** landlord.

Gymnasium (gymˈnaːzium) *n neu* **-sien** grammar school.

H

Haag, Den (haːk) *nm* The Hague.

Haar (haːr) *n neu* **-e** hair. **—bürste** *nf* hairbrush. **—ig** *adj* hairy. **—schnitt** *nm* haircut. **—sträubend** *adj* hair-raising.

Hab/e (ˈhaːbə) *nf* **-n** property, possessions. **—en*** *vt* have, possess. *n neu* credit. **—enichts** *nm* **-e** pauper. **—gier** (ˈhaːpgiːr) *nf* avarice, greed. **—seligkeiten** (ˈhaːpzeː-liçkaitən) *nf pl* belongings, possessions.

Habicht (ˈhaːbiçt) *nm* **-e** hawk.

hack/en (ˈhakən) *vt* **1** hash. **2** hack. **3** chop. **—fleisch** *n neu* minced meat, mince.

Hafen (ˈhaːfən) *nm* **¨-** harbour, port. **—arbeiter** *nm* docker. **—damm** *nm* jetty. **—stadt** *nf* port.

Hafer (ˈhaːfər) *nm* — oat(s). **—brei** *nm* porridge. **—flocken** *nf pl* oat-flakes, rolled oats.

Haft (haft) *nf* **1** arrest. **2** imprisonment. **—befehl** *nm* warrant of arrest. **—en** *vi* **1** adhere, cling (to). **2** guarantee, answer (for). **—pflichtversicherung** *nf* **-en** third-party insurance. **—ung** *nf* **-en** liability.

Hagedorn (ˈhaːgədɔrn) *nm* **-e** hawthorn.

Hagel (ˈhaːgəl) *nm* — hail. **—n** *vi* hail.

hager (ˈhaːgər) *adj* gaunt.

Hahn (haːn) *nm* **¨-e** **1** cock. **2** tap. **¨-chen** (ˈhɛːnçən) *n neu* — **1** cockerel. **2** *cul* chicken.

Hai (hai) *nm* **-e** *also* **Haifisch** shark.

häkeln (ˈhɛːkəln) *vt* crochet.

haken (ˈhaːkən) *vi* hook (on). *nm* — **1** hook. **2** difficulty, snag. **—kreuz** *n neu* swastika.

halb (halp) *adj* half. **—e(r)** (ˈhalbə) *nm* half litre (of beer, wine, etc.). **—insel** *nf* peninsula. **—jährlich** *adj* half-yearly. **—kreis** *nm* semicircle. **—kugel** *nf* hemisphere. **—laut** *adj* (of a voice) low. *adv* in a low voice. **—messer** *nm* radius. **—mond** *nm* half-moon, crescent. **—wegs** (ˈhalpveːks) *adv* **1** halfway. **2** to some or any extent.

half (half) *v* see **helfen.**

Hälfte (ˈhɛlftə) *nf* **-n** **1** half. **2** middle.

Halfter (ˈhalftər) *nm,neu* —, *nf* **-n** halter.

Hall (hal) *nm* **-e** **1** clang. **2** peal. **—en** *vi* **1** resound. **2** clang.

Halle (ˈhalə) *nf* **-n** **1** hall. **2** porch, lobby. **3** hangar. **—nbad** *n neu* indoor swimming pool.

Halm (haim) *nm* **-e** **1** blade (of grass). **2** stalk.

Hals (hals) *nm* **¨-e** **1** neck. **2** throat. **—starrig** (ˈhalsʃtariç) *adj* obstinate, stubborn. **—tuch** *n neu* scarf. **—weh** *n neu* sore throat.

Halt (halt) *nm* **-e** **1** stop, halt. **2** support. **—bar** *adj* **1** tenable. **2** firm, lasting. **haltbar sein** (of foodstuffs) keep. **—los** *adj* **1** untenable. **2** unsteady.

halt/en* (ˈhaltən) *vt* **1** hold. **2** keep. *vi* **1** stop, halt. **2** hold out. **halten für** consider, deem. **sich halten** *vr* maintain oneself. **—estelle** *nf* (bus) stop.

hämisch (ˈhɛːmiʃ) *adj* malicious.

Hammelfleisch (ˈhamalflaiʃ) *n neu* mutton.

Hammer (ˈhamər) *nm* **¨-** hammer. **¨-n*** (ˈhɛmərn) *vi,vt* hammer.

Hamster (ˈhamstər) *nm* — hamster.

Hand (hant) *nf* **¨-e** hand. **an Hand von** with the aid of. **die Hand geben** shake hands. **in der Hand haben** have under one's control.

Handarbeit (ˈhantaːrbait) *nf* **1** manual work. **2** handwork, craft. **3** needlework.

Handbremse (ˈhantbremzə) *nf* handbrake.

Handbuch (ˈhantbuːx) *n neu* handbook.

Händedruck (ˈhɛndədruk) *nm* handshake.

Handel (ˈhandəl) *nm* **1** trade, commerce. **2** transaction, deal. **—n** *vi* **1** act, do. **2** deal with. **3** haggle. **4** trade. **es handelt sich um** it is a question of. **—skammer** *nf* chamber of commerce. **—smarke** *nf* trademark, brand name. **—ssperre** *nf* embargo.

handfest (ˈhantfest) *adj* sturdy, strong.

Handfläche (ˈhantfleçə) *nf* palm.

Handgelenk (ˈhantgəlenk) *n neu* wrist.

Handgepäck (ˈhantgəpek) *n neu* hand luggage.

handhaben* (ˈhantha:bən) *vt* **1** handle. **2** manage.

Handschelle (ˈhantʃelə) *nf* **-n** handcuff.

Handschrift (ˈhantʃrift) *nf* **1** handwriting. **2** manuscript.

Handschuh (ˈhantʃuːr) *nm* glove.

Handstreich (ˈhantʃtraiç) *nm* **1** raid. **2** surprise.
Handtasche (ˈhanttaʃə) *nf* handbag.
Handtuch (ˈhanttux) *n neu* towel.
Handwerk (ˈhantvɛrk) *n neu* craft, trade. **—er** *nm* artisan, craftsman.
Händler (ˈhɛndlər) *nm* — merchant, trader.
Handlung (ˈhandluŋ) *nf* **-en 1** act, action. **2** trade. **3** business, shop.
Hang (haŋ) *nm* ¨**-e 1** slope. **2** tendency. **—¨ebrücke** (ˈhɛŋəbrykə) *nf* suspension bridge. **—¨ematte** (ˈhɛŋəmatə) *nf* hammock. **—¨en** (ˈhɛŋən) *vi* **1** hang. **2** be attached. **3** depend (on). *vt* **1** hang. **2** attach.
Hannover (haˈnoːfər) *n neu* Hanover.
Harfe (ˈharfə) *nf* **-n** harp.
harmlos (ˈharmloːs) *adj* harmless.
Harmon/ie (harmoˈniː) *nf* **-n** harmony. **—ika** (harˈmoːnika) *nf* **-s 1** concertina. **2** harmonica. **—isch** (harˈmoːniʃ) *adj* harmonious, harmonic.
Harnisch (ˈharniʃ) *nm* **-e** armour.
Harpune (harˈpuːnə) *nf* **-n** harpoon.
harren (ˈharən) *vi* **1** wait for. **2** await. **3** hope for.
hart (hart) *adj* **1** hard. **2** rough. **3** severe. **—¨e** (ˈhɛrtə) *nf* **1** hardness. **2** roughness. **3** severity. **—¨en** (ˈhɛrtən) *vt* harden, temper. **—näckig** (ˈhartnɛkiç) *adj* obstinate.
Harz (harts) *n neu* **-e** resin.
Haschisch (ˈhaʃiʃ) *n neu* hashish.
Hase (ˈhaːzə) *nm* **-n** hare.
Haselnuß (ˈhaːzəlnus) *nf* hazelnut.
Haspe (ˈhaspə) *nf* **-n** hasp, hinge.
Haß (has) *nm* hate, hatred. **—¨lich** (ˈhɛsliç) *adj* **1** ugly. **2** nasty, horrid.
hassen (ˈhasən) *vt* hate.
hast (hast) *v* see **haben.**
hasten (ˈhastən) *vi* hasten, hurry.
hat (hat) *v* see **haben.**
hätscheln (ˈhɛːtʃəln) *vt* **1** caress. **2** pamper, spoil.
hatte (ˈhate) *v* see **haben.**
hätte (ˈhɛtə) *v* see **haben.**
Haube (ˈhaubə) *nf* **-n 1** cap, hood. **2** *mot* bonnet. **3** dome.
Hauch (haux) *nm* **-e** breath.
Haue (ˈhauə) *nf* **-n 1** hoe. **2** thrashing, beating. **—n*** *vt* **1** chop. **2** fell. **3** thrash, spank.
Haufen (ˈhaufən) *nm* — **1** heap, pile. **2** mass, large amount. **—¨en** (ˈhɔyfən) *vt* heap up, accumulate. **—enweise** (ˈhaufənvaizə) *adv* in great quantities, in heaps.
häufig (ˈhɔyfiç) *adj* frequent. **—keit** *nf* **-en** frequency.
Haupt (haupt) *n neu* ¨**-er 1** head. **2** leader. **—bahnhof** *nm* main or central railway station. **—buch** *n neu* ledger. **—fach** *n neu* main subject. **—mann** *nm* captain. **—quartier** *n neu* headquarters. **—sache** *nf* main point or thing. **—sächlich** *adj* main, principal. **—stadt** *nf* capital. **—wort** *n neu* noun.
Haus (haus) *n neu* ¨**-er 1** house. **2** building. **3** home. **nach Hause gehen** go home. **zu Hause** at home. **—arbeit** *nf* **1** housework. **2** homework. **—en** (ˈhauzən) *vi* **1** live (economically). **2** play havoc. **—frau** *nf* housewife. **—halt** *nm* **1** housekeeping. **2** household. **3** budget. **—halten*** *vi* **1** keep house. **2** economize. **—herr** *nm* **1** head of the family. **2** landlord. **—ieren** (hauˈziːrən) *vi* peddle. **—meister** *nm* caretaker. **—tier** *n neu* domestic animal, pet.
Haut (haut) *nf* ¨**-e 1** skin, hide. **2** membrane, film. **—¨en** (ˈhɔytən) *vt* skin.
Hebamme (ˈheːpamə) *nf* **-n** midwife.
Heb/el (ˈheːbəl) *nm* — lever. **—en*** (ˈheːbən) *vt* lift, raise. **sich —en** *vr* **1** rise. **2** cancel. **—er** (ˈheːbər) *nm* ¨— syphon. **—estange** (ˈheːbəʃtaŋə) *nf* crowbar. **—ung** (ˈheːbuŋ) *nf* **-en 1** elevation. **2** removal.
Hecht (hɛçt) *nm* **-e** pike.
Heck (hɛk) *n neu* stern, rear.
Hecke (ˈhɛkə) *nf* **-n** hedge. **—nschütze** *nm* sniper.
Heer (heːr) *n neu* **-e** army.
Hefe (ˈheːfə) *nf* **-n 1** yeast. **2** dregs.
Heft (hɛft) *n neu* **-e 1** handle. **2** exercise book. **3** (journal) volume, number. **—en** *vt* **1** fasten. **2** fix. **3** sew. **—klammer** *nf* paper clip. **—zwecke** *nf* drawing-pin.
heftig (ˈhɛftiç) *adj* **1** violent. **2** strong. **3** vehement. **4** fierce.
hegen (ˈheːgən) *vt* cherish, harbour.
Hehl (heːl) *n neu* **1** secret. **2** secrecy. **—en** *vt* **1** conceal. **2** receive (stolen property).
hehr (heːr) *adj* lofty, sublime.
Heide[1] (ˈhaidə) *nf* **-n** heath. **—kraut** *n neu* heather. **—lbeere** *nf* bilberry.
Heid/e[2] (ˈhaidə) *nm* **-n** heathen, pagan. **—nisch** *adj* heathen, pagan.
heikel (ˈhaikəl) *adj* **1** critical. **2** delicate. **3** awkward.
heil (hail) *adj* **1** well. **2** unhurt. **3** whole. **4** sound, undamaged. *n neu* **1** welfare. **2**

salvation. **—butt** ('hailbut) *nm* halibut. **—en** *vt,vi* heal. **—kraft** *nf* healing power. **—mittel** *n neu* remedy, cure. **—sam** *adj* **1** wholesome. **2** beneficial. **—sarmee** ('hailsarme:) *nf* Salvation Army. **—ung** *nf* **-en 1** cure. **2** healing.

Heiland ('hailant) *nm* **-e** Saviour.

heilig ('hailiç) *adj* holy, sacred. **Heiliger Abend** Christmas Eve. **—e(r)** ('hailigə) *nm* saint. **—en** ('hailigən) *vt* sanctify. **—enschein** *nm* halo. **—keit** *nf* holiness, saintliness.

heim (haim) *adv* home(ward). *n neu* **-e** home. **—isch** *adj* domestic. **—kehr** *nf* homecoming. **—lich** *adj* secret. **—suchen** *vt* **1** visit. **2** punish. **3** afflict. **—tückisch** *adj* malicious. **—wärts** ('haimvɛrts) *adv* homeward(s). **—weh** *n neu* homesickness.

Heimat ('haima:t) *nf* **1** home. **2** homeland, native place. **—land** *n neu* homeland. **—los** *adj* homeless.

Heirat ('haira:t) *nf* **-en** marriage. **—en** *vt* marry. *vi* get married.

heiser ('haizər) *adj* hoarse.

heiß (hais) *adj* hot.

heißen* ('haisən) *vi* **1** be called. **2** mean. *vt* **1** name. **2** command. **das heißt, d.h.** that is, i.e.

heiter ('haitər) *adj* **1** cheerful. **2** serene, calm. **3** (of weather) bright, clear. **—keit** *nf* **1** cheerfulness. **2** brightness. **3** serenity.

Heiz/apparat ('haitsapara:t) *nm* heater. **—en** *vt* heat. **—körper** *nm* radiator. **—stoff** *nm* fuel. **—ung** *nf* **-en** heating.

Held (hɛlt) *nm* **-en** hero. **—enhaft** ('hɛldənhaft) *adj* heroic. **—in** ('hɛldin) *nf* **-nen** heroine.

helf/en* ('hɛlfən) *vi* help, assist. **—er** *nm* — helper, assistant.

hell (hɛl) *adj* **1** bright. **2** light. **3** clear. **—e** *nf* **1** brightness. **2** daylight. **3** clearness.

Helm (hɛlm) *nm* **-e** helmet.

Hemd (hɛmt) *n neu* **-en 1** shirt. **2** vest.

hemm/en ('hɛmən) *vt* **1** restrain, inhibit. **2** block. **3** hinder. **4** stop. **—ung** *nf* **-en 1** restriction. **2** restraint. **3** check. **4** inhibition. **—ungslos** *adj* unrestrained, uninhibited.

Hengst (hɛŋst) *nm* **-e** stallion.

Henker ('hɛŋkər) *nm* — hangman, executioner.

her (he:r) *adv* **1** here, hither. **2** ago. **3** from.

herab (hɛ'rap) *adv* down(ward). **—lassen*** *vt* lower. **sich —lassen** *vr* condescend. **—setzen** *vt* **1** lower. **2** reduce. **3** degrade. **—setzung** *nf* **-en 1** reduction. **2** degradation.

heran (hɛ'ran) *adv* **1** on (here). **2** up to. **3** along. **—kommen*** *vi* draw near. **—treten*** *vi* step up (to), approach. **—ziehen*** *vt* **1** pull or draw up. **2** grow, raise. **3** make use of, call on. *vi* approach.

herauf (hɛ'rauf) *adv* **1** up (here). **2** upwards.

heraus (hɛ'raus) *adv* **1** out. **2** forth. **—finden*** *vt* find out. **—fordern** *vt* **1** challenge. **2** provoke. **—gabe** *nf* **1** publication, publishing. **2** delivering (up). **—geben*** *vt* **1** publish. **2** deliver up. **3** restore, give back. **—geber** *nm* publisher. **—stellen** *vt* put or bring out. **sich —stellen** *vr* turn out, prove to be.

herb (hɛrp) *adj* **1** (of taste, etc.) sharp, tart. **2** (of wine) dry.

herbei (hɛr'bai) *adv* **1** here, hither. **2** on. **—führen** *vt* **1** lead, bring (on). **2** cause, induce.

Herberge ('hɛrbɛrgə) *nf* **-n 1** hostel. **2** shelter, lodging. **—n** *vt,vi* lodge, shelter.

Herbst (hɛrpst) *nm* **-e** autumn.

Herd (he:rt) *nm* **-e 1** hearth, fireplace. **2** cooker, stove.

Herde ('he:rdə) *nf* **-n** herd, flock.

herein (hɛ'rain) *adv* in (here). *interj* come in! **—lassen*** *vt* admit, allow in.

hergeben* ('he:rge:bən) *vt* hand over.

hergebracht ('he:rgəbraxt) *adj* **1** traditional, handed down. **2** established.

Hering ('hɛriŋ) *nm* **-e** herring.

her/kommen* ('he:rkɔmən) *vi* **1** come from. **2** approach. *n neu* — **1** custom. **2** descent. **—kömmlich** ('he:rkœmliç) *adj* traditional. **—kunft** ('he:rkunft) *nf* descent, origin.

hernach (hɛr'na:x) *adv* after(wards).

Heroin (hero'i:n) *n neu* heroin.

Herr (hɛr) *nm* **-en 1** gentleman. **2** master, lord. **3** Mr. **—enhaus** *n neu* manor-house. **—gott** *nm* the Lord God. **—in** *nf* **-nen** mistress, lady. **—lich** *adj* **1** wonderful. **2** grand. **3** glorious. **—schaft** *nf* **-en 1** rule, dominion. **2** power. **3** distinguished people. **4** manor. **5** estate. **—schen** ('hɛrʃən) *vi* **1** rule, govern. **2** dominate. **3** exist. **4** prevail. **—scher** ('hɛrʃər) *nm* — ruler. **—schsucht** ('hɛrʃzu:xt) *nf* **1** love of power. **2** ambition.

herstell/en ('he:rʃtɛlən) *vt* manufacture, produce. **—ung** *nf* **-en** manufacture, production.

herüber (hɛ'ry:bər) *adv* **1** over, across. **2** to this side or place.

herum (hɛ'rum) *adv* (a)round, about. **—führen** *vt* show or take (a)round. **—ziehen*** *vi* wander about.

herunter (hɛ'runtər) *adv* down, downwards. **—kommen*** *vi* 1 come down. 2 decay.

hervor (hɛr'fo:r) *adv* 1 forth, out. 2 forward. **—bringen*** *vt* produce. **—gehen*** *vi* 1 arise. 2 result. **—heben*** *vt* 1 stress. 2 highlight. **—ragend** *adj* 1 eminent. 2 projecting. 3 outstanding, excellent. **—rufen*** *vt* 1 call forth. 2 cause. **—treten*** *vi* come forward or out.

Herz (hɛrts) *n neu* **-en** heart. **—anfall** *nm* heart attack. **—lich** *adj* hearty, cordial. **—los** *adj* heartless. **—schlag** *nm med* stroke.

Herzog ('hɛrtso:k) *nm* ¨**e** duke. **—in** ('hɛrtso:-gin) *nf* **-nen** duchess. **—tum** *n neu* **-tümer** duchy, dukedom.

herzu (hɛr'tsu:) *adv* 1 (to) here. 2 near. 3 up (to).

Hessen ('hɛsən) *n neu* Hesse.

Hetze ('hɛtsə) *nf* **-n** 1 hurry. 2 hunt. 3 agitation. **—n** *vt* 1 hunt. 2 set (dogs) on. 3 incite.

Heu (hɔy) *n neu* hay. **—gabel** *nf* pitchfork. **—schnupfen** *nm* hayfever. **—schrecke** *nf* **-n** 1 grasshopper. 2 locust.

Heuch/elei (hɔyçə'lai) *nf* **-en** hypocrisy. **—ler** ('hɔyçlər) *nm* — hypocrite.

heulen ('hɔylən) *vi* howl, cry, scream.

heut/e ('hɔytə) *adv* today. **—ig** *adj* 1 of today. 2 modern, present. **—zutage** ('hɔyttsuta:gə) *adv* these days, nowadays.

Hexe ('hɛksə) *nf* **-n** 1 witch. 2 hag. **—rei** (hɛksə'rai) *nf* witchcraft.

Hieb (hi:p) *nm* **-e** 1 blow, stroke. 2 cut.

hielt (hi:lt) *v* see **halten.**

hier (hi:r) *adv* here. **—auf** (hi:'rauf) *adv* hereupon. **—bei** (hi:r'bai) *adv* 1 at this. 2 enclosed. **—durch** (hi:r'durç) *adv* hereby. **—her** (hi:r'he:r) *adv* 1 this way. 2 here. **—in** (hi:'rin) *adv* in this. **—von** (hi:r'fɔn) *adv* of this. **—zu** (hi:r'tsu:) *adv* in addition, moreover. **—zulande** ('hi:rtsulandə) *adv* in this country, in these parts, around here.

hiesig ('hi:ziç) *adj* of this place, local.

Hilf/e ('hilfə) *nf* **-n** help, assistance. **erste Hilfe** first aid. **—eleistung** *nf* assistance. **—los** *adj* helpless. **—reich** *adj* helpful. **—arbeiter** *nm* unskilled or temporary worker. **—smittel** *n neu* 1 remedy. 2 resource.

Himbeere ('himbe:rə) *nf* **-n** raspberry.

Himmel ('himəl) *nm* — 1 sky. 2 heaven. **—fahrt** *nf* Ascension. **—reich** *n neu* (kingdom of) heaven.

himmlisch ('himliʃ) *adj* heavenly.

hin (hin) *adv* 1 (to) there. 2 gone, lost. 3 ruined. **hin und her** to and fro.

hinab (hi'nap) *adv* down(wards).

hinan (hi'nan) *adv* up (to), upward(s).

hinauf (hi'nauf) *adv* 1 up (to). 2 on high.

hinaus (hi'naus) *adv* out. **—gehen*** *vi* 1 go out. 2 result (in). **—gehen über** go beyond, exceed. **—wollen*** *vi* 1 want to go out. 2 aim at.

Hinblick ('hinblik) *nm* **im Hinblick auf** with regard to.

hinder/lich ('hindərliç) *adj* 1 in the way. 2 inconvenient. **—n** *vt* 1 prevent. 2 hinder. **—nis** *n neu* **-se** obstacle.

hindeuten ('hindɔytən) *vi* point (to or at).

hindurch (hin'durç) *adv* 1 through(out). 2 across.

hinein (hi'nain) *adv* in(to). **—gehen*** *vi* 1 go in(to). 2 contain. **—ziehen*** *vt* draw or pull in.

Hinfahrt ('hinfa:rt) *nf* outward journey.

hinfall/en* ('hinfalən) *vi* fall (down). **¨—ig** ('hinfɛliç) *adj* 1 obsolete. 2 decaying. 3 weak.

Hin/gabe ('hinga:bə) *nf* 1 delivery. 2 devotion. 3 surrender. **—geben*** ('hinge:bən) *vt* give away or up.

hingegen ('hinge:gən) *adv* on the other hand.

hingehen* ('hinge:ən) *vi* 1 go there or to. 2 pass away or over.

hinken (hiŋkən) *vi* limp.

hinlegen ('hinle:gən) *vt* lay down. **sich hinlegen** *vr* lie down.

hinnehmen* ('hinne:mən) *vt* 1 receive, accept. 2 put up with.

hinreichend ('hinraiçənt) *adj* sufficient.

Hinreise ('hinraizə) *nf* outward journey or voyage.

hinricht/en ('hinriçtən) *vt* execute, put to death. **—ung** *nf* **-en** execution.

Hinsicht ('hinziçt) *nf* **in dieser Hinsicht** in this respect. **—lich** *prep* with regard to, as for.

hinten ('hintən) *adv* behind, at the back.

hinter ('hintər) *prep* behind, after. *adj* posterior, back. **—backe** *nf* buttock. **—einander** (hintərain'andər) *adv* one after another. **—gehen*** *vt* deceive. **—grund** *nm* background. **—halt** *nm* ambush, trap. **—her** (hintər'he:r) *adv* after(wards), behind. **—lassen*** *vt* 1 leave (behind). 2 bequeath. **—list** *nf* 1 cunning. 2 fraud. **—teil** *n neu* 1 back part or side. 2 *inf* bottom, bum, backside. **—tür** *nf* backdoor.

hinüber (hi'ny:bər) *adv* 1 over (there). 2 across. 3 beyond.

hinunter (hi'nuntər) *adv* down (there).
hinweg (hin'vɛk) *adv* **1** away. **2** off. *nm* outward journey.
Hinweis ('hinvais) *nm* **-e** **1** indication. **2** direction. **—en*** ('hinvaizən) *vi* **1** point to. **2** allude to. *vt* **1** show. **2** direct (someone).
hinwerfen* ('hinvɛrfən) *vt* **1** throw down. **2** sketch. **3** note.
hinziehen* ('hintsi:ən) *vt* draw out or along. *vi* move (house). **sich hinziehen** *vr* drag or stretch out.
hinzu (hin'tsu:) *adv* **1** in addition. **2** near. **—fügen** *vt* **1** add. **2** enclose.
Hirn (hirn) *n neu* **-e** brain(s). **—schale** *nf* skull, cranium.
Hirsch (hirʃ) *nm* **-e** deer, stag.
Hirt (hirt) *nm* **-en** shepherd, herdsman. **—in** *nf* **-nen** shepherdess.
hissen ('hisən) *vt* hoist (up).
Histor/iker (hi'sto:rikər) *nm* — historian. **—isch** *adj* historic(al).
Hitz/e ('hitsə) *nf* heat. **—ig** *adj* hot, heated, fiery. **—kopf** *nm* hothead.
hoch (ho:x) *adj* high, tall. *adv* up. *n neu* **-e** **1** cheer. **2** high (pressure).
Hochachtung ('ho:xaxtuŋ) *nf* respect, esteem. **—svoll** *adj* respectful. *adv* yours respectfully or sincerely.
Hochdruck ('ho:xdruk) *nm* high pressure.
Hochebene ('ho:xe:bənə) *nf* plateau.
hochfahrend ('ho:xfa:rənt) *adj* haughty.
Hochflut ('ho:xflu:t) *nf* high tide.
hochhalten* ('ho:xhaltən) *vt* **1** raise. **2** cherish.
Hochhaus ('ho:xhaus) *n neu* high-rise building.
Hochland ('ho:xlant) *n neu* highland, upland.
Hochmut ('ho:xmut) *nm* pride. **¨-tig** ('ho:xmy:tiç) *adj* proud.
hochnäsig ('ho:xnɛziç) *adj inf* stuck-up, pretentious.
Hochschätzung ('ho:xʃɛtsuŋ) *nf* esteem.
Hochschule ('ho:xʃulə) *nf* college, university.
höchst (hœ:xst) *adj* **1** highest. **2** extreme. *adv* **1** most. **2** highly. **—ens** ('hœ:xstəns) *adv* at most or best. **—geschwindigkeit** ('hœ:xstgəʃvindiçkait) *nf* maximum speed.
Hochstapler ('ho:xʃta:plər) *nm* — swindler, confidence trickster.
Hochverrat ('ho:xfɛra:t) *nm* high treason.
Hochwasser ('ho:xvasə) *n neu* high water or tide.
Hochzeit ('hɔxtsait) *nf* **-en** wedding.
hock/en ('hɔkən) *vi* squat, crouch. **—er** *nm* — stool.
Hoden ('ho:dən) *nm* — *also* **Hode** *nf* **-n** testicle.
Hof (ho:f) *nm* **¨-e** **1** court. **2** yard. **3** farm. **4** halo. **jemandem den Hof machen** court or woo someone. **—rat** *nm* privy councillor.
hoff/en ('hɔfən) *vt,vi* hope (for). **—entlich** *adv* **1** hopefully. **2** it is to be hoped that. **—nung** *nf* **-en** hope. **—nungslos** *adj* hopeless. **—nungsvoll** *adj* hopeful.
höflich ('hœfliç) *adj* polite, courteous. **—keit** *nf* **-en** courtesy, politeness.
Höhe ('hœ:ə) *nf* **-n** **1** height, altitude. **2** hill. **3** top. **—punkt** *nm* **1** summit. **2** climax. **—r** *adj* higher, upper.
Hoheit ('ho:hait) *nf* **—en** grandeur, majesty.
hohl (ho:l) *adj* **1** empty, hollow. **2** concave. **¨-e** ('hœ:lə) *nf* **-n** **1** cave. **2** den. **—maß** *neu* **1** capacity. **2** volume. **¨-ung** ('hœ:luŋ) *nf* **-en** **1** excavation. **2** cavity.
Hohn (ho:n) *nm* scorn. **¨-isch** ('hoe:niʃ) *adj* scornful.
hold (hɔlt) *adj* charming, lovely.
holen ('ho:lən) *vt* **1** fetch. **2** call for.
Hölle ('hœlə) *nf* **-n** hell.
Holunder (ho'lundər) *nm* — *bot* elder.
Holz (hɔlts) *n neu* **¨-er** wood. **¨-ern** ('hœltsərn) *adj* wooden. **—kohle** *nf* charcoal. **—schnitt** *nm* woodcut.
Honig ('ho:niç) *nm* honey.
Honorar (hono'ra:r) *n neu* **-e** **1** honorarium. **2** royalty (payment).
Hopfen ('hɔpfən) *nm* — *bot* hop(s).
hör/bar ('hœ:rba:r) *adj* audible. **—en** *vt,vi* hear, listen (to). *n neu* hearing. **—er** *nm* — **1** hearer, listener. **2** student. **3** receiver. **4** headset. **—gerät** *n neu* hearing aid. **—saal** *nm* **1** auditorium. **2** lecture room. **—spiel** *n neu* radio play. **—weite** *nf* earshot.
horchen ('hɔrçən) *vi* listen (secretly).
Horde ('hɔrdə) *nf* **-n** **1** horde. **2** gang.
Horizont (hori'tsɔnt) *nm* **-e** horizon.
Hormon (hɔr'mo:n) *n neu* **-e** hormone.
Horn (hɔrn) *n neu* **¨-er** horn.
Horoskop (horo'sko:p) *n neu* **-e** horoscope.
Hose ('ho:zə) *nf* **-n** trousers. **—nbandorden** *nm* Order of the Garter. **—nträger** *nm pl* braces.
Hotel (ho'tɛl) *n neu* **-s** hotel.
Hub (hu:p) *nm* **¨-e** **1** *tech* stroke. **2** lift(ing). **—schrauber** *nm* — helicopter.
hübsch (hypʃ) *adj* **1** pretty. **2** nice, fine.
Huf (hu:f) *nm* **-e** hoof.
Hüfte ('hyftə) *nf* **-n** hip.

Hügel ('hy:gəl) *nm* — hill, knoll.
Huhn (hu:n) *n neu* **¨er** **1** chicken. **2** hen. **—erauge** ('hy:nəraugə) *n neu med* corn.
Huldigung ('huldigug) *nf* **-en** homage.
Hülle ('hylə) *nf* **-n** **1** cover(ing), wrapping. **2** case. **—n** *vt* wrap, cover.
Hülse ('hylzə) *nf* **-n** husk, shell, case.
human (hu'ma:n) *adj* humane. **—itär** (humani'tɛr) *adj* humanitarian.
Hummel ('huməl) *nf* **-n** bumblebee.
Hummer ('humər) *nm* — lobster.
Humor (hu'mo:r) *nm* **-e** (sense of) humour.
humpeln ('humpəln) *vi* hobble.
Hund (hunt) *nm* **-e** dog. **¨-in** ('hyndin) *nf* **-nen** bitch.
hundert ('hundərt) *adj,n neu* **-s** hundred. **—jahrfeier** (hundərt'ja:rfaiər) *nf* centenary.
Hung/er ('hugər) *nm* hunger. **—ersnot** *nf* famine. **—rig** *adj* hungry.
Hupe ('hu:pə) *nf* **-n** *mot* horn, hooter. **—n** *vi* sound the horn.
hüpfen ('hypfən) *vi* hop, skip.
Hürde ('hyrdə) *nf* **-n** **1** hurdle. **2** pen, fold.
Hure ('hu:rə) *nf* **-n** whore, prostitute.
husten ('hu:stən) *vi* cough. *nm* — cough.
Hut[1] (hu:t) *nm* **¨-e** hat.
Hut[2] (hu:t) *nf* care, charge, protection.
hüten ('hy:tən) *vt* guard, watch over. **sich hüten** *vr* take care, be on one's guard.
Hütte ('hytə) *nf* **-n** **1** hut, cabin. **2** cottage. **3** forge.
Hyäne (hy'ɛ:nə) *nf* **-n** hyena.
Hygien/e (hygi'e:nə) *nf* hygiene. **—isch** *adj* hygienic.
Hymne ('hymnə) *nf* **-n** hymn.
Hypno/se (hyp'no:zə) *nf* **-n** hypnosis. **—tisch** *adj* hypnotic.
Hypothek (hypo'te:k) *nf* **-en** mortgage.
Hypothe/se (hypo'te:zə) *nf* **-n** hypothesis. **—tisch** *adj* hypothetical.
Hysterie (hyste'ri:) *nf* **-n** hysteria.

I

ich (iç) *pron 1st pers s* I. *n neu* self, ego.
ideal (ide'a:l) *adj* ideal. *n neu* **-e** ideal. **—ismus** (idea'lismus) *nm* idealism.
Idee (i'de:) *nf* **-n** idea.
identisch (i'dɛntiʃ) *adj* identical.
idiomatisch (idio'ma:tiʃ) *adj* idiomatic. **idiomatischer Ausdruck** *nm* idiom.
Idiot (idi'o:t) *nm* **-en** idiot. **—isch** *adj* idiotic, stupid.
ignorieren (igno'ri:rən) *vt* ignore, disregard.
ihm (i:m) *pron 3rd pers s* (to) him or it.
ihn (i:n) *pron 3rd pers s* him, it.
ihnen ('i:nən) *pron* **1** *3rd pers pl* (to) them. **2** *cap 2nd pers s,pl fml* (to) you.
ihr (i:r) *pron* **1** *3rd pers s* (to) her or it. **2** *2nd pers pl fam* you. *poss adj* **1** *3rd pers s* her. **2** *3rd pers pl* their. **3** *cap 3rd pers s,pl* your. **—er** *poss pron also* **der —e** or **der —ige** **1** *3rd pers s* hers. **2** *cap 3rd pers s,pl fml* yours. **3** *3rd pers pl* theirs. **—erseits** ('i:rərzaits) *adv* **1** on her or their part. **2** *cap* on your part. **—ethalben** *adv also* **—etwegen** *or* **—etwillen** **1** for her or their sake. **2** *cap* for your sake.
Illusion (iluzi'o:n) *nf* **-en** illusion.
illustrier/en (ilu'stri:rən) *vt* illustrate. **—te** *nf* **-n** (illustrated or colour) magazine.
im (im) contraction of **in dem.**
Imbiß ('imbis) *nm* **-bisse** snack, light meal. **Imbiß-Stube** *nf* snack bar.
Immatrikulation (imatrikulatsi'o:n) *nf* **-en** matriculation.
immer ('imər) *adv* always, ever. **—grün** *adj* evergreen. *n neu* **-e** evergreen. **—hin** *adv* nevertheless, yet, still.
Immigrant (imi'grant) *nm* **-en** immigrant.
Immobilien (imo'bi:liən) *nm pl* real estate.
Imperfekt ('imperfɛkt) *n neu* **-e** *gram* imperfect.
impf/en ('impfən) *vt* vaccinate, inoculate. **—stoff** *nm* vaccine, serum.
imponieren (impo'ni:rən) *vt* impress.
Import (im'pɔrt) *nm* **-e** import(ation). **—ieren** (impɔr'ti:rən) *vt* import.
impotent ('impotɛnt) *adj* impotent.
improvisieren (improvi'zi:rən) *vt,vi* improvise, ad-lib.
imstande (im'ʃtandə) *adv* **imstande sein** be able or capable, be in a position (to).
in (in) *prep* **1** in(to). **2** at. **3** to. **4** during.
Inbegriff ('inbəgrif) *nm* **1** embodiment. **2** contents.
Inbrunst ('inbrunst) *nf* ardour, fervour.
indem (in'de:m) *conj* **1** while. **2** as, because. *adv* meanwhile.
Inder ('indər) *nm* — (Asian) Indian.
indes (in'dɛs) *adv also* **indessen** (in'dɛsən) **1** meanwhile. **2** however. **3** nevertheless. *conj* yet.
Indian/er (indi'a:nər) *nm* — (American) Indian. **—isch** *adj* Indian.

Indi/en ('indiən) *n neu* India. **—sch** ('indiʃ) *adj* Indian.
Indikativ ('indikati:f) *nm* **-e** *gram* indicative.
indirekt ('indirɛkt) *adj* indirect.
individu/ell (individu'ɛl) *adj* individual. **—um** (indi'vi:duum) *n neu* **-uen** individual, person.
Indones/ien (indo'ne:ziən) *n neu* Indonesia. **—ier** *nm* — Indonesian. **—isch** *adj* Indonesian.
Industrie (indus'tri:) *nf* **-n** industry. **—ll** (industri'ɛl) *adj* industrial. **—lle(r)** (industri'ɛlə) *nm* industrialist.
ineinander (inain'andər) *adv* into one another.
Infanterie (infantə'ri:) *nf* **-n** infantry, foot.
infizieren (infi'tsi:rən) *vt* infect.
Inflation (inflatsi'o:n) *nf* **-en** *comm* inflation.
infolge (in'fɔlgə) *prep* in consequence of, due to. **—dessen** (infɔlgə'dɛsən) *adv* **1** accordingly, then. **2** as a result of this, due to which.
Inform/ation (infɔrmatsi'o:n) *nf* **-en** (item of) information. **—ationsbüro** *n neu* information bureau or centre. **—ieren** (infɔr'mi:rən) *vt* **1** inform. **2** instruct.
Ingenieur (inʒe'njœ:r) *nm* **-e** engineer. **—wesen** *n neu* engineering.
Inhaber ('inha:bər) *nm* — possessor, holder.
Inhalt ('inhalt) *nm* **-e** **1** contents. **2** volume. **3** meaning. **—sverzeichnis** *n neu* **1** table of contents. **2** index.
Initiative (initsia'ti:və) *nf* initiative.
inklusive (inklu'zi:və) *adv* inclusive, including.
Inkrafttreten (in'kraftte:tən) *n neu* coming into force or effect.
Inland ('inlant) *n neu* **1** native country. **2** inland.
inmitten (in'mitən) *prep* amid(st).
inne ('inə) *adv* within. **—halten*** *vi* stop. *vt* keep to.
innen ('inən) *adv* within, inside.
inner ('inər) *adj* inner, interior. **—halb** *prep,adv* within, inside. **—lich** *adj* inward, inner. **—st** *adj* inmost.
innig ('iniç) *adj* heartfelt, sincere.
ins (ins) contraction of **in das.** **—besondere** (insbə'zɔndərə) *adv* in particular. **—geheim** (insgə'haim) *adv* secretly. **—gesamt** (insgə'zamt) *adv* altogether.
Insasse ('inzasə) *nm* **-n** inmate, occupant.
Inschrift ('inʃrift) *nf* **-en** inscription.
Insekt (in'zɛkt) *n neu* **-en** insect. **—engift** *n neu* insecticide.
Insel ('inzəl) *nf* **-n** island, isle.
Inserat (inze'ra:t) *n neu* **-e** advertisement, announcement.
insofern (inzo'fɛrn) *adv also* **insoweit** (inzo'vait) in this respect, to that extent. *conj* in so far as, inasmuch as.
instand halten* (in'ʃtanthaltən) *vt* maintain (in good order).
Instanz (in'stants) *nf* **-en** **1** *law* court. **2** authority.
Instinkt (in'stiŋkt) *nm* **-e** instinct.
Institut (insti'tu:t) *n neu* **-e** institute.
Instrument (instru'mɛnt) *n neu* **-e** instrument.
inszenieren (instse'ni:rən) *vt* stage, produce.
intelligen/t (intɛli'gɛnt) *adj* intelligent. **—z** (intɛli'gɛnts) *nf* **1** intelligence. **2** intelligentsia.
interess/ant (intərɛ'sant) *adj* interesting. **—e** (intə'rɛsə) *n neu* **-n** interest. **—ieren** (intərɛ'si:rən) *vt* interest. **sich —ieren** *vr* be interested.
international (intɛrnatsio'na:l) *adj* international. **—e** *nf pol* International.
intim (in'ti:m) *adj* intimate.
Intrige (in'tri:gə) *nf* **-n** intrigue, plot.
inwendig ('invɛndiç) *adj* interior, inside.
inwiefern (invi:'fɛrn) *adv also* **inwieweit** (invi:'vait) to what extent, how far.
inzwischen (in'tsviʃən) *adv* meanwhile.
Irak (i'ra:k) *nm* Iraq. **—er** *nm* Iraqi. **—isch** *adj* Iraqi.
irdisch ('irdiʃ) *adj* **1** worldly, earthly. **2** mortal.
irgend ('irgənt) *pron,adv* some, any. **irgend etwas** something (or other). **irgend jemand** anybody, somebody or other. **—ein** (irgənt'ain) *pron,adj* some(one), any(one). **—wann** (irgənt'van) *adv* at some time. **—was** (irgənt'vas) *pron* something (or other). **—wie** (irgənt'vi:) *adv* somehow. **—wo** (irgənt'vo:) *adv* somewhere.
Iris ('i:ris) *nf* — *anat* iris.
Ir/land ('irlant) *n neu* Ireland. **—e** ('i:rə) *nm* **-n** *also* **—länder** — Irishman. **—in** *nf* **-nen** *also* **—länderin** Irishwoman. **—isch** *adj* Irish.
Iron/ie (iro'ni:) *nf* **-n** irony. **—isch** (i'ro:niʃ) *adj* ironical.
irr/e ('irə) *adj* **1** stray. **2** mad. **3** unsettled. **4** confused. **—e(r)** *nm* lunatic. **—eführen** *vt* **1** mislead. **2** deceive. **—en** *vi* wander, stray. **sich —en** *vr* **1** err. **2** be mistaken. **—ig** *adj also* **—tümlich** erroneous, false. **—tum** *nm* **-er** error, fault.
isolieren (izo'li:rən) *vt* **1** isolate. **2** insulate.
ißt (ist) *v* see **essen.**
ist (ist) *v see* **sein**[2].
Italien (i'ta:liən) *n neu* Italy. **—er** (itali'e:nər)

nm — Italian. **—isch** (itali'e:niʃ) *adj* Italian. *n neu* Italian (language).

J

ja (ja) *adv* yes, indeed. *n neu* **-s** assent. **mit Ja antworten** reply in the affirmative.
Jacht (jaxt) *nf* **-en** yacht.
Jacke ('jakə) *nf* **-n** jacket.
Jagd (ja:kt) *nf* **-en** hunt, hunting.
jag/en ('ja:gən) *vt* **1** hunt. **2** shoot. **3** drive. *vi* **1** hunt. **2** rush. **¨-er** ('jɛ:gər) *nm* — **1** hunter. **2** rifleman. **3** fighter pilot. **4** fighter plane.
jäh (jɛ:) *adj* **1** sudden. **2** steep.
Jahr (ja:r) *n neu* **-e** year. **—elang** *adj* lasting for one or several years. *adv* for years. **—eswechsel** *nm* turn of the year, New Year. **—eszeit** *nf* season. **—hundert** (ja:r'hundərt) *n neu* **-e** century. **¨-lich** ('jɛ:rliç) *adj* annual. **—tausend** (ja:r'tauzənt) *n neu* **-e** millennium. **—zehnt** (ja:r'tse:nt) *n neu* **-e** decade.
Jammer ('jɛmər) *nm* **1** misery, sorrow. **2** lamentation. **¨-lich** ('jɛ:mərliç) *adj* pitiful. **—n** *vi* lament, bewail.
Januar ('janua:r) *nm* January.
Japan ('ja:pan) *n neu* Japan. **—er** (ja'pa:nər) *nm* — Japanese. **—isch** (ja'pa:niʃ) *adj* Japanese. *n neu* Japanese (language).
jauchzen ('jauxtsən) *vi* rejoice, shout with joy.
jawohl (ja'vo:l) *adv* yes indeed, certainly.
Jazz (dʒɛs) *nm* jazz.
je (je:) *adv* **1** ever. **2** each, apiece. **je...desto** the...the. **je nachdem** according as or to.
jedenfalls ('je:dənfals) *adv* in any case.
jeder, jede, jedes ('je:dər, 'je:də, 'je:dəs) *pron,adj m,f,neu* every, each.
jedermann ('je:dərman) *pron* everyone.
jederzeit ('je:dərtsait) *adv* at any time.
jedesmal ('je:dəsma:l) *adv* every time, each time.
jedoch (je'dɔx) *adv* however, yet.
jeglicher ('je:kliçər) *pron,adj* every, each.
jemals ('je:ma:ls) *adv* at any time, ever.
jemand ('je:mant) *pron* someone, anyone.
jener, jene, jenes ('je:nər, 'je:nə, 'je:nəs) *pron,adj m,f,neu* **1** that. **2** the former.
jenseits ('jɛnzaits) *adv* on the other side. *prep* beyond. *n neu* the other world, the life to come.
jetz/ig ('jɛtsiç) *adj* present, actual, current. **—t** *adv* at present, now.
Joch (jɔx) *n neu* **-e** yoke.
Jockei ('dʒɔki) *nm* **-s** jockey.
Jod (jo:t) *n neu* iodine.
jodeln ('jo:dəln) *vi* yodel.
Joghurt ('jo:gurt) *n neu* **-s** yoghurt.
Johannisbeere (jo'hanisbe:rə) *nf* redcurrant. **schwarze Johannisbeere** blackcurrant.
Journalist (ʒurna'list) *nm* **-en** journalist.
Jubel ('ju:bəl) *nm* rejoicing. **—n** *vi* rejoice.
jucken ('jukən) *vt,vi* itch.
Jud/e ('ju:də) *nm* **-n** Jew. **—entum** *n neu* Judaism, Jewry. **¨-in** ('jy:din) *nf* **-nen** Jewess. **¨-isch** ('jy:diʃ) *adj* Jewish.
Judo ('ju:do) *n neu* judo.
Jugend ('ju:gənt) *nf* youth. **—lich** *adj* youthful, juvenile. **—herberge** *nf* youth hostel.
Jugoslaw/e (jugo'sla:və) *nm* **-n** Yugoslav. **—ien** *n neu* Yugoslavia. **—isch** *adj* Yugoslav(ian).
Juli ('ju:li) *nm* July.
jung (juŋ) *adj* young. **—e** *nm* **-n** youth, boy, lad. **¨-er** ('jyŋər) *adj* **1** younger. **2** junior. *nm* — disciple. **—fer** *nf* **-n** maid, virgin. **alte Jungfer** old maid, spinster. **—frau** *nf* **1** virgin, maiden. **2** Virgo. **—geselle** *nm* bachelor. **¨-ling** ('jyŋliŋ) *nm* **-e** youth, young man. **¨-st** (jyŋst) *adj* **1** youngest. **2** latest. **das Jüngste Gericht** the Last Judgment.
Juni ('ju:ni) *nm* June.
Junker ('juŋkər) *nm* — (young) nobleman, squire.
Jur/a[1] ('ju:ra) *n pl* (study of) law. **—ist** (ju'rist) *nm* **-en** lawyer.
Jura[2] ('ju:ra) *nm* **-s** the Juras.
just (just) *adv* **1** exactly. **2** just (now). **3** only just.
Justiz (jus'ti:ts) *nf* **1** legal administration. **2** justice.
Juwel (ju've:l) *n neu* **-en** jewel. **—ier** (juva'li:r) *nm* **-e** jeweller.
Jux (juks) *nm* **-e** joke, prank.

K

Kabarett (kaba'rɛt) *n neu* **-e** cabaret.
Kabel ('ka:bəl) *n neu* — cable.
Kabine (ka'bi:nə) *nf* **-n** **1** cabin. **2** cubicle.
Kabinett (kabi'nɛt) *n neu* **-e** **1** *pol* cabinet. **2** closet.
Kadett (ka'dɛt) *nm* **-en** cadet.
Käfer ('kɛ:fər) *nm* — beetle.
Kaffee ('kafe) *nm* **-s** coffee.

Käfig ('kɛ:fiç) *nm* **-e** cage.
kahl (ka:l) *adj* **1** bald. **2** bare. **—kopf** *nm* bald head.
Kahn (ka:n) *nm* **¨-e 1** boat, skiff. **2** barge.
Kai (kai) *nm* **-e** quay, wharf.
Kaiser ('kaizər) *nm* — emperor. **—in** *nf* **-nen** empress. **—lich** *adj* imperial. **—reich** *n neu* empire.
Kakao (ka'ka:o) *nm* cocoa.
Kaktus ('kaktus) *nm* **-teen** cactus.
Kalb (kalp) *n neu* **¨-er** calf. **—fleisch** *n neu* veal. **—sbraten** *nm* roast veal.
Kalender (ka'lɛndər) *nm* — calendar.
Kali ('ka:li) *n neu* potash.
Kalk (kalk) *nm* **-e** lime. **—stein** *nm* limestone.
kalt (kalt) *adj* **1** cold. **2** frigid. **—blütig** ('kaltbly:tiç) *adj* cold-blooded. **¨-e** ('kɛltə) *nf* cold, coldness.
kam (ka:m) *v* see **kommen.**
Kamel (ka'me:l) *n neu* **-e** camel.
Kamera ('kamera) *nf* **-s** camera.
Kamerad (kamə'ra:t) *nm* **-en, —in** (kamə'ra:din) *nf* **-nen** comrade, companion.
Kamin (ka'mi:n) *nm* **-e 1** chimney. **2** fireplace.
Kamm (kam) *nm* **¨-e 1** comb. **2** crest. **3** ridge. **¨-en** ('kɛmən) *vt* comb.
Kammer ('kamər) *nf* **-n 1** small room, chamber. **2** *pol,comm* chamber. **—diener** *nm* valet. **—musik** *nf* chamber music.
Kampf (kampf) *nm* **¨-e** fight, struggle, battle. **¨-en** ('kɛmpfən) *vi* fight, struggle. **¨-er** ('kɛmpfər) *nm* — fighter, combatant.
Kanad/a ('kanada) *n neu* Canada. **—ier** (ka'na:di:r) *nm* — Canadian. **—isch** (ka'na:-diʃ) *adj* Canadian.
Kanal (ka'na:l) *nm* **¨-e 1** channel. **2** canal. **3** drain. **4** pipe. **Ärmelkanal** English Channel.
Kanarienvogel (ka'na:riənfo:gəl) *nm* canary.
Kandid/at (kandi'da:t) *nm* **-en** candidate. **—ieren** (kandi'di:rən) *vi* be a candidate, stand.
Känguruh ('kɛŋguru:) *n neu* **-s** kangaroo.
Kaninchen ('kaninçən) *n neu* — rabbit.
kann (kan) *v* see **können.**
Kannabis ('kanabis) *n neu* cannabis.
Kanne ('kanə) *nf* **-n 1** can. **2** jug. **3** pot.
kannte ('kantə) *v* see **kennen.**
Kanon (ka'no:n) *nm* **-s** canon.
Kanone (ka'no:nə) *nf* **-n 1** cannon. **2** gun. **3** *inf* wizard, ace.
Kante ('kantə) *nf* **-n 1** edge. **2** brim, rim.
Kantine (kan'ti:nə) *nf* **-n** canteen.
Kanton (kan'to:n) *nm* **-e** canton.
Kanzel ('kantsəl) *nf* **-n 1** pulpit. **2** *aviat* cockpit.
Kanzler ('kantslər) *nm* — chancellor.
Kap (kap) *n neu* **-s** cape, headland.
Kapazität (kapatsi'tɛ:t) *nf* **-en 1** capacity. **2** authority.
Kapelle (ka'pɛlə) *nf* **-n 1** chapel. **2** band. **3** choir.
Kaper ('ka:pər) *nf* **-n** *bot* caper.
Kapital (kapi'ta:l) *n neu* **-ien** capital. **—anlage** *nf* investment. **—ismus** (kapita'lismus) *nm* capitalism. **—ist** (kapita'list) *nm* **-en** capitalist.
Kapitän (kapi'tɛ:n) *nm* **-e** captain, skipper.
Kapitel (ka'pitəl) *n neu* — chapter.
Kaplan (ka'pla:n) *nm* **¨-e** chaplain.
Kappe ('kapə) *nf* **-n 1** cap. **2** hood. **3** top. **4** dome.
kaputt (ka'put) *adj inf* **1** bust, broken. **2** exhausted.
Kapuze (ka'pu:tsə) *nf* **-n 1** hood. **2** cowl.
Karat (ka'ra:t) *n neu* **-e** carat.
Karate (ka'ra:tə) *n neu* karate.
Karawane (kara'va:nə) *nf* **-n** caravan.
Kardinal (kardi'na:l) *nm* **¨-e** cardinal.
Karfreitag (ka:r'fraita:k) *nm* Good Friday.
karg (kark) *adj* **1** thrifty. **2** miserly. **3** poor. **4** meagre. **5** barren. **¨-lich** ('kɛrkliç) *adj* **1** scanty. **2** poor.
kariert (ka'ri:rt) *adj* **1** checked. **2** chequered.
Karies ('ka:riɛs) *nf med* caries.
Karikatur (karika'tu:r) *nf* **-en** caricature.
Karneval ('karneval) *nm* **-e** carnival.
Karo ('ka:ro) *n neu* **-s** *game* diamonds.
Karosserie (karɔsə'ri:) *nf* **-n** *mot* bodywork.
Karotte (ka'rɔtə) *nf* **-n** carrot.
Karpfen ('karpfən) *nm* — carp.
Karre ('karə) *nf* **-n** *also* **Karren** *nm* — cart, (wheel-)barrow.
Karriere (ka'rje:rə) *nf* **-n 1** career. **2** gallop.
Karte ('kartə) *nf* **-n 1** card. **2** map. **3** ticket. **4** menu.
Kartell (kar'tɛl) *n neu* **-e** cartel.
Kartoffel (kar'tɔfəl) *nf* **-n** potato. **—brei** *nm also* **—püree** *n neu* mashed or creamed potatoes.
Karton (kar'tɔn) *nm* **-e, -s** cardboard (box), carton.
Kartusche (kar'tuʃə) *nf* **-n** cartridge.
Karussell (karu'sɛl) *n neu* **-e** merry-go-round.
Kaschmir ('kaʃmir) *n neu* Cashmere.
Käse ('kɛ:zə) *nm* — cheese.
Kaserne (ka'zɛrnə) *nf* **-n** barracks.

Kasino (ka'zi:no) *n neu* **-s** 1 casino. 2 officers' mess.

Kasse ('kasə) *nf* **-n** 1 till, cash register. 2 cash-desk. 3 booking office. 4 cash. 5 cash-box. 6 strongbox.

Kassette (ka'sɛtə) *nf* **-n** 1 casket, box. 2 film spool. 3 cassette (tape). **—nrecorder** *nm* — cassette-recorder.

kassier/en (ka'si:rən) *vt* 1 cash. 2 cashier. 3 cancel. 4 annul. **—er** *nm* — 1 cashier. 2 treasurer.

Kastanie (ka'sta:niə) *nf* **-n** chestnut.

Kasten ('kastən) *nm* ¨— box, chest.

kastrieren (ka'stri:rən) *vt* castrate.

Kasus ('ka:zus) *nm* — *gram* case.

Katalog (kata'lo:k) *nm* **-e** catalogue.

Katarrh (ka'tar) *nm* **-e** catarrh.

katastroph/al (katastro'fa:l) *adj* catastrophic. **—e** (kata'stro:fə) *nf* **-n** catastrophe.

Kategorie (katego'ri:) *nf* **-n** category.

Kater ('ka:tər) *nm* — 1 tomcat. 2 *inf* hangover.

Kathedrale (kate'dra:lə) *nf* **-n** cathedral.

Katholi/ik (kato'li:k) *nm* **-en, —ikin** *nf* **-nen** Catholic. **—isch** (ka'to:liʃ) *adj* Catholic.

Katze ('katsə) *nf* **-n** cat.

Kauderwelsch ('kaudərvɛlʃ) *n neu* double-dutch.

kauen ('kauən) *vt* chew.

kauern ('kauərn) *vi* cower.

Kauf (kauf) *nm* ¨**-e** 1 purchase, buy(ing). 2 bargain. **in Kauf nehmen** 1 accept. 2 put up with. **—en** *vt* buy, purchase. ¨**—er** ('kɔyfər) *nm* — buyer, purchaser. **—haus** *n neu* department store. **—kraft** *nf* purchasing power. **—laden** *nm* shop. ¨**—lich** ('kɔyfliç) *adj* 1 purchasable, for sale. 2 venal, corrupt. **—mann** *nm* **-leute** 1 shopkeeper. 2 merchant. 3 businessman.

Kaugummi ('kaugumi) *nm* chewing gum.

Kaukasus ('kaukazus) *nm* Caucasus.

kaum (kaum) *adv* hardly, scarcely, barely.

Kaution (kau'tsjo:n) *nf* **-en** 1 security. 2 bail.

Kauz (kauts) *nm* ¨**-e** 1 owl. 2 odd fellow.

Kavallerie (kavalə'ri:) *nf* **-n** cavalry.

Kaviar ('ka:viar) *nm* **-e** caviar.

keck (kɛk) *adj* 1 bold, daring. 2 cheeky.

Kegel ('ke:gəl) *nm* — 1 skittle(s), ninepin(s). 2 cone. **—bahn** *nf* bowling alley.

Kehl/e ('ke:lə) *nf* **-n** throat. **—kopf** *nm* larynx. **—kopfentzündung** *nf* laryngitis.

kehren[1] ('ke:rən) *vt* turn.

kehr/en[2] ('ke:rən) *vt* sweep. **—icht** ('ke:riçt) *nm* 1 sweepings. 2 rubbish.

Keil (kail) *nm* **-e** wedge. **—en** *vt* 1 (fix or split with a) wedge. 2 thrash. **sich —en** *vr* fight. **—er** *nm* — boar.

Keim (kaim) *nm* **-e** 1 germ. 2 bud. 3 embryo. **—en** *vi* 1 germinate. 2 sprout.

kein, kein/e, kein (kain, 'kaine, kain) *adj* no, not any. **es war kein Mensch zu sehen** there was not a soul to be seen. **—er, —e, —es** ('kainər, 'kainə, 'kainəs) *pron* 1 none. 2 no one. **—erlei** ('kainərlai) *adj* of no sort, not any. **—esfalls** ('kainəsfals) *adv* on no account. **—eswegs** ('kainəsve:ks) *adv* not at all, by no means.

Keks (ke:ks) *nm,neu* **-e** biscuit.

Keller ('kɛlər) *nm* — cellar.

Kellner ('kɛlnər) *nm* — 1 waiter. 2 barman. **—in** *nf* **-nen** 1 waitress. 2 barmaid.

kenn/en* ('kɛnən) *vt* know, be acquainted with. **—er** *nm* — expert, connoisseur. **—enlernen** *vt* become acquainted with, get to know. **—tnis** *nf* **-se** knowledge. **—zeichen** *n neu* characteristic, (distinguishing) feature. **—zeichnen** *vt* 1 mark. 2 distinguish.

Kerbe ('kɛrbə) *nf* **-n** 1 notch. 2 slot.

Kerker ('kɛrkər) *nm* — prison, jail.

Kerl (kɛrl) *nm* **-e** 1 fellow, man. 2 *inf* bloke.

Kern (kɛrn) *nm* **-e** 1 core. 2 kernel, pip, stone. 3 nucleus. **—energie** *nf* nuclear energy. **—gesund** *adj* thoroughly healthy. **—physik** *nf* nuclear physics. **—waffen** *nf pl* nuclear weapons.

Kerze ('kɛrtsə) *nf* **-n** candle.

Kessel ('kɛsəl) *nm* — 1 kettle. 2 boiler. 3 basin. 4 hollow.

Kette ('kɛtə) *nf* **-n** chain. **—nbrücke** *nf* suspension bridge. **—reaktion** *nf* chain reaction.

Ketzer ('kɛtsər) *nm* — heretic. **—ei** (kɛtsə'rai) *nf* **-en** heresy.

keuchen ('kɔyçən) *vi* pant, gasp.

Keule ('kɔylə) *nf* **-n** 1 club, cudgel. 2 thigh (of an animal). 3 *cul* leg.

keusch (kɔyʃ) *adj* chaste.

kichern ('kiçərn) *vi* giggle.

Kiefer[1] ('ki:fər) *nm* — jaw.

Kiefer[2] ('ki:fər) *nf* **-n** pine, fir.

Kiel (ki:l) *nm* **-e** 1 keel. 2 quill.

Kieme ('ki:mə) *nf* **-n** *zool* gill.

Kies (ki:s) *nm* **-e** gravel.

Kieselstein ('ki:zəlʃtain) *nm* pebble.

Kilo ('ki:lo) *n neu* kilo. **—gramm** (ki:lo'gram) *n neu* kilogram.

Kind (kint) *n neu* **-er** child. **—erei** (kində'rai) *nf* **-en** childishness. **—erspiel** ('kindərʃpi:l) *n* *neu* child's play. **—erstube** ('kindərʃtu:bə) *nf* nursery. **—erwagen** ('kindərva:gən) *nm* pram. **—heit** ('kinthait) *nf* childhood. **—isch** ('kindiʃ) *adj* childish. **—lich** ('kintliç) *adj* childlike.

Kinn (kin) *n neu* **-e** chin.

Kino ('ki:no) *n neu* **-s** cinema.

Kiosk (ki'ɔsk) *nm* **-e 1** kiosk. **2** newsstand.

Kirch/e ('kirçə) *nf* **-n** church. **—hof** *nm* **1** churchyard. **2** cemetery. **—lich** *adj* ecclesiastical, church. **-spiel** *n neu* parish **—turm** *nm* steeple, church tower.

Kirsch (kirʃ) *nm also* **Kirschwasser** ('kirʃvasər) *n neu* kirsch.

Kirsche ('kirʃə) *nf* **-n** cherry.

Kissen ('kisən) *n neu* — cushion, pillow.

Kiste ('kistə) *nf* **-n** box, case, crate.

Kitsch (kitʃ) *nm* tasteless rubbish, trash.

kitzeln ('kitsəln) *vt* tickle.

klaffen ('klafən) *vi* gape, yawn.

Klag/e ('kla:gə) *nf* **-n 1** complaint. **2** *law* action. **3** lament. **—en** *vi* **1** complain. **2** *law* bring an action. **3** lament. **¨-er** ('klɛ:gər) *nm* — plaintiff. **¨-lich** ('klɛ:kliç) *adj* wretched, plaintive.

Klammer ('klamər) *nf* **-n 1** clip, clamp. **2** peg. **3** bracket. **—n** *vt* fasten.

Klang (klaŋ) *nm* **¨-e** (ringing) sound. **—farbe** *nf* timbre, tone.

Klapp/e ('klapə) *nf* **-n 1** flap. **2** lid. **3** stop. **4** valve. **5** *sl* mouth. **—en** *vt* clap. *vi* **1** flap. **2** collapse, fold. **es klappt** it works (well).

Klapper ('klapər) *nf* **-n** rattle. **—n** *vi* rattle.

klar (kla:r) *adj* **1** clear. **2** bright. **3** distinct. **4** evident. **5** pure. **¨-en** ('klɛ:rən) *vt* **1** clarify. **2** purify. **—heit** *nf* clarity, clearness. **—legen** *vt also* **—machen** clear up, explain, point out.

Klarinette (klari'nɛtə) *nf* **-n** clarinet.

Klasse ('klasə) *nf* **-n 1** class. **2** category. **—nzimmer** *n neu* classroom.

Klass/iker ('klasikər) *nm* — classic (author). **—isch** *adj* classic(al).

Klatsch (klatʃ) *nm* **-e 1** clap. **2** gossip. **3** smack. **—en** *vi* **1** clap. **2** gossip. **3** slap, smack.

Klaue ('klauə) *nf* **-n 1** hoof. **2** claw. **3** *sl* scrawl, handwriting. **—n** *vt* **1** claw. **2** *sl* pinch, steal.

Klausel ('klauzəl) *nf* **-n** clause.

Klavier (kla'vi:r) *n neu* **-e** piano.

kleb/en ('kle:bən) *vt* glue, stick. *vi* **1** stick. **2** cling. **—(e)rig** *adj* sticky. **—estreifen** *nm* adhesive tape. **—stoff** *nm* adhesive, glue.

kleck/ern ('klɛkərn) *vi* dribble, slobber. **—s** (klɛks) *nm* **-e 1** blot. **2** stain.

Klee (kle:) *nm* clover.

Kleid (klait) *n neu* **-er 1** dress. **2** garment. **3** *pl* clothes. **—en** ('klaidən) *vt* clothe, dress. **—erschrank** ('klaidərʃraŋk) *nm* wardrobe. **—ung** ('klaiduŋ) *nf* clothing.

klein (klain) *adj* **1** small, little. **2** short. **3** petty, mean. **—asien** (klain'a:ziən) *n neu* Asia Minor. **—geld** *n neu* (small) change. **—handel** *nm* retail trade. **—heit** *nf* smallness. **—igkeit** *nf* **-en** trifle, petty detail. **—laut** *adj* subdued, quiet. **—lich** *adj* petty, mean. **—stadt** *nf* small city or town.

Kleinod ('klaino:t) *n neu* **-ien** gem.

Kleister ('klaistər) *nm* — paste.

Klemme ('klɛmə) *nf* **-n 1** clamp. **2** (electrical) terminal. **3** dilemma, difficulty.

Klempner ('klɛmpnər) *nm* — plumber.

Klerus ('kle:rus) *nm* clergy.

klettern ('klɛtərn) *vi* climb.

Klima ('kli:ma) *n neu* **-te** climate. **—anlage** *nf* **1** air-conditioner. **2** air-conditioning.

Klinge ('kliŋə) *nf* **-n** blade. **—n*** *vi* **1** sound. **2** ring, chink.

Klingel ('kliŋəl) *nf* **-n 1** bell. **2** door-bell. **—n** *vi* ring, tinkle.

Klinik ('kli:nik) *nf* **-en** clinic, hospital.

Klinke ('kliŋkə) *nf* **-n 1** latch. **2** handle.

Klippe ('klipə) *nf* **-n** reef, rocks.

klirren ('kliirən) *vi* **1** clink. **2** clash, jangle.

Klo (klo:) *n neu* **-s** *inf* toilet, loo.

Kloben ('klo:bən) *nm* — **1** pulley, block. **2** vice. **3** pincers. **4** log.

klopfen ('klɔpfən) *vi, vt* beat, knock.

Klosett (klɔ'zɛt) *n neu* **-e** toilet, lavatory. **—papier** *n neu* toilet paper.

Kloster ('klo:stər) *n neu* **¨-** **1** convent. **2** monastery.

Klotz (klɔts) *nm* **¨-e 1** log. **2** block.

Klub (klup) *nm* **-s** club, society.

Kluft (kluft) *nf* **¨-e 1** gap. **2** chasm. **3** cleft.

klug (klu:k) *adj* **1** clever, intelligent. **2** prudent. **—heit** *nf* **1** cleverness, intelligence. **2** prudence.

Klumpen ('klumpən) *nm* — **1** lump, clod. **2** heap.

knabbern ('knabərn) *vi, vt* gnaw, nibble.

Knabe ('kna:bə) *nm* **-n** boy, lad.

knacken ('knakən) *vt, vi* crack, snap.

Knall (knal) *nm* **¨-e 1** crack. **2** bang, report. **—en** *vi* **1** crack, snap. **2** bang.

knapp (knap) *adj* **1** tight, close-fitting. **2** scarce, meagre. **3** bare, barely sufficient.

knarren ('knarən) *vi* **1** creak. **2** rattle.

Knecht (knɛçt) *nm* **-e 1** servant. **2** farmhand. **—schaft** *nf* servitude.

kneif/en* ('knaifən) *vt* pinch. *vi* **1** flinch. **2** retreat. **—zange** *nf* pliers, pincers.

Kneipe ('knaipə) *nf* **-n** public house, tavern.

kneten ('knɛ:tən) *vt* knead, massage.

Knicks (kniks) *nm* **-e** curtsey.

Knie (kni:) *n neu* — knee. **—(e)n** ('kni:ən) *vi* kneel. **—hose** *nf* kneebreeches.

Kniff (knif) *nm* **-e 1** crease. **2** pinch. **3** trick, knack.

knipsen ('knipsən) *vt* **1** clip. **2** snap (a photograph). *vi* snap one's fingers.

knirschen ('knirʃən) *vi* **1** grate. **2** grind.

Knoblauch ('kno:plaux) *nm* garlic.

Knöchel ('knœçəl) *nm* — **1** ankle. **2** knuckle.

Knoch/en ('knɔxən) *nm* — bone. **—ig** *adj* bony.

Knödel ('knœ:dəl) *nm* — dumpling.

Knopf (knɔpf) *nm* **¨-e** button. **¨-en** ('knœpfən) *vt* button.

Knorpel ('knɔrpəl) *nm* — cartilage.

Knospe ('knɔspə) *nf* **-n** bud. **—n** *vi* **1** bud. **2** sprout.

Knoten ('kno:tən) *nm* — **1** knot. **2** node. **3** difficulty. **—punkt** *nm* junction.

knüpfen ('knypfən) *vt* tie, bind.

knusprig ('knuspriç) *adj* crisp.

Koalition (koalitsi'o:n) *nf* **-en** coalition.

Kobra ('ko:bra) *nf* **-s** cobra.

Koch (kɔx) *nm* **¨-e, Köchin** ('kœçin) *nf* **-nen** cook. **—buch** *n neu* cookery book. **—en** *vt,vi* **1** cook. **2** boil.

Kodex ('ko:deks) *nm* **-e** code.

Koexistenz (koɛksis'tɛnts) *nf* co-existence.

Koffer ('kɔfər) *nm* — **1** suitcase. **2** trunk. **—radio** *n neu* portable radio. **—raum** *nm mot* boot.

Kohl (ko:l) *nm* **-e** cabbage.

Kohle ('ko:lə) *nf* **-n 1** coal. **2** charcoal. **3** carbon. **—nbergwerk** *n neu* coalmine. **—nsäure** *nf* **1** carbonic acid. **2** carbon dioxide. **—nstoff** *nm* carbon. **—papier** *n neu* carbon paper.

Koje ('ko:jə) *nf* **-n 1** cabin. **2** bunk.

kokettieren (kokɛt'ti:rən) *vi* flirt.

Kokosnuß ('ko:kɔsnus) *nf* coconut.

Koks (ko:ks) *nm* **-e** coke.

Kolben ('kɔlbən) *nm* — **1** butt(-end). **2** club. **3** piston. **4** *sci* retort, flask.

Kollege (kɔ'le:gə) *nm* **-n, Kollegin** *nf* **-nen** colleague.

kollektiv (kɔlɛk'ti:f) *adj* collective.

Köln (kœln) *n neu* Cologne.

kolon/ial (koloni'a:l) *adj* colonial. **—ie** (kolo'ni:) *nf* **-n** colony. **—ist** (kolo'nist) *nm* **-en** colonist, settler.

Kolonne (ko'lɔnə) *nf* **-n** column.

kolossal (kolɔ'sa:l) *adj* huge, immense.

Kombination (kɔmbinatsi'o:n) *nf* **-en 1** combination. **2** conjecture, deduction.

Komet (ko'me:t) *nm* **-en** comet.

Komfort (kɔm'fo:r) *nm* **1** luxury. **2** comfort.

komisch ('ko:miʃ) *adj* **1** funny. **2** strange.

Komitee (komi'te:) *n neu* **-s** committee.

Komma ('kɔma) *n neu* **-s** comma.

Kommand/ant (kɔman'dant) *nm* **-e** commander. **—ieren** (kɔman'di:rən) *vi,vt* command.

kommen* ('kɔmən) *vi* **1** come, approach. **2** arrive. **3** happen. **auf etwas kommen** think of, hit upon something. **zu etwas kommen** come to, obtain something.

Kommiss/ar (kɔmi'sa:r) *nm* **-e 1** commissioner. **2** (police) inspector. **3** commissar. **—ion** (kɔmisi'o:n) *nf* **-en** commission.

Kommode (kɔ'mo:də) *nf* **-n** chest of drawers.

kommun (kɔ'mu:n) *adj* common. **—al** (kɔmu'na:l) *adj* **1** communal. **2** municipal. **—e** (kɔ'mu:nə) *nf* **-n 1** commune. **2** community.

Kommunikation (kɔmu:nikatsi'o:n) *nf* **-en** communication.

Kommunismus (kɔmu'nismus) *nm* communism. **—ist** (kɔmu'nist) *nm* **-en** communist. **—istisch** (kɔmu'nistiʃ) *adj* communist.

Komödie (ko'mœ:dia) *nf* **-n** comedy, farce.

Kompaß ('kɔmpas) *nm* **-passe** compass.

kompetent (kɔmpe'tɛnt) *adj* competent.

Kompliment (kɔmpli'mɛnt) *n neu* **-e** compliment.

kompliziert (kɔmpli'tsi:rt) *adj* complicated.

kompo/nieren (kɔmpo'ni:rən) *vt* compose. **—nist** (kɔmpo'nist) *nm* **-en** composer. **—sition** (kɔmpozitsi'o:n) *nf* **-en** composition.

Kompott (kɔm'pɔt) *n neu* **-e** stewed fruit.

Kompromiß (kɔmpro'mis) *nm* **-misse** compromise.

Konditorei (kɔndito'rai) *nf* **-en** coffee-shop, cake-shop.

Kondom (kɔn'do:m) *nm* **-e** condom.

Konferenz (kɔnfe'rɛnts) *nf* **-en** conference, meeting.

Konflikt (kɔn'flikt) *nm* **-e 1** conflict. **2** dispute.

konfus (kɔn'fu:s) *adj* confused.

Kongreß (kɔn'grɛs) *nm* **-gresse** congress.
König ('kœ:niç) *nm* **-e** king. **—in** ('kœ:nigin) *nf* **-nen** queen. **—lich** *adj* royal, regal. **—reich** *n neu* kingdom.
Konjugation (kɔnjugatsi'o:n) *nf* **-en** conjugation.
Konjunktiv ('kɔnjunkti:f) *nm* **-e** subjunctive.
Konjunktur (kɔnjunk'tu:r) *nf* **-en** economic or commercial situation.
Konkurrenz (kɔnku'rɛnts) *nf* **-en** competition.
Konkurs (kɔn'kurs) *nm* **-e** bankruptcy.
können* ('kœnən) *v mod aux* **1** be able. **2** be allowed. *vi,vt* know (how to do something).
konsequen/t (kɔnze'kvɛnt) *adj* consistent. **—z** (kɔnze'kvɛnts) *nf* **-en 1** consistency. **2** consequence. **Konsequenzen ziehen** draw conclusions.
konservativ (kɔnzɛrva'ti:f) *adj* conservative.
Konserve (kɔn'zɛrvə) *nf* **-n** tinned food, preserve.
Konsonant (kɔnzo'nant) *nm* **-en** consonant.
Konstruktion (kɔnstruktsi'o:n) *nf* **-en 1** construction. **2** design.
Konsul ('kɔnzul) *nm* **-n** consul. **—at** (kɔnzu'la:t) *n neu* **-e** consulate.
Konsum (kɔn'zu:m) *nm* consumption. **—ent** (kɔnzu'mɛnt) *nm* **-en** consumer. **—verein** *nm* cooperative society.
Kontakt (kɔn'takt) *nm* **-e** contact.
Kontinent ('kɔntinɛnt) *nm* **-e** continent.
kontinuierlich (kɔntinu'i:rliç) *adj* continuous.
Konto ('kɔnto) *n neu* **-ten** account.
Kontrast (kɔn'trast) *nm* **-e** contrast.
Kontroll/e (kɔn'trɔlə) *nf* **-n 1** control. **2** supervision. **—ieren** (kɔntrɔ'li:rən) *vt* **1** control. **2** supervise. **3** check. **4** audit. **—punkt** *nm* checkpoint.
konventionell (kɔnvɛntsio'nɛl) *adj* conventional.
Konversation (kɔnvɛrzatsi'o:n) *nf* **-en** conversation. **—slexikon** *n neu* encyclopaedia.
Konzentr/ation (kɔntsɛntratsi'o:n) *nf* **-en** concentration. **—ieren** (kɔntsɛn'tri:rən) *vt* concentrate.
Konzept (kɔn'tsɛpt) *n neu* **-e 1** (rough) draft, sketch. **2** design.
Konzert (kɔn'tsɛrt) *n neu* **-e 1** concert. **2** concerto.
Kopf (kɔpf) *nm* **¨-e** head. **—haut** *nf* scalp. **—hörer** *nm* headphone(s). **—kissen** *n neu* pillow. **—schmerz** *nm also* **—weh** *n neu* headache.
Kopie (ko'pi:) *nf* **-n** copy.
Koralle (ko'ralə) *nf* **-n** coral.
Korb (kɔrp) *nm* **¨-e 1** basket. **2** refusal.
Korinthe (ko'rintə) *nf* **-n** currant.
Kork (kɔrk) *nm* **-e** cork. **—enzieher** *nm* corkscrew.
Korn (kɔrn) *n neu* **¨-er 1** grain, corn. **2** seed. **3** whisky. **4** schnaps.
Koronarthrombose (kɔrɔ'nartrɔmbo:zə) *nf* **-n** coronary thrombosis.
Körper ('kœrpər) *nm* — **1** body. **2** substance. **—haltung** *nf* bearing, deportment. **—lich** *adj* **1** physical, corporeal. **2** material. **—schaft** *nf* **-en** corporation, body. **—übung** *nf* physical exercise.
korrekt (kɔ'rɛkt) *adj* correct. **-ur** (kɔrɛk'tu:r) *nf* **-en 1** correction. **2** (printing) proof.
Korresponden/t (kɔrɛspɔn'dɛnt) *nm* **-en** correspondent. **—z** (kɔrɛspɔn'dɛnts) *nf* **-en** correspondence.
Korridor ('kɔrido:r) *nm* **-e** corridor.
korrigieren (kɔri'gi:rən) *vt* correct.
Kosename ('ko:zənə:mə) *nm* pet name.
Kosmetik (kɔs'me:tik) *nf* **-en** cosmetics.
Kost (kɔst) *nf* **1** food, fare. **2** diet.
kostbar ('kɔstba:r) *adj* **1** expensive. **2** precious.
kosten[1] ('kɔstən) *vt* cost. *n pl* cost(s). **—los** *adj* free (of charge).
kosten[2] ('kɔstən) *vt* taste, sample.
köstlich ('kœstliç) *adj* **1** delightful. **2** delicious.
Kostüm (kɔs'ty:m) *n neu* **-e 1** costume, dress. **2** suit.
Kot (kɔt) *nm* **1** mud, dirt. **2** excrement.
Kotelett (kɔtə'lɛt) *n neu* **-e** cutlet, chop. **—en** *n pl* sideburns.
kotzen ('kɔtsən) *vi inf* spew up, vomit.
Krabbe ('krabə) *nf* **-n 1** crab. **2** shrimp.
Krach (kraχ) *nm* **-e 1** noise. **2** crash. **3** quarrel.
kraft (kraft) *prep* by virtue of. *nf* **¨-e 1** strength, force, power. **2** efficacy. **3** worker. **außer Kraft setzen** annul. **in Kraft sein** be in force. **in Kraft treten** come into force. **—fahrzeug** *n neu* motor vehicle. **¨—ig** ('krɛftiç) *adj* strong, powerful. **¨—igen** ('krɛftigən) *vt* strengthen. **—wagen** *nm* **1** motor vehicle. **2** car. **3** lorry. **—werk** *n neu* power station.
Kragen ('kra:gən) *nm* — collar.
Krähe ('krɛ:ə) *nf* **-n** crow.
Kralle ('kralə) *nf* **-n** claw, talon.
Kram (kra:m) *nm* **¨-e** *inf* **1** junk, rubbish. **2** things, stuff. **3** affair, business.
Krampf (krampf) *nm* **¨-e 1** cramp. **2** convulsion.
Kran (kra:n) *nm* **¨-e** crane, hoist.

Kranich ('kra:niç) *nm* **-e** *zool* crane.

krank (kraŋk) *adj* sick, ill. **—e(r)** *nm* patient. **¨—en** ('krɛŋkən) *vt* **1** hurt. **2** offend. **sich ¨—en** *vr* worry. **—enhaus** *n neu* hospital. **—enkasse** *nf* health insurance (company). **—enschwester** *nf* nurse. **—enversicherung** *nf* health insurance. **—enwagen** *nm* ambulance. **—heft** *adj* **1** morbid. **2** diseased. **—heit** *nf* **-en 1** illness. **2** disease.

Kranz (krants) *am* **¨e** wreath, garland.

Kratzbürste ('kratsbyrstə) *nf* **-n 1** wire brush. **2** shrew, bad-tempered woman.

kratzen ('kratsən) *vt,vi* scratch, scrape.

Kraul (kraul) *n neu* crawl (swimming stroke).

Kraut (kraut) *n neu* **¨er 1** plant. **2** herb. **3** cabbage.

Krawall (kra'val) *nm* **-e 1** row. **2** riot. **3** noise.

Krawatte (kra'vatə) *nf* **-n** (neck)tie.

Krebs (kre:ps) *nm* **-e 1** crayfish. **2** crab. **3** *med* cancer. **4** Cancer.

Kredit (kre'di:t) *nm* **-e** credit.

Kreide ('kraidə) *nf* **-n** chalk.

Kreis (kraɪs) *nm* **-e 1** circle. **2** district. **3** sphere, field. **—en** ('kraizən) *vi* **1** circle. **2** circulate. **—förmig** ('kraisfœrmiç) *adj* circular, round. **—lauf** *nm* **1** circulation. **2** cycle, circuit.

kreischen ('kraiʃən) *vi* shriek, screech.

Krematorium (krema'to:rjum) *n neu* **-rien** crematorium.

Kreml ('kre:məl) *nm* Kremlin.

Krempe ('krɛmpə) *nf* **-n** brim.

krepieren (kre'pi:rən) *vi* **1** (of an animal) die. **2** explode.

Kresse ('krɛsə) *nf* **-n** cress.

Kreuz (krɔyts) *n neu* **-e 1** cross. **2** *mus* sharp (symbol). **3** *game* club. **4** (small of the) back, rump. **kreuz und quer** crisscross. **—en** *vt* cross. *vi* cruise. **—er** *nm* — cruiser. **—fahrt** *nf* **1** cruise. **2** crusade. **—gang** *nm* cloister(s). **—igen** ('krɔytsigən) *vt* crucify. **—igung** *nf* **-en** crucifixion. **—otter** *nf* **-n** adder. **—ung** *nf* **-en** crossing. **—zug** *nm* crusade.

kriech/en* ('kri:çən) *vi* **1** creep. **2** crawl. **3** cringe. **4** grovel. **—tier** *n neu* reptile.

Krieg (kri:k) *nm* **-e** war. **—er** ('kri:gər) *nm* — warrior. **—gefangene(r)** *nm* prisoner of war. **—gericht** *n neu mil* court martial. **—recht** *n neu* martial law. **—verbrechen** *n neu* war crime.

Krimi ('kri:mi) *n neu* **-s** *inf* detective story.

kriminal (krimi'na:l) *adj* criminal. **—beamte(r)** *nm* detective. **—roman** *nm* detective novel.

Krippe ('kripə) *nf* **-n 1** crib. **2** crèche.

Krise ('kri:zə) *nf* **-n** crisis.

Kristall (kri'stal) *nm* **-e** crystal.

Krit/ik (kri'ti:k) *nf* **-en 1** criticism. **2** review. **—iker** ('kri:tikər) *nm* — critic. **—isch** ('kri:-tiʃ) *adj* critical.

Krokodil (kroko'di:l) *n neu* **-e** crocodile.

Kron/e ('kro:nə) *nf* **-n** crown. **—leuchter** *nm* chandelier. **¨—en** ('krœ:nən) *vt* crown. **¨—ung** ('krœ:nuŋ) *nf* **-en** coronation.

Kröte ('krœ:tə) *nf* **-n** toad.

Krücke ('krykə) *nf* **-n** crutch.

Krug (kru:k) *nm* **¨e 1** jug. **2** mug.

krumm (krum) *adj* **1** crooked. **2** bent. **3** curved. **¨—en** ('krymən) *vt* **1** bend. **2** curve.

Krüppel ('krypəl) *nm* — cripple.

Kruste ('krustə) *nf* **-n** crust.

Kruzifix (krutsi'fiks) *n neu* **-e** crucifix.

Küche ('kyçə) *nf* **-n 1** kitchen. **2** cookery. **—nschabe** *nf* **-n** cockroach.

Kuchen ('ku:xən) *nm* — cake.

Kuckuck ('kukuk) *nm* **-e** cuckoo.

Kugel ('ku:gəl) *nf* **-n 1** ball. **2** sphere, globe. **3** bullet. **—förmig** ('ku:gəlfœrmiç) *adj* spherical. **—schreiber** *nm* — ballpoint pen.

Kuh (ku:) *nf* **¨e** cow.

kühl (ky:l) *adj* cool, chilly. **—e** *nf* coolness, cool. **—en** *vt,vi* **1** cool. **2** refrigerate. **—schrank** *nm* refrigerator.

kühn (ky:n) *adj* bold, daring. **—heit** *nf* **-en** boldness, daring.

Kulissen (ku'lisən) *nf pl Th* **1** scenery. **2** wings. **hinter den Kulissen** backstage.

Kult (kult) *nm* **-e 1** cult. **2** worship.

Kultur (kul'tu:r) *nf* **-en 1** culture. **2** cultivation. **—ell** (kultu'rɛl) *adj* cultural.

Kummer ('kumər) *nm* **1** grief. **2** distress. **3** worry. **¨—lich** ('kymərliç) *adj* miserable. **¨—n** ('kymərn) *vt* worry, be anxious. **sich kümmern um** care about, concern oneself with.

kund (kunt) *adj* known.

Kund/e[1] ('kundə) *nf* information, knowledge. **—geben*** ('kuntge:bən) *vt* make known, declare. **¨—igen** ('kyndigən) *vt,vi* **1** give notice. **2** cancel.

Kund/e[2] ('kundə) *nm* **-n** customer, client. **—schaft** ('kuntʃaft) *nf* customers, clientele.

künftig ('kynftiç) *adj* future.

Kunst (kunst) *nf* **¨e 1** art. **2** skill. **—griff** *nm* trick, knack. **¨—ler** ('kynstlər) *nm* — artist. **¨—lerisch** ('kynstlərɪʃ) *adj* artistic. **¨—lich** ('kynstliç) *adj* artificial, synthetic. **—stück** *n neu* **1** trick. **2** feat. **3** stunt. **—werk** *n neu* work of art.

Kupfer ('kupfər) *n neu* copper. **—stich** *nm* etching.
Kupp/el ('kupəl) *nf* **-n** dome, cupola. **—eln** *vt* **1** couple, pair. **2** join. *vi* pimp, procure. **—ler** ('kuplər) *nm* — **1** matchmaker. **2** pimp. **—lung** *nf* **-en 1** coupling. **2** clutch.
Kur (kur) *nf* **-en** cure, treatment. **—ort** *nm* spa, health resort.
Kurbel ('kurbəl) *nf* **-n 1** crank. **2** winch.
Kürbis ('kyrbis) *nm* **-se 1** pumpkin. **2** marrow.
Kurs (kurs) *nm* **-e 1** course. **2** rate (of exchange). **—buch** *n neu* timetable.
Kurve ('kurvə) *nf* **-n 1** curve. **2** bend. **3** turn.
kurz (kurts) *adj* **1** short, brief. **2** abrupt, brusque. **in kurzem** soon, shortly. **kurz gesagt, um es kurz zu sagen** in a word, to cut a long story short. **vor kurzem** a short time ago. **—arbeit** *nf* short-time work. **¨-e** ('kyrtsə) *nf* **-n** shortness. **¨-en** ('kyrtsən) *vt* **1** shorten. **2** reduce. **—erhand** *adv* **1** without hesitation. **2** briefly. **—fristig** *adj* short-term. **¨-lich** ('kyrtsliç) *adv* lately, recently. **—schrift** *nf* shorthand.
Kusine (ku'zi:nə) *nf* **-n** cousin.
Kuß (kus) *nm* **Küsse** kiss. **küssen** *vt* kiss.
Küste ('kystə) *nf* **-n** coast, shore.

L

Laboratorium (labora'to:rium) *n neu* **-rien** laboratory.
lächeln ('lɛçəln) *vi* smile. *n neu* — smile.
lach/en ('laxən) *vi* laugh. *n neu* — laugh, laughter. **¨-erlich** ('lɛçərliç) *adj* ridiculous.
Lachs (laks) *nm* **-e** salmon.
Lack (lak) *nm* **-e** varnish, lacquer.
lad/en* ('la:dən) *vt* load. **—eraum** *nm* hold. **—ung** *nf* **-en** lo:d(ing), freight.
Laden ('la:dən) *nm* **¨-** **1** shop, store. **2** shutter. **—diebstahl** *nm* shoplifting.
lag (la:k) *v* see **liegen.**
Lage ('la:gə) *nf* **-n 1** situation, position. **2** site, location. **3** layer. **4** *mus* pitch.
Lager ('la:gər) *n neu* — **1** camp. **2** warehouse, store. **3** couch, bed. **4** *tech* bearing. **5** (geological) layer. **—haus** *n neu* warehouse. **—n** *vt* store. *vi* lie down. **sich lagern** *vr* camp.
Lagune (la'gu:nə) *nf* **-n** lagoon.
lahm (la:m) *adj* lame. **lahm legen** paralyse. **¨-en** ('lɛ:mən) *vt* **1** paralyse. **2** lame.
Laib (laip) *nm* **-e** loaf.
Laie ('laiə) *nm* **-n** layman.
Lakritze (la'kritsə) *nf* **-n** liquorice.
Lamm (lam) *n neu* **¨-er** lamb.
Lampe ('lampə) *nf* **-n** lamp.
Land (lant) *n neu* **¨-er 1** land. **2** ground, earth. **3** country. **4** state, province. **auf dem Lande** in the country(side).
Landarbeiter ('lanta:rbaitə) *nm* farm worker.
landen ('landən) *vt,vi* land.
Landenge ('lantenə) *nf* isthmus.
Landgut ('lantgut) *n neu* estate.
Landhaus ('lanthaus) *n neu* country house.
Landkarte ('lantka:rtə) *nf* map.
ländlich ('lɛntliç) *adj* rural, rustic.
Landmann ('lantman) *nm* **-leute 1** countryman. **2** farmer.
Landschaft ('lantʃaft) *nf* **-en 1** landscape, countryside, scenery. **2** district.
Landsmann ('lantsman) *nm* **-sleute** fellow countryman.
Landstraße ('lantʃtra:sə) *nf* highway, main road.
Landstreicher ('lantʃtraiçə) *nm* — tramp.
Landtag ('lantta:g) *nm* **1** provincial assembly. **2** state parliament.
Landung ('landuŋ) *nf* **-en** landing (of ships, aeroplanes, etc.). **—sbrücke** *nf* jetty.
Landwirtschaft ('lantvirtʃaft) *nf* agriculture.
lang (laŋ) *adj,adv* long, tall. **ein Jahr lang** for a year. **lang und breit** at length.
lange ('laŋə) *adv* long, a long time.
Länge ('lɛŋə) *nf* **-n 1** length, tallness. **2** duration. **3** size. **4** longitude. **—ngrad** ('lɛŋəngra:t) *nm* degree of longitude.
Lang(e)weile ('laŋ(ə)vailə) *nf* boredom.
langjährig ('laŋjɛriç) *adj* of long standing.
längs (lɛŋs) *adv* lengthways. *prep* along(side).
langsam ('laŋza:m) *adj* slow.
längst (lɛŋst) *adj* longest. *adv* for a long time, long ago. **längst nicht** not nearly.
längstens ('lɛŋstəns) *adv* at the latest or most.
langweil/en ('laŋvailən) *vt* **1** bore. **2** tire. **—ig** *adj* boring.
Lanze ('lantsə) *nf* **-n** lance.
Lappen ('lapən) *nm* — **1** rag, cloth. **2** lobe.
Lärche ('lɛrçə) *nf* **-n** larch.
Lärm (lɛrm) *nm* noise, din.
las (la:z) *v* see **lesen.**
Laser-Strahlen ('la:zərʃtra:lən) *nm pl* laser beams.
lassen* ('lasən) *vt,vi* **1** allow, let, permit. **2** cause. **3** have (done). **4** leave.
lässig ('lɛsiç) *adj* **1** careless. **2** idle.

Last (last) *nf* **-en** 1 burden, load. 2 cargo. 3 change. **—auto** *n neu* lorry, van. **—en** *vi* weigh (upon). **⸗ig** ('lɛstiç) *adj* 1 troublesome, annoying. 2 burdensome. **—kahn** *nm* barge. **—kraftwagen** *nm* lorry, truck, van.

Laster ('lastər) *n neu* — vice. **⸗lich** ('lɛstərliç) *adj* 1 scandalous. 2 slanderous. **⸗n** ('lɛstərn) *vt* slander. **⸗ung** ('lɛstəruŋ) *nf* **-en** defamation, slander.

Latein (la'tain) *n neu* Latin.

Laterne (la'tɛrnə) *nf* **-n** 1 lantern. 2 (street) lamp.

Latte ('latə) *nf* **-n** 1 slat. 2 board.

lau (lau) *adj* 1 lukewarm. 2 half-hearted.

Laub (laup) *n neu* foliage, leaves. **—baum** *nm* deciduous tree. **—säge** *nf* fretsaw.

Lauch (laux) *nm* **-e** leek.

lauern ('lauərn) *vi* lie in wait, lurk.

Lauf (lauf) *nm* **⸗e** 1 run(ning). 2 course. 3 race. 4 path, passage. 5 (gun) barrel. **—bahn** *nf* 1 career. 2 course. **—en*** *vi* 1 run. 2 walk. 3 go, move. 4 flow. **—end** *adj* 1 running. 2 current. 3 regular, routine. **⸗er** ('ləyfər) *nm* — 1 runner. 2 *game* bishop.

Laun/e ('launə) *nf* **-n** 1 mood. 2 whim. **—enhaft** *adj* moody, capricious. **—isch** *adj* 1 bad-tempered. 2 moody. 3 capricious.

Laus (laus) *nf* **⸗e** louse. **—bube** *nm* (young) rascal. **—ig** *adj sl* lousy.

lauschen ('lauʃən) *vi* listen, eavesdrop.

laut (laut) *adj* loud. *adv* loudly, aloud. *prep* according to. *nm* **-e** sound. **—en** *vi* 1 sound. 2 (of a text, letter, etc.) read, run. **—los** *adj* silent, mute. **—sprecher** *nm* (loud)speaker. **—stärke** *nf* loudness, volume.

läuten ('lɔytən) *vi* ring, sound.

lauter ('lautər) *adj invar* 1 only, nothing but. 2 pure. 3 genuine.

lauwarm ('lauvarm) *adj* lukewarm, tepid.

Lawine (la'vi:nə) *nf* **-n** avalanche.

lax (laks) *adj* 1 lax. 2 licentious.

leb/en ('le:bən) *vi* live. *n neu* — life.

lebend ('le:bənt) *adj* living, alive.

lebendig (le'bɛndiç) *adj* 1 alive. 2 lively.

Lebensart ('le:bənza:rt) *nf* way of life.

Lebensgefahr ('le:bənzgəfa:r) *nf* danger to (one's) life.

Lebenskraft ('le:bənskraft) *nf* vitality.

Lebenslänglich ('le:bənsleŋliç) *adj* lifelong.

Lebenslauf (le:bənslauf) *nm* curriculum vitae.

Lebensmittel ('le:bənsmitəl) *n neu pl* food.

Lebensstandard ('le:bənsstanda:rt) *nm* standard of living.

Lebensunterhalt ('lebənsuntərhalt) *nm* livelihood.

Lebensversicherung ('le:bənsversiçəruŋ) *nf* life insurance.

Lebensweise ('le:bənzvaizə) *nf* way of life.

Leber ('le:bər) *nf* **-n** liver. **—wurst** *nf* liver sausage.

Lebewesen ('le:bəve:zən) *n neu* creature.

Lebewohl ('le:bəvo:l) *n neu, interj* farewell.

Lebhaft ('le:phaft) *adj* lively, vivid.

Lebkuchen ('le:pku:xən) *nm* gingerbread.

leblos ('le:plo:s) *adj* 1 lifeless. 2 dull.

leck (lɛk) *adj* leaky, leaking. *n neu* **-e** leak.

lecken ('lɛkən) *vt* lick.

lecker ('lɛkər) *adj* 1 delicious. 2 delicate. **—bissen** *nm* delicacy, titbit.

Leder ('le:dər) *n neu* — leather.

ledig ('le:diç) *adj* 1 unmarried, single. 2 unrestrained, free. **—lich** ('le:dikliç) *adv* merely, only.

Lee (le:) *nf* lee(side).

leer (le:r) *adj* 1 empty. 2 vacant. **—e** *nf* **-en** 1 vacuum. 2 emptiness. **—en** *vt* empty.

legal (le'ga:l) *adj* legal.

legen ('le:gən) *vt* lay, place, put. **sich legen** *vr* lie down.

Legende (le'gɛndə) *nf* **-n** legend.

legieren (le'gi:rən) *vt* 1 alloy (metals). 2 thicken (soup).

legitim (legi'ti:m) *adj* legitimate.

Lehm (le:m) *nm* **-e** loam, clay.

Lehn/e ('le:nə) *nf* **-n** 1 support. 2 back or arm (of a chair). **—en** *vt, vi,* lean. **—sessel** *nm also* **—stuhl** armchair.

lehr/en ('le:rən) *vt* teach, instruct. **—buch** *n neu* textbook. **—e** *nf* **-n** 1 teaching, lesson. 2 theory, doctrine. 3 apprenticeship. 4 gauge. **—er** *nm* **—, —erin** *nf* **-nen** teacher, instructor. **—gang** *nm* course, syllabus. **—ling** *nm* **-e** apprentice. **—reich** *adj* instructive. **—stuhl** *nm* professorial chair.

Leib (laip) *nm* **-er** body. **—chen** ('laipçən) *n neu* — bodice. **—esübung** ('laibəsy:buŋ) *nf* physical exercise. **—wache** *nf* bodyguard.

Leich/e ('laiçə) *nf* **-n** corpse. **—enhemd** *n neu* shroud. **-enschau** *nf* 1 inquest. 2 autopsy. **—schauhaus** *n neu* morgue. **—enwagen** *nm* hearse. **—nam** ('laiçna:m) *nm* **-e** corpse.

leicht (laiçt) *adj* 1 light. 2 easy. 3 slight. 4 unimportant. 5 superficial. **—athletik** *nf* athletics. **—fertig** *adj* 1 frivolous. 2 thoughtless. **—hin** *adv* lightly, casually. **—igkeit** *nf*

1 lightness. 2 ease. **—sinn** *nm* 1 carelessness, thoughtlessness. 2 frivolity.

leid (laɪt) *adv* **es tut mir leid** I am sorry, I regret. *n neu* 1 sorrow. 2 harm, pain. **—en*** ('laɪdən) *vt* 1 suffer. 2 permit. 3 tolerate. *vi* suffer. *n neu* — 1 suffering, pain, illness. 2 misfortune.

Leidenschaft ('laɪdənʃaft) *nf* **-en** passion. **—lich** *adj* passionate.

leider ('laɪdər) *adv* unfortunately.

leihen* ('laɪən) *vt* lend, loan.

Leim (laɪm) *nm* **-e** glue, size.

Lein (laɪn) *nm* **-e** flax. **—en** *adj* linen. *n neu* — linen. **—wand** *nf* 1 (cinema) screen. 2 linen. 3 canvas.

Leine ('laɪnə) *nf* **-n** 1 rope, line. 2 lead.

leise ('laɪzə) *adj* quiet, low, soft.

leist/en ('laɪstən) *vt* 1 achieve, do. 2 perform. 3 give. 4 offer. **ich kann es mir nicht leisten** I can't afford it. **—ung** *nf* **-en** 1 achievement. 2 work. 3 performance. 4 *sci* power. **—ungsfähig** *adj* 1 capable (of work). 2 productive.

leit/en ('laɪtən) *vt* 1 lead, guide. 2 manage. 3 direct. 4 conduct (electricity). **—artikel** *nm* leader, editorial. **—faden** *nm* 1 clue. 2 manual. **—gedanke** *nm* main thought or idea. **—ung** *nf* **-en** 1 direction. 2 management. 3 lead. 4 circuit.

Leiter[1] ('laɪtər) *nm* — 1 leader. 2 head. 3 director. 4 conductor (of electricity, etc.).

Leiter[2] ('laɪtər) *nf* **-n** 1 ladder. 2 *mus* scale.

Lektüre (lɛk'ty:rə) *nf* **-n** reading (material).

Lende ('lɛndə) *nf* **-n** 1 loin. 2 haunch, hip.

lenk/en ('lɛŋkən) *vt* 1 steer. 2 direct. 3 lead. **—rad** *n neu* steering wheel. **—stange** *nf* handlebars. **—ung** *nf* **-en** 1 steering. 2 direction.

Leopard (leo'pɑrt) *nm* **-en** leopard.

Lepra ('le:pra) *nf* leprosy.

Lerche ('lɛrçə) *nf* **-n** lark.

lernen ('lɛrnən) *vt* learn.

les/bar ('le:sba:r) *adj* legible, readable. **—e** ('le:zə) *nf* **-n** 1 harvest. 2 vintage. **—en*** *vt* 1 read. 2 lecture on. 3 gather, pick. 4 select. *vi* read. **—er** *nm* — 1 reader. 2 picker.

letzt (lɛtst) *adj* 1 last. 2 latest, newest. **zum letzen Mal** for the last time. **—ens** *adv* lastly. **—ere** *adj* latter. **—hin** *adv* lately, recently.

Leucht/e ('lɔyçtə) *nf* **-n** light, lamp, lantern. **—en** *vi* give light, shine. **—er** *nm* — 1 candlestick. 2 chandelier. **—turm** *nm* lighthouse.

leugnen ('lɔygnən) *vt* 1 deny. 2 contradict.

Leukämie (lɔykɛ'mi:) *nf* leukaemia.

Leukoplast (lɔyko'plast) *n neu Tdmk* (sticking) plaster.

Leumund ('lɔymunt) *nm* **-e** reputation.

Leute ('lɔytə) *n pl* people, persons.

Leutnant ('lɔytnant) *nm* **-e** lieutenant.

leutselig ('lɔytze:liç) *adj* affable.

Lexikon ('lɛksikən) *nm neu* **-ka** dictionary.

Liban/on ('li:banɔn) *nm* Lebanon. **—ese** (li:-ba'ne:zə) *nm* **-n** Lebanese. **—esisch** *adj* Lebanese.

Libelle (li'bɛlə) *nf* **-n** dragon-fly.

liberal (libe'ra:l) *adj* liberal.

licht (liçt) *adj* 1 bright. 2 light. *n neu* **-er** 1 light. 2 candle. 3 lamp. **—bild** *n neu* photograph. **—en** *vt* 1 clear. 2 thin (out). 3 weigh (anchor). **sich —en** *vr* 1 grow thinner. 2 grow brighter. **—ung** *nf* **-en** clearing glade.

Lid (li:t) *n neu* **-er** eyelid.

lieb (li:p) *adj* 1 dear, beloved. 2 pleasant, nice. 3 kind. 4 sweet.

liebäugeln ('li:pɔygəln) *vi* 1 ogle. 2 flirt.

Liebchen ('li:pçən) *n neu* — sweetheart, love.

Liebe ('li:bə) *nf* **-n** love.

Liebelei (li:bə'lai) *nf* **-en** flirtation.

lieben ('li:bən) *vt* love, like.

liebenswert ('li:bənzve:rt) *adj* lovely.

liebenswürdig ('li:bənzvyrdiç) *adj* 1 amiable. 2 kindly.

lieber ('li:bər) *adj* dearer. *adv* rather.

Liebesaffäre ('li:bəsafɛ:rə) *nf* **-n** *also* **Liebschaft** *nf* **-en** affair.

liebhab/er* ('li:pha:bən) *vt* love (a person). **—er** *nm* — 1 lover. 2 amateur. 3 connoisseur.

liebkosen ('li:pko:zən) *vt* cuddle, caress.

lieblich ('li:pliç) *adj* charming, lovely.

Liebling ('li:pliŋ) *nm* **-e** darling.

Liebreiz ('li:praits) *nm* charm, attraction.

Lied (li:t) *n neu* **-er** 1 song. 2 hymn. 3 tune.

liederlich ('li:dərliç) *adj* 1 disorderly, slovenly. 2 dissolute.

lief (li:f) *v* see **laufen.**

Liefer/ant (li:fə'rant) *nm* **-en** supplier. **—n** *vt* 1 deliver. 2 supply. 3 produce. 4 submit. **—ung** *nf* **-en** 1 delivery. 2 supply(ing).

Liege ('li:gə) *nf* **-n** couch. **—n*** *vi* 1 lie. 2 be (situated). **—stuhl** *nm* deckchair.

ließ (li:s) *v* see **lassen.**

Liga ('li:ga) *nf* **-gen** league.

Likör (li'kœ:r) *nm* **-e** liqueur.

lila ('li:la) *adj* 1 lilac. 2 violet.

Lilie ('li:liə) *nf* **-n** lily.
Limonade (limo'na:də) *nf* **-n** lemonade.
Linde ('lində) *nf* **-n** linden or lime tree.
Lineal (line'a:l) *n neu* **-e** rule(r).
Linie ('li:niə) *nf* **-n** line.
link (liŋk) *adj* left. **—e** *nf* **-n** **1** left (side). **2** *pol* Left. **—isch** *adj* awkward, clumsy. **—s** *adv* on the left. **—händig** *adj* left-handed.
Linse ('linzə) *nf* **-n** **1** lentil. **2** lens.
Lippe ('lipə) *nf* **-n** lip. **—nstift** *nm* lipstick.
lispeln ('lispəln) *vi* **1** lisp. **2** whisper. **3** rustle.
List (list) *nf* **-en** **1** trick, ruse. **2** cunning. **—ig** *adj* cunning, artful.
Liste ('listə) *nf* **-n** **1** list. **2** register.
Litanei (lita'nai) *nf* **-en** litany.
Liter ('li:tər) *n neu* or *m* — litre.
litera/risch (lite'ra:riʃ) *adj* literary. **—tur** (litəra'tu:r) *nf* **-en** literature.
litt (lit) *v* see **leiden.**
Lizenz (li'tsɛnts) *nf* **-en** licence.
Lob (lo:p) *n neu* **-e** praise. **—en** ('lo:bən) *vt* praise. **—enswert** *adj* praiseworthy. **—rede** *nf* eulogy.
Loch (lɔx) *n neu* **¨-er** **1** hole. **2** *sl* prison. **—en** *vt* puncture, perforate.
Lock/e ('lɔkə) *nf* **-n** curl, lock (of hair). **—ig** *adj* curly.
lock/en ('lɔkən) *vt* lure, entice. **—mittel** *n neu* bait.
locker ('lɔkər) *adj* **1** loose, slack. **2** light. **3** spongy. **4** lax. **5** dissolute. **—n** *vt* loosen.
lodern ('lo:dərn) *vi* flame, blaze.
Löffel ('lœfəl) *nm* — spoon. **—n** *vt* **1** spoon, ladle. **2** eat with a spoon.
log (lo:g) *v* see **lügen.**
Loge ('lo:ʒə) *nf* **-n** *Th* box.
Log/ik ('lo:gik) *nf* logic. **—isch** *adj* logical.
Lohn (lo:n) *nm* **¨-e** **1** wages, pay. **2** reward, desert. **—arbeiter** *nm* labourer, workman. **—en** *vt* pay, reward. **sich —en** *vr* be worthwhile. **—steuer** *nf* income tax. **—tag** *nm* pay day. **—tüte** *nf* pay-packet.
lokal (lo'ka:l) *adj* local. *n neu* **-e** **1** restaurant. **2** pub.
Lokomotive (lokomo'ti:və) *nf* **-n** locomotive.
Lorbeer ('lɔrbe:r) *nm* **-en** laurel, bay.
los (lo:s) *adj,adv* free, loose. *adv* off, away. **es ist heute nicht viel los** there is not much happening or going on today. **was ist los?** what is the matter? *~suff* without, free of. **arbeitslos** *adj* unemployed. **mühelos** *adj* effortless.
Los (lo:s) *n neu* **-e** **1** fate, destiny. **2** lot, share. **3** lottery ticket. **—en** ('lo:zən) *vi* draw lots. **—ung** ('lo:zuŋ) *nf* **-en** password.
lösbar ('lœ:sba:r) *adj* soluble.
losbinden* (lo:sbindən) *vt* untie.
lösch/en* ('lœʃən) *vt* **1** extinguish, quench. **2** turn off or out. **3** erase. **4** cancel. **—er** *nm* — **1** (fire) extinguisher. **2** blotter. **—papier** *n neu* blotting paper.
lose ('lo:zə) *adj* free, loose.
Lösegeld ('lœ:zəgɛlt) *n neu* ransom.
lösen ('lœ:zən) *vt* **1** loosen, free. **2** solve. **3** dissolve.
losgeben* ('lo:sgɛbən) *vt* set free.
loslassen* ('lo:slasən) *vt* let go, release.
losmachen ('lo:smaxən) *vt* unfasten, free.
losreißen* ('lo:sraisən) *vt* tear off or away.
lossprechen* ('lo:sʃprɛxən) *vt* **1** acquit. **2** free.
Lösung ('lœ:zuŋ) *nf* **-en** **1** solution. **2** loosening.
losziehen* ('lo:stsi:ən) *vi* **1** set out. **2** insult, abuse. **3** denounce.
löten ('lœ:tən) *vt* solder.
Lothringen ('lo:triŋən) *n neu* Lorraine.
Lotse ('lo:tsə) *nm* **-n** pilot. **—n** *vt naut* pilot.
Lotterie (lɔtə'ri:) *nf* **-n** lottery.
Löw/e ('lœ:və) *nm* **-n** **1** lion. **2** Leo. **—in** *nf* **-nen** lioness.
Luchs (luks) *nm* **-e** lynx.
Lücke ('lykə) *nf* **-n** **1** gap, chink. **2** omission.
lud (lu:d) *v* see **laden.**
Luft (luft) *nf* **¨-e** **1** air. **2** draught, breeze. **in der freien Luft** in the open air. **—dicht** *adj* airtight. **—druck** *nm* air pressure. **¨-en** ('lyftən) *vt* **1** air, ventilate. **2** disclose. **3** lift, raise. **—fahrt** *nf* aviation. **—hafen** *nm* airport. **—ig** *adj* airy. **—post** *nf* airmail. **¨-ung** ('lyftuŋ) *nf* ventilation. **—verkehrslinie** *nf* **-n** *also* **—gesellschaft** **-en** airline. **—waffe** *nf* air force.
Lüg/e ('ly:gə) *nf* **-n** lie. **—en*** *vi* lie, tell a lie. **—ner** ('ly:gnər) *nm* — liar.
Luke ('lu:kə) *nf* **-n** **1** skylight. **2** trapdoor.
Lump (lump) *nm* **-en** rascal, lout.
Lumpen ('lumpən) *nm* — rag(s).
Lunge ('luŋə) *nf* **-n** lung. **—nentzündung** *nf* pneumonia.
Lupe ('lu:pə) *nf* **-n** magnifying glass.
Lust (lust) *nf* **¨-e** **1** pleasure. **2** joy. **3** desire. **keine Lust haben** have no desire. **Lust auf etwas haben** want or be in the mood for something. **¨-ern** ('lystərn) *adj* **1** longing. **2** lustful. **—ig** *adj* **1** funny, amusing. **2** merry, jolly.
Luxus ('luksus) *nm* luxury.

Luzern (lu'tsɛrn) *n neu* Lucerne.

M

Maat (ma:t) *nm* **-e** petty officer, mate.
machen ('maxən) *vt* **1** make. **2** do. **3** produce, manufacture. **4** cause to. **5** amount or come to. **das macht nichts** it doesn't matter.
Macht (maxt) *nf* **¨-e** power, force, might. **¨-ig** ('mɛçtiç) *adj* **1** powerful, mighty. **2** thick. **3** immense. **—los** *adj* powerless.
Mädchen ('mɛ:tçən) *n neu* — girl.
Made ('ma:də) *nf* **-n** maggot, grub.
mag (ma:k) *v* see mögen.
Magazin (magaˈtsi:n) *n neu* **-e 1** storehouse. **2** magazine.
Magen ('ma:gən) *nm* — stomach.
mager ('ma:gər) *adj* **1** thin, lean. **2** meagre. **3** poor. **4** scanty.
Magnet (mag'ne:t) *nm* **-en** magnet. **—isch** *adj* magnetic.
Mahagoni (mahaˈgo:ni) *n neu* mahogany.
mäh/en ('mɛ:ən) *vt* mow, reap. **—maschine** *nf* reaping or mowing machine.
Mahl (ma:l) *n neu* **-e** meal. **—zeit** *nf* meal.
mahlen* ('ma:lən) *vt* mill, grind.
Mähne ('mɛ:nə) *nf* **-n** mane.
mahn/en ('ma:nən) *vt* **1** warn. **2** remind. **—ung** *nf* **-en 1** warning. **2** reminder.
Mai (mai) *nm* **-e** May. **—glöckchen** *n neu* lily of the valley.
Mais (mais) *nm* maize, corn. **—kolben** *nm* corn cob.
Majestät (majɛsˈtɛ:t) *nf* **-en** majesty.
Makel ('ma:kəl) *nm* — **1** blemish. **2** stain.
Makler ('ma:klər) *nm* — broker, middleman.
Makrele (ma'kre:lə) *nf* **-n** mackerel.
mal (ma:l) *adv* **1** just. **2** times, multiplied by.
Mal[1] (ma:l) *n neu* **-e** time. **zum ersten/letzten Mal** for the first/last time.
Mal[2] (ma:l) *n neu* **-e, ¨-er 1** sign, mark. **2** spot. **3** boundary. **4** monument.
mal/en ('ma:lən) *vt* paint. **—er** *nm* — painter, artist. **—erei** (ma:lə'rai) *nf* **-en** painting.
Malz (malts) *n neu* malt.
Mama (ma'ma:, 'mama) *nf* **-s** mummy.
man (man) *pron 3rd pers s* **1** one. **2** you. **3** they. **man sagt** it is said, people say.
Manager ('mɛnidʒər) *nm* — manager.
manch (manç) *adj,pron* **1** many a. **2** *pl* some, many, several. **—erlei** (mançər'lai) *adj* various, different (sorts of). **—mal** *adv* sometimes.
Mandat (man'da:t) *n neu* **-e 1** mandate. **2** brief.
Mandel ('mandəl) *nf* **-n 1** almond. **2** tonsil.
Mangel ('maŋəl) *nm* **¨-** **1** lack, deficiency. **2** defect. **—haft** *adj* **1** incomplete. **2** faulty. **—n** *vi* be wanting, lacking.
Mani/e (ma'ni:) *nf* mania. **—sch** ('ma:niʃ) *adj* manic.
Manier (ma'ni:r) *nf* **-en 1** style. **2** *pl* manners.
Manifest (mani'fɛst) *n neu* **-e** manifesto.
Mann (man) *nm* **¨-er 1** man. **2** husband. **—esalter** *n neu* manhood. **—eskraft** *nf* virility. **¨-lich** ('mɛnliç) *adj* masculine, male. **—schaft** *nf* **-en 1** team. **2** crew.
Mannequin (manəˈkɛ̃) *n neu* **-s** (fashion) model.
mannigfaltig ('maniçfaltiç) *adj* manifold.
Manöver (ma'nœ:vər) *n neu* — manoeuvre.
Manschette (man'ʃɛtə) *nf* **-n** cuff.
Mantel ('mantəl) *nm* **¨-** **1** (over)coat, cloak. **2** case. **3** cover(ing).
Manuskript (manu'skript) *n neu* **-e** manuscript.
Mappe ('mapə) *nf* **-n 1** briefcase. **2** file, folder.
Märchen ('mɛ:rçən) *n neu* — fairytale.
Margarine (margaˈri:nə) *nf* **-n** margarine.
Marihuana (mariu'a:nə) *n neu* marijuana.
Marine (ma'ri:nə) *nf* **-n** navy.
marinieren (mari'ni:rən) *vt* marinate.
Marionette (marioˈnɛtə) *nf* **-n** marionette, puppet.
Mark[1] (mark) *nf* — mark (coin or currency).
Mark[2] (mark) *n neu* **1** (bone) marrow. **2** pith.
Marke ('markə) *nf* **-n 1** mark, sign. **2** trademark, brand. **3** postage stamp. **4** ticket.
Markt (markt) *nm* **¨-e** market.
Marmelade (marmə'la:də) *nf* **-n 1** jam. **2** marmalade.
Marmor ('marmɔr) *nm* **-e** marble.
Marokko (ma'rɔko) *n neu* Morocco.
Marsch[1] (marʃ) *nm* **¨-e** march. **—ieren** (marˈʃi:rən) *vi* march.
Marsch[2] (marʃ) *nf* **-en** marsh.
Marschall ('marʃal) *nm* **¨-e** marshal.
Märtyrer ('mɛrtyrər) *nm* — martyr.
März (mɛrts) *nm* **-e** March.
Masche ('maʃə) *nf* **-n 1** stitch. **2** mesh.
Maschine (ma'ʃi:nə) *nf* **-n** machine, engine. **—nbau** *nm* mechanical engineering. **—ngewehr** *n neu* machine gun. **—npistole** *nf* submachine gun.
Maske ('maskə) *nf* **-n** mask.
maß (ma:s) *v* see **messen.**

Maß (ma:s) *n neu* **-e** **1** measure. **2** size. **3** moderation. **—gebend** *adj* **1** authoritative. **2** standard. **¨-ig** ('mɛ:siç) *adj* moderate. **¨-igen** ('mɛ:sigən) *vt* moderate. **¨-igung** ('mɛ:sigun) *nf* moderation. **—nahme** *nf* **-n** measure, step. **—stab** *nm* **1** measure. **2** standard.

Masse ('masə) *nf* **-n** **1** mass, bulk, substance. **2** quantity, mass. **3** crowd. **4** assets. **—nhaft** *adj* **1** enormous. **2** in great quantities, in a mass. **—nmedien** *n neu pl* mass media.

massiv (ma'si:f) *adj* **1** massive. **2** solid.

Mast (mast) *nm* **-e(n)** mast, pole.

mästen ('mɛstən) *vt* fatten.

Material (materi'a:l) *n neu* **-ien** **1** material, matter. **2** stores. **—ismus** (materia'lismus) *nm* materialism.

Materie (ma'te:riə) *nf* **-n** matter, substance. **—ll** (materi'ɛl) *adj* material.

Mathemat/ik (matema'ti:k) *nf* mathematics. **—iker** (mate'ma:tikər) *nm* — mathematician. **—isch** (mate'ma:tiʃ) *adj* mathematical.

Matratze (ma'tratsə) *nf* **-n** mattress.

Mätresse (mɛ'trɛsə) *nf* **-n** mistress, lover.

Matrize (ma'tri:tsə) *nf* **-n** **1** stencil. **2** mould.

Matrose (ma'tro:zə) *nm* **-n** sailor.

matschig ('matʃiç) *adj* slushy, muddy.

matt (mat) *adj* **1** tired. **2** faint. **3** matt, dull. **4** checkmate. *n neu* **-s** checkmate.

Matte ('matə) *nf* **-n** mat.

Mau/er ('mauər) *nf* **-n** wall. **—rer** ('maurər) *nm* — bricklayer, mason.

Maul (maul) *n neu* **¨-er** mouth (of an animal). **—esel** *nm* mule. **—held** *nm* boaster, loudmouth. **—korb** *nm* muzzle. **—tier** *n neu* mule. **—wurf** *nm* **¨-e** mole.

Maus (maus) *nf* **¨-e** mouse. **—efalle** ('mauzəfallə) *nf* mousetrap. **—eloch** ('mauzələx) *n neu* mousehole.

maximal (maksi'ma:l) *adj* maximum.

Mechan/ik (me'ça:nik) *nf* **-en** **1** mechanics. **2** mechanism. **—iker** *nm* — mechanic. **—isch** *adj* mechanical. **—ismus** (meça'nismus) *nm* **-men** mechanism.

meckern ('mɛkərn) *vi* **1** grumble. **2** bleat.

Medaille (me'daijə) *nf* **-n** medal.

Medikament (medika'mɛnt) *n neu* **-e** medicine, drug.

Medizin (medi'tsi:n) *nf* **-en** medicine.

Meer (me:r) *n neu* **-e** sea. **—enge** *nf* **-n** straits. **—rettich** *nm* horseradish.

Mehl (me:l) *n neu* **-e** flour, meal.

mehr (me:r) *adv,adj* more. **immer mehr** more and more. **—deutig** *adj* ambiguous. **—ere** *adj pl* several. **—fach** *adj* **1** repeated. **2** multiple. **—heit** *nf* **-en** majority. **—mals** *adv* several times, repeatedly. **—wertsteuer** *nf* value added tax. **—zahl** *nf* **1** majority. **2** plural.

meiden* ('maidən) *vt* **1** avoid. **2** shun.

Meile ('mailə) *nf* **-n** mile.

mein (main) *poss adj 1st pers s* my. **—er** *poss pron 1st pers s also* **der —e** or **der —ige** mine. **—erseits** ('mainərzaits) *adv* on or for my part. **—esgleichen** ('mainəsglaiçən) *pron* people like me. **—ethalben** ('mainəthalbən) *adv also* **—etwegen** or **'—etwillen** for my sake, on my account.

Meineid ('mainait) *nm* **-e** perjury. **meineidig werden** commit perjury.

mein/en ('mainən) *vt,vi* **1** mean. **2** think. **—ung** *nf* **-en** **1** opinion. **2** meaning. **—ungsforschung** *nf* opinion poll.

Meißel ('maisəl) *nm* — chisel.

meist (maist) *adj* most. **am meisten** most (of all). **—ens** *adv* mostly.

Meister ('maistər) *nm* — **1** master. **2** champion. **—haft** *adj* masterly. **—n** *vt* master. **—schaft** *nf* **-en** **1** mastery. **2** championship. **—stück** *n neu* masterpiece.

meld/en ('mɛldən) *vt* **1** inform of, report. **2** mention. **3** announce. **sich melden** *vr* report, present oneself. **—eamt** *n neu* registration office. **—ung** *nf* **-en** **1** announcement. **2** report. **3** application. **4** message.

melken* ('mɛlkən) *vt* milk.

Melone (me'lo:nə) *nf* **-n** **1** melon. **2** bowler hat.

Membran (mɛm'bra:n) *nf* **-en** *also* **Membrane -n** membrane, diaphragm.

Menge ('mɛŋə) *nf* **-n** **1** crowd. **2** quantity.

Mensch (mɛnʃ) *nm* **-en** human being, person. **—enfreundlich** *adj* philanthropic, humanitarian. **—enliebe** *nf* philanthropy. **—enskind!** *interj* good gracious! **—heit** *nf* humanity, mankind. **—lich** *adj* **1** human. **2** humane. **—lichkeit** *nf* humaneness, humanity.

Menstruation (mɛnstruatsi'o:n) *nf* **-en** menstruation.

merk/bar ('mɛrkba:r) *adj* noticeable. **—en** *vt* **1** observe, notice. **2** note, mark. **sich —en** *vr* remember, make a note of. **—mal** *n neu* **-e** **1** characteristic. **2** mark. **—würdig** *adj* remarkable, strange.

Messe ('mɛsə) *nf* **-n** **1** *rel* mass. **2** fair, market. **3** *mil* mess.

messen* ('mɛsən) *vt* **1** measure. **2** survey (land). **sich messen** *vr* compete (with).
Messer ('mɛsər) *n neu* — knife.
Meßgewand ('mɛsgəvant) *n neu* **¨-er** vestment.
Messing ('mɛsiŋ) *n neu* brass.
Metall (me'tal) *n neu* **-e** metal. **—isch** *adj* metallic, metal.
Metaphysik (metafy'zi:k) *nf* metaphysics.
Meteor (mete'o:r) *nm,neu* **-e** meteor.
Meter ('me:tər) *nm,neu* — metre.
Method/e (me'to:də) *nf* **-n** method. **—isch** *adj* methodical.
metrisch ('me:triʃ) *adj* metric(al).
Mettwurst ('mɛtvurst) *nf* type of lean pork sausage.
metz/eln ('mɛtsəln) *vt* **1** slaughter. **2** massacre. **—ger** ('mɛtsgər) *nm* — butcher.
Meuchelmord ('mɔyçəlmɔrt) *nm* assassination.
Meuter/ei (mɔytə'rai) *nf* **-en** mutiny. **—er** ('mɔytərər) *nm* — mutineer. **—n** ('mɔytərn) *vi* mutiny, rebel.
mich (miç) *pron 1st pers s* me, myself.
Mieder ('mi:dər) *n neu* — bodice.
Miene ('mi:nə) *nf* **-n 1** air. **2** expression.
mies (mi:s) *adj* miserable, wretched.
Miet/auto ('mi:tauto) *n neu* **-s 1** hire car. **2** taxi. **—e** *nf* **-n 1** rent. **2** lease. **—en** *vt* **1** rent. **2** hire. **3** lease. **—er** *nm* — tenant.
Mikrophon (mikro'fo:n) *n neu* **-e** microphone.
Mikroskop (mikro'sko:p) *n neu* **-e** microscope.
Milbe ('milbə) *nf* **-n** mite.
Milch (milç) *nf* milk. **—straße** *nf* Milky Way.
mild (milt) *adj* **1** mild, gentle. **2** charitable. **—e** ('mildə) *nf* mildness, gentleness. **—ern** ('mildərn) *vt* mitigate, soften.
Militär (mili'tɛ:r) *n neu* army, military. *nm* **-s** soldier. **—isch** *adj* military.
Milliarde (mil'jardə) *nf* **-n 1** thousand million. **2** *US* billion.
Million (mil'jo:n) *nf* **-en** million. **—är** (miljo'nɛ:r) *nm* **-e** millionaire. **—ste** *adj* millionth.
Mimik ('mi:mik) *nf* **-en 1** mimicry. **2** mime.
minder ('mindər) *adj* **1** less. **2** lower. **3** inferior. **—heit** *nf* **-en** minority. **—jährig** *adj* under age, minor. **—n** *vt* diminish, reduce. **—wertig** *adj* inferior.
mindest ('mindəst) *adj* least. **—ens** *adv* at least.
Mine ('mi:nə) *nf* **-n** mine.
Mineral (mine'ra:l) *n neu* **-ien** mineral. **—wasser** *n neu* mineral water.
Miniatur (minia'tu:r) *nf* **-en** miniature.
Minimum ('mi:nimum) *n neu* **-ima** minimum.
Minister (mi'nistər) *nm* — *pol* minister. **—iell** (ministeri'ɛl) *adj* ministerial. **—ium** (mini'ste:rium) *n neu* **-ien** ministry. **—präsident** *nm* prime minister.
minus ('mi:nus) *adv* minus, less.
Minute (mi'nu:tə) *nf* **-n** minute.
mir (mi:r) *pron 1st pers s* to or for me, myself.
misch/en ('miʃən) *vt* **1** mix, blend. **2** shuffle (cards). **—ehe** *nf* mixed marriage. **—masch** ('miʃmaʃ) *nm* **-e** medley, hotchpotch. **—ung** *nf* **-en** mixture, blend.
mißachten (mis'axtən) *vt* **1** despise. **2** disregard.
Mißbilligung ('misbiligʊŋ) *nf* disapproval.
Mißbrauch ('misbraux) *nm* misuse, abuse. **—en** (mis'brauxən) *vt* misuse, abuse.
mißdeuten (mis'dɔytən) *vt* misinterpret.
Mißerfolg ('misɛrfɔlk) *nm* failure.
Missetat ('misətə:t) *nf* misdeed, crime.
mißfallen* (mis'falən) *vi* displease.
Mißgeschick ('misgəʃik) *n neu* misfortune.
mißglücken (mis'glykən) *vi* fail.
Mißgriff ('misgrif) *nm* mistake.
mißhandeln (mis'handəln) *vt* maltreat, abuse.
Mission (misi'o:n) *nf* **-en** mission. **—ar** (misio'na:r) *nm* **-e** missionary.
mißlich ('misliç) *adj* awkward, difficult.
mißlingen* (*v* mis'liŋən; *n* 'misliŋən) *vi* fail. *n neu* — failure.
mißtrau/en (mis'trauən) *vi* distrust. *n neu* distrust. **—ensvotum** *n neu* vote of no confidence. **—isch** ('mistrauiʃ) *adj* distrustful, suspicious.
Mißverständnis ('misfɛrʃtɛntnis) *n neu* misunderstanding.
Mist (mist) *nm* **-e 1** manure, dung. **2** trash. **—haufen** *nm* dung heap.
mit (mit) *prep* **1** with. **2** by. **3** at. **4** upon. *adv* also, as well.
Mitarbeiter ('mita:rbaitər) *nm* fellow worker.
miteinander (mitain'andər) *adv* together, with one another, jointly.
Mitgefühl ('mitgəfy:l) *n neu* sympathy.
Mitglied ('mitgli:t) *n neu* member. **—schaft** *nf* membership.
mithin (mit'hin) *adv* consequently, therefore.
Mitlaut ('mitlaut) *nm* consonant.
Mitleid ('mitlait) *n neu* compassion, sympathy.
mitmachen ('mitmaxən) *vt,vi* join in, be involved in, be in on.
mitnehmen* ('mitne:mən) *vt* **1** take with one, take away. **2** wear out, tire.

mitnichten (mit'niçtən) *adv* by no means, on no account.
Mittag ('mita:k) *nm* **-e** midday, noon. **—essen** *n neu* lunch, dinner. **—s** *adv* (at) noon or midday.
Mitte ('mitə) *nf* **-n 1** middle. **2** centre. **3** mean.
mitteil/en ('mittailən) *vt* inform of, communicate. **—ung** *nf* **-en** communication, information.
Mittel ('mitəl) *n neu* — **1** means. **2** average, mean. **3** remedy. **—alter** *n neu* Middle Ages. **—alterlich** *adj* medieval. **—bar** *adj* indirect. **—mäßig** *adj* mediocre. **—meer** *n neu* Mediterranean (Sea). **—punkt** *nm* centre, focus. **—s** *prep* by means of, with the help of. **—schule** *nf* middle school. **—stand** *nm* middle classes.
mitten ('mitən) *adv* in the middle. **—drin** (mitən'drin) *adv* in the middle (of it).
Mitternacht ('mitərnaxt) *nf* midnight.
mittler ('mitlər) *adj* **1** middle. **2** central. **im mittleren Alter** middle-aged. **Mittlere(r) Osten** Middle East. ~*nm* — mediator.
Mittwoch ('mitvɔx) *nm* Wednesday. **—s** *adv* on Wednesdays.
mitwirken ('mitvirkən) *vi* **1** cooperate. **2** contribute.
Möbel ('mœ:bəl) *n neu* — (piece of) furniture.
mobil (mo'bi:l) *adj* movable, mobile. **—isieren** (mobili'zi:rən) *vt* mobilize. **—machung** *nf* mobilization.
möblieren (mœ'bli:rən) *vt* furnish.
mochte ('mɔxtə) *v* see **mögen.**
Mod/e ('mo:də) *nf* **-n** fashion, vogue. **—isch** ('mo:diʃ) *adj* fashionable, stylish.
Modell (mo'dɛl) *n neu* **-e** model, pattern.
Moder ('mo:dər) *nm* mould, decay.
modern (mo'dɛrn) *adj* modern, up-to-date. **—isieren** (modɛrni'zi:rən) *vt* modernize.
modifizieren (modifi'tsi:rən) *vt* modify, alter.
mogeln ('mo:gəln) *vi* cheat.
mögen* ('mœ:gən) *vt,vi* like, wish. *v mod aux* may, might. **er mag kommen** he may or might come. **das mag sein** that may be, that's as may be. **ich möchte etwas** I would like or I desire something. **ich möchte etwas tun** I would like to do something.
möglich ('mœ:gliç) *adj* possible, feasible. **—erweise** *adv* possibly. **—keit** *nf* **-en** possibility. **—st** *adv* **möglichst bald/schnell** as soon/quickly as possible.
Mohammedaner (mohame'da:nər) *nm* — Muslim.
Mohn (mo:n) *nm* **-e** poppy.
Mohrrübe ('mo:rry:bə) *nf* **-n** carrot.
Molekül (mole'ky:l) *n neu* **-e** molecule.
Molkerei (mɔlkə'rai) *nf* **-en** dairy.
Moll (mɔl) *n neu mus* minor.
Moment (mo'mɛnt) *nm* **-e** moment, instant. *n neu* **-e 1** momentum. **2** motive. **3** impulse. **4** element. **—an** (momɛn'ta:n) *adj* momentary, passing.
Monarch (mo'narç) *nm* **-en** monarch.
Monat ('mo:nat) *nm* **-e** month. **—lich** *adj* monthly.
Mönch (mœnç) *nm* **-e** monk.
Mond (mo:nt) *nm* **-e** moon. **—schein** *nm* moonlight.
Monopol (mono'po:l) *n neu* **-e** monopoly. **—isieren** (monopoli'zi:rən) *vt* monopolize.
Montag ('mo:nta:k) *nm* Monday. **—s** *adv* on Mondays.
Moor (mo:r) *n neu* **-e 1** moor. **2** fen. **3** swamp.
Moos (mo:s) *n neu* **-e 1** moss. **2** *sl* money.
Moral (mo'ra:l) *nf* **-en 1** moral. **2** morality, morals. **3** morale. **—isch** *adj* moral. **—isieren** (morali'zi:rən) *vi* moralize. **—ität** (morali'tɛ:t) *nf* morality.
Mord (mɔrt) *nm* **-e** murder. **—anschlag** *nm* **1** murderous attack. **2** attempted murder. **—er** ('mœrdər) *nm* — murderer.
morgen ('mɔrgən) *adv* **1** tomorrow. **2** in the morning. *nm* — morning. *n neu* — following day. **(guten) Morgen** *interj* (good) morning! **morgen früh** (early) tomorrow morning. **—dämmerung** *nf also* **—grauen** *n neu* daybreak, dawn. **—land** *n neu* East, Orient. **—ländisch** *adj* oriental. **—rot** *n neu* dawn, (red) morning sky. **—s** *adv* in the morning.
Morphium ('mɔrfium) *n neu* morphine.
morsch (mɔrʃ) *adj* decayed, rotten.
Mosaik (moza'i:k) *n neu* **-en** mosaic.
Moschee (mɔ'ʃe:) *nf* **-n** mosque.
Mosel ('mo:zəl) *nf* Moselle.
Moskau ('mɔskau) *n neu* Moscow.
Most (mɔst) *nm* **-e 1** fruit-juice or wine. **2** must, new wine. **3** cider.
Motiv (mo'ti:f) *n neu* **-e 1** motive. **2** theme.
Motor ('mo:tɔr) *nm* **-en** motor, engine. **—boot** *n neu* motor boat. **—isieren** (motori'zi:rən) *vt* motorize. **—rad** *n neu* motorcycle.
Motte ('mɔtə) *nf* **-n** moth.
Möwe ('mœ:və) *nf* **-n** seagull.
Mücke ('mykə) *nf* **-n** gnat, mosquito.
müde ('my:də) *adj* tired, exhausted, weary.

Muff (muf) *nm* ¨**-e** **1** muff. **2** musty smell. **—ig** *adj* **1** surly. **2** musty.

Muff/el ('mufəl) *nm* — grumbler, surly person. **—elig** *adj* surly, grumpy.

Müh/e ('my:ə) *nf* **-n** trouble, effort. **sich Mühe geben** **1** take pains. **2** make great efforts.

Mühle ('my:lə) *nf* **-n** **1** mill. **2** grinder.

Mulde ('muldə) *nf* **-n** **1** trough. **2** valley.

Mull (mul) *nm* muslin.

Müll (myl) *nm* rubbish, refuse. **—eimer** *nm* dustbin. **—wagen** *nm* dust cart.

Müller ('mylər) *nm* — miller.

multiplizieren (multipli'tsi:rən) *vt* multiply.

Mummenschanz ('mumənʃants) *nm* masquerade.

München ('mynçən) *n neu* Munich.

Mund (munt) *nm* ¨**-er** mouth. **—art** *nf* **-en** dialect. ¨**-en** ('myndən) *vi* flow (into). **—harmonika** *nf* **-s** mouth organ. ¨**-lich** ('myntliç) *adj* oral, verbal. ¨**-ung** ('mynduŋ) *nf* **-en** **1** mouth. **2** estuary. **3** (gun) muzzle.

mündig ('myndiç) *adj* of age, major.

Munition (munitsi'o:n) *nf* **-en** ammunition.

munter ('muntər) *adj* **1** lively, cheerful, merry. **2** awake.

Münze ('myntsə) *nf* **-n** **1** coin. **2** mint.

mürbe ('myrbə) *adj* **1** (of wood, stone, etc.) brittle, fragile. **2** (of food) soft, tender. **3** unnerved. **4** worn out.

murmeln ('murməln) **1** murmur. **2** mutter.

mürrisch ('myriʃ) *adj* surly, morose.

Muschel ('muʃəl) *nf* **-n** **1** mussel. **2** shell. **3** earpiece (of a telephone).

Museum (mu'ze:um) *n neu* **-seen** museum.

Musik (mu'zi:k) *nf* **1** music. **2** (military) band. **—alisch** (muzi'ka:liʃ) *adj* of music, musical. **—antenknochen** (muzi'kantənknɔxən) *nm* funny bone. **—er** ('mu:zikər) *nm* — musician.

Muskat (mus'ka:t) *nm* **-e** nutmeg.

Muskel ('muskəl) *nm* **-n** muscle.

Muß/e ('mu:sə) *nf* leisure (time), spare time. ¨**-ig** ('my:siç) *adj* **1** idle, lazy. **2** useless, superfluous.

müssen* ('mysən) *v mod aux* have to, be obliged to, must.

Muster ('mustər) *n neu* — **1** model, pattern. **2** paragon. **3** sample. **—n** *vt* **1** inspect, examine. **2** decorate with a pattern.

Mut (mu:t) *nm* courage. **—ig** *adj* brave, courageous. **—maßen** ('mu:tma:sən) *vt* guess, suppose.

Mutter ('mutər) *nf* ¨ mother. **—leib** *nm* womb. ¨**—lich** ('mytərliç) *adj* maternal, motherly. **—schaf** *n neu* ewe. **—schaft** *nf* maternity, motherhood. **—sprache** *nf* mother tongue.

Mütze ('mytsə) *nf* **-n** cap.

mysteriös (mysteri'œ:s) *adj* mysterious.

mystifizieren (mystifi'tsi:rən) *vt* mystify.

Mystik ('mystik) *nf* mysticism. **—er** *nm* — mystic.

Mythos ('my:tos) *nm* **-then** *also* **Mythus** ('my:-tus) myth.

N

Nabe ('na:bə) *nf* **-n** (wheel) hub.

Nabel ('na:bəl) *nm* — navel.

nach (na:x) *prep* **1** after, behind. **2** according to. **3** by. **4** to(wards). **nach London, nach Frankreich** to London, to France. ~*adv* after, behind. **nach und nach** gradually. **nach wie vor** as usual.

nachahmen ('na:xa:mən) *vt* imitate.

Nachbar ('na:xba:r) *nm* **-n** neighbour. **—schaft** *nf* **-en** neighbourhood.

nachdem (na:x'de:m) *conj* after. *adv* afterwards.

nachdenk/en* ('na:xdɛŋkən) *vi* reflect, consider, ponder. *n neu* — reflection, consideration. **—lich** *adj* thoughtful, pensive.

Nachdruck ('na:xdruk) *nm* **-e** **1** reproduction, reprint. **2** emphasis. **3** energy. ¨**—lich** ('na:-xdrykliç) *adj* **1** emphatic. **2** energetic. **—srecht** *n neu* copyright.

nacheifern ('na:xaifərn) *vi* emulate.

nacheinander (na:xain'andər) *adv* one after the other.

Nachfolge ('na:xfɔlgə) *nf* succession. **—n** *vi* succeed, follow. **—r** *nm* — successor.

Nachfrage ('na:xfra:gə) *nf* **1** demand. **2** enquiry. **Angebot und Nachfrage** supply and demand.

nachgeben* ('na:xge:bən) *vi* give in, yield, give way.

nachgehen* ('na:xge:ən) *vi* **1** follow. **2** investigate. **3** (of a clock) be slow.

Nachgeschmack ('na:xgəʃmak) *nm* aftertaste.

nachgiebig ('na:xgi:biç) *adj* indulgent.

nachher (na:x'he:r) *adv* afterwards. **bis nachher!** see you later!

Nachhilfe ('na:xhilfə) *nf* assistance.

nachholen ('na:xho:lən) *vi* catch up, make up.

Nachhut ('na:xhu:t) *nf* **-en** rearguard.

Nachklang (ˈna:xklaŋ) *nm* resonance, echo.
Nachkomm/e (ˈna:xkɔmə) *nm* **-n** descendant. **—en*** *vi* **1** follow. **2** comply (with), fulfil. **—enschaft** *nf* posterity, descendants.
Nachkriegszeit (ˈna:xkri:kstsait) *nf* post-war period.
Nachlaß (ˈna:xlas) *nm* **-lässe 1** inheritance. **2** estate. **3** reduction.
nachlassen* (ˈna:xlasən) *vt* **1** leave behind. **2** reduce. **3** temper. *vi* **1** slacken. **2** stop. **3** subside. **4** diminish.
nachmachen (ˈna:xmaxən) *vt* **1** imitate, copy. **2** counterfeit.
Nachmittag (ˈna:xmitɑ:k) *nm* **-e** afternoon. **—s** *adv* in the afternoon.
Nachnahme (ˈna:xna:mə) *nf* **-n** cash on delivery, C.O.D.
nachprüfen (ˈna:xpry:fən) *vt* **1** check. **2** control. **3** verify.
Nachricht (ˈna:xriçt) *nf* **-en 1** report, information. **2** *pl* news.
Nachruf (ˈna:xru:f) *nm* **-e** obituary.
nachschlag/en* (ˈna:xʃla:gən) *vt* **1** look up, consult (books). **2** take after (a person). **—ewerk** *n neu* reference book.
Nachschrift (ˈna:xʃrift) *nf* **1** transcript. **2** notes. **3** postscript.
Nachschub (ˈna:xʃu:p) *nm* **1** reinforcement. **2** supplies.
nachsehen* (ˈna:xze:ən) *vt* **1** examine, inspect. **2** consult, look up. **3** excuse, overlook. *vi* watch, follow (with one's gaze).
nachsenden* (ˈna:xzɛndən) *vt* forward, send on.
Nachspeise (ˈna:xʃpaizə) *nf* **-n** dessert, sweet.
nachsprechen* (ˈna:xʃpreçən) *vt* repeat.
nächst (nɛ:çst) *adj* nearest, next. *prep* next to. **—e(r)** *nm* fellow, man, neighbour. **—enliebe** *nf* love for one's fellow men or one's neighbour. **—ens** *adv* shortly.
nachstellen (ˈna:xʃtɛlən) *vt* **1** place behind. **2** adjust. *vi* **1** pursue. **2** persecute.
nachstreben (ˈna:xʃtre:bən) *vi* **1** strive (for). **2** emulate.
Nacht (naxt) *nf* **¨-e** night. **—essen** *n neu* supper. **—hemd** *n neu* nightdress, nightshirt. **¨-lich** (ˈnɛçtliç) *adj* nocturnal, nightly. **—s** *adv* at night. **—wächter** *nm* night watchman. **—wandeln** *vi* sleepwalk.
Nachteil (ˈna:xtail) *nm* **-e 1** disadvantage. **2** loss. **—ig** *adj* detrimental, disadvantageous.
Nachtigall (ˈnaxtigal) *nf* **-en** nightingale.
Nachtisch (ˈnaxtiʃ) *nm* **-e** dessert, sweet.
Nachtrag (ˈna:xtra:k) *nm* **¨-e** supplement. **¨-lich** (ˈna:xtrɛ:kliç) *adj* supplementary.
Nachwahl (ˈnaxva:l) *nf* by-election.
Nachweis (ˈna:xvais) *nm* **-e 1** proof. **2** information. **—en*** (ˈna:xvaizən) *vt* **1** prove. **2** point out.
Nachwelt (ˈna:xvɛlt) *nf* posterity.
Nachwirkung (ˈna:xvirkuŋ) *nf* after-effect.
Nachwuchs (ˈna:xvuks) *nm* new or rising generation.
nachziehen* (ˈna:xtsi:ən) *vt* **1** draw along or after, drag. **2** trace. *vi* follow.
Nachzügler (ˈna:xtsy:klər) *nm* — straggler.
Nacken (ˈnakən) *nm* — (nape of the) neck.
nackt (nakt) *adj* naked. **—kultur** *nf* nudism.
Nadel (ˈna:dəl) *nf* **-n** needle, pin. **—baum** *nm,pl* **Nadelhölzer** conifer.
Nagel (ˈna:gəl) *nm* **¨—** **1** nail, pin. **2** (finger)-nail. **—feile** *nf* nail file. **—lack** *nm* nail polish or varnish. **—n** *vt* nail. **—neu** *adj* brand-new.
nag/en (ˈna:gən) *vi,vt* **1** gnaw. **2** erode. **—etier** *n neu* rodent.
nah/(e) (ˈna:ə) *adj* near, close. **Nahe(r) Osten** *nm* Middle or Near East. **¨-e** (ˈnɛ:ə) *nf* **1** proximity, vicinity. **2** neighbourhood. **in der Nähe** nearby, in the vicinity. **—elegen** *vt* suggest. **—eliegen*** *vi* **1** lie near. **2** be obvious. **¨-er** (ˈnɛ:ər) *adj* **1** nearer. **2** more detailed. **¨-eres** (ˈnɛ:ərəs) *n neu* details. **¨-ern** (ˈnɛ:ərn) *vt* bring near. **sich ¨-ern** *vr* approach. **—estehen*** *vi* **1** be connected (with). **2** be friendly or sympathize (with). **—ezu** (na:ə'tsu:) *adv* nearly, almost.
näh/en (ˈnɛ:ən) *vt,vi* sew. **—maschine** *nf* sewing machine.
nahm (na:m) *v* see **nehmen.**
nähren (ˈnɛ:rən) *vt* feed, nourish. *vi* be nourishing. **sich nähren** *vr* live (on).
nahr/haft (ˈna:rhaft) *adj* **1** nutritious. **2** productive. **—ung** *nf* nourishment, food, sustenance. **—ungsmittel** *n neu pl* food-(stuffs).
Naht (na:t) *nf* **¨-e 1** seam. **2** *med* stitch(es).
naiv (na'i:f) *adj* naive, simple.
Nam/e (ˈna:mə) *nm* **-n** name. **—enlos** *adj* nameless. **—ens** *prep* **1** named. **2** in the name of. **—entlich** *adj* by name. *adv* especially. **¨-lich** (ˈnɛ:mliç) *adv* that is to say, namely. *adj* same.
nannte (ˈnantə) *v* see **nennen.**
Napf (napf) *nm* **¨-e** bowl, basin.
Narbe (ˈnarbə) *nf* **-n** scar.

Narko/se (nar'ko:zə) *nf* **-n** anaesthesia. **—tisch** (nar'ko:tiʃ) *adj* narcotic.

Narr (nar) *nm* **-en** fool. **—enhaus** *n neu* madhouse. **—heit** *nf* **-en** folly, madness.

Nase ('na:zə) *nf* **-n** nose. **die Nase voll haben von** be fed up with. **—weis** *adj* cheeky.

naß (nas) *adj* wet, moist.

Nässe ('nɛsə) *nf* **-n 1** moisture. **2** humidity. **—n** *vt* wet, moisten.

Nation (natsi'o:n) *nf* **-en** nation. **—al** (natsio-'na:l) *adj* national. **—alhymne** *nf* national anthem. **—alismus** (natsiona'lismus) *nm* nationalism. **—alität** (natsionali'tɛ:t) *nf* **-en** nationality. **—alsozialismus** *nm* national socialism, Nazism. **—alsozialist** *nm* Nazi.

Natter ('natər) *nf* **-n** adder.

Natur (na'tu:r) *nf* **-en 1** nature. **2** disposition, temper. **—alien** (natu'ra:liən) *n pl* natural produce. **—erscheinung** *nf* natural phenomenon. **—gemäß** *adj* natural. **—geschichte** *nf* natural history. **—gesetz** *n neu* law of nature, natural law. **—lich** (na'ty:rliç) *adj* natural. *adv* of course, naturally. **—wissenschaft** *nf* (natural) science.

Navigation (navigatsi'o:n) *nf* **-en** navigation.

Nazi ('na:tsi) *nm* **-s** Nazi.

Nebel ('ne:bəl) *nm* — fog, mist.

neben ('ne:bən) *prep* **1** beside, near, next to. **2** in addition to. **—an** (ne:bən'an) *adv* **1** close or near by. **2** next door. **—bei** (ne:bən'bai) *adv* **1** incidentally. **2** besides, moreover. **—einander** (ne:bənain'andər) *adv* side by side, next to one another. **—fach** *n neu* subsidiary subject. **—fluß** *nm* tributary. **—gebäude** *n neu* annexe. **—her** (ne:bən-'he:r) *adv* **1** incidentally. **2** alongside. **—kosten** *n pl* incidental costs, extras. **—sächlich** *adj* incidental.

nebst (ne:pst) *prep* together with.

neck/en ('nɛkən) *vt* tease. **—isch** *adj* **1** teasing. **2** comical.

Neffe ('nɛfə) *nm* **-n** nephew.

negativ (nega'ti:f) *adj* negative. *n neu* **-e** negative.

Neger ('ne:gər) *nm* — Negro. **—in** *nf* **-nen** Negress.

nehmen* ('ne:mən) *vt* **1** take. **2** receive.

Neid (nait) *nm* envy. **—en** ('naidən) *vi* envy. **—isch** ('naidiʃ) *adj* envious.

Neig/e ('naigə) *nf* **-n 1** slope, decline. **2** remnant, dregs. **—en** *vt* **1** lean. **2** lower. *vi* incline (to), tend (to). **sich —en** *vr* **1** incline (to), tend (to). **2** dip. **3** bow. **—ung** *nf* **-en 1** inclination, tendency, preference. **2** slope, incline.

nein (nain) *adv* no. **mit Nein antworten** reply in the negative.

Nelke ('nɛlkə) *nf* **-n 1** carnation. **2** clove.

nenn/en* ('nɛnən) *vt* name, call. **—enswert** *adj* worth mentioning. **—ung** *nf* **-en 1** naming. **2** *sport* entry.

Neon ('ne:ɔn) *n neu* neon.

Nerv (nɛrf) *nm* **-en** nerve. **—enzusammenbruch** *nm* nervous breakdown. **—ös** (nɛr-'vœ:s) *adj* nervous.

Nessel ('nɛsəl) *nf* **-n** nettle.

Nest (nɛst) *n neu* **-er** nest.

nett (nɛt) *adj* **1** nice. **2** neat. **3** pretty.

netto ('nɛto) *adv* net, clear.

Netz (nɛts) *n neu* **-e 1** net, netting. **2** mains. **3** network, grid. **—haut** *nf* retina.

neu (nɔy) *adj* **1** new. **2** modern, recent. **3** fresh.

Neubau ('nɔybau) *nm* **1** new building. **2** building under construction.

neuerdings ('nɔyərdiŋs) *adv* lately, recently.

Neuerung ('nɔyəruŋ) *nf* **-en** innovation.

neu(e)stens ('nɔystəns) *adv* lately, of late.

Neugier ('nɔygi:r) *nf also* **Neugier/de** ('nɔygi:-rdə) curiosity. **—ig** *adj* curious.

Neuheit ('nɔyhait) *nf* **-en 1** novelty. **2** newness.

Neuigkeit ('nɔyiçkait) *nf* **-en** news.

Neujahr ('nɔyja:r) *n neu* New Year.

neulich ('nɔyliç) *adj* recently.

Neuphilologie ('nɔyfilɔlɔgi:) *nf* (study of) modern languages.

Neureiche(r) ('nɔyraiçə) *nm* new rich, nouveau riche.

Neuzeit ('nɔytsait) *nf* modern age or times. **—lich** *adj* modern.

neun (nɔyn) *adj,nf* nine. **—te** *adj* ninth. **—zehn** *adj,nf* nineteen. **—zehnte** *adj* nineteenth. **—zig** ('nɔyntsiç) *adj,nf* ninety. **—zigste** *adj* ninetieth.

Neurose (nɔy'ro:zə) *nf* **-n** neurosis.

Neuseeland (nɔy'ze:lant) *n neu* New Zealand.

neutr/al (nɔy'tra:l) *adj* neutral, impartial. **—alität** (nɔytrali'tɛ:t) *nf* neutrality. **—um** ('nɔytrum) *n neu* neuter.

nicht (niçt) *adv* not. *pref* non-. **nicht wahr?** is that not so? isn't it? **—raucher** *nm* non-smoker. **—wissen** *n neu* ignorance. **—zutreffend** *adj* not applicable.

Nichte ('niçtə) *nf* **-n** niece.

Nichtigkeit ('niçtiçkait) *nf* **-en 1** invalidity. **2** worthlessness.

nichts (niçts) *pron* nothing. *n neu* nothing-

(ness). **—destoweniger** (niçtsdəsto've:nigər) *adv* nevertheless. **—sagend** *adj* meaningless. **—tuer** ('niçtstu:ər) *nm* — idler, slacker.

Nickel ('nikəl) *n neu* nickel.

nick/en ('nikən) *vi* **1** nod. **2** doze. **—erchen** ('nikərçən) *n neu* — doze, nap.

nie (ni:) *adv* never.

nieder ('ni:dər) *adv* down. *adj* **1** low. **2** inferior.

niederdrücken (ni:dər'drykən) *vt* **1** press down, weigh down. **2** depress.

Niedergang ('ni:dərgaŋ) *nm* **1** decline. **2** descent.

niedergehen* ('ni:dərge:ən) *vi* **1** go down. **2** alight, land.

niedergeschlagen ('ni:dərgəʃla:gən) *adj* downcast, depressed.

Niederlage ('ni:dərla:gə) *nf* **1** defeat. **2** warehouse. **3** *comm* branch.

Niederland/e ('ni:dərlandə) *n pl* Netherlands. **¨-er** *nm* — Dutchman. **¨-isch** *adj* Dutch.

Niederlassung ('ni:dərlasuŋ) *nf* **-en** settlement.

niederlegen ('ni:dərle:gən) *vt* **1** lay down. **2** demolish. **3** resign, stop. **sich niederlegen** *vr* lie down.

Niedersachsen ('ni:dəzaksən) *n neu* Lower Saxony.

Niederschlag ('ni:dərʃla:k) *nm* **1** precipitation. **2** knock-out. **3** sediment. **—en*** *vt* **1** knock down. **2** defeat. **3** kill. **4** press or move down(wards). **5** calm down. **6** depress. **7** precipitate.

niederträchtig (ni:dətreçtiç) *adj* base, mean.

niedlich ('ni:dliç) *adj* nice, dainty, pretty.

niedrig ('ni:driç) *adj* **1** low. **2** humble.

niemals ('ni:ma:ls) *adv* never.

niemand ('ni:mant) *pron* nobody, no one.

Niere ('ni:rə) *nf* **-n** kidney.

nieseln ('ni:zəln) *vi* drizzle.

niesen ('ni:zən) *vi* sneeze.

Niet (ni:t) *nm* **-e** rivet. **—en** *vt* rivet.

Nikotin (niko'ti:n) *n neu* nicotine.

Nil (ni:l) *nm* Nile. **—pferd** *n neu* hippopotamus.

nimmer ('nimər) *adv* never. **—mehr** *adv* never again.

nimmt (nimt) *v* see **nehmen.**

nippen ('nipən) *vi* sip.

nirgends ('nirgənts) *adv also* **nirgendwo** ('nirgəntvo:) nowhere.

Nische ('ni:ʃə) *nf* **-n** niche.

nisten ('nistən) *vi* (build a) nest.

Niveau (ni:'vo:) *n neu* **-s 1** standard. **2** level.

noch (nɔx) *adv* **1** still. **2** yet. **3** besides. **noch nicht** not yet. **weder...noch** neither...nor. **—mal** *adv also* **—mals** once more, again.

Nomade (no'ma:də) *nm* **-n** nomad.

Nominativ ('no:minati:f) *nm* **-e** nominative.

nominell (nomi'nɛl) *adj* nominal.

Nonne ('nɔnə) *nf* **-n** nun.

Nord (nɔrt) *nm also* **Norden** ('nɔrdən) north.

Nordamerika ('nɔrdame:rika) *n neu* North America.

nordisch ('nɔrdiʃ) *adj* **1** Norse, Nordic. **2** northern.

nördlich ('nœrtliç) *adj* northern.

Nordost (nɔrd'ɔst) *nm also* **Nordosten** (nɔrd'ɔstən) north-east. **¨-lich** *adj* north-eastern.

Nordpol ('nɔrdpo:l) *nm* North Pole.

Nordrhein-Westfalen (nɔrtrainvɛst'fa:lən) *n neu* North Rhine-Westphalia.

Nordsee ('nɔrdze:) *nf* North Sea.

nordwärts ('nɔrtvɛrts) *adv* northward(s), north.

Nordwest (nɔrd'vɛst) *nm also* **Nordwesten** (nɔrd'vɛstən) north-west. **—lich** *adj* northwestern.

normal (nɔr'ma:l) *adj* normal.

Normann/e (nɔr'manə) *nm* **-n** Norman. **—isch** *adj* Norman.

Norweg/en ('nɔrve:gən) *n neu* Norway. **—er** *nm* — Norwegian. **—isch** *adj* Norwegian. *n neu* Norwegian (language).

Not (no:t) *nf* **¨-e 1** need, necessity. **2** emergency. **3** danger. **4** trouble. **5** poverty, misery, distress.

Notar (no'ta:r) *nm* **-e** notary.

Notbremse ('no:tbrɛmsə) *nf* emergency brake.

Notfall ('no:tfal) *nm* case of emergency or need. **—s** *adv* if necessary, in an emergency.

Nothilfe ('no:thilfə) *nf* emergency or relief service.

notieren (no'ti:rən) *vt* make a note of, take down.

nötig ('nœ:tiç) *adj* necessary. **—en** ('nœ:tigən) *vt* compel, urge.

Notiz (no'ti:ts) *nf* **-en 1** notice. **2** note. **—buch** *n neu* notebook.

Notlage ('no:tla:gə) *nf* **1** crisis, emergency. **2** distress.

Notruf ('no:tru:f) *nm* emergency (telephone) call.

Notstand ('no:tʃtand) *nm* (state of) emergency.

notwendig ('no:tvɛndiç) *adj* necessary, requisite. **—keit** *nf* **-en** necessity.

Notzucht ('no:ttsuxt) *nf* rape.

Novelle (no'vɛlə) *nf* **-n** short novel or story.

November (no'vɛmbər) *nm* November.

Novize (no'vi:tsə) *nm,f* **-n** novice.
nüchtern ('nyçtərn) *adj* **1** sober. **2** prosaic, dull.
Nudeln ('nu:dəln) *nf pl* noodles.
null (nul) *adj* **1** nil. **2** null. *nf* **-en** nought, zero.
numerieren (nume'ri:rən) *vt* number.
Nummer ('numər) *nf* **-n** **1** number. **2** issue, edition (of a magazine, etc.). **3** number, piece, song. **—nschild** *n neu mot* number plate.
nun (nu:n) *adv* now. *interj* well, well now. **—mehr** *adv* **1** (by) now. **2** from now on.
nur (nu:r) *adv* **1** only, solely. **2** merely. *conj* but.
Nürnberg ('nyrnberk) *n neu* Nuremberg.
Nuß (nus) *n* **Nüsse** nut. **—baum** *nm* walnut tree.
nutz/bar ('nutsba:r) *adj* useful. **—en** ('nutsən) *n neu* **1** use. **2** advantage. **3** gain. *vt also* **—en** ('nytsən) make use of. *vi* be useful, help. **—lich** ('nytsliç) *adj* useful. **—los** *adj* useless.
Nylon ('nailɔn) *n neu* nylon. **—strümpfe** *nm pl* nylon stockings, nylons.
Nymphe ('nymfə) *nf* **-n** nymph.

O

Oase (o'a:zə) *nf* **-n** oasis.
ob (ɔp) *conj* whether. *prep* **1** above. **2** beyond. **3** on account of. **als ob** *conj* as if, as though.
Obdach ('ɔpdax) *n neu* shelter. **—los** *adj* homeless.
oben ('o:bən) *adv* **1** above. **2** (high) up. **3** upstairs. **nach oben gehen** go upstairs. **—an** (o:bən'an) *adv* **1** at the top. **2** at the beginning. **3** at the head. **—drein** (o:bən'drain) *adv* in addition, into the bargain.
ober ('o:bər) *adj* **1** upper, higher. **2** superior. **3** senior. *nm* — (head) waiter.
Oberarm ('o:bərarm) *nm* upper arm.
Oberbefehlshaber (o:bərbə'fe:lshabər) *nm* commander-in-chief.
Oberfläch/e ('o:bərflɛçə) *nf* **1** surface. **2** area. **—lich** ('o:bərflɛçliç) *adj* superficial.
oberhalb ('o:bərhalp) *adv,prep* above.
Oberhand ('o:bərhant) *nf* upper hand.
Oberhaupt ('o:bərhaupt) *nm* leader, head.
Oberhemd ('o:bərhɛmt) *n neu* shirt.
Oberin ('o:bərin) *nf* **-nen** matron.
oberirdisch (o:bər'irdiʃ) *adj* **1** above ground. **2** overhead.
Oberkellner ('o:bərkɛlnər) *nm* head waiter.
Oberlicht ('o:bərliçt) *n neu* skylight.
Oberschicht ('o:bəʃiçt) *nf* **1** top layer. **2** upper classes, elite.
Oberschule ('o:bərʃu:lə) *nf* secondary school.
Oberst ('o:bərst) *nm* **-en** colonel. **—leutnant** *nm mil* lieutenant colonel.
obgleich (ɔp'glaiç) *conj* although.
Obhut ('ɔphu:t) *nf* protection, care.
obig ('o:biç) *adj* above(-mentioned).
Objekt (ɔp'jɛkt) *n neu* **-e** object. **—iv** (ɔpjɛk'ti:f) *adj* objective.
obliegen* ('ɔpli:gən) *vi* **einem obliegen** be one's duty.
obligat (obli'ga:t) *adj* **1** obligatory. **2** necessary. **—orisch** (obliga'to:riʃ) *adj* compulsory.
Obmann ('ɔpman) *nm* **1** leader. **2** chairman. **3** spokesman.
Obo/e (o'bo:ə) *nf* **-n** oboe. **—ist** (obo'ist) *nm* **-en** oboe player.
Obrigkeit ('o:briçkait) *nf* **-en** **1** authorities. **2** *pl* government.
obschon (ɔp'ʃo:n) *conj* although.
Obst (o:pst) *n neu* fruit. **—garten** *nm* orchard.
obszön (ɔps'tsœ:n) *adj* obscene, indecent. **—ität** (ɔpstsœ:ni'tɛ:t) *nf* **-en** obscenity.
obwohl (ɔp'vo:l) *conj* although.
Ochse ('ɔksə) *nm* **-n** ox.
Ode ('o:də) *nf* **-n** ode.
öde ('œ:də) *adj* **1** bleak, barren. **2** deserted. **3** dull. *nf* **-n** **1** desert. **2** dullness.
oder ('o:dər) *conj* or. **entweder...oder** either ...or.
Ofen ('o:fən) *nm* **—** **1** stove, oven. **2** heater. **3** furnace.
offen ('ɔfən) *adj* **1** open. **2** public. **3** frank, candid. **4** vacant. **—bar** (ɔfən'ba:r) *adj* obvious. **—baren** (ɔfən'ba:rən) *vt* disclose, reveal. **—barung** (ɔfən'ba:ruŋ) *nf* **-en** revelation, disclosure. **—heit** *nf* openness, frankness. **—sichtlich** *adj* obvious. **—tlichkeit** ('œfəntliçkait) *nf* **1** public. **2** publicity.
offensiv (ɔfɛn'zi:f) *adj* offensive. **—e** (ɔfɛn'zi:və) *nf* **-n** offensive.
offiziell (ɔfi'tsjɛl) *adj* official.
Offizier (ɔfi'tsi:r) *nm* **-e** officer.
öffn/en ('œfnən) *vt* **1** open. **2** unlock. **—er** *nm* — opener. **—ung** *nf* **-en** opening, hole.
oft (ɔft) *adv also* **öfters** ('œftərs) *or* **oftmals** ('ɔftma:ls) often, frequently. **—er** ('œftər) *adv* (more) often. **—malig** ('ɔftma:liç) *adj* frequent.
Oheim ('o:haim) *nm* **-e** uncle.
ohn/e ('o:nə) *prep* without. **—edies** (o:nə'di:s) *adv also* **—ehin** (o:nə'hin) **1** in any case. **2**

besides. **—macht** *nf* **1** unconsciousness. **2** powerlessness, impotence. **—mächtig** *adj* **1** unconscious. **2** powerless.

Ohr (o:r) *n neu* **-en** ear. **—feige** *nf* box on the ear. **—ring** *nm* **-e** earring.

Öhr (œ:r) *n neu* **-e** eye (of a needle).

Ökonom (œko'no:m) *nm* **-en 1** farmer. **2** steward. **3** economist. **—ie** (œkono'mi:) *nf* **-n 1** economics. **2** economy. **3** agriculture. **—isch** (œko'no:miʃ) *adj* economical.

Oktave (ɔk'ta:və) *nf* **-n** octave.

Oktober (ɔk'to:bər) *nm* October.

Okzident ('ɔktsidɛnt) *nm* Occident.

Öl (œ:l) *n neu* **-e** oil. **—bild** *n neu* oil painting. **—en** *vt* **1** oil. **2** anoint. **—feld** *n neu* oil field. **—ig** *adj* oily. **—ung** *nf* **-en 1** lubrication. **2** anointment.

Olive (o'li:və) *nf* **-n** olive.

Oma ('o:ma) *nf* **-s** *inf* grandma.

Omelett (ɔmə'lɛt) *n neu* **-s** *also* **Omelette** *nf* **-n** omelette.

Omnibus ('ɔmnibus) *nm* **-busse** bus, coach.

ondulieren (ɔndu'li:rən) *vt* wave (hair).

Onkel ('ɔŋkəl) *nm* — uncle.

Opa ('o:pa) *nm* **-s** *inf* grandpa.

Opal (o'pa:l) *nm* **-e** opal.

Oper ('o:pər) *nf* **-n** opera. **—ette** (opa'rɛtə) *nf* **-n** operetta. **—nhaus** *n neu* opera house.

Oper/ation (operatsi'o:n) *nf* **-en** operation. **—ationssaal** *nm* operating theatre. **—ieren** (ope'ri:rən) *vt, vi* operate (on).

Opfer ('ɔpfər) *n neu* — **1** victim. **2** sacrifice. **—n** *vt* sacrifice.

Opium ('o:pium) *n neu* opium.

opportun (ɔpər'tu:n) *adj* opportune.

Opposition (ɔpozitsi'o:n) *nf* **-en** opposition.

Opt/ik ('ɔptik) *nf* optics. **—iker** *nm* — optician. **—isch** ('ɔptiʃ) *adj* optical.

Optimist (ɔpti'mist) *nm* **-en** optimist. **—isch** *adj* optimistic.

Orange (o'rã:ʒə) *nf* **-n** orange. **—nmarmelade** *nf* marmelade.

Orchester (ɔr'kɛstər) *n neu* — **1** orchestra. **2** band.

Orchidee (ɔrçi'de:ə) *nf* **-n** orchid.

Orden ('ɔrdən) *nm* — **1** order. **2** decoration. **—bruder** *nm* member of an order, monk. **—sschwester** *nf* sister, nun.

ordentlich ('ɔrdəntliç) *adj* **1** orderly, tidy. **2** decent, proper. **3** regular. **—keit** *nf* **1** orderliness. **2** respectability. **3** regularity.

Order ('ɔrdər) *nf* **-n** command, order.

ordinär (ɔrdi'nɛ:r) *adj* ordinary, vulgar.

Ordinarius (ɔrdi'na:rius) *nm* **-rien 1** professor. **2** class teacher.

ordn/en ('ɔrdnən) *vt* **1** (put in) order. **2** sort. **3** regulate. **—er** *nm* — **1** organizer. **2** steward. **3** file, folder. **—ung** *nf* **-en 1** order. **2** regulation. **3** arrangement.

Organ (ɔr'ga:n) *n neu* **-e** organ. **—isation** (ɔrganizatsi'o:n) *nf* **-en** organization. **—isieren** (ɔrgani'zi:rən) *vt* organize. **—isch** (ɔr'ga:niʃ) *adj* organic. **—ismus** (ɔrga'nismus) *nm* **-ismen** organism.

Orgel ('ɔrgəl) *nf* **-n** *mus* organ.

Orgie ('ɔrgiə) *nf* **-n** orgy.

Orient ('o:rient) *nm* Orient. **—alisch** (orien'ta:liʃ) *adj* oriental.

orientieren (orien'ti:rən) *vt* **1** orientate. **2** inform. **sich orientieren** *vr* take one's bearings.

origin/al (origi'na:l) *adj* original, first. *n neu* **-e** original. **—ell** (origi'nɛl) *adj* **1** original. **2** unusual. **3** clever.

Orkan (ɔr'ka:n) *nm* **-e** hurricane.

Ornat (ɔr'nat) *nm* **-e** (official) robes.

Ornithologie (ɔrnitolo'gi:) *nf* ornithology.

Ort (ɔrt) *nm* **-e 1** place, spot. **2** point. **3** town. **—lich** ('œrtliç) *adj* local. **—schaft** *nf* **-en 1** (small) town, village. **2** place.

Orthopädie (ɔrtopɛ'di:) *nf* orthopaedics.

Ost (ɔst) *nm also* **Ost/en** east. **—deutschland** *n neu* East Germany. **—lich** ('œstliç) *adj* eastern. **—see** *nf* Baltic Sea. **—wärts** ('ɔstvɛrts) *adv* eastward(s), east.

Oster/n ('o:stərn) *n neu pl* Easter. **—ei** *n neu* Easter egg.

Österreich ('œ:stərraiç) *n neu* Austria. **—er** *nm* — Austrian. **—isch** *adj* Austrian.

Otter[1] ('ɔtər) *nm* — otter.

Otter[2] ('ɔtər) *nf* **-n** adder.

Ouvertüre (uvɛr'ty:rə) *nf* **-n** overture.

oval (o'va:l) *adj* oval.

Oxyd (ɔ'ksy:t) *n neu* **-e** oxide.

Ozean ('o:tsea:n) *nm* **-e** ocean. **—isch** (o:tse'a:niʃ) *adj* oceanic.

Ozon (o'tso:n) *n neu* **-e** ozone.

P

Paar (pa:r) *n neu* **-e** pair, couple. **ein paar** a few. **—en** *vt* pair, couple. **sich —en** *vr* mate.

Pacht (paxt) *nf* **-en 1** lease, tenure. **2** rent.

—**en** *vt* lease, rent. —**er** (ˈpɛçtər) *nm* — tenant, leaseholder. —**vertrag** *nm* lease.

Pack (pak) *nm* ¨**e** **1** packet, parcel. **2** pack. *n neu* mob, rabble. —**chen** (ˈpɛkçən) *n neu* — small parcel, packet. —**en** *vt* **1** grasp, seize. **2** pack. **3** thrill. —**papier** *n neu* wrapping paper. —**ung** *nf* -**en** packing.

Pädagog/ik (pɛdaˈgoːgik) *nf* (theory of) education. —**isch** *adj* educational. **pädagogische Hochschule** *nf* teacher training college.

Paddel (ˈpadəl) *n neu* — paddle. —**boot** *n neu* canoe. —**n** *vi* paddle.

Page (ˈpaːʒə) *nm* -**n** page (boy).

Paket (paˈkeːt) *n neu* -**e** packet, package.

Pakt (pakt) *nm* -**e** pact, agreement.

Palast (paˈlast) *nm* ¨**e** palace.

Palästin/a (palɛˈstiːna) *n neu* Palestine. —**ense(r)** *nm* Palestinian. —**isch** *adj* Palestinian.

Palm/e (ˈpalmə) *nf* -**n** palm. —**sonntag** *nm* Palm Sunday.

Pampelmuse (ˈpampəlmuːzə) *nf* -**n** grapefruit.

panieren (paˈniːrən) *vt* coat with breadcrumbs.

Panik (ˈpaːnik) *nf* -**en** panic.

Panne (ˈpanə) *nf* -**n** *mot* breakdown.

Panther (ˈpantər) *nm* — panther.

Pantoffel (panˈtɔfəl) *nm* -**n** slipper.

Pantomime (pantoˈmiːmə) *nf* -**n** pantomime.

Panzer (ˈpantsər) *nm* armour. —**(kampf)-wagen** *nm mil* tank. —**n** *vt* **1** armour. **2** arm.

Papa (paˈpaː, ˈpapa) *nm* -**s** dad, daddy.

Papagei (papaˈgai) *nm* -**en** parrot.

Papier (paˈpiːr) *n neu* -**e** paper. —**en** *adj* paper. —**geld** *n neu* paper money. —**korb** *nm* wastepaper basket.

Papp/e (ˈpapə) *nf* -**n** cardboard. —**schachtel** *nf* cardboard box, carton.

Pappel (ˈpapəl) *nf* -**n** poplar.

Paprika (ˈpaprika) *nm* paprika, capsicum.

Papst (paːpst) *nm* ¨**e** pope. —**lich** (ˈpɛːpstliç) *adj* papal.

Parabel (paˈraːbəl) *nf* -**n** **1** parable. **2** parabola.

Parad/e (paˈraːdə) *nf* -**n** **1** parade. **2** parry. —**ieren** (paraˈdiːrən) *vi* parade.

Paradies (paraˈdiːs) *n neu* -**e** paradise.

paradox (paraˈdɔks) *adj* paradoxical. —**on** (paraˈdɔksən) *n neu* -**oxa** paradox.

Paragraph (paraˈgraːf) *nm* -**en** paragraph, article, section.

parallel (paraˈleːl) *adj* parallel. —**e** *nf* -**n** parallel.

Paralyse (paraˈlyːzə) *nf* -**n** paralysis.

Parasit (paraˈziːt) *nm* -**en** parasite.

Parenthese (parɛnˈteːzə) *nf* -**n** parenthesis.

Parfüm (parˈfyːm) *n neu* -**e** or -**s** perfume.

parieren (paˈriːrən) *vt* **1** parry. **2** rein in (a horse). *vi* obey.

Parität (pariˈtɛːt) *nf* -**en** parity.

Park (park) *nm* -**s** park. —**anlage** *nf* park, grounds. —**en** *vt* park. —**platz** *nm* car park. —**uhr** *nf* parking meter.

Parkett (parˈkɛt) *n neu* -**s** **1** parquet (floor). **2** *Th* stalls.

Parlament (parlaˈmɛnt) *n neu* -**e** parliament. —**arisch** (parlamɛnˈtaːriʃ) *adj* parliamentary.

Parodie (paroˈdiː) *nf* -**n** parody.

Parole (paˈroːlə) *nf* -**n** **1** password. **2** *pol* slogan.

Partei (parˈtai) *nf* -**en** *pol* party. —**gänger** (parˈtaigɛŋər) *nm* party man, partisan. —**isch** *adj also* —**lich** partial, partisan, biased. —**los** *adj* impartial, independent.

Parterre (parˈtɛr) *n neu* -**s** **1** ground floor. **2** *Th* pit.

Partie (parˈtiː) *nf* -**n** **1** part. **2** party, excursion. **3** match. **4** *comm* lot.

Partikel (parˈtiːkəl) *nf* -**n** particle.

Partisan (partiˈzaːn) *nm* -**e** partisan, guerrilla.

Partitur (partiˈtuːr) *nf* -**en** *mus* score.

Partizip (partiˈtsiːp) *n neu* -**ien** participle.

Party (ˈpaːrti) *nf* -**ties** party.

Parzell/e (parˈtsɛlə) *nf* -**n** allotment. —**ieren** (partsɛˈliːrən) *vt* divide into lots.

Paß (pas) *nm* **Pässe** **1** passport. **2** pass. **3** passage. —**kontrolle** *nf* passport control.

Passag/e (paˈsaːʒə) *nf* -**n** passage. —**ier** (pasaˈʒiːr) *nm* -**e** passenger.

Passant (paˈsant) *nm* -**en** passer-by.

passen (ˈpasən) *vi* **1** fit, suit. **2** *sport,game* pass. **sich passen** *vr* be proper or fitting. —**d** *adj* suitable, fit(ting).

passier/en (paˈsiːrən) *vt* **1** pass (through), cross. **2** sieve, strain. *vi* happen, occur. —**schein** *nm* pass, permit.

Passion (pasiˈoːn) *nf* -**en** passion. —**sspiel** *n neu* Passion Play.

passiv (ˈpasiːf) *adj* passive. *n neu* -**e** *gram* passive. —**ität** (pasiviˈtɛːt) *nf* passivity.

Pastete (paˈsteːtə) *nf* -**n** (meat) pie, pasty.

pasteurisieren (pastœriˈziːrən) *vt* pasteurize.

Pastor (ˈpastɔr) *nm* -**en** pastor, vicar. —**al** (pastɔˈraːl) *adj* pastoral.

Pate (ˈpaːtə) *nm* -**n** godfather. —**nkind** *n neu* godchild.

patent (paˈtɛnt) *adj* splendid. *n neu* -**e** **1** patent.

2 commission. —**ieren** (patɛn'ti:rən) *vt* patent. —**inhaber** *nm* patent-holder.

pathetisch (pa'te:tiʃ) *adj* pathetic.

Pathologie (patolo'gi:) *nf* **-n** pathology.

Patient (patsi'ɛnt) *nm* **-en** patient.

Patin ('pa:tin) *nf* **-nen** godmother.

Patriot (patri'o:t) *nm* **-en** patriot. —**isch** *adj* patriotic. —**ismus** (patrio'tismus) *nm* patriotism.

Patrizier (pa'tri:tsiər) *nm* — patrician.

Patron (pa'tro:n) *nm* **-e** patron. —**in** *nf* **-nen** patroness.

Patrone (pa'tro:nə) *nf* **-n** 1 cartridge. 2 pattern.

Patrouille (pa'truljə) *nf* **-n** patrol.

Patt (pat) *n neu* **-s** stalemate.

Pauke ('paukə) *nf* **-n** kettledrum. —**n** *vi* 1 play the kettledrum 2 *inf* study, swot.

pauschal (pau'ʃa:l) *adj* inclusive. —**e** *nf* **-n** 1 lump sum. 2 all-in price. —**reise** *nf* package tour.

Pause ('pauzə) *nf* **-n** pause, interval.

Pavian ('pa:via:n) *nm* **-e** baboon.

Pazifik (pa'tsi:fik) *nm* Pacific (Ocean).

Pazifismus (patsi'fismus) *nm* pacifism.

Pech (pɛç) *n neu* **-e** 1 pitch. 2 *inf* hard luck.

Pedal (pe'da:l) *n neu* **-e** pedal.

Pedant (pe'dant) *nm* **-en** pedant.

Pegel ('pe:gəl) *nm* — water-gauge.

peilen ('pailən) *vt naut* 1 sound. 2 take the bearings of.

Pein (pain) *nf* pain, torture. —**lich** *adj* 1 embarrassing. 2 painful. 3 meticulous.

Peitsche ('paitʃə) *nf* **-n** whip. —**n** *vt* whip.

Pelikan ('pe:lika:n) *nm* **-e** pelican.

Pell/e ('pɛlə) *nf* **-n** 1 skin. 2 peel. —**en** *vt* 1 skin. 2 peel. —**kartoffeln** *nf pl* potatoes boiled in their skins.

Pelz (pɛlts) *nm* **-e** pelt, fur. —**ig** *adj* furry. —**mantel** *nm* fur coat.

Pend/el ('pɛndəl) *n neu* — pendulum. —**elverkehr** *nm* 1 commuter traffic. 2 shuttle service. —**ler** *nm* — commuter.

penibel (pe'ni:bəl) *adj* meticulous.

Pension (pã'sjo:n) *nf* **-en** 1 guest house. 2 pension. —**ar** (pãsjo'nɛ:r) *nm* **-e** 1 paying guest. 2 pensioner. —**ieren** (pãsjo'ni:rən) *vt* pension (off).

per (pɛr) *prep* by, per.

perfekt (pɛr'fɛkt) *adj* perfect. *n neu* **-e** *gram* perfect.

Pergament (pɛrga'mɛnt) *n neu* **-e** parchment.

Period/e (peri'o:də) *nf* **-n** period, cycle. —**isch** *adj* periodic(al).

Perl/e ('pɛrlə) *nf* **-n** pearl. —**mutter** *nf* mother-of-pearl.

Pers/ien ('pɛrziən) *n neu* Persia. —**er** *nm* Persian. —**isch** *adj* Persian. *n neu* Persian (language).

Person (pɛr'zo:n) *nf* **-en** 1 person. 2 *Th* character. —**al** (pɛrzo'na:l) *n neu* **-e** personnel, staff. *adj* personal. —**alien** (pɛrzo'na:liən) *n pl* personal particulars. —**ell** (pɛrzo'nɛl) *adj* personal. —**lich** ('pɛr'zœ:nliç) *adj* personal, private. —**lichkeit** *nf* **-en** personality.

Perspektive (pɛrspɛk'ti:və) *nf* **-n** perspective.

Perücke (pe'rykə) *nf* **-n** wig.

pervers (pɛr'vɛrs) *adj* perverse.

Pessimis/mus (pɛsi'mismus) *nm* pessimism. —**t** (pɛsi'mist) *nm* **-en** pessimist. —**tisch** *adj* pessimistic.

Pest (pɛst) *nf* **-en** pestilence, plague.

Petersilie (petər'zi:liə) *nf* **-n** parsley.

Petroleum (pe'tro:leum) *n neu* 1 petroleum. 2 paraffin.

Pfad (pfa:t) *nm* **-e** path. —**finder** *nm* Boy Scout. —**finderin** *nf* Girl Guide.

Pfahl (pfa:l) *nm* **-e** stake, post.

Pfalz (pfalts) *nf* **-en** the Palatinate.

Pfand (pfant) *n neu* **-er** 1 pledge, security. 2 deposit. 3 mortgage. —**brief** *nm* mortgage deed. —**en** ('pfɛndən) *vt law* seize, take possession of. —**haus** *n neu* pawnshop. —**leiher** *nm* pawnbroker.

Pfann/e ('pfanə) *nf* **-n** pan. —**kuchen** *nm* pancake.

Pfarr/er ('pfarər) *nm* — parson, rector, minister. —**haus** *n neu* parsonage, rectory. —**kirche** *nf* parish church.

Pfau (pfau) *nm* **-en** peacock.

Pfeffer ('pfɛfər) *nm* pepper. —**dose** *nf* pepper-pot. —**korn** *n neu* **-er** peppercorn. —**minze** *nf* **-n** peppermint. —**n** *vt* pepper.

Pfeife ('pfaifə) *nf* **-n** 1 pipe. 2 whistle. —**n*** *vi* whistle.

Pfeil (pfail) *nm* **-e** arrow.

Pfeiler ('pfailər) *nm* — 1 pillar. 2 pier.

Pfennig ('pfɛniç) *nm* **-e** 1 a coin, one hundredth of a mark. 2 penny.

Pferch (pfɛrç) *nm* **-e** fold, pen.

Pferd (pfe:rt) *n neu* **-e** horse. —**ebremse** ('pfe:rdəbrɛmzə) *nf* horsefly. —**erennen** ('pfe:rdərɛnən) *n neu* 1 horse-race. 2 horse-racing. —**estall** ('pfe:rdəʃtal) *nm* stable. —**estärke** ('pfe:rdəʃtɛrkə) *nf* horse-power.

pfiff (pfif) *v* see **pfeifen.**

Pfiff (pfif) *nm* **-e** whistle. **—ig** *adj* cunning.

Pfifferling ('pfifərliŋ) *nm* **-e** type of mushroom.

Pfingst/en ('pfiŋstən) *n neu* or *nf pl* Whitsun-(tide). **—rose** *nf* peony.

Pfirsich ('pfirziç) *nm* **-e** peach.

Pflanze ('pflantsə) *nf* **-n** plant. **—en** *vt* plant. **—ung** *nf* **-en** plantation.

Pflaster ('pflastər) *n neu* **—** **1** pavement, road-surface. **2** (sticking-)plaster **—n** *vt* pave. **—stein** *nm* paving stone.

Pflaume ('pflaumə) *nf* **-n** plum.

Pflege ('pfle:gə) *nf* **-n** **1** care. **2** cultivation. **—eltern** *n pl* foster-parents. **—kind** *n neu* **1** foster-child. **2** nurseling. **—mutter** *nf* foster-mother **—vater** *nm* foster-father. **—n** *vt* **1** care for, tend, foster. **2** cultivate. *vi* be accustomed to, be in the habit of. **—er** *nm* **—**, **—erin** *nf* **-nen** **1** nurse. **2** guardian.

Pflicht (pflict) *nf* **-en** duty, obligation. **—gefühl** *n neu* sense of duty. **—gemäß** *adv* according to duty, dutifully. **—treu** *adj* dutiful. **—vergessen** *adj* disloyal.

Pflock (pflɔk) *nm* **¨-e** **1** peg. **2** plug.

pflücken ('pflykən) *vt* pluck, gather.

Pflug (pflu:k) *nm* **¨-e** plough. **¨-en** ('pfly:gən) *vt* plough.

Pfort/e ('pfɔrtə) *nf* **-n** **1** door, gate. **2** porthole. **¨-ner** ('pfœrtnər) *nm* — porter, gate-keeper.

Pfosten ('pfɔstən) *nm* **—** **1** post. **2** door-post.

Pfote ('pfo:tə) *nf* **-n** paw.

Pfropf (pfrɔpf) *nm* **-e** plug, wad. **—en** *vt* **1** stop, plug. **2** fill, cram. **3** *bot* graft. *nm* **—** stopper, cork.

pfui (pfui) *interj* **1** shame! **2** ugh! pooh!

Pfund (Pfunt) *n neu* **-e** **1** pound, half-kilogram. **2** pound (sterling).

pfusch/en ('pfuʃən) *vi,vt* bungle, blunder. **—erei** (pfuʃə'rai) *nf* **-en** **1** bungling. **2** mess.

Pfütze ('pfytsə) *nf* **-n** puddle.

Phänomen (fɛno'me:n) *n neu* **-e** phenomenon.

Phantas/ie (fanta'zi:) *nf* **-n** **1** imagination, fancy. **2** fantasy. **—ieren** (fanta'zi:rən) *vi* **1** daydream. **2** *mus* improvise. **3** talk feverishly. **—tisch** (fan'tastiʃ) *adj* fantastic, fanciful.

Phantom (fan'to:m) *n neu* **-e** phantom, vision.

Phase ('fa:zə) *nf* **-n** phase.

Philist/er (fi'listər) *nm* **—** Philistine. **—erhaft** *adj also* **—rös** philistine.

Philosoph (filo'zo:f) *nm* **-en** philosopher. **—ie** (filozo'fi:) *nf* philosophy. **—isch** *adj* philosophical.

Phonet/ik (fo'ne:tik) *nf* phonetics. **—isch** *adj* phonetic.

Phosphor ('fɔsfər) *nm* phosphorus.

Photo ('fo:to) *n neu* **-s** photo(graph). **—apparat** *nm* camera. **—graph** (foto'gra:f) *nm* **-en** photographer. **—graphie** (fotogra'fi:) *nf* photography. **—graphieren** (fotogra'fi:rən) *vt* photograph. **—graphisch** (foto'gra:fiʃ) *adj* photographic. **—kopie** (fotoko'pi:) *nf* photocopy.

Phrase ('fra:zə) *nf* **-n** **1** phrase. **2** empty words, cliché. **3** *mus* phrase, theme.

Physik (fy'zi:k) *nf* physics. **—alisch** (fyzi'ka:liʃ) *adj* physical. **—er** ('fy:zikər) *nm* **—** physicist.

Physiologie (fyziolo'gi:) *nf* physiology.

physisch ('fy:ziʃ) *adj* physical, material, corporeal.

Pianist (pia'nist) *nm* **-en** pianist.

Picke ('pikə) *nf* **-n** pickaxe. **—l** *nm* **—** **1** pimple. **2** pickaxe. **3** ice-axe. **—n** *vi* pick, peck.

Piep (pi:p) *nm* **-e** chirp. **—en** *vi* chirp.

Pietät (pie'tɛ:t) *nf* piety.

pikant (pi'kant) *adj* spicy.

Pikkoloflöte ('pikoloflœ:tə) *nf* **-n** piccolo.

Pilger ('pilgər) *nm* **—** pilgrim. **—n** *vi* go on a pilgrimage.

Pille ('pilə) *nf* **-n** pill.

Pilot (pi'lo:t) *nm* **-en** pilot.

Pilz (pilts) *nm* **-e** **1** fungus. **2** mushroom.

Pinguin (piŋgu'i:n) *nm* **-e** penguin.

Pinne ('pinə) *nf* **-n** **1** pin, peg. **2** tiller.

Pinsel ('pinzəl) *nm* **—** **1** brush. **2** simpleton.

Pionier (pio'ni:r) *nm* **-e** **1** pioneer. **2** *mil* engineer.

Pistole (pi'sto:lə) *nf* **-n** pistol.

Plackerei (plakə'rai) *nf* drudgery.

plädieren (plɛ'di:rən) *vt* plead (a case).

Plage ('pla:gə) *nf* **-n** **1** nuisance. **2** irony. **—n** *vt* plague, worry. **sich** **—n** *vr* toil.

Plakat (pla'ka:t) *n neu* **-e** poster.

Plan (pla:n) *nm* **¨-e** **1** plan. **2** design, draft. **3** project. **4** schedule. **—en** *vt,vi* **1** plan. **2** design, draft. **—gemäß** *adj also* **—mäßig** according to plan. **—ung** *nf* planning.

Plane ('pla:nə)) *nf* **-n** **1** awning. **2** tarpaulin.

Planet (pla'ne:t) *nm* **-en** planet.

planieren (pla'ni:rən) *vt* plane, level.

Planke ('plaŋkə) *nf* **-n** plank.

Plänkelei (plɛŋkə'lai) *nf* **-en** skirmish(ing).

Plantage (plan'ta:ʒə) *nf* **-n** plantation.

plappern ('plapərn) *vi,vt* babble, chatter.

Plasti/k ('plastik) *nf* **-en** sculpture, plastic art. **—sch** *adj* plastic.

Plastilin (plastiˈliːn) *n neu* **-s** *Tdmk* Plasticine *Tdmk.*

Platin (plaˈtiːn) *n neu* platinum.

platt (plat) *adj* **1** flat, even. **2** insipid. **3** silly. **—deutsch** *n neu* Low German.

Platte (ˈplatə) *nf* **-n 1** record, disc. **2** plate. **3** tray. **—nspieler** *nm* record-player.

Platz (plats) *nm* **¨e 1** place. **2** square. **3** seat. **4** space. **5** locality. **—karte** *nf* (seat) reservation ticket.

platz/en (ˈplatsən) *vi* burst, explode. **—regen** *nm* **1** heavy shower. **2** downpour.

plaudern (ˈplaudərn) *vi* chat, talk.

plausibel (plauˈziːbəl) *adj* plausible.

plombieren (plɔmˈbiːrən) *vt* fill (a tooth).

plötzlich (ˈplœtslɪç) *adj* sudden.

plump (plump) *adj* **1** coarse, crude. **2** awkward, clumsy.

plündern (ˈplyndərn) *vt,vi* plunder, pillage.

Plural (ˈpluːraːl) *nm* **-e** plural.

Plusquamperfekt (ˈpluskvamperfɛkt) *n neu* **-e** pluperfect.

pneumatisch (pnɔyˈmaːtɪʃ) *adj* pneumatic.

Pöbel (ˈpœːbəl) *nm* rabble, mob.

pochen (ˈpɔxən) *vi* knock, beat.

Pocken (ˈpɔkən) *nf pl* smallpox.

Poesie (poeˈziː) *nf* **-en** poetry.

Pokal (poˈkaːl) *nm* **-e 1** goblet. **2** *sport* cup.

Pökel (ˈpœːkəl) *nm* — brine. **—n** *vt* pickle, salt.

Pol (poːl) *nm* **-e** pole (of the earth or of a magnet). **—ar** (poˈlaːr) *adj* polar. **—arisieren** (polariˈziːrən) *vt* polarize. **—arkreis** (poˈlaːrkrais) *nm* Arctic Circle.

Polem/ik (poˈleːmɪk) *nf* **-en** polemic. **—isch** *adj* polemic.

Pol/en (ˈpoːlən) *n neu* Poland. **—e** *nm* Pole.

Police (poˈliːs, poˈliːsə) *nf* **-n** (insurance) policy.

polieren (poˈliːrən) *vt* polish.

Polit/ik (poliˈtiːk) *nf* **1** politics. **2** policy. **—iker** (poˈliːtikər) *nm* — politician. **—isch** (poˈliːtɪʃ) *adj* political. **—isieren** (politiˈziːrən) *vt* politicize. *vi* talk politics.

Poliz/ei (poliˈtsai) *nf* **-en** police. **—eibeamte(r)** *nm* police officer. **—eilich** *adj* (of, by or with the) police. **—eiwache** *nf* police station. **—ist** (poliˈtsist) *nm* **-en** policeman.

polnisch (ˈpɔlnɪʃ) *adj* Polish. *n neu* Polish (language).

Polster (ˈpɔlstər) *n neu* **1** cushion. **2** stuffing. **—n** *vt* **1** stuff, pad. **2** upholster.

Poltergeist (ˈpɔltərgaist) *nm* **-er** poltergeist.

Polypen (poˈlyːpən) *nm pl med* adenoids.

Polytechnikum (poɪyˈtɛçnikum) *n neu* technical college.

Pommern (ˈpɔmərn) *n neu* Pommerania.

Pommes frites (pɔmˈfrit) *n pl* chips, chipped potatoes.

populär (popuˈlɛːr) *adj* popular.

Pore (ˈpoːrə) *nf* **-n** pore.

Pornographie (pɔrnograˈfiː) *nf* pornography. **—isch** (pɔrnoˈgraːfiʃ) *adj* pornographic.

Portion (pɔrtsiˈoːn) *nf* **-en** portion, helping.

Porto (ˈpɔrto) *n neu* **-s** postage, carriage. **—frei** *adj* postage paid, post-free.

Porträt (pɔrˈtrɛː, pɔrˈtrɛːt) *n neu* **-s** portrait, picture.

Porzellan (pɔrtsɛˈlaːn) *n neu* **-e** porcelain, china.

Posaune (poˈzaunə) *nf* **-n** trombone.

Pose (ˈpoːzə) *nf* **-n** pose.

Position (pozitsiˈoːn) *nf* **-en** position.

positiv (ˈpoːziti:f) *adj* positive.

Poss/e (ˈpɔsə) *nf* **-n 1** *Th* farce. **2** trick. **—ierlich** (pɔˈsiːrlɪç) *adj* comic, funny.

possessiv (ˈpɔsɛsiːf) *adj* possessive.

Post (pɔst) *nf* **1** post, mail. **2** (the) Post Office.

Postamt (ˈpɔstamt) *n neu* post office.

Postanweisung (ˈpɔstanvaizuŋ) *nf* postal order.

Postbote (ˈpɔstboːtə) *nm* postman.

Posten (ˈpɔstən) *nm* — **1** post, station. **2** *comm* entry, item. **3** lot. **4** picket. **5** guard.

Postfach (ˈpɔstfax) *n neu also* **Postschließfach** post-office box, P.O. box.

Postkarte (ˈpɔstkartə) *nf* postcard.

postlagernd (ˈpɔstlaːgərnt) *adj* poste restante.

Postleitzahl (ˈpɔstlaitsaːl) *nf* postal code.

Poststempel (ˈpɔststɛmpəl) *nm* postmark.

Postulat (pɔstuˈlaːt) *n neu* **-e** postulate.

postwendend (ˈpɔstvɛndənt) *adv* by return of post.

Postwertzeichen (ˈpɔstvɛrtsaiçən) *n neu* postage stamp.

potent (poˈtɛnt) *adj* potent, capable.

poten/tial (potɛntsiˈaːl) *adj also* **poten/tiell** (potɛntsiˈɛl) potential. *n neu* **-e** potential. **—z** (poˈtɛnts) *nf* **-en 1** potency. **2** *math* power.

Pottasche (ˈpɔtaʃə) *nf* potash.

Pracht (praxt) *nf* **1** splendour, pomp. **2** luxury. **¨—ig** (ˈprɛçtiç) *adj* **1** splendid, magnificent. **2** pompous. **—voll** *adj* splendid, magnificent.

Prädikat (prɛdiˈkaːt) *n neu* **-e 1** predicate. **2** title.

Präfix (prɛˈfiks) *n neu* **-e** prefix.

Prag (praːk) *n neu* Prague.

prägen ('prɛ:gən) *vt* **1** stamp. **2** coin.

pragmatisch (prag'ma:tiʃ) *adj* pragmatic.

prägnant (prɛg'nant) *adj* **1** precise. **2** meaningful.

prahl/en ('pra:lən) *vi* boast. **—erei** (pra:lə'rai) *nf* boasting. **—erisch** ('pra:lərɪʃ) *adj* boastful.

Prakt/iker ('praktikər) *nm* — practical or experienced man. **—isch** *adj* **1** practical. **2** experienced. **3** handy.

Praline (pra'li:nə) *nf* **-n** chocolate cream.

prall (pral) *adj* **1** taut, tight. **2** stuffed, full. **3** plump. **4** (of the sun) blazing. *nm* **-e** collision, impact. **—en** *vi* **1** bump (into), crash. **2** (of the sun) glare.

Prämie ('prɛmiə) *nf* **-n** **1** premium. **2** prize, bonus.

Präparat (prɛpa'ra:t) *n neu* **-e** preparation (of medicine, etc.).

Präposition (prɛpozitsi'o:n) *nf* **-en** preposition.

Präsens ('prɛ:zɛns) *n neu gram* present.

präsentieren (prɛzɛn'ti:rən) *vt* present.

Präsid/ent (prɛzi'dɛnt) *nm* **-en** **1** president. **2** chairman. **—ieren** (prɛzi'di:rən) *vi* act as president. *vt* preside over. **—ium** (prɛ'zi:dium) *n neu* **-ien** **1** presidium. **2** presidency. **3** chair.

prasseln ('prasəln) *vi* patter, drum, crackle.

Präteritum (prɛ'te:ritum) *n neu* **-ita** past tense.

Praxis ('praksis) *nf* **-xen** **1** practice. **2** (doctor's) surgery. **3** (lawyer's) office.

Präzedenzfall (prɛtse'dɛntsfal) *nm* precedent.

präzis (prɛ'tsi:s) *adj* **1** precise. **2** punctual.

predig/en ('pre:digən) *vi,vt* preach. **—er** *nm* — preacher. **—t** ('pre:dɪçt) *nf* **-en** sermon.

Preis (prais) *nm* **-e** **1** price. **2** prize. **3** praise. **—beaufsichtigung** *nf* **-en** price control. **—en*** ('praizən) *vt* praise. **—geben*** *vt* **1** give up, sacrifice. **2** expose. **—richter** *nm* umpire, judge. **—stopp** *nm* **-s** price freeze. **—wert** *adj* cheap, good value.

Preiselbeere ('praizəlbe:rə) *nf* **-n** cranberry.

prellen ('prɛlən) *vt* **1** deceive. **2** bang.

Premiere (prem'je:rə) *nf* **-n** premiere, first night.

Premierminister (prem'je:rministər) *nm* prime minister.

Presse ('prɛsə) *nf* **-n** **1** press, journalism. **2** *tech* press. **—ausweis** *nm* press card. **—freiheit** *nf* freedom of the press. **—n** *vt* **1** (com)press. **2** urge.

Preßkohle ('prɛsko:lə) *nf* briquette.

Preßluftbohrer ('prɛsluftbo:rər) *nm* pneumatic drill.

Preuß/en ('prɔysən) *n neu* Prussia. **-e** *nm* **-n** Prussian. **—isch** *adj* Prussian.

prickeln ('prikəln) *vi* prickle, itch.

Priester ('pri:stər) *nm* — priest. **—in** *nf* priestess.

prima ('pri:ma) *adj,interj* first class. *nf* **-men** sixth form.

primär (pri'mɛ:r) *adj* primary.

Primel ('pri:məl) *nf* **-n** primrose.

primitiv (primi'ti:f) *adj* primitive.

Prinz (prints) *nm* **-en** prince. **—essin** (prin'tsɛsin) *nf* **-nen** princess.

Prinzip (prin'tsi:p) *n neu* **-ien** principle. **—iell** (printsipi'ɛl) *adj* principle. *adv* on or in principle.

Prise ('pri:zə) *nf* **-n** **1** pinch (of salt, etc.). **2** *naut* prize, spoils.

Prisma ('prisma) *n neu* **-men** prism.

privat (pri'va:t) *adj* private. **—eigentum** *n neu* private property. **—recht** *n neu* civil law.

Privileg (privi'le:k) *n neu* **-ien** privilege. **—iert** (privili'gi:rt) *adj* privileged.

Prob/e ('pro:bə) *nf* **-n** **1** experiment. **2** test. **3** rehearsal. **4** sample. **—en** *vt,vi* **1** test. **2** rehearse. **—ezeit** *nf* probation, trial period. **—ieren** (pro'bi:rən) *vt* **1** try (out), attempt. **2** sample.

Problem (pro'ble:m) *n neu* **-e** problem. **—atisch** (proble'ma:tiʃ) *adj* problematic.

Produkt (pro'dukt) *n neu* **-e** **1** product. **2** result. **—ion** (produktsi'o:n) *nf* production. **—ionsmittel** *n neu pl* means of production. **—iv** (produk'ti:f) *adj* productive. **—ivität** (produktivi'tɛ:t) *nf* productivity.

Produz/ent (produ'tsɛnt) *nm* **-en** producer. **—ieren** (produ'tsi:rən) *vt* produce.

Profess/or (pro'fɛsər) *nm* **-en** professor. **—ur** (profɛ'su:r) *nf* **-en** professorship.

Profil (pro'fi:l) *n neu* **-e** profile.

Profit (pro'fi:t) *nm* **-e** profit. **—ieren** (profi'ti:rən) *vi* profit.

Prognose (pro'gno:zə) *nf* **-n** forecast, prognosis.

Programm (pro'gram) *n neu* **-e** programme. **—ieren** *vt* program.

Projekt (pro'jɛkt) *n neu* **-e** project. **—ion** (projɛktsi'o:n) *nf* **-en** projection.

projizieren (proji'tsi:rən) *vt* project.

Prolet (pro'le:t) *nm* **-en** *also* **Prolet/arier** (prole'tariər) — proletarian. **—ariat** (proletari'a:t) *n neu* proletariat.

Prolog (pro'lo:k) *nm* **-e** prologue.

Promenade (promə'na:də) *nf* **-n** promenade.

Promotion[1] (promotsi'o:n) *nf comm* promotion.

Promo/tion[2] (promotsi'o:n) *nf* **-en** award of a doctorate. **—vieren** (promo'vi:rən) *vt,vi* award or be awarded a doctorate.
Pronomen (pro'no:mɛn) *n neu* **-mina** pronoun.
Propaganda (propa'ganda) *nf* propaganda.
Propeller (pro'pɛlər) *nm* — propeller.
Proph/et (pro'fe:t) *nm* **-en** prophet. **—ezeien** (profe'tsaiən) *vt,vi* prophesy.
Proportion (propɔrtsi'o:n) *nf* **-en** proportion.
Prosa ('pro:za) *nf* **-sen** prose. **—isch** (pro'za:iʃ) *adj* prosaic.
prosit ('pro:zit) *interj* cheers! good health!
Prospekt (pro'spɛkt) *nm* **-e 1** prospect, view. **2** prospectus.
prostituier/en (prostitu'i:rən) *vt* prostitute. **—te** *nf* **-n** prostitute.
Protektorat (protɛkto'ra:t) *n neu* **-e 1** protectorate. **2** patronage.
Protest (pro'tɛst) *nm* **-e** protest **—ant** (protɛ'stant) *nm* **-en** Protestant. **—antisch** (protɛ'stantiʃ) *adj* Protestant. **—ieren** (protɛ'sti:rən) *vi* protest.
Protokoll (proto'kɔl) *n neu* **-e 1** minutes, record. **2** protocol.
Proton ('pro:tɔn) *neu* **-en** proton.
Protz (prɔts) *nm* **-en** snob. **—en** *vi* show off (one's wealth), be ostentatious. **—ig** *adj* **1** snobbish, ostentatious. **2** gaudy.
Proviant (provi'ant) *nm* **-e** provisions, food.
Provinz (pro'vints) *nf* **-en** province. **—ial** (provintsi'a:l) *adj* provincial. **—iell** (provintsi'ɛl) *adj* provincial, narrow-minded, petty.
provisorisch (provi'zo:riʃ) *adj* provisional.
provozieren (provo'tsi:rən) *vt* provoke.
Prozedur (protse'du:r) *nf* **-en 1** procedure. **2** *law* proceedings.
Prozent (pro'tsɛnt) *n neu* **-e** percent. **—satz** *nm* percentage.
Prozeß (pro'tsɛs) *nm* **-zesse 1** lawsuit, case, trial. **2** process.
prüde ('pry:də) *adj* prudish.
prüf/en ('pry:fən) *vt* **1** examine. **2** test. **3** inspect. **—er** *nm* — examiner, auditor. **—stein** *nm* yardstick. **—ung** *nf* **-en 1** examination. **2** test, inspection.
Prügel ('pry:gəl) *nm* **1** stick. **2** beating. **—ei** (pry:gə'lai) *nf* **-en** brawl. **—n** *vt* beat.
Prunk (pruŋk) *nm* splendour, pomp. **—en** *vi* make a show. **—voll** *adj* showy, ornate.
Psalm (psalm) *nm* **-en** psalm.
Psych/iatrie (psyçia'tri:) *nf* psychiatry. **—isch** ('psy:çiʃ) *adj* psychic. **—oanalyse** (psyçoana'ly:zə) *nf* psychoanalysis. **—ologie** (psyçolo'gi:) *nf* psychology. **—osomatisch** (psyçoso'ma:tiʃ) *adj* psychosomatic.
Pubertät (pubɛr'tɛ:t) *nf* puberty.
Publikum ('pu:blikum) *n neu* public.
publizieren (publi'tsi:rən) *vt* publish.
Pudding ('pudiŋ) *nm* **-e** pudding.
Pudel ('pu:dəl) *nm* — poodle.
Puder ('pu:dər) *nm* powder. **—n** *vt* powder.
Puff (puf) *nm* **¨-e 1** push. **2** thump. **3** bang, crash. **4** *inf* brothel. **—er** *nm* — buffer. **—spiel** *n neu* backgammon.
Puls (puls) *nm* **-e** pulse. **—ieren** (pul'zi:rən) *vi* pulsate, throb.
Pult (pult) *n neu* **-e** desk.
Pulver ('pulvər) *n neu* powder. **—isieren** (pulvəri'zi:rən) *vt* pulverize.
Pumpe ('pumpə) *nf* **-n** pump. **—n** *vt* **1** pump. **2** *inf* borrow or lend.
Punkt (puŋkt) *nm* **-e 1** point. **2** dot, spot. **3** full stop. **4** item. **—ieren** (puŋk'ti:rən) *vt* **1** punctuate. **2** *med* puncture. **¨-lich** ('pynktliç) *adj* **1** punctual. **2** exact. **¨-lichkeit** *nf* punctuality.
Pupille (pu'pilə) *nf* **-n** *anat* pupil.
Puppe ('pupə) *nf* **-n 1** doll, puppet. **2** chrysalis, pupa. **—nspiel** *n neu* puppet show.
pur (pu:r) *adj* pure.
Purpur ('purpur) *nm* purple.
Purzel/baum ('purtsəlbaum) *nm* somersault. **—n** *vi* fall over, tumble down.
Pustel ('pustəl) *nf* **-n** pimple.
Pute ('pu:tə) *nf* **-n** turkey-hen. **—r** *nm* — turkey-cock.
Putsch (putʃ) *nm* **-e 1** putsch, coup. **2** uprising.
putz/en ('putsən) *vt* **1** clean(se). **2** polish. **3** wipe. **4** sweep. **5** adorn. **sich putzen** *vr* dress up. **—frau** *nf* charwoman, cleaner. **—lappen** *nm* cleaning rag, duster.
Pyjama (pi'dʒa:ma) *nm,neu* **-s** pyjamas.
Pyramide (pyra'mi:də) *nf* **-n** pyramid.
Pyrenäen (pyre'nɛ:ən) *n pl* Pyrenees.

Q

quabbelig ('kvabəliç) *adj* flabby, wobbly.
Quadrat (kva'dra:t) *n neu* **-e** square. **—meter** *nm,neu* square metre.
quadrieren (kva'dri:rən) *vt math* square.
quäken ('kvɛ:kən) *vi* (of a child, etc.) whine, squeal.
Qual (kva:l) *nf* **-en** pain, torment. **¨-en** ('kvɛ:-

lən) *vt* torment, torture. **—erei** (kvɛ:lə'rai) *nf* torment, torture.

qualifizieren (kvalifi'tsi:rən) *vt* qualify.

Qualität (kvali'tɛ:t) *nf* **-en** quality.

Qualle ('kvalə) *nf* **-n** jelly-fish.

Quantität (kvanti'tɛ:t) *nf* **-en** quantity.

Quarantäne (kvaran'tɛ:nə) *nf* **-n** quarantine.

Quark (kvark) *nm* **-e** 1 curds. 2 *sl* rubbish, trash. **—käse** *nm* 1 curd cheese. 2 cream cheese.

Quart (kvart) *n neu* **-e** 1 quarto. 2 quart. **—al** (kvar'ta:l) *n neu* **-e** quarter (of a year).

Quartett (kvar'tɛt) *n neu* **-e** quartet.

Quarz (kvarts) *nm* **-e** quartz.

Quatsch (kvatʃ) *nm* nonsense. **—en** *vi* talk nonsense.

Quecksilber ('kvɛkzilbər) *n neu* mercury.

Quelle ('kvɛlə) *nf* **-n** 1 source. 2 spring, fountain. **—n*** *vi* 1 well, flow. 2 swell. *vt* soak.

quer (kve:r) *adj* cross, diagonal. *adv* crosswise, obliquely. **—en** *vt* traverse, cross. **—schiff** *n neu* transept. **—schnitt** *nm* cross-section **—straße** *nf* crossroad.

quetschen ('kvɛtʃən) *vt* 1 press, crush. 2 squeeze, pinch.

quietschen ('kvi:tʃən) *vi* squeak.

Quintett (kvin'tɛt) *n neu* **—e** quintet.

Quirl (kvirl) *nm* **-e** whisk. **—en** *vt* whisk.

quitt (kvit) *adj* even, quits.

Quitte ('kvitə) *nf* **-n** quince.

Quittung ('kvituŋ) *nf* **-en** receipt.

R

Rabatt (ra'bat) *nm* **-e** discount.

Rabbiner (ra'bi:nər) *nm* — rabbi.

Rabe ('ra:bə) *nm* **-n** raven.

rabiat (rabi'a:t) *adj* rabid, raging, furious.

Rach/e ('raxə) *nf* revenge, vengeance. **—durstig** *adj* vengeful. **¨—en** ('rɛçən) *vt* avenge, revenge. **sich ¨—en** *vr* take revenge (on).

Rachen ('raxən) *nm* — 1 throat. 2 jaws.

Rad (ra:t) *n neu* **¨er** 1 wheel. 2 (bi)cycle. **—fahren*** *vi* cycle. **—fahrer** *nm* cyclist.

Radar ('ra:da:r) *n neu* radar.

Rädelsführer ('rɛ:dəlsfy:rər) *nm* ringleader.

radier/en (ra'di:rən) vt 1 erase. 2 etch. **—gummi** *nm* rubber, eraser. **—ung** *nf* **—en** 1 etching. 2 erasure.

Radieschen (ra'di:sçən) *n neu* — radish.

radikal (radi'ka:l) *adj* radical.

Radio ('ra:dio) *n neu* **-s** radio.

radioaktiv (radioak'ti:f) *adj* radioactive.

Radium ('ra:dium) *n neu* radium.

raffen ('rafən) *vt* 1 snatch (up), grab. 2 gather up (cloth).

raffinier/en (rafi'ni:rən) *vt* refine. **—t** *adj* cunning, clever, artful.

ragen ('ra:gən) *vi* tower (up), project.

Rahm (ra:m) *nm* cream. **—käse** *nm* cream cheese.

Rahmen ('ra:mən) *nm* — 1 frame, framework. 2 setting. *vt* frame.

Rakete (ra'ke:tə) *nf* **-n** rocket.

Rakett (ra'kɛt) *n neu* **-s** *sport* racket.

Ramme ('ramə) *nf* **-n** pile-driver. **—n** *vt* ram (in).

Rampe ('rampə) *nf* **-n** ramp.

'ran (ran) contraction of **heran.**

Rand (rant) *nm* **¨er** 1 edge. 2 brink. 3 border. **¨—en** ('rɛndərn) *vt* 1 border. 2 mill (coins).

Rang (raŋ) *nm* **¨e** 1 rank, order. 2 row. **—erhöhung** *nf* promotion.

rangieren (rã'ʒi:rən) *vt* 1 arrange, classify. 2 shunt. *vi* 1 be classified. 2 rank.

Ranke ('raŋkə) *nf* **-n** 1 shoot. 2 branch.

rannte ('rantə) *v* see **rennen.**

ranzig ('rantsiç) *adj* rancid.

Rapier (ra'pi:r) *n neu* **-e** rapier.

rar (ra:r) *adj* 1 rare. 2 exquisite. **sich rar machen** make oneself scarce.

rasch (raʃ) *adj* hasty, swift.

rascheln ('raʃəln) *vi* rustle.

rasen ('ra:zən) *vi* 1 rage. 2 rush. **—d** *adj* mad, raving.

Rasen ('ra:zən) *nm* — grass, lawn, turf.

rasier/en (ra'zi:rən) *vt,vi* shave. **—apparat** *nm* shaver, safety razor. **—klinge** *nf* razor blade. **—krem** *nm* shaving cream. **—messer** *n neu* razor **—wasser** *n neu* after-shave lotion.

Raspel ('raspəl) *nf* **-n** 1 rasp, file. 2 grater. **—n** *vt* 1 file. 2 grate.

Rass/e ('rasə) *nf* **-n** 1 race. 2 breed. **—enhaß** *nm* racialism. **—entrennung** *nf* racial segregation. **—ig** *adj* 1 thoroughbred. 2 fiery.

rasseln ('rasəln) *vi* rattle.

Rast (rast) *nf* **-en** rest(ing). **—en** *vi* rest. **—los** *adj* restless. **—platz** *nm* layby.

Rasur (ra'zu:r) *nf* **-en** shave.

Rat (ra:t) *nm* **¨e** 1 advice, counsel. 2 council. 3 councillor. **mit Rat und Tat** by word and deed. **—en*** *vt* 1 advise. 2 guess. **—geber** *nm* adviser. **—haus** *n neu* town hall. **—los**

adj at a loss. **—sam** *adj* advisable. **—schlag** *nm* (piece of) advice, recommendation.

Rate ('ra:tə) *nf* **-n** 1 instalment. 2 rate.

Ratif/'ation (ratifikatsi'o:n) *nf* **-en** 1 ratification. ∠ confirmation. **—izieren** (ratifi'tsi:rən) *vt* ratify.

Ration (ratsi'o:n) *nf* **-en** ration. **—al** (ratsio'na:l) *adj* rational, sensible. **—alisieren** (ratsionali'zi:rən) *vt* rationalize. **—ell** (ratsio'nɛl) *adj* 1 rational, logical. 2 economical. **—ieren** (ratsio'ni:rən) *vt* ration.

Rätsel ('rɛ:tsəl) *n neu* — 1 puzzle, riddle. 2 mystery. 3 enigma. **—haft** *adj* mysterious, puzzling.

Ratte ('ratə) *nf* **-n** rat.

raub/en ('raubən) *vt* rob. **¨-er** (rɔybər) *nm* — robber. **—tier** ('raupti:r) *n neu* beast of prey. **—überfall** ('raupy:bərfal) *nm* armed robbery, robbery with violence.

Rauch (raux) *nm* smoke. **—en** *vt,vi* smoke. *n neu* smoking. **—er** *nm* — smoker. **¨-ern** ('rɔyçərn) *vt* smoke, cure (meat, etc.). **—fang** *nm* **¨-e** chimney, flue. **—ig** *adj* smoky.

'rauf (rauf) contraction of **herauf.**

Raufbold ('raufbɔlt) *nm* **-e** bully, rowdy.

rauh (rau) *adj* 1 rough. 2 coarse. 3 hoarse. **—eit** ('rauhait) *nf* roughness, coarseness.

Raum (raum) *nm* **¨-e** 1 space. 2 room. 3 area. **¨-en** ('rɔymən) *vt* 1 remove. 2 clear away. 3 clear, evacuate. **—fahrt** *nf* space travel. **¨-lich** ('rɔymliç) *adj* spatial. **—schiff** *n neu* space ship.

Raupe ('raupə) *nf* **-n** 1 caterpillar. 2 caterpillar track.

Rausch (rauʃ) *nm* **¨-e** intoxication. **—en** *vi* 1 rustle. 2 rush. **—gift** *n neu* narcotic, drug. **—giftsüchtige(r)** *nm* (drug) addict. **—mittel** *n neu* drug, intoxicant.

Reagenzglas (re'a:gɛntsgla:s) *n neu* test tube.

reagieren (rea'gi:rən) *vi* react.

Reakt/ion (reaktsi'o:n) *nf* **-en** reaction. **—ionär** (reaktsio'nɛ:r) *nm* **-e** reactionary. **—or** (re'aktɔr) *nm* **-en** reactor.

real (re'a:l) *adj* real. **—isieren** (reali'zi:rən) *vt* 1 realize. 2 perform. 3 convert into money. **—ismus** (rea'lismus) *nm* realism. **—ität** (reali'tɛ:t) *nf* **-en** reality. **—schule** *nf* (technical) secondary school.

Reb/e ('re:bə) *nf* **-n** vine. **—stock** ('rɛpstɔk) *nm* vine.

Rebell (re'bɛl) *nm* **-en** rebel. **—ion** (rebɛli'o:n) *nf* **-en** rebellion.

Rebhuhn ('rɛphu:n) *n neu* **¨-er** partridge.

rechen ('rɛçən) *vt* rake. *nm* — rake.

Rechen/maschine ('rɛçənmaʃi:nə) *nf* calculating machine, calculator. **—schaft** *nf* account. **Rechenschaft ablegen** account for.

rechn/en ('rɛçnən) *vt,vi* calculate, reckon, count. **—er** *nm* — calculator. **—ung** *nf* **-en** 1 bill. 2 calculation.

recht (rɛçt) *adj* 1 right, correct. 2 right, right-hand. 3 correct, suitable. 4 real. 5 just. **recht haben** be right or correct. *adv* 1 correctly. 2 very. 3 really. 4 justly. *n neu* **-e** 1 right, privilege. 2 law.

Rechteck ('rɛçtɛk) *n neu* **-e** rectangle.

rechtfertigen ('rɛçtfɛrtigən) *vt* justify, vindicate.

rechtgläubig ('rɛçtglɔybiç) *adj* orthodox.

rechthaberisch ('rɛçtha:bəriʃ) *adj* dogmatic, obstinate.

rechtmäßig ('rɛçtmɛsiç) *adj* legal, lawful.

rechts (rɛçts) *adv* on or to the right.

Rechtsanwalt ('rɛçtsanvalt) *nm* lawyer, solicitor, barrister.

rechtschaffen ('rɛçtʃafən) *adj* upright, just.

Rechtschreibung ('rɛçtʃraibuŋ) *nf* **-en** spelling.

Rechtsfall ('rɛçtsfal) *nm* lawsuit.

Rechtsprechung ('rɛçtʃprɛxuŋ) *nf* **-en** 1 administration of justice. 2 jurisdiction.

Rechtsstaat ('rɛçtsʃta:t) *nm* constitutional state.

rechtzeitig ('rɛçttsaitiç) *adj* timely.

recken ('rɛkən) *vt* stretch (one's arms, legs, etc.). **sich recken** *vr* stretch oneself.

Redakt/eur (redak'tœ:r) *nm* **-e** editor. **—ion** (redaktsi'o:n) *nf* **-en** 1 editorial staff. 2 editing.

Red/e ('re:də) *nf* **-n** 1 talk. 2 speech. **nicht der Rede wert** not worth mentioning. **—efreiheit** *nf* freedom of speech. **—egewandt** *adj* eloquent. **—en** *vi* speak, talk. **—ensart** *nf* 1 phrase, expression. 2 empty phrase, cliché. **—ewendung** *nf* **-en** idiom, expression.

redigieren (redi'gi:rən) *vt* edit, revise.

redlich ('re:tliç) *adj* honest, fair.

Redner ('re:dnər) *nm* — speaker, orator.

redselig ('re:tze:liç) *adj* talkative.

reduzieren (redu'tsi:rən) *vt* reduce, decrease.

Reeder ('re:dər) *nm* — shipowner.

reell (re'ɛl) *adj* 1 honest. 2 (of business, etc.) fair. 3 respectable.

Referat (refe'ra:t) *n neu* **-e** 1 report. 2 lecture.

Referent (refe'rɛnt) *nm* **-en** 1 expert adviser. 2 lecturer, speaker.

reflektieren (reflɛk'ti:rən) *vt,vi* reflect.

reflexiv (reflɛk'si:f) *adj* reflexive.

Reform (re'fɔrm) *nf* **-en** reform. **—ieren** (refɔr'mi:rən) *vt* reform.
Refrain (rə'frɛ̃:) *nm* **-e** refrain.
Regal (re'ga:l) *n neu* **-e** shelf, book-shelf.
rege ('re:gə) *adj* lively, active. **—n** *vt* move, stir.
Regel ('re:gəl) *nf* **-n 1** rule. **2** regulation. **3** menstruation, menses, period. **—n** *vt* regulate. **—mäßig** *adj* regular, periodic. **—recht** *adj* regular, proper. **—ung** *nf* **-en** regulation, rule.
Regen ('re:gən) *nm* rain. **—bogen** *nm* rainbow. **—mantel** *nm* raincoat. **—schirm** *nm* umbrella.
Regent (re'gɛnt) *nm* **-en** regent.
Regie (re'ʒi:) *nf* **-n 1** *Th* production, direction. **2** administration. **3** state monopoly.
regier/en (re'gi:rən) *vt,vi* govern, reign (over). **—ung** *nf* **-en** government, administration.
Regiment (regi'mɛnt) *n neu* **-er 1** regiment. **2** rule, authority.
Regisseur (reʒi'sœ:r) *nm* **-e** *Th* producer, director.
Regist/er (re'gistər) *n neu* — **1** register. **2** table of contents. **3** index. **—rieren** (regi'stri:rən) *vt* **1** register. **2** index.
regn/en ('re:gnən) *vi* rain. **—erisch** ('re:gnəriʃ) *adj* rainy.
regulär (regu'lɛ:r) *adj* regular.
regulieren (regu'li:rən) *vt* regulate, adjust.
Regung ('re:guŋ) *nf* **-en 1** movement. **2** emotion. **3** impulse. **—slos** *adj* motionless.
Reh (re:) *n neu* **-e** roe (deer). **—bock** *nm* **-e** roebuck. **—kalb** *n neu* fawn.
reib/en* ('raibən) *vt* **1** rub. **2** grate. **—erei** (raibə'rai) *nf* **-en 1** friction. **2** conflict. **—ung** *nf* **-en 1** rubbing, friction. **2** clash, conflict. **—ungslos** *adj* frictionless, smooth.
reich (raiç) *adj* wealthy, rich. **—haltig** *adj* copious, ample. **—lich** *adj* plentiful, abundant. **—tum** *nm* **¨er** wealth, abundance.
Reich (raiç) *n neu* **-e** empire, realm.
reich/en ('raiçən) *vt* hand, offer, pass. *vi* **1** suffice. **2** reach. **—weite** *nf* **1** reach. **2** range.
reif (raif) *adj* mature, ripe. **—e** *nf* maturity, ripeness. **—ezeugnis** *n neu* school-leaving certificate.
Reif[1] (raif) *nm* hoarfrost.
Reif[2] (raif) *nm* **-e 1** band. **2** ring.
Reifen ('raifən) *nm* — **1** tyre. **2** hoop. **3** collar. **—panne** *nf mot* puncture.
Reihe ('raiə) *nf* **-n 1** file, row, rank. **2** series. **3** queue. **—n** *vt* **1** place in a row. **2** arrange. **—nfolge** *nf* sequence, order. **—nhäuser** *n neu pl* terraced houses.
Reiher ('raiər) *nm* — heron.
Reim (raim) *nm* **-e** rhyme. **—en** *vt,vi* rhyme.
rein[1] (rain) *adj* **1** clean. **2** pure. **3** absolute. **—machefrau** *nf* cleaner, charwoman. **—heit** *nf* cleanliness, purity. **—igen** *vt* **1** clean(se). **2** purify, refine. **—igung** *nf* **-en 1** cleaning. **2** cleansing, purification. **—lich** *adj* **1** clean. **2** neat.
'rein[2] (rain) contraction of **herein.**
Reis (rais) *nm* rice.
Reise ('raizə) *nf* **-n** journey, trip, tour. **—büro** *n neu* **1** tourist office. **2** travel agency. **—führer** *nm* guide(book). **—n** *vi* travel. **—nde(r)** *nm* **1** traveller. **2** passenger. **—scheck** *nm* traveller's cheque.
reiß/en* ('raisən) *vt* **1** tear. **2** drag. *vi* tear, split. **sich reißen um** fight for or over, scramble for. *~n neu inf* rheumatism. **—er** *nm* — **1** thriller. **2** (box-office) success. **—verschluß** *nm* zip(-fastener).
reit/en* ('raitən) *vt,vi* ride. **—er** *nm* — rider. **—erei** (raitə'rai) *nf* **-en** cavalry.
Reiz (raits) *nm* **-e 1** attraction, charm. **2** irritation, annoyance. **—bar** *adj* **1** sensitive. **2** irritable. **—en** *vt* **1** attract, charm. **2** irritate. **3** excite. *vi game* bid. **—end** *adj* charming, enchanting. **—mittel** *n neu* stimulant. **—ung** *nf* **-en 1** irritation. **2** provocation. **3** enticement, charm.
Reklame (re'kla:mə) *nf* **-n 1** advertising, publicity. **2** advertisement.
Rekord (re'kɔrt) *nm* **-e** record.
Rekrut (re'kru:t) *nm* **-en** recruit. **—ieren** (rekru'ti:rən) *vt* recruit. **sich —ieren** *vr* pick or take on recruits.
Rektor ('rɛktɔr) *nm* **-en** rector, vice-chancellor, principal.
relativ (rela'ti:f) *adj* relative.
Relief (reli'ɛf) *n neu* **-s** *Art,geog* relief.
Religi/on (religi'o:n) *nf* **-en** religion. **—ös** (religi'œ:s) *adj* religious, pious.
Ren (rɛn) *n neu* **-e** reindeer.
Renn/bahn ('rɛnba:n) *nf* **-en** racecourse or racetrack. **—en*** *vi* **1** run. **2** race. *vt* run. *n neu* — **1** running. **2** race. **3** racing. **—pferd** *n neu* racehorse. **—wagen** *nm* racing car.
Renomm/ee (reno'me:) *n neu* **-s** reputation. **—iert** (reno'mi:rt) *adj* widely respected.
renovieren (reno'vi:rən) *vt* renovate.
rentabel (rɛn'ta:bəl) *adj* profitable.

Rent/e ('rɛntə) *nf* **-n** **1** pension. **2** annuity, (unearned) income. **3** interest. **—ner** *nm* — pensioner.

Repar/ation (reparatsi'o:n) *nf* **-en** reparation. **—atur** (repara'tu:r) *nf* **-en** repair. **—ieren** (repa'ri:rən) *vt* repair.

Report/age (repɔr'ta:ʒə) *nf* **-n** **1** news report. **2** commentary. **—er** (re'pɔrtər) *nm* — reporter.

Repressalien (reprɛ'sa:liən) *n pl* reprisals.

Reproduktion (reproduktsi'o:n) *nf* **-en** reproduction.

Reptil (rɛp'ti:l) *n neu* **-ien** reptile.

Republik (repu'bli:k) *nf* **-en** republic.

Reserv/e (re'zɛrvə) *nf* **-n** reserve. **—ereifen** *n neu mot* spare tyre. **—ieren** *vt* reserve.

Residenz (rezi'dɛnts) *nf* **-en** **1** residence (of a government, court, prince, etc.). **2** capital.

Resonanz (rezo'nants) *nf* **-en** resonance, echo.

Respekt (re'spɛkt) *nm* respect. **—abel** (respɛk'ta:bəl) *adj* respectable. **—ieren** (respɛk'ti:rən) *vt* respect. **—ive** (respɛk'ti:və) *adv* respectively. **—voll** *adj* respectful.

Rest (rɛst) *nm* **-e** rest, remainder. **—lich** *adj* remaining.

Restaurant (rɛsto'rã:) *n neu* **-s** restaurant.

Restauration (restauratsi'o:n) *nf* **-en** **1** restoration. **2** restaurant.

Resultat (rezul'ta:t) *n neu* **-e** result, outcome.

Retorte (re'tɔrtə) *nf* **-n** *sci* retort.

rett/en ('rɛtən) *vt* save, rescue. **—ung** *nf* **-en** **1** rescue. **2** escape. **—ungsboot** *n neu* lifeboat.

Reue ('rɔyə) *nf* **1** remorse, regret. **2** repentance. **—n** *v imp* **es reut mich** I regret.

Revanche (re'vã:ʃə) *nf* **-n** revenge.

Revers[1] (re'vɛrs) *nm* **-e** bond.

Revers[2] (re'vɛrs) *nm* **-e** back, reverse (side).

Revers[3] (re'vɛ:r) *nm,neu* — lapel.

revidieren (revi'di:rən) *vt* **1** revise. **2** audit.

Revier (re'vi:r) *n neu* **-e** **1** district. **2** (policeman's) beat. **3** (delivery) round.

Revision (revizi'o:n) *nf* **-en** **1** revision. **2** audit, auditing. **3** *law* appeal.

Revolte (re'vɔltə) *nf* **-n** revolt.

Revolution (revolutsi'o:n) *nf* **-en** revolution. **—är** (revolutsio'nɛ:r) *nm* **-e** revolutionary. *adj* revolutionary.

Revolver (re'vɔlvər) *nm* — revolver.

rezens/ieren (retsɛn'zi:rən) *vt Th,lit* review. **—ion** (retsɛnzi'o:n) *nf* **-en** review.

Rezept (re'tsɛpt) *n neu* **-e** **1** prescription. **2** recipe.

Rhabarber (ra'barbər) *nm* — rhubarb.

Rhein (rain) *nm* Rhine. **—land** *n neu* Rhineland. **—land-Pfalz** *nf* Rhineland-Palatinate.

Rhetor/ik (re'to:rik) *nf* rhetoric. **—isch** *adj* rhetorical.

Rheumatismus (rɔyma'tismus) *nm* rheumatism.

Rhythmus ('rytmus) *nm* **-men** rhythm.

richt/en ('riçtən) *vt* **1** set. **2** direct, aim. **3** prepare. **4** arrange. **5** adjust. **6** judge. *vi* judge. **sich richten** *vr* **1** prepare. **2** comply. **—er** *nm* — **1** judge. **2** umpire. **—maß** *n neu* gauge. **—ung** *nf* **-en** direction.

richtig ('riçtiç) *adj* **1** correct, right. **2** real. **3** just. **—keit** *nf* **1** correctness. **2** accuracy.

rieb (ri:p) *v* see **reiben.**

riechen* ('ri:çən) *vt,vi* smell.

rief (ri:f) *v* see **rufen.**

Riegel ('ri:gəl) *nm* — bolt, bar. **—n** *vt* bolt, bar.

Riemen ('ri:mən) *nm* — **1** strap, band. **2** belt.

Ries/e ('ri:zə) *nm* **-n** giant. **—enhaft** *adj* gigantic, huge. **—ig** *adj* giant, enormous.

riet (ri:t) *v* see **raten.**

Riff (rif) *n neu* **-e** reef.

Rille ('rilə) *nf* **-n** groove, furrow.

Rind (rint) *n neu* **-er** **1** ox, cow. **2** *pl* cattle. **—fleisch** *n neu* beef. **—vieh** *n neu* cattle.

Rinde ('rində) *nf* **-n** **1** rind. **2** crust. **3** bark.

Ring (riŋ) *nm* **-e** **1** ring. **2** *comm* combine, syndicate. **—förmig** ('riŋfœrmiç) *adj* ring-shaped. **—straße** *nf* ring-road.

ring/en* ('riŋən) *vi* **1** wrestle, struggle. **2** fight (for), strive (after). *vt* wring (one's hands, etc.). **—kampf** *nm* wrestling match.

rings (riŋs) *adv* (a)round. **—um** (riŋs'um) *adv also* **—umher** or **—herum** all about or around.

Rinn/e ('rinə) *nf* **-n** **1** gutter, drain. **2** groove, channel. **—stein** *nm* gutter, drain.

Ripp/e ('ripə) *nf* **-n** **1** rib. **2** *cul* cutlet, chop. **—chen** *n neu* — cutlet.

Ris/iko ('ri:ziko) *n neu* **-s, -ken** risk. **—kant** (ris'kant) *adj* risky. **—kieren** (ris'ki:rən) *vt* risk.

riß (ris) *v* see **reißen.**

Riß (ris) *nm* **Risse** **1** tear. **2** crack, crevice. **3** *tech* drawing, design. **4** fracture.

ritt (rit) *v* see **reiten.**

Ritt (rit) *nm* **-e** ride.

Ritter ('ritər) *nm* — knight. **—gut** *n neu* manor, estate. **—lich** *adj* chivalrous.

rittlings ('ritliŋs) *adv* astride.

Ritus ('ri:tus) *nm* **-ten** rite.
Ritz (rits) *nm* **-e** *also* **Ritze** ('ritsə) *nf* **-n 1** cleft, fissure. **2** scratch.
Rizinusöl ('ri:tsinusœ:l) *n neu* castor oil.
roch (rɔx) *v* see **riechen.**
Rock (rɔk) *nm* **¨-e 1** skirt. **2** jacket, coat.
rod/en ('ro:dən) *vt* clear (woodland for cultivation). **—ung** *nf* **-en** cleared woodland.
Roggen ('rɔgən) *nm* rye. **—brot** *n neu* rye-bread.
roh (ro:) *adj* **1** raw. **2** crude. **3** rough, brutal. **—eit** ('ro:hait) *nf* **-en 1** rawness. **2** roughness, brutality. **—stoff** *nm* raw material.
Rohr (ro:r) *n neu* **-e 1** tube, pipe. **2** reed, cane. **3** barrel (of a gun). **¨-e** ('roe:rə) *nf* **-n 1** tube, pipe. **2** (radio) valve. **3** oven. **—geflecht** *n neu* wickerwork. **—weite** *nf tech* bore.
Roll/aden ('rɔlladən) *nm* roller blind. **—bahn** *nf aviat* runway. **—en** ('rɔlən) *vt,vi* roll. **—er** *nm* — **1** (motor) scooter. **2** roller, breaker. **—holz** *n neu* rolling pin. **—schuh** *nm* roller skate. **—stuhl** *nm* wheelchair. **—treppe** *nf* escalator.
Rolle ('rɔlə) *nf* **-n 1** roll. **2** *Th* role. **3** pulley. **4** castor. **5** mangle. **das spielt keine Rolle** that doesn't matter.
Rom (ro:m) *n neu* Rome.
Roman (ro'ma:n) *nm* **-e** novel.
Roman/tik (ro'mantik) *nf* romantic poetry, romanticism. **—tiker** *nm* — romanticist. **—tisch** *adj* romantic.
röntgen ('rœntgən) *vt* X-ray. **—aufnahme** *nf also* **—bild** *n neu* X-ray (photograph). **—strahlen** *nm pl* X-rays.
rosa ('ro:za) *adj* pink.
Ros/e ('ro:zə) *nf* **-n** rose. **—enkohl** *nm* Brussels sprout. **—enkranz** *nm* rosary.
Rosine (ro'zi:nə) *nf* **-n** raisin.
Rosmarin (rɔsma'ri:n) *nm* **-e** rosemary.
Roß (rɔs) *n neu* **Rosse** horse, steed.
Rost[1] (rɔst) *nm* **—e 1** grating. **2** *cul* grill. **—braten** *nm* roast (meat). **¨-n** ('rœ:stən) *vt* **1** roast. **2** toast. **3** grill.
Rost[2] (rɔst) *nm* rust. **—en** *vi* rust.
rot (ro:t) *adj,n. neu* red. **¨-e** ('rœ:tə) *nf* red, redness.
Röteln ('rœtəln) *n pl* German measles.
Rotor ('ro:tɔr) *nm* **-en** rotor, armature.
Rübe ('ry:bə) *nf* **gelbe Rübe** carrot. **weiße Rübe** turnip. **—nzucker** *nm* beet sugar.
Rubin (ru'bi:n) *nm* **-e** ruby.
Rubrik (ru'bri:k) *nf* **-en 1** rubric. **2** heading.
ruch/bar ('ru:xba:r) *adj* notorious. **—los** *adj* wicked, impious.
rückbezüglich ('rykbətsy:kliç) *adj* reflexive
Rückblende ('rykblɛndə) *nf* flashback.
Rückblick ('rykblik) *nm* **1** retrospect. **2** backward glance.
rücken ('rykən) *vt,vi* move, shift.
Rücken ('rykən) *nm* — back.
Rückfahrkarte ('rykfa:rkartə) *nf* return ticket.
Rückfahrt ('rykfa:rt) *nf* return voyage or trip.
Rückfall ('rykfal) *nm* **1** relapse. **2** reversion.
Rückgang ('rykgaŋ) *nm* decline, decrease.
rückgängig ('rykgɛŋiç) *adj* retrograde. **rückgängig machen** cancel, revoke.
Rückgrat ('rykgrat) *n neu* **-e** backbone, spine.
Rückhalt ('rykhalt) *nm* support.
Rückkehr ('rykke:r) *nf* return.
Rucksack ('rukzak) *nm* **1** rucksack. **2** sack.
Rückschlag ('rykʃlak) *nm* **1** setback. **2** recoil.
Rücksicht ('rykziçt) *nf* respect, consideration. **—slos** *adj* inconsiderate.
Rückspiegel ('rykʃpi:gəl) *nm* rear-view mirror
rückständig ('rykʃtɛndiç) *adj* **1** backward. **2** in arrears.
Rückstoß ('rykʃtɔs) *nm* recoil.
Rücktritt ('ryktrit) *nm* **1** resignation. **2** withdrawal.
rückwärts ('rykvɛrts) *adv* backwards.
Rückzug ('ryktsu:k) *nm* retreat.
Rudel ('ru:dəl) *n neu* — pack, herd, band.
Ruder ('ru:dər) *n neu* — **1** oar. **2** rudder **—boot** *n neu* rowing boat. **—n** *vi,vt* row.
Ruf (ru:f) *nm* **-e 1** cry, call. **2** reputation. **3** summons. **—en*** *vt* **1** cry, call. **2** summon. *vi* cry, call. **—nummer** *nf* telephone number.
Rüge ('ry:gə) *nf* **-n** reprimand, reproach. **—n** *vt* **1** reproach, admonish. **2** blame.
Ruh/e ('ru:ə) *nf* **1** quiet. **2** stillness, calm. **3** rest, relaxation. **—elos** *adj* restless. **—en** *vi* **1** rest, sleep. **2** be still. **3** be based (on). **—estand** *nm* retirement. **—ig** ('ru:iç) *adj* **1** quiet, still. **2** calm, peaceful.
Ruhm (ru:m) *nm* fame, glory. **¨-en** ('ry:mən) *vt* praise. **sich ¨-en** *vr* boast. **¨-lich** ('ry:mliç) *adj* glorious.
Ruhr (ru:r) *nf* dysentery
rühr/en ('ry:rən) *vt,vi* **1** move. **2** stir. **3** touch. **—ei** *n neu* scrambled eggs. **—selig** *adj* sentimental, emotional. **—ung** *nf* emotion.
Ruhrgebiet ('ru:rgəbi:t) *n neu* Ruhr region.
Ruin/e (ru'i:nə) *nf* **-n** ruin(s). **—ieren** (rui'ni:rən) *vt* ruin.
Rülps (rylps) *nm* **-e** belch. **—en** *vi* belch.

Rum (rum) *nm* **-s** rum.
Rumän/ien (ruˈmɛːniən) *n neu* Rumania. **—e** *nm* Rumanian. **—isch** *adj* Rumanian. *n neu* Rumanian (language).
Rummel (ˈruməl) *nm* **1** uproar, din. **2** bustle. **—platz** *nm* fairground, fun-fair.
Rumpf (rumpf) *nm* **¨-e 1** trunk, torso. **2** hull. **3** fuselage.
rümpfen (ˈrʏmpfən) *vt* turn up (one's nose).
rund (runt) *adj* **1** round. **2** plump. *adv* about, approximately. **—e** (ˈrundə) *nf* **-n 1** round. **2** lap. **3** circuit. **4** circle. **—fahrt** *nf* round trip. **—funk** *nm* **1** radio, wireless. **2** broadcasting. **—gang** *nm* **1** round. **2** circuit. **—heraus** (runtheˈraus) *adv* in plain terms. **—herum** (runtheˈrum) *adv* round about. **—schau** *nf* panorama, review. **—schreiben** *n neu* circular.
Runzel (ˈruntsəl) *nf* **-n** wrinkle. **—n** *vt* wrinkle, fold.
rupfen (ˈrupfən) *vt* **1** pluck. **2** *inf* fleece.
Ruß (ruːs) *nm* soot. **—ig** *adj* sooty.
Russ/e (ˈrusə) *nm* **-n** Russian. **—isch** *adj* Russian. *n neu* Russian (language). **—land** *n neu* Russia.
rüst/en (ˈrystən) *vt* **1** prepare. **2** equip. **3** arm. **—ig** *adj* vigorous. **—ung** *nf* **-en 1** preparation(s). **2** equipment. **3** armament. **4** armour.
Rute (ˈruːtə) *nf* **-n** rod.
Rutsch (rutʃ) *nm* **-e** slide, slip. **—bahn** *nf* **1** slide. **2** chute. **—en** *vi* slide, slip, skid. **—ig** *adj* slippery.
rütteln (ˈrʏtəln) *vt,vi* shake (up), jolt.

S

Saal (zaːl) *nm* **Säle** large room, hall.
Saat (zaːt) *nf* **-en 1** seed(s). **2** sowing.
Sabbat (ˈzabat) *nm* **-e** sabbath.
sabbern (ˈzabərn) *vi inf* **1** slobber. **2** drivel.
Säbel (ˈzɛːbəl) *nm* — sabre.
Saccharin (zaxaˈriːn) *n neu* saccharin.
Sach/e (ˈzaxə) *nf* **-n 1** matter. **2** thing. **3** affair, business. **4** *law* case, issue. **—bearbeiter** *nm* official or expert (with responsibility for a particular case or field). **—lage** *nf* state of affairs, situation. **—lich** *adj* **1** to the point. **2** real. **3** factual. **4** objective, impartial. **—¨lich** (ˈzɛçliç) *adj* neuter.
Sachs/e (ˈzaksə) *nm* Saxon. **—en** *n neu* Saxony. **—¨isch** (ˈzɛksiʃ) *adj* Saxon.
sacht (zaxt) *adj* gentle, soft. *adv* **1** gradually. **2** cautiously.
Sack (zak) *nm* **¨-e 1** sack, bag. **2** pocket, pouch. **—en** *vi* **1** sink. **2** sag. **—gasse** *nf* **1** blind alley, cul-de-sac. **2** deadlock.
Sadismus (zaˈdismus) *nm* sadism.
säen (ˈsɛːən) *vt* sow.
Saft (zaft) *nm* **¨-e 1** juice. **2** sap. **3** gravy. **—ig** *adj* juicy.
Sage (ˈzaːgə) *nf* **-n** legend, myth. **—nhaft** *adj* **1** legendary. **2** *inf* fabulous.
Säge (ˈzɛːgə) *nf* **-n** saw. **—n** *vt,vi* saw.
sagen (ˈzaːgən) *vt,vi* **1** say, tell. **2** express, declare. **3** mean.
sah (zaː) *v* see **sehen.**
Sahn/e (ˈzaːnə) *nf* cream. **—ig** *adj* creamy.
Saison (zɛˈzõː) *nf* **-s** (high) season.
Saite (ˈzaitə) *nf* **-n** string, chord. **—ninstrument** *n neu* stringed instrument.
Sakrament (zakraˈmɛnt) *n neu* **-e** sacrament.
Salat (zaˈlaːt) *nm* **-e 1** salad. **2** lettuce. **—soße** *nf* salad dressing.
Salbe (ˈzalbə) *nf* **-n** ointment, salve.
Salbei (zalˈbai) *nm,f cul* sage.
Salut (zaˈluːt) *nm* **-e** salute. **—ieren** (zaluˈtiːrən) *vt,vi* salute.
Salve (ˈzalvə) *nf* **-n** *mil* volley.
Salz (zalts) *n neu* **-e** salt. **—en** *vt* salt. **—faß** *n neu* saltcellar. **—ig** *adj* salty.
Sam/en (ˈzaːmən) *nm* **—** **1** seed. **2** sperm, semen. **—¨ling** (ˈzɛmliŋ), *nm* **-e** seedling.
Sämischleder (ˈzɛmiʃleːdər) *n neu* chamois (leather).
samm/eln (ˈzaməln) *vt,vi* collect, gather. **sich sammeln** *vr* **1** assemble. **2** compose oneself. **—ler** *nm* **—** **1** collector, gatherer. **2** *tech* accumulator. **—lung** *nf* **-en 1** collection. **2** concentration.
Samstag (ˈzamstaːk) *nm* **-e** Saturday. **—s** *adv* on Saturdays.
samt (zamt) *prep* together with. **—¨lich** (ˈzɛmtliç) *adj* **1** all. **2** complete, entire.
Sand (zant) *nm* **-e** sand. **—uhr** *nf* hourglass.
Sandale (zanˈdaːlə) *nf* **-n** sandal.
sandte (ˈzantə) *v* see **senden.**
sanft (zanft) *adj* **1** gentle, mild. **2** smooth, soft. **—mut** *nf* gentleness, sweetness.
sang (zaŋ) *v* see **singen.**
Sang (zaŋ) *nm* **¨-e** song. **—¨er** (ˈzɛŋər) *nm* **—, —¨erin** (ˈzɛŋərin) *nf* **-nen** singer.
sanier/en (zaˈniːrən) *vt* **1** *comm* restore, reorganize. **2** heal. **—ung** *nf* **-en 1** restoration, reconstruction. **2** sanitation.

sanit/är (zani'tɛ:r) *adj* sanitary. **—äter** (zani'tɛ:tər) *nm* — **1** ambulance man. **2** *med* orderly.

sank (zaŋk) *v* see **sinken.**

Sankt (zaŋkt) *adj Saint, St.*

Sanktion (zaŋktsi'o:n) *nf* **-en** sanction.

Saphir ('za:fir) *nm* **-e** sapphire.

Sardine (zar'di:nə) *nf* **-n** sardine.

Sarg (zərk) *nm* **¨-e** coffin.

sarkastisch (zar'kastiʃ) *adj* **1** sarcastic. **2** ironic.

saß (za:s) *v* see **sitzen.**

Satan ('za:tan) *nm* Satan.

Satellit (zatɛ'li:t) *nm* **-en** satellite. **—enstaat** *nm* satellite state.

Satin (sa'tɛ̃:) *nm* satin.

Satir/e (za'ti:rə) *nf* **-n** satire. **—isch** *adj* satirical.

satt (zat) *adj* **1** satisfied. **2** full. **3** tired (of), sick (of). **4** (of colour) deep. **¨-igen** ('zɛtigən) *vt* **1** satisfy, satiate. **2** saturate.

Sattel ('zatəl) *nm* **¨-** saddle.

Satz (zats) *nm* **¨-e** **1** sentence, clause. **2** leap, bound. **3** theorem, thesis. **4** *mus* movement. **5** dregs. **—lehre** *nf* syntax.

Satzung ('zatsuŋ) *nf* **-en** statute, regulation.

Sau (zau) *nf* **¨-e** sow. **—arbeit** *nf sl* drudgery. **—erei** (zauə'rai) *nf* **-en** dirty business.

sauber ('zaubər) *adj* **1** clean. **2** neat, tidy. **3** *inf* pretty, fine. **¨-n** ('zɔybərn) *vt* **1** clean. **2** purge. **¨-ung** ('zɔybəruŋ) *nf* **-en** **1** cleaning, clearing. **2** purge.

Saudi-Arabien ('zaudiara:biən) *n neu* Saudi-Arabia.

sauer ('zauər) *adj* **1** sour, acid. **2** (of work, etc.) hard. **3** sulky. **—stoff** *nm* oxygen.

sauf/en* ('zaufən) *vt,vi* **1** *inf* booze, drink (excessively). **2** (of animals) drink. **¨-er** ('zɔyfər) *nm* — drunkard.

saug/en* ('zaugən) *vt,vi* suck. **—er** *nm* — **1** sucker. **2** teat (of a baby's bottle). **—etier** *n neu* mammal. **—heber** *nm* siphon.

säug/en ('zɔygən) *vt* suckle. **—etier** *n neu* mammal. **—ling** ('zɔykliŋ) *nm* **-e** baby, suckling.

Säule ('zɔylə) *nf* **-n** column, pillar.

Saum (zaum) *nm* **¨-e** **1** seam. **2** hem. **3** border.

säumen[1] ('zɔymən) *vt* **1** hem. **2** border.

säumen[2] ('zɔymən) *vi* **1** delay. **2** hesitate.

Saumtier ('zaumti:r) *n neu* **-e** beast of burden.

Sauna ('zauna) *nf* **-s** sauna (bath).

Säure ('zɔyrə) *nf* **-n** **1** acid. **2** sourness.

Saxophon (zakso'fo:n) *n neu* **-e** saxophone.

schab/en ('ʃa:bən) *vt* **1** scrape. **2** grate. **—er** *nm* — scraper.

schäbig ('ʃɛ:biç) *adj* **1** shabby. **2** mean.

Schablone (ʃa'blo:nə) *nf* **-n** stencil, pattern.

Schach (ʃax) *n neu* chess. **—matt** *adj* checkmate.

Schacher ('ʃaxər) *nm* bargaining, haggling. **—n** *vi* haggle, barter.

Schacht (ʃaxt) *nm* **¨-e** **1** pit, shaft. **2** tunnel. **3** mine.

Schachtel ('ʃaxtəl) *nf* **-n** box.

schad/e ('ʃa:də) *interj* what a pity or shame! *adj* **es/das ist schade** it's/that's a pity or shame. **—en** *vi* **1** harm. **2** damage. *nm* **¨-** **1** damage. **2** harm. **3** loss, damages. **—ersatz** *nm* compensation. **—enfreude** *nf* malicious pleasure (in the misfortunes of others). **¨-igen** ('ʃɛ:digən) *vt* **1** harm. **2** damage. **¨-lich** ('ʃɛ:tliç) *adj* harmful, injurious.

Schädel ('ʃɛ:dəl) *nm* — skull.

Schaf (ʃa:f) *n neu* **-e** sheep. **¨-er** ('ʃɛ:fər) *nm* — shepherd. **¨-erhund** ('ʃɛ:fərhunt) *nm* sheep dog. **deutscher ¨-erhund** Alsatian.

schaffen[1] ('ʃafən) *vt* **1** remove, shift. **2** accomplish, manage. *vi* work.

schaffen*[2] ('ʃafən) *vt* create, make.

Schaffner ('ʃafnər) *nm* — **1** conductor. **2** ticket-collector. **3** guard. **4** steward.

Schaft (ʃaft) *nm* **¨-e** **1** shaft. **2** stalk. **3** gunstock. **4** handle.

Schale ('ʃa:lə) *nf* **-n** **1** peel. **2** shell. **3** skin. **4** bowl, dish. **¨-n** ('ʃɛ:lən) *vt* **1** peel. **2** skin. **3** shell.

Schalk (ʃalk) *nm* **-e** rogue, joker.

Schall (ʃal) *nm* **-e** **1** sound. **2** noise. **3** ring. **—dämpfer** *nm* silencer. **—dicht** *adj* soundproof. **—en** *vi* (re)sound. **—(geschwindigkeits)grenze** *nf* sound barrier. **—platte** *nf* (gramophone) record.

Schalt/brett ('ʃaltbrɛt) *n neu* **-er** **1** switchboard. **2** dashboard. **—en** *vi* **1** switch. **2** *mot* change gear. **3** rule. *vt* switch. **—er** *nm* — **1** switch. **2** ticket office. **3** counter. **—hebel** *nm mot* gear lever. **—jahr** *n neu* leap year. **—ung** *nf* **-en** **1** *mot* gear change. **2** (electric) circuit.

Scham (ʃa:m) *nf* shame, embarrassment. **sich ¨-en** ('ʃɛ:mən) *vr* be ashamed.

Shampun (ʃam'pu:n) *n neu* shampoo.

Schand/e ('ʃandə) *nf* shame, disgrace. **¨-en** ('ʃɛndən) *vt* **1** dishonour, disgrace. **2** rape. **3** desecrate. **4** disfigure. **5** soil. **¨-lich** ('ʃɛntliç) *adj* shameful, base, dishonourable. **—tat**

('ʃantta:t) *nf* shameful deed, crime. **—ung** ('ʃɛnduŋ) *nf* **-en** 1 shaming, dishonouring. 2 disfigurement. 3 violation, rape.

Schanze ('ʃantsə) *nf* **-n** 1 fortification, earthwork. 2 *naut* quarterdeck.

Schar (ʃa:r) *nf* **-en** troop, host. **sich scharen** *vr* assemble, crowd together.

scharf (ʃarf) *adj* 1 sharp. 2 caustic. 3 pungent. 4 severe. 5 shrewd. 6 strong. 7 (of explosives, etc.) live. **—e** ('ʃɛrfə) *nf* **-n** 1 sharpness. 2 shrewdness. 3 severity. **—en** ('ʃɛrfən) *vt* 1 sharpen. 2 intensify. **—richter** *nm* executioner. **—schütze** *nm* sniper.

Scharlachfieber ('ʃarlaxfi:bər) *n neu* scarlet fever.

scharmant (ʃar'mant) *adj* charming.

Scharmützel (ʃar'mytsəl) *n neu* — skirmish. **—n** *vi* skirmish.

Scharnier (ʃar'ni:r) *n neu* **-e** hinge.

Schatten ('ʃatən) *nm* — shadow, shade. **—bild** *n neu* silhouette. **—haft** *adj* shadowy. **—seite** *nf* 1 dark side. 2 drawback, snag.

Schatz (ʃats) *nm* **¨-e** 1 treasure. 2 darling, sweetheart. **—amt** *n neu* treasury. **—en** ('ʃtsən) *vt* 1 estimate, assess. 2 esteem, regard (highly). **—meister** *nm* treasurer. **—ung** ('ʃtsuŋ) *nf* **-en** 1 estimate. 2 approximation. 3 esteem. **—ungsweise** ('ʃtsuŋsvaizə) *adv* approximately.

Schau (ʃau) *nf* **-en** 1 show. 2 exhibition. 3 view. **—bühne** *nf* stage, theatre. **—en** *vt,vi* 1 see. 2 look (at). **—fenster** *n neu* shop window. **—spiel** *n neu* play, drama. **—spieler** *nm* actor. **—spielerin** *nf* actress.

schauder/haft ('ʃaudərhaft) *adj* horrible. **—n** *vi* shudder.

Schauer ('ʃauər) *nm* — 1 shower. 2 shiver, shudder. 3 terror, awe.

Schaufel ('ʃaufəl) *nf* **-n** 1 shovel. 2 paddle, blade.

Schaukel ('ʃaukəl) *nf* **-n** swing. **—n** *vt,vi* swing, rock.

Schaum (ʃaum) *nm* **¨-e** foam, froth. **—en** ('ʃɔymən) *vi* foam, effervesce.

Scheck (ʃɛk) *nm* **-s** cheque.

Scheibe ('ʃaibə) *nf* **-n** 1 slice. 2 disc. 3 pane. 4 target. **—nwischer** *nm* — windscreen-wiper.

Scheid/e ('ʃaidə) *nf* **-n** 1 border. 2 sheath. 3 vagina. **—en*** *vt* 1 separate, divide. 2 divorce. **sich scheiden lassen** get divorced. *vi* depart, retire. **—ung** *nf* **-en** 1 separation. 2 divorce.

Schein (ʃain) *nm* **-e** 1 appearance, semblance. 2 shine. 3 light. 4 banknote. 5 certificate. 6 licence. 7 receipt. **—bar** *adj* apparent. **—en*** *vi* 1 seem. 2 shine. **—heilig** *adj* hypocritical. **—werfer** *nm* 1 searchlight, spotlight. 2 *mot* headlight. 3 reflector.

Scheiße ('ʃaisə) *nf tab* excrement.

Scheitel ('ʃaitəl) *nm* — 1 crown (of the head). 2 apex. 3 parting (of the hair). **—punkt** *nm* zenith, highest point.

scheitern ('ʃaitərn) *vi* 1 fail. 2 be wrecked.

Schellfisch ('ʃɛlfiʃ) *nm* **-e** haddock.

Schelm (ʃɛlm) *nm* **-e** 1 rogue, rascal. 2 joker.

Schemel ('ʃe:məl) *nm* — (foot)stool.

schenk/en ('ʃɛŋkən) *vt* 1 give (as a present). 2 endow. 3 pour (out). **—ung** *nf* **-en** donation.

Scherbe ('ʃɛrbə) *nf* **-n** 1 fragment. 2 chip. 3 splinter (of glass, pottery, etc.).

Scher/e ('ʃe:rə) *nf* **-n** 1 scissors, shears. 2 *zool* pincer, claw.

Scherz (ʃɛrts) *nm* **-e** 1 joke, jest. 2 prank, lark. **—en** *vi* 1 joke. 2 lark about. **—haft** *adj* playful, joking.

scheu (ʃɔy) *adj* shy, bashful. *nf* shyness. **—en** *vt* avoid. **sich —en** *vr* 1 be afraid (to). 2 be shy (of).

Scheuche ('ʃɔyçə) *nf* **-n** scarecrow.

Scheune ('ʃɔynə) *nf* **-n** barn.

Scheusal ('ʃɔyza:l) *n neu* **-e** monster.

scheußlich ('ʃɔysliç) *adj* hideous.

Schi (ʃi:) *nm* **-er** ski. **Schi laufen** ski.

Schicht (ʃiçt) *nf* **-en** 1 layer. 2 coat(ing). 3 (social) class. 4 shift. **—arbeit** *nf* shift work. **—en** *vt* pile, stack.

schick (ʃik) *adj* chic, elegant. *nm* elegance.

schicken ('ʃikən) *vt* send. **sich schicken** *vr* 1 happen. 2 be proper, fitting, or decent.

schicklich ('ʃikliç) *adj* decent, proper.

Schicksal ('ʃikza:l) *n neu* **-e** fate, destiny.

schieb/en* ('ʃi:bən) *vt* push, shove. *vi* profiteer. **—er** *nm* — 1 slide. 2 bolt (of a door, etc.). 3 profiteer. **—ung** *nf* **-en** 1 pushing. 2 profiteering. 3 underhand dealings, corrupt practice.

schied (ʃi:t) *v* see **scheiden.**

Schieds/gericht ('ʃi:tsgəriçt) *n neu* **-e** arbitration court. **—richter** *nm* 1 *sport* referee. 2 arbitrator.

schief (ʃi:f) *adj* 1 slanting, oblique. 2 sloping, inclined. 3 wrong, false.

schielen ('ʃi:lən) *vi* squint.

schien (ʃi:n) *v* see **scheinen.**

Schien/e ('ʃi:nə) *nf* **-n** 1 rail (of a railway

track). **2** *med* splint. **—bein** *n neu* **-e** shinbone.

schieß/en* ('ʃi:sən) *vt* shoot. *vi* **1** shoot. **2** rush. **—pulver** *n neu* gunpowder.

Schiff (ʃif) *n neu* **-e 1** ship, vessel. **2** nave. **—ahrt** ('ʃifa:rt) *nf* shipping, navigation. **—bruch** *nm* shipwreck.

Schikan/e (ʃi'ka:nə) *nf* **-n 1** annoyance. **2** chicanery. **—ieren** (ʃika'ni:rən) *vt* annoy.

Schild (ʃilt) *n neu* **-er 1** name plate. **2** signboard. **3** badge. **4** label. *nm* **-e 1** shield. **2** coat-of-arms. **3** shell (of a tortoise or crab). **—ern** ('ʃildərn) *vt* describe, portray. **—kröte** ('ʃiltkrœ:tə) *nf* **1** turtle. **2** tortoise.

Schilf (ʃilf) *n neu* **-e** reed, rush.

Schilling ('ʃiliŋ) *nm* **-e 1** Austrian unit of currency. **2** shilling.

Schimmel ('ʃiməl) *nm* **1** mould, mildew. **2** *pl* — white horse. **—ig** *adj* mouldy.

Schimmer ('ʃimər) *nm* gleam, glimmer. **—n** *vi* gleam, glimmer.

Schimpanse (ʃim'panzə) *nm* **-n** chimpanzee.

Schimpf (ʃimpf) *nm* **-e 1** insult. **2** disgrace. **—en** *vt* abuse, insult. *vi* grumble, scold. **—wort** *n neu* **1** insult. **2** swear word.

schind/en* ('ʃindən) *vt* **1** torment. **2** exploit. **3** skin (an animal). **sich schinden** *vr* toil, slave. **—er** *nm* — **1** exploiter. **2** tormentor.

Schinken ('ʃiŋkən) *nm* ham.

Schirm (ʃirm) *nm* **-e 1** umbrella. **2** shade. **3** screen. **4** protection, shelter. **—en** *vt* shelter, protect. **—herr** *nm* patron.

Schlacht (ʃlaxt) *nf* **-en** battle. **—en** *vt* slaughter, butcher. **—erei** (ʃlɛçtə'rai) *nf* **-en 1** butcher's shop. **2** massacre. **—feld** *n neu* battlefield. **—haus** *n neu* slaughterhouse, abattoir. **—schiff** *n neu* battleship.

Schlaf (ʃla:f) *nm* sleep. **—anzug** *nm* pyjamas. **—en*** *vi* sleep. **—tablette** *nf* sleeping pill. **—rig** ('ʃla:friç) *adj* **1** sleepy. **2** dozy. **—sack** *nm* sleeping bag. **—wagen** *nm* sleeping car. **—zimmer** *n neu* bedroom.

schlaff (ʃlaf) *adj* **1** slack. **2** soft. **3** lax. **4** weak.

Schlag (ʃla:k) *nm* **-e 1** blow, stroke. **2** punch, slap. **3** (electric) shock. **4** peal, clap. **5** kind, sort. **—ader** *nf* artery. **—anfall** *nm med* stroke, fit. **—en*** ('ʃla:gən) *vt* **1** strike, beat. **2** defeat. **3** fell. *vi* **1** beat, strike. **2** ring. **sich —en** *vr* **1** fight (with). **2** side (with). **—fertig** *adj* quick-witted, ready. **—sahne** *nf* whipped cream. **—wort** *n neu* slogan. **—zeile** *nf* headline.

Schlager ('ʃla:gər) *nm* — **1** pop song, dance tune. **2** (smash) hit, great success.

Schläger ('ʃlɛ:gər) *nm* — **1** thug. **2** *cul* beater. **3** rapier. **4** *sport* racket, club, stick.

Schlamm (ʃlam) *nm* **-e** mud, sludge.

Schlamp/e ('ʃlampə) *nf* **-n** slut. **—erei** (ʃlampə'rai) *nf* **-en** slovenliness. **—ig** *adj* slovenly, sluttish.

Schlange ('ʃlaŋə) *nf* **-n 1** snake, serpent. **2** queue.

schlank (ʃlaŋk) *adj* slender, slim.

schlapp (ʃlap) *adj* **1** slack. **2** flabby.

schlau (ʃlau) *adj* **1** sly, cunning. **2** shrewd.

Schlauch (ʃlaux) *nm* **¨-e 1** tube. **2** hose. **3** *mot* inner tube.

schlecht (ʃlɛçt) *adj* **1** bad, wicked. **2** inferior. **—hin** *adv* simply, perfectly.

Schlegel ('ʃle:gəl) *nm* — **1** mallet. **2** club. **3** drumstick.

schleichen* ('ʃlaiçən) *vi* sneak, creep.

Schleier ('ʃlaiər) *nm* — veil. **—n** *vt* veil.

Schleif/e ('ʃlaifə) *nf* **-n 1** bow, slipknot. **2** slide, chute. **3** curve, loop. **—en*** *vt,vi* drag. *vt* **1** polish. **2** sharpen.

Schleim (ʃlaim) *nm* **-e** mucus, phlegm.

schleißen* ('ʃlaisən) *vt* **1** wear out. **2** slit, split.

schlendern ('ʃlɛndərn) *vi* stroll, dawdle.

schlepp/en ('ʃlɛpən) *vt* **1** drag, haul. **2** carry. **—er** *nm* — *also* **—dampfer** tug(boat).

Schlesien ('ʃle:ziən) *n neu* Silesia.

Schleuder ('ʃlɔydər) *nf* **-n 1** sling, catapult. **2** spin-drier. **—n** *vt* **1** hurt, sling. **2** spin-dry. *vi mot* skid.

schleunig ('ʃlɔyniç) *adj* quick, prompt. **—st** *adv* in all haste, as quickly as possible.

Schleuse ('ʃlɔyzə) *nf* **-n 1** sluice. **2** lock (of a canal).

schlicht (ʃliçt) *adj* **1** plain, simple. **2** smooth. **—en** *vt* **1** settle (a quarrel). **2** smooth.

schlief (ʃli:f) *v* see **schlafen.**

schließ/en* ('ʃli:sən) *vi,vt* close, shut. *vt* **1** lock. **2** end, finish. **3** infer, conclude. **—fach** *n neu* **1** locker. **2** safe-deposit box. **—lich** ('ʃli:sliç) *adj* final. *adv* **1** finally. **2** after all.

schlimm (ʃlim) *adj* **1** bad, serious. **2** sick, ill. **—stenfalls** ('ʃlimstənfals) *adv* at (the) worst.

Schlinge ('ʃliŋə) *nf* **-n 1** loop, noose. **2** *med* sling. **3** snare.

schlingen*1 ('ʃliŋən) *vt* **1** wind, coil. **2** weave, plait. **3** tie, knot. **4** fling.

schlingen*2 ('ʃliŋən) *vi* gulp, eat greedily.

Schlitt/en ('ʃlitən) *nm* — sledge, sleigh. **—schuh** *nm* skate. **—schuhlaufen** *vi* skate.
Schlitz (ʃlits) *nm* **-e** slit, slot.
schloß (ʃlɔs) *v* see **schließen.**
Schloß (ʃlɔs) *n neu* **Schlösser** **1** castle, palace. **2** lock, clasp.
Schlosser ('ʃlɔsər) *nm* — **1** locksmith. **2** metal worker, fitter.
schlotterig ('ʃlɔtəriç) *adj* shaky, tottery.
Schluck (ʃluk) *nm* **-e** **1** gulp, swig. **2** sip. **—en** *vt* gulp (down), swallow. *nm* hiccup(s).
schlug (ʃlu:k) *v* see **schlagen.**
Schlund (ʃlunt) *nm* **¨e** **1** throat, gullet. **2** gulf, chasm.
schlüpf/en ('ʃlypfən) *vi* slip. **—er** *nm* (ladies') knickers, panties. **—rig** *adj* **1** slippery. **2** (of a joke, remark, etc.) obscene.
Schlupfloch ('ʃlupflɔx) *n neu* **1** loophole. **2** hiding place.
Schluß (ʃlus) *nm* **Schlüsse** **1** end, close. **2** conclusion, deduction. **—folgerung** *nf* conclusion. **—licht** *n neu* tail-light. **—stein** *nm* keystone.
Schlüssel ('ʃlysəl) *nm* — **1** key. **2** spanner. **3** *mus* clef. **—bein** *n neu* collarbone.
schmächtig ('ʃmɛçtiç) *adj* slender, slim.
schmackhaft ('ʃmakhaft) *adj* appetizing, tasty.
schmal (ʃma:l) *adj* **1** narrow, thin. **2** meagre.
Schmalz (ʃmalts) *n neu* **1** dripping, fat. **2** (exaggerated) sentimentality.
schmarotz/en (ʃma'rɔtsən) *vi* scrounge, sponge. **—er** *nm* — sponger, parasite.
Schmarren ('ʃmarən) *nm* — **1** pancake. **2** trash.
schmatzen ('ʃmatsən) *vi* smack (one's lips).
schmecken ('ʃmɛkən) *vt* **1** taste. **2** sample. *vi* taste (good).
Schmeich/elei (ʃmaiçə'lai) *nf* **-en** flattery. **—eln** ('ʃmaiçəln) *vi* flatter. **—ler** ('ʃmaiçlər) *nm* — flatterer.
schmeißen* ('ʃmaisən) *vt inf* throw, chuck.
schmelzen* ('ʃmɛltsən) *vt,vi* melt.
Schmerz (ʃmɛrts) *nm* **-en** **1** pain. **2** grief. **—haft** *adj also* **—lich** painful.
Schmetterling ('ʃmɛtərliŋ) *nm* **-e** butterfly.
Schmied (ʃmi:t) *nm* **-e** blacksmith. **—e** ('ʃmi:-də) *nf* **-n** (blacksmith's) forge. **—en** ('ʃmi:-dən) *vt* **1** forge. **2** construct.
Schmier/e ('ʃmi:rə) *nf* **-n** **1** grease. **2** ointment. **—en** *vt* **1** grease, lubricate. **2** smear. **3** spread (butter, etc.). **—ig** *adj* **1** greasy. **2** dirty. **3** sordid.
Schmink/e ('ʃmiŋkə) *nf* **-n** make-up. **—en** *vt* make up.
Schmor/en ('ʃmo:rən) *vt* **1** stew. **2** braise. **—braten** *nm* — stewed or braised meat.
Schmuck (ʃmuk) *nm* **-e** **1** ornament(s), jewellery. **2** decoration. **¨—en** ('ʃmykən) *vt* decorate, adorn.
schmugg/eln ('ʃmugəln) *vt,vi* smuggle. **—ler** ('ʃmuglər) *nm* — smuggler.
Schmutz (ʃmuts) *nm* dirt. **—ig** *adj* dirty.
Schnabel ('ʃna:bəl) *nm* **¨** **1** beak. **2** nozzle.
Schnall/e ('ʃnalə) *nf* **-n** buckle, fastener. **—en** *vt* buckle, fasten.
Schnaps (ʃnaps) *nm* **¨e** spirit, liquor.
schnarchen ('ʃnarçən) *vi* snore.
schnattern ('ʃnatərn) *vi* cackle.
schnaufen ('ʃnaufən) *vi* wheeze, gasp, pant.
Schnauz/e ('ʃnautsə) *nf* **-n** **1** muzzle. **2** snout. **—en** *vi* shout, bellow.
Schneck/e ('ʃnɛkə) *nf* **-n** snail. **—engang** *nm* snail's pace.
Schnee (ʃne:) *nm* snow. **—ball** *nm* snowball. **—flocke** *nf* snowflake. **—glöckchen** *n neu* snowdrop.
Schneid/e ('ʃnaidə) *nf* **-n** edge, blade. **—en*** *vt* **1** cut, carve. **2** reap, mow. **—er** *nm* — tailor.
schneien ('ʃnaiən) *vi* snow.
schnell (ʃnɛl) *adj* fast, quick, rapid. **—en** *vt* **1** jerk. **2** flick. *vi* spring. **—igkeit** *nf* speed, rapidity. **—zug** *nm* express train.
schnippisch ('ʃnipiʃ) *adj* saucy, cheeky.
schnitt (ʃnit) *v* see **schneiden.**
Schnitt (ʃnit) *nm* **-e** **1** cut. **2** slice. **3** pattern. **4** cut, fashion. **5** woodcut. **6** crop. **—lauch** *nm* chive(s).
Schnitz/el ('ʃnitsəl) *nm* — **1** cutlet. **2** chip. **—eln** *vt,vi* chip, shred.
Schnitzer ('ʃnitzər) *nm* — **1** carver, cutter. **2** blunder, (bad) mistake.
Schnörkel ('ʃnœrkəl) *nm* — **1** flourish, scroll. **2** squiggle.
schnüffeln ('ʃnyfəln) *vi* **1** sniff. **2** snoop.
Schnupfen ('ʃnupfən) *nm* — cold, chill.
Schnur (ʃnu:r) *nf* **¨e** **1** string, cord. **2** flex, (electrical) lead. **—gerade** *adv* straight as a die.
Schnür/band ('ʃny:rbant) *n neu* **¨er** lace. **—en** *vt* lace or tie (up). **—senkel** *nm* shoelace.
Schnurrbart ('ʃnurba:rt) *nm* moustache.
schob (ʃo:p) *v* see **schieben.**

Schock (ʃɔk) *nm* **-s** shock. **—ieren** (ʃɔ'ki:rən) *vt* shock.

Schokolade (ʃoko'la:də) *nf* **-n** chocolate.

Scholle ('ʃɔlə) *nf* **-n** **1** clod, lump. **2** plaice.

schon (ʃo:n) *adv* **1** already. **2** yet.

schön (ʃœ:n) *adj* **1** beautiful, handsome. **2** nice, fine. **—heit** *nf* beauty. **—heitskönigin** *nf* beauty queen.

schon/en ('ʃo:nən) *vt* spare, preserve. **—ung** *nf* **-en** **1** clemency, mercy. **2** consideration, care.

Schopf (ʃɔpf) *nm* **¨-e** **1** tuft, lock (of hair). **2** crest (of birds).

schöpf/en ('ʃœpfən) *vt* **1** scoop, ladle. **2** get, obtain. **—kelle** *nf* **-n** scoop, ladle.

Schöpf/er *nm* — creator. **—erisch** *adj* creative. **—ung** *nf* **-en** creation.

Schornstein ('ʃɔrnʃtain) *nm* **-e** chimney, funnel. **—feger** *nm* chimney-sweep.

schoß (ʃɔs) *v* see **schießen.**

Schoß[1] (ʃo:s) *nm* **¨-e** **1** lap. **2** womb.

Schoß[2] (ʃɔs) *nm* **Schosse** *bot* shoot, sprout.

Schote ('ʃo:tə) *nf* **-n** pod, shell.

Schott/e ('ʃɔtə) *nm* **-n** Scot, Scotsman. **—isch** *adj* Scottish. **—land** *n neu* Scotland.

schräg (ʃrɛ:k) *adj* oblique, slanting.

Schrank (ʃraŋk) *nm* **¨-e** cupboard, wardrobe.

Schranke ('ʃraŋkə) *nf* **-n** **1** barrier. **2** enclosure, arena. **—nlos** *adj* boundless.

Schraub/e ('ʃraubə) *nf* **-n** screw. **—en** *vt* screw, twist. **—enschlüssel** *nm* spanner, wrench. **—enzieher** *nm* screwdriver.

Schrebergarten ('ʃre:bərgartən) *nm* allotment.

Schreck (ʃrɛk) *nm* **-e** *also* **Schrecken** — **1** fright. **2** terror, horror. **—en** *vt* frighten. **—lich** *adj* terrible, dreadful, horrible.

Schrei (ʃrai) *nm* **-e** cry, scream. **—en*** *vi* cry, scream.

schreib/en* ('ʃraibən) *vt,vi* **1** write. **2** spell. *n neu* — letter. **—maschine** ('ʃraipmaʃi:nə) *nf* typewriter. **—papier** ('ʃraippapi:r) *n neu* notepaper. **—tisch** ('ʃraiptiʃ) *nm* desk.

Schrein (ʃrain) *nm* **-e** chest, cabinet. **—er** *nm* — cabinet-maker, carpenter.

schreiten* ('ʃraitən) *vi* step, stride.

schrie (ʃri:) *v* see **schreien.**

schrieb (ʃri:p) *v* see **schreiben.**

Schrift (ʃrift) *nf* **-en** **1** writing, work. **2** handwriting. **3** type, script. **4** scripture(s). **—lich** *adj* written, in writing. **—sprache** *nf* written language. **—steller** *nm* — writer, author.

schritt (ʃrit) *v* see **schreiten.**

Schritt (ʃrit) *nm* **-e** **1** step. **2** pace. **—macher** *nm* pacemaker.

schroff (ʃrɔf) *adj* **1** brusque, abrupt. **2** steep, rugged.

Schrot (ʃro:t) *nm,neu* **-e** (lead) shot. **—flinte** *nf* shotgun.

Schrott (ʃrɔt) *nm* **-e** scrap metal. **—haufen** *nm* scrap heap.

schrubben ('ʃrubən) *vt* scrub.

schrumpfen ('ʃrumpfən) *vi* **1** shrink. **2** become wrinkled.

Schub (ʃu:p) *nm* **¨-e** **1** push, thrust. **2** batch. **—karren** *nm* wheelbarrow. **—fach** *n neu also* **—lade** *nf* drawer.

schüchtern ('ʃyçtərn) *adj* shy, bashful, timid. **—heit** *nf* shyness.

Schuft (ʃuft) *nm* **-e** scoundrel.

Schuh (ʃu:) *nm* **-e** shoe, boot. **—löffel** *nm* shoehorn. **—macher** *nm* shoemaker.

Schul/e ('ʃu:lə) *nf* **-n** school, college. **—arbeit** *nf* **1** homework. **2** lesson. **—en** *vt* school, train. **¨—er** ('ʃy:lər) *nm* — schoolboy. **¨—erin** ('ʃy:lərin) *nf* **-nen** schoolgirl. **—rat** *nm* school inspector. **—ung** *nf* schooling.

Schuld (ʃult) *nf* **-en** **1** debt. **2** guilt. **3** offence. **—en** ('ʃuldən) *vt* owe. **—ig** ('ʃuldiç) *adj* **1** guilty. **2** indebted. **—los** ('ʃultlo:s) *adj* innocent.

Schulter ('ʃultər) *nf* **-n** shoulder.

Schund (ʃunt) *nm* trash, rubbish.

Schuppe ('ʃupə) *nf* **-en** **1** *zool* scale. **2** *pl* dandruff.

schüren ('ʃy:rən) *vt* stir up.

Schurke ('ʃurkə) *nm* **-n** villain, scoundrel.

Schürze ('ʃyrtsə) *nf* **-n** apron, pinafore.

Schuß (ʃus) *nm* **Schüsse** shot. **—waffe** *nf* firearm.

Schüssel ('ʃysəl) *nf* **-n** **1** bowl, dish. **2** dish, course.

Schuster ('ʃu:stər) *nm* — shoemaker, cobbler.

Schutt (ʃut) *nm* **1** rubbish. **2** rubble. **—haufen** *nm* rubbish or rubble heap.

schütteln ('ʃytəln) *vt* shake.

schütten ('ʃytən) *vt,vi* pour.

Schutz (ʃuts) *nm* **1** protection, defence. **2** shelter. **—brille** *nf* goggles. **¨—e** ('ʃytsə) *nm* **-n** **1** marksman, rifleman. **2** Sagittarius. **¨—en** ('ʃytsən) *vt* **1** protect, defend. **2** shelter. **¨—er** ('ʃytsər) *nm* — protector, patron. **—heili**ge(r) *nm* patron saint. **¨—ling** ('ʃytslig) *nm* **—e** protégé. **—mann** *nm* policeman. **—mittel** *n neu* preservative. **—polizei** *nf* police.

Schwabe ('ʃva:bə) *nm* **-n** Swabian. **—n** *n neu* Swabia.

schwach (ʃvax) *adj* weak. **-¨-e** ('ʃvɛçə) *nf* **-n** *also* **-heit** weakness. **-¨-lich** ('ʃvɛçliç) *adj* sickly, feeble. **—sinn** *nm* imbecility.

Schwadron (ʃva'dro:n) *nf* **-en** squadron.

Schwager ('ʃva:gər) *nm* **-¨** brother-in-law. **-¨-in** ('ʃvɛ:gərin) *nf* **-nen** sister-in-law.

Schwalbe ('ʃvalbə) *nf* **-n** swallow.

Schwall (ʃval) *nm* **-e** swell, torrent.

Schwamm (ʃvam) *nm* **¨-e 1** sponge. **2** fungus.

Schwan (ʃva:n) *nm* **¨-e** swan. **—engesang** *nm* swan song.

schwanger ('ʃvaŋər) *adj* pregnant. **—schaft** *nf* **-en** pregnancy. **—sverhütung** *nf* contraception.

schwanken ('ʃvaŋkən) *vi* **1** rock, sway. **2** hesitate, waver.

Schwanz (ʃvants) *nm* **¨-e 1** tail. **2** trail, train.

schwärm/en ('ʃvɛrmən) *vi* **1** swarm. **2** be enthusiastic, rave (about). **—erisch** *adj* wildly enthusiastic.

schwarz (ʃvarts) *adj,n neu* black. **—brot** *n neu* black bread. **—e(r)** *nm* Black, Negro. **-¨-e** ('ʃvɛrtsə) *nf* black(ness). **-¨-en** ('ʃvɛrtsən) *vt* **1** blacken. **2** slander, defame. **3** *inf* smuggle. **—markt** *nm* black market. **—wald** *nm* Black Forest. **—weiß** *adj* black and white.

schwatzen ('ʃvatsən) *vi* prattle, chatter.

Schweb/ebahn ('ʃve:bəba:n) *nf* **-en** cable railway. **—en** *vi* **1** hover, soar. **2** hang. **3** waver.

Schwed/en ('ʃve:dən) *n neu* Sweden. **—e** *nm* **-n** Swede. **—isch** *adj* Swedish. *n neu* Swedish (language).

Schwefel ('ʃve:fəl) *nm* sulphur.

schweig/en* ('ʃvaigən) *vi* fall or be silent. **—sam** ('ʃvaikza:m) *adj* silent, taciturn.

Schwein (ʃvain) *n neu* **-e** pig, swine. **Schwein haben** *inf* be in luck. **—efleisch** *n neu* pork. **—ehund** *nm inf* swine. **—erei** (ʃvaina'rai) *nf* **-en** mean trick. **—estall** *nm* pigsty.

Schweiß (ʃvais) *nm* sweat. **—en** *vt* weld.

Schweiz (ʃvaits) *nf* Switzerland. **—er** *nm* — Swiss. **—erisch** *adj* Swiss.

Schwelle ('ʃvɛlə) *nf* **-n 1** threshold. **2** sill. **3** beam. **4** (railway) sleeper.

schwellen* ('ʃvɛlən) *vi,vt* swell. *vi* expand, increase.

schwemmen ('ʃvɛmən) *vt* **1** water. **2** rinse. **3** float, drift.

Schwengel ('ʃvɛŋəl) *nm* — **1** clapper (of a bell). **2** handle (of a pump).

schwenk/en ('ʃvɛŋkən) *vi* **1** swivel, swing. **2** tilt. *vt* **1** swing. **2** shake, flourish. **3** *cul* toss. **4** rinse.

schwer (ʃve:r) *adj* **1** heavy. **2** difficult. **3** serious, grave. **4** clumsy. **5** (of food) stodgy. **—e** *nf* **-n 1** weight. **2** *sci* gravity. **3** seriousness. **4** difficulty. **5** severity. **—beschädigt** *adj* **1** disabled, crippled. **2** badly damaged. **—fällig** *adj* clumsy, ponderous. **—hörig** *adj* hard of hearing. **—industrie** *nf* heavy industry. **—lich** *adv* with difficulty, scarcely. **—punkt** *nm* **1** centre of gravity. **2** main point. **—verletzt** *adj* **1** disabled. **2** badly wounded, seriously injured. **—wiegend** *adj* grave, weighty.

Schwert (ʃve:rt) *n neu* **-er 1** sword. **2** *naut* centre-board, keel. **—lilie** *nf bot* iris.

Schwester ('ʃvɛstər) *nf* **-n** sister.

schwieg (ʃvi:k) *v* see **schweigen.**

Schwieger/mutter ('ʃvi:gərmutər) *nf* **-¨** mother-in-law. **—sohn** *nm* son-in-law. **—tochter** *nf* daughter-in-law. **—vater** *nm* father-in-law.

schwierig ('ʃvi:riç) *adj* difficult, hard. **—keit** *nf* **-en** difficulty, trouble.

Schwimm/bad ('ʃvimba:t) *n neu also* **Schwimm/becken** swimming pool. **—en*** *vi* **1** swim. **2** float. **—er** *nm* — **1** swimmer. **2** float. **—weste** *nf* life jacket.

Schwind/el ('ʃvindəl) *nm* — **1** dizziness, vertigo. **2** swindle. **3** lie, fib. **—(e)lig** *adj* dizzy. **—eln** *vi* **1** swindle, cheat. **2** lie. **3** be dizzy. **mir schwindelt** I feel dizzy. **—ler** ('ʃvindlər) *nm* — swindler, fraud.

Schwindsucht ('ʃvintzuxt) *nf med* consumption, tuberculosis.

schwingen* ('ʃviŋən) *vt,vi* **1** swing. **2** vibrate.

schwitzen ('ʃvitsən) *vi* sweat, perspire.

schwören* ('ʃvœ:rən) *vi,vt* swear, take (an oath).

schwul (ʃvu:l) *adj sl* queer, homosexual.

schwül (ʃvy:l) *adj* sultry, humid. **—e** *nf* sultriness, oppressive heat.

Schwulst (ʃvulst) *nm* **¨-e** bombast.

Schwung (ʃvuŋ) *nm* **¨-e 1** swing. **2** impetus. **3** enthusiasm, verve. **4** flair.

Schwur (ʃvu:r) *nm* **¨-e** oath. **—gericht** *n neu* assize court.

sechs (zɛks) *adj,nf* six. **—te** *adj* sixth.

sechzehn ('zɛçtse:n) *adj,nf* sixteen. **—te** *adj* sixteenth.

sechzig ('zɛçtsiç) *adj,nf* sixty. **—ste** *adj* sixtieth.

See (se:) *nm* **-n** lake. *nf* **-n** sea. **—bad** *n neu* seaside resort. **—fahrt** *nf* **1** voyage. **2** navigation. **—krank** *adj* seasick. **—mann** *nm* **-leute** sailor, marine. **—meile** *nf* nautical mile, knot. **—räuber** *nm* — pirate. **—zunge** *nf zool* sole.

Seel/e ('ze:lə) *nf* **-n** soul, mind. **—sorger** *nm* — clergyman.

Segel ('ze:gəl) *n neu* — sail. **—boot** *n neu* sailing boat. **—fliegen** *n neu* gliding. **—n** *vi* **1** sail. **2** soar, glide. **—tuch** *n neu* canvas.

Seg/en ('ze:gən) *nm* — **1** blessing. **2** prayer(s). **3** grace. **—nen** ('ze:gnən) *vt* bless. **—nung** ('ze:gnuŋ) *nf* **-en** blessing.

seh/en* ('ze:ən) *vt,vi* see, look. **—enswert** *adj* worth seeing. **—enswürdigkeit** *nf* **-en** object of interest, sight. **—er** *nm* — prophet.

Sehn/e ('ze:nə) *nf* **-n 1** tendon, sinew. **2** *math* chord. **3** (bow) string. **sich —en** *vr* long (for). **—sucht** *nf* longing.

sehr (ze:r) *adv* very, much.

sei (zai) *v* see **sein**[2].

seicht (zaiçt) *adj* **1** shallow. **2** insipid. **3** superficial.

seid (zait) *v* see **sein**[2].

Seide ('zaidə) *nf* **-n** silk.

Seidel ('zaidəl) *n neu* — (beer) mug.

Seif/e ('zaifə) *nf* **-n** soap. **—en** *vt* soap.

Seil (zail) *n neu* **-e** rope, cable. **—bahn** *nf* cable railway.

sein[1] (zain) *poss adj 3rd pers s* his, its. **—er** *poss pron 3rd pers s also* **der —e** or **der —ige** his. **—erseits** ('zainərzaits) *adv* for his part. **—esgleichen** ('zainəsglaiçən) *pron* people like him. **—ethalben** ('zainəthalbən) *adv also* **—etwegen** ('zainətve:gən) or **—etwillen** ('zainətvilən) for his sake.

sein[2] (zain) *vi* be, exist. *n neu* being, existence.

seit (zait) *prep,conj* since. **—dem** (zait'de:m) *conj* since. *adv* since then. **—her** (zait'he:r) *adv* **1** since then. **2** till now.

Seit/e ('zaitə) *nf* **-n 1** side. **2** page. **—engasse** *nf* (small) side street. **—ens** *adv* on the part or side of. **—lich** *adj* lateral, side. **—wärts** ('zaitvɛrts) *adv* sideways.

Sekretär (zekre'tɛ:r) *nm* **-e, Sekretärin** *nf* **-nen** secretary.

Sekt (zɛkt) *nm* **-e** champagne.

Sekte ('zɛktə) *nf* **-n** sect.

Sekunde (ze'kundə) *nf* **-n** second.

selber ('zɛlbər) *pron* self.

selbst (zɛlpst) *pron* **1** self. **2** unaided, alone. **ich selbst** I myself. **~n** *n neu* self. *adv* even.

Selbstachtung ('zɛlpstaxtuŋ) *nf* self-respect.

selbständig ('zɛlpstɛndiç) *adj* independent, autonomous. **—keit** *nf* independence.

Selbstbedienung ('zɛlpstbədi:nuŋ) *nf* self-service. **—srestaurant** *n neu* cafeteria.

Selbstbeherrschung ('zɛlpstbəhɛrʃuŋ) *nf* self-control.

selbstbewußt ('zɛlpstbəvust) *adj* self-confident.

Selbstgefühl ('zɛlpstgəfy:l) *n neu* self-respect, self-reliance, self-confidence.

selbstlos ('zɛlpstlo:s) *adj* selfless.

Selbstmord ('zɛlpstmɔrt) *nm* suicide. **—er** *nm* (person) suicide.

selbstsicher ('zɛlpstziçər) *adj* self-confident.

Selbstsucht ('zɛlpstzuxt) *nf* selfishness. **—ig** ('zɛlpstzyçtiç) *adj* selfish.

selbstverständlich ('zɛlpstfɛrʃtɛntliç) *adj* obvious. *adv* naturally, of course, obviously.

Selbstvertrauen ('zɛlpstfɛrtrauən) *n neu* self-confidence.

selig ('ze:liç) *adj* **1** blessed. **2** happy. **3** deceased, late. **—keit** *nf* **-en** bliss.

Sellerie ('zɛləri:) *nm,f* celery.

selten ('zɛltən) *adj* rare. *adv* seldom, rarely. **—heit** ('zɛltənhait) *nf* **-en 1** rarity. **2** scarcity.

seltsam ('zɛltza:m) *adj* strange, singular.

Semester (ze'mɛstər) *n neu* — semester.

Seminar (zemi'na:r) *n neu* **-e 1** seminar. **2** teacher-training college. **3** (academic) department.

Semmel ('zɛməl) *nf* **-n** roll, bun.

Senat (ze'na:t) *nm* **-e** senate.

send/en* ('zɛndən) *vt* **1** send. **2** broadcast. **—er** *nm* — **1** sender. **2** transmitter. **—ung** *nf* **-en 1** shipment. **2** transmission. **3** mission.

Senf (zɛnf) *nm* **-e** mustard.

Senkel ('zɛŋkəl) *nm* — (shoe)lace.

senk/en ('zɛŋkən) *vt* sink, lower. **sich senken** *vr* **1** sink. **2** slope. **—recht** *adj* vertical, perpendicular.

Sensation (zɛnzatsi'o:n) *nf* **-en 1** sensation. **2** thrill. **—ell** (zɛnzatsio'nɛl) *adj* sensational.

Sense ('zɛnzə) *nf* **-n** scythe.

sensuell (zɛnzu'ɛl) *adj* sensual.

sentimental (zɛntimɛn'ta:l) *adj* sentimental.

September (zɛp'tɛmbər) *nm* September.

Serie ('ze:riə) *nf* **-n** series. **—nbau** *nm also* **—nherstellung** *nf* mass production.

seriös (zeri'œ:s) *adj* **1** serious. **2** reliable.

Serv/ice (zɛr'vi:s) *n neu* — **1** (dinner) service.

2 service. **—ieren** (zɛr'vi:rən) *vt,vi* serve (food).

Serviette (zɛrvi'ɛtə) *nf* **-n** napkin, serviette.

Sessel ('zɛsəl) *nm* — armchair. **—lift** *nm* chair-lift.

seßhaft ('zɛshaft) *adj* 1 resident. 2 settled.

setzen ('zɛtsən) *vt* 1 set, put, place, lay. 2 erect. 3 wager. 4 compose. *vi* leap. **sich setzen** *vr* 1 sit down. 2 subside.

Seuche ('zɔyçə) *nf* **-n** epidemic.

seufz/en ('zɔyftsən) *vi* 1 sigh. 2 groan. **—er** *nm* — 1 sigh. 2 groan.

Sex (zɛks) *nm* 1 sex, sexual intercourse. 2 sexuality. **—uell** (zɛksu'ɛl) *adj* sexual.

sezieren (ze'tsi:rən) *vt* dissect.

Sibir/ien (zi'bi:riən) *n neu* Siberia. **—ier** *nm* — Siberian. **—isch** *adj* Siberian.

sich (ziç) *pron* 1 himself, herself, itself. 2 oneself. 3 themselves. 4 one another, each other.

Sichel ('ziçəl) *nf* **-n** 1 sickle. 2 crescent.

sicher ('ziçər) *adj* 1 safe, secure. 2 certain. 3 reliable. **—heit** *n* **-en** 1 certainty. 2 security. 3 safety. **—heitsdienst** *nm* security service. **—lich** *adv* certainly, surely. **—n** *vt* 1 protect. 2 secure. 3 fasten. 4 guarantee. **—stellen** *vt* safeguard, secure. **—ung** *nf* **-en** 1 safety mechanism. 2 protection. 3 *comm* security, guarantee. 4 fuse.

Sicht (ziçt) *nf* 1 sight. 2 visibility. **auf lange** or **weite Sicht** on a long-term basis. **—bar** *adj* visible. **—lich** *adj* obvious.

sie (zi:) *pron 3rd pers* 1 *s* she, her, it. 2 *pl* they, them. **Sie** *pron 2nd pers fml s,pl* you.

Sieb (zi:p) *n neu* **-e** sieve.

sieben[1] ('zi:bən) *vt* 1 sieve, sift. 2 select.

sieb/en[2] ('zi:bən) *adj,nf* seven. **—ente** *adj also* **—te** ('zi:ptə) seventh.

siebzehn ('zi:ptse:n) *adj,nf* seventeen. **—te** *adj* seventeenth.

siebzig ('zi:ptsiç) *adj,nf* seventy. **—ste** *adj* seventieth.

sied/eln ('zi:dəln) *vi* settle, colonize. **—ler** ('zi:dlər) *nm* — settler. **—ung** ('zi:dluŋ) *nf* **-en** 1 settlement. 2 housing estate.

Siedepunkt ('zi:dəpuŋkt) *nm* boiling point.

Sieg (zi:k) *nm* **-e** 1 victory. 2 conquest. **—en** ('zi:gən) *vi* be victorious, win. **—er** ('zi:gər) *nm* — victor. **—reich** *adj* victorious.

Siegel ('zi:gəl) *n neu* — seal. **—n** *vt* seal.

sieht (zi:t) *v* see **sehen.**

Signal (zig'na:l) *n neu* **-e** signal. **—wärter** *nm* signalman.

Signatur (zigna'tu:r) *nf* **-en** 1 sign. 2 mark, stamp. 3 signature.

Silbe ('zilbə) *nf* **-n** syllable.

Silber ('zilbər) *n neu* silver.

Silvester (zil'vɛstər) *nm* New Year's Eve.

simpel ('zimpəl) *adj* 1 simple. 2 foolish.

Sims (zims) *nm,neu* **-e** 1 ledge, sill. 2 shelf.

simulieren (zimu'li:rən) *vt* simulate, feign. *vi* 1 malinger. 2 feign.

sind (zint) *v* see **sein**[2].

Sinfonie (zinfo'ni:) *nf* **-n** symphony.

singen* ('ziŋən) *vt,vi* sing.

sinken* ('ziŋkən) *vi* 1 sink. 2 drop, slump.

Sinn (zin) *nm* **-e** 1 sense. 2 faculty. 3 meaning. 4 mind, consciousness. **—bild** *n neu* symbol. **—en*** *vt,vi* 1 think, reflect. 2 plan, scheme. **—lich** *adj* sensual, sensuous. **—los** *adj* senseless. **—voll** *adj* meaningful.

Sintflut ('zintflu:t) *nf* **-en** deluge.

Sipp/e ('zipə) *nf* **-n** 1 clan, tribe. 2 kin.

Sirup ('zi:rup) *nm* **-e** syrup.

Sitt/e ('zitə) *nf* **-n** 1 custom. 2 *pl* manners. 3 *pl* morals. **—lich** *adj* 1 moral. 2 decent, respectable. **—lichkeit** *nf* morality, morals.

Situation (zituatsi'o:n) *nf* **-en** situation.

Sitz (zits) *nm* **-e** 1 seat. 2 residence. 3 fit. **—en*** ('zitsən) *vi* 1 sit. 2 fit. **—ung** *nf* **—en** 1 sitting, session. 2 meeting.

Sizil/ien (zi'tsi:liən) *n neu* Sicily. **—ianer** (zitsili'a:nər) *nm* — Sicilian. **—ianisch** (zitsili'a:niʃ) *adj* Sicilian.

Skala ('ska:la) *nf* **Skalen** scale.

Skandal (skan'da:l) *nm* **-e** 1 scandal. 2 row, noise. **—ös** (skanda'lœ:s) *adj* scandalous.

Skandinav/ien (skandi'na:viən) *n neu* Scandinavia. **—ier** *nm* — Scandinavian. **—isch** *adj* Scandinavian.

Skelett (ske'lɛt) *n neu* **-e** skeleton.

skeptisch ('skɛptiʃ) *adj* sceptical.

Ski (ʃi:) *nm* see **Schi.**

Skizz/e ('skitsə) *nf* **-n** sketch. **—ieren** (skitsi:rən) *vt* sketch.

Sklav/e ('skla:və) *nm* **-n** slave. **—erei** (skla:-və'rai) *nf* slavery. **—isch** ('skla:viʃ) *adj* 1 slavish. 2 servile.

Skorpion ('skɔrpion) *nm* **-e** 1 scorpion. 2 Scorpio.

Skrupel ('skru:pəl) *nm* — scruple. **—los** *adj* unscrupulous.

Smaragd (sma'rakt) *nm* **-e** emerald.

Smoking ('smo:kiŋ) *nm* **-s** dinner-jacket.

so (zo:) *adv* so, thus. **so daß** *conj* so that. **—bald** (zo'balt) *conj* as soon as.

Socke ('zɔkə) *nf* **-n** sock. **—nhalter** *nm* garter.
Sockel ('zɔkəl) *nm* — pedestal, base.
sodann (zo'dan) *conj* then.
Sodawasser ('zo:dəvasər) *n neu* soda water.
Sodbrennen ('zo:tbrɛnən) *n neu* heartburn.
soeben (zo'e:bən) *adv* just (now).
Sofa ('zo:fa) *n neu* **-s** sofa, couch.
sofern (zo'fɛrn) *conj* **1** as far as, so far as. **2** provided that.
sofort (zo'fɔrt) *adv* immediately, at once.
Sog (zo:k) *nm* **-e 1** suction. **2** wake.
sogar (zo'ga:r) *adv* even.
sogenannt ('zo:gənant) *adj* so-called.
Sohle ('zo:lə) *nf* **-n** sole (of a shoe). **—n** *vt* sole.
Sohn (zo:n) *nm* **¨-e** son.
solang (zo'laŋ) *conj* while, so long as.
solch (zɔlç) *adj,pron* such.
Soldat (zɔl'da:t) *nm* **-en** soldier.
Söldner ('zœldnər) *nm* — mercenary.
solid (zo'li:t) *adj* **1** solid. **2** reliable.
Solist (zo'list) *nm* **-en** soloist.
sollen* ('zɔlən) *v mod aux* **1** should, ought (to). **2** be said, be supposed (to).
Solo ('zo:lo) *n neu* **-s** solo.
Sommer ('zɔmər) *nm* — summer. **—sprosse** *nf* freckle.
Sonate (zo'na:tə) *nf* **-n** sonata.
Sonde ('zɔndə) *nf* **-n** probe.
Sonder/angebot ('zɔndərangəbo:t) *n neu* **-e** special offer. **—ausgabe** *nf* special edition. **—bar** ('zɔndərba:r) *adj* strange, singular.
sondern[1] ('zɔndərn) *vt* separate.
sondern[2] ('zɔndərn) *conj* but. **nicht nur ...sondern auch** not only...but also.
Sonett (zo'nɛt) *n neu* **-e** sonnet.
Sonnabend ('zɔna:bənt) *nm* **-e** Saturday. **—s** *adv* on Saturdays.
Sonn/e ('zɔnə) *nf* **-n** sun. **—enaufgang** *nm* sunrise. **—enbrand** *nm* sunburn. **—enfinsternis** *nf* solar eclipse. **—enschein** *nm* sunshine. **—enstich** *nm* sunstroke. **—enuhr** *nf* sundial. **—enuntergang** *nm* sunset. **—ig** *adj* sunny.
Sonntag ('zɔnta:k) *nm* **-e** Sunday. **—s** *adv* on Sundays.
sonst (zɔnst) *adv* **1** otherwise. **2** else. **3** besides. **—ig** *adj* **1** other. **2** former. **—wo** ('zɔnstvo) *adv* elsewhere.
Sopran (zo'pra:n) *nm* **-e** soprano, treble. **—istin** (zopra'nistin) *nf* **-nen** soprano (singer)
Sorg/e ('zɔrgə) *nf* **-n 1** care. **2** trouble, worry. **3** grief. **—en** *vi* care, take care. **—en für** care or provide for, take care of, look after. **sich —en** *vr* worry. **—falt** ('zɔrkfalt) *nf* care, carefulness.
Sort/e ('zɔrtə) *nf* **-n** sort, type. **—ieren** (zɔr'ti:rən) *vt* sort, arrange.
soso (zo'zo:) *adv inf* passably, so-so.
Soße ('zo:sə) *nf* **-n 1** sauce. **2** gravy.
soweit (zo'vait) *conj* so far as.
sowie (zo'vi:) *conj* **1** as soon as. **2** just as.
sowieso (zovi:'zo:) *adv* anyhow, anyway.
Sowjet (zɔ'vjɛt) *nm* **-s** Soviet. **—isch** *adj* Soviet. **—union** *nf* Soviet Union.
sowohl (zo'vo:l) *conj* **sowohl...als auch** both...and.
sozial (zotsi'a:l) *adj* social. **—demokrat** *nm* social democrat. **—ismus** (zotsia'lismus) *nm* socialism. **—ist** (zotsia'list) *nm* **-en** socialist. **—produkt** *n neu pol* national product.
Soziolog/e (zotsio'lo:gə) *nm* **-n** sociologist. **—ie** (zotsiolo'gi:) *nf* sociology. **—isch** (zotsio'lo:giʃ) *adj* sociological.
sozusagen (zotsu'za:gən) *adv* so to speak.
Spachtel ('ʃpaxtəl) *nm,f* **-n 1** scraper. **2** spatula.
spähen ('ʃpɛ:ən) *vi* look out, watch.
Spalt (ʃpalt) *nm* **-e** crack, split. **—e** *nf* **-n 1** crack, split. **2** column (of print, etc.). **3** rift. **—en** *vt* split, divide. **—pilz** *nm* bacteria.
Span (ʃpa:n) *nm* **¨-e** chip, splinter.
Span/ien ('ʃpa:niən) *n* Spain. **—ier** ('ʃpa:niər) *nm* — Spaniard. **—isch** ('ʃpa:niʃ) *adj* Spanish. *n neu* Spanish (language).
Spann (ʃpan) *nm* **-e** instep.
Spann/e ('ʃpanə) *nf* **-n** span. **—en** *vt* **1** stretch. **2** tighten. **3** harness. **4** excite. **—ung** *nf* **-en 1** tension. **2** suspense. **3** voltage.
spar/en ('ʃpa:rən) *vt,vi* save. *vt* spare. **—kasse** *nf* savings bank. **¨—lich** ('ʃpɛ:rliç) *adj* meagre, scanty. **—sam** *adj* thrifty.
Spargel ('ʃpargəl) *nm* asparagus.
Spaß (ʃpa:s) *nm* **¨-e 1** fun, amusement. **2** joke.
spät (ʃpɛ:t) *adj* late. **—estens** *adv* at the latest.
Spaten ('ʃpa:tən) *nm* — spade.
Spatz (ʃpats) *nm* **-en** sparrow.
spazier/en (ʃpa'tsi:rən) *vi* (take a) walk, stroll. **—engehen*** *vi* go for a walk. **—gang** *nm* walk.
Speck (ʃpɛk) *nm* **1** bacon. **2** fat.
spedieren (ʃpe'di:rən) *vt* dispatch, forward.
Speer (ʃpe:r) *nm* **-e** spear, lance.
Speichel ('ʃpaiçəl) *nm* saliva, spittle.

Speicher ('ʃpaiçər) *nm* **-e 1** storeroom. **2** loft. **3** granary. **4** reservoir. **—n** *vt* store (up).

Speise ('ʃpaizə) *nf* **-n 1** food. **2** meal. **3** dish. **—eis** *n neu* ice cream. **—kammer** *nf* pantry, larder. **—karte** *nf* menu. **—n** *vi* eat, dine. **—saal** *nm* dining room or hall. **—wagen** *nm* dining car.

Spektakel (ʃpɛk'ta:kəl) *nm* — uproar, row.

spekulieren (ʃpeku'li:rən) *vi* speculate.

Sperr/e ('ʃpɛrə) *nf* **-n 1** closing. **2** barrier. **3** block. **4** blockade, embargo. **—en** *vt* **1** close, block (off). **2** shut (out). **3** cut off, stop.

Spesen ('ʃpe:zən) *n pl* expenses, charges.

spez/ialisieren (ʃpetsiali'zi:rən) *vt* specialize. **sich spezialisieren auf** specialize in. **—ialität** (ʃpetsiali'tɛ:t) *nf* **-en** speciality. **—iell** (ʃpetsi'ɛl) *adj* special.

spezifisch (ʃpe'tsi:fiʃ) *adj* specific.

Sphäre ('sfɛ:rə) *nf* **-n** sphere.

Spiegel ('ʃpi:gəl) *nm* — mirror. **—ei** *n neu* fried egg. **—n** *vt* reflect. *vi* shine. **—ung** *nf* **-en** reflection.

Spiel (ʃpi:l) *n neu* **-e 1** game. **2** play. **3** pack (of cards). **—en** *vt,vi* **1** play. **2** perform. **3** gamble. **—karte** *nf* playing card. **—platz** *nm* playground. **—zeug** *n neu* toy.

Spieß (ʃpi:s) *nm* **-e 1** spear. **2** *cul* spit. **—bürger** *nm* Philistine, (petit) bourgeois. **—ig** *adj* narrow-minded, Philistine.

Spinat (ʃpi'na:t) *nm* **-e** spinach.

Spinne ('ʃpinə) *nf* **-n** spider. **—n*** ('ʃpinən) *vt* **1** spin. **2** plot, think. *vi inf* **1** spin yarns, fib. **2** be crazy. **—r** *nm* — *inf* idiot.

Spion (ʃpi'o:n) *nm* **-e** spy.

Spirale (ʃpi'ra:lə) *nf* **-n** spiral.

Spital (ʃpi'ta:l) *n neu* **¨er** hospital.

spitz (ʃpits) *adj* pointed, sharp. **—bube** *nm* rogue, rascal. **—e** *nf* **-n 1** point. **2** peak, top. **3** lace. **—en** *vt* point, sharpen. **—findig** *adj* subtle. **—ig** *adj* pointed, sharp. **—name** *nm* nickname.

Splitter ('ʃplitər) *nm* — splinter. **—nackt** *adj* stark naked.

spontan (ʃpɔn'ta:n) *adj* spontaneous.

Sporn (ʃpɔrn) *nm* **Sporen** spur.

Sport (ʃpɔrt) *nm* **-e** sport, games. **—ler** ('spɔrtlər) *nm* — sportsman, athlete. **—platz** *nm* sports field. **—wagen** *nm* sports car.

Spott (ʃpɔt) *nm* mockery, ridicule. **—en** *vi* mock, ridicule.

sprach (ʃpra:x) *v* see **sprechen.**

Sprach/e ('ʃpra:xə) *nf* **-n 1** speech. **2** language. **—lehre** *nf* grammar. **—lich** *adj* linguistic. **—los** *adj* speechless.

sprang (ʃpraŋ) *v* see **springen.**

sprech/en* ('ʃprɛçən) *vi,vt* speak, talk. **—stunde** *nf* consulting hours, surgery.

spreng/en ('ʃprɛŋən) *vt* **1** explode, blast. **2** sprinkle. *vi* gallop. **—körper** *nm* explosive (charge). **—stoff** *nm* explosive.

spricht (ʃpriçt) *v* see **sprechen.**

Sprichwort ('ʃpriçvɔrt) *n neu* **¨er** proverb, saying.

sprießen* ('ʃpri:sən) *vi* sprout, bud.

spring/en* ('ʃpriŋən) *vi* **1** leap, jump. **2** dive.

Sprit (ʃprit) *nm* **-e 1** spirit, alcohol. **2** *inf* petrol.

Spritze ('ʃpritsə) *nf* **-n 1** syringe. **2** spray. **3** injection. **4** fire engine. **—n** *vt* **1** spray, squirt. **2** inject. *vi* spurt.

Sproß (ʃprɔs) *nm* **-e** *also* **Sprößling** ('ʃprœsliŋ) shoot, sprout.

Spruch (ʃprux) *nm* **¨e 1** saying. **2** judgment, sentence.

Sprudel ('ʃpru:dəl) *nm* **—e 1** mineral water. **2** spring.

Sprung (ʃpruŋ) *nm* **¨e 1** leap, spring. **2** dive. **3** short distance, stone's throw. **4** crack. **—brett** *n neu* **1** diving board. **2** stepping stone. **—feder** *nf* spring.

spucken ('ʃpukən) *vi,vt* spit.

Spuk (ʃpu:k) *nm* **-e** ghost. **—en** *vi* haunt.

Spule ('ʃpu:lə) *nf* **-n 1** spool, reel. **2** coil.

spül/en ('ʃpy:lən) *vt* **1** rinse, wash (up). **2** flush. **—mittel** *n neu* washing-up liquid.

Spur (ʃpu:r) *nf* **-en 1** track, trail. **2** trace, vestige, mark. **3** footprint.

Staat (ʃta:t) *nm* **-en 1** state. **2** pomp. **—lich** *adj* state. **—angehörigkeit** *nf* nationality. **—anwalt** *nm* public prosecutor. **—smann** *nm* statesman. **—sstreich** *nm* coup d'état.

Stab (ʃta:p) *nm* **¨e** staff. **—springen*** *vi* pole-vault.

stabil (ʃta'bi:l) *adj* stable.

Stachel ('ʃtaxəl) *nm* **-n 1** prickle. **2** sting. **3** quill, spine. **4** spike. **—beere** *nf* gooseberry. **—draht** *nm* barbed wire. **—schwein** *nm* porcupine.

Stadt (ʃtat) *nf* **¨e** city, town. **—isch** ('ʃtɛ:tiʃ) *adj* municipal, town. **—viertel** *n neu* quarter, district.

Staffel ('ʃtafəl) *nf* **-n 1** step, rung. **2** stage, degree. **3** *aviat* squadron. **4** *sport* relay. **—ei** (ʃtafə'lai) *nf* **-en** easel.

stahl (ʃta:l) *v* see **stehlen.**

Stahl (ʃtaːl) *nm* **-e** steel. **-ern** (ˈʃtɛːlərn) *adj* steel.

Stall (ʃtal) *nm* **¨-e** 1 stable. 2 cowshed. 3 pigsty. 4 (dog-)kennel.

Stamm (ʃtam) *nm* **¨-e** 1 trunk. 2 stem. 3 family. 4 race. **—baum** *nm* 1 family tree. 2 pedigree. **—en** *vi* originate, be descended. **—tisch** *nm* (table for) regular customers.

stampfen (ˈʃtampfən) *vt,vi* 1 stamp. 2 pound.

stand (ʃtant) *v* see **stehen.**

Stand (ʃtant) *nm* **¨-e** 1 stand. 2 situation. 3 location. 4 class, rank. 5 position. **—bild** *n neu* statue. **—esamt** (ˈʃtandəsamt) *n neu* registry office. **—haft** *adj* steadfast, constant. **—halten*** *vi* stand firm. **—ort** *nm* 1 location. 2 garrison. **—punkt** *nm* point of view, standpoint.

ständig (ˈʃtɛndiç) *adj* permanent, continuous. *adv* constantly, continually.

Stange (ˈʃtaŋə) *nf* **-n** pole, stick. **—nbohne** *nf* runner bean.

Stänker (ˈʃtɛŋkər) *nm* — *inf* trouble-maker. **—n** *vi inf* cause trouble, stir things up.

Stanniol (ʃtaniˈoːl) *n neu* **-e** tinfoil.

Stapel (ˈʃtaːpəl) *nm* — 1 pile. 2 stocks. **—lauf** *nm* launch(ing). **—n** *vt* pile up.

stark (ʃtark) *adj* 1 strong. 2 stout. 3 large. *adv* 1 strongly. 2 very, greatly. **¨-e** (ˈʃtɛrkə) *nf* **-n** 1 strength. 2 starch. **¨-en** (ˈʃtɛrkən) *vt* 1 strengthen. 2 starch.

starr (ʃtar) *adj* stiff, rigid. **—köpfig** (ˈʃtarkœpfiç) *adj* stubborn.

Start (ʃtart) *nm* **-e** 1 start. 2 *aviat* take-off. **—en** *vi* 1 start. 2 *aviat* take off. **—erklappe** *nf mot* choke.

Station (ʃtatsiˈoːn) *nf* **-en** 1 station, stop. 2 (hospital) ward.

Statist/ik (ʃtaˈtistik) *nf* **-en** statistics. **—isch** *adj* statistical.

statt (ʃtat) *prep* instead of. *nf* place, stead. **—finden*** *vi* take place, occur. **—haft** *adj* 1 permissible. 2 legal.

Stätte (ˈʃtɛtə) *nf* **-n** 1 place, spot. 2 abode. 3 scene (of an accident, etc.).

Statut (ʃtaˈtuːt) *n neu* **-en** statute.

Staub (ʃtaup) *nm* 1 dust. 2 pollen. **—ig** (ˈʃtaubiç) *adj* dusty. **—sauger** *nm* — vacuum cleaner.

Stau/damm (ˈʃtaudam) *nm* **¨-e** dam. **—en** *vt* dam up.

staunen (ˈʃtaunən) *vi* be amazed, wonder. *n neu* — amazement.

Steak (steːk) *n neu* steak.

stechen* (ˈʃtɛçən) *vt* 1 stab, pierce. 2 cut. 3 *game* trump. *vi* 1 sting. 2 burn. **—d** *adj* stinging.

steck/en (ˈʃtɛkən) *vt* 1 put, stick. 2 insert. *vi* be (found). *nm* — stick. **—brief** *nm* (arrest) warrant. **—dose** *nf* (electric) socket. **—enpferd** (ˈʃtɛkənpfert) *n neu* **-e** hobby-horse. **—er** *nm* — (electric) plug.

Steg (ʃteːk) *nm* **-e** 1 footpath. 2 footbridge. 3 *mus* bridge.

stehen* (ˈʃteːən) *vi* 1 stand. 2 be. **—bleiben*** *vi* stand still, stop.

stehlen* (ˈʃteːlən) *vt* steal.

steif (ʃtaif) *adj* stiff.

steig/en* (ˈʃtaigən) *vi* 1 climb. 2 rise. 3 mount. **—bügel** *nm* stirrup.

steiger/n (ˈʃtaigərn) *vt* 1 increase. 2 raise. **—ung** *nf* **-en** 1 rise. 2 increase. 3 intensification.

steil (ʃtail) *adj* steep.

Stein (ʃtain) *nm* **-e** stone, rock. **—alt** *adj* ancient, as old as the hills. **—bock** *nm* 1 ibex. 2 Capricorn. **—bruch** *nm* quarry. **—ern** (ˈʃtainərn) *adj* stone. **—ig** *adj* stony. **—schlag** *nm* rockfall, avalanche.

Stell/e (ˈʃtɛlə) *nf* **-n** 1 place, site, spot. 2 job, position. 3 office, authority. **—en** *vt* 1 place, put. 2 arrange. 3 adjust, set. 4 provide, supply. **sich —en** *vr* 1 present oneself. 2 sham, pretend to be. **—enlos** *adj* unemployed. **—envermittlung** *nf* employment agency. **—vertreter** *nm* deputy, representative.

Stellung (ˈʃtɛluŋ) *nf* **-en** 1 situation. 2 post, job. **—nahme** *nf* 1 attitude. 2 opinion.

Stelze (ˈʃtɛltsə) *nf* **-n** stilt.

Stempel (ˈʃtɛmpəl) *nm* — stamp. **—n** *vt* stamp, frank.

Stengel (ˈʃtɛŋəl) *nm* — stalk, stem.

Stenographie (ʃtenograˈfiː) *nf* **-n** shorthand.

Steppe (ˈʃtɛpə) *nf* **-n** steppe.

sterb/en* (ˈʃtɛrbən) *vi* die. **—lich** (ˈʃtɛrplic) *adj* mortal.

steril (ʃteˈriːl) *adj* sterile.

Stern (ʃtɛrn) *nm* **-e** star. **—bild** *n neu* constellation. **—chen** (ˈʃtɛrnçən) *n neu* — asterisk. **—deuterei** *nf* astrology. **—kunde** *nf* astronomy. **—warte** *nf* **-n** observatory.

stet (ʃteːt) *adj also* **stet/ig** constant, steady. **—s** *adv* always, constantly.

Steuer[1] (ˈʃtɔyər) *n neu* — helm, rudder. **—bord** *nm,neu* starboard. **—mann** *nm* helmsman. **—n** *vt,vi* steer.

Steuer[2] ('ʃtɔyər) *nf* **-n** tax.
Stich (ʃtiç) *nm* **-e** **1** prick, sting. **2** stitch. **3** *game* trick. **4** engraving. **5** taunt. **—wort** *n neu* **1** key-word. **2** cue.
sticken ('ʃtikən) *vt,vi* embroider.
Stickstoff ('ʃtikʃtɔf) *nm* nitrogen.
Stief/bruder ('ʃti:fbru:dər) *nm* stepbrother. **—mutter** *nf* stepmother. **—mütterchen** *n neu* — pansy. **—schwester** *nf* stepsister. **—sohn** *nm* stepson. **—tochter** *nf* stepdaughter. **—vater** *nm* stepfather.
Stiefel ('ʃti:fəl) *nm* — boot.
stieg (ʃti:k) *v* see **steigen.**
Stiel (ʃti:l) *nm* **-e** **1** handle. **2** stalk.
Stier (ʃti:r) *nm* **-e** **1** bull. **2** Taurus.
stieß (ʃti:s) *v* see **stoßen.**
Stift[1] (ʃtift) *n neu* **-e** (charitable) institution.
Stift[2] (ʃtift) *nm* **-e** **1** peg, pin. **2** pencil.
stift/en ('ʃtiftən) *vt* **1** give, donate. **2** found. **3** cause. **—ung** *nf* **-en** **1** institution. **2** donation.
Stil (ʃti:l) *nm* **-e** style.
still (ʃtil) *adj* **1** still, calm. **2** quiet. **3** silent. **Stiller Ozean** Pacific Ocean. **—e** *nf* **-n** **1** peace, stillness. **2** quiet, silence. **—egen** ('ʃtille:gən) *vt* shut down, stop. **—en** *vt* **1** still. **2** appease. **3** suckle (a child). **4** quench. **5** quieten. **—schweigend** ('ʃtilʃvaigənt) *adj* **1** silent, taciturn. **2** tacit. **—stand** *nm* standstill.
Stimm/e ('ʃtimə) *nf* **-n** **1** voice. **2** vote. **—en** *vi* **1** be correct. **2** agree. **3** vote. *vt* tune. **—ung** *nf* **-en** **1** mood, feeling. **2** tuning.
stinken* ('ʃtiŋkən) *vi* stink.
Stipendium (ʃti'pɛndium) *n neu* **-ien** scholarship, grant.
Stirn (ʃtirn) *nf* **-en** forehead, brow.
stöbern ('ʃtœ:bərn) *vi* rummage (around).
Stock (ʃtɔk) *nm* **¨-e** **1** stick, cane. **2** storey, floor. **—en** *vi* **1** stop, pause. **2** rot. **3** curdle. **4** thicken. **—werk** *n neu* storey, floor.
Stoff (ʃtɔf) *nm* **-e** **1** matter, substance. **2** material, fabric, cloth. **3** topic.
stöhnen ('ʃtœ:nən) *vi* groan.
Stoi/ker ('ʃto:ikər) *nm* — Stoic. **—sch** ('ʃto:-iʃ) *adj* stoical.
stolpern ('ʃtɔlpərn) *vi* stumble.
stolz (ʃtɔlts) *adj* **1** proud. **2** noble. **3** vain. *nm* pride.
stopfen ('ʃtɔpfən) *vt* **1** stuff, fill. **2** darn. **3** constipate.
Stoppel ('ʃtɔpəl) *nf* **-n** stubble.
stoppen ('ʃtɔpən) *vt,vi* stop, halt.
Stör (ʃtœ:r) *nm* **-e** sturgeon.
Storch (ʃtɔrç) *nm* **¨-e** stork.
stör/en ('ʃtœ:rən) *vt* bother, trouble, disturb. **—ung** *nf* **-en** **1** disturbance. **2** inconvenience. **3** interference (on a radio, etc.).
Stoß (ʃto:s) *nm* **¨-e** **1** push, thrust. **2** punch, kick, blow. **3** impact. **4** pile (of books, etc.). **—dämpfer** *nm* shock-absorber. **—en*** *vt* **1** push. **2** hit. **3** stab. **4** thrust. *vi* **1** bump, hit. **2** run (into). **sich —en** *vr* **1** bump. **2** take offence. **—stange** *nf mot* bumper.
stottern ('ʃtɔtərn) *vi,vt* stammer, stutter.
Straf/anstalt ('ʃtra:fanʃtalt) *nf* **-en** prison, penal institution. **—bar** *adj* punishable. **—e** *nf* **-n** **1** punishment, penalty. **2** fine. **—en** *vt* punish. **¨—ling** ('ʃtrɛ:fliŋ) *nm* **-e** convict. **—recht** *n neu* criminal law.
Strahl (ʃtra:l) *nm* **-en** **1** ray, beam. **2** jet. **3** flash. **—en** *vt,vi* **1** radiate. **2** beam. **—ung** *nf* **-en** radiation.
stramm (ʃtram) *adj* **1** taut. **2** robust.
Strand (ʃtrant) *nm* **¨-e** shore, coast, beach. **—gutjäger** *nm* beachcomber.
strapazieren (ʃtrapa'tsi:rən) *vt* **1** tire, exhaust. **2** wear out.
Straße ('ʃtra:sə) *nf* **-n** **1** street, road. **2** straits. **—nbahn** *nf* tram.
sträuben ('ʃtrɔybən) *vt* ruffle (up). **sich sträuben** *vr* oppose, refuse.
Strauch (ʃtraux) *nm* **¨-er** bush, shrub.
Strauß[1] (ʃtraus) *nm* **¨-e** bouquet, bunch.
Strauß[2] (ʃtraus) *nm* **-e** ostrich.
streb/en ('ʃtre:bən) *vi* strive (for). **—epfeiler** *nm* buttress. **—er** *nm* — climber, pusher.
Strecke ('ʃtrɛkə) *nf* **-n** **1** stretch, section. **2** distance.
Streich (ʃtraiç) *nm* **-e** **1** stroke, blow. **2** trick. **—eln** *vt* stroke, caress. **—en*** *vt* **1** stroke. **2** strike (out). **3** spread. *vi* rush, run. **—holz** *n neu* match. **—instrument** *n neu* stringed instrument.
Streif (ʃtraif) *nm* **-e** *also* **Streifen** *nm* — stripe, streak.
Streife ('ʃtraifə) *nf* **-n** **1** patrol. **2** raid.
streifen ('ʃtraifən) *vt* **1** streak, stripe. **2** graze. **3** touch on. **4** strip off. *vi* rove, ramble.
Streik (ʃtraik) *nm* **-e** (industrial) strike. **—brecher** *nm* strikebreaker, blackleg. **—en** *vi* strike. **—posten** *nm* picket.
Streit (ʃtrait) *nm* **-e** **1** dispute, quarrel. **2** brawl, struggle. **—en*** *vi* **1** quarrel, argue. **2** fight. **—frage** *nf* matter in dispute. **—ig** *adj* in dispute. **—kräfte** *nf pl* armed forces.

streng (ʃtrɛŋ) *adj* **1** harsh. **2** rigorous. **—e** *nf* **1** harshness. **2** rigour. **—gläubig** *adj* orthodox.
streuen ('ʃtrɔyən) *vt* **1** scatter, sprinkle. **2** sow.
Strich (ʃtriç) *nm* **-e 1** stroke. **2** line. **3** district. **4** touch. **5** (compass) point. **6** (wood) grain. **—punkt** *nm* semicolon.
Strick (ʃtrik) *nm* **-e** cord, rope. **—en** *vt,vi* knit.
strittig ('ʃtritiç) *adj* in dispute.
Stroh (ʃtro:) *n neu* straw. **—halm** *nm* (blade of) straw.
Strolch (ʃtrɔlç) *nm* **-e** tramp.
Strom (ʃtro:m) *nm* **¨-e 1** (large) river. **2** current. **3** electricity, electric current. **4** flood, torrent. **—abwärts** (ʃtro:m'apvɛrts) *adv* downstream. **—aufwärts** (ʃtro:m'aufvɛrts) *adv* upstream. **¨—en** ('ʃtroe:mən) *vi* **1** stream, flow. **2** flock. **¨—ung** ('ʃtroe:muŋ) *nf* **-en 1** current. **2** trend. **3** flow.
Struktur (ʃtruk'tu:r) *nf* **-en** structure.
Strumpf (ʃtrumpf) *nm* **¨-e** stocking. **—band** *n neu* garter. **—halter** *nm* — suspender. **—hose** *nf* tights.
Stube ('ʃtu:bə) *nf* **-n** room, chamber. **—rein** *adj* house-trained.
Stück (ʃtyk) *n neu* **-e 1** piece. **2** head, item. **3** play. **—arbeit** *nf* piecework. **—chen** ('ʃtykçən) *n neu* — scrap, bit.
Student (ʃtu'dɛnt) *nm* **-en.** **—in** *nf* **-nen** student.
Stud/ie ('ʃtu:diə) *nf* **-n 1** study. **2** sketch. **—ienrat** *nm* secondary-school teacher. **—ieren** (ʃtu'di:rən) *vt,vi* study. **—ium** ('ʃtu:dium) *n neu* **-ien 1** studies. **2** university education or course.
Stufe ('ʃtu:fə) *nf* **-n 1** step, stair. **2** rung. **3** stage. **4** *mus* interval. **—nweise** *adv* gradually, in stages.
Stuhl (ʃtu:l) *nm* **¨-e** chair, seat.
stumm (ʃtum) *adj* **1** dumb, mute. **2** silent.
stumpf (ʃtumpf) *adj* **1** blunt. **2** dull. *nm* **¨-e** stump. **—sinn** *nm* dullness, stupidity.
Stund/e ('ʃtundə) *nf* **-n 1** hour. **2** lesson. **—enplan** *nm* (school) timetable. **¨—lich** ('ʃtyntliç) *adj* hourly.
stur (ʃtu:r) *adj inf* obstinate.
Sturm (ʃturm), *nm* **¨-e 1** storm, gale. **2** attack. **¨—isch** ('ʃtyrmiʃ) *adj* stormy.
Sturz (ʃturts) *nm* **¨-e 1** fall. **2** downfall. **3** overthrow. **4** collapse. **¨—en** ('ʃtyrtsən) *vt* **1** overthrow. **2** throw down. *vi* **1** fall. **2** rush. **3** crash. **sich ¨—en** *vr* rush, plunge.
Stute ('ʃtu:tə) *nf* **-n** mare. **—nfüllen** *n neu* filly.
Stütze ('ʃtytsə) *nf* **-n 1** support, prop. **2** buttress. **3** help. **—n** *vt* prop (up), support.
Subjekt (zup'jɛkt) *n neu* **-e** subject.
Substantiv (zupstan'ti:f) *n neu* **-e** noun, substantive.
subtil (zup'ti:l) *adj* subtle.
Such/e ('zu:xə) *nf* **-n** search. **—en** *vt,vi* seek, search (for).
süchtig ('zyçtiç) *adj* **1** addicted (to). **2** sickly.
Süd (zy:t) *nm also* **Süden** ('zy:dən) south.
Südafrika (zy:t'afrika) *n neu* South Africa.
Südamerika (zyda'mɛrika) *n neu* South America.
südlich ('zy:tliç) *adj* south(ern).
Südost (zyd'ɔst) *nm also* **Sudost/en** (zyd'ɔstən) south-east. **—lich** *adj* south-eastern.
Südpol ('zy:tpo:l) *nm* South Pole.
südwärts ('zy:tvɛrts) *adv* southward(s), south.
Südwest (zyd'vest) *nm also* **Südwest/en** (zyd'vestən) south-west. **—lich** *adj* south-western.
Sultanine (zulta'ninə) *nf* **-n** *cul* sultana.
Sülze ('zyltsə) *nf* **-n 1** jellied meat. **2** brine.
Summe ('zumə) *nf* **-n** sum, total.
summen ('zumən) *vt,vi* hum, buzz.
Sumpf (zumpf) *nm* **¨-e 1** swamp, marsh, bog. **2** *tech* sump. **—ig** *adj* swampy.
Sund (zunt) *nm* **-e** *naut* straits.
Sünd/e ('zyndə) *nf* **-n** sin. **—enbock** *nm* scapegoat. **—er** *nm* — sinner.
Suppe ('zupə) *nf* **-n** soup.
süß (zy:s) *adj* sweet. **—e** *nf* sweetness. **—igkeit** *nf* **-en 1** sweetness. **2** *pl* sweets.
Sylvester (zyl'vɛstər) *nm* see **Silvester.**
Symbol (zym'bo:l) *n neu* **-e** symbol. **—isch** *adj* symbolic.
Synagoge (zyna'go:gə) *nf* **-n** synagogue.
Synonym (zyno'ny:m) *n neu* **-e** synonym.
Syphilis ('zy:filis) *nf* syphilis.
Syr/ien ('zy:riən) *n neu* Syria. **—ier** *nm* — Syrian. **—isch** *adj* Syrian.
System (zys'te:m) *n neu* **-e 1** system. **2** method. **3** doctrine. **—atisch** (zyste'ma:tiʃ) *adj* systematic.
Szene ('stse:nə) *nf* **-n 1** scene. **2** stage, set. **3** row, argument.

T

Tabak ('ta:bak) *nm* **-e** tobacco. **—händler** *nm* tobacconist.
Tabelle (ta'bɛlə) *nf* **-n 1** table. **2** index.
Tadel ('ta:dəl) *nm* — **1** blame. **2** reprimand,

reproach. **3** fault. **—los** *adj* blameless, flawless. **—n** *vt* **1** blame. **2** scold, reproach.

Tafel (ˈtaːfəl) *nf* **-n** **1** board, panel. **2** blackboard. **3** tablet, bar. **4** index. **5** table. **¨—n** (ˈtɛːfəln) *vt* panel.

Taffet (ˈtafət) *nm* **-e** *also* **Taft** (taft) taffeta.

Tag (taːk) *nm* **-e** **1** day. **2** daylight. **—ebuch** (ˈtaːgəbuːx) *n neu* diary. **—en** (ˈtaːgən) *vi* **1** dawn. **2** meet. **—esordnung** (ˈtaːgəsɔrdnuŋ) *nf* agenda. **—esanbruch** (ˈtaːgəsanbrux) *nm* daybreak. **¨—lich** (ˈtɛːkliç) *adj* daily. **—undnachtgleiche** *nf* **-n** equinox. **—ung** (ˈtaːguŋ) *nf* **-en** **1** meeting. **2** conference.

Taille (ˈtaljə) *nf* **-n** waist.

Takelwerk (ˈtaːkəlvɛrk) *n neu* rigging.

Takt (takt) *nm* **-e** **1** *mus* time, beat. **2** tact. **—gefühl** *n neu* tact. **—los** *adj* tactless. **—stock** *nm mus* baton. **—voll** *adj* tactful.

Taktik (ˈtaktik) *nf* **-en** tactics.

Tal (taːl) *n neu* **¨er** valley.

Talent (taˈlɛnt) *n neu* **-e** talent, gift.

Talg (talk) *nm* **-e** **1** suet. **2** tallow.

Talk (talk) *nm* **-e** talc, talcum powder.

tändeln (ˈtɛndəln) *vi* **1** dawdle. **2** flirt.

Tang (taŋ) *nm* **-e** seaweed.

Tanger (ˈtaŋər) *n neu* Tangier(s).

Tank (taŋk) *nm* **-s** **1** (fuel) tank. **2** *mil* tank. **—en** *vi* fill up, refuel. **—stelle** *nf* petrol or filling station.

Tanne (ˈtanə) *nf* **-n** fir, pine. **—nbaum** *nm* fir, pine tree.

Tante (ˈtantə) *nf* **-n** aunt.

Tanz (tants) *nm* **¨e** dance. **—en** *vt,vi* dance. **¨—er** (ˈtɛntsər) *nm* —, **¨—erin** (ˈtɛntsərin) *nf* **—nen** dancer. **—gesellschaft** *nf* dance, ball.

Tap/ete (taˈpetə) *nf* **-n** wallpaper. **—ezieren** (tapeˈtsiːrən) *vt* paper.

tapfer (ˈtapfər) *adj* brave, bold. **—keit** *nf* courage.

tappen (ˈtapən) *vi* grope, fumble.

Tarif (taˈriːf) *nm* **-e** **1** price list, tariff. **2** list of fares. **3** wage scale.

tarn/en (ˈtarnən) *vt* camouflage. **—ung** *nf* **-en** camouflage.

Tasch/e (ˈtaʃə) *nf* **-n** **1** pocket. **2** wallet. **3** handbag. **—enbuch** *n neu* pocketbook. **—endieb** *nm* pickpocket. **—engeld** *n neu* pocket money. **—enmesser** *n neu* pocket knife. **—entuch** *n neu* handkerchief.

Tasse (ˈtasə) *nf* **-n** cup.

Tast/e (ˈtastə) *nf* **-n** key. **—atur** (tastaˈtuːr) *nf* **-en** keyboard. **—en** (ˈtastən) *vi* feel, grope. *vt* touch. **sich —en** *vr* feel one's way.

tat (taːt) *v* see **tun.**

Tat (taːt) *nf* **-en** deed, action, act. **in der Tat** in fact. **—bestand** *nm* **1** facts. **2** state of affairs. **¨—er** (ˈtɛːtər) *nm* — perpetrator, doer. **¨—ig** (ˈtɛːtiç) *adj* **1** active. **2** working, at work. **¨—igen** (ˈtɛːtigən) *vt* **1** carry out. **2** *comm* conclude, execute. **—kraft** *nf* energy. **—sache** *nf* fact. **—sächlich** (ˈtaːtzɛçliç) *adj* **1** real. **2** factual. **3** effective. *adv* really, indeed.

tätowieren (tɛtoˈviːrən) *vt* tattoo.

Tatze (ˈtatsə) *nf* **-n** **1** paw. **2** claw.

Tau[1] (tau) *n neu* **-e** cable, rope. **—en** (ˈtauən) *vt* tow.

Tau[2] (tau) *nm* dew. **—en** (ˈtauən) *vi* melt. **es taut** dew is falling.

taub (taup) *adj* **1** deaf. **2** empty. **3** numb.

Taube (ˈtaubə) *nf* **-n** pigeon, dove.

tauch/en (ˈtauxən) *vi* dive, plunge. *vt* plunge, dip. **—sieder** *nm* — immersion heater.

Tauf/becken (ˈtaufbɛkən) *n neu also* **Tauf/stein** *nm* (baptismal) font. **—e** *nf* **-n** baptism. **—en** *vt* baptize.

taug/en (ˈtaugən) *vi* be worth, be of use. **—enichts** *nm* -e good-for-nothing. **—lich** (ˈtaukliç) *adj* **1** useful. **2** suitable. **3** fit, capable.

Taumel (ˈtauməl) *nm* — **1** staggering. **2** dizziness. **3** frenzy. **—n** *vi* **1** stagger. **2** be giddy or dizzy.

Tausch (tauʃ) *nm* **-e** exchange, swap. **—en** *vt* exchange, swap. **—handel** *nm* barter.

täusch/en (ˈtɔyʃən) *vt* **1** deceive. **2** cheat. **—ung** *nf* **-en** **1** deception. **2** cheating.

tausend (ˈtauzənt) *adj,nf* thousand. **—ste** *adj* thousandth.

Tauwerk (ˈtauvɛrk) *n neu* rigging, ropes.

Tax/e (ˈtaksə) *nf* **-n** **1** estimate. **2** rate, fee. **3** duty, tax. **—ieren** (taˈksiːrən) *vt* evaluate, assess.

Taxi (ˈtaksi) *n neu* **-s** taxi.

Techn/ik (ˈtɛçnik) *nf* **-en** **1** skill, technique. **2** technical sciences. **—iker** *nm* — technician, engineer. **—isch** *adj* technical. **—ologie** (tɛçnoloˈgiː) *nf* technology.

Tee (teː) *nm* **-s** tea. **—beutel** *nm* teabag. **—kanne** *nf* teapot. **—löffel** *nm* teaspoon.

Teer (teːr) *nm* **-e** tar.

Teich (taiç) *nm* **-e** pond, pool.

Teig (taik) *nm* **-e** **1** dough, batter. **2** paste. **—waren** *nf pl* pasta.

Teil (tail) *nm,neu* **-e** **1** part. **2** share, portion. **3**

piece. **—bar** *adj* divisible. **—chen** ('tailçən) *n neu* — particle. **—en** *vt* divide. **—haber** *nm* — partner, associate. **—nahme** *nf* **1** participation. **2** interest. **3** sympathy. **—nehmen'** *vi* take part (in). **—nehmer** *nm* — participant, member. **—s** *adv also* **—weise** partly, in part. **—ung** *nf* **-en 1** division. **2** scale.

Tele/gramm (tele'gram) *n neu* **-e** telegram. **—fon** see **—phon.** **—graph** (tele'gra:f) *nm* **-en** telegraph. **—graphieren** (telegra'fi:rən) *vi,vt* wire, telegraph. **—phon** (tele'fo:n) *n neu* **-e** telephone. **—phonanruf** *nm* telephone call. **—phonieren** (telefo'ni:rən) *vi,vt* telephone. **—phonisch** *adj* by telephone. **—phonzelle** *nf* callbox. **—skop** (tele'sko:p) *n neu* **-e** telescope.

Teller ('tɛlər) *nm* — plate.

Tempel ('tɛmpəl) *nm* — temple.

Temperament (tɛmpera'mɛnt) *n neu* **-e 1** temperament. **2** liveliness, vivacity. **—voll** *adj* temperamental.

Temperatur (tɛmpera'tu:r) *nf* **-en** temperature.

Tempo ('tɛmpo) *n neu* **-pi** tempo, pace.

Tendenz (tɛn'dɛnts) *nf* **-en** tendency.

Tender ('tɛndər) *nm* — (railway) tender.

Tennis ('tɛnis) *n neu* tennis. **—platz** *nm* tennis court.

Teppich ('tɛpiç) *nm* **-e** carpet, rug. **—kehrmaschine** *nf* carpet sweeper.

Termin (tɛr'mi:n) *nm* **-e 1** deadline. **2** term. **3** (fixed) date.

Terminologie (tɛrminolo'gi:) *nf* **-n** terminology.

Terpentin (tɛrpɛn'ti:n) *n neu* turpentine.

Terrasse (tɛ'rasə) *nf* **-n** terrace.

Terror ('tɛrər) *nm* terror. **—isieren** (tɛrori'zi:rən) *vt* terrorize. **—ismus** (tɛro'rismus) *nm* terrorism. **—ist** (tɛro'rist) *nm* **-en** terrorist.

Terz (tɛrts) *nf* **-en** *mus* third. **—ett** (tɛr'tsɛt) *n neu* **-e** trio.

Testament (tɛsta'mɛnt) *n neu* **-e 1** (last) will. **2** *rel* Testament.

testieren (tɛ'sti:rən) *vt* **1** bequeath. **2** testify.

teuer ('tɔyər) *adj* **1** expensive. **2** cherished, dear.

Teuf/el ('tɔyfəl) *nm* — devil. **—elei** (tɔyfə'lai) *nf* **-en** devilry. **—lisch** ('tɔyflij) *adj* devilish, fiendish.

Text (tɛkst) *nm* **-e** text.

Textil/ien (tɛks'ti:liən) *n pl* textiles.

Theater (te'a:tər) *n neu* — theatre. **—stück** *n neu* play.

Thema ('te:ma) *n neu* **-men** theme, topic.

Themse ('tɛmzə) *nf* Thames.

Theolog/e (teo'lo:gə) *nm* **-n** theologian. **—ie** (teolo'gi:) *nf* theology. **—isch** (teo'lo:giʃ) *adj* theological.

Theor/etiker (teo're:tikər) *nm* — theorist, theoretician. **—etisch** (teo're:tiʃ) *adj* theoretical. **—etisieren** (teoreti'zi:rən) *vi* theorize. **—ie** (teo'ri:) *nf* **-n** theory.

Therapie (tera'pi:) *nf* **-n** therapy.

therm/isch ('tɛrmiʃ) *adj* thermal, thermic. **—odynamik** (tɛrmody'na:mik) *nf* thermodynamics. **—ometer** (tɛrmo'me:tər) *n neu* thermometer. **—osflasche** ('tɛrmosflaʃə) *nf* *Tdmk* Thermos flask.

Thron (tro:n) *nm* **-e** throne. **—erbe** *nm* heir to the throne. **—folge** *nf* succession to the throne.

Thunfisch ('tu:nfiʃ) *nm* tunny (fish).

Thüringen ('ty:riŋən) *n neu* Thuringia.

Thymian ('ty:mia:n) *nm* **-e** thyme.

ticken ('tikən) *vi* tick, click.

tief (ti:f) *adj* **1** deep. **2** low. **3** profound. *n neu* **-s** (barometric) depression. **—druck** *nm* low pressure. **—e** *nf* **-n** depth. **—kühlen** *vt* deep-freeze. **—kühlkost** *nf* frozen food. **—kühltruhe** *nf* freezer.

Tiegel ('ti:gəl) *nm* **-e 1** saucepan. **2** crucible.

Tier (ti:r) *n neu* **-e** animal, beast. **—arzt** *nm* veterinary surgeon, vet. **—isch** *adj* **1** animal. **2** brutish. **3** brutal. **—kreis** *nm* zodiac.

Tiger ('ti:gər) *nm* — tiger.

tilg/en ('tilgən) *vt* **1** erase. **2** eradicate. **3** cancel. **4** repay. **—ung** *nf* **-en 1** eradiction. **2** cancellation. **3** repayment.

Tint/e ('tintə) *nf* **-n** ink. **in der Tinte sitzen** be in a nice mess. **—enfaß** *n neu* inkwell.

tippen ('tipən) *vt,vi* **1** type. **2** tap.

Tirol (ti'ro:l) *n neu* Tyrol.

Tisch (tiʃ) *nm* **-e 1** table. **2** board. **—decke** *nf* *also* **—tuch** *n neu* tablecloth. **—ler** ('tiʃlər) *nm* — **1** joiner, cabinetmaker. **2** carpenter. **—tennis** *n neu* table tennis.

Titel ('ti:təl) *nm* — title.

titulieren (titu'li:rən) *vt* give a title to, entitle.

Toast (to:st) *nm* **-e** toast. **—brot** *n neu* toasting bread. **-er** *nm* — toaster.

tob/en ('to:bən) *vi* **1** rage. **2** roar.

Tochter ('tɔxtər) *nf* ¨ daughter.

Tod (to:t) *nm* **-e** death. **—esanzeige** ('to:-dəsantsaigə) *nf* obituary. **—esfall** ('to:dəsfal) *nm* death, casualty. **—eskampf** ('to:dəskampf) *nm* death agony. **—esstrafe** ('to:-dəsʃtra:fə) *nf* death penalty. **—feind** ('to:-tfaint) *nm* mortal enemy. **¨—lich** ('tœ:liç) *adj* deadly, fatal. **—müde** ('to:tmy:də) *adj* dead tired.

Toilette (toa'lɛtə) *nf* **-n** 1 toilet. 2 dressing table. 3 toilette. **—npapier** *n neu* toilet paper.

toleran/t (tole'rant) *adj* tolerant. **—z** (tole'rants) *nf* 1 toleration. 2 tolerance.

toll (tɔl) *adj* 1 mad. 2 raving. 3 wild. 4 *inf* terrific. **—heit** *nf* **-en** 1 madness. 2 mad trick. **—kühn** *adj* foolhardy. **—wut** *nf* rabies.

Tölpel ('tœlpəl) *nm* — clumsy person, fool.

Tomate (to'ma:tə) *nf* **-n** tomato.

Ton[1] (ton) *nm* **-e** clay.

Ton[2] (to:n) *nm* ¨**e** 1 sound. 2 *mus* tone, note. 3 fashion. 4 stress, accent. **—art** *nf mus* key. **—band** *n neu* (magnetic) tape. **—bandgerät** *n neu* tape-recorder. ¨**—en** ('tœ:nən) *vi* resound. *vt* shade, tint. **—fall** *nm* intonation. **—leiter** *nf mus* scale.

Tonne ('tɔnə) *nf* **-n** 1 ton. 2 barrel.

Topf (tɔpf) *nm* ¨**e** pot. ¨**—er** ('tœpfər) *nm* — potter. ¨**—erwaren** ('tœpfərva:rən) *nf pl* pottery, earthenware.

Tor[1] (to:r) *n neu* **-e** 1 gate, door. 2 *sport* goal.

Tor[2] (to:r) *nm* **-en** fool. **—heit** *nf* **-en** folly. ¨**—icht** ('tœ:riçt) *adj* foolish.

Torf (tɔrf) *nm* peat.

torkeln ('tɔrkəln) *vi* stagger.

Torpedo (tɔr'pe:do) *nm* **-s** torpedo.

Torte ('tɔrtə) *nf* **-n** tart, flan.

tot (to:t) *adj* dead. **Totes Meer** *n neu* Dead Sea.

total (to'ta:l) *adj* total, complete. **—itär** (totali'itɛ:r) *adj* totalitarian.

Tote(r) ('to:tə) *nm* 1 dead man. 2 corpse.

töten ('tœ:tən) *vt* kill.

Totenbett ('to:tənbɛt) *n neu* deathbed.

Totengräber ('to:təngrɛ:bər) *nm* — gravedigger.

Totenhemd ('to:tənhɛmt) *n neu* shroud.

totgeboren ('to:tgəbo:rən) *adj* still-born.

sich totlachen ('to:tlaxən) *vr* roar with laughter, kill oneself laughing.

totschießen* ('to:tʃi:sən) *vt* shoot dead.

Totschlag ('to:tʃla:k) *nm* manslaughter.

totschweigen* ('to:tʃvaigən) *vt* hush up.

totsicher ('to:tziçər) *adj* dead certain.

Tour (tu:r) *nf* **-en** 1 tour, trip. 2 turn. **—ist** (tu'rist) *nm* **-en** tourist.

Trab (tra:p) *nm* trot. **—en** ('tra:bən) *vi* trot.

Tracht (traxt) *nf* **-en** 1 (national) costume. 2 dress. 3 load.

Tradition (traditsi'o:n) *nf* **-en** tradition. **—ell** (traditsio'nɛl) *adj* traditional.

traf (tra:f) *v* see **treffen.**

träg/e ('trɛ:gə) *adj* lazy, sluggish. **—heit** ('trɛ:khait) *nf* laziness, sluggishness.

trag/en* ('tra:gən) *vt* 1 carry. 2 wear. 3 bear, endure. 4 support. **—bahre** ('tra:kba:rə) *nf* **-n** stretcher. ¨**—er** ('trɛ:gər) *nm* — 1 porter. 2 carrier. 3 support. 4 pillar, beam. **—weite** ('tra:kvaitə) *nf* 1 range. 2 importance.

trag/isch ('tra:giʃ) *adj* tragic. **—ödie** (tra'gœ:diə) *nf* **-n** tragedy.

Train/er ('trɛ:nər) *nm* — *sport* trainer, coach. **—ing** *n neu* training.

Traktor ('traktɔr) *nm* **-en** tractor.

trampeln ('trampəln) *vi* trample, stamp.

Tran (tra:n) *nm* **-e** blubber, whale oil.

tranchieren (trã:'ʃi:rən) *vt* carve (up).

Träne ('trɛ:nə) *nf* **-n** tear. **—ngas** *n neu* tear-gas.

trank (traŋk) *v* see **trinken.**

transatlantisch (transat'lantiʃ) *adj* transatlantic.

transitiv ('tranziti:f) *adj* transitive.

Transmission (transmisi'o:n) *nf* **-en** transmission.

Transport (trans'pɔrt) *nm* **-e** transport. **—ieren** (transpɔr'ti:rən) *vt* transport.

trat (trat) *v* see **treten.**

Traube ('traubə) *nf* **-n** 1 grape. 2 bunch of grapes.

trau/en ('trauən) *vi* trust. *vt* (of a priest, etc.) marry (a man and a woman). **sich trauen** *vr* dare, venture. **—ring** *nm* wedding-ring. **—ung** *nf* **-en** wedding.

Trau/er ('trauər) *nf* 1 sorrow. 2 mourning. **—ern** *vi* mourn. **—erspiel** *n neu* tragedy. **—rig** ('trauriç) *adj* sad.

Trauf/e ('traufə) *nf* **-n** 1 eaves. 2 gutter. ¨**—eln** ('trɔyfəln) *vi* drip, sprinkle. **—rinne** *nf* **-n** gutter (of a house).

traulich ('trauliç) *adj* cosy, familiar.

Traum (traum) *nm* ¨**e** dream. ¨**—en** ('trɔymən) *vt,vi* dream (of). ¨**—er** ('trɔymər) *nm* — dreamer. **—haft** *adj* dreamlike.

treff/en* ('trɛfən) *vt,vi* 1 hit, strike. 2 befall. 3 meet, encounter. **sich treffen** *vr* 1 meet. 2 happen. **eine Entscheidung treffen** come to a decision ~*n neu* — meeting. **—er** *nm* — (direct or lucky) hit. **—lich** *adj* excellent. **—punkt** *nm* meeting place.

treib/en* ('traibən) *vt* 1 drive. 2 urge. 3 force. 4 carry on, do. 5 work (metal). *vi* drift. *n neu* activity. **—haus** ('traiphaus) *n neu* hothouse. **—stoff** ('traipʃtɔf) *nm* fuel.

trenn/bar ('trɛnba:r) *adj* divisible. **—en** *vt* **1** divide, separate. **2** cut off (a telephone call). **—ung** *nf* **-en** separation.

Trepp/e ('trɛpə) *nf* **-n** stairs, staircase. **—enhaus** *n neu* stairwell.

tret/en* ('tre:tən) *vi* **1** step, walk. **2** pedal. *vt* **1** kick. **2** tread on. **—mühle** *nf* treadmill.

treu (trɔy) *adj* **1** faithful, loyal. **2** accurate. **—bruch** *nm* breach of faith. **—e** *nf* loyalty. **—händer** ('trɔyhɛndər) *nm* — trustee. **—lich** *adv* faithfully. **—los** *adj* disloyal.

Tribut (tri'bu:t) *nm* **-e** tribute.

Trichter ('triçtər) *nm* **-e** **1** funnel. **2** crater.

Trick (trik) *nm* **-s** trick, dodge. **—film** *nm* animated cartoon.

trieb (tri:p) *v* see **treiben.**

Trieb (tri:p) *nm* **-e** **1** drive, force. **2** impulse. **3** *bot* shoot, sprout. **4** instinct. **—feder** *nf* (main)spring. **—haft** *adj* **1** instinctive. **2** unbridled. **—kraft** *nf* momentum. **—sand** *nm* quicksand.

triefen* ('tri:fən) *vi* drip.

trifft (trift) *v* see **treffen.**

triftig ('triftiç) *adj* **1** conclusive. **2** valid.

Trigonometrie (trigonome'tri:) *nf* trigonometry.

Triller ('trilər) *nm* — *mus* trill.

trimmen ('trimən) *vt* trim.

trink/bar ('triŋkba:r) *adj* drinkable. **—en*** *vt,vi* drink. **—geld** *n neu* tip.

Tripper ('tripər) *nm* gonorrhoea.

tritt (trit) *v* see **treten.**

Tritt (trit) *nm* **-e** **1** step. **2** kick.

Triumph (tri'umf) *nm* **-e** triumph. **—ieren** (trium'fi:rən) *vi* triumph.

trock/en ('trɔkən) *adj* dry. **—nen** *vt,vi* dry.

Trog (tro:k) *nm* **¨-e** trough.

Tromm/el ('trɔməl) *nf* **-n** drum. **—eln** *vi* drum. **—ler** ('trɔmlər) *nm* — drummer.

Trompete (trɔm'pe:tə) *nf* **-n** trumpet.

Trop/en ('tro:pən) *n pl* tropics. **—enhelm** *nm* sun-helmet. **—isch** *adj* tropical.

Tropf (trɔpf) *nm* **¨-e** simpleton. **¨-eln** ('trœpfəln) *vt,vi* drip, trickle. **—en** ('trɔpfən) *nm* — drop. *vt,vi* drip, trickle.

Trost (tro:st) *nm* consolation. **¨-en** ('trœ:stən) *vt* console, comfort. **—los** *adj* **1** inconsolable. **2** bleak, desolate.

Trott (trɔt) *nm* **-e** trot.

Trottel ('trɔtəl) *nm* — idiot.

trotz (trɔts) *prep* in spite of, despite. *nm* **1** defiance. **2** obstinacy. **jemandem zum Trotz** in defiance of someone. **—dem** ('trɔtsde:m) *adv* nevertheless. *conj* notwithstanding. **—ig** *adj* defiant, obstinate.

trüb (try:p) *adj* **1** gloomy, dismal. **2** cloudy, muddy. **—en** ('try:bən) *vt* **1** make gloomy. **2** dull, tarnish. **—sal** *nf* **-e** distress, affliction. **—sinn** *nm* melancholy, depression.

Trug (tru:k) *nm* **1** deceit, deception. **2** fraud. **—bild** *n neu* phantom, mirage. **¨-en*** ('try:gən) *vt* deceive. *vi* be deceptive. **¨-erisch** ('try:gəriʃ) *adj* **1** deceptive. **2** deceitful.

Trümmer ('trymər) *n neu pl* **1** ruins. **2** rubble.

Trumpf (trumpf) *nm* **¨-e** trump. **—en** *vt,vi* trump.

Trunk (truŋk) *nm* **¨-e** drink. **—en** *adj* drunk, drunken. **—sucht** *nf* alcoholism.

Trupp (trup) *nm* **-s** band, party. **—e** *nf* **-n** **1** troop. **2** company, unit. **3** *pl* troops.

Truthahn ('tru:tha:n) *nm* turkey(-cock).

Tschech/e ('tʃɛçə) *nm* **-n** Czech. **—isch** *adj* Czech. *n neu* Czech (language). **—oslowakei** (tʃɛçoslova'kai) *nf* Czechoslovakia. **—oslowakisch** *adj* Czechoslovakian.

Tuberkulose (tubɛrku'lo:zə) *nf* tuberculosis.

Tuch (tu:x) *n neu* **-e** **1** cloth. **2** rag, duster. **3** scarf.

tüchtig ('tyçtiç) *adj* **1** able. **2** efficient.

Tück/e ('tykə) *nf* **-n** malice, spite. **—isch** *adj* **1** malicious. **2** insidious.

Tugend ('tu:gənt) *nf* **-en** virtue. **—haft** *adj* virtuous.

Tulpe ('tulpə) *nf* **-n** tulip.

tun* (tu:n) *vt,vi* **1** do. **2** make. **3** act. **4** put. **5** pretend. *n neu* doings. **—lich** *adj* practicable.

Tünche ('tynçə) *nf* **-n** whitewash, distemper. **—n** *vt* whitewash, distemper.

Tunke ('tuŋkə) *nf* **-n** sauce, gravy. **—n** *vt* **1** dip. **2** steep.

Tunnel ('tunəl) *nm* — tunnel.

Tür (ty:r) *nf* **-en** door, doorway.

Türk/e ('tyrkə) *nm* Turk. **—ei** (tyr'kai) *nf* Turkey. **—isch** *adj* Turkish. *n neu* Turkish (language).

Türkis (tyr'ki:s) *nm* **-e** turquoise.

Turm (turm) *nm* **¨-e** **1** tower, steeple. **2** *game* rook, castle. **¨-chen** ('tyrmçən) *n neu* — turret.

turn/en ('turnən) *vi* do gymnastics. *n neu* gymnastics. **—halle** *nf* gymnasium.

Turnier (tur'ni:r) *n neu* **-e** tournament.

Tusch/e ('tuʃə) *nf* **-n** Indian ink. **—farbe** *nf* water-colour.

tuscheln ('tuʃəln) *vi* whisper.

Tüte ('ty:tə) *nf* **-n** 1 paper bag. 2 carrier bag.

Twen (tvɛn) *nm* **-s** man or woman in his or her twenties.

Typ (ty:p) *nm* **-en** 1 type. 2 model. **—isch** *adj* typical.

Typhus ('ty:fus) *nm* typhoid (fever).

Tyrann (ty'ran) *nm* **-en** tyrant. **—ei** (tyra'nai) *nf* tyranny.

U

U-Bahn ('u:ba:n) *nf* underground (railway).

übel ('y:bəl) *adj* 1 evil, wrong. 2 bad, nasty. 3 sick. *n neu* — 1 evil. 2 nuisance. 3 disease. **—keit** *nf* **-en** nausea, sickness. **—nehmen*** *vt* take amiss, take badly.

üben ('y:bən) *vt,vi* practise, exercise.

über ('y:bər) *prep* 1 over. 2 above. 3 (up)on. 4 beyond, across. 5 about.

überall (y:bər'al) *adv* everywhere.

überanstrengen (y:bər'anʃtrɛŋən) *vt* overexert.

überaus ('y:bəraus) *adv* exceedingly.

überbelichten ('y:bərbəliçtən) *vt* overexpose (a photograph).

überbieten (y:bər'bi:tən) *vt* outbid.

Überbleibsel ('y:bərblaipsəl) *n neu* — remainder, remnant.

Überblick ('y:bərblik) *nm* 1 survey. 2 summary. **—en** (y:bər'blikən) *vt* survey.

überbringen* (y:bər'briŋən) *vt* deliver, hand over.

überdies (y:bər'di:s) *adv* besides, moreover.

Überdruß ('y:bərdrus) *nm* 1 disgust. 2 boredom, weariness.

übereilen (y:bər'ailən) *vt* rush, hurry.

überein/ander (y:bərain'andər) *adv* one on top of another. **—kommen*** (y:bər'ainkɔmən) *vi* come to an agreement. *n neu* — agreement. **—kunft** (y:bər'ainkunft) *nf* **¨-e** agreement, compromise. **—stimmen** (y:bər'ainʃtimən) *vi* agree.

überfahr/en* ('y:bərfa:rən) *vt* 1 drive or pass over. 2 run over. **—t** *nf* passage, crossing.

Überfall ('y:bərfal) *nm* surprise attack, raid. **—en*** (y:bər'falən) *vt* attack suddenly. **¨—ig** ('y:bərfəliç) *adj* overdue.

Über/fluß ('y:bərflus) *nm* abundance, excess. **—flüssig** ('y:bərflysiç) *adj* superfluous, excess.

überfordern (y:bər'fɔrdərn) *vt* overcharge.

überführ/en ('y:bərfy:rən) *vt* 1 transport. 2 convict. 3 convince. **—ung** (y:bər'fy:ruŋ) *nf* 1 transportation. 2 fly-over.

Übergabe ('y:bərga:bə) *nf* 1 surrender. 2 delivery.

Übergang ('y:bərgaŋ) *nm* 1 passage, crossing. 2 transition.

übergeben* ('y:bərge:bən) *vt* hand over, deliver. **sich übergeben** *vr* vomit.

übergehen* (*vi* 'y:bərge:ən; *vt* y:bər'ge:ən) *vi* 1 pass or cross over. 2 change. *vt* 1 omit. 2 pass or run over. 3 revise.

Übergewicht ('y:bərgeviçt) *n neu* **-e** 1 overweight. 2 preponderance.

überhandnehmen* (y:bər'hantne:mən) *vi* increase or spread rapidly.

überhäufen (y:bər'hɔyfən) *vt* overwhelm.

überhaupt (y:bər'haupt) *adv* 1 in general. 2 altogether. 3 at all.

überheblich (y:bər'he:pliç) *adj* presumptuous.

überholen ('y:bərho:lən) *vt* fetch or bring over. (y:bər'ho:lən) *vt* 1 overtake. 2 recondition.

überkochen ('y:bərkɔxən) *vi* boil over.

überkommen* (y:bər'kɔmən) *vt* 1 obtain, receive. 2 befall.

überlassen* (y:bər'lasən) *vt* **jemandem etwas überlassen** leave something to someone.

überlaufen* ('y:bərlaufən) *vi* run or go over.

überleben (y:bər'le:bən) *vt* survive, outlive.

überleg/en (y:bər'le:gən) *vt* consider. *adj* superior. **—ung** *nf* **-en** consideration.

überliefer/n (y:bər'li:fərn) *vt* 1 hand down. 2 deliver. 3 surrender. **—ung** *nf* **-en** 1 tradition. 2 delivery. 3 surrender.

überlisten (y:bər'listən) *vt* outwit.

Übermacht ('y:bərmaxt) *nf* superiority, superior strength.

übermäßig ('y:bərmɛsiç) *adj* excessive.

Übermensch ('y:bərmɛnʃ) *nm* superman.

übermitteln (y:bər'mitəln) *vt* 1 transmit. 2 convey.

übermorgen ('y:bərmɔrgən) *adv* the day after tomorrow.

Übermut ('y:bərmu:t) *nm* 1 high spirits. 2 insolence. 3 arrogance. **¨—ig** ('y:bərmy:tiç) *adj* 1 high-spirited. 2 insolent. 3 arrogant.

übernachten (y:bər'naxtən) *vi* spend the night.

übernehmen* (y:bər'ne:mən) *vt* 1 take over. 2 undertake.

überprüfen (y:bər'pry:fən) *vt* examine, check.

überqueren (y:bər'kve:rən) *vt* traverse, cross.

überragen (y:bər'ra:gən) *vt* surpass.

überrasch/en (y:bər'raʃən) *vt* surprise. **—ung** *nf* **-en** surprise.

überreden (y:bər're:dən) *vt* persuade.
überreichen (y:bər'raiçən) *vt* **1** hand over, present. **2** submit.
Überrest ('y:bərrɛst) *nm* remains, remnant.
überrumpeln (y:bər'rumpəln) *vt* take unawares.
übers ('y:bərs) contraction of **über das.**
überschätzen (y:bər'ʃɛtsən) *vt* overrate, overestimate.
überschauen (y:bər'ʃauən) *vt* survey.
überschreiten* (y:bər'ʃraitən) *vt* **1** step over. **2** exceed, transgress.
Überschrift ('y:bərʃrift) *nf* title, heading.
Überschuh ('y:bərʃu:) *nm* overshoe.
Überschuß ('y:bərʃus) *nm* surplus.
überschwemm/en (y:bər'ʃvɛmən) *vt* flood, swamp. **—ung** *nf* **-en** flood, inundation.
überschwenglich ('y:bərʃvɛŋliç) *adj* effusive, rapturous.
Übersee ('y:bərze:) *nf* overseas.
übersehen* (y:bər'ze:ən) *vt* **1** overlook. **2** survey.
übersenden (y:bər'zɛndən) *vt* send, forward.
übersetz/en ('y:bərzɛtsən) *vt* ferry over. *vi* pass. (y:bər'zɛtsən) *vt* translate. **—ung** (y:bər'zɛtsuŋ) *nf* **-en** **1** translation. **2** *tech* gear.
Übersicht ('y:bərziçt) *nf* **-en** survey, summary. **—lich** *adj* easily understood, clear.
übersiedeln ('y:bərzi:dəln) *vi* **1** (re)move. **2** emigrate.
übersinnlich ('y:bərzinliç) *adj* psychic, supernatural.
überspannen (y:bər'ʃpanən) *vt* **1** stretch over, cover. **2** overstrain. **3** exaggerate.
überspringen* (*vi* 'y:bərʃpriŋən; *vt* y:bər'ʃpriŋən) *vi* leap or jump over. *vt* **1** leap over, jump. **2** omit.
überstehen* (y:bər'ʃte:ən) *vt* survive, overcome.
Überstunden ('y:bərʃtundən) *nf pl* overtime.
überstürzen (y:bər'ʃtyrtsən) *vt* hurry, rush.
übertrag/en* (y:bər'tra:gən) *vt* **1** carry over. **2** transport. **3** transmit, broadcast. **4** translate. **—ung** *nf* **-en** **1** transfer. **2** transportation. **3** transmission.
übertreffen* (y:bər'trɛfən) *vt* surpass, excel, outdo.
übertreiben* (y:bər'traibən) *vt* **1** overdo. **2** exaggerate.
übertreten* (*vi* 'y:bərtre:tən; *vt* y:bər'tre:tən) *vi* go or change over. *vt* violate, infringe.
übertrieben (y:bər'tri:bən) *adj* overdone, exaggerated.
überwachen (y:bər'vaxən) *vt* supervise, control.
überwältigen (y:bər'vɛltigən) *vt* overpower.
überweis/en* (y:bər'vaizən) *vt* **1** transfer. **2** remit. **—ung** *nf* **-en** **1** remittance. **2** transfer.
überwiegen* (y:bər'vi:gən) *vt* outweigh, prevail.
überwinden (y:bər'vindən) *vt* overcome.
überzeug/en (y:bər'tsɔygən) *vt* convince. **—ung** *nf* **-en** conviction.
überzieh/en* ('y:bərtsi:ən) *vt* put on. (y:bər'tsi:ən) *vt* **1** cover. **2** overdraw (an account).
Überzug ('y:bərtsu:k) *nm* coating, cover.
üblich ('y:pliç) *adj* customary, usual.
U-Boot ('u:bo:t) *n neu* submarine.
übrig ('y:briç) *adj* left over, remaining. **—ens** ('y:brigəns) *adv* **1** by the way. **2** besides. **3** after all.
Übung ('y:buŋ) *nf* **-en** **1** exercise. **2** practice. **3** use.
Ufer ('u:fər) *n neu* — **1** bank. **2** shore.
Uhr (u:r) *nf* **-en** **1** clock, watch. **2** time, hour. **wieviel Uhr ist es?** what time is it? **—feder** *nf* watch spring.
ulkig ('ulkiç) *adj* funny, comical.
Ulme ('ulmə) *nf* **-n** elm.
um (um) *prep* **1** (a)round, about. **2** at, by, for. **3** on account of. *adv* **1** around, about. **2** over, up, finished. **um...zu** *conj* in order to.
umändern ('umɛndərn) *vt* alter, modify.
umarm/en (um'armən) *vt* embrace, hug. **—ung** *nf* **-en** embrace, hug.
umbauen ('umbauən) *vt* rebuild, remodel.
umbilden ('umbildən) *vt* **1** transform. **2** reform. **3** reconstruct.
umbinden* ('umbindən) *vt* **1** put on. **2** tie round.
sich umblicken ('umblikən) *vr* look round or about.
umbringen* ('umbriŋən) *vt* kill.
umdrehen ('umdre:ən) *vt* turn or twist round. **sich umdrehen** *vr* turn round.
umeinander (umain'andər) *adv* (a)round each other.
umfahren* ('umfa:rən) *vt* knock down, run over. (um'fa:rən) *vt* drive round.
umfallen* ('umfalən) *vi* **1** fall down or over. **2** collapse.
Umfang ('umfaŋ) *nm* **1** circumference. **2** girth. **3** extent, range.
umfassen (um'fasən) *vt* **1** include. **2** enclose. **3** embrace.
Umfrage ('umfra:gə) *nf* inquiry, poll.
Umgang ('umgaŋ) *nm* **1** relations, (social)

intercourse. **2** rotation, circuit. **—ssprache** *nf* colloquial or everyday speech.

umgeb/en* (um'ge:bən) *vt* surround. **—ung** *nf* **-en** surroundings, environment.

umgeh/en* (*vi* 'umge:ən; *vt* um'ge:ən) *vi* **1** go round. **2** associate (with). (um'ge:ən) *vt* **1** go round. **2** avoid. **—ungsstraße** (um'ge:-uŋsʃtra:sə) *nf* by-pass.

umgekehrt ('umgəke:rt) *adj* **1** reversed. **2** contrary. *adv* vice versa.

umgraben* ('umgra:bən) *vt* dig up.

umher (um'he:r) *adv* about, around. **—gehen*** *vi* walk about. **—schweifen** *vi* wander, roam.

umhüllen (um'hylən) *vt* wrap (up), cover.

Umkehr ('umke:r) *nf* return. **—en** *vi,vt* turn round.

umkippen ('umkipən) *vt,vi* turn or tip over.

umklammern (um'klamərn) *vt* clasp, cling (to).

sich umkleiden ('umklaidən) *vr* change (one's clothes).

umkommen* ('umkɔmən) *vi* **1** die, perish. **2** (of food) spoil.

Umkreis ('umkrais) *nm* **1** circumference. **2** surroundings.

Umlauf ('umlauf) *nm* **1** circulation. **2** rotation. **—en*** (*vt* um'laufən; *vi* umlaufən) *vt* move or run round. *vi* **1** circulate. **2** rotate.

Umlaut ('umlaut) *nm* **-e** vowel modification, umlaut.

umleit/en ('umlaitən) *vt* divert. **—ung** *nf* **-en** diversion.

umlernen ('umlernən) *vt* relearn.

umrahmen (um'ra:mən) *vt* frame.

umrechn/en ('umrɛçnən) *vt* convert, exchange. **—ung** *nf* conversion, exchange.

umreißen (um'raisən) *vt* outline, sketch. ('umraisən) *vt* pull down.

umringen (um'riŋən) *vt* surround.

Umriß ('umris) *nm* outline, sketch.

umrühren ('umry:rən) *vt* stir up or around.

ums (ums) contraction of **um das.**

Umsatz ('umzats) *nm comm* **1** turnover. **2** sale.

umschalten ('umʃaltən) *vt* **1** switch over. **2** change over.

umschauen ('umʃauən) *vi* look round.

Umschlag ('umʃla:k) *nm* **1** envelope. **2** cover, wrapper. **3** hem, cuff, turn-up. **4** (sudden) change, transformation. **5** poultice. **6** *comm* turnover. **—en*** (um'ʃla:gən) *vi* **1** turn or tip over. **2** change. ('umʃla:gən) *vt* **1** knock down or over. **2** turn over.

umschließen* (um'ʃli:sən) *vt* enclose, embrace.

umschulen ('umʃu:lən) *vt* **1** retrain, re-educate. **2** change (a child's) school.

Umschwung ('umʃvuŋ) *nm* **1** change. **2** *tech* revolution.

sich umsehen* ('umze:ən) *vr* **1** look round or back. **2** look out (for).

umsetzen ('umzɛtsən) *vt* **1** transpose. **2** transform. **3** sell, turn over.

umsichtig ('umziçtiç) *adj* cautious, prudent.

umsiedeln ('umzi:dəln) *vt,vi* resettle.

umsonst (um'zɔnst) *adv* **1** in vain. **2** free, for nothing.

Umstand ('umʃtant) *nm* **1** circumstance, condition. **2** *pl* ceremonies, fuss. **in anderen Umständen** *inf* pregnant, expecting. **—lich** ('umʃtɛntliç) *adj* **1** complicated, involved. **2** ceremonious.

umsteigen* ('umʃtaigən) *vi* change (trains or buses).

umstoßen* ('umʃto:sən) *vt* **1** overturn, overthrow. **2** invalidate. **3** reverse (a judgment).

Umsturz ('umʃturts) *nm* **1** overthrow, downfall. **2** revolution. **—en** (um'ʃtyrtsən) *vt* overthrow. *vi* fall down.

umtauschen ('umtauʃən) *vt* exchange.

umwälzen ('umvɛltsən) *vt* **1** revolutionize. **2** roll round. **sich umwälzen** *vr* whirl round.

Umweg ('umve:k) *nm* roundabout way, detour.

Umwelt ('umvɛlt) *nf* environment.

umwenden* ('umvɛndən) *vt* turn over. **sich umwenden** *vr* turn back or round.

umwerben* (um'vɛrbən) *vt* seek the favour of, court.

umwerfen* ('umvɛrfən) *vt* **1** overturn. **2** put on.

umziehen* ('umtsi:ən) *vt* change (one's clothing). *vi* remove, move (house).

umzingeln (um'tsiŋəln) *vt* encircle, surround.

Umzug ('umtsu:k) *nm* **1** removal. **2** procession.

unabänderlich (unap'ɛndərliç) *adj* **1** unchangeable. **2** irrevocable.

unabhängig ('unaphɛŋiç) *adj* independent. **—keit** *nf* independence.

unachtsam ('unaxtza:m) *adj* inattentive.

unanfechtbar (unan'fɛçtba:r) *adj* incontestable.

unangemessen ('unangəmɛsən) *adj* **1** inadequate. **2** improper. **3** unsuitable.

unangenehm ('unangəne:m) *adj* unpleasant.

Unannehmlichkeit ('unanne:mliçkait) *nf* **-en** inconvenience, unpleasantness.

unanständig ('unanʃtɛndiç) *adj* indecent.

unartig ('una:rtiç) *adj* naughty, badly behaved.

unauffällig ('unauffɛliç) *adj* **1** inconspicuous. **2** unassuming.

unausstehlich (unaus'ʃte:liç) *adj* insufferable.
unbändig ('unbɛndiç) *adj* **1** unruly. **2** *inf* tremendous, excessive.
unbeachtet ('unbəaxtət) *adj* unnoticed.
unbedeutend ('unbədɔytənt) *adj* insignificant.
unbedingt ('unbədiŋt) *adj* **1** unconditional, absolute. **2** definite. *adv* definitely.
Unbehag/en ('unbəha:gən) *n neu* **1** uneasiness. **2** discomfort. **—lich** (unbə'ha:kliç) *adj* uneasy, uncomfortable.
unbeholfen ('unbəhɔlfən) *adj* clumsy, awkward.
unbekümmert (unbə'kʏmərt) *adj* **1** carefree, unconcerned. **2** careless.
unbemittelt ('unbəmitəlt) *adj* without means.
unbequem ('unbəkve:m) *adj* **1** uncomfortable. **2** inconvenient. **—lichkeit** *nf* **1** discomfort. **2** inconvenience.
unberufen (unbə'ru:fən) *adj* uncalled for. *interj* touch wood!
unbeschreiblich (unbə'ʃraiplіç) *adj* indescribable.
unbesonnen ('unbəzɔnən) *adj* thoughtless, rash.
unbestimmt ('unbəʃtimt) *adj* indefinite.
unbestreitbar (unbə'ʃtraitba:r) *adj* indisputable.
unbestritten ('unbəʃtritən) *adj* undisputed.
unbeweglich ('unbəve:kliç) *adj* **1** immovable. **2** motionless.
unbewußt ('unbəvust) *adj* **1** unconscious, unknowing. **2** instinctive, involuntary.
unbotmäßig ('unbo:tme:siç) *adj* unruly.
unbrauchbar ('unbrauxba:r) *adj* useless, unserviceable.
und (unt) *conj* and. **na und?** so what?
undankbar ('undaŋkba:r) *adj* ungrateful.
undenkbar (un'dɛŋkba:r) *adj* unthinkable.
undeutlich ('undɔytliç) *adj* indistinct, blurred.
undurchdringlich ('undurçdriŋliç) *adj* impenetrable.
uneben ('une:bən) *adj* **1** uneven. **2** rough.
unecht ('uneçt) *adj* artificial, counterfeit.
unehelich ('une:əliç) *adj* (of a child) illegitimate.
unehrlich ('une:rliç) *adj* dishonest.
unendlich (un'ɛntliç) *adj* endless, infinite.
unentbehrlich (unɛnt'be:rliç) *adj* indispensable.
unerbittlich (unɛr'bitliç) *adj* relentless, unrelenting, unyielding.
unerfahren ('unɛrfa:rən) *adj* inexperienced.
unerhört (unɛr'hœ:rt) *adj* **1** unheard of. **2** outrageous.
unerläßlich (unɛr'lɛsliç) *adj* indispensable.
unerlaubt ('unɛrlaupt) *adj* **1** unauthorized. **2** illegal.
unermeßlich (unɛr'mɛsliç) *adj* immeasurable.
unermüdlich (unɛr'mʏ:tliç) *adj* untiring.
unerreicht (unɛr'raiçt) *adj* unequalled.
unerschrocken ('unɛrʃrɔkən) *adj* undaunted.
unerwünscht ('unɛrvʏnʃt) *adj* undesirable, unwelcome.
unfähig ('unfɛ:iç) *adj* **1** incapable. **2** incompetent. **—keit** *nf* **1** incapacity. **2** incompetence.
Unfall ('unfal) *nm* **1** accident. **2** disaster.
unfaßbar ('unfasba:r) *adj* inconceivable.
unfehlbar (un'fe:lba:r) *adj* **1** unfailing. **2** infallible.
unfreundlich ('unfrɔyntliç) *adj* unfriendly.
Unfug ('unfu:k) *nm* **1** mischief. **2** offence. **3** disturbance. **4** (public) nuisance. **—sam** ('unfy:kza:m) *adj* unruly, unmanageable.
Ungar ('uŋgar) *nm* **-n** Hungarian. **—isch** *adj* Hungarian. *n neu* Hungarian (language). **—n** *n neu* Hungary.
ungeachtet ('ungəaxtət) *prep* regardless of.
ungebührlich ('ungəby:rliç) *adj* improper.
Ungeduld ('ungədult) *nf* impatience. **—ig** ('ungəduldiç) *adj* impatient.
ungefähr ('ungəfɛ:r) *adv* about, approximately.
ungeheuer ('ungəhɔyər) *adj* huge, monstrous. *n neu* — monster. **—lich** (ungə'hɔyərliç) *adj* monstrous.
ungekürzt ('ungəkyrtst) *adj* unabridged.
ungelegen ('ungəle:gən) *adj* inconvenient.
Ungemach ('ungəma:x) *n neu* **-e** **1** adversity. **2** discomfort.
ungemein ('ungəmain) *adj* uncommon, extraordinary.
ungemütlich ('ungəmy:tliç) *adj* unpleasant, uncomfortable.
ungeniert ('unʒəni:rt) *adj* unceremonious.
ungeraten ('ungəra:tən) *adj* **1** (of children) spoilt. **2** degenerate.
ungerecht ('ungərɛçt) *adj* unjust.
ungereimt ('ungəraimt) *adj* absurd.
ungern ('ungɛrn) *adv* reluctantly, unwillingly.
ungestüm ('ungəʃty:m) *adj* **1** impetuous. **2** violent. *n neu* **1** impetuosity. **2** violence.
unge/wöhnlich ('ungəvœ:nliç) *adj* unusual, uncommon, strange. **—wohnt** ('ungəvo:nt) *adj* unaccustomed.
Ungeziefer ('ungətsi:fər) *n neu* — vermin.
ungezogen ('ungətso:gən) *adj* **1** ill-mannered, uncivil, rude. **2** naughty, disobedient.

ungezwungen ('ungətsvuŋən) *adj* natural, unconstrained, easy(-going).

ungläubig ('unglɔybiç) *adj* incredulous, unbelieving.

unglaublich ('unglaupliç) *adj* unbelievable, incredible.

ungleich ('unglaiç) *adj* unequal, unlike.

Unglimpf ('unglimpf) *nm* **1** insult. **2** harshness.

Unglück ('unglyk) *n neu* misfortune. **—lich** *adj* **1** unhappy. **2** unfortunate. **—licherweise** *adv* unfortunately. **—sfall** *nm* accident.

Ungnade ('ungna:də) *nf* **1** disgrace. **2** displeasure.

ungünstig ('ungynstiç) *adj* unfavourable.

unhaltbar ('unhaltba:r) *adj* untenable.

Unheil ('unhai) *n neu* **1** harm. **2** disaster, misfortune. **—bar** *adj* incurable.

unheimlich ('unhaimliç) *adj* **1** weird, sinister, uncanny. **2** *inf* tremendous, terrific.

universal (univer'za:l) *adj* universal.

Universität (univerzi'te:t) *nf* **-en** university.

Universum (uni'verzum) *n neu* universe.

unkennt/lich ('unkɛntliç) *adj* unrecognizable. **—nis** *nf* ignorance.

unklug ('unklu:k) *adj* unwise, imprudent.

Unkosten ('unkɔstən) *nf pl* expenses, costs.

Unkraut ('unkraut) *n neu* weed(s).

unlängst ('unlɛŋst) *adv* lately, recently.

unlauter ('unlautər) *adj* impure, unfair.

unlösbar ('unlœ:sba:r) *adj* insoluble.

unmäßig ('unmɛ:siç) *adj* immoderate.

Unmenge ('unmɛŋə) *nf* enormous number.

Unmensch ('unmɛnʃ) *nm* brute, barbarian. **—lich** *adj* brutal, inhuman, barbarous.

unmittelbar ('unmitəlba:r) *adj* direct.

unmöglich ('unmœ:kliç) *adj* impossible.

unmoralisch ('unmora:liʃ) *adj* immoral.

unnötig ('unnœ:tiç) *adj* unnecessary.

unnütz ('unnyts) *adj* useless, vain, idle.

unord/entlich ('unɔrdəntliç) *adj* untidy, disorderly. **—nung** ('unɔrdnuŋ) *nf* disorder, confusion.

unparteiisch ('unpartaiiʃ) *adj* impartial.

unpassend ('unpasənt) *adj* unsuitable.

Unrat ('unra:t) *nm* **1** dirt, filth. **2** rubbish.

unratsam ('unra:tza:m) *adj* inadvisable.

unrecht ('unrɛçt) *adj* **1** incorrect. **2** unjust. *n neu* injustice, wrong. **—mäßig** *adj* illegal.

unrein ('unrain) *adj* unclean, dirty.

Unruh/e ('unru:ə) *nf* **1** uneasiness, anxiety. **2** disturbance, riot. **3** unrest. **—ig** *adj* **1** restless, uneasy. **2** turbulent. **—stifter** *nm* agitator, troublemaker.

uns (uns) *pron 1st pers pl* **1** us. **2** ourselves.

unsagbar (un'za:kba:r) *adj* unspeakable.

unsauber ('unzaubər) *adj* dirty, untidy.

unscheinbar ('unʃainba:r) *adj* **1** insignificant. **2** unpretentious, plain.

unschlüssig ('unʃlysiç) *adj* irresolute, undecided.

Unschuld ('unʃult) *nf* innocence. **—ig** ('unʃuldiç) *adj* innocent.

unselig ('unze:liç) *adj* **1** unfortunate. **2** fatal.

unser ('unzər) *poss adj 1st pers pl* our. **—er** *poss pron 1st pers pl also* **der uns(e)re** or **der uns(e)rige** ours. **—(e)seits** ('unzər(ə)zaits) *adv* for our part. **—(e)sgleichen** ('unzər(ə)sglaiçən) *pron* people like us. **—thalben** ('unzərthalbən) *adv also* **—twegen** ('unzərtve:gən) or **—twillen** ('unzərtvilən) for our sake(s), on our account.

unsicher ('unziçər) *adj* **1** unsafe, insecure. **2** uncertain.

unsichtbar ('unziçtba:r) *adj* invisible.

Unsinn ('unzin) *nm* nonsense. **—ig** *adj* foolish, stupid.

Unsitt/e ('unzitə) *nf* bad habit. **—lich** *adj* immoral, indecent.

unsterblich ('unʃtɛrpliç) *adj* immortal. **—keit** *nf* immortality.

unstet ('unʃte:t) *adj* unsteady, inconstant.

Untat ('unta:t) *nf* crime, outrage.

untätig ('unte:tiç) *adj* inactive.

untauglich ('untaukliç) *adj* unfit, useless.

unten ('untən) *adv* **1** below. **2** downstairs.

unter ('untər) *prep* **1** below, under. **2** among. **3** between. **4** of. **5** during. *adj* lower, inferior.

Unterarm ('untərarm) *nm* forearm.

Unterbau ('untərbau) *nm* **-ten** substructure, foundation.

unterbewußt ('untərbəvust) *adj* subconscious. **—sein** *n neu* subconscious.

unterbleiben* (untər'blaibən) *vi* not take place, be cancelled.

unterbrechen* (untər'brɛçən) *vt* interrupt.

unterbringen* ('untərbriŋən) *vt* **1** lodge, shelter. **2** place.

unterdes (untər'dɛs) *adv also* **unterdessen** meanwhile.

unterdrücken (untər'drykən) *vt* **1** suppress, repress. **2** oppress.

untereinander (untərain'andər) *adv* **1** among one another, mutually. **2** one beneath the other.

Unterführung (untər'fy:ruŋ) *nf* underpass.

Untergang (ˈuntərgaŋ) *nm* **1** (of the sun) setting. **2** decline, (downˌfall.

Untergebene(r) (untərˈgeːbənə) *nm* subordinate.

untergehen* (ˈuntərgeːən) *vi* **1** perish, die. **2** set, sink.

untergeordnet (ˈuntərgəɐ̯dnət) *adj* subordinate.

Untergestell (ˈuntərgəʃtɛl) *n neu* **-e** undercarriage, base.

untergraben* (untərˈgraːbən) *vt* **1** undermine. **2** corrupt.

Untergrund (ˈuntərgrunt) *nm* subsoil. **—bahn** *nf* underground (railway).

unterhalb (ˈuntərhalp) *prep* below, under.

Unterhalt (ˈuntərhalt) *nm* livelihood, subsistence. **—en*** (untərˈhaltən) *vt* **1** entertain. **2** maintain. **3** support. **sich —en** *vr* talk, converse. **—ung** *nf* **-en** **1** entertainment. **2** conversation.

unterhand/eln (untərˈhandəln) *vi* negotiate. **—lung** (untərˈhandluŋ) *nf* negotiation.

Unterhemd (ˈuntərhɛmt) *n neu* vest.

Unterhosen (ˈuntərhoːzən) *nf pl* underpants.

unterirdisch (ˈuntərɪrdɪʃ) *adj* underground, subterranean.

unterkommen* (ˈuntərkɔmən) *vi* **1** find work. **2** find accommodation or shelter. *n neu also* **Unterkunft** (ˈuntərkunft) *nf* **¨-e** **1** lodging(s), accommodation. **2** *mil* quarters.

Unterlage (ˈuntərlaːgə) *nf* **1** basis, foundation. **2** (documentary) proof, documents.

unterlassen* (untərˈlasən) *vt* **1** omit. **2** abstain from.

unterlegen (*v* ˈuntərleːgən; *adj* untərˈleːgən) *vt* put under. *adj* inferior.

Unterleib (ˈuntərlaɪp) *nm* abdomen.

unterliegen (untərˈliːgən) *vi* be defeated.

unternehm/en* (untərˈneːmən) *vt* undertake, attempt. *n neu* — undertaking, enterprise. **—er** *nm* — **1** contractor. **2** entrepreneur. **3** employer.

Unteroffizier (ˈuntərɔfɪtsiːr) *nm* non-commissioned or petty officer.

Unterredung (untərˈreːduŋ) *nf* **-en** **1** conversation. **2** conference. **3** talk, interview.

Unterricht (ˈuntərrɪçt) *nm* instruction, lessons. **—en** (untərˈrɪçtən) *vt* instruct, teach, inform.

Unterrock (ˈuntərɔk) *nm* petticoat.

unters (ˈuntərs) contraction of **unter das.**

untersagen (untərˈzaːgən) *vt* forbid, prohibit.

Untersatz (ˈuntərzats) *nm* **1** support. **2** saucer.

unterscheid/en* (untərˈʃaɪdən) *vt* distinguish, discriminate. **sich unterscheiden** *vr* differ. **—ung** *nf* **-en** distinction, difference.

unterschieben* (untərˈʃiːbən) *vt* attribute, impute.

Unterschied (ˈuntərʃiːt) *nm* **-e** difference. **—lich** *adj* different.

unterschlagen* (untərˈʃlaːgən) *vt* **1** embezzle. **2** suppress.

Unterschlupf (ˈuntərʃlupf) *nm* **¨-e** refuge.

unterschreiben* (untərˈʃraɪbən) *vt* **1** sign. **2** subscribe to.

Unterschrift (ˈuntərʃrift) *nf* signature.

Untersee/boot (ˈuntərzeːboːt) *n neu* submarine. **—isch** (ˈuntərzeːɪʃ) *adj* submarine.

untersetzt (untərˈzɛtst) *adj* thick-set, stocky.

unterst (ˈuntərst) *adj* lowest, last, bottom.

Unterstand (ˈuntərʃtant) *nm* dugout, shelter.

unterstütz/en (untərˈʃtytsən) *vt* support, back. **—ung** *nf* **-en** support.

untersuch/en (untərˈzuːxən) *vt* examine, inspect. **—ung** *nf* **-en** **1** examination. **2** inquiry.

Untertan (ˈuntərtaːn) *nm* **-en** subject. **¨-ig** (ˈuntərtɛːnɪç) *adj* **1** subject. **2** submissive.

Untertasse (ˈuntərtasə) *nf* saucer.

Untertitel (ˈuntərtɪtəl) *nm* subtitle, caption.

unterwärts (ˈuntərvɛrts) *adv* downwards.

Unterwäsche (ˈuntərvɛʃə) *nf* underwear.

unterwegs (untərˈveːks) *adv* **1** on the way, en route. **2** bound (for).

unterweisen* (untərˈvaɪzən) *vt* teach, instruct.

Unterwelt (ˈuntərvɛlt) *nf* underworld.

unterwerfen* (untərˈvɛrfən) *vt* subdue, subject. **sich unterwerfen** *vr* submit.

unterwürfig (untərˈvyrfɪç) *adj* submissive, servile.

unterzeichn/en (untərˈtsaɪçnən) *vt* sign. **—ung** *nf* signature.

unterziehen* (untərˈtsiːən) *vt* subject to. **sich unterziehen** *vr* undergo.

untreu (ˈuntrɔy) *adj* **1** unfaithful. **2** disloyal.

untrüglich (unˈtryːklɪç) *adj* infallible, unerring.

Untugend (ˈuntuːgənt) *nf* vice, bad habit.

unumgänglich (unumˈgɛŋlɪç) *adj* **1** indispensable. **2** unavoidable.

unumwunden (ˈunumvundən) *adj* **1** plain, blunt. **2** candid.

ununterbrochen (ˈununtərbrɔxən) *adj* uninterrupted, continuous.

unverantwortlich (unfɛrˈantvɔrtlɪç) *adj* **1** irresponsible. **2** inexcusable.

unverbesserlich (unfɛrˈbɛsərlɪç) *adj* incorrigible.

unverbindlich (ˈunfɛrbintliç) *adj* **1** not binding, without obligation. **2** unkind.

unverdient (ˈunfɛrdi:nt) *adj* undeserved.

unverdorben (ˈunfɛrdɔrbən) *adj* unspoilt.

unverdrossen (ˈunfɛrdrɔsən) *adj* indefatigable.

unvereinbar (unfɛrˈainba:r) *adj* incompatible.

unvergeßlich (unfɛrˈgɛslіç) *adj* unforgettable.

unvermeidlich (unfɛrˈmaitliç) *adj* unavoidable, inevitable.

unvermittelt (ˈunfɛrmitəlt) *adj* abrupt.

Unvermögen (ˈunfɛrmœ:gən) *n neu* impotence, inability.

unvermutet (ˈunfɛrmu:tət) *adj* unexpected.

unvernünftig (ˈunfɛrnynftiç) *adj* unreasonable.

unverschämt (ˈunfɛrʃɛ:mt) *adj* **1** insolent, cheeky. **2** shameless.

unversehens (ˈunfɛrze:əns) *adv* unawares.

unversehrt (ˈunfɛrze:rt) *adj* uninjured.

unverständlich (ˈunfɛrʃtɛntliç) *adj* unintelligible.

unverträglich (ˈunfɛrtrɛ:kliç) *adj* **1** quarrelsome. **2** incompatible.

unverzüglich (unfɛrˈtsy:kliç) *adj* immediate.

unwahr (ˈunva:r) *adj* untrue, false, wrong. **—scheinlich** *adj* **1** improbable. **2** *inf* incredible.

unweigerlich (unˈvaigərliç) *adj* definite, certain. *adv* without fail.

unweit (ˈunvait) *adv* not far (off). *prep* near.

Unwetter (ˈunvɛtər) *n neu* storm, stormy weather.

unwichtig (ˈunviçtiç) *adj* unimportant.

unwiderruflich (unviːdərˈruːfliç) *adj* irrevocable.

unwiderstehlich (unviːdərˈʃteːliç) *adj* irresistible.

unwillig (ˈunviliç) *adj* indignant.

unwillkürlich (ˈunvilky:riç) *adj* involuntary, instinctive.

unwirksam (ˈunvi:rkza:m) *adj* ineffective.

unwissen/d (ˈunvisənt) *adj* ignorant. **—heit** *nf* ignorance.

unwürdig (ˈunvyrdiç) *adj* unworthy.

Unzahl (ˈuntsa:l) *nf* great or countless number. **—bar** (unˈtsɛ:lbə:r) *adj also* **—ig** (unˈtsɛ:liç) innumerable, countless.

Unze (ˈuntsə) *nf* **-n** ounce.

unzeitgemäß (ˈuntsaitgəmɛ:s) *adj* inopportune.

unzerbrechlich (untsɛrˈbrɛçliç) *adj* unbreakable.

unzertrennlich (untsɛrˈtrɛnliç) *adj* inseparable.

unziemlich (ˈuntsi:mliç) *adj* unseemly.

Unzucht (ˈuntsuxt) *nf* indecent act, sexual offence.

unzufrieden (ˈuntsufri:dən) *adj* dissatisfied.

unzugänglich (ˈuntsu:gɛŋliç) *adj* inaccessible.

unzulänglich (ˈuntsu:lɛŋliç) *adj* inadequate.

unzulässig (ˈuntsu:lɛsiç) *adj* inadmissible.

üppig (ˈypiç) *adj* **1** abundant, plentiful. **2** well-developed. **3** voluptuous. **4** presumptuous, cocky. **—keit** *nf* **1** abundance. **2** voluptuousness. **3** presumption.

uralt (ˈu:ralt) *adj* **1** very old, ancient. **2** prehistoric. **3** primeval.

Uran (uˈra:n) *n neu* uranium.

Uraufführung (ˈu:raufˌfy:ruŋ) *nf* first night or performance, premiere.

urbar (ˈu:rba:r) *adj* arable.

Ureinwohner (ˈu:rainvo:nər) *nm pl* original inhabitants, aborigines.

Ureltern (ˈu:rɛltərn) *n pl* ancestors.

Urgeschichte (ˈu:rgəʃiçtə) *nf* earliest history, earliest times.

Urheber (ˈu:rhe:bər) *nm* — author, originator.

Urin (uˈri:n) *nm* urine.

Urkund/e (ˈu:rkundə) *nf* **-n** document, deed. **—lich** (ˈu:rkuntliç) *adj* documentary.

Urlaub (ˈu:rlaup) *nm* **-e** holidays, leave.

Urmensch (ˈu:rmɛnʃ) *nm* primitive man.

Urne (ˈurnə) *nf* **-n** urn.

urplötzlich (ˈu:rplœtsliç) *adj* sudden, abrupt.

Ursache (ˈu:rzaxə) *nf* cause, reason.

Ursprung (ˈu:rʃpruŋ) *nm* origin, source, beginning. **—lich** (ˈu:rʃpryŋliç) *adj* original, primary.

Urteil (ˈurtail) *n neu* **1** judgment. **2** opinion. **—en** *vi* judge.

Urwald (ˈu:rvalt) *nm* primeval or virgin forest, jungle.

Urzeit (ˈu:rtsait) *nf* remotest antiquity, primitive times.

Utop/ie (utoˈpi:) *nf* **-n** Utopia. **—isch** (uˈto:-piʃ) *adj* Utopian.

V

vag (va:k) *adj also* **vage** (ˈva:gə) vague.

Vagabund (vagaˈbunt) *nm* **-en** vagabond, tramp.

vakant (vaˈkant) *adj* vacant.

Vakuum (ˈva:kuum) *n neu* **-kua** vacuum.

Valuta (vaˈlu:tə) *nf* **-ten** **1** rate of exchange. **2** currency. **3** value.

Vanille (vaˈniljə) *nf* vanilla.

Variation (variatsi'o:n) *nf* **-en** variation.
Vase ('va:zə) *nf* **-n** vase.
Vater ('fa:tər) *nm* ¨ father. **—land** *n neu* native country. **—ländisch** ('fa:tərlɛndiʃ) *adj* national, patriotic. **¨—lich** ('fɛ:tərliç) *adj* fatherly. **—unser** (fa:tər'unzər) *n neu* Lord's Prayer.
Vegetar/ier (vege'ta:riər) *nm* — vegetarian. **—isch** *adj* vegetarian.
Veilchen ('failçən) *n neu* — violet.
Vene ('ve:nə) *nf* **-n** vein.
Venedig (ve'ne:diç) *n neu* Venice.
Ventil (vɛn'ti:l) *n neu* **-e** valve.
verabred/en (fɛr'apre:dən) *vt* agree (upon), fix. **sich verabreden** *vr* make an appointment. **—ung** *nf* **-en** 1 agreement. 2 appointment.
verabschieden (fɛr'apʃi:dən) *vt* 1 dismiss. 2 pass (laws). **sich verabschieden** *vr* take one's leave.
veracht/en (fɛr'axtən) *vt* despise. **¨—lich** (fɛr'ɛçtliç) *adj* 1 contemptuous, scornful. 2 contemptible, despicable.
verallgemeiner/n (fɛralgə'mainərn) *vt* generalize. **—ung** *nf* **-en** generalization.
veralten (fɛr'altən) *vi* become obsolete or out-of-date.
verändⁿ/lich (fɛr'ɛndərliç) *adj* changeable, variable. **—n** *vt* change, alter.
veranlag/t (fɛr'anla:kt) *adj* talented. **—ung** (fɛr'anla:guŋ) *nf* **-en** 1 aptitude, talent. 2 assessment.
veranlassen (fɛr'anlasən) *vt* give rise to.
veranschaulichen (fɛr'anʃauliçən) *vt* 1 make clear. 2 illustrate.
veranstalt/en (fɛr'anʃtaltən) *vt* arrange, organize. **—ung** *nf* **-en** 1 arrangement. 2 entertainment, show. 3 *sport* event.
verantwort/en (fɛr'antvɔrtən) *vt* answer for. **—lich** *adj* responsible. **—ung** *nf* **-en** responsibility.
verarbeiten (fɛr'arbaitən) *vt* work, process.
verargen (fɛr'argən) *vt* blame. **jemandem etwas verargen** blame someone for something.
verärgern (fɛr'ɛrgərn) *vt* annoy, vex.
veräußer/n (fɛr'ɔysərn) *vt* sell, dispose of. **—ung** *nf* **-en** 1 sale. 2 transfer.
Verb (vɛrp) *n neu* **-en** verb.
Verband (fɛr'bant) *nm* **¨-e** 1 bandage, dressing. 2 association, union.
verbannen (fɛr'banən) *vt* banish.
verbergen* (fɛr'bɛrgən) *vt* hide, conceal.
verbessern (fɛr'bɛsərn) *vt* 1 improve. 2 correct.
sich verbeugen (fɛr'bɔygən) *vr* bow.
verbieten* (fɛr'bi:tən) *vt* forbid, prohibit.
verbilligen (fɛr'biligən) *vt* 1 cheapen. 2 reduce (the price of).
verbind/en* (fɛr'bindən) *vt* 1 bandage. 2 bind, join. **—lich** (fɛr'bintliç) *adj* 1 obligatory, binding. 2 obliging. **—ung** (fɛr'binduŋ) *nf* **-en** 1 union. 2 bond. 3 connection. 4 relation.
verbissen (fɛr'bisən) *adj* grim, dogged.
verbittern (fɛr'bitərn) *vt* embitter.
verblassen (fɛr'blasən) *vi* grow pale, fade.
Verbleib (fɛr'blaip) *nm* whereabouts. **—en*** (fɛr'blaibən) *vi* 1 remain. 2 persist, stick (to).
verblenden (fɛr'blɛndən) *vt* 1 delude. 2 dazzle. 3 screen. 4 *arch* face.
verblüffen (fɛr'blyfən) *vt* 1 amaze, astonish. 2 confuse, bewilder.
verbluten (fɛr'blu:tən) *vi* bleed to death.
verbohrt (fɛr'bo:rt) *adj* stubborn.
verborgen (fɛr'bɔrgən) *adj* hidden, secret.
Verbot (fɛr'bo:t) *n neu* **-e** prohibition. **—en** *adj* forbidden.
Verbrauch (fɛr'braux) *nm* consumption, use. **—en** *vt* 1 consume. 2 wear out. **—er** *nm* — consumer, user.
verbrech/en* (fɛr'brɛçən) *vt* commit (a crime). *n neu* — crime. **—er** *nm* — criminal. **—erisch** *adj* criminal.
verbreiten (fɛr'braitən) *vt* spread.
verbrennen* (fɛr'brɛnən) *vt* 1 burn (up). 2 cremate. *vi* burn to death.
verbringen* (fɛr'briŋən) *vt* spend (time).
sich verbrüdern (fɛr'bry:dərn) *vr* fraternize.
Verbum ('vɛrbum) *n neu* **-ben** verb.
verbünd/en (fɛr'byndən) *vt* ally. **sich verbünden** *vr* ally oneself. **—ete(r)** *nm* ally, confederate.
Verdacht (fɛr'daxt) *nm* **-e** suspicion, distrust. **¨—ig** (fɛr'dɛçtiç) *adj* 1 suspicious. 2 suspect. **¨—igen** (fɛr'dɛçtigən) *vt* suspect.
verdamm/en (fɛr'damən) *vt* condemn, damn. **—nis** *nf* damnation.
verdampfen (fɛr'dampfən) *vi* evaporate.
verdanken (fɛr'daŋkən) *vt* be indebted for, owe.
verdauen (fɛr'dauən) *vt* digest.
Verdeck (fɛr'dɛk) *n neu* **-e** 1 *naut* deck. 2 *mot* hood, top. 3 covering. **—en** *vt* cover (up).
Verderb (fɛr'dɛrp) *nm* ruin, destruction. **—en*** (fɛr'dɛrbən) *vt* spoil, corrupt. *vi* spoil, decay. **—lich** (fɛr'dɛrpliç) *adj* 1 perishable. 2 contaminating. **—nis** (fɛr'dɛrpnis) *nf* corruption.
verdeutlichen (fɛr'dɔytliçən) *vt* make clear, explain.

verdichten (fɛr'diçtən) *vt* condense, compress.
verdicken (fɛr'dikən) *vt* thicken.
verdien/en (fɛr'di:nən) *vt* **1** deserve. **2** earn. **—st** *n neu* **-e** merit. *nm* **-e** earnings, gain.
verdingen (fɛr'diŋən) *vt* hire out.
verdoppeln (fɛr'dɔpəln) *vt* double.
verdorben (fɛr'dɔrbən) *adj* spoilt, damaged.
verdrängen (fɛr'drɛŋən) *vt* **1** thrust aside. **2** displace. **3** supplant. **4** suppress, repress.
verdrehen (fɛr'dre:ən) *vt* **1** distort. **2** twist.
verdrieß/en* (fɛr'dri:sən) *vt* annoy, vex. **—lich** *adj* **1** annoyed. **2** sulky. **3** annoying.
verdrossen (fɛr'drɔsən) *adj* **1** sulky. **2** annoyed.
verdummen (fɛr'dumən) *vt* make stupid, stupefy. *vi* become stupid.
verdunkeln (fɛr'duŋkəln) *vt* **1** darken, black out. **2** overshadow.
veredeln (fɛr'e:dəln) *vt* **1** ennoble. **2** improve. **3** *bot* graft.
verehr/en (fɛr'e:rən) *vt* honour, venerate, worship. **—ung** *nf* worship, veneration.
Verein (fɛr'ain) *nm* **-e** **1** association, union. **2** society, club. **—bar** *adj* consistent, compatible. **—baren** *vt* agree upon, arrange. **—barung** *nf* **-en** agreement. **—fachen** *vt* simplify. **—igen** *vt also* **—en** unite, join, combine. **die Vereinigten Staaten** the United States. **die Vereinten Nationen** the United Nations. **—igung** *nf* **-en** union, alliance.
vereiteln (fɛr'aitəln) *vt* frustrate, thwart.
vererben (fɛr'ɛrbən) *vt* **1** bequeath. **2** transmit. **sich vererben** *vr* be hereditary.
verewigen (fɛr'e:vigən) *vt* immortalize.
verfahren* (fɛr'fa:rən) *vi* act, deal. *vt* muddle. **sich verfahren** *vr* lose one's way. ~*adj* bungled. *n neu* — **1** method. **2** process. **3** *law* proceedings.
Verfall (fɛr'fal) *nm* **1** decay, decline. **2** *comm* maturity. **3** *law* forfeiture. **—en*** *vi* **1** decay, decline. **2** *comm* mature. **3** be forfeited.
verfälschen (fɛr'felʃən) *vt* **1** falsify. **2** adulterate.
verfass/en (fɛr'fasən) *vt* compose, write. **—er** *nm* — author. **—ung** *nf* **-en** **1** *pol* constitution. **2** disposition, frame of mind. **—ungsgemäß** *adj also* **—ungsmäßig** constitutional. **—ungswidrig** *adj* unconstitutional.
verfechten (fɛr'fɛçtən) *vt* **1** defend. **2** advocate.
verfehl/en (fɛr'fe:lən) *vt* **1** miss. **2** fail (to do). **—t** *adj* unsuccessful.
verfeinern (fɛr'fainərn) *vt* **1** refine. **2** improve.
verfluchen (fɛr'flu:xən) *vt* curse.
verfolg/en (fɛr'fɔlgən) *vt* **1** pursue. **2** follow up. **3** persecute. **4** *law* prosecute. **—er** *nm* — **1** pursuer. **2** persecutor. **—ung** *nf* **-en** **1** pursuit. **2** persecution. **3** *law* prosecution.
verfüg/en (fɛr'fy:gən) *vi* **1** have at one's disposal. **2** dispose (of). *vt* order. **—ung** *nf* **-en** **1** disposal. **2** order, instruction.
verführ/en (fɛr'fy:rən) *vt* **1** lead astray. **2** seduce. **3** tempt, lure. **—er** *nf* — **1** seducer. **2** tempter. **—erisch** *adj* seductive, alluring. **—ung** *nf* **1** seduction. **2** temptation.
vergang/en (fɛr'gaŋən) *adj* past, gone. **—enheit** *nf* past. **—lich** (fɛr'gɛŋliç) *adj* transitory, transient.
Vergaser (fɛr'ga:zər) *nm* — carburettor.
vergaß (fɛr'ga:s) *v* see **vergessen.**
vergeb/en* (fɛr'ge:bən) *vt* **1** forgive. **2** give away. **—ens** *adv* in vain. **—lich** (fɛr'ge:pliç) *adj* **1** fruitless. **2** futile.
vergegenwärtigen (fɛrge:gən'vɛrtigən) *vt* **1** bring to mind. **2** represent. **sich vergegenwärtigen** *vr* imagine, picture.
vergehen* (fɛr'ge:ən) *vi* **1** pass or fade (away). **2** cease. **3** perish. **sich vergehen** *vr* commit an offence. *n neu* — offence.
vergelten* (fɛr'gɛltən) *vt* repay, pay back.
vergessen* (fɛr'gɛsən) *vt* forget.
vergeuden (fɛr'gɔydən) *vt* squander.
vergewaltig/en (fɛrgə'valtigən) *vt* **1** rape. **2** violate. **—ung** *nf* **-en** **1** rape. **2** violence.
sich vergewissern (fɛrgə'visərn) *vr* ascertain.
vergießen* (fɛr'gi:sən) *vt* **1** shed (blood or tears). **2** spill.
vergiften (fɛr'giftən) *vt* poison.
Vergißmeinnicht (fɛr'gismainniçt) *n neu* **-e** forget-me-not.
vergißt (fɛr'gist) *v* see **vergessen.**
verglasen (fɛr'gla:zən) *vt* glaze.
Vergleich (fɛr'glaiç) *nm* **-e** **1** comparison. **2** *law* arrangement, compromise. **—en*** *vt* **1** compare. **2** settle.
vergnüg/en (fɛr'gny:gən) *vt* entertain, amuse. **sich vergnügen** *vr* enjoy or amuse onself. ~*n neu* — pleasure, enjoyment.
vergöttern (fɛr'gœtərn) *vt* **1** deify. **2** idolize.
vergraben* (fɛr'gra:bən) *vt* bury.
vergriffen (fɛr'grifən) *adj* **1** sold out. **2** out of print.
vergrößern (fɛr'grœ:sərn) *vt* enlarge, magnify.
Vergünstigung (fɛr'gynstiguŋ) *nf* **-en** concession, privilege.
vergüten (fɛr'gy:tən) *vt* compensate for, reimburse, make good.
verhaften (fɛr'haftən) *vt* arrest.

verhalt/en* (fɛr'haltən) *vt* keep back, suppress. **sich verhalten** *vr* behave. *~n neu* behaviour. **¨-nis** (fɛr'hɛltnis) *n neu* **-se** 1 relation(ship). 2 proportion. **¨-nismäßig** (fɛr'hɛltnismɛ:siç) *adj* proportional. *adv* relatively.

verhand/eln (fɛr'handəln) *vi* 1 negotiate. 2 deal (with). *vt* 1 dispose of, sell. 2 discuss. 3 *law* plead. **—lung** (fɛr'handluŋ) *nf* 1 negotiation. 2 discussion.

verhäng/en (fɛr'hɛŋən) *vt* 1 impose, inflict. 2 drape. 3 cover. **—nis** *n neu* **-se** destiny, fate.

verhaßt (fɛr'hast) *adj* 1 hated, despised. 2 hateful, despicable.

Verhau (fɛr'hau) *nm,neu* **-e** entanglement. **—en** *vt inf* thrash.

verheimlichen (fɛr'haimliçən) *vt* conceal, keep secret.

verheiraten (fɛr'haira:tən) *vt* marry. **sich verheiraten** *vr* marry, get married.

verheißen* (fɛr'haisən) *vt* promise.

verhelfen* (fɛr'hɛlfən) *vi* **jemandem zu etwas verhelfen** help someone in (doing) something.

verherrlichen (fɛr'hɛrliçən) *vt* glorify.

verhindern (fɛr'hindərn) *vt* 1 prevent. 2 hamper.

Verhör (fɛr'hœ:r) *n neu* **-e** 1 examination. 2 interrogation. **—en** *vt* 1 examine. 2 question.

verhungern (fɛr'huŋərn) *vi* die of hunger, starve.

verhüten (fɛr'hy:tən) *vt* avert, prevent.

sich verirren (fɛr'irən) *vr* lose one's way.

verjüngen (fɛr'jyŋən) *vt* rejuvenate.

Verkauf (fɛr'kauf) *nm* **¨-e** sale. **—en** *vt* sell. **¨-er** (fɛr'kɔyfər) *nm* — 1 retailer. 2 salesman, shop assistant. **¨-erin** *nf* **-nen** saleswoman, shop assistant.

Verkehr (fɛr'ke:r) *nm* 1 traffic. 2 communication, intercourse. **—en** *vt* 1 reverse. 2 pervert. *vi* 1 associate (with). 2 (of a vehicle or transport service) run, operate. **—sampel** *nf* traffic light. **—t** *adj* 1 wrong. 2 inverted, reversed.

verkennen* (fɛr'kɛnən) *vt* 1 misjudge. 2 fail to recognize.

verklagen (fɛr'kla:gən) *vt* 1 accuse. 2 sue.

verklären (fɛr'klɛ:rən) *vt* transfigure.

verkleiden (fɛr'klaidən) *vt* 1 disguise. 2 coat, face.

verkleinern (fɛr'klainərn) *vt* 1 diminish, reduce. 2 belittle.

verknüpfen (fɛr'knypfən) *vt* connect.

verkommen* (fɛr'kɔmən) *vi* 1 decay. 2 decline. *adj* 1 decayed. 2 depraved.

verkörpern (fɛr'kœrpərn) *vt* 1 embody. 2 represent.

verkrüppeln (fɛr'krypəln) *vt* cripple.

verkündig/en (fɛr'kyndigən) *vt* proclaim, announce. **—ung** *nf* **-en** proclamation or announcement.

verkürz/en (fɛr'kyrtsən) *vt* shorten. **—ung** *nf* **-en** 1 reduction. 2 abbreviation.

verladen* (fɛr'la:dən) *vt* load, ship.

Verlag (fɛr'la:k) *nm* **-e** publishing house.

verlangen (fɛr'laŋən) *vt* 1 demand. 2 require. **verlangen nach** long for. *~n neu* — 1 desire. 2 demand.

verlängern (fɛr'lɛŋərn) *vt* 1 lengthen. 2 prolong.

verlangsamen (fɛr'laŋza:mən) *vt* slow down.

Verlaß (fɛr'las) *nm* 1 reliance. 2 dependability. **¨-lich** (fɛr'lɛsliç) *adj* reliable.

verlassen* (fɛr'lasən) *vt* 1 desert. 2 relinquish. **sich verlassen** *vr* rely.

Verlauf (fɛr'lauf) *nm* 1 course. 2 development. **—en*** *vi* 1 elapse. 2 develop. *adj* lost. **sich —en** *vr* lose one's way.

verlautbaren (fɛr'lautba:rən) *vt* divulge.

verleg/en (fɛr'le:gən) *vt* 1 misplace. 2 publish. 3 shift. 4 bar. *adj* embarrassed, confused. **—enheit** *nf* **-en** embarrassment, confusion. **—er** *nm* — publisher.

verleihen* (fɛr'laiən) *vt* 1 lend. 2 bestow.

verleiten (fɛr'laitən) *vt* 1 mislead. 2 seduce. 3 induce.

verlernen (fɛr'lɛrnən) *vt* forget.

verletzen (fɛr'lɛtsən) *vt* 1 wound. 2 violate.

verleugnen (fɛr'lɔygnən) *vt* 1 deny. 2 disavow. 3 renounce.

verleumd/en (fɛr'lɔymdən) *vt* slander. **—ung** *nf* **-en** slander, libel.

sich verlieben (fɛr'li:bən) *vr* fall in love.

verlieren* (fɛr'li:rən) *vt,vi* lose. **sich verlieren** *vr* 1 lose oneself or one's way. 2 disappear.

Verlob/te (fɛr'lo:pta) *nf* fiancée. **—te(r)** *nm* fiancé. **—ung** (fɛr'lo:buŋ) *nf* **-en** engagement.

verlocken (fɛr'lɔkən) *vt* entice, tempt.

verlogen (fɛr'lo:gən) *adj* untruthful.

verlor (fɛr'lɔ:r) *v* see **verlieren.**

verloren (fɛr'lo:rən) *v* see **verlieren.** *adj* lost.

Verlust (fɛr'lust) *nm* **-e** 1 loss. 2 damage. 3 waste.

vermach/en (fɛr'maxən) *vt* bequeath. **¨-tnis** (fɛr'mɛçtnis) *n neu* **-se** 1 legacy. 2 bequest.

vermähl/en (fɛr'mɛ:lən) *vt* marry. **sich ver-**

mählen *vr* get married. **—ung** *nf* **-en** marriage.

vermehren (fɛr'me:rən) *vt* increase, multiply.

vermeid/en* (fɛr'maidən) avoid, elude. **—lich** (fɛr'maitliç) *adj* avoidable.

vermeintlich (fɛr'maintliç) *adj* supposed.

Vermerk (fɛr'mɛrk) *nm* **-e** note, notice. **—en** *vt* note (down).

vermess/en* (fɛr'mɛsən) *vt* **1** measure. **2** survey. **sich vermessen** *vr* dare. ~*adj* bold, insolent. **—ung** *nf* **-en 1** measuring. **2** survey.

vermiet/en (fɛr'mi:tən) *vt* let, lease. **—er** *nm* — landlord.

vermindern (fɛr'mindərn) *vt* diminish, decrease.

vermischen (fɛr'miʃən) *vt* mix, blend.

vermissen (fɛr'misən) *vt* miss.

vermitt/eln (fɛr'mitəln) *vi,vt* **1** mediate. **2** negotiate. *vt* obtain. **—lung** (fɛr'mitluŋ) *nf* **-en 1** mediation. **2** intervention.

vermög/e (fɛr'mœ:gə) *prep* by virtue of. **—en*** *vt* be able. *n neu* **1** wealth, assets. **2** ability, power.

vermut/en (fɛr'mu:tən) *vt* suppose, presume. **—lich** *adj* likely, presumable. **—ung** *nf* **-en 1** conjecture. **2** suspicion.

vernachlässigen (fɛr'na:xlɛsigən) *vt* neglect.

vernehmen* (fɛr'ne:mən) *vt* **1** perceive, hear. **2** learn. **3** interrogate.

verneinen (fɛr'nainən) *vt* deny.

vernicht/en (fɛr'niçtən) *vt* annihilate, destroy. **—ung** *nf* annihilation, destruction.

vernieten (fɛr'ni:tən) *vt* rivet.

Vernunft (fɛr'nunft) *nf* reason, (common) sense. **jemandem zur Vernunft bringen** bring someone to his senses. **¨—ig** (fɛr'nynftiç) *adj* **1** sensible, reasonable. **2** rational.

veröden (fɛr'œ:dən) *vt* lay waste. *vi* become desolate.

veröffentlichen (fɛr'œfəntliçən) *vt* publish.

verpachten (fɛr'paxtən) *vt* **1** farm (out). **2** lease.

verpacken (fɛr'pakən) *vt* **1** pack (up or away). **2** wrap up.

verpassen (fɛr'pasən) *vt* **1** miss (a train, etc.). **2** fit (clothes).

verpfänden (fɛr'pfɛndən) *vt* pawn, pledge.

verpfleg/en (fɛr'pfle:gən) *vt* cater for, feed. **—ung** *nf* **1** catering. **2** board.

verpflicht/en (fɛr'pfliçtən) *vt* **1** oblige. **2** engage. **—ung** *nf* **-en** commitment, obligation.

verplempern (fɛr'plɛmpərn) *vt inf* fritter away.

verpönt (fɛr'pœ:nt) *adj* taboo.

verputzen (fɛr'putsən) *vt* **1** plaster. **2** *inf* squander.

verquicken (fɛr'kvikən) *vt* **1** amalgamate. **2** mix up.

Verrat (fɛr'ra:t) *nm* **1** treason. **2** betrayal. **—en*** *vt* betray. **¨—er** (fɛr'rɛ:tər) *nm* — traitor. **¨—erisch** (fɛr'rɛ:təriʃ) *adj* treacherous.

verrechnen (fɛr'rɛçnən) *vt* reckon up. **sich verrechnen** *vr* miscalculate.

verrenk/en (fɛr'rɛŋkən) *vt med* **1** sprain. **2** dislocate. **—ung** *nf* **-en 1** sprain. **2** dislocation.

verrichten (fɛr'riçtən) *vt* perform, execute.

verringern (fɛr'riŋərn) *vt* diminish, lessen.

verrück/en (fɛr'rykən) *vt* shift, move. **—t** *adj* mad, crazy.

Verruf (fɛr'ru:f) *nm* ill repute, disrepute.

Vers (fɛrs) *nm* **-e** verse, stanza.

versag/en (fɛr'za:gən) *vi* fail. *vt* refuse. **—er** *nm* — failure.

versamm/eln (fɛr'zaməln) *vt* assemble, collect. **—lung** (fɛr'zamluŋ) *nf* assembly, meeting.

Versand (fɛr'zant) *nm* dispatch.

versäum/en (fɛr'zɔyman) *vt* **1** neglect, fail (to). **2** miss (a train, etc.). **—nis** *nf,neu* **-se 1** neglect, omission. **2** delay.

verschaffen (fɛr'ʃafən) *vt* procure, provide.

verschämt (fɛr'ʃɛ:mt) *adj* **1** bashful, shy. **2** ashamed.

verschanzen (fɛr'ʃantsən) *vt* entrench.

verschärfen (fɛr'ʃɛrfən) *vt* **1** sharpen. **2** intensify.

verschieb/en* (fɛr'ʃi:bən) *vt* **1** postpone. **2** displace. **3** sell illegally. **—ung** *nf* **-en 1** postponement. **2** displacement.

verschieden (fɛr'ʃi:dən) *adj* **1** different. **2** *pl* several, various. **—es** *n neu* miscellany, variety (of things). **—heit** *nf* **-en 1** difference. **2** variety.

verschiffen (fɛr'ʃifən) *vt* ship.

verschimmeln (fɛr'ʃiməln) *vi* grow mouldy.

verschlafen* (fɛr'ʃla:fən) *vt* sleep through. *vi* oversleep.

Verschlag (fɛr'ʃla:k) *nm* **1** partition. **2** crate, box. **3** compartment. **—en*** (fɛr'ʃla:gən) *vt* **1** partition. **2** board up. *adj* cunning.

verschlechtern (fɛr'ʃlɛçtərn) *vt* make worse. **sich verschlechtern** *vr* deteriorate.

verschleiern (fɛr'ʃlaiərn) *vt* veil.

Verschleiß (fɛr'ʃlais) *nm* wear (and tear).

verschleudern (fɛr'ʃlɔydərn) *vt* **1** squander. **2** sell extremely cheaply or at a loss.

verschließen* (fɛr'ʃli:sən) *vt* **1** shut, close. **2** lock. **3** seal (a letter).
verschlimmern (fɛr'ʃlimərn) *vt* make worse. *vi* get worse.
verschlingen* (fɛr'ʃliŋən) *vt* **1** devour. **2** twist.
verschlucken (fɛr'ʃlukən) *vt* swallow.
Verschluß (fɛr'ʃlus) *nm* **1** fastening. **2** seal. **3** stopper.
verschmähen (fɛr'ʃmɛ:ən) *vt* disdain, despise.
verschmitzt (fɛr'ʃmitst) *adj* crafty, sly.
verschollen (fɛr'ʃɔlən) *adj* (of a person) missing.
verschönern (fɛr'ʃœ:nərn) *vt* **1** adorn, embellish. **2** improve.
verschränken (fɛr'ʃrɛŋkən) *vt* cross, fold.
verschreiben* (fɛr'ʃraibən) *vt* **1** prescribe. **2** order.
verschulden (fɛr'ʃuldən) *vt* be guilty of. *n neu* — **1** wrong. **2** fault.
verschweigen* (fɛr'ʃvaigən) *vt* keep secret.
verschwend/en (fɛr'ʃvɛndən) *vt* squander, waste. **—erisch** *adj* wasteful, extravagant.
verschwiegen (fɛr'ʃvi:gən) *adj* **1** discreet. **2** reserved, reticent. **—heit** *nf* **1** discretion. **2** reticence.
verschwinden* (fɛr'ʃvindən) *vi* disappear. *n neu* — disappearance.
verschwommen (fɛr'ʃvɔmən) *adj* vague, blurred.
verschwör/en (fɛr'ʃvœ:rən) *vt* renounce. **sich verschwören** *vr* conspire, plot. **—er** *nm* — conspirator. **—ung** *nf* **-en** conspiracy, plot.
versehen* (fɛr'ze:ən) *vt* **1** furnish, provide, equip. **2** overlook. **3** fulfil, perform. **sich versehen** *vr* err, make a mistake. ~*n neu* — mistake, error. **—tlich** (fɛr'ze:əntliç) *adv* by mistake, mistakenly.
versenden* (fɛr'zɛndən) *vt* **1** send. **2** ship.
versengen (fɛr'zɛŋən) *vt* singe, scorch.
versenk/en (fɛr'zɛŋkən) *vt* **1** submerge, sink, immerse. **2** countersink. **—ung** *nf* **-en** sinking, submersion, immersion.
versessen (fɛr'zɛsən) *adj* **auf etwas versessen sein** **1** be bent on something. **2** be crazy about something.
versetzen (fɛr'zɛtsən) *vt* **1** (re)move, transfer. **2** displace. **3** pawn.
verseuchen (fɛr'zɔyçən) *vt* infect, contaminate.
versicher/n (fɛr'ziçərn) *vt* **1** insure. **2** affirm. **sich versichern** *vr* make sure of. **—ung** *nf* **-en** **1** insurance. **2** assurance. **3** confirmation. **—ungsstatistiker** *nm* actuary.
versiegeln (fɛr'zi:gəln) *vt* seal (up).
versöhnen (fɛr'zœ:nən) *vt* reconcile.
versorg/en (fɛr'zɔrgən) *vt* **1** provide, supply. **2** look after. **—ung** *nf* **-en** **1** maintenance. **2** supply.
verspät/en (fɛr'ʃpɛ:tən) *vt* delay. **sich verspäten** *vr* be late. **—ung** *nf* **-en** delay.
verspielen (fɛr'ʃpi:lən) *vt* gamble away.
verspotten (fɛr'ʃpɔtən) *vt* mock, deride.
versprech/en* (fɛr'ʃprɛçən) *vt* promise. *n neu* — promise. **—ung** *nf* **-en** promise.
versprengen (fɛr'ʃprɛŋən) *vt* disperse.
verstaatlichen (fɛr'ʃta:tliçən) *vt* nationalize.
Verstand (fɛr'ʃtant) *nm* **1** reason. **2** understanding. **3** intellect. **¨-igen** (fɛr'ʃtɛndigən) *vt* inform. **sich ¨-igen** *vr* **1** come to an understanding. **2** make oneself understood. **¨-igung** (fɛr'ʃtɛndigug) *nf* **-en** **1** agreement. **2** information. **¨-lich** (fɛr'ʃtɛntliç) *adj* intelligible, clear. **¨-nis** (fɛr'ʃtɛntnis) *n neu* **1** comprehension. **2** appreciation.
verstärk/en (fɛr'ʃtɛrkən) *vt* strengthen. **—er** *nm* — amplifier. **—ung** *nf* **-en** **1** reinforcement(s). **2** strengthening **3** amplification.
verstauchen (fɛr'ʃtauxən) *vt* sprain.
Versteck (fɛr'ʃtɛk) *n neu* **-e** hiding-place. **—en** *vt* hide.
verstehen* (fɛr'ʃte:ən) *vt* understand. **sich verstehen** *vr* **1** agree. **2** get on (with someone).
versteiger/n (fɛr'ʃtaigərn) *vt* auction, sell by auction. **—ung** *nf* **-en** auction.
versteinern (fɛr'ʃtainərn) *vt* petrify.
verstell/bar (fɛr'ʃtɛlba:r) *adj* adjustable. **—en** *vt* **1** adjust. **2** shift. **3** disguise. **4** pretend, feign. **5** misplace. **—ung** *nf* **1** pretence. **2** disguise. **3** displacement. **4** adjustment.
verstimmt (fɛr'ʃtimt) *adj* **1** bad-tempered, annoyed. **2** out of tune.
verstockt (fɛr'ʃtɔkt) *adj* **1** stubborn. **2** callous.
verstohlen (fɛr'ʃto:lən) *adj* furtive, stealthy.
Verstoß (fɛr'ʃtɔs) *nm* **1** offence. **2** error. **—en*** *vt* **1** repudiate. **2** reject. *vi* **1** offend. **2** violate.
verstricken (fɛr'ʃtrikən) *vt* entangle.
verstümmeln (fɛr'ʃtyməln) *vt* mutilate.
Versuch (fɛr'zu:x) *nm* **-e** **1** attempt, trial. **2** experiment. **—en** *vt* **1** try, test. **2** tempt. **—ung** *nf* **-en** temptation.
vertagen (fɛr'ta:gən) *vt* adjourn, postpone.
vertauschen (fɛr'tauʃən) *vt* **1** exchange. **2** mistake for.
verteidig/en (fɛr'taidigən) *vt* defend. **—er** *nm* — defender, advocate. **—ung** *nf* **-en** defence.

verteil/en (fɛr'tailən) *vt* **1** distribute. **2** divide. **—ung** *nf* distribution. allocation.

vertiefen (fɛr'ti:fən) *vt* deepen. **sich vertiefen** *vr* be absorbed (in).

vertikal (vɛrti'ka:l) *adj* vertical.

vertilgen (fɛr'tilgən) *vt* exterminate, destroy.

Vertrag (fɛr'tra:k) *nm* **¨-e 1** treaty. **2** agreement, contract. **—lich** *adj* stipulated, agreed.

vertrag/en* (fɛr'tra:gən) *vt* **1** endure, stand, bear. **2** carry away. **sich vertragen** *vr* **1** get on (with someone). **2** agree. **¨—lich** (fɛr'trɛ:kliç) *adj* **1** compatible. **2** sociable, good-natured.

vertrau/en (fɛr'trauən) *vi* trust, have confidence in. *n neu* confidence, trust. **—ensvoll** *adj* trustful. **—ensvotum** *n neu* vote of confidence. **—enswürdig** *adj* trustworthy. **—lich** *adj* **1** confidential. **2** intimate. **—t** *adj* intimate, familiar.

vertreiben* (fɛr'traibən) *vt* **1** expel, banish. **2** sell.

vertret/en* (fɛr'tre:tən) *vt* represent. **—er** *nm* **— 1** representative. **2** advocate.

vertrösten (fɛr'trœ:stən) *vt* **1** console. **2** put off.

vertun* (fɛr'tu:n) *vt* spend, squander.

vertuschen (fɛr'tuʃən) *vt* hush up.

verunglimpfen (fɛr'unglimpfən) *vt* disparage, slander.

verunglücken (fɛr'unglykən) *vi* **1** meet with or have an accident. **2** perish.

verursachen (fɛr'u:rzaxən) *vt* cause.

verurteilen (fɛr'u:rtailən) *vt* condemn, sentence.

vervielfältigen (fɛr'fi:lfɛltigən) *vt* **1** reproduce. **2** multiply.

vervollkommnen (fɛr'fɔlkɔmnən) *vt* perfect.

vervollständigen (fɛr'fɔlʃtɛndigən) *vt* complete.

verwachsen* (fɛr'vaksən) *vi* **1** grow out of (clothes). **2** grow deformed. **3** heal, close up. **4** become involved, be closely connected (with). *adj* **1** deformed, stunted. **2** healed. **3** overgrown.

verwahren (fɛr'va:rən) *vt* keep (safe).

verwahrlost (fɛr'va:rlo:st) *adj* **1** depraved. **2** neglected, unkempt.

verwalt/en (fɛr'valtən) *vt* **1** administer, administrate. **2** supervise, control. **—er** *nm* **— 1** administrator, controller. **2** steward. **—ung** *nf* **—en** administration. **—ungsbeamte(r)** *nm* Civil Servant.

verwandt (fɛr'vant) *adj* related. **—e(r)** *nm* relative, relation. **—schaft** *nf* **-en 1** relations. **2** relationship.

verwaschen (fɛr'vaʃən) *adj* faded.

verwechseln (fɛr'vɛksəln) *vt* mistake (for), confuse.

verwegen (fɛr've:gən) *adj* bold.

verweichlicht (fɛr'vaiçliçt) *adj* effeminate.

verweigern (fɛr'vaigərn) *vt* refuse, deny.

verweilen (fɛr'vailən) *vi* linger, stay.

Verweis (fɛr'vais) *nm* **-e** reprimand, reproach. **—en*** (fɛr'vaizən) *vt* **1** banish, expel. **2** reprimand.

verwenden (fɛr'vɛndən) *vt* use, apply.

verwerf/en* (fɛr'vɛrfən) *vt* refuse, reject. **—lich** *adj* objectionable.

verwesen (fɛr've:sən) *vi* decay, rot. *vt* administer.

verwickeln (fɛr'vikəln) *vt* entangle, involve.

verwirken (fɛr'virkən) *vt* **1** forfeit. **2** incur.

verwirklichen (fɛr'virkliçən) *vt* realize. *vi* be realized, materialize.

verwirren (fɛr'virən) *vt* **1** confuse. **2** entangle.

verwischen (fɛr'viʃən) *vt* **1** wipe or blot out. **2** blur.

verwöhnen (fɛr'vœ:nən) *vt* spoil, pamper.

verworfen (fɛr'vɔrfən) *adj* depraved.

verworren (fɛr'vɔrən) *adj* **1** confused. **2** tangled.

verwund/en[1] (fɛr'vundən) *vt* wound, hurt. **—ete(r)** *nm* injured person, casualty.

verwunden[2] (fɛr'vundən) *adj* twisted.

verwundern (fɛr'vundərn) *vt* astonish. **sich verwundern** *vr* wonder.

verwünschen (fɛr'vynʃən) *vt* curse.

verwüsten (fɛr'vy:stən) *vt* lay waste.

verzagt (fɛr'tsa:kt) *adj* despondent, depressed.

verzaubern (fɛr'tsaubərn) *vt* enchant, bewitch.

verzehren (fɛr'tse:rən) *vt* consume.

verzeichn/en (fɛr'tsaiçnən) *vt* catalogue, enter. **—is** *n neu* **-se 1** list, register. **2** index.

verzeih/en* (fɛr'tsaiən) *vt* forgive, pardon. **—ung** *nf* pardon. *interj* excuse me! sorry!

verzerren (fɛr'tsɛrən) *vt* distort.

Verzicht (fɛr'tsiçt) *nm* **-e** renunciation. **—en** *vi* renounce.

verzögern (fɛr'tsœ:gərn) *vt* delay.

verzollen (fɛr'tsɔlən) *vt* pay duty on.

verzuckern (fɛr'tsukərn) *vt* sweeten, sugar.

verzückt (fɛr'tsykt) *adj* enraptured.

verzweif/eln (fɛr'tsvaifəln) *vi* despair. **—lung** *nf* despair, desperation.

sich verzweigen (fɛr'tsvaigən) *vr* branch out or off.

verzwickt (fɛr'tsvikt) *adj* complicated, involved, awkward.

Veterinär (veteri'nɛ:r) *nm* **-e** veterinary surgeon.

Vetter ('fɛtər) *nm* **-n** (male) cousin.

Vieh (fi:) *n neu* **1** cattle. **2** beast. **—isch** *adj* **1** bestial. **2** brutal.

viel (fi:l) *adj,adv* much. *adj pl* many. **—erlei** ('fi:lərlai) *adj* of many kinds. **—fach** ('fi:lfax) *adj also* **—fältig** ('fi:lfɛltiç) manifold, multiple. **—leicht** (fi:'laiçt) *adv* perhaps, maybe, possibly. **—mal(s)** *adv* many times, frequently, often. **—mehr** (fi:l'me:r) *adv* rather. **—seitig** ('fi:lzaitiç) *adj* many-sided.

vier (fi:r) *adj,nf* four. **—eck** ('fi:rɛk) *n neu* square. **—eckig** *adj* square. **—te** *adj* fourth. **—tel** *n neu* — quarter. **—teljährlich** ('fi:rtəljɛ:rliç) *adj* quarterly. **—telstunde** (fi:rtəl'ʃtundə) *nf* quarter of an hour.

vierzehn ('fi:rtse:n) *adj,nf* fourteen. **—te** *adj* fourteenth.

vierzig ('fi:rtsiç) *adj,nf* forty. **—ste** *adj* fortieth.

Villa ('vila) *nf* **Villen** villa.

Vio/la (vi'o:la) *nf* **-len** viola. **—line** (vio'li:nə) *nf* **-n** violin.

Visum ('vi:zum) *n neu* **-sa** visa.

Vlies (fli:s) *n neu* **-e** fleece.

Vogel ('fo:gəl) *nm* **¨** bird. **—scheuche** *nf* **-en** scarecrow.

Vogesen (vo'ge:zən) *n pl* Vosges.

Vokabel (vo'ka:bəl) *nf* **-n** word.

Vokal (vo'ka:l) *nm* **-e** vowel.

Volk (fɔlk) *n neu* **¨er 1** people, folk. **2** nation, race.

Völkerbund ('fœlkərbunt) *nm* League of Nations.

Völkerkunde ('fœlkərkundə) *nf* ethnology.

Völkerrecht ('fœlkərrɛçt) *n neu* international law.

volkreich ('fɔlkraiç) *adj* populous.

Volksabstimmung ('fɔlksapʃtimuŋ) *nf* plebiscite, referendum.

volkseigen ('fɔlksaigən) *adj* nationalized.

Volkskunde ('fɔlkskundə) *nf* folklore.

Volkslied ('fɔlkslit) *n neu* folksong.

Volksschule ('fɔlksʃu:lə) *nf* primary school.

volkstümlich ('fɔlksty:liç) *adj* **1** popular. **2** national.

Volkswirtschaft ('fɔlksvirtʃaft) *nf* economics.

voll (fɔl) *adj* **1** full. **2** complete. **—bringen*** (fɔl'briŋən) *vt* accomplish. **—enden** (fɔl'endən) *vt* **1** finish, end. **2** complete. **¨—ig** ('fœliç) *adv* fully, completely, totally. **—jährig** ('fɔljɛ:riç) *adj* of age. **—kommen** (fɔl'kɔmən) *adj* perfect. **—macht** *nf* **1** power of attorney. **2** proxy. **—ständig** *adj* complete. **—strekken** *vt* carry out, execute. **—ziehen*** (fɔl'tsi:ən) *vt* carry out, accomplish.

Volontär (volɔn'tɛ:r) *nm* **-e** volunteer, trainee.

vom (fɔm) contraction of **von dem.**

von (fɔn) *prep* **1** of. **2** from. **3** by. **von...an** from, since. **—nöten** (fɔn'nœ:tən) *adj* necessary.

vor (fo:r) *prep* before, in front of. **—ab** (fo:r'ap) *adv* **1** first (of all). **2** in advance.

Vorabend ('fo:ra:bənt) *nm* eve.

Vorahnung ('fo:ra:nuŋ) *nf* premonition.

voran (fo'ran) *adv* before, ahead. **—gehen*** *vi* go at the head, precede.

voraus (fo'raus) *adv* in advance, in front, ahead. **im voraus** in advance, beforehand. **—sage** *nf* prediction. **—sagen** *vt* predict, forecast. **—setzung** *nf* **-en 1** (pre)condition, prerequisite. **2** assumption. **—sichtlich** *adj* probable.

Vorbau ('fo:rbau) *nm* **-ten 1** front structure. **2** porch.

Vorbedacht ('fo:rbədaxt) *nm* forethought, premeditation.

Vorbedingung ('fo:rbədiŋuŋ) *nf* condition, prerequisite.

Vorbehalt ('fo:rbəhalt) *nm* **-e 1** reservation. **2** proviso. **—en*** *vt* reserve.

vorbei (fɔr'bai) *adv* **1** by, along, past. **2** past, done, over. **—gehen*** *vi* go past, pass (by).

vorbereit/en ('fo:rbəraitən) *vt* prepare. **—ung** *nf* **-en** preparation.

vorbeug/en ('fo:rbɔygən) *vi* prevent. **—ung** *nf* prevention.

Vorbild ('fo:rbilt) *n neu* **1** model. **2** original. **—lich** *adj* **1** model. **2** typical.

vorbringen* ('fo:rbriŋən) *vt* **1** bring forward or up. **2** propose. **3** argue.

vordem (fɔr'de:m) *adv* formerly.

vorder ('fɔrdər) *adj* front, fore. **—asien** (fɔrdər'a:ziən) *n neu* Near East. **—grund** *nm* foreground. **—hand** *adv* for the present.

vordring/en* ('fo:rdriŋən) *vi* advance, press on or forward. **—lich** *adj* **1** urgent. **2** intrusive.

voreilig ('fo:railiç) *adj* hasty, premature.

voreingenommen ('fo:rainganɔmən) *adj* biased, prejudiced.

vorenthalten* ('fo:renthaltən) *vt* withhold.

vorerst ('fo:re:rst) *adv* **1** first of all. **2** for the present.

vorerwähnt ('fo:rɛrvɛ:nt) *adj* above-mentioned, aforesaid.

Vorfahr ('fo:rfa:r) *nm* **-en** ancestor.
Vorfahrt ('fo:rfa:rt) *nf also* **Vorfahrt(s)recht** *n neu mot* right-of-way, priority.
Vorfall ('fo:rfal) *nm* incident, occurrence.
vorführen ('fo:rfy:rən) *vt* **1** present, perform, display. **2** project (films).
Vorgang ('fo:rgaŋ) *nm* **1** proceedings. **2** event. **3** precedent. **¨-er** ('fo:rgɛŋər) *nm* — predecessor.
vorgeb/en* ('fo:rge:bən) *vt* pretend, feign. **—lich** ('fo:rgepliç) *adj* alleged, pretended.
vorgefaßt ('fo:rgəfast) *adj* preconceived.
vorgehen* ('fo:rge:ən) *vi* **1** go forward, first, or before. **2** (of a clock) be fast. **3** occur. *n neu* — **1** procedure. **2** *law* action.
vorgenannt ('fo:rgənant) *adj* aforementioned.
Vorgeschichte ('fo:rgəʃiçtə) *nf* prehistory.
Vorgeschmack ('fo:rgəʃmak) *nm* foretaste.
Vorgesetzte(r) ('fo:rgəzɛtstə) *nm* superior, senior.
vorgestern ('fo:rgɛstərn) *adv* the day before yesterday.
vorhaben* ('fo:rha:bən) *vt* intend. *n neu* — plan, purpose.
Vorhalle ('fo:rhalə) *nf* entrance-hall, porch.
vorhanden ('fo:rhandən) *adj* **1** available. **2** existing.
Vorhang ('fo:rhaŋ) *nm* curtain.
vorher (fo:r'he:r) *adv* previously, before(hand). **—ig** *adj* previous.
vorhin (fo:r'hin) *adv* a little while ago.
Vorhut ('fo:rhu:t) *nf* **-en** vanguard.
vorig ('fo:riç) *adj* former, preceding, previous.
vorjährig ('fo:rjɛ:riç) *adj* last year's.
Vorkehrung ('fo:rke:ruŋ) *nf* **-en** **1** precaution. **2** provision.
Vorkenntnis ('fo:rkɛntnis) *nf* **-se** previous experience or knowledge.
vorkommen* ('fo:rkɔmən) *vi* **1** happen, occur. **2** be found.
vorlad/en* ('fo:rla:dən) *vt law* summon. **—ung** *nf* **-en** summons.
vorläufig ('fo:rlɔyfiç) *adj* provisional, preliminary, tentative.
vorlaut ('fo:rlaut) *adj* presumptuous, impudent.
vorlegen ('fo:rle:gən) *vt* **1** propose. **2** display. **3** submit.
vorles/en* ('fo:rle:zən) *vt* read aloud. **—ung** *nf* **-en** **1** lecture. **2** reading.
vorletzt ('fo:rlɛtst) *adj* penultimate.
Vorliebe ('fo:rli:bə) *nf* preference, fondness.
vorliegen* ('fo:rli:gən) *vi* be present or at hand.
vormals ('fo:rma:ls) *adv* formerly.
vormerken ('fo:rmɛrkən) *vt* note (down).
Vormittag ('fo:rmita:k) *nm* morning. **—s** *adv* in the morning.
Vormund ('fo:rmunt) *nm* **¨-er** guardian.
vorn (fɔrn) *adv* in front, before, ahead. **von vornherein** from the first or start.
Vorname ('fo:rna:mə) *nm* first or Christian name.
vornehm ('fo:rne:m) *adj* **1** distinguished, noble. **2** elegant. **—en*** *vt* **1** put on (an apron). **2** undertake. **sich —en** *vr* resolve (to do something). **—lich** *adj* chiefly, especially.
Vorort ('fo:rɔrt) *nm* suburb.
Vorposten ('fo:rpɔstən) *nm* outpost.
Vorrang ('fo:rraŋ) *nm* precedence, priority.
Vorrat ('fo:rra:t) *nm* stock, store, supply.
Vorrede ('fo:rre:də) *nf* **1** preface. **2** introduction.
vorrücken ('fo:rrykən) *vt,vi* move forward.
Vorsatz ('fo:rzats) *nm* **1** purpose. **2** intention.
Vorschau ('fo:rʃau) *nf* **1** preview. **2** trailer (for a film).
Vorschein ('fo:rʃain) *nm* appearance.
vorschieben* ('fo:rʃi:bən) *vt* **1** push forward. **2** pretend. **3** plead.
Vorschlag ('fo:rʃla:k) *nm* suggestion, proposal. **—en*** ('fo:rʃla:gən) *vt* propose, suggest.
vorschreiben* ('fo:rʃraibən) *vt* prescribe, order.
Vorschrift ('fo:rʃrift) *nf* **1** decree. **2** regulation. **3** instructions. **4** prescription.
Vorschub ('fo:rʃu:p) *nm* aid, help, assistance.
Vorschuß ('fo:rʃus) *nm* advance (of money).
Vorsehung ('fo:rse:uŋ) *nf* **-en** providence.
vorsetzen ('fo:rzɛtsən) *vt* **1** set over. **2** put forward. **3** appoint. **4** prefix. **5** offer.
Vorsicht ('fo:rziçt) *nf* caution. **—ig** *adj* cautious.
Vorsilbe ('fo:rzilbə) *nf* prefix.
Vorsitz ('fo:rzits) *nm* chair(manship). **—ende(r)** *nm* chairman, president.
Vorsorg/e ('fo:rzɔrgə) *nf* **1** care. **2** provision. **—en** *vi* provide (for). **—lich** ('fo:rzɔrkliç) *adj* provident.
Vorspeise ('fo:rʃpaizə) *nf* hors d'oeuvre.
vorspiegeln ('fo:rʃpi:gəln) *vt* simulate, pretend.
Vorspiel ('fo:rʃpi:l) *n neu* prelude.
vorspringen* ('fo:rʃpriŋən) *vi* **1** project. **2** leap forward.
Vorsprung ('fo:rʃpruŋ) *nm* **1** projection. **2** advantage, start.
Vorstadt ('fo:rʃtat) *nf* suburb.
Vorstand ('fo:rʃtant) *nm* **1** board of directors. **2** executive, management.

vorsteh/en* ('fo:rʃte:ən) *vi* **1** protrude. **2** head, manage. **—er** *nm* — superintendent, chief.
vorstell/en ('fo:rʃtɛlən) *vt* **1** introduce, present, put forward. **2** represent. **sich vorstellen** *vr* imagine. **—ung** *nf* **1** (re)presentation. **2** idea. **3** introduction. **4** performance.
Vorstoß ('fo:rʃtɔs) *nm* advance, attack. **—en*** *vi,vt* advance (suddenly).
vorstrecken ('fo:rʃtrɛkən) *vt* **1** stretch forward or out. **2** advance (money).
Vorstufe ('fo:rʃtu:fə) *nf* first step(s), preliminary or primary stage.
Vorteil ('fɔrtail) *nm* **1** advantage. **2** profit. **—haft** *adj* advantageous, profitable.
Vortrag ('fo:rtra:k) *nm* **¨-e 1** lecture. **2** report. **3** delivery, performance. **4** *comm* balance carried forward. **—en*** ('fo:rtra:gən) *vt* **1** lecture (on). **2** *comm* carry forward. **3** perform.
vortrefflich (fo:r'trɛfliç) *adj* excellent, admirable.
Vortritt ('fo:rtrit) *nm* precedence.
vorüber (fo'ry:bər) *adv* past, gone (by). **—gehen*** *vi* pass (by or over). **—gehend** *adj* passing, transitory.
Vorurteil ('fo:rurtail) *n neu* prejudice.
Vorwand ('fo:rvant) *nm* pretext.
vorwärts ('fo:rvɛrts) *adv* forward, onward.
vorweg (for'vɛk) *adv* before, beforehand. **—nehmen*** *vt* anticipate.
vorwerfen* ('fo:rvɛrfən) *vt* **1** reproach with. **2** throw forward.
vorwiegend ('fo:rvi:gənt) *adj* predominant.
Vorwissen ('fo:rvisən) *n neu* previous knowledge.
Vorwort ('fo:rvɔrt) *n neu* **-e 1** preface, foreword. **2** *gram* preposition.
Vorwurf ('fo:rvurf) *nm* **1** reproach. **2** subject, theme. **—svoll** *adj* reproachful.
Vorzeichen ('fo:rtsaiçən) *n neu* omen.
vorzeigen ('fo:rtsaigən) *vt* exhibit, show.
vorzeitig ('fo:rtsaitiç) *adj* premature.
vorziehen* ('fo:rtsi:ən) *vt* **1** prefer. **2** draw (forward).
Vorzug ('fo:rtsu:k) *nm* **1** preference. **2** advantage. **3** priority. **4** good quality, merit. **¨-lich** (for'tsy:kliç) *adj* excellent, superior.
vulgär (vul'gɛ:r) *adj* vulgar.
Vulkan (vul'ka:n) *nm* **-e** volcano.

W

Waag/e ('va:gə) *nf* **-n 1** balance, scale. **2** Libra. **—recht** ('va:krɛçt) *adj* horizontal, level.
wabbelig ('vabəliç) *adj* flabby, wobbly.
Wabe ('va:bə) *nf* **-n** honeycomb.
wach (vax) *adj* **1** awake. **2** alert, alive. **—e** *nf* **-n** guard, watch. **—en** *vi* **1** watch (over). **2** be awake. **—sam** *adj* watchful, alert.
Wachs (vaks) *n neu* **-e** wax.
wachs/en* ('vaksən) *vi* grow. **—tum** *n neu* growth.
Wacht (vaxt) *nf* **-en** guard. **¨-er** ('vɛçtər) *nm* — guard, keeper, warder. **—meister** *nm* **1** policeman. **2** cavalry sergeant.
Wachtel ('vaxtəl) *nf* **-n** quail.
wackel/ig ('vakəliç) *adj* shaky, wobbly. **—n** *vi* shake, totter.
wacker ('vakər) *adj* **1** valiant. **2** decent.
Wade ('va:də) *nf* **-n** *anat* calf.
Waff/e ('vafə) *nf* **-n** weapon. **—enstillstand** *nm* armistice, truce, cease-fire.
Waffel ('vafəl) *nf* **-n 1** waffle. **2** wafer.
wag/en ('va:gən) *vt* risk, dare. **—emut** ('va:gəmu:t) *nm* daring. **—halsig** ('va:khalsiç) *adj* reckless. **—nis** ('va:knis) *n neu* **-se** risk.
Wagen ('va:gən) *nm* — **1** car. **2** van, lorry. **3** carriage. **4** wagon, cart.
wägen* ('vɛ:gən) *vt* weigh. **erst wägen, dann wagen** look before you leap.
Wahl (va:l) *nf* **-en 1** choice, selection. **2** election, vote. **¨-en** ('vɛ:lən) *vt* **1** choose, select. **2** elect, vote. **3** dial. **¨-er** ('vɛ:lər) *nm* — voter. **¨-erisch** ('vɛ:lərij) *adj* fastidious. **¨-erschaft** ('vɛ:lərʃaft) *nf* **-en** voters. **—recht** *n neu* franchise, vote. **¨-erscheibe** ('vɛlərʃaibə) *nf* dial. **—stimme** *nf* vote. **—zettel** *nm* ballot paper.
Wahn (va:n) *nm* **1** delusion, illusion. **2** madness, folly. **—bild** *n neu* **1** phantom. **2** hallucination. **—sinn** *nm* **1** madness, insanity. **2** frenzy. **—sinnig** *adj* mad, insané.
wahr (va:r) *adj* true, real. **—haft** *adj also* **—haftig 1** truthful, true. **2** genuine. **—haftigkeit** *nf* truthfulness. **—heit** *nf* **-en** truth. **—nehmen*** *vt* **1** perceive, notice. **2** protect (interests). **—sagen** *vt* prophesy. **—scheinlich** (va:r'ʃainliç) *adj* probable, likely. **—scheinlichkeit** (va:r'ʃainliçkait) *nf*

-en probability. **—zeichen** *n neu* **1** token. **2** emblem.

wahren ('va:rən) *vt* **1** defend. **2** maintain.

während ('vɛ:rənt) *prep* during. *conj* while. **—dem** (vɛ:rənt'de:m) *adv also* **—des** or **—dessen** meanwhile.

Währung ('vɛ:ruŋ) *nf* **-en** currency, standard.

Waise ('vaizə) *nf* **-n** *also* **Waisenkind** *n neu* orphan. **—nhaus** *n neu* orphanage.

Wal (va:l) *nm* **-e** *also* **Walfisch** ('va:lfiʃ) whale. **—fischspeck** *nm* blubber.

Wald (valt) *nm* **¨-er** wood, forest.

Wall (val) *nm* **¨-e** **1** rampart. **2** dam, dike.

wall/en[1] ('valən) *vi* see **wallfahren.**

wall/en[2] ('valən) *vi* **1** boil (up). **2** flutter. **—ung** *nf* **-en** **1** agitation. **2** boiling.

wallfahr/en* ('valfa:rən) *vi* go on a pilgrimage. **—er** *nm* pilgrim. **—t** *nf* pilgrimage.

Walnuß ('valnus) *nf* walnut.

Walroß ('valrɔs) *n neu* **-rosse** walrus.

Walz/e ('valtsə) *nf* **-n** *tech* roller, drum. **—en** *vi* waltz. *vt* roll, crush. **—er** ('valtsər) *nm* — waltz.

Wand (vant) *nf* **¨-e** wall. **—karte** *nf* wall map.

Wand/el ('vandəl) *nm* **1** change, transformation. **2** conduct. **—eln** *vt* change. *vi* wander. **—lung** *nf* **-en** change, transformation.

Wander/er ('vandərər) *nm* — wanderer, rambler. **—lust** *nf* love of rambling or travelling. **—n** *vi* **1** walk, hike. **2** migrate. **—ung** *nf* **-en** **1** hike, excursion. **2** migration.

wandte ('vantə) *v* see **wenden.**

Wange ('vaŋə) *nf* **-n** cheek.

wanken ('vaŋkən) *vi* **1** sway, shake. **2** waver.

wann (van) *conj,adv* when.

Wanne ('vanə) *nf* **-n** tub, bath.

Wanze ('vantsə) *nf* **-n** bug, bedbug.

Wappen ('vapən) *n neu* — (coat of) arms.

war (va:r) *v* see **sein**[2].

wäre ('vɛ:rə) *v* see **sein**[2].

Ware ('va:rə) *nf* **-n** **1** article, ware. **2** *pl* merchandise, goods. **—nhaus** *n neu* department store. **—nzeichen** *n neu* trademark.

warf (va:rf) *v* see **werfen.**

warm (varm) *adj* warm, hot. **¨-e** ('vɛrmə) *nf* warmth. **¨-en** ('vɛrmən) *vt* warm. **¨-flasche** ('vɛrmflaʃə) *nf* hot-water bottle.

warn/en ('varnən) *vt* warn. **—ung** *nf* **-en** warning.

Warschau ('varʃau) *n neu* Warsaw.

wart/en ('vartən) *vi* wait. *vt* look after. **¨-er** ('vɛrtər) *nm* — attendant, keeper. **—essal** *nm* waiting room.

warum (va'rum) *adv* why.

Warze ('va:rtsə) *nf* **-n** wart.

was (vas) *pron* what, (that) which.

wasch/en* ('vaʃən) *vt,vi* wash. **—automat** ('vaʃautoma:t) *nm* automatic washing machine. **—becken** *n neu* hand-basin, wash-basin. **¨-e** ('vɛʃə) *nf* **1** wash(ing). **2** underwear. **—echt** *adj* **1** (of colour) fast. **2** genuine. **¨-erei** (vɛʃə'rai) *nf* **-en** laundry. **—lappen** *nm* face cloth. **—maschine** *nf* washing machine. **—mittel** *n neu* soap powder, detergent.

Wasser ('vasər) *n neu* **¨-** water. **—dicht** *adj* watertight, waterproof. **—fall** *nm* waterfall. **—hahn** *nm* tap. **¨-ig** ('vɛsəriç) *adj* watery. **—leitung** *nf* water supply. **—mann** *nm* Aquarius. **¨-n** ('vɛsərn) *vt* **1** water, irrigate. **2** soak. **—stoff** *nm* hydrogen.

Watte ('vatə) *nf* **-n** **1** wadding. **2** cotton wool.

weben* ('ve:bən) *vt* weave. **—er** *nm* — weaver.

Wechsel ('vɛksəl) *nm* — **1** (ex)change. **2** bill of exchange. **—geld** *n neu* (small) change. **—n** *vt,vi* **1** change. **2** exchange. **3** vary.

weck/en ('vɛkən) *vt* wake, rouse. **—er** *nm* — alarm clock.

wedeln ('ve:dəln) *vi* **1** fan. **2** wag.

weder ('ve:dər) *conj* **weder...noch** neither ...nor.

weg (vɛk) *adv* **1** away. **2** gone. **3** off.

Weg (ve:k) *nm* **-e** **1** way, route. **2** path. **3** road. **—weiser** ('ve:kvaizər) *nm* — **1** signpost. **2** guide.

wegbleiben* ('vɛkblaibən) *vi* **1** stay away. **2** be omitted.

wegblicken ('vɛkblikən) *vi* look away.

wegen ('ve:gən) *prep* **1** because of. **2** for.

weggehen* ('vɛkge:ən) *vi* depart, leave.

weglassen* ('vɛklasən) *vt* **1** omit. **2** let go.

wegmüssen* ('vɛkmysən) *vi* have to go, be obliged to leave.

wegräumen ('vɛkrɔymən) *vt* clear away.

wegreißen* ('vɛkraisən) *vt* tear or snatch away.

wegschaffen* ('vɛkʃafən) *vt* get rid of.

wegtun* ('vɛktu:n) *vt* put away.

wegwerfen* ('vɛkvɛrfən) *vt* throw away or out.

weh (ve:) *adj* **1** sore, painful. **2** sad. *interj* woe! **weh tun** hurt, be painful. **~***n neu* **-e** **1** pain. **2** grief. **—en** *n pl* labour pains. **—mut** *nf* melancholy.

Weh/e ('ve:ə) *nf* **-n** (snow)drift. **—en** *vi* blow.

Wehr[1] (ve:r) *nf* **-en** **1** defence. **2** weapon. **3** bulwark. **—dienst** *nm* military service. **—en**

vt **1** restrain. **2** forbid. **sich —en** *vr* resist. **—macht** *nf* armed forces. **—pflicht** *nf* compulsory service, conscription.

Wehr[2] (ve:r) *n neu* **-e** weir.

Weib (vaip) *n neu* **-er** *inf* **1** woman, female. **2** wife. **—isch** ('vaibiʃ) *adj* effeminate, womanish. **—lich** *adj* feminine, female.

weich (vaiç) *adj*[1] soft. **2** smooth. **—lich** *adj* soft, effeminate. **—ling** *nm* **-e** weakling.

Weiche ('vaiçə) *nf* **-n** **1** (railway) points. **2** *anat* flank.

weichen* ('vaiçən) *vi* **1** yield. **2** flinch.

Weichsel ('vaiksəl) *nf* Vistula.

Weide ('vaidə) *nf* **-n** **1** pasture. **2** willow. **—n** *vi* graze. **sich —n** *vr* gloat.

sich weigern ('vaigərn) *vr* refuse.

Weih/e ('vaiə) *nf* **-n** **1** consecration, dedication. **2** initiation. **—en** *vt* **1** consecrate, dedicate. **2** initiate. **—rauch** *nm* incense.

Weihnacht/en ('vainaxtən) *n pl* Christmas. **—slied** *n neu* carol.

weil (vail) *conj* because, since.

Weile ('vailə) *nf* **-n** **1** while. **2** time.

Wein (vain) *nm* **-e** **1** wine. **2** *also* **Weinstock** ('vainʃtɔk) *nm* vine. **—bau** *nm* vine-growing. **—lese** *nf* vintage, gathering, grape-harvest.

weinen ('vainən) *vi* cry, weep.

weis/e ('vaizə) *adj* wise, prudent. *nm* **-n** wise man, sage. **—heit** ('vaishait) *nf* wisdom. **—lich** (vaisliç) *adv* wisely.

Weise ('vaizə) *nf* **-n** **1** manner, way, method. **2** tune, melody.

weis/en* ('vaizən) *vt* indicate, show. **—ung** *nf* **-en** direction, instruction.

weiß[1] (vais) *adj,n neu* white. **—e(r)** *nm* white man. **—kohl** *nm* (white) cabbage.

weiß[2] (vais) *v* see **wissen.**

weit (vait) *adj* **1** distant. **2** wide. **—aus** (vait'aus) *adv* by far. **—e** *nf* **-n** **1** distance. **2** width. **3** scope, size. **—läufig** ('vaitlɔyfiç) *adj* **1** distant. **2** extensive. **3** diffuse. **—reichend** ('vaitraiçənt) *adj* far-reaching. **—sichtig** *adj* **1** long-sighted. **2** far-sighted.

weiter ('vaitər) *adj* **1** further. **2** farther. **3** wider. *adv* **1** further on. **2** else.

Weizen ('vaitsən) *nm* wheat.

welch (vɛlç) *pron* who, which, what, that. *pron,adj* some, any.

welk (vɛlk) *adj* withered, limp.

Welle ('vɛlə) *nf* **-n** **1** wave. **2** axle. **3** shaft. **—nlänge** *nf* wavelength.

Welt (vɛlt) *nf* **-en** world. **—all** *n neu* universe. **—anschauung** *nf* philosophy of life, ideology. **—klug** *adj* worldly-wise. **—lich** *adj* secular, worldly. **—macht** *nf* world power. **—männisch** ('vɛltmɛniʃ) *adj* sophisticated.

wem (ve:m) *pron* to whom.

wen (ve:n) *pron* whom.

Wend/e ('vɛndə) *nf* **-n** turn, turning point. **—en*** *vt* turn. **—epunkt** *nm* turning point, crisis. **—ung** *nf* **-en** **1** turn(ing). **2** figure of speech.

wenig ('ve:niç) *adj,pron* **1** little. **2** *pl* few. **—st** *adj* least. **—stens** *adv* at least.

wer (ve:r) *pron* who, which.

werb/en* ('vɛrbən) *vi* **1** court. **2** advertise (for), *vt* recruit. **—ung** *nf* **-en** **1** advertising. **2** recruiting. **3** courting.

Werdegang ('vɛrdəgaŋ) *nm* **1** career. **2** development.

werden* ('vɛrdən) *v mod aux* shall, will. *vi* **1** become. **2** happen. *n neu* **1** growth. **2** origin.

werfen* ('vɛrfən) *vt* throw. *vi* bring forth young.

Werft (vɛrft) *nf* **-en** **1** shipyard. **2** wharf.

Werk (vɛrk) *n neu* **-e** **1** work(s). **2** deed. **3** mechanism. **—statt** *nf* workshop. **—stoff** *nm* (raw) material. **—zeug** *n neu* tool.

Wermut ('ve:rmu:t) *nm* vermouth.

wert (vɛrt) *adj* **1** worth. **2** worthy. *nm* **-e** worth, value. **—brief** *nm* registered money letter. **—en** *vt* value. **—sache** *nf* valuable. **—voll** *adj* valuable.

Wesen ('ve:zən) *n neu* — **1** being, creature. **2** essence, character. **3** way, manners. **4** fuss. **—tlich** *adj* **1** substantial. **2** essential.

weshalb (vɛs'halp) *adv,conj also* **weswegen** (vɛs've:gən) why, wherefore.

Wespe ('vɛspə) *nf* **-n** wasp.

wessen ('vɛsən) *pron* **1** of whom, whose. **2** of which, of what.

West (vɛst) *nm also* **West/en** ('vɛstən) west. **—deutschland** *n neu* West Germany. **—lich** *adj* west(ern), westerly. **—wärts** ('vɛstvɛrts) *adv* westward(s), west.

Westfalen (vɛst'fa:lən) *n neu* Westphalia.

Westindien (vɛst'indiən) *n neu* West Indies.

wett (vɛt) *adj* even, quits.

Wett/e ('vɛtə) *nf* **-n** bet, wager. **—büro** *n neu* betting shop or office. **—en** *vt,vi* bet, wager. **—kampf** *nm* competition, contest, match. **—laufen*** *vi* (run a) race.

Wetter ('vɛtər) *n neu* — **1** weather. **2** storm. **—bericht** *nm* weather report or forecast.

wetzen ('vɛtsən) *vt* sharpen, whet.

wichtig ('viçtiç) *adj* important.

Widder ('vidər) *nm* — **1** ram. **2** Aries.

wider ('vi:dər) *prep* against.
widerfahren* (vi:dər'fa:rən) *vi* happen (to).
Widerhaken ('vi:dərha:kən) *nm* barb, hook.
Widerhall ('vi:dərhal) *nm* **-e 1** echo. **2** response.
widerleg/en (vi:dər'le:gən) *vt* refute. **—ung** *nf* **-en** refutation.
widerlich ('vi:dərliç) *adj* repulsive.
widerrechtlich ('vi:dərrɛçtliç) *adj* illegal.
Widerruf ('vi:dərru:f) *nm* countermand, disavowal. **—en*** (vi:dər'ru:fən) *vt* revoke.
sich widersetz/en (vi:dər'zɛtsən) *vr* oppose. **—lich** *adj* insubordinate. **—lichkeit** *nf* insubordination.
widerspenstig ('vi:dərʃpɛnstiç) *adj* obstinate.
widersprechen* (vi:dər'ʃprɛçən) *vi* contradict.
Widerspruch ('vi:dərsprux) *nm* **1** opposition. **2** contradiction.
Widerstand ('vi:dərʃtant) *nm* **1** resistance. **2** opposition.
widerstehen* (vi:dər'ʃte:ən) *vi* withstand.
widerwärtig ('vi:dərvɛrtiç) *adj* disagreeable, offensive.
widerwillig ('vi:dərviliç) *adj* unwilling.
widmen ('vitmən) *vt* dedicate, devote.
widrig ('vi:driç) *adj* adverse, contrary. **—enfalls** ('vi:driçənfals) *adv* failing which.
wie (vi:) *adv* how. *conj* **1** how. **2** as. **3** like.
wieder ('vi:dər) *adv* **1** again. **2** back.
Wiederaufnahme (vi:dər'aufna:mə) *nf* **-n** resumption.
wiederbringen* ('vi:dərbriŋən) *vt* bring back, restore.
wiedererkennen* ('vi:dərɛrkɛnən) *vt* recognize.
Wiedergabe ('vi:dərga:bə) *nf* **1** restitution. **2** reproduction.
wiedergeben* ('vi:dərge:bən) *vt* **1** return. **2** reproduce.
Wiedergeburt ('vi:dərgəbu:rt) *nf* **1** rebirth, regeneration. **2** reincarnation.
wiedergutmachen (vi:dər'gu:tmaxən) *vt* compensate for.
wiederhol/en (vi:dər'ho:lən) *vt* repeat. **—ung** *nf* repetition.
wiederhören ('vi:dərhœ:rən) *vt* hear again. **auf Wiederhören** (in a telephone conversation) goodbye.
wiederkäuen ('vi:dərkɔyən) *vt* ruminate.
wiederkehren ('vi:dərke:rən) *vi* return.
wiederkommen* ('vi:dərkɔmən) *vi* come back.
wiedersehen* ('vi:dərze:ən) *vt* see again. **auf Wiedersehen** goodbye.
wiederum ('vi:dərum) *adv* again, anew.
Wieg/e ('vi:gə) *nf* **-n** cradle. **—enlied** *n neu* lullaby.
wiegen* ('vi:gən) *vt, vi* weigh.
Wien (vi:n) *n neu* Vienna.
wies (vi:s) *v* see **weisen.**
Wiese ('vi:zə) *nf* **-n** meadow.
Wiesel ('vi:zəl) *n neu* — weasel.
wieso (vi:'zo:) *adv* why.
wieviel (vi:'fi:l) *adv* how much.
wild (vilt) *adj* **1** wild, savage. **2** fierce. **3** angry. *n neu* game. **—dieb** *nm* poacher. **—ern** ('vildərn) *vi* poach. **—hüter** *nm* gamekeeper. **—nis** *nf* **-se** wilderness.
will (vil) *v* see **wollen.**
Will/e ('vilə) *nm* **-n** will. **—enlos** *adj* irresolute, half-hearted. **—enskraft** *nf* will-power. **—kommen** (vil'kɔmən) *adj,n neu, interj* welcome. **—kür** ('vilky:r) *nf* discretion, choice. **—kürlich** ('vilky:riç) *adj* arbitrary.
wimmeln ('viməln) *vi* swarm (with).
Wimper ('vimpər) *nf* -n eyelash. **ohne mit der Wimper zu zucken** without batting an eyelid.
Wind (vint) *nm* **-e** wind. **—beutel** *nm* **1** eclair. **2** *sl* windbag. **—hund** *nm* greyhound. **—ig** ('vindiç) *adj* windy. **—schutzscheibe** *nf* windscreen. **—stille** *nf* calm, lull.
Winde ('vində) *nf* **-n** winch, reel.
Windel ('vindəl) *nf* -n nappy.
winden* ('vindən) *vt* wind.
Wink (viŋk) *nm* **-e 1** sign. **2** nod. **3** wave. **—en** *vi* **1** make a sign. **2** wink. **3** wave. **4** nod.
Wink/el ('viŋkəl) *nm* — **1** angle. **2** corner. **3** nook. **—elmesser** *nm* protractor. **—lig** ('viŋkliç) *adj* angular.
winseln ('vinzəln) *vi* whimper, whine.
Winter ('vintər) *nm* — winter. **—lich** *adj* wintry.
Winzer ('vintsər) *nm* — vine-grower.
winzig ('vintsiç) *adj* tiny, minute.
Wipfel ('vipfəl) *nm* — treetop.
Wippe ('vipə) *nf* **-n** seesaw.
wir (vi:r) *pron 1st pers pl* we.
Wirbel ('virbəl) *nm* — **1** whirl, eddy. **2** vertebra. **3** peg. **—n** *vi* whirl, swirl. **—säule** *nf* spine, vertebral column.
wird (virt) *v see* **werden.**
wirk/en ('virkən) *vi* work. *vt* **1** work. **2** effect. **3** weave. **—sam** *adj* effective. **—ung** *nf* **-en 1** effect, result. **2** action.
wirklich ('virkliç) *adj* real, actual. **—keit** *nf* **-en** reality.
wirr (vir) *adj* confused, chaotic. **—warr** ('virvar) *nm* muddle, disorder.

wirst (virst) *v see* **werden.**
Wirt (virt) *nm* **-e** 1 host. 2 innkeeper, landlord. **—in** *nf* **-nen** 1 hostess. 2 landlady. **—schaft** *nf* **-en** 1 economy. 2 housekeeping, household. 3 inn, pub. **—schaften** *vi* 1 keep house. 2 manage (well). **—schaft(l)er** *nm* — manager. **—schaftlich** *adj* 1 economic. 2 economical. **—schaftsprüfer** *nm* — chartered accountant. **—shaus** *n neu* inn, pub.
wisch/en ('viʃən) *vt* wipe, rub. **—lappen** *nm* — duster.
wispern ('vispərn) *vi,vt* whisper.
Wißbegier ('visbəgi:r) *nf also* **Wißbegierde** *nf* craving for knowledge, curiosity. **—ig** *adj* eager to learn, inquisitive.
wissen* ('visən) *vt,vi* know. *n neu* knowledge, learning.
Wissenschaft ('visənʃaft) *nf* **-en** 1 science. 2 learning. **—ler** *nm* — 1 scientist. 2 scholar **—lich** *adj* 1 scientific. 2 learned, scholarly.
wittern ('vitərn) *vt* scent, smell.
Witwe ('vitvə) *nf* **-n** widow. **—r** ('vitvər) *nm* — widower.
Witz (vits) *nm* **-e** 1 joke. 2 wit. **—eln** *vi* joke. **—ig** *adj* witty.
wo (vo:) *adv,conj* where.
woanders (vo:'andərs) *adv* elsewhere.
wobei (vo:'bai) *adv* whereby. *pron* 1 in or at which. 2 in doing which.
Woche ('vɔxə) *nf* **-n** week. **—nblatt** *n neu* weekly (newspaper). **—nende** *n neu* weekend. **—ntlich** ('vœçəntliç) *adj* weekly.
wodurch (vo:'durç) *adv* whereby. *pron* 1 by or through which. 2 in doing which.
wofür (vo:'fy:r) *adv,pron* for which.
wog (vo:k) *v* see **wiegen.**
wogegen (vo:'ge:gən) *adv* in return for which. *conj* whereas.
woher (vo:'he:r) *adv* whence, wherefrom.
wohin (vo:'hin) *adv* whither, (to) where.
wohl (vo:l) *adv* 1 well. 2 probably, presumably. *n neu* welfare, wellbeing.
wohlan (vo:l'an) *interj* come on! well!
wohlauf (vo:l'auf) *adv* well. *interj* well then!
Wohlbehagen ('vo:lbəha:gən) *n neu* comfort.
Wohlfahrt ('vo:lfa:rt) *nf* welfare. **—sstaat** *nm* welfare state. **—sgesellschaft** *nf* affluent society.
wohlfeil ('vo:lfail) *adj* cheap.
wohlhabend ('vo:lha:bənt) *adj* well-off, prosperous.
Wohlklang ('vo:lklaŋ) *nm* harmony.
Wohlstand ('vo:lʃtant) *nm* prosperity.
Wohltat ('vo:lta:t) *nf* benefit. **—er** ('vo:ltɛ:tər) *nm* benefactor.
wohltun* ('vo:ltu:n) *vi* do good, benefit.
Wohlwollen ('vo:lvɔlən) *n neu* goodwill, favour.
wohn/en ('vo:nən) *vi* live, dwell. **—haft** *adj* resident. **—ung** *nf* **-en** 1 dwelling, residence. 2 flat, apartment. **—wagen** *nm* caravan. **—zimmer** *n neu* sitting room.
Wölbung ('vœlbuŋ) *nf* **-en** 1 vault. 2 dome. 3 arch.
Wolf (vɔlf) *nm* **-e** wolf.
Wolk/e ('vɔlkə) *nf* **-n** cloud. **—enkratzer** *nm* — skyscraper. **—ig** *adj* cloudy, clouded.
Woll/e ('vɔlə) *nf* **-n** wool. **—en** *adj* woollen. **—ig** *adj* woolly, fleecy. **—jacke** *nf* cardigan.
wollen* ('vɔlən) *vi,vt* want, desire. *v mod aux* 1 want or desire (to). 2 intend (to). 3 be about (to).
Wollust ('vɔlust) *nf* **-e** sensual pleasure, lust.
womit (vo:'mit) *adv* with or by which.
womöglich (vo:'mœ:kliç) *adv* where or if possible.
wonach (vo:'na:x) *adv* 1 according to which. 2 after which.
Wonne ('vɔnə) *nf* **-n** delight, joy, bliss.
woran (vo:'ran) *adv,pron* at or about which or what.
worauf (vo:'rauf) *adv,pron* (up)on which or what.
woraus (vo:'raus) *adv,pron* of or from which or what.
worden ('vɔ:rdən) *v* see **werden.**
worin (vo:'rin) *adv* in(to) which or what.
Wort (vɔrt) *n neu* **-er** (written) word. *n neu* **-e** 1 (spoken) word, expression. 2 word, pledge. **—bruch** *nm* breach of one's word. **—erbuch** ('vœrtərbu:x) *n neu* dictionary. **—führer** *nm* 1 spokesman. 2 speaker. **—karg** *adj* taciturn. **—laut** *nm* wording, text. **—lich** ('vœrtliç) *adj* 1 literal. 2 verbal. 3 word-for-word. **—reich** *adj* verbose. **—schatz** *nm* vocabulary.
wovon (vo:'fɔn) *adv,pron* of or from which or what.
wozu (vo:'tsu:) *adv,pron* 1 to or for what, why. 2 in addition to which.
Wrack (vrak) *n neu* **-s** *naut* wreck.
wringen* ('vriŋən) *vt* wring.
Wucher ('vu:xər) *nm* 1 usury. 2 profiteering. **—er** *nm* — 1 usurer. 2 profiteer. **—isch** *adj* 1 usurious. 2 profiteering. **—n** *vi* 1 grow luxuriantly or abundantly. 2 profiteer.

Wuchs (vu:ks) *nm* **1** growth. **2** figure, size.
Wucht (vuxt) *nf* **-en** force, weight.
wühl/en ('vy:lən) *vt* stir up, agitate. *vi* burrow. **—er** *nm* — agitator.
Wulst (vulst) *nm* **¨-e** **1** roll, pad. **2** swelling.
wund (vunt) *adj* **1** sore. **2** wounded. **—e** ('vundə) *nf* **-en** wound.
Wunder ('vundər) *n neu* — **1** miracle. **2** wonder. **—bar** *adj* wonderful, marvellous. **—kind** *n neu* child prodigy. **—lich** *adj* strange, odd. **—n** *vt* astound, surprise. **sich —n** *vr* wonder (at). **—schön** *adj* beautiful, exquisite.
Wunsch (vunʃ) *nm* **¨-e** wish, desire. **¨-en** ('vynʃən) *vt* wish, desire. **¨-enswert** ('vynʃənsve:rt) *adj* desirable.
wurde ('vu:rdə) *v* see **werden.**
würde ('vyrdə) *v* see **werden.**
Würd/e ('vyrdə) *nf* **-n** **1** dignity, honour. **2** rank. **—enträger** *nm* dignitary. **—ig** *adj* worthy.
Wurf (vurf) *nm* **¨-e** **1** throw, cast. **2** litter, brood. **—scheibe** *nf* discus.
Würfel ('vyrfəl) *nm* — **1** *game* die, dice. **2** cube. **—zucker** *nm* lump sugar.
würgen ('vyrgən) *vi,vt* choke.
Wurm (vurm) *nm* **¨-er** worm.
Wurst (vurst) *nf* **¨-e** sausage.
Württemberg ('vyrtəmbɛrk) *n neu* Wurtemberg.
Würz/e ('vyrtsə) *nf* **-n** **1** seasoning, spice. **2** flavour. **—en** *vt* season, spice. **—ig** *adj* spicy, seasoned.
Wurzel ('vurtsəl) *nf* **-n** root. **—n** *vi* take root.
wußte ('vustə) *v* see **wissen.**
wüst (vy:st) *adj* **1** desert, waste. **2** disorderly. **3** depraved. **—e** *nf* **-n** desert, wilderness. **—ling** *nm* **-e** libertine, depraved person.
Wut (vu:t) *nf* rage, fury. **¨-end** ('vy:tənt) *adj* furious.

X

Xenophobie (ksɛnofo'bi:) *nf* xenophobia.
x-mal ('iksma:l) *adv inf* umpteen times.
Xylophon (ksylo'fo:n) *n neu* **-e** xylophone.

Z

Zacke/e ('tsakə) *nf* **-n** *also* **Zack/en** *nm* — **1** prong. **2** tooth. **3** peak. **—en** *vt* **1** notch. **2** indent. **—ig** *adj* **1** jagged. **2** spirited.
zaghaft ('tsa:khaft) *adj* timid.
zäh (tsɛ:) *adj* **1** tough. **2** resistant. **—igkeit** *nf* **1** toughness. **2** pertinacity.
Zahl (tsa:l) *nf* **-en** number, numeral. **—bar** *adj* payable. **—en** *vt,vi* pay. **—los** *adj* countless. **—reich** *adj* numerous. **—tag** *nm* payday. **—ung** *nf* **-en** payment. **—ungsfähig** *adj* solvent. **—wort** *n neu* numeral.
zähl/en ('tsɛ:lən) *vt,vi* count, number. **—ung** *nf* **-en** counting.
zahm (tsa:m) *adj* tame. **¨-en** ('tsɛ:mən) *vt* **1** tame. **2** break in (a horse).
Zahn (tsa:n) *nm* **¨-e** tooth. **—arzt** *nm* dentist. **—bürste** *nf* toothbrush. **—pasta** *nf* toothpaste. **—rad** *n neu* cog wheel. **—schmerz** *nm also* **—weh** *n neu* toothache. **—stocher** *nm* toothpick.
Zange ('tsaŋə) *nf* **-n** **1** pincers, tweezers. **2** tongs.
Zank (tsaŋk) *nm* **¨-e** quarrel. **—en** *vi* quarrel. **¨-isch** ('tsɛŋkiʃ) *adj* quarrelsome.
zapfen ('tsapfən) *vt* tap. *nm* — **1** bung, plug. **2** pin. **3** pivot.
zappeln ('tsapəln) *vi* **1** wriggle. **2** fidget.
Zar (tsa:r) *nm* **-en** tsar.
zart (tsa:rt) *adj* **1** tender. **2** delicate. **¨-lich** ('tsɛ:rtliç) *adj* tender, affectionate.
Zauber ('tsaubər) *nm* — **1** magic. **2** spell, charm. **—ei** (tsaubə'rai) *nf* magic. **—er** *nm* — magician, sorcerer. **—haft** *adj* **1** magical. **2** enchanting. **—n** *vi,vt* conjure (up).
zaudern ('tsaudərn) *vi* hesitate, delay. *n neu* hesitation.
Zaum (tsaum) *nm* **¨-e** bridle, rein. **¨-en** ('tsɔymən) *vt* bridle.
Zaun (tsaun) *nm* **¨-e** fence.
Zeche ('tsɛçə) *nf* **-n** **1** bill. **2** mine.
Zehe ('tse:ə) *nf* **-n** toe.
zehn (tse:n) *adj,nf* ten. **—te** *adj* tenth.
zehren ('tse:rən) *vi* **1** feed. **2** waste (away).
Zeichen ('tsaiçən) *n neu* — **1** sign. **2** signal.
zeichn/en ('tsaiçnən) *vt* **1** draw. **2** mark. **3** design. **4** subscribe. **—er** *nm* — **1** designer. **2** draughtsman. **3** subscriber. **—ung** *nf* **-en** **1** drawing. **2** sketch. **3** design. **4** subscription.
Zeig/efinger ('tsaigəfiŋər) *nm* index finger.

—**en** *vt* show. **sich** —**en** *vr* appear. —**er** *nm* — hand, pointer.

Zeile ('tsaɪlə) *nf* **-n** line.

Zeit (tsaɪt) *nf* **-en** time. **zur Zeit** at present.

Zeitalter ('tsaɪtaltər) *n neu* age, era.

Zeitfolge ('tsaɪtfɔlgə) *nf* chronological order.

Zeitgenoss/e ('tsaɪtgənɔsə) *nm* contemporary. —**isch** ('tsaɪtgənœsɪʃ) *adj* contemporary.

zeitig ('tsaɪtɪç) *adj* **1** early. **2** timely. —**en** *vt* **1** ripen, mature. **2** cause, produce.

Zeitkarte ('tsaɪtkartə) *nf* season ticket.

Zeitlang ('tsaɪtlaŋ) *nf* **eine Zeitlang** for some time.

zeitlich ('tsaɪtlɪç) *adj* temporal.

Zeitpunkt ('tsaɪtpuŋkt) *nm* **1** moment. **2** point.

Zeitraum ('tsaɪtraum) *nm* interval, period.

Zeitschrift ('tsaɪtʃrɪft) *nf* periodical, magazine.

Zeitung ('tsaɪtuŋ) *nf* **-en** newspaper, journal. —**swesen** *n neu* journalism.

zeitweilig ('tsaɪtvaɪlɪç) *adj* **1** temporary. **2** intermittent.

zeitweise ('tsaɪtvaɪzə) *adv* **1** for a time. **2** at times.

Zeitwort ('tsaɪtvɔrt) *n neu* —**er** verb.

Zelle ('tsɛlə) *nf* **-n 1** cell. **2** call-box.

Zelt (tsɛlt) *n neu* **-e** tent. —**en** *vi* camp. *n neu* camping.

Zement (tse'mɛnt) *nm* **-e** cement.

Zensur (tsɛn'zu:r) *nf* **-en 1** censorship. **2** *educ* marks, report.

Zentimeter (tsɛnti'me:tər) *nm,neu* — centimetre.

Zentner ('tsɛntnər) *nm* — hundredweight, fifty kilograms.

zentral (tsɛn'tra:l) *adj* central. —**e** *nf* **-n 1** head office, headquarters. **2** power station. —**heizung** *nf* central heating. —**isieren** (tsɛntrali'zi:rən) *vt* centralize.

zerbrech/en* (tsɛr'brɛçən) *vt,vi* break into pieces, shatter. —**lich** *adj* fragile.

zerdrücken (tsɛr'drykən) *vt* crush, grind.

Zeremonie (tseremo'ni:) *nf* **-n** ceremony.

Zerfall (tsɛr'fal) *nm* decay, ruin. —**en*** *vi* fall into ruin, decay.

zerfetzen (tsɛr'fɛtsən) *vt* shred.

zergliedern (tsɛr'gli:dərn) *vt* **1** dismember. **2** analyse. **3** *anat* dissect.

zerhauen (tsɛr'hauən) *vt* cut up, mince.

zerlegen (tsɛr'le:gən) *vt* **1** take apart, divide, dissect. **2** analyse. **3** carve. **4** dispense.

zerlumpt (tsɛr'lumpt) *adj* ragged, tattered.

zermürben (tsɛr'myrbən) *vt* wear down.

zerplatzen (tsɛr'platsən) *vi* burst.

zerquetschen (tsɛr'kvɛtʃən) *vt* squash, crush.

Zerr/bild ('tsɛrbɪlt) *n neu* caricature. —**en** *vt* **1** tug, pull. **2** strain.

zerreiben* (tsɛr'raɪbən) *vt* grind, pulverize.

zerreißen* (tsɛr'raɪsən) *vt,vi* tear or rip up.

zerrinnen* (tsɛr'rɪnən) *vi* melt away, vanish.

zerschellen (tsɛr'ʃɛlən) *vt,vi* shatter, smash.

zerschlagen* (tsɛr'ʃla:gən) *vt* break into pieces. *vi* come to nothing.

zerschneiden* (tsɛr'ʃnaɪdən) *vt* cut up.

zersetz/en (tsɛr'zɛtsən) *vt* **1** decompose, disintegrate. **2** undermine. —**ung** *nf* decomposition.

zersplittern (tsɛr'ʃplɪtərn) *vt* split up, splinter.

zersprengen (tsɛr'ʃprɛŋən) *vt* blow up, burst.

zerstäub/en (tsɛr'ʃtɔybən) *vt* **1** spray. **2** disperse, scatter. —**er** *nm* — spray.

zerstör/en (tsɛr'ʃtœ:rən) *vt* destroy. —**er** *nm* — destroyer. —**ung** *nf* destruction.

zerstreu/en (tsɛr'ʃtrɔyən) *vt* **1** disperse, scatter. **2** diffuse. **3** divert, entertain, amuse. —**t** *adj* **1** absent-minded. **2** dispersed. —**theit** *nf* absent-mindedness. —**ung** *nf* **-en 1** dispersion. **2** amusement.

zerteilen (tsɛr'taɪlən) *vt* cut up, divide.

zertreten* (tsɛr'tre:tən) *vt* trample underfoot, stamp out.

zertrümmern (tsɛr'trymərn) *vt* lay waste, demolish, destroy, ruin.

zetern ('tse:tərn) *vi* **1** cry out (for help). **2** scold, nag.

Zettel ('tsɛtəl) *nm* — **1** sheet or slip of paper, note. **2** ticket. **3** label.

Zeug (tsɔyk) *n neu* **-e 1** thing. **2** stuff. **3** material, cloth. —**haus** *n neu* arsenal.

Zeug/e ('tsɔygə) *nm* **-n** witness. —**nis** ('tsɔyknis) *n neu* **-se 1** evidence, testimony. **2** certificate. **3** reference.

zeug/en[1] ('tsɔygən) *vt* produce, beget. —**ung** *nf* **-en** procreation.

zeugen[2] ('tsɔygən) *vi* give testimony, testify.

Zickzack ('tsɪktsak) *nm* **-e** zigzag.

Ziege ('tsi:gə) *nf* **-n** (she-)goat.

Ziegel ('tsi:gəl) *nm* — **1** brick. **2** tile. —**ofen** *nm* brickkiln.

zieh/en* ('tsi:ən) *vt* **1** pull, draw (out). **2** cultivate, raise. **3** dig. *vi* **1** draw, pull. **2** move, go. **es zieht** there is a draught, it is draughty. **sich ziehen** *vr* **1** extend. **2** move. **3** withdraw. —**harmonika** *nf* accordion.

Ziel (tsi:l) *n neu* **-e 1** aim, end. **2** goal. **3** target. —**en** *vi* aim (at).

ziem/en ('tsi:mən) *vi also* **sich ziemen** *vr* **1**

suit. **2** become. **—lich** *adv* quite, rather, moderately, fairly. *adj* suitable, fitting.

Zier (tsi:r) *nf* **-en** also **Zierat** *nm* **-e** ornament. **—en** *vt* decorate, adorn. **—lich** *adj* graceful, pretty, elegant.

Ziffer ('tsifər) *nf* **-n** figure, cipher.

Zigarette (tsigaˈrɛtə) *nf* **-n** cigarette.

Zigarre (tsiˈgarə) *nf* **-n** cigar.

Zigeuner (tsiˈgɔynər) *nm* — gipsy.

Zimmer ('tsimər) *n neu* — room. **—mann** *nm* carpenter.

zimperlich ('tsimpərliç) *adj* **1** prim, prudish. **2** affected.

Zimt (tsimt) *nm* **-e** cinnamon.

Zink (tsiŋk) *n neu* zinc.

Zinke ('tsiŋkə) *nf* **-n 1** prong. **2** dovetail.

Zinn (tsin) *n neu* tin.

Zins (tsins) *nm* **-en 1** interest. **2** rent. **—eszins** ('tsinzəstsins) *nm* compound interest. **—fuß** *nm also* **—satz** interest rate.

Zipfel ('tsipfəl) *nm* — tip, corner, edge.

Zirkus ('tsirkus) *nm* **-se** circus.

zirpen ('tsirpən) *vi* chirp.

Zitrone (tsiˈtroːnə) *nf* **-n** lemon.

zittern ('tsitərn) *vi* tremble, quiver.

Zitze ('tsitsə) *nf* **-n** teat, nipple.

zivil (tsiˈviːl) *adj* **1** civil. **2** civilian. **—ist** (tsiviˈlist) *nm* **-en** civilian.

Zivil/isation (tsivilizatsiˈoːn) *nf* **-en** civilization, culture. **—isieren** (tsiviliˈziːrən) *vt* civilize.

Zofe ('tsoːfə) *nf* **-n** lady's maid.

zog (tsoːk) *v* see **ziehen.**

zöger/n ('tsœːgərn) *vi* hesitate, linger. **—ung** *nf* **-en** delay, hesitation.

Zögling ('tsœːkliŋ) *nm* **-e** pupil.

Zoll[1] (tsɔl) *nm* — inch.

Zoll[2] (tsɔl) *nm* **¨-e** custom, duty, toll. **—amt** *n neu* customs office. **—beamte(r)** *nm also* **¨-ner** ('tsœlnər) *nm* — customs officer. **—en** *vt* pay. **—frei** *adj* duty-free. **—pflichtig** *adj* dutiable, liable to (customs) duty.

Zone ('tsoːnə) *nf* **-n** zone.

Zoo (tsoː) *nm* **-s** zoo. **—loge** (tsoːoˈloːgə) *nm* **-n** zoologist. **—logie** (tsoːoloˈgiː) *nf* zoology. **—logisch** (tsoːoˈloːgiʃ) *adj* zoological.

Zopf (tsɔpf) *nm* **¨-e** plait, pigtail.

Zorn (tsɔrn) *nm* anger. **—ig** *adj* angry.

zu (tsuː) *prep* **1** in, into. **2** to. **3** at. **4** by, with. **5** along with, in addition to. *adv* **1** too. **2** to(wards). **3** closed, shut.

Zubehör ('tsuːbəhœːr) *n neu* **-e 1** accessories. **2** fittings.

zubereiten ('tsuːbəraitən) *vt* prepare.

zubringen* ('tsuːbriŋən) *vt* **1** bring to. **2** pass (the time).

Zucht (tsuxt) *nf* **1** discipline. **2** breed(ing). **3** decency. **4** culture. **5** training. **¨-en** ('tsuçtən) *vt* **1** breed, rear. **2** grow, cultivate. **¨-er** ('tsyçtər) *nm* — **1** breeder. **2** grower. **¨-ig** ('tsyçtiç) *adj* chaste, modest. **¨-igen** ('tsyçtigən) *vt* **1** punish, discipline. **2** flog, thrash.

zucken ('tsukən) *vi* **1** twitch. **2** flash. *vt* **1** shrug (one's shoulders). **2** bat (an eyelid).

Zucker ('tsukər) *nm* sugar. **—n** *vt* sugar. **—rohr** *n neu* sugar cane. **—rübe** *nf* sugar beet.

zudecken ('tsuːdɛkən) *vt* cover (up).

zudem (tsuˈdeːm) *adv* besides.

Zudrang ('tsuːdraŋ) *nm* rush (towards).

zudrehen ('tsuːdreːən) *vt* turn or switch off.

zudringlich ('tsuːdriŋliç) *adj* importunate.

zueinander (tsuainˈandər) *adv* to each other.

zuerst (tsuˈeːrst) *adv* (at) first, above all.

Zufahrt ('tsuːfaːrt) *nf* **1** approach, drive. **2** access (by road).

Zufall ('tsuːfal) *nm* chance, accident. **—en*** *vi* **1** fall to or on. **2** close. **¨-ig** ('tsuːfɛliç) *adj* accidental.

zufließen* ('tsuːfliːsən) *vi* flow (in)to.

Zuflucht ('tsuːfluxt) *nf* refuge, shelter.

zufolge (tsuˈfɔlgə) *prep* **1** according to. **2** owing to.

zufrieden (tsuˈfriːdən) *adj* satisfied, content(ed). **—heit** *nf* satisfaction, contentment. **—stellen** *vt* satisfy.

zufügen ('tsuːfyːgən) *vt* **1** add (to). **2** cause, do.

Zufuhr ('tsuːfuːr) *nf* **-en** supply. **¨-en** ('tsuːfyːrən) *vt* **1** lead or bring to. **2** supply.

Zug (tsuːk) *nm* **¨-e 1** train. **2** pull(ing), drawing. **3** draught. **4** procession. **5** trait, feature. **6** platoon, section. **—brücke** *nf* drawbridge.

Zugabe ('tsuːgaːbə) *nf* **-n 1** addition. **2** supplement.

Zugang ('tsuːgaŋ) *nm* **1** access, entry. **2** increase. **¨-lich** ('tsuːgɛŋliç) *adj* accessible.

zugeben* ('tsuːgeːbən) *vt* **1** admit, confess. **2** permit. **3** add.

zugegen (tsuˈgeːgən) *adj* present.

zugehen* ('tsuːgeːən) *vi* **1** go on or to. **2** shut, close. **3** happen.

zugehör/en ('tsuːgəhœːrən) *vi* belong to. **—ig** *adj* belonging to.

Zügel ('tsyːgəl) *nm* — **1** rein, bridle. **2** restraint. **—los** *adj* unbridled. **—n** *vt* rein in, curb.

Zugeständnis ('tsuːgəʃtɛntnis) *n neu* **-se 1** concession. **2** admission.

zugestehen* ('tsu:gəʃte:ən) *vt* **1** admit. **2** concede.
Zugführer ('tsu:kfy:rər) *nm* (railway) guard.
zugig ('tsu:giç) *adj* draughty.
zugreifen* ('tsu:graifən) *vi* **1** grasp. **2** help oneself (at table).
zugrunde (tsu'grundə) *adv* **zugrunde gehen 1** perish, die. **2** be ruined.
zugunsten (tsu'gunstən) *adv* in favour of.
zugute (tsu'gu:tə) *adv* for the benefit of. **jemandem etwas zugute halten** give someone credit for something. **jemandem zugute kommen** stand someone in good stead.
zuhalt/en* ('tsu:haltən) *vt* keep shut. *vi* make for, go towards. **—er** ('tsu:hɛltər) *nm* — procurer, pimp.
zuhanden (tsu'handən) *adv* at or to hand.
zuhör/en ('tsu:hœ:rən) *vi* listen, attend (to). **—er** *nm* **1** listener. **2** *pl* audience.
zukommen* ('tsu:kɔmən) *vi* **1** come to, fall to. **2** be due to.
Zukunft ('tsu:kunft) *nf* future. **—ig** ('tsu:kynftiç) *adj* future.
Zulage ('tsu:la:gə) *nf* **1** increase. **2** extra pay or allowance.
zulänglich ('tsu:lɛŋliç) *adj* sufficient.
zulass/en* ('tsu:lasən) *vt* **1** leave shut. **2** admit (a person). **3** allow. **4** license (a car, etc.). **—ig** ('tsu:lɛsiç) *adj* admissible, allowable. **—ung** *nf* **-en 1** admission. **2** permission. **3** (car) licence, registration.
Zulauf ('tsu:lauf) *nm* **1** rush. **2** crowd. **3** supply.
zuleide (tsu'laidə) *adv* **jemandem etwas zuleide tun** hurt or harm someone.
zuleiten ('tsu:laitən) *vt* lead in or to.
zuletzt (tsu'lɛtst) *adv* (at) last, finally.
zuliebe (tsu'li:bə) *adv* **jemandem zuliebe 1** to please someone. **2** for someone's sake.
zum (tsum) contraction of **zu dem.**
zumachen ('tsu:maxən) *vt* shut, fasten.
zumal (tsu'ma:l) *adv* especially.
zumeist (tsu'maist) *adv* mostly.
zumindest (tsu'mindəst) *adv* at least.
zumute (tsu'mu:tə) *adv* **mir ist gut zumute** I feel well, I am in good spirits.
zumut/en ('tsu:mu:tən) *vt* expect or ask of (a person). **—ung** *nf* **-en** (unreasonable) demand, presumption.
zunächst (tsu'nɛ:çst) *adv* first (of all). *prep* next to.
Zunahme ('tsu:na:mə) *nf* **-n** increase, growth.
Zuname ('tsu:na:mə) *nm* surname.
zünd/en ('tsyndən) *vi,vt* ignite. **—er** *nm* — **1** fuse. **2** detonator. **—kerze** ('tsyntkɛrtsə) *nf* sparking plug. **—stoff** ('tsyntʃtɔf) *nm* **1** combustible matter. **2** fuel. **—ung** *nf* **-en 1** *mot* ignition. **2** priming.
Zunder ('tsundər) *nm* — tinder.
zunehmen* ('tsu:ne:mən) *vi* grow, increase, put on (weight).
zuneig/en ('tsu:naigən) *vi* **1** lean. **2** incline. **—ung** *nf* **-en 1** inclination. **2** sympathy.
Zunft (tsunft) *nf* **¨-e 1** guild. **2** clique.
Zunge ('tsuŋə) *nf* **-n 1** tongue. **2** *zool* sole.
zunichte (tsu'niçtə) *adv* ruined. **zunichte machen** ruin. **zunichte werden** come to nothing.
zunicken ('tsu:nikən) *vi,vt* nod (to).
zuoberst (tsu'o:bərst) *adv* at the top.
zupfen ('tsupfən) *vt* **1** pull. **2** pick.
zur (tsu:r) contraction of **zu der.**
zurechn/en ('tsu:rɛçnən) *vt* **1** add. **2** include. **3** ascribe. **—ung** *nf* **1** attribution. **2** addition.
zurecht (tsu'rɛçt) *adv* in order. **—legen** *vt* arrange. **—machen** *vt* prepare. **—setzen** *vt* set right. **—weisen*** *vt* **1** direct. **2** reprimand.
zureden ('tsu:re:dən) *vi* **1** urge, advise. **2** persuade.
zureichen ('tsu:raiçən) *vt* hand (over or to). *vi* suffice.
Zürich ('tsy:riç) *n neu* Zurich.
zurichten ('tsu:riçtən) *vt* **1** prepare. **2** *tech* dress.
zürnen ('tsyrnən) *vi* be angry.
zurück (tsu'ryk) *adv* back(wards), behind.
zurückbezahlen (tsu'rykbətsa:lən) *vt* repay.
zurückbleiben* (tsu'rykblaibən) *vi* remain or fall behind, be left behind.
zurückbringen* (tsu'rykbriŋən) *vt* bring back.
zurückeilen (tsu'rykailən) *vi* hurry back.
zurückfahren* (tsu'rykfa:rən) *vi* **1** drive or go back. **2** recoil. *vt* drive back.
sich zurückfinden* (tsu'rykfindən) *vr* find one's way back.
zurückführen (tsu'rykfy:rən) *vt* lead or trace back.
zurückgehen* (tsu'rykge:ən) *vi* **1** go or fall back. **2** decrease.
zurückgezogen (tsu'rykgətso:gən) *adj* retired, secluded.
zurückhalt/en* (tsu'rykhaltən) *vt* **1** hold back or in. **2** restrain. **3** detain. **4** repress. *vi* keep back. **—end** *adj* reserved. **—ung** *nf* reserve.
zurückkehren (tsu'rykke:rən) *vi* return.

zurückkommen* (tsu'rykkɔmən) *vi* **1** return. **2** recur.

zurücklegen (tsu'rykle:gən) *vt* **1** lay aside. **2** put by. **3** complete. **4** cover (distance). **sich zurücklegen** *vr* lie back.

zurücknehmen* (tsu'rykne:mən) *vt* take back.

zurückrufen* (tsu'rykru:fən) *vt* **1** call back. **2** recall.

zurückschlagen* (tsu'rykʃla:gən) *vt* **1** repel. **2** throw off or open. **3** return. *vi* strike back.

zurücksetzen (tsu'rykzɛtsən) *vt* **1** put back. **2** neglect (a person).

zurücktreten* (tsu'ryktre:tən) *vi* **1** step back. **2** resign. **3** retire.

zurückweichen* (tsu'rykvaiçən) *vi* **1** fall back. **2** recede. **3** yield.

zurückweisen* (tsu'rykvaizən) *vt* **1** send away or back. **2** decline, reject.

zurückziehen* (tsu'ryktsi:ən) *vt* withdraw.

Zuruf ('tsu:ru:f) *nm* shout, call.

Zusage ('tsu:za:gə) *nf* **1** consent. **2** promise, word. **—n** *vt* promise. *vi* agree.

zusammen (tsu'zamən) *adv* together.

Zusammenarbeit (tsu'zamənarbait) *nf* cooperation, teamwork. **—en** *vi* cooperate, work together.

zusammenballen (tsu'zamənbalən) *vt* **1** roll into a ball. **2** clench (one's fists).

zusammenbrechen* (tsu'zamənbrɛçən) *vi* break down, collapse.

Zusammenbruch (tsu'zamənbrux) *nm* breakdown, collapse.

zusammenfahren* (tsu'zamənfa:rən) *vi* **1** collide. **2** wince, start.

zusammenfass/en (tsu'zamənfasən) *vt* **1** comprise. **2** condense. **3** sum up. **—ung** *nf* summary.

zusammenfügen (tsu'zamənfy:gən) *vt* combine.

zusammengesetzt (tsu'zaməngəzɛtst) *adj* composed, assembled.

Zusammenhang (tsu'zamənhaŋ) *nm* **1** connection. **2** context. **3** continuity.

Zusammenkunft (tsu'zamənkunft) *nf* assembly.

zusammenlegen (tsu'zamənle:gən) *vt* **1** put together, combine. **2** fold (up). **3** pool.

zusammennehmen* (tsu'zamənne:mən) *vt* gather up. **sich zusammennehmen** *vr* pull oneself together.

zusammenpassen (tsu'zamənpasən) *vi* go well together. *vt* adjust.

zusammenrücken (tsu'zamənrykən) *vt,vi* move closer together.

sich zusammenschließen* (tsu'zamənʃli:sən) *vr* unite.

Zusammenschluß (tsu'zamənʃlus) *nm* **1** union. **2** *comm* merger.

zusammensetz/en (tsu'zamənzɛtsən) *vt* put together. **sich zusammensetzen** *vr* sit down together. **—ung** *nf* **1** composition. **2** construction.

zusammenstellen (tsu'zamənʃtɛlən) *vt* **1** put together. **2** make up.

zusammenstimmen (tsu'zamənʃtimən) *vi* agree, harmonize.

Zusammenstoß (tsu'zamənʃtɔs) *nm* **1** collision. **2** conflict. **—en*** *vt* knock together. *vi* collide.

zusammentreffen* (tsu'zaməntrɛfən) *vi* **1** meet. **2** coincide. *n neu* **1** meeting. **2** coincidence.

zusammentreten* (tsu'zaməntre:tən) *vi* come together.

zusammenzieh/en* (tsu'zaməntsi:ən) *vt* draw together. **—ung** *nf* contraction.

Zusatz ('tsu:zats) *nm* **1** addition. **2** appendix.

zuschau/en ('tsu:ʃauən) *vi* look on. **—er** *nm* — spectator.

zuschicken ('tsu:ʃikən) *vt* send on, forward.

zuschieben* ('tsu:ʃi:bən) *vt* **1** push on. **2** shut.

zuschießen* ('tsu:ʃi:sən) *vt,vi* **1** rush (at). **2** contribute (money). *vt* shoot (a glance, etc.) at.

Zuschlag ('tsu:ʃla:k) *nm* **1** surcharge. **2** increase. **—en*** ('tsu:ʃla:gən) *vt* slam. *vi* hit out. **—spflichtig** *adj* liable to surcharge.

zuschließen* ('tsu:ʃli:sən) *vt* lock.

zuschneiden* ('tsu:ʃnaidən) *vt* **1** cut out. **2** cut to size.

zuschreiben* ('tsu:ʃraibən) *vt* ascribe to.

Zuschuß ('tsu:ʃus) *nm* **1** extra allowance. **2** subsidy, grant.

zuschütten ('tsu:ʃytən) *vt* **1** fill up with. **2** pour in or on.

zusehen* ('tsu:ze:ən) *vi* **1** look on. **2** wait. **—ds** *adv* visibly.

zusenden* ('tsu:zɛndən) *vt* send on, forward.

zusetzen ('tsu:zɛtsən) *vt* **1** add. **2** lose (money). *vi* importune, pester.

Zuspruch ('tsu:ʃprux) *nm* **1** encouragement. **2** consolation. **3** custom(ers).

Zustand ('tsu:ʃtant) *nm* **1** condition. **2** situation. **—ig** ('tsu:ʃtɛndiç) *adj* **1** appropriate. **2** competent, responsible.

zustatten (tsu'ʃtatən) *adv* **jemandem gut zu-**

statten kommen stand a person in good stead.

zustellen ('tsu:ʃtɛlən) *vt* deliver (letters, mail).

zustimm/en ('tsu:ʃtimən) *vi* agree, consent. **—ung** *nf* consent.

zustoßen* ('tsu:ʃto:sən) *vt* slam (shut). *vi* befall.

zustreben ('tsu:ʃtre:bən) *vi* strive (for).

zutage (tsu'ta:gə) *adv* **zutage bringen** bring to light.

Zutat ('tsu:ta:t) *nf* **1** *cul* ingredient. **2** seasoning. **3** trimming.

zuteil (tsu:'tail) *adv* **einem zuteil werden** fall to one's share.

zuteilen ('tsu:tailən) *vt* assign, allocate.

zutiefst (tsu:'ti:fst) *adv* deeply, intensely.

zutrag/en* ('tsu:tra:gən) *vt* carry (to). **sich zutragen** *vr* happen. **¨—er** ('tsu:trɛ:gər) *nm* — informer, gossipmonger. **¨—lich** ('tsu:-trɛ:kliç) *adj* **1** wholesome. **2** advantageous.

zutreu/en ('tsu:traυən) *vt* credit. *n neu* confidence. **—lich** *adj* trusting.

zutreffen* ('tsu:trɛfən) *vi* prove true.

Zutritt ('tsu:trit) *nm* access, admission.

zuverlässig ('tsu:fɛrlɛsiç) *adj* **1** reliable. **2** certain.

Zuversicht ('tsu:fɛrziçt) *nf* confidence. **—lich** *adj* confident.

zuviel (tsu'fi:l) *adv* too much.

zuvörderst (tsu'fœrdərst) *adv* first of all.

zuvorkommen* (tsu'fo:rkɔmən) *vi* anticipate.

zuvortun* (tsu'fo:rtu:n) *vi* outdo.

Zuwachs ('tsu:vaks) *nm* increase, growth.

zuweilen (tsu'vailən) *adv* at times, sometimes.

zuweisen* ('tsu:vaizən) *vt* allot.

zuwenden* ('tsu:vɛndən) *vt* **1** turn towards. **2** give. **3** procure.

zuwider (tsu'vi:dər) *prep* **1** contrary to. **2** distasteful to. **—handlung** *nf* violation, infringement. **—laufen*** *vi* run counter (to).

zuzeiten (tsu'tsaitən) *adv* at times.

zuziehen* ('tsu:tsi:ən) *vt* **1** draw (together), tighten, shut. **2** invite. *vi* **1** move in. **2** immigrate. **sich eine Krankheit zuziehen** catch or contract a disease. **sich Schwierigkeiten zuziehen** get into difficulties.

zwang (tsvaŋ) *v* see **zwingen.**

Zwang (tsvaŋ) *nm* **¨e 1** compulsion. **2** force. **—los** *adj* unconstrained. **—läufig** ('tsvaŋs-lɔyfiç) *adj* inevitable.

zwängen ('tsvɛŋən) *vt* press, squeeze.

zwanzig ('tsvantsiç) *adj,nf* twenty. **—ste** *adj* twentieth.

zwar (tsva:r) *adv* indeed. **und zwar** that is, namely, in fact.

Zweck (tsvɛk) *nm* **-e 1** purpose. **2** design. **—los** *adj* useless, purposeless. **—mäßig** *adj* **1** suitable. **2** expedient. **3** practical.

Zwecke ('tsvɛkə) *nf* **-n 1** drawing-pin. **2** tack. **3** peg.

zwei (tsvai) *adj,nf* two.

zweideutig ('tsvaidɔytiç) *adj* ambiguous.

zweierlei (tsvaiər'lai) *adj* of two kinds.

Zweifel ('tsvaifəl) *nm* — doubt. **—haft** *adj* doubtful. **—los** *adj* doubtless. **—n** *vi* doubt.

Zweig (tsvaik) *nm* **-e** branch, twig. **¨—stelle** *nf* branch office.

zweijährlich ('tsvaiję:rliç) *adj* every two years.

Zweikampf ('tsvaikampf) *nm* duel.

zweimal ('tsvaimal) *adv* twice.

zweisprachig ('tsvaiʃpra:xiç) *adj* bilingual.

zweistimmig ('tsvaiʃtimiç) *adj mus* for two voices.

zwei/te ('tsvaitə) *adj* second. **zu Zweit** in twos, two by two. **—tens** ('tsvaitəns) *adv* secondly. **—tklassig** *adj* second-rate.

Zwerchfell ('tsvɛrçfɛl) *n neu* diaphragm.

Zwerg (tsvɛrk) *nm* **-e** dwarf.

zwicken ('tsvikən) *vt* pinch, tweak.

Zwieback ('tsvi:bak) *nm* **-e** biscuit, rusk.

Zwiebel ('tsvi:bəl) *nf* **-n 1** onion. **2** *bot* bulb.

Zwiegespräch ('tsvi:gəʃprɛ:x) *n neu* dialogue.

Zwiespalt ('tsvi:ʃpalt) *nm* **-e** dissension.

Zwietracht ('tsvi:traxt) *nf* discord.

Zwilling ('tsvilin) *nm* **-e 1** twin. **2** *pl* Gemini.

Zwinge ('tsviŋə) *nf* **-n 1** clamp. **2** ferrule.

zwingen* ('tsviŋən) *vt* **1** force. **2** overcome.

zwischen ('tsviʃən) *prep* between, among. **—durch** *adv* **1** through. **2** in the midst. **3 between. —fall** *nm* incident. **—raum** *nm* interval, gap, space. **—spiel** *n neu* interlude. **—wand** *nf* partition. **—zeit** *nf* interim, interval.

Zwist (tsvist) *nm* **-e 1** discord. **2** quarrel. **—ig** *adj* **1** at variance. **2** in dispute.

zwitschern ('tsitʃərn) *vi* chirp, twitter.

zwo (tsvo:) *adj,nf* see **zwei.**

zwölf (tsvœlf) *adj,nf* twelve. **—te** *adj* twelfth.

Zyklon (tsy'klo:n) *nm* **-e** cyclone.

Zyklus ('tsy:klus) *nm* **-len 1** cycle. **2** series.

Zylinder (tsi'lindər) *nm* — **1** cylinder. **2** top-hat.

Zyn/iker ('tsy:nikər) *nm* — cynic. **—isch** ('tsy:niʃ) *adj* cynical.

Zyp/ern ('tsy:pərn) *n neu* Cyprus. **—riot** (tsypri:'o:t) *nm* **-en** Cypriot. **—riotisch** (tsypri-'o:tiʃ) *adj* Cypriot.

A

a, an (ə, ən; *stressed* ei, æn) *indef art* **1** ein, eine, ein *m,f,neu.* **2** pro, je.

aback (ə'bæk) *adv* nach hinten, zurück. **taken aback** bestürzt, verblüfft.

abandon (ə'bændən) *n* Ungezwungenheit, Hingabe *f. vt* **1** aufgeben, verlassen. **2** verzichten auf. **3** im Stich lassen.

abashed (ə'bæʃt) *adj* verlegen, sich schämend.

abate (ə'beit) *vi* (of wind) abnehmen, sich legen.

abattoir ('æbətwɑ:) *n* Schlachthaus *neu.*

abbess ('æbis) *n* Äbtissin *f.*

abbey ('æbi) *n* Abtei *f.*

abbot ('æbət) *n* Abt *m.*

abbreviate (ə'bri:vieit) *vt* abkürzen. **abbreviation** *n* Abkürzung *f.*

abdicate ('æbdikeit) *vi* abdanken. *vt* niederlegen. **abdication** *n* Abdankung *f.*

abdomen ('æbdəmən) *n* Unterleib, Bauch *m.*

abduct (æb'dʌkt) *vt* entführen. **abduction** *n* Entführung *f.*

abet (ə'bet) *vt* **1** begünstigen. **2** anstiften. **aid and abet** *law* Vorschub leisten.

abhor (əb'hɔ:) *vt* verabscheuen. **abhorrence** *n* Abscheu *m.* **abhorrent** *adj* zuwider, verhaßt.

abide* (ə'baid) *vi* bleiben, fortdauern. *vt* vertragen, ausstehen. **abide by** treu bleiben, sich halten an.

ability (ə'biliti) *n* **1** Fähigheit *f.* **2** geistige Anlagen *f pl.*

abject ('æbdʒekt) *adj* gemein, verächtlich.

ablaze (ə'bleiz) *adj,adv* **1** in Flammen. **2** glänzend. **3** erregt.

able ('eibəl) *adj* **1** fähig. **2** geschickt, tüchtig, begabt. **be able to** können.

abnormal (æb'nɔ:məl) *adj* **1** ungewöhnlich. **2** anormal, abnorm. **abnormality** *n* **1** Abnormität *f.* **2** Mißbildung *f.*

aboard (ə'bɔ:d) *adv* an Bord.

abode (ə'boud) *n* Wohnort *m.* Stätte *f.*

abolish (ə'bɔliʃ) *vt* abschaffen, aufheben. **abolition** *n* Abschaffung, Aufhebung *f.*

abominable (ə'bɔminəbəl) *adj* abscheulich.

Aborigine (æbə'ridʒini) *n* **1** Ureinwohner *m.* **2** *pl* Urbevölkerung *f.* **aboriginal** *adj* eingeboren.

abort (ə'bɔ:t) *vi* **1** fehlgebären. **2** fehlschlagen. **abortion** *n* **1** Abtreibung *f.* **2** Fehlgeburt *f.* **abortive** *adj* **1** vorzeitig. **2** fehlgeschlagen, mißlungen.

abound (ə'baund) *vi* reichlich vorhanden sein.

about (ə'baut) *prep* **1** wegen, über. **2** gegen. *adv* **1** herum, umher. **2** ungefähr, etwa. **be about to do something** eben etwas tun wollen.

above (ə'bʌv) *prep* über, oberhalb. *adv* oben, darüber. *adj* obig, oben erwähnt. **aboveboard** *adj* offen, ehrlich.

abrasion (ə'breiʒən) *n* Abschleifen, Abreiben *neu.* **abrasive** *adj* abreibend, abschleifend.

abreast (ə'brest) *adv* **1** nebeneinander. **2** auf dem laufenden. **keep abreast of** Schritt halten mit.

abridge (ə'bridʒ) *vt* (ab-, ver-)kürzen.

abroad (ə'brɔ:d) *adv* **1** ins *or* im Ausland. **2** draußen. **3** auswärts.

abrupt (ə'brʌpt) *adj* **1** abrupt, plötzlich. **2** schroff.

abscess ('æbses) *n* Abszeß *m.* Geschwür *neu.*

abscond (əb'skɔnd) *vi* sich heimlich davonmachen, flüchten.

absent (*adj* 'æbsənt; *v* əb'sent) *adj* **1** abwesend. **2** zerstreut. *v* **absent oneself from** sich entfernen von. **absence** *n* **1** Abwesenheit *f.* **2** Mangel *m.* **in the absence of** in Ermangelung von. **absentee** *n* Abwesende(r) *m.* **absenteeism** *n* (unerlaubtes) Fernbleiben *neu.* **absent-minded** *adj* zerstreut, geistesabwesend.

absinthe ('æbsinθ) *n* Absinth *m.*

absolute ('æbsəlu:t) *adj* **1** absolut. **2** vollkommen. **absolutely** *adv* völlig, durchaus.

absolve (əb'zɔlv) *vt* freisprechen. **absolution** *n rel* Absolution *f.*

absorb (əb'zɔ:b) *vt* **1** absorbieren, aufsaugen. **2** aufnehmen. **be absorbed in** vertieft sein in. **absorbent** *adj* aufsaugend. **absorption** *n* Absorption, Aufsaugung *f.*

abstain (əb'stein) *vi* sich enthalten. **abstainer** *n* Abstinenzler *m.* **abstention** *n* Enthaltung *f.* **abstinence** *n* Enthaltsamkeit, Abstinenz *f.*

abstract (*adj,n* 'æbstrækt; *v* əb'strækt) *adj* abstrakt, theoretisch. *n* **1** Abstrakte *neu.* **2** Auszug *m.* *vt* ablenken, absondern. **abstraction** *n* **1** *sci* Absonderung *f.* **2** Abstraktion *f.* **3** Zerstreutheit *f.*

absurd (əb'sə:d) *adj* absurd, sinnwidrig, albern. **absurdity** *n* Albernheit *f.* Unsinn *m.*

abundance (ə'bʌndəns) *n* Überfluß *m.* Fülle *f.* **abundant** *adj* reichlich.

abuse (*v* ə'bju:z; *n* ə'bju:s) *vt* **1** mißbrauchen. **2** beschimpfen. *n* **1** Mißbrauch *m.* **2** Beschimpfung *f.* **abusive** *adj* beleidigend.

abyss (ə'bis) *n* Abgrund *m.* **abysmal** *adj* abgrundtief.

Abyssinia (æbi'siniə) *n* Abessinien *neu.* **Abyssinian** *adj* abessinisch. *n* Abessinier *m.*

academy (ə'kædəmi) *n* (Kunst)Akademie *f.* **academic** *adj* **1** akademisch. **2** rein theoretisch. *n* Akademiker *m.*

accelerate (ək'seləreit) *vt* **1** beschleunigen. **2** *mot* Gas geben. **acceleration** *n* Beschleunigung *f.* **accelerator** *n* Gaspedal *neu.*

accent (*n* 'æksənt; *v* æk'sent) *n* **1** Akzent *m.* **2** Betonung *f.* *vt* betonen. **accentuate** *vt* **1** betonen. **2** hervorheben.

accept (ək'sept) *vt* **1** (an-, entgegen-)nehmen, akzeptieren. **2** anerkennen, gelten lassen. *vi* annehmen, zusagen. **acceptable** *adj* **1** annehmbar. **2** angenehm. **acceptance** *n* **1** Annahme *f.* **2** Aufnahme *f.*

access ('ækses) *n* **1** Zugang, Zutritt *m.* **2** Zufahrt *f.* **accessible** *adj* zugänglich. **accession** *n* **1** Antritt *m.* **2** Thronbesteigung *f.* **accessory** Zubehörteil *m.*

accident ('æksidənt) *n* **1** Zufall *m.* **2** Unfall *m.* Unglück neu. **accidental** *adj* zufällig.

acclaim (ə'kleim) *vt* **1** (mit Beifall) begrüßen, zujubeln. **2** anerkennen, begrüßen. **acclamation** *n* **1** Beifall *m.* **2** Zuruf *m.*

acclimatize (ə'klaimətaiz) *(vi),vt* (sich) akklimatisieren, (sich) eingewöhnen. **acclimatization** *n* Akklimatisierung, Eingewöhnung *f.*

accommodate (ə'kɔmədeit) *vt* **1** unterbringen. **2** anpassen. **3** aushelfen. **acommodating** *adj* **1** gefällig. **2** anpassungsfähig. **accommodation** *n* **1** Unterkunft *f.* **2** Anpassung *f.*

accompany (ə'kʌmpəni) *vt* begleiten. **accompaniment** *n* Begleitung *f.* **accompanist** *n* *mus* Begleiter *m.*

accomplice (ə'kʌmplis) *n* Mittäter *m.*

accomplish (ə'kʌmpliʃ) *vt* vollenden, zustande bringen. **accomplishment** *n* **1** Vollendung *f.* **2** Leistung *f.* **3** *pl* Talente *neu pl.*

accord (ə'kɔ:d) *vt* gewähren. *vi* übereinstimmen. *n* Übereinstimmung *f.* **of one's own accord** aus eigenem Antrieb. **accordance** *n* Übereinstimmung *f.* **in accordance with** in Übereinstimmung mit, gemäß. **according to** *prep* **1** gemäß. **2** laut, zufolge.

accordion (ə'kɔ:diən) *n* Ziehharmonika *f.*

accost (ə'kɔst) *vt* ansprechen.

account (ə'kaunt) *vi* Rechenschaft ablegen. *vt* ansehen als. *n* **1** Rechnung *f.* **2** Bericht *m.* **3** *comm* Konto *neu.* **on no account** auf keinen Fall. **accountable** *adj* verantwortlich. **accountancy** *n* Rechnungswesen *neu.* **accountant** *n* **1** Rechnungsführer *m.* **2** Bücherrevisor *m.*

accumulate (ə'kju:mjuleit) *(vi),vt* (sich) anhäufen. **accumulation** *n* Anhäufung *f.* **accumulative** *adj* (sich) anhäufend.

accurate ('ækjurət) *adj* **1** genau. **2** richtig. **accuracy** *n* Genauigkeit *f.*

accusative (ə'kju:zətiv) *n* Akkusativ *m.*

accuse (ə'kju:z) *vt* anklagen, beschuldigen. **accused** *n* Angeklagte(r) *m.* **accuser** *n* Kläger *m.*

accustom (ə'kʌstəm) *vt* gewöhnen. **become accustomed to** sich gewöhnen an.

ace (eis) *n* As *neu.*

ache (eik) *vi* schmerzen, weh tun. *n* Schmerz *m.* **aching** *adj* schmerzhaft.

achieve (ə'tʃi:v) *vt* **1** ausführen. **2** zustande bringen. **3** erreichen, erzielen. **achievement** *n* **1** Ausführung, Vollendung *f.* **2** Leistung *f.* Werk *neu.*

acid ('æsid) *adj* sauer. *n* Säure *f.*

acknowledge (ək'nɔlidʒ) *vt* **1** anerkennen, zugeben. **2** *comm* bestätigen. **acknowledgment** *n* **1** Anerkennung *f.* **2** Dank *m.* **3** *comm* Empfangsbestätigung *f.*

acne ('ækni) *n* Akne *f.* Hautausschlag *m.*

acorn ('eikɔ:n) *n* Eichel *f.*

acoustic (ə'ku:stik) *adj* akustisch. **acoustics** *n* Akustik *f.*

acquaint (ə'kweint) *vt* bekannt machen. **be acquainted with** kennen. **acquaintance** *n* **1**

Bekanntschaft *f.* **2** Bekannte(r) *m.* **make someone's acquaintance** jemanden kennenlernen.

acquiesce (ˈækwiˈes) *vi* einwilligen, sich fügen. **acquiescent** *adj* ergeben, fügsam.

acquire (əˈkwaiə) *vt* erwerben, erlangen. **acquisition** *n* Erwerbung *f.* **acquisitive** *adj* gewinnsüchtig.

acquit (əˈkwit) *vt* freisprechen. **acquittal** *n* Freispruch *m.*

acre (ˈeikə) *n* Morgen *m.*

acrimony (ˈækrimənі) *n* Schärfe, Bitterkeit *f.* **acrimonious** *adj* scharf, beißend.

acrobat (ˈækrəbæt) *n* Akrobat *m.* **acrobatic** *adj* akrobatisch. **acrobatics** *n pl* Akrobatik *f.*

across (əˈkrɔs) *adv* **1** hinüber, herüber, (quer)durch. **2** kreuzweise. *prep* **1** über. **2** jenseits. **come across** stoßen auf.

acrylic (əˈkrilik) *n* Polyacryl *Tdmk neu.*

act (ækt) *vt* darstellen, spielen. **act a part** eine Rolle spielen. *vi* handeln. **act as** fungieren als. **act on** wirken auf. *n* **1** Handlung, Tat *f.* **2** *Th* Aufzug *m.* **3** Gesetz *neu.* **acting** *adj* **1** handelnd. **2** amtierend. *n Th* Spielen *neu.*

action (ˈækʃən) *n* **1** Handlung *f.* **2** Tat *f.* **3** Wirkung *f.* **4** *law* Klage *f.* **5** *mil* Gefecht *neu.*

active (ˈæktiv) *adj* tätig, wirksam, aktiv. *n gram* Aktiv *neu.* **activate** *vt* **1** in Tätigkeit setzen. **2** wirksam machen. **activity** *n* **1** Tätigkeit *f.* **2** Treiben *neu.* **3** *pl* Unternehmungen *f pl.*

actor (ˈæktə) *n* Schauspieler *m.*

actress (ˈæktris) *n* Schauspielerin *f.*

actual (ˈæktʃuəl) *adj* wirklich, tatsächlich, eigentlich.

acupuncture (ˈækjupʌŋktʃə) *n* Akupunktur *f.*

acute (əˈkju:t) *adj* **1** akut, heftig. **2** scharf. **acute angle** spitzer Winkel *m.*

adamant (ˈædəmənt) *adj* unerbittlich.

adapt (əˈdæpt) *vt* **1** anpassen, zurechtmachen. **2** bearbeiten. **adaptable** *adj* anpassungsfähig. **adaptation** *n* **1** Anpassung *f.* **2** Bearbeitung *f.* **adaptor** *n* Zwischenstecker *m.*

add (æd) *vt* **1** addieren. **2** hinzufügen. *vi* hinzukommen. **add up** zusammenzählen, addieren. **adding machine** *n* Addiermaschine *f.* **addition** *n* **1** Hinzufügung *f.* **2** Zusatz *m.* Zutat *f.* **3** Addition *f.* **in addition** außerdem, noch dazu. **in addition to which** wozu (kommt noch). **additional** *adj* zusätzlich. **additive** *n* Zusatz *m.*

addendum (əˈdendəm) *n, pl* **addenda** **1** Zusatz *m.* **2** Nachtrag *m.*

adder (ˈædə) *n* Natter *f.*

addict (ˈædikt) *n* Süchtige(r) *m.* **addicted** *adj* süchtig. **addiction** *n* Neigung, Sucht *f.*

addled (ˈædld) *adj* **1** faul. **2** verwirrt.

address (əˈdres) *vt* **1** anreden, sprechen zu. **2** (a letter) adressieren. *n* **1** Adresse, Anschrift *f.* **2** Ansprache, Anrede *f.* **address book** *n* Adreßbuch *neu.*

adenoids (ˈædinɔidz) *n pl* Polypen *m pl.*

adept (ˈædept) *adj* geschickt.

adequate (ˈædikwət) *adj* **1** ausreichend. **2** angemessen. **adequacy** *n* Angemessenheit *f.*

adhere (ədˈhiə) *vi* **1** kleben, haften. **2** festhalten. **adherence** *n* Festhalten *neu.* **adherent** *n* Anhänger *m. adj* anhaftend. **adhesion** *n* **1** Anhaften *neu.* **2** Anhänglichkeit *f.* **adhesive** *adj* klebrig, gummiert. *n* Klebstoff *m.* **adhesive tape** *n* Klebestreifen *m.*

ad hoc (æd ˈhɔk) *adj,adv* für diesen Fall bestimmt.

adjacent (əˈdʒeisənt) *adj* angrenzend.

adjective (ˈædʒiktiv) *n* Adjektiv, Eigenschaftswort *neu.*

adjoin (əˈdʒɔin) *vt* angrenzen.

adjourn (əˈdʒə:n) *vt* aufschieben, vertagen. *vi* sich vertagen. **adjournment** *n* Vertagung *f.* Verschiebung *f.*

adjudicate (əˈdʒu:dikeit) *vt* gerichtlich entscheiden. *vi* als Schiedsrichter handeln. **adjudication** **1** richterliche Entscheidung *f.* **2** Zusprechung *f.* **adjudicator** *n* Schiedsrichter *m.*

adjust (əˈdʒʌst) *vt* **1** anpassen. **2** einstellen. *vi* sich anpassen. **adjustable** *adj* verstellbar. **adjustment** *n* **1** Anpassung *f.* **2** Einstellung *f.*

ad-lib (æd ˈlib) *vt,vi inf* improvisieren.

administer (ədˈministə) *vt* verwalten. *vi* als Verwalter fungieren. **administrate** *vt* verwalten. **administration** *n* **1** Verwaltung *f.* Verwaltungswesen *neu.* **2** Regierung *f.* **administration of justice** Rechtsprechung *f.* **administrative** *adj* Verwaltungs—, verwaltend. **administrator** *n* Verwalter *m.*

admiral (ˈædmərəl) *n* Admiral *m.* **admiralty** *n* Admiralität *f.*

admire (ədˈmaiə) *vt* **1** bewundern. **2** hochschätzen. **admirable** *adj* bewundernswert, großartig. **admiration** *n* Bewunderung *f.* **admirer** *n* **1** Bewunderer *m.* **2** Verehrer *m.*

admit (ədˈmit) *vt* **1** einlassen. **2** zugeben. **3** gelten lassen. **admission** *n* **1** Zulassung *f.* **2** Eintritt *m.* **3** Zugeständnis *neu.* **admittance** *n* Einlaß *m.* Zutritt *m.* **no admittance** Zutritt verboten.

ado (ə'du:) *n* Getue, Aufheben *neu.* **without further ado** ohne weitere Umstände.

adolescence (ædə'lesəns) *n* Jünglingsalter *neu.* **adolescent** *n* Jugendliche(r) *m. adj* jugendlich.

adopt (ə'dɔpt) *vt* **1** adoptieren. **2** annehmen, sich aneignen. **adoption** *n* Adoption, Annahme *f.* **adoptive** *adj* angenommen, Adoptiv—.

adore (ə'dɔ:) *vt* **1** anbeten, verehren. **2** lieben, sehr gern haben. **adorable** *adj* **1** verehrungswürdig. **2** entzückend. **adoration** *n* Anbetung, Verehrung *f.*

adorn (ə'dɔ:n) *vt* schmücken. **adornment** *n* Schmuck *m.*

adrenaline (ə'drenəlin) *n* Adrenalin *neu.*

Adriatic (eidri'ætik) *adj* adriatisch. **Adriatic (Sea)** *n* Adriatisches Meer *neu.*

adrift (ə'drift) *adj,adv* **1** (umher)treibend. **2** hilflos.

adroit (ə'drɔit) *adj* gewandt.

adulation (ædju'leiʃən) *n* Schmeichelei *f.*

adult ('ædʌlt) *adj* erwachsen. *n* Erwachsene(r) *m.*

adulterate (ə'dʌltəreit) *vt* **1** verfälschen. **2** verderben. **adulteration** *n* Verfälschung *f.*

adultery (ə'dʌltəri) *n* Ehebruch *m.* **adulterer** *n* Ehebrecher *m.* **adulteress** *n* Ehebrecherin *f.* **adulterous** *adj* ehebrecherisch.

advance (əd'vɑ:ns) *vt* **1** vorrücken, vorwärtsbringen. **2** (money) vorschießen. **3** befördern. *vi* **1** vorrücken, vordringen. **2** Fortschritte machen. *n* **1** Vorrücken *neu.* **2** (money) Vorschuß *m.* **3** *mil* Vormarsch *m.* **in advance** im voraus. **advanced** *adj* fortgeschritten. **advancement** *n* **1** Beförderung *f.* **2** Fortschritt *m.*

advantage (əd'vɑ:ntidʒ) *n* Vorteil *m.* **take advantage of** ausnutzen. **advantageous** *adj* vorteilhaft, günstig.

advent ('ædvent) *n* **1** Kommen *neu.* Ankunft *f.* **2** *cap rel* Advent *m.*

adventure (əd'ventʃə) *n* Abenteuer *neu.* **adventurer** *n* Abenteurer *m.* **adventurous** *adj* **1** abenteuerlich. **2** abenteuerlustig.

adverb ('ædvə:b) *n* Adverb, Umstandswort *neu.* **adverbial** *adj* adverbial.

adverse ('ædvə:s) *adj* **1** widrig. **2** feindlich. **3** ungünstig. **adversary** *n* Gegner *m.* **adversity** *n* Unglück *neu.* Not *f.*

advertise ('ædvətaiz) *vt* anzeigen. *vi* Reklame machen. **advertisement** *n* **1** Anzeige *f.* **2** Reklame *f.* **advertising** *n* Reklame, Werbung *f.*

advise (əd'vaiz) *vt* **1** raten, empfehlen. **2** beraten. **3** benachrichtigen, mitteilen. **advice** *n* **1** Rat *m.* **2** Ratschlag *m.* **3** *comm* Avis *m.* **advisable** *adj* ratsam. **adviser** *n* **1** Ratgeber *m.* **2** Berater *m.* **advisory** *adj* beratend, Beratungs—.

advocate (*v* 'ædvəkeit; *n* 'ædvəkət) *vt* **1** verteidigen. **2** befürworten. *n* **1** Advokat *m.* **2** Fürsprecher *m.* **advocacy** *n* Verteidigung *f.* Befürwortung *f.*

Aegean (i'dʒi:ən) *adj* ägäisch. **Aegean (Sea)** *n* Ägaisches Meer *neu.*

aerial ('ɛəriəl) *adj* **1** Luft—. **2** leicht, gasförmig. *n tech* Antenne *f.*

aerodynamics (ɛəroudai'næmiks) *n pl* Aerodynamik *f.* **aerodynamic** *adj* aerodynamisch.

aeronautics (ɛərə'nɔ:tiks) *n pl* Aeronautik *f.* Flugwesen *neu.* **aeronautical** *adj* aeronautisch.

aeroplane ('ɛərəplein) *n* Flugzeug *neu.*

aerosol ('ɛərəsɔl) *n* **1** Sprühdose *f.* Spray *neu.* **2** Aerosol *neu.*

aesthetic (is'θetik) *adj* ästhetisch, geschmackvoll.

afar (ə'fɑ:) *adv* fern. **from afar** aus weiter Ferne.

affable ('æfəbəl) *adj* leutselig.

affair (ə'fɛə) *n* **1** Angelegenheit, Sache, Affäre *f.* **2** (Liebes)Affäre, Liebschaft *f.*

affect[1] (ə'fekt) *vt* **1** berühren, angehen. **2** beeinflussen, einwirken auf. **3** beeinträchtigen.

affect[2] (ə'fekt) *vt* vortäuschen, vorgeben.

affection (ə'fekʃən) *n* Zuneigung, Liebe *f.* **affectionate** *adj* liebevoll, zärtlich.

affiliate (ə'filieit) *vt* **1** (als Mitglied) aufnehmen. **2** angliedern. **affiliated company** *n* Tochtergesellschaft *f.*

affinity (ə'finiti) *n* enge Beziehungen *f pl.*

affirm (ə'fə:m) *vt* behaupten, versichern. *vi* bestätigen, zustimmen. **affirmation** *n* Behauptung *f.* **affirmative** *adj* bejahend, bestimmt. **answer in the affirmative** bejahen, mit Ja antworten.

affix (ə'fiks) *vt* **1** aufkleben. **2** aufdrücken.

afflict (ə'flikt) *vt* **1** betrüben. **2** quälen. **afflicted** *adj* leidend. **affliction** *n* **1** Kummer *m.* **2** Leiden *neu.*

affluent ('æfluənt) *adj* **1** reich. **2** wohlhabend. **affluent society** *n* Wohlstandsgesellschaft *f.*

afford (ə'fɔ:d) *vt* **1** sich leisten (können). **2** gewähren.

affront (ə'frʌnt) *vt* beleidigen. *n* Beleidigung *f.*
Afghanistan (æf'gænistɑ:n, -'stæn) *n* Afghanistan *neu.* **Afghanistani** *adj* afghanistanisch. *n* Afghanistaner *m.*
afield (ə'fi:ld) *adv* **far afield** weit weg.
afloat (ə'flout) *adv* **1** schwimmend. **2** auf dem Meere. **keep afloat** sich über Wasser halten.
afoot (ə'fut) *adv* **1** im Gang(e). **2** zu Fuß.
aforesaid (ə'fɔ:sed) *adj* vorerwähnt.
afraid (ə'freid) *adj* ängstlich, bange, erschrocken. **be afraid 1** Angst haben. **2** bedauern. **be afraid of** sich fürchten vor, Angst haben vor. **be afraid to do something** sich scheuen, etwas zu tun.
afresh (ə'freʃ) *adv* von neuem.
Africa ('æfrikə) Afrika *neu.* **African** *adj* afrikanisch. *n* Afrikaner *m.*
aft (ɑ:ft) *adv naut* achtern, hinten.
after ('ɑ:ftə) *prep* nach. *conj* nachdem. *adv* nachher. **shortly after** kurz darauf. **aftercare** *n* Nachbehandlung *f.* **after-effect** *n* Nachwirkung *f.* **afterlife** *n* Leben nach dem Tode *neu.* **aftermath** *n* Nachwirkungen *f pl.* **afternoon** *n* Nachmittag *m.* **afterthought** nachträglicher Einfall *m.* **afterwards** *adv* später, nachher.
again (ə'gen) *adv* **1** wieder, nochmals. **2** ferner, außerdem. **once again** noch einmal.
against (ə'genst) *prep* **1** gegen, wider. **2** gegenüber.
age (eidʒ) *n* **1** Alter *neu.* **2** Zeitalter *neu.* **age-group** *n* Altersklasse *f.* **be of age** mündig sein. **old age** Alter *neu. vi* alt werden, altern. *vt* alt machen. **aged** *adj* **1** alt. **2** bejahrt, betagt.
agency ('eidʒənsi) *n* Agentur *f.*
agenda (ə'dʒendə) *n* Tagesordnung *f.*
agent ('eidʒənt) *n* **1** Agent, Vertreter *m.* **2** wirkende Kraft *f.* Mittel *neu.*
aggravate ('ægrəveit) *vt* **1** erschweren, verschlimmern. **2** *inf* ärgern. **aggravating** *adj* **1** erschwerend. **2** *inf* ärgerlich. **aggravation** *n* **1** Erschwerung *f.* **2** *inf* Verärgerung *f.*
aggregate (*adj,n* 'ægrigit; *v* 'ægrigeit) *adj* angehäuft, gesamt. *n* Anhäufung *f. vt* anhäufen.
aggression (ə'greʃən) *n* **1** Angriff *m.* **2** Aggression *f.* **aggressive** *adj* **1** angreifend. **2** streitsüchtig, aggressiv.
aggrieved (ə'gri:vd) *adj* betrübt, gekränkt.
aghast (ə'gɑ:st) *adj* entsetzt.
agile ('ædʒail) *adj* beweglich, behende, agil. **agility** *n* Beweglichkeit, Behendigkeit *f.*
agitate ('ædʒiteit) *vt* **1** bewegen, aufrühren. **2** erregen. *vi* agitieren. **agitation** *n* **1** Bewegung *f.* **2** Unruhe *f.* Aufruhr *m.* **agitator** *n* Agitator, Aufwiegler *m.*
aglow (ə'glou) *adj* glühend.
agnostic (æg'nɔstik) *n* Agnostiker *m. adj* agnostisch. **agnosticism** *n* Agnostizismus *m.*
ago (ə'gou) *adv* vor, her. **long ago** vor langer Zeit.
agog (ə'gɔg) *adv* gespannt.
agony ('ægəni) *n* Qual, Agonie *f.* **agonize** *vt* quälen. **agonizing** *adj* quälend.
agrarian (ə'grɛəriən) *adj* agrarisch.
agree (ə'gri:) *vi* übereinstimmen, einwilligen, einverstanden sein. **agree (on)** einig werden (über). **agreeable** *adj* **1** angenehm. **2** einverstanden. **agreed** *adj* **1** einig. **2** vereinbart. *interj* einverstanden! **agreement** *n* **1** Übereinstimmung *f.* **2** Abkommen *neu.* Vertrag *m.* **make an agreement** ein Abkommen treffen.
agriculture ('ægrikʌltʃə) *n* Landwirtschaft *f.* **agricultural** *adj* landwirtschaftlich.
aground (ə'graund) *adv* **run aground** stranden.
ahead (ə'hed) *adv* vorwärts, voran. **go ahead** fangen Sie an! **straight ahead** gerade aus.
aid (eid) *vt* helfen. *n* Hilfe *f.*
aide (eid) *n mil* Adjutant *m.*
ailment ('eilmənt) *n* Leiden *neu.* **ailing** *adj* kränklich, leidend.
aim (eim) *vt* (a gun, etc.) richten. *vi* **1** zielen. **2** streben. *n* **1** Ziel *neu.* **2** Absicht *f.* Zweck *m.* **take aim** zielen. **aimless** *adj* ziellos.
air (ɛə) *n* **1** Luft *f.* **2** Miene *f.* Anschein *m.* **3** Melodie *f.* Lied *neu.* **go by air** fliegen. **put on the air** senden. *vt* **1** (aus)lüften, trocknen. **2** bekanntmachen.
airborne ('ɛəbɔ:n) *adj* im Flugzeug befördert. **be airborne** fliegen.
air-conditioning *n* Klimaanlage *f.*
aircraft ('ɛəkrɑ:ft) *n* Flugzeug *neu.*
airfield ('ɛəfi:ld) *n* Flugplatz *m.*
airforce ('ɛəfɔ:s) *n* Luftwaffe *f.*
air-hostess ('ɛəhoustis) *n* Stewardeß *f.*
air lift *n* Luftbrücke *f.*
airline ('ɛəlain) *n* Luftverkehrslinie, Luftgesellschaft *f.* **airline passenger** *n* Fluggast *m.*
airmail ('ɛəmeil) *n* Luftpost *f.*
airman ('ɛəmən) *n* Flieger *m.*
airport ('ɛəpɔ:t) *n* Flughafen *m.*
air-raid *n* Luftangriff *m.*
airtight ('ɛətait) *adj* luftdicht.
airy ('ɛəri) *adj* **1** luftig. **2** unbekümmert.

aisle (ail) *n* Seitenschiff *neu.*

ajar (ə'dʒɑ:) *adv* halb offen, angelehnt.

akin (ə'kin) *adj* **1** verwandt. **2** (sehr) ähnlich.

alabaster ('æləbɑ:stə) *n* Alabaster *m.*

alarm (ə'lɑ:m) *vt* **1** alarmieren. **2** beunruhigen. *n* **1** Alarm *m.* **2** Angst *f.* **alarm clock** *n* Wecker *m.* **alarming** *adj* beunruhigend.

alas (ə'læs) *interj* ach! o weh! leider!

Albania (æl'beiniə) *n* Albanien *neu.* **Albanian** *adj* albanisch. *n* Albanier *m.*

albatross ('ælbətrɔs) *n* Albatros *m.*

albeit (ɔ:l'bi:it) *conj* obgleich, wenn auch.

album ('ælbəm) *n* Album *neu.*

alchemy ('ælkəmi) *n* Alchimie *f.* **alchemist** *n* Alchimist *m.*

alcohol ('ælkəhɔl) *n* Alkohol *m.* **alcoholic** *adj* alkoholisch. *n* Alkoholiker *m.* **alcoholism** *n* Alkoholismus *m.*

alderman ('ɔ:ldəmən) *n* Ratsherr, Stadtrat *m.*

ale (eil) *n* Bier *neu.*

alert (ə'lə:t) *adj* **1** wachsam. **2** flink, munter. *vt* warnen. *n* Warnung *f.* **be on the alert** auf der Hut sein.

algebra ('ældʒibrə) *n* Algebra *f.*

Algeria (æl'dʒiəriə) *n* Algerien *neu.* **Algerian** *adj* algerisch. *n* Algerier *m.*

alias ('eiliəs) *adv* alias, sonst...genannt.

alibi ('æləbai) *n* **1** *law* Alibi *neu.* **2** *inf* Ausrede *f.*

alien ('eiliən) *n* Fremde(r) *m.* Ausländer *m. adj* fremd, ausländisch. **alienate** *vt* entfremden. **alienation** *n* Entfremdung *f.*

alight[1] (ə'lait) *vi* **1** absteigen. **2** landen.

alight[2] (ə'lait) *adj* **1** brennend, in Flammen. **2** erleuchtet.

align (ə'lain) *(vi),vt* **1** (sich) in gerader Linie aufstellen. **2** (sich) ausrichten. **align oneself** sich anschließen.

alike (ə'laik) *adj* gleich, ähnlich. *adv* gleich, in gleicher Weise.

alimentary (æli'mentəri) *adj* Nahrungs—, nahrhaft. **alimentary canal** *n* Verdauungskanal *m.*

alimony ('æliməni) *n* Alimente *neu pl.*

alive (ə'laiv) *adj* **1** lebend, am Leben. **2** lebhaft. **alive to** empfänglich für.

alkali ('ælkəlai) *n* Alkali *neu.* **alkaline** *adj* alkalisch.

all (ɔ:l) *adj* **1** all, ganz. **2** jeder, jede, jedes *m,f,neu.* **3** *pl* alle, sämtliche. *n* Ganze *neu. adv* ganz. *pron* alles. **above all** vor allem. **at all** überhaupt. **not at all** durchaus nicht.

allay (ə'lei) *vt* **1** beruhigen. **2** stillen.

allege (ə'ledʒ) *vt* **1** behaupten. **2** angeben. **allegation** *n* Behauptung *f.* Aussage *f.*

allegiance (ə'li:dʒəns) *n* **1** Untertanenpflicht *f.* **2** Treue *f.*

allegory ('æligəri) *n* Allegorie *f.*

allergy ('ælədʒi) *n* Allergie. **allergic** *adj* allergisch.

alleviate (ə'li:vieit) *vt* erleichtern, mildern. **alleviation** *n* Erleichterung, Milderung *f.*

alley ('æli) *n* **1** Allee *f.* **2** Gasse *f.* **3** Durchgang *m.* **bowling alley** *n* Kegelbahn *f.*

alliance (ə'laiəns) *n* **1** Verbindung *f.* **2** Bund *m.* Bündnis *neu.* **3** Verwandtschaft *f.*

allied (ə'laid, 'æləid) *adj* verbündet, alliiert.

alligator ('æligeitə) *n* Alligator *m.*

allocate ('æləkeit) *vt* zuteilen, zuweisen. **allocation** *n* Zuteilung, Zuweisung *f.*

allot (ə'lɔt) *vt* **1** verteilen. **2** bestimmen (für). **allotment** *n* **1** Verteilung *f.* **2** Parzelle *f.* **3** Schrebergarten *m.*

allow (ə'lau) *vt* **1** erlauben, zulassen. **2** bewilligen. **3** zugeben. **allow for** berücksichtigen. **be allowed to** dürfen. **allowable** *adj* zulässig. **allowance** *n* **1** Erlaubnis *f.* **2** Zuschuß *m.* **3** Nachsicht *f.* **4** *comm* Nachlaß *m.* **make allowances for** berücksichtigen.

alloy ('æloi) *n* Legierung *f. vt* legieren.

allude (ə'lu:d) *vi* **allude to** anspielen auf, andeuten. **allusion** *n* Andeutung, Anspielung *f.*

allure (ə'luə) *vt* (an-, ver-)locken.

ally (*v* ə'lai; *n* 'æliai) *(vi),vt* (sich) verbünden. *n* Verbündete(r) *m.*

almanac ('ɔ:lmənæk) *n* Almanach *m.*

almighty (ɔ:l'maiti) *adj* allmächtig. *n* Allmächtige(r) *m.*

almond ('ɑ:mənd) *n* Mandel *f.*

almost ('ɔ:lmoust) *adv* fast, beinahe.

alms (ɑ:mz) *n pl* Almosen *neu.*

aloft (ə'lɔft) *adv* **1** (hoch) oben. **2** nach oben.

alone (ə'loun) *adj* allein. *adv* allein, nur. **leave alone** in Ruhe lassen.

along (ə'lɔŋ) *prep* entlang. *adv* **1** entlang. **2** vorwärts, weiter. **get along with someone** mit jemandem auskommen, sich mit jemandem verstehen. **alongside** *prep* neben. *adv naut* längsseits.

aloof (ə'lu:f) *adv* fern, abseits. **keep aloof** sich fernhalten. **aloofness** *n* Zurückhaltung *f.*

aloud (ə'laud) *adv* laut, mit lauter Stimme.

alphabet ('ælfəbet) *n* Alphabet *neu.* **alphabetical** *adj* alphabetisch.

alpine ('ælpain) *adj* Alpen—. **alpinist** *n* Alpinist *m.*

Alps (ælps) *n pl* Alpen *f pl.*

already (ɔːlˈredi) *adv* schon, bereits.

Alsace (ˈælsəs) *n* Elsaß *neu*. **Alsatian** *adj* elsässich. *n* Elsässer *m*. **Alsatian (dog)** deutscher Schäferhund *m*.

also (ˈɔːlsou) *adv* auch, ferner.

altar (ˈɔːltə) *n* Altar *m*. **altarpiece** *n* Altarblatt *neu*. **altar-rail** *n* Altarschranke *f*.

alter (ˈɔːltə) *vt* (um-, ver-)ändern. *vi* sich ändern. **alterable** *adj* veränderlich. **alteration** *n* Veränderung, (Um)Änderung.

alternate (*v* ˈɔːltəneit; *adj* ɔlˈtəːnit) *vi (vt)* abwechseln (lassen). *adj* abwechselnd. **alternating** *adj* abwechselnd. **alternating current** *n* Wechselstrom *m*. **alternation** *n* **1** Abwechslung *f*. **2** Wechsel *m*. **alternative** *adj* **1** alternativ. **2** ander. *n* Alternative, Wahl *f*.

although (ɔːlˈðou) *conj* obgleich, obwohl.

altitude (ˈæltitjuːd) *n* Höhe *f*.

alto (ˈæltou) *n* Alt *m*. Altstimme *f*.

altogether (ɔːltəˈgeðə) *adv* **1** gänzlich, ganz und gar. **2** im ganzen (genommen).

aluminium (æljuˈminiəm) *n* Aluminium *neu*.

always (ˈɔːlweiz) *adv* immer, stets.

am (əm; *stressed* æm) *v* see **be.**

amalgamate (əˈmælgəmeit) *(vi),vt* **1** (sich) amalgamieren. **2** (sich) vereinigen. **3** *comm* fusionieren.

amass (əˈmæs) *vt* anhäufen.

amateur (ˈæmətə) *n* Amateur, Liebhaber *m*.

amaze (əˈmeiz) *vt* erstaunen, verblüffen. **amazement** *n* (Er)Staunen *neu*. **amazing** *adj* **1** erstaunlich. **2** verblüffend.

ambassador (æmˈbæsədə) *n* Botschafter, Gesandte(r) *m*.

amber (ˈæmbə) *adj* **1** Bernstein—. **2** bernsteinfarben. *n* **1** Bernstein *m*. **2** *mot* Gelb, gelbes Licht *neu*.

ambidextrous (æmbiˈdekstrəs) *adj* **1** beidhändig. **2** ungewöhnlich geschickt.

ambiguous (æmˈbigjuəs) *adj* **1** zweideutig. **2** unklar. **ambiguity** *n* Zweideutigkeit *f*. Doppelsinn *m*.

ambition (æmˈbiʃən) *n* **1** Ehrgeiz *m*. **2** Ziel *neu*. **ambitious** *adj* ehrgeizig.

ambivalent (æmˈbivələnt) *adj* **1** ambivalent. **2** zwiespältig.

amble (ˈæmbəl) *vi* schlendern.

ambulance (ˈæmbjuləns) *n* Krankenwagen *m*.

ambush (ˈæmbuʃ) *n* Hinterhalt *m*. *vt* aus dem Hinterhalt überfallen.

amenable (əˈmiːnəbəl) *adj* **1** zugänglich. **2** gefügig.

amend (əˈmend) *vt* **1** verbessern. **2** abändern. **3** berichtigen. **amendment** *n* **1** Verbesserung *f*. **2** Abänderung *f*. **make amends for** wiedergutmachen.

amenity (əˈmiːniti) *n* **1** Annehmlichkeit *f*. **2** *pl* Vorzüge *m pl*.

America (əˈmerikə) *n* Amerika *neu*. **American** *adj* amerikanisch. *n* Amerikaner *m*.

amethyst (ˈæmiθist) *n* Amethyst *m*.

amiable (ˈeimiəbəl) *adj* freundlich.

amicable (ˈæmikəbəl) *adj* freundschaftlich.

amid (əˈmid) *prep* mitten in *or* unter.

amiss (əˈmis) *adj,adv* verkehrt, falsch. **take amiss** übel nehmen.

ammonia (əˈmouniə) *n* Ammoniak *neu*.

ammunition (æmjuˈniʃən) *n* Munition *f*.

amnesty (ˈæmnəsti) *n* Amnestie *f*. Straferlaß *m*.

amoeba (əˈmiːbə) *n* Amöbe *f*.

among (əˈmʌŋ) *prep also* **amongst** **1** unter. **2** inmitten, zwischen. **3** bei.

amoral (eiˈmərəl) *adj* amoralisch.

amorous (ˈæmərəs) *adj* **1** verliebt. **2** Liebes—.

amorphous (əˈmɔːfəs) *adj* **1** amorph. **2** formlos.

amount (əˈmaunt) *n* **1** Betrag *m*. Summe *f*. **2** Menge *f*. *vi* sich belaufen, betragen.

ampere (ˈæmpɛə) *n* Ampere *neu*.

amphetamine (æmˈfetəmiːn) *n* Benzedrin *neu*.

amphibian (æmˈfibiən) *n* Amphibie *f*. *adj* amphibisch. **amphibious** *adj* **1** *zool* amphibisch. **2** *tech* Amphibien—.

amphitheatre (ˈæmfiθiətə) *n* Amphitheater *neu*.

ample (ˈæmpəl) *adj* **1** reichlich. **2** weit, groß.

amplify (ˈæmplifai) *vt* **1** *tech* verstärken. **2** erweitern, ausdehnen. **amplifier** *n* Verstärker *m*.

amputate (ˈæmpjuteit) *vt* amputieren, abnehmen. **amputation** *n* Amputation *f*.

amuse (əˈmjuːz) *vt* amüsieren, unterhalten. **be amused** sich amüsieren *or* freuen. **amusement** *n* **1** Unterhaltung *f*. **2** Vergnügen *neu*. **amusing** *adj* amüsant, unterhaltend.

an (ən; *stressed* æn) *indef art* see **a.**

anachronism (əˈnækrənizəm) *n* Anachronismus *m*.

anaemia (əˈniːmiə) *n* Anämie, Blutarmut *f*. **anaemic** *adj* anämisch, bleichsüchtig.

anaesthetic (ænisˈθetik) *n* Betäubungsmittel *neu*. *adj* betäubend, narkotisch. **anaesthetist** *n* Narkotiseur *m*. **anaesthetize** *vt* betäuben, narkotisieren.

anal (ˈein|) *adj* anal, After—.

analogy (əˈnælədʒi) *n* Analogie, Ähnlichkeit *f*. **analogous** *adj* analog, ähnlich.

analysis (ə'næləsis) *n, pl* **analyses** **1** Analyse *f.* **2** Zergliederung *f.* **3** Untersuchung *f.* **analyse** *vt* **1** analysieren. **2** zergliedern, auswerten. **3** genau untersuchen. **analyst** *n* Analytiker *m.* **analytical** *adj* analytisch.

anarchy ('ænəki) *n* Anarchie, Gesetzlosigkeit *f.* **anarchist** *n* Anarchist *m.*

anatomy (ə'nætəmi) *n* Anatomie *f.* **anatomical** *adj* anatomisch.

ancestor ('ænsəstə) *n* Vorfahr, Ahn *m.*

anchor ('æŋkə) *n* Anker *m. vt* verankern. *vi* ankern.

anchovy ('æntʃəvi) *n* Anschovis *f.*

ancient ('einʃənt) *adj* alt, aus alter Zeit.

ancillary (æn'siləri) *adj* **1** Hilfs—, Neben—. **2** untergeordnet.

and (ən, ənd; *stressed* ænd) *conj* und.

anecdote ('ænikdout) *n* Anekdote *f.*

anemone (ə'neməni) *n* Anemone *f.*

anew (ə'nju:) *adv* von neuem.

angel ('eindʒəl) *n* Engel *m.* **angelic** *adj* engelhaft.

anger ('æŋgə) *n* Zorn, Ärger *m. vt* ärgern.

angle[1] ('æŋgəl) *n* **1** *math* Winkel *m.* **2** Ecke *f.* **3** Standpunkt *m.* **4** Seite *f.*

angle[2] ('æŋgəl) *vi* angeln. **angler** *n* Angler *m.* **angling** *n* Angeln *neu.*

Anglican ('æŋglikən) *adj* anglikanisch. *n* Anglikaner *m.*

angry ('æŋgri) *adj* zornig, ärgerlich, böse.

anguish ('æŋgwiʃ) *n* Qual, Angst *f.* Schmerz *m.*

angular ('æŋgjulə) *adj* winklig, eckig.

animal ('æniməl) *n* Tier *neu. adj* tierisch.

animate ('ænimeit) *vt* **1** beleben. **2** aufmuntern. **animated** *adj* lebhaft, munter. **animation** *n* Lebhaftigkeit, Munterkeit *f.*

animosity (æni'mɔsiti) *n* Feindseligkeit *f.*

aniseed ('ænisi:d) *n* Anis *m.*

ankle ('æŋkəl) *n* (Fuß)Knöchel *m.*

annals ('ænlz) *n pl* Annalen *f pl.*

annex (ə'neks) *vt* **1** annektieren. **2** anhängen. **3** beifügen. **annexation** *n* Annexion *f.* **annexe** *n* **1** Anbau *m.* **2** Nebengebäude *neu.*

annihilate (ə'naiəleit) *vt* vernichten. **annihilation** *n* Vernichtung *f.*

anniversary (æni'və:səri) *n* Jahrestag *m.* Jahresfeier *f.*

annotate ('ænəteit) *vt* mit Anmerkungen versehen.

announce (ə'nauns) *vt* **1** ankündigen, bekanntmachen. **2** anzeigen. **announcement** *n* **1** Ankündigung *f.* **2** Anzeige *f.* **announcer** *n* Ansager *m.*

annoy (ə'nɔi) *vt* ärgern, belästigen. **be annoyed** sich ärgern. **annoyance** *n* Belästigung *f.* Ärgernis *neu.* **annoying** *adj* ärgerlich.

annual ('ænjuəl) *adj* **1** jährlich, Jahres—. **2** *bot* einjährig. *n* **1** Jahrbuch *neu.* **2** einjährige Pflanze *f.*

annul (ə'nʌl) *vt* für ungültig erklären.

anode ('ænoud) *n* Anode *f.*

anoint (ə'nɔint) *vt* salben.

anomaly (ə'nɔməli) *n* Anomalie, Unregelmäßigkeit *f.*

anonymous (ə'nɔniməs) *adj* anonym, namenlos. **anonymity** *n* Anonymität *f.*

another (ə'nʌðə) *adj,pron* **1** ein anderer. **2** ein zweiter *or* weiterer. **3** noch einer.

answer ('ɑ:nsə) *n* Antwort *f. vt* **1** (a question) beantworten. **2** (a person) antworten. **answer for** verantwortlich sein für. **answerable** *adj* verantwortlich.

ant (ænt) *n* Ameise *f.*

antagonize (æn'tægənaiz) *vt* zum Gegner *or* Feind machen. **antagonism** *n* **1** Feindseligkeit *f.* **2** Widerstand *m.* **antagonist** *n* Gegner *m.* **antagonistic** *adj* feindlich, gegnerisch.

Antarctic (æn'tɑ:ktik) *n* Antarktis *f. adj* antarktisch, Südpol—. **Antarctic Ocean** *n* südliches Polarmeer *neu.*

antelope ('æntiloup) *n* Antelope *f.*

antenatal (ænti'neitl) *adj* vor der Geburt. **antenatal care** *n* Schwangerschaftsfürsorge *f.*

antenna (æn'tenə) *n* **1** *pl* **antennae** *zool* Fühler *m.* **2** *pl* **antennas** *tech* Antenne *f.*

anthem ('ænθəm) *n* **1** Hymne *f.* **2** Choral *m.* **national anthem** Nationalhymne *f.*

anthology (æn'θɔlədʒi) *n* Anthologie *f.*

anthropology (ænθrə'pɔlədʒi) *n* Anthropologie *f.* **anthropological** *adj* anthropologisch. **anthropologist** *n* Anthropologe *m.*

antibiotic (æntibai'ɔtik) *n* Antibiotikum *neu. adj* antibiotisch.

antibody ('æntibɔdi) *n* Antikörper *m.*

anticipate (æn'tisipeit) *vt* **1** voraussehen. **2** vorwegnehmen. **3** erwarten, erhoffen. **anticipation** *n* **1** Vorahnung *f.* **2** Vorwegnahme *f.* **3** Hoffnung, Erwartung *f.*

anticlimax (ænti'klaimæks) *n* Abfallen *neu.* Antiklimax *m.*

anticlockwise (ænti'klɔkwaiz) *adv* gegen den Uhrzeigersinn.

antics ('æntiks) *n pl* Posse, Fratze *f.*

anticyclone (ænti'saikloun) *n* Hochdruckgebiet *neu.*

antidote ('æntidout) *n* Gegengift *neu.*

antifreeze ('æntifri:z) *n* Frostschutzmittel *neu.*
antique (æn'ti:k) *n* Antike *f.* alter Kunstgegenstand *m.* *adj* **1** antik. **2** alt. **antique dealer** *n* Antiquitätenhändler *m.* **antique shop** *n* Antiquitätengeschäft *neu.* **antiquated** *adj* **1** altmodisch. **2** veraltet, überholt. **antiquity** *n* **1** Altertum *neu.* **2** *pl* Antiquitäten *f pl.*
anti-Semitic *adj* antisemitisch. **anti-Semitism** *n* Antisemitismus *m.*
antiseptic (ænti'septik) *adj* antiseptisch. *n* Antiseptikum *neu.*
antisocial (ænti'souʃəl) *adj* gesellschaftsfeindlich.
antithesis (æn'tiθəsis) *n, pl* **-ses** Antithese *f.* Gegensatz *m.*
antler ('æntlə) *n* **1** Geweihsprosse *f.* **2** *pl* Geweih *neu.*
antonym ('æntənim) *n* Antonym *neu.*
anus ('einəs) *n* After *m.*
anvil ('ænvil) *n* Amboß *m.*
anxious (æŋkʃəs) *adj* **1** ängstlich, besorgt. **2** begierig. **anxiety** *n* Angst, Sorge *f.*
any ('eni) *adj* **1** (irgend)einer, (irgend)welcher. **2** jeder. **in any case** auf jeden Fall. **not any** kein. ~*pron* irgendeiner, irgendwelcher. *adv* **1** etwas. **2** irgendwie. **anybody** *pron* (irgend) jemand, irgendeiner. **anyhow** *adv* **1** irgendwie. **2** jedenfalls. **anyone** *pron* (irgend) jemand, irgendeiner. **anything** *pron* **1** (irgend) etwas. **2** alles. **anything but** alles andere als. **if anything** wenn überhaupt. **anyway** *adv* **1** irgendwie. **2** jedenfalls, sowieso. **anywhere** *adv* **1** irgendwo(hin). **2** überall.
apart (ə'pɑ:t) *adv* **1** beiseite. **2** getrennt, abgesondert. **apart from** abgesehen von.
apartheid (ə'pɑ:tait) *n* Rassentrennung *f.*
apartment (ə'pɑ:tmənt) *n* **1** Zimmer *neu.* **2** *US* Wohnung *f.* **3** *pl* Wohnung *f.*
apathy ('æpəθi) *n* Apathie, Gleichgültigkeit *f.* **apathetic** *adj* apathisch.
ape (eip) *n* Affe *m.* *vt* (nach)äffen.
aperitive (ə'peritiv) *n* Aperitif *m.*
aperture ('æpətʃə) *n* **1** Öffnung *f.* **2** *tech* Blende *f.*
apex ('eipeks) *n, pl* **apexes** *or* **apices** Höhepunkt, Gipfel *m.* Spitze *f.*
apiece (ə'pi:s) *adv* **1** je, für jedes Stück. **2** pro Person.
apology (ə'pɔlədʒi) *n* **1** Entschuldigung *f.* **2** Rechtfertigung *f.* **apologetic** *adj* entschuldigend. **apologize** *vi* sich entschuldigen.
apostle (ə'pɔsəl) *n* Apostel *m.*
apostrophe (ə'pɔstrəfi) *n* Apostroph *m.*
appal (ə'pɔ:l) *vt* erschrecken, entsetzen. **appalling** *adj* entsetzlich, schrecklich.
apparatus (æpə'reitəs) *n, pl* **-tus** *or* **-tuses** Apparat *m.* Gerät *neu.*
apparent (ə'pærənt) *adj* **1** augenscheinlich, offenbar. **2** sichtbar. **3** scheinbar. **apparently** *adv* anscheinend.
appeal (ə'pi:l) *vi* **1** appellieren, sich wenden. **2** bitten. **3** gefallen, zusagen. **4** sich berufen auf. *n* **1** (dringende) Bitte *f.* **2** Appell *m.* **3** Anziehungskraft *f.*
appear (ə'piə) *vi* **1** erscheinen, sich zeigen. **2** scheinen, aussehen. **3** auftauchen. **appearance** *n* **1** Erscheinen *neu.* **2** Außere *neu.* Erscheinung *f.* **3** Anschein *m.* **to all appearances** allem Anschein nach.
appease (ə'pi:z) *vt* **1** beruhigen. **2** befriedigen.
appendix (ə'pendiks) *n, pl* **-dixes** *or* **-dices** **1** Anhang *m.* **2** *anat* Blinddarm *m.* **appendicitis** *n* Blinddarmentzündung *f.*
appetite ('æpətait) *n* **1** Appetit *m.* **2** Verlangen *neu.*
applaud (ə'plɔ:d) *vt* **1** beklatschen, Beifall spenden. **2** billigen. *vi* applaudieren. **applause** *n* Beifall *m.*
apple ('æpəl) *n* Apfel *m.*
apply (ə'plai) *vt* **1** anwenden, verwenden. **2** auflegen. *vi* **1** sich bewerben. **2** sich wenden an. **3** sich anwenden lassen. **apply oneself** sich widmen. **appliance** *n* Gerät *neu.* Apparat *m.* **applicable** *adj* **1** anwendbar. **2** geeignet. **not applicable** nicht zutreffend. **applicant** *n* Bewerber, Antragsteller *m.* **application** *n* **1** Anwendung *f.* **2** Antrag *m.* Bewerbung *f.* **3** Eifer *m.* **4** Auflegen *neu.*
appoint (ə'point) *vt* **1** ernennen, anstellen. **2** verabreden. **3** ausstatten. **appointment** *n* **1** Ernennung, Anstellung *f.* **2** Verabredung *f.*
appraise (ə'preiz) *vt* abschätzen, bewerten. **appraisal** *n* Abschätzung *f.*
appreciate (ə'pri:ʃieit) *vt* **1** (richtig) schätzen. **2** Gefallen finden. **3** dankbar sein (für). **4** wahrnehmen, erkennen. *vi* im Wert steigen. **appreciable** *adj* merklich, nennenswert. **appreciation** *n* **1** Schätzung *f.* **2** Verständnis *neu.* **appreciative** *adj* **1** anerkennend. **2** verständnisvoll.
apprehend (æpri'hend) *vt* **1** verhaften. **2** begreifen. **3** befürchten. **apprehension** *n* **1** Besorgnis, Befürchtung *f.* **2** Verstand *m.* **3** Verhaftung *f.* **apprehensive** *adj* besorgt, bedenklich, angstlich.

apprentice (ə'prentis) *n* Lehrling *m.* **apprenticeship** *n* Lehrzeit *f.*
approach (ə'proutʃ) *vt,vi* **1** sich nähern. **2** nahekommen. *vt* **1** sich wenden an. **2** herantreten an. *n* **1** (Heran)Nahen *neu.* Annäherung *f.* **2** Zugang *m.* Auffahrt, Zufahrt *f.* **3** Behandlung *f.* **approachable** *adj* zugänglich.
appropriate (*adj* ə'proupriət; *v* ə'proprieit) *adj* **1** angemessen, geeignet. **2** entsprechend. *vt* sich aneignen.
approve (ə'pru:v) *vt,vi* billigen, anerkennen, genehmigen. *vt* annehmen, akzeptieren. **approval** *n* Billigung, Genehmigung, Anerkennung *f.* **on approval** zur Ansicht.
approximate (*adj* ə'prɔksimət; *v* ə'prɔksimeit) *adj* ungefähr. *vt* nahekommen. *vi* sich nähern.
apricot ('eiprikɔt) *n* Aprikose *f.*
April ('eiprəl) *n* April *m.*
apron ('eiprən) *n* Schürze *f.*
apt (æpt) *adj* **1** geeignet. **2** geschickt.
aptitude ('æptitju:d) *n* Begabung *f.* Geschick *neu.*
aquarium (ə'kwɛəriəm) *n, pl* **-riums** *or* **-ria** Aquarium *neu.*
Aquarius (ə'kwɛəriəs) *n* Wassermann *m.*
aquatic (ə'kwætik) *adj* Wasser—
aqueduct ('ækwədʌkt) *n* Aquädukt *m.*
Arabia (ə'reibiə) *n* Arabien *neu.* **Arab** *adj* arabisch. *n* Araber *m.* **Arabian** *adj* arabisch. *n* Araber *m.* **Arabic** *adj* arabisch. *n* (language) Arabisch *neu.*
arable ('ærəbəl) *adj* Acker—.
arbitrary ('a:bitrəri) *adj* willkürlich, eigenmächtig.
arbitrate ('a:bitreit) *vt* entscheiden, schlichten. *vi* Schiedsrichter sein. **arbitration** *n* Schiedsspruch *m.* **arbitrator** *n* Schiedsrichter *m.*
arc (a:k) *n* Bogen *m.*
arcade (a:'keid) *n* **1** Arkade *f.* **2** Durchgang *m.*
arch (a:tʃ) *n* **1** *arch* Bogen *m.* **2** Wölbung *f.* *vi* sich wölben.
archaeology (a:ki'ɔlədʒi) *n* Archäologie *f.* **archaeological** *adj* archäologisch. **archaeologist** *n* Archäologe *m.*
archaic (a:'keiik) *adj* **1** veraltet. **2** altertümlich. **archaism** *n* veralteter Ausdruck *m.*
archbishop (a:tʃ'biʃəp) *n* Erzbischof *m.*
archduke (a:tʃ'dju:k) *n* Erzherzog *m.*
archery ('a:tʃəri) *n* Bogenschießen *m.* **archer** *n* Bogenschütze *m.*
archetype ('a:kitaip) *n* Archetyp *m.*
archipelago (a:ki'pelagou) *n* Archipel *m.*
architect ('a:kitekt) *n* **1** Architekt *m.* **2** Schöpfer, Urheber *m.* **architecture** *n* **1** Architektur *f.* **2** Konstruktion *f.*
archives ('a:kaivz) *n pl* Archiv *neu.*
archway ('a:tʃwei) *n* Bogengang *m.*
Arctic ('a:ktik) *n* Arktis *f.* Nordpolargebiet *neu.* *adj* arktisch. **Arctic Ocean** *n* Nördliches Polarmeer *neu.*
ardent ('a:dənt) *adj* **1** heiß, glühend. **2** eifrig, begeistert.
ardour ('a:də) *n* **1** Hitze *f.* **2** Eifer *m.* Begeisterung *f.*
arduous ('a:djuəs) *adj* schwierig, anstrengend.
are (ə; *stressed* a:) *v* see **be.**
area ('ɛəriə) *n* **1** Fläche *f.* Flächeninhalt *m.* **2** Gebiet *neu.* Gegend *f* **3** Bereich *m.* Zone *f.*
arena (ə'ri:nə) *n* Arena *f.*
Argentina (a:dʒən'ti:nə) *n* Argentinien *neu.* **Argentine** *adj also* **Argentinian** argentinisch. *n* Argentinier *m.*
argue ('a:gju:) *vt* **1** erörtern, diskutieren. **2** behaupten. *vi* **1** streiten, argumentieren. **2** Einwände machen. **argument** *n* **1** Beweis *m.* Beweisführung *f.* **2** Streit *m.* **3** Argument *neu.* **argumentative** *adj* streitlustig.
arid ('ærid) *adj* trocken, dürr.
Aries ('ɛəri:z) *n* Widder *m.*
arise* (ə'raiz) *vi* **1** entstehen. **2** aufstehen.
aristocracy (æri'stɔkrəsi) *n* Aristokratie *f.* Adel *m.* **aristocrat** *n* Aristokrat, Adlige(r) *m.* **aristocratic** *adj* aristokratisch.
arithmetic (ə'riθmətik) *n* Arithmetik *f.* Rechnen *neu.* **arithmetical** *adj* arithmetisch.
arm[1] (a:m) *n* **1** Arm *m.* **2** (of a chair) Armlehne *f.* **with open arms** mit offenen Armen. **armchair** *n* Lehnstuhl, Sessel *m.* **armful** *n* Armvoll *m.* **armhole** *n* Armelloch *neu.* **armpit** *n* Achselhöhle *f.*
arm[2] (a:m) *n* Waffe *f.* **arms race** Wettrüsten *neu.* **coat of arms** Wappen *neu.* **up in arms** in Aufruhr. *~(vi),vt* (sich) bewaffnen, (sich) ausrüsten. **armed forces** *n* Streitkräfte *f pl.* **armament** *n* **1** Bewaffnung *f.* **2** (Kriegsaus)-Rüstung *f.*
armour ('a:mə) *n* Panzer *m.* **armour-plated** *adj also* **armoured** gepanzert, Panzer—.
army ('a:mi) *n* **1** Armee *f.* Heer *neu.* **2** Menge *f.*
aroma (ə'roumə) *n* Aroma *neu.* Duft *m.* **aromatic** (ærə'mætik) *adj* aromatisch, würzig.
arose (ə'rouz) *v* see **arise.**
around (ə'raund) *prep* **1** um, um...herum. **2** ungefähr. *adv* **1** rundherum. **2** in der Nähe.
arouse (ə'rauz) *vt* **1** aufwecken. **2** erregen.
arrange (ə'reindʒ) *vt* **1** anordnen. **2** einrichten.

3 erledigen. 4 vereinbaren. 5 *mus* bearbeiten. *vi* 1 sich verständigen. 2 Vorkehrungen treffen. 3 sich einigen. **arrangement** *n* 1 Anordnung *f*. 2 Einrichtung *f*. 3 Vereinbarung *f*. Abkommen *neu*. 4 *mus* Bearbeitung *f*.

array (ə'rei) *vt* 1 ordnen. 2 kleiden, putzen. *n* 1 Ordnung *f*. 2 Kleidung, Aufmachung *f*.

arrears (ə'riəz) *n pl* Rückstände *m pl*. Schulden *f pl*. **in arrears** im Rückstand *m*.

arrest (ə'rest) *vt* 1 verhaften. 2 aufhalten, hindern. *n* Haft, Verhaftung *f*. **under arrest** verhaftet. **arresting** *adj* interessant, fesselnd.

arrive (ə'raiv) *vi* 1 ankommen. 2 erreichen, gelangen. 3 erscheinen. **arrival** *n* 1 Ankunft *f*. 2 Erscheinen *neu*.

arrogant ('ærəgənt) *adj* arrogant, anmaßend, überheblich. **arrogance** *n* Arroganz, Anmaßung *f*.

arrow ('ærou) *n* 1 Pfeil *m*. 2 Pfeilzeichen *neu*.

arsenic ('ɑ:snik) *n* Arsenik *neu*.

arson ('ɑ:sən) *n* Brandstiftung *f*.

art (ɑ:t) *n* 1 Kunst *f*. 2 Geschick *neu*. 3 List *f*. 4 *pl educ* Geisteswissenschaften *f pl*. **work of art** Kunstwerk *n*. ~*adj* Kunst—. **art gallery** *n* Kunstgalerie, Bildergalerie *f*. **art school** *n* Kunstschule *f*. **artful** *adj* 1 listig, schlau. 2 geschickt.

artery ('ɑ:təri) *n* Arterie, Pulsader *f*. **arterial** *adj* arteriell.

arthritis (ɑ:'θraitis) *n* Arthritis *f*.

artichoke ('ɑ:titʃouk) *n* Artischocke *f*.

article ('ɑ:tikəl) *n* 1 Artikel *m*. 2 Ware *f*. Gegenstand *m*.

articulate (*v* ɑ:'tikjuleit: *adj* ɑ:'tikjulət) *vt* 1 aussprechen, artikulieren. 2 gliedern. *vi* deutlich sprechen. *adj* 1 deutlich. 2 sich gut ausdrückend.

artificial (ɑ:ti'fiʃəl) *adj* 1 künstlich, Kunst—. 2 gekünstelt.

artillery (ɑ:'tilər) *n* Artillerie *f*.

artist ('ɑ:tist) *n* 1 Künstler *m*. 2 Könner *m*. **artiste** *n* Artist *m*. **artistic** *adj* künstlerisch, Kunst—.

as (əz; *stressed* æz) *conj* 1 da, weil. 2 wie, sowie. 3 als, während. *adv* 1 so, wie, ebenso wie. 2 als. **as...as** (eben)so...wie. **as far as** soviel, sofern, soweit. **as if** als ob, als wenn. **as long as** solange. **as well** ebenfalls, auch.

asbestos (æs'bestəs) *n* Asbest *m*.

ascend (ə'send) *vi* (auf-, hinauf-)steigen. *vt* besteigen. **ascendant** *adj* 1 aufsteigend. 2 vorherrschend. **in the ascendant** im Aufsteigen. **Ascension** *n rel* Himmelfahrt *f*. **ascent** *n* Aufstieg *m*.

ascertain (æsə'tein) *vt* feststellen.

ash[1] (æʃ) *n* Asche *f*. **ashtray** *n* Aschenbecher *m*.

ash[2] (æʃ) *n bot* Esche *f*.

ashamed (ə'ʃeimd) *adj* beschämt. **be ashamed** sich schämen.

ashore (ə'ʃɔ:) *adv* am *or* ans Ufer. **go ashore** an Land gehen.

Ash Wednesday *n* Aschenmittwoch *m*.

Asia ('eiʃə) *n* Asien *neu*. **Asia Minor** Kleinasien *neu*. **Asian** *adj* asiatisch. *n* Asiat *m*. **Asiatic** *adj* asiatisch.

aside (ə'said) *adv* beiseite.

ask (ɑ:sk) *vt* 1 fragen. 2 fragen nach. 3 bitten. 4 fordern, verlangen. **ask about** *or* **after** sich erkundigen nach *or* wegen.

askew (ə'skju:) *adv* schief, schräg.

asleep (ə'sli:p) *adv* schlafend. **be asleep** schlafen. **fall asleep** einschlafen.

asparagus (ə'spærəgəs) *n* Spargel *m*.

aspect ('æspekt) *n* 1 Aussehen *neu*. 2 Aspekt *m*. Hinsicht *f*. 3 Aussicht *f*.

asphalt ('æsfælt) *n* Asphalt *m*.

aspire (ə'spaiə) *vi* 1 streben. 2 sich erheben. **aspiring** *adj* hochstrebend.

aspirin ('æsprin) *n* Aspirin *neu*.

ass (æs) *n* Esel *m*.

assassinate (ə'sæsineit) *vt* ermorden. **assassin** *n* (politischer) Mörder *m*. **assassination** *n* Ermordung *f*.

assault (ə'sɔ:lt) *vt* angreifen, überfallen. *n* Angriff, Überfall *m*.

assemble (ə'sembəl) *vt* 1 versammeln. 2 zusammensetzen, montieren. *vi* sich versammeln. **assembly** *n* 1 Versammlung *f*. 2 Montage *f*. **assembly hall** *n educ* Aula *f*. **assembly line** *n* Fließband *neu*.

assent (ə'sent) *vi* 1 zustimmen. 2 genehmigen. *n* 1 Zustimmung *f*. 2 Genehmigung *f*.

assert (ə'sə:t) *vt* 1 behaupten, erklären. 2 bestehen auf. **assert oneself** sich durchsetzen. **assertion** *n* Behauptung *f*. **assertive** *adj* anmaßend.

assess (ə'ses) *vt* 1 zur Steuer einschätzen. 2 einschätzen. **assessment** *n* Einschätzung *f*.

asset ('æset) *n* 1 Vorteil *m*. 2 *pl comm* Vermögen *neu*.

assign (ə'sain) *vt* 1 anweisen. 2 bestimmen. **assignment** *n* 1 Anweisung *f*. 2 Aufgabe *f*.

assimilate (ə'simileit) *vt* 1 absorbieren, aufnehmen. **2** anpassen. **assimilation** *n* Aufnahme *f.*

assist (ə'sist) *vt* **1** helfen. **2** unterstützen. **3** fördern. *vi* **1** mithelfen. **2** teilnehmen. **3** beiwohnen. **assistance** *n* **1** Hilfe *f.* **2** Unterstützung *f.* **assistant** *n* **1** Assistent *m.* **2** Verkäufer *m.*

assizes (ə'saiziz) *n pl* Gerichtssitzungen *f pl.*

associate (*v* ə'souʃieit; *adj,n* ə'souʃiit) *vt* **1** vereinigen, anschließen. **2** verbinden, verknüpfen. *vi* verkehren. *adj* verbündet. *n* Kollege, Mitarbeiter *m.* **association** *n* **1** Vereinigung *f.* **2** Verein, Verband *m.* **3** Verkehr *m.* **4** Verbindung *f.*

assort (ə'sɔ:t) *vt* assortieren. **assorted** *adj* gemischt. **assortment** *n* Sortiment *neu.*

assume (ə'sju:m) *vt* **1** annehmen. **2** übernehmen. **3** sich aneignen. **assuming** *adj* anmaßend. **assumption** *n* **1** Annahme *f.* **2** Aneignung *f.*

assure (ə'ʃuə) *vt* **1** sichern, sicherstellen. **2** versichern. **assurance** *n* **1** Versicherung *f.* **2** Selbstsicherheit *f.*

asthma ('æsmə) *n* Asthma *neu.*

astonish (ə'stɔniʃ) *vt* erstaunen, überraschen. **be astonished** erstaunt sein. **astonishing** *adj* erstaunlich. **astonishment** *n* Erstaunen *neu.*

astound (ə'staund) *vt* verblüffen.

astray (ə'strei) *adv* **go astray** sich verlaufen. **lead astray** irreführen.

astride (ə'straid) *prep,adj,adv* rittlings.

astrology (ə'strɔlədʒi) *n* Astrologie, Sterndeuterei *f.* **astrologer** *n* Astrologe *m.* **astrological** *adj* astrologisch.

astronaut ('æstrənɔ:t) *n* Astronaut *m.*

astronomy (ə'strɔnəmi) *n* Astronomie, Sternkunde *f.* **astronomer** *n* Astronom *m.* **astronomical** *adj* **1** astronomisch, Stern— **2** riesengroß.

astute (ə'stju:t) *adj* scharfsinnig.

asunder (ə'sʌndə) *adv* auseinander.

asylum (ə'sailəm) *n* **1** *pol* Asyl *neu.* Freistätte *f* **2** Heim *neu.* **lunatic asylum** Irrenanstalt *f*

at (ət; *stressed* æt) *prep* **1** an, auf. **2** in, zu **3** bei. **4** für. **5** um. **6** über. **at two o'clock** um zwei Uhr

ate (eit, et) *v* see **eat.**

atheism ('eiθiizəm) *n* Atheismus *m.* **atheist** *n* Atheist *m.*

Athens ('æθinz) *n* Athen *neu.*

athlete ('æθli:t) *n* (Leicht)Athlet, Sportler *m.* **athletic** *adj* athletisch, Sport—. **athletics** *n pl* Athletik *f.*

Atlantic (ət'læntik) *adj* atlantisch. **Atlantic (Ocean)** *n* Atlantik, Atlantischer Ozean *m.*

atlas ('ætləs) *n* Atlas *m.*

atmosphere ('ætməsfiə) *n* **1** Atmosphäre *f.* **2** Luft *f.* **3** Stimmung *f.*

atom ('ætəm) *n* Atom *neu.* **atom bomb** *n* Atombombe *f.* **atomic** *adj* atomisch, Atom—.

atone (ə'toun) *vi* **1** büßen. **2** wiedergutmachen. **atonement** *n* Buße *f.*

atrocious (ə'trouʃəs) *adj* scheußlich, gräßlich. **atrocity** *n* Scheußlichkeit, Greueltat *f.*

attach (ə'tætʃ) *vt* **1** befestigen **2** anheften. **3** verbinden. **attachment** *n* **1** Befestigung *f.* **2** Zusatzgerät *neu.* **3** Anhänglichkeit *f.*

attaché (ə'tæʃei) *n* Attaché *m.* **attaché case** *n* Aktentasche *f.*

attack (ə'tæk) *vt* **1** angreifen, überfallen. **2** in Angriff nehmen. **3** kritisieren. *n* **1** Angriff, Überfall *m.* **2** Kritik *f.* **3** *med* Anfall *m.* **attacker** *n* Angreifer *m*

attain (ə'tein) *vt* erreichen, erlangen. **attain to** gelangen zu. **attainable** *adj* erreichbar. **attainment** *n* Erreichung *f.*

attempt (ə'tempt) *vt* **1** versuchen. **2** sich wagen (an). *n* **1** Versuch *m.* **2** Attentat *neu.*

attend (ə'tend) *vt* **1** beiwohnen. **2** (a school) besuchen. **3** pflegen. *vi* **1** achten. **2** sich besorgen. **3** erledigen. **4** erscheinen. **5** bedienen. **attendance** *n* **1** Anwesenheit *f.* **2** Beteiligung *f.* **3** Pflege, Bedienung *f.* **4** Besuch *m.* **attendant** *n* **1** Diener *m.* **2** Begleiter *m.* **3** Bedienungsmann, Wärter *m.* **attention** *n* **1** Aufmerksamkeit, Beachtung *f.* **2** Erledigung *f.* **3** *pl* Aufmerksamkeiten *f pl.* **4** Bedienung *f.* **pay attention** achtgeben. *interj* Achtung! **attentive** *adj* aufmerksam.

attic ('ætik) *n* Dachstube *f.*

attire (ə'taiə) *vt* ankleiden, schmücken. *n* Kleidung *f* Schmuck *m.*

attitude ('ætitju:d) *n* **1** Stellung, Haltung *f.* **2** Einstellung, Stellungnahme *f*

attract (ə'trækt) *vt* **1** anziehen **2** reizen, fesseln. **attract attention** Aufmerksamkeit erregen. **attraction** *n* **1** Anziehung, Attraktion *f.* **2** Anziehungskraft *f.* **attractive** *adj* **1** anziehend, reizvoll. **2** hübsch. **attractiveness** *n* Reiz *m.*

attribute (*v* ə'tribju:t; *n* 'ætribju:t) *vt* **1** zuschreiben. **2** zurückführen. *n* Eigenschaft *f.*

aubergine ('oubəʒi:n) *n* Aubergine *f.*

auburn ('ɔ:bən) *adj* kastanienbraun.

auction ('ɔ:kʃən) *n* Auktion, Versteigerung *f. v* **auction off** versteigern.

audacious (ɔ:ˈdeiʃəs) *adj* **1** kühn. **2** frech. **audacity** *n* **1** Kühnheit *f.* **2** Frechheit *f.*

audible (ˈɔ:dibəl) *adj* hörbar.

audience (ˈɔ:diəns) *n* **1** Publikum *neu.* Zuhörer *m pl.* **2** Audienz *f.*

audit (ˈɔ:dit) *vt* prüfen, revidieren. *n* Bücherrevision *f.* **auditing** *n* Bücherrevision *f.* **auditor** *n* Bücherrevisor *m.*

audition (ɔ:ˈdiʃən) *n* Hörprobe *f. vt* einer Hörprobe unterziehen.

August (ˈɔ:gəst) *n* August *m.*

aunt (ɑ:nt) *n* Tante *f.*

au pair (ou ˈpɛə) *n also* **au pair girl** Au-pair-Mädchen *neu.*

aura (ˈɔ:rə) *n, pl* **auras** *or* **aurae** **1** Aura, Atmosphäre *f.* **2** Hauch, Duft *m.*

austere (ɔ:ˈstiə) *adj* **1** streng. **2** enthaltsam.

Australia (ɔˈstreiliə) *n* Australien *neu.* **Australian** *adj* australisch. *n* Australier *m.*

Austria (ˈɔ:striə) *n* Österreich *neu.* **Austrian** *adj* österreichisch. *n* Österreicher *m.*

authentic (ɔ:ˈθentik) *adj* authentisch, echt.

author (ˈɔ:θə) *n* **1** Verfasser *m.* **2** Autor, Schriftsteller *m.* **3** Urheber *m.*

authority (ɔ:ˈθɔriti) *n* **1** Autorität *f.* **2** Gewalt *f.* **3** Vollmacht *f.* **4** Quelle *f.* **5** Fachmann *m.* **6** *pl* Behörde *f.* **authoritarian** *adj* autoritär. **authoritative** *adj* **1** maßgebend. **2** herrisch.

authorize (ˈɔ:θəraiz) *vt* **1** ermächtigen. **2** billigen, genehmigen. **authorization** *n* Genehmigung *f.*

autobiography (ɔ:təbaiˈɔgrəfi) *n* Autobiographie *f.* **autobiographical** *adj* autobiographisch.

autograph (ˈɔ:təgrɑ:f) *n* eigenhändige Unterschrift *f.* Autogramm *neu. vt* (eigenhändig) unterschreiben.

automatic (ɔ:təˈmætik) *adj* **1** automatisch, selbsttätig. **2** unwillkürlich. **automation** *n* Automation *f.*

autonomous (ɔ:ˈtɔnəməs) *adj* autonom. **autonomy** *n* Autonomie, Selbständigkeit *f.*

autumn (ˈɔ:təm) *n* Herbst *m.*

auxiliary (ɔ:gˈziliəri) *adj* helfend, Hilfs—. *n* **1** Helfer *m.* **2** *pl* Hilfspersonal *neu.*

available (əˈveiləbəl) *adj* verfügbar, vorhanden. **availability** *n* Verfügbarkeit *f.* Vorhandensein *neu.*

avalanche (ˈævəlɑ:nʃ) *n* Lawine *f.*

avenge (əˈvendʒ) *vt* rächen.

avenue (ˈævənju:) *n* **1** Allee *f.* **2** Weg *m.*

average (ˈævridʒ) *adj* durchschnittlich. *n* Durchschnitt *m.* **on average** im Durchschnitt.

aversion (əˈvə:ʃən) *n* Abneigung *f.*

aviary (ˈeiviəri) *n* Vogelhaus *neu.*

aviation (eiviˈeiʃən) *n* Flugwesen *neu.*

avid (ˈævid) *adj* gierig.

avocado (ævəˈkɑ:dou) *n* Avocadobirne *f.*

avoid (əˈvɔid) *vt* **1** vermeiden. **2** ausweichen. **3** aus dem Wege gehen.

await (əˈweit) *vt* erwarten, warten auf.

awake* (əˈweik) *vt* **1** wecken. **2** erwecken. *vi* **1** aufwachen, erwachen. **2** bewußt werden. *adj* wach. **wide awake** munter. **awaken** *vt* **1** wecken. **2** erwecken. *vi* aufwachen, erwachen. **awakening** *n* Erwachen *neu.*

award (əˈwɔ:d) *vt* **1** zusprechen, verleihen. **2** gewähren. *n* Belohnung *f.* Preis *m.*

aware (əˈwɛə) *adj* bewußt. **awareness** *n* Bewußtsein *neu.* Kenntnis *f.*

away (əˈwei) *adv* **1** weg, fort, hinweg. **2** entfernt. **3** fort, verreist.

awe (ɔ:) *n* Ehrfurcht *f.* **awe-inspiring** *adj* ehrfurchtgebietend. **awe-struck** *adj* von Ehrfurcht ergriffen. **awful** *adj* **1** schrecklich, furchtbar. **2** *inf* furchtbar, scheußlich. **awfully** *adv inf* furchtbar, sehr.

awkward (ˈɔ:kwəd) *adj* **1** ungeschickt, linkisch. **2** peinlich, unangenehm. **3** lästig, schwierig.

awoke (əˈwouk) *v* see **awake.**

axe (æks) *n* Axt *f.* Beil *neu.*

axis (ˈæksis) *n pl* **axes** Achse, Mittellinie *f.*

axle (ˈæksəl) *n* (Rad)Achse *f.*

B

babble (ˈbæbəl) *vt* **1** schwatzen, plappern. **2** plätschern, murmeln. *n* Geschwätz *neu.*

baboon (bəˈbu:n) *n* Pavian *m.*

baby (ˈbeibi) *n* Baby *neu.* Säugling *m.* Kleinkind *neu.* **baby-sit** *vi* Kinder beaufsichtigen, babysitten. **babyish** *adj* babyhaft.

bachelor (ˈbætʃələ) *n* Junggeselle *m.*

back (bæk) *n* **1** Rücken *m.* Kreuz *neu.* **2** Rückseite *f.* Hinterseite *f. adj* Nach—, Hinter—. *adv* **1** zurück. **2** rückwärts. *vt* **1** wetten auf. **2** unterstützen. **3** rückwärts fahren.

backache (ˈbækeik) *n* Rückenschmerz *m.*

backbone (ˈbækboun) *n* Wirbelsäule *f.* Rückgrat *neu.*

backdate (ˈbækdeit) *vt* zurückdatieren.

backfire (ˈbækfaiə) *vi* **1** fehlzünden, frühzünden. **2** fehlschlagen. *n* Fehlzündung *f.*

backgammon (ˈbækgæmən) *n* Puffspiel *neu.*

background (ˈbækgraund) *n* Hintergrund *m.*

backhand ('bækhænd) *n* Rückhand *f*. **backhander** *n* **1** Rückhandschlag *m*. **2** geheime Belohnung *f*.

backlash ('bæklæʃ) *n* **1** *tech* Spielraum *m*. **2** (politische) Reaktion *f*. **3** Rückschlag *m*.

backlog ('bæklɔg) *n* Rückstand *m*. Rücklage *f*.

backside (bæk'said) *n inf* Hinterteil *neu*.

backstage (bæk'steidʒ) *adj,adv* hinter den Kulissen.

backstroke ('bækstrouk) *n* Gegenschlag *m*. Rückenschwimmen *neu*.

backward ('bækwəd) *adj* **1** (geistig) zurückgeblieben. **2** rückständig. **3** widerwillig.

backwards ('bækwədz) *adv* zurück, rückwärts.

backwater ('bækwɔtə) *n* Stauwasser *neu*.

bacon ('beikən) *n* Speck *m*.

bacteria (bæk'tiəriə) *n pl* Bakterie *f*.

bad (bæd) *adj* **1** schlecht, schlimm. **2** böse. **bad-tempered** *adj* mißgelaunt.

bade (beid) *v* see **bid.**

badge (bædʒ) *n* Abzeichen *neu*. Medaille *f*.

badger ('bædʒə) *n* Dachs *m*. *vt* belästigen.

badminton ('bædmintən) *n* Federballspiel *neu*.

baffle ('bæfəl) *vt* verwirren, täuschen.

bag (bæg) *n* **1** Beutel *m*. Tüte *f*. **2** Tasche *f*. **3** Sack *m*. *vt* **1** abschießen. **2** erlegen. **baggage** *n* Gepäck *neu*. **baggy** *adj* bauschig, sackartig, schlotterig. **bagpipes** *n* Dudelsack *m*.

bail (beil) *n law* Bürgschaft, Kaution *f*.

bailiff ('beilif) *n* **1** Gerichtsdiener *m*. **2** Gutsverwalter *m*.

bait (beit) *n* **1** Köder *m*. Lockspeise *f*. **2** Lockung *f*. Reiz *m*. *vt* **1** ködern. **2** hetzen, quälen.

bake (beik) *vt* backen. **baker** *n* Bäcker *m*. **bakery** *n* Bäckerei *f*.

balance ('bæləns) *vt* **1** balancieren. **2** erwägen. **3** saldieren. *n* **1** Waage *f*. **2** Gleichgewicht *neu*. **3** Saldo *m*. Guthaben *neu*. **balance sheet** *n* Bilanz *f*. Bilanzbogen *m*.

balcony ('bælkəni) *n* Balkon *m*.

bald (bɔ:ld) *adj* **1** kahl, haarlos. **2** nackt.

bale[1] (beil) *n* Ballen *m*.

bale[2] (beil) *vt,vi* ausschöpfen. **bale out** mit dem Fallschirm abspringen.

ball[1] (bɔ:l) *n* **1** Ball *m*. **2** Kugel *f*. **ballpoint pen** *n* Kugelschreiber *m*.

ball[2] (bɔ:l) *n* Ball *m*. Tanzgesellschaft *f*. **ballroom** *n* Tanzsaal, Ballsaal *m*.

ballad ('bæləd) *n* Ballade *f*. Lied *neu*.

ballast ('bæləst) *n* Ballast *m*.

ballet ('bælei) *n* Ballett *neu*. **ballet dancer** *n* Ballettänzer *m*. Ballettänzerin *f*.

ballistic (bə'listik) *adj* ballistisch.

balloon (bə'lu:n) *n* Ballon *m*. Luftballon *m*.

ballot ('bælət) *n* Wahl *f*. Abstimmung *f*. **ballot paper** *n* Stimmzettel *m*.

Baltic ('bɔ:ltik) *adj* baltisch. **Baltic (Sea)** *n* Ostsee *f*.

bamboo (bæm'bu:) *n* Bambus *m*.

ban (bæn) *vt* verbannen, ächten. *n* Bann *m*. Verbannung, Ächtung *f*.

banal (bə'nɑ:l) *adj* banal, alltäglich.

banana (bə'nɑ:nə) *n* Banane *f*.

band[1] (bænd) *n* **1** *mus* Kapelle *f*. Orchester *neu*. **2** Gruppe, Bande *f*.

band[2] (bænd) *n* **1** Band *neu*. Binde, Schnur *f*. **2** Riemen *m*. **bandage** *n* Bandage, Binde *f*. Verband *m*. *vt* verbinden.

bandit ('bændit) *n* Bandit *m*.

bandy ('bændi) *adj* krummbeining. *v* **bandy words** hin und herstreiten.

bang (bæŋ) *n* **1** Knall, schallender Schlag *m*. *vi,(vt)* knallen (lassen). **banger** *n inf* **1** Feuerwerkskörper *m*. **2** Wurst *f*.

bangle ('bæŋgəl) *n* Spange *f*. Armband *neu*.

banish ('bæniʃ) *vt* verbannen, vertreiben.

banister ('bænistə) *n* Treppengeländer *neu*.

banjo ('bændʒou) *n* Banjo *neu*.

bank[1] (bæŋk) *n* **1** Ufer *neu*. **2** Damm *m*.

bank[2] (bæŋk) *n* Bank, Sparkasse *f*. **bank account** *n* Bankkonto *neu*. **bankbook** *n* Bankbuch, Sparbuch *neu*. **bank holiday** *n* (amtlicher) Feiertag *m*. **banknote** *n* Banknote *f*. **banker** *n* Bankier *m*. **banker's card** *n* Scheckkarte, Bankkarte *f*.

bankrupt ('bæŋkrʌpt) *adj* bankrott, zahlungsunfähig. *n* Bankerotteur *m*.

banner ('bænə) *n* Banner *m*. Fahne *f*.

banquet ('bæŋkwit) *n* Bankett, Festessen *neu*.

baptize (bæp'taiz) *vt* taufen. **baptism** *n* Taufe *f*.

bar (bɑ:) *n* **1** Stange *f*. Riegel, Stab *m*. **2** Bar, Schank *f*. *vt* **1** verriegeln, vergittern. **2** ausschließen, verbieten. **barmaid** *n* Kellnerin, Barmädchen *f*. **barman** *n* Kellner *m*.

barbarian (bɑ:'bɛəriən) *n* Barbar *m*. **barbaric** *adj* barbarisch, roh, grausam. **barbarism** *n* Barbarismus *m*. **barbarity** *n* Barbarei, Roheit, Grausamkeit *f*.

barbecue ('bɑ:bikju:) *n* Bratrost *m*. Barbecue *neu*.

barbed wire (bɑ:bd) *n* Stacheldraht *m*.

barber ('bɑ:bə) *n* Barbier, (Herren)Friseur *m*.

barbiturate (bɑ:'bitjurət) *n* Barbiturat *neu*.

bare (bɛə) *adj* **1** nackt, unbekleidet. **2** bloß, unbedeckt, kahl. **3** leer. *vt* **1** entblößen, enthüllen. **2** (one's teeth) blecken. **barefoot** *adj,adv* barfuß. **barely** *adv* kaum.

bargain ('bɑ:gɪn) *n* (vorteilhaftes) Geschäft *neu*. Gelegenheitskauf *m*. **into the bargain** obendrein. ~*vt,vi* feilschen, handeln. **bargain for** erwarten

barge (bɑ:dʒ) *n* Lastkahn *m*. *v* **barge into** *inf* stürzen in.

baritone ('bærɪtoun) *n* Bariton *m*.

bark[1] (bɑ:k) *vi* bellen. *n* Gebell *neu*.

bark[2] (bɑ:k) *n* (Baum)rinde, Borke *f*.

barley ('bɑ:li) *n* Gerste *f*.

barn (bɑ:n) *n* Scheune *f*.

barometer (bə'rɔmɪtə) *n* Barometer *neu*.

baron ('bærən) *n* Baron, Freiherr *m*. **baroness** *n* Baronin *f*.

baronet ('bærənɪt) *n* Baronet *m*.

barracks ('bærəks) *n pl* Kaserne *f*.

barrel ('bærəl) *n* **1** Faß *neu*. Tonne *f*. **2** (of a gun) Lauf *m*.

barren ('bærən) *adj* unfruchtbar, öde.

barricade ('bærikeid) *n* Barrikade, Sperre *f*. *vt* versperren.

barrier ('bæriə) *n* Barriere, Schranke *f*.

barrister ('bæristə) *n* Rechtsanwalt *m*.

barrow ('bærou) *n* Karren *m*.

barter ('bɑ:tə) *vt* (ein)tauschen. *vi* Tauschhandel treiben. *n* Tauschhandel *m*.

base[1] (beis) *n* **1** Grundfläche, Basis *f*. **2** Fuß, Stützpunkt *m*. *vi* **1** basieren, **2** stützen. **be based on** sich beruhen auf. **baseball** *n* Baseballspiel *neu*. **basement** *n* Kellergeschoß *neu*.

base[2] (beis) *adj* niedrig, gemein, verächtlich.

bash (bæʃ) *vt* heftig schlagen. **have a bash** versuchen.

bashful ('bæʃfəl) *adj* scheu, schüchtern.

basic ('beisik) *adj* **1** einfach. **2** grundliegend. **basically** *adv* im Grunde, grundsätzlich.

basil ('bæzəl) *n* Basilienkraut *neu*.

basin ('beisən) *n* Becken *neu*. Schüssel *f*.

basis ('beisis) *n pl* **-ses** Basis, Grundlage *f*.

bask (bɑ:sk) *vi* sich sonnen.

basket ('bɑ:skit) *n* Korb *m*. **basketball** *n* Basketballspiel *neu*.

Basle (bɑ:l) *n* Basel *neu*.

bass (beis) *mus adj* Baß—. *n* Baß *m*.

bassoon (bə'su:n) *n* Fagott *neu*.

bastard ('bɑ:stəd) *n* Bastard *m*.

baste ('beist) *vt cul* (mit Fett) begießen.

bat[1] (bæt) *n* Schläger *m*. Schlagholz *neu*. *vt* **1** schlagen. **2** (eyelids, etc.) zucken, zwinkern. **batsman** *n* Schläger *m*.

bat[2] (bæt) *n zool* Fledermaus *f*.

batch (bætʃ) *n* Schub, Stoß *m*.

bath (bɑ:θ) *n* **1** Bad *neu*. **2** Badewanne *f*. **bathroom** *n* Badezimmer *neu*. **bathtub** *n* Badewanne *f*.

bathe (beið) *(vi),vt* (sich) baden. **bathing costume** *n* Badeanzug *m*. **bathing trunks** *n* Badehose *f*.

baton ('bætɔn) *mus* Taktstock *m*.

battalion (bə'tæliən) *n* Bataillon *neu*.

batter[1] ('bætə) *vt* schlagen, prügeln.

batter[2] ('bætə) *n cul* Eierteig *m*.

battery ('bætəri) *n* Batterie *f*.

battle ('bætl) *n* Schlacht *f*. Gefecht *neu*. *vi* kämpfen. **battlefield** *n* Schlachtfeld *neu*. **battleship** *n* Schlachtschiff *neu*.

Bavaria (bə'vɛəriə) *n* Bayern *neu*. **Bavarian** *adj* bayrisch. *n* Bayer *m*.

bawl (bɔ:l) *vi* schreien, brüllen.

bay[1] (bei) *n* **1** *geog* Bai, Bucht *f*. **2** Lücke, Nische *f*.

bay[2] (bei) *n* **1** Fach. *neu*. Abteilung *f*. **2** Fensternische *f*.

bay[3] (bei) *vi* (dumpf) bellen, kläffen. **keep at bay** in Schach halten.

bay[4] (bei) *n bot* Lorbeer *m*.

bayonet ('beiənɪt) *n* Bajonett *neu*.

be* (bi:) *vi* **1** sein. **2** existieren. **3** sich befinden. *v aux* sein, werden. **there is, there are** es gibt.

beach (bi:tʃ) *n* Strand *m*. *vt* stranden. **beachcomber** *n* Strandgutjäger *m*.

beacon ('bi:kən) *n* **1** Signalfeuer *neu*. **2** Blinklicht *neu*.

bead (bi:d) *n* Perle, Glasperle *f*.

beak (bi:k) *n* Schnabel *m*.

beaker ('bi:kə) *n* **1** Becher *m*. **2** *sci* Becherglas *neu*.

beam (bi:m) *n* **1** Balken *m*. **2** Strahl *m*. *vt,vi* strahlen. *vi* strahlend lächeln.

bean (bi:n) *n* Bohne *f*. **full of beans** lebhaft.

bear*[1] (bɛə) *vt* **1** tragen, stützen. **2** erleiden, aushalten. **3** gebären. **bearing** *n* **1** Haltung *f*. **2** Verhalten, Betragen *neu*. **3** Beziehung *f*. **4** Richtung *f*. **5** *tech* Lager *neu*.

bear[2] (bɛə) *n* Bär *m*.

beard (biəd) *n* Bart *m*.

beast (bi:st) *n* **1** Tier, Vieh *neu*. **2** Bestie *f*.

beat* (bi:t) *vt* **1** schlagen, prügeln, klopfen. **2** besiegen, schlagen. *n* **1** *mus* Rhythmus, Takt *m*. **2** Schlag *m*. **3** (of a policeman) Revier *neu*.

beauty ('bju:ti) *n* Schönheit *f*. **beauty queen** *n*

Schönheitskönigin *f.* **beautiful** *adj* schön, hübsch.

beaver ('bi:və) *n* Biber *m.*

became (bi'keim) *v* see **become.**

because (bi'kɔz) *conj* weil. **because of** wegen.

beckon ('bekən) *vt,vi* heranwinken.

become* (bi'kʌm) *vi* werden. *vt* passen, geziemen. **becoming** *adj* passend, geziemend.

bed (bed) *n* Bett *neu.* **bed bug** *n* Wanze *f.* **bedclothes** *n pl* Bettwäsche *f.* **bedding** *n* **1** Bettzeug *neu.* **2** Streu *f.* **bedridden** *adj* bettlägerig. **bedroom** *n* Schlafzimmer, Schlafgemach *neu.* **bed-sitter** *n* Wohnschlafzimmer *neu.* **bedspread** *n* Bettdecke *f.*

bedraggled (bi'drægəld) *adj* beschmutzt, naß.

bee (bi:) *n* Biene *f.* **beehive** *n* Bienenstock *m.*

beech (bi:tʃ) *n* Buche *f.*

beef (bi:f) *n* Rindfleisch *neu.*

beer (biə) *n* Bier *neu.*

beet (bi:t) *n* Bete, Rübe *f.* **beetroot** *n* rote Rübe *f.*

beetle ('bi:tl) *n* Käfer *m.* Schabe *f.*

befall* (bi'fɔ:l) *vi* sich ereignen. *vt* (jemandem) zustoßen.

before (bi'fɔ:) *conj* bevor, ehe, bis. *adv* **1** voraus, vorn, voran. **2** vorher, früher, ehe. *prep* vor. **beforehand** *adv* zuvor, davor.

befriend (bi'frend) *vt* befreunden.

beg (beg) *vt,vi* **1** betteln. **2** bitten. *vi* erbitten. **beggar** *n* Bettler *m.*

begin* (bi'gin) *vt,vi* anfangen, beginnen. **beginner** *n* Anfänger *m.* **beginning** *n* Anfang, Beginn *m.*

begrudge (bi'grʌdʒ) *vt* mißgönnen.

behalf (bi'hɑ:f) *n* **on behalf of 1** im Namen *or* im Auftrag von. **2** zugunsten. **on my behalf** um meinetwillen.

behave (bi'heiv) *vi* sich verhalten, sich betragen, sich benehmen. **behave oneself** sich gut betragen. **behaviour** *n* Betragen, Verhalten, Benehmen *neu.*

behind (bi'haind) *adv* **1** hinten. **2** zurück *prep* hinter. *n* Hinterteil *neu.* **behindhand** *adv* verspätet, im Rückstand.

behold* (bi'hould) *vt* erblicken, sehen.

beige (beiʒ) *adj* beige. *n* Beige *neu.*

being ('bi:iŋ) *n* **1** (Da)Sein *neu.* Existenz *f.* **2** Geschöpf, Wesen *neu.*

belch (beltʃ) *vi* rülpsen. *n* Rülpsen *neu.*

belfry ('belfri) *n* Glockenturm *m.*

Belgium ('beldʒəm) *n* Belgien *neu.* **Belgian** *adj* belgisch. *n* Belgier *m.*

believe (bi'li:v) *vt* glauben. **belief** *n* **1** Glaube *m.* **2** Überzeugung *f.* **believer** *n* Gläubige(r) *m.*

bell (bel) *n* **1** Glocke *f.* **2** Klingel *f.* **bellringer** *n* Glöckner *m.*

belligerent (bə'lidʒərənt) *adj* kriegführend.

bellow ('belou) *vi* brüllen, schreien. *n* Gebrüll, Geschrei *neu.*

bellows ('belouz) *n pl* Gebläse *neu.*

belly ('beli) *n* Bauch *m.*

belong (bi'lɔŋ) *vi* **1** gehören. **2** (to a club, etc.) angehören. **belongings** *n pl* Eigentum *neu.*

below (bi'lou) *adv* unter. *prep* unter(halb).

belt (belt) *n* **1** Gürtel, Riemen *m.* Binde *f.* **2** Bereich *m.* Gebiet *neu.*

bench (bentʃ) *n* **1** Bank *f.* **2** Arbeitstisch *m.*

bend* (bend) *n* Kurve, Krümmung *f.* *vt* biegen, krümmen. *vi* (sich) beugen.

beneath (bi'ni:θ) *prep* unter(halb).

benefactor ('benifæktə) *n* Wohltäter, Gönner *m.*

benefit ('benifit) *n* **1** Nutzen, Vorteil *m.* **2** Wohltat *f.* *vi* nützen, Nutzen ziehen (aus). **beneficial** *adj* **1** wohltuend. **2** vorteilhaft, nützlich.

benevolent (bi'nevələnt) *adj* wohlwollend, gütig. **benevolence** *n* Wohlwollen *neu.* Güte *f.*

bent (bent) *v* see **bend.**

bereave* (bi'ri:v) *vt* berauben. **bereavement** *n* Beraubung *f.* Verlust *m.*

berry ('beri) *n* Beere *f.*

berth (bə:θ) *n* **1** Ankerplatz *m.* **2** Liegeplatz *m.* Koje *f.*

beside (bi'said) *prep* neben, dicht bei. **besides** *adv* außerdem, ferner. *prep* außer.

besiege (bi'si:dʒ) *vt* belagern.

best (best) *adj* best. *adv* am besten. **at best** im besten Fall(e). *n* Beste(r) *m.* **best man** *n* die rechte Hand des Bräutigams bei der Hochzeit. **best-seller** *n* Verkaufsschlager, Bestseller *m.*

bestow (bi'stou) *vt* geben, schenken.

bet* (bet) *n* Wette *f.* *vt,vi* wetten. **betting shop** *n* Wettbüro *neu.*

betray (bi'trei) *vt* verraten. **betrayal** *n* Verrat *m.*

better ('betə) *adj,adv* besser. *vt* **1** (ver)bessern. **2** übertreffen. **better oneself** sich bessern.

between (bi'twi:n) *prep* zwischen. *adv* dazwischen.

beverage ('bevridʒ) *n* Getränk *neu.*

beware* (bi'wɛə) *vi* sich vorsehen, sich hüten.

bewilder (bi'wildə) *vt* verwirren, bestürzen.

beyond (bi'jɔnd) *prep* jenseits, außer. *adv* darüber hinaus, jenseits.
bias ('baiəs) *n* **1** Neigung *f.* **2** Vorurteil *neu.* **biased** *adj* voreingenommen.
bib (bib) *n* Lätzchen *neu.*
Bible ('baibəl) *n* Bibel *f.* **biblical** *adj* biblisch.
bibliography (bibli'ɔgrəfi) *n* Bibliographie *f.*
biceps ('baiseps) *n* Bizeps *m.*
bicker ('bikə) *vi* zanken, streiten.
bicycle ('baisikəl) *n* Fahrrad *neu.*
bid* (bid) *n* **2** Angebot *neu.* **2** Versuch *m. vi* **1** bieten. **2** *game* reizen.
biennial (bai'eniəl) *adj* zweijährig.
big (big) *adj* **1** groß. **2** dick.
bigamy ('bigəmi) *n* Bigamie, Doppelehe *f.*
bigot ('bigət) *n* Fanatiker, Frömmler *m.* **bigoted** *adj* bigott, blind ergeben.
bikini (bi'ki:ni) *n* Bikini *m.*
bilingual (bai'liŋgwəl) *adj* zweisprachig.
billous ('biliəs) *adj* gallig.
bill[1] (bil) *n* **1** Rechnung *f.* **2** Gesetzesvorlage *f.*
bill[2] (bil) *n* (Vogel)Schnabel *m.*
billiards ('biliədz) *n* Billard(spiel) *neu.*
billion ('biljən) *n* **1** Billion *f.* **2** *US* Milliarde *f.*
bin (bin) *n* Behälter, Kasten *m.*
binary ('bainəri) *adj* binär.
bind* (baind) *vt* **1** binden, befestigen, festmachen. **2** verbinden, verpflichten. **binding** *adj* verbindlich. *n* **1** Bindung *f.* **2** Einband *m.*
binoculars (bi'nɔkjuləz) *n pl* Feldstecher *m.*
biography (bai'ɔgrəfi) *n* Biographie *f.*
biology (bai'ɔlədʒi) *n* Biologie *f.*
birch (bə:tʃ) *n* Birke *f. vt* züchtigen.
bird (bə:d) *n* Vogel *m.*
birth (bə:θ) *n* **1** Geburt *f.* **2** Entstehung *f.* **birth certificate** *n* Geburtsschein *m.* Geburtsurkunde *f.* **birth control** *n* Geburtenkontrolle, Geburtenbeschränkung *f.* **birthday** *n* Geburtstag *m.* **birthmark** *n* Muttermal *neu.* **birth rate** *n* Geburtenziffer *f.*
biscuit ('biskit) *n* Keks, Zwieback *m.*
bishop ('biʃəp) *n* Bischof *m.*
bit[1] (bit) *n* **1** Stück, Stückchen, Bißchen *neu.* **2** Gebiß *neu.*
bit[2] (bit) *v* see **bite.**
bitch (bitʃ) *n* **1** Hündin *f.* **2** *sl* gemeine Frau, Dirne *f.*
bite* (bait) *vt* beißen. *n* Biß, Bissen *m.*
bitter ('bitə) *adj* **1** bitter. **2** verbittert.
bizarre (bi'za:) *adj* bizarr, grotesk.
black (blæk) *adj* schwarz. *n* **1** Schwarz *neu.* **2** Schwarze(r), Farbige(r) *m.* **blacken** *vt* **1** schwärzen. **2** anschwärzen, verleumden. *vi* schwarz *or* dunkel werden. **blackness** *n* Schwärze *f.*
blackberry ('blækbəri) *n* Brombeere *f.*
blackbird ('blækbə:d) *n* Amsel *f.*
blackboard ('blækbɔ:d) *n* (Wand)Tafel *f.*
blackcurrant (blæk'kʌrənt) *n* schwarze Johannisbeere *f.*
blackleg ('blækleg) *n* Streikbrecher *m.*
blackmail ('blækmeil) *n* Erpressung *f. vt* erpressen.
black market *n* Schwarzmarkt *m.*
blackout ('blækaut) *n* **1** Verdunkelung *f.* **2** Gedächtnisstörung *f.*
black pudding *n* Blutwurst *f.*
blacksmith ('blæksmiθ) *n* Schmied *m.*
bladder ('blædə) *n* Blase *f.*
blade (bleid) *n* **1** Klinge, Schneide *f.* **2** (of grass, etc.) Halm *m.*
blame (bleim) *n* Schuld, Verantwortung *f. vt* **1** tadeln. **2** beschuldigen.
blank (blæŋk) *adj* weiß, blank(o), leer, unausgefüllt.
blanket ('blæŋkit) *n* Wolldecke *f. vt* zudecken.
blare (blεə) *vi* schmettern. *n* Geschmetter *neu.*
blaspheme (blæs'fi:m) *vi* lästern, fluchen. **blasphemy** *n* Gotteslästerung *f.*
blast (blɑ:st) *n* **1** Windstoß, Sturm *m.* **2** (of trumpets) Schall *m.* **1** Sprengschuß *m.* Explosion *f. vt* sprengen.
blatant ('bleitənt) *adj* **1** lärmend. **2** offenkundig.
blaze (bleiz) *vi* brennen, lodern. *n* Feuer *neu.* Flammen *f.* **blazer** *n* Sportjacke *f.* Blazer *m.*
bleach (bli:tʃ) *n* Bleichmittel *neu. vt* bleichen.
bleak (bli:k) *adj* **1** kahl, öde. **2** trüb, freudlos.
bleat (bli:t) *vi* blöken, meckern. *n* Blöken *neu.*
bleed* (bli:d) *vi* bluten. *vt* **1** bluten lassen. **2** *inf* schröpfen. **bleeding** *n* Blutung *f.*
blemish ('blemiʃ) *n* **1** Flecken *m.* **2** Fehler *m. vt* verunstalten.
blend (blend) *vt* mischen, vermengen. *vi* sich vermischen. *n* Mischung *f.* Gemisch *neu.*
bless (bles) *vt* **1** segnen. **2** preisen, loben. **blessed** *adj* gesegnet. **blessing** *n* Segen *m.* Segnung *f.*
blew (blu:) *v* see **blow**[1].
blind (blaind) *adj* blind. *adv* blindlings. *vt* (ver)blenden. *n* (of a window) Vorhang *m.* Jalousie *f.* **blind alley** *n* Sackgasse *f.* **blindfold** *adj* blindlings. *vt* die Augen verbinden.
blink (bliŋk) *vi* blinzeln. *n* Blinzeln *neu.*
bliss (blis) *n* Wonne, Seligkeit *f.*
blister ('blistə) *n* (Haut)Blase *f. vt* Blasen ziehen. *vi* Blasen bekommen.

blizzard ('blizəd) *n* (dichter) Schneesturm *m*.
blob (blɔb) *n* Tropfen *m*.
bloc (blɔk) *n pol* Block *m*. **en bloc** *adv* im ganzen, en bloc.
block (blɔk) *n* Block, Klotz *m*. *vt* blockieren, sperren, aufhalten, verhindern. **blockade** *n* Blockade, Sperre *f*. *vt* blockieren, sperren.
blond (blɔnd) *adj* blond, hell(farbig). **blonde** *n* Blondine *f*.
blood (blʌd) *n* Blut *neu*. **bloodcurdling** *adj* schrecklich, furchtbar, Mark und Bein durchdringend. **blood donor** *n* Blutspender *m*. **blood pressure** *n* Blutdruck *m*. **bloodstream** *n* Blutkreislauf *m*. **bloodthirsty** *adj* blutdürstig, blutrünstig. **blood transfusion** *n* Blutübertragung *f*. **bloody** *adj* 1 blutig. 2 *sl* verdammt.
bloom (blu:m) *n* Blüte, Blume *f*. *vi* blühen.
blossom ('blɔsəm) *n* Blüte *f*. *vi* blühen, Blüten treiben.
blot (blɔt) *n* 1 Fleck, Klecks *m*. 2 Makel *m*. *vt* beflecken, bekleckseln. **blotting paper** *n* Löschpapier *neu*.
blotch (blɔtʃ) *n* Klecks *m*.
blouse (blauz) *n* Bluse *f*.
blow[1] (biou) *n* 1 Schlag, Stoß *m*. 2 Unglück *neu*. Nachteil *m*.
blow[*2] (blou) *vi* 1 blasen. 2 (of wind) wehen. 3 keuchen, schnaufen.
blubber ('blʌbə) *n* Walfischspeck, Tran *m*. *vi inf* heulen, plärren.
blue (blu:) *adj* 1 blau. 2 *inf* traurig, deprimiert. *n* Blau *neu*. **bluebell** *n* Glockenblume *f*. **blueprint** 1 Blaudruck *m*. 2 Plan *m*.
bluff (blʌf) *vi* bluffen, täuschen. *n* Bluff *m*. Irreführung *f*. *adj* grob, derb.
blunder ('blʌndə) *n* Fehler, Schnitzer *m*. *vi* 1 stolpern. 2 irren, unbesonnen handeln.
blunt (blʌnt) *adj* 1 stumpf. 2 grob, offen. *vt* stumpfmachen.
blur (blə:) *vt* beflecken, verwischen. *n* Fleck *m*. Verschwommenheit *f*.
blush (blʌʃ) *vi* erröten. *n* Erröten *neu*.
boar (bɔ:) *n* Eber, Keiler *m*.
board (bɔ:d) *n* 1 Brett *neu*. 2 Tafel *f*. 3 Vorstand, Aufsichtsrat *m*. 4 Verpflegung *f*. **boarding house** *n* Pension *f*. **boarding school** *n* Internat *neu*.
boast (boust) *vi* prahlen, angeben. *n* Prahlerei *f*. **boaster** *n* Prahler, Angeber *m*.
boat (bout) *n* 1 Boot *neu*. 2 Dampfer *m*. Schiff *neu*.
bob (bɔb) *vi* sich auf und ab bewegen, baumeln.
bodice ('bɔdis) *n* Mieder *neu*.
body ('bɔdi) *n* 1 Körper *m*. 2 Leiche *f*. Leichnam *m*. 3 Gruppe *f*. 4 *mot* Karosserie *f*. **bodyguard** *n* Leibwächter *m*.
bog (bɔg) *n* Sumpf *m*. Moor *neu*.
bohemian (bə'hi:miən) *adj* leichtlebig, ungebunden, zigeunerhaft.
boil[1] (bɔil) *vt* kochen, sieden. **boiler** *n* 1 Kocher, Kessel *m*. 2 Dampfkessel *m*. **boiling point** *n* Siedepunkt *m*.
boil[2] (bɔil) *n* Geschwür *neu*.
boisterous ('bɔistərəs) *adj* ungestüm, heftig, laut.
bold (bould) *adj* 1 kühn, mutig. 2 frech, unverschämt. **boldness** *n* Kühnheit *f*. Mut *m*.
Bolivia (bə'liviə) *n* Bolivien *neu*. **Bolivian** *adj* bolivianisch. *n* Bolivianer *m*.
bolster ('boulstə) *n* Kissen, Polster *neu*. *v* **bolster up** unterstützen.
bolt (boult) *n* 1 Bolzen *m*. 2 Riegel *m*. 3 Bund *m*. Rolle *f*. *vt* 1 verriegeln. 2 (food) hinunterschlingen. *vi* hastig fliehen.
bomb (bɔm) *n* Bombe *f*. *vt* bombardieren. **bombard** *vt* bombardieren, beschießen. **bombardment** *n* Beschuß *m*.
bond (bɔnd) *n* 1 Verbindung *f*. 2 Fesseln *f pl*. 3 Bürgschaft *f*. *vt* verbinden, aufschlichten, verkleben.
bone (boun) *n* 1 Knochen *m*. Bein *neu*. 2 (of fish) Gräte *f*. **bony** *adj* 1 knochig. 2 grätig.
bonfire ('bɔnfaiə) *n* (Garten)Feuer *neu*.
bonnet ('bɔnit) *n* 1 Haube, Damenmütze *f*. 2 Motorhaube *f*.
bonus ('bounəs) *n* Zulage, Extrazahlung *f*.
booby trap ('bu:bi) *n* (Spreng)Falle *f*.
book (buk) *n* 1 Buch *neu*. 2 Heft *neu*. *vt* aufschreiben, eintragen. **bookcase** *n* Bücherschrank *m*. Bücherregal *neu*. **booking office** *n* Fahrkartenschalter *m*. **bookkeeper** *n* Buchhalter *m*. **bookkeeping** *n* Buchhaltung, Buchführung *f*. **booklet** *n* Büchlein *neu*. Broschüre *f*. **bookmaker** *n* Buchmacher *m*. **bookshop** *n* Buchladen *m*. Buchhandlung *f*. **bookstall** *n* Bücherstand *m*.
boom (bu:m) *n* 1 *comm* Hochkonjunktur *f*. Aufschwung *m*. 2 *naut* Baum *m*. 3 Dröhnen *neu*. *vi* dröhnen, brummen.
boost (bu:st) *vt* 1 heben, unterstützen. 2 verstärken, aufladen. *n* Aufschwung *m*.
boot (bu:t) *n* 1 Stiefel *m*. 2 *mot* Kofferraum *m*. *v* **boot out** *sl* hinauswerfen.
booth (bu:θ) *n* 1 Bude *f*. 2 Zelle *f*.

booze (buːz) *n inf* alkoholisches Getränk *neu*. *vi inf* saufen, trinken.

border (ˈbɔːdə) *n* **1** Rand, Saum *m*. **2** Grenze *f*. *vt* grenzen, begrenzen. **borderline** *adj* unsicher, zweifelhaft. *n* Grenze *f*.

bore[1] (bɔː) *vi,vt* bohren, durchdringen. *n* **1** Bohnrung, Höhlung *f*. **2** Kaliber *neu*.

bore[2] (bɔː) *vt* langweilen. *n* langweiliger *or* lästiger Mensch *m*. **boredom** *n* Langeweile *f*. **boring** *adj* langweilig.

bore[3] (bɔː) *v* see **bear**[1].

born (bɔːn) *adj* geboren.

borne (bɔːn) *v* see **bear**[1].

borough (ˈbʌrə) *n* Verwaltungsbezirk *m*.

borrow (ˈbɔrou) *vt* borgen, entleihen.

bosom (ˈbuzəm) *n* Busen *m*. Brust *f*.

boss (bɔs) *n* **1** Chef, Boß *m*. **2** Arbeitgeber *m*. **bossy** *adj* herrisch, rechthaberisch.

botany (ˈbɔtəni) *n* Botanik, Pflanzenkunde *f*. **Botanist** *n* Botaniker, Pflanzenkenner *m*.

both (bouθ) *pron,adj* beide(s). **both...and** sowohl...als(auch).

bother (ˈbɔðə) *n* Belästigung, Störung *f*. *vt* belästigen, stören.

bottle (ˈbɔtl̩) *n* Flasche *f*. *vt* in Flaschen füllen. **bottleneck** Engpaß *m*.

bottom (ˈbɔtəm) *n* **1** Boden, Unterteil *m*. **2** Grund *m*. **3** *inf* Hintern *m*. *adj* **1** Grund—. **2** letzt.

bough (bau) *n* Ast, Hauptzweig *m*.

bought (bɔːt) *v* see **buy**.

boulder (ˈboulda) *n* Felsbrocken *m*.

bounce (bauns) *vi* springen, aufprallen. *n* Sprung, Aufprall *m*.

bound[1] (baund) *v* see **bind**. *adj* **1** verpflichtet. **2** bestimmt.

bound[2] (baund) *n* Sprung, Satz *m*. *vi* springen, hüpfen.

bound[3] (baund) *n* Grenze, Schranke *f*. **boundary** *n* Grenze *f*. **boundless** grenzenlos.

bound[4] (baund) *adv* bestimmt, unterwegs nach.

bouquet (buˈkei) *n* **1** Bukett *neu*. Blumenstrauß *m*. **2** (of wine) Blume *f*.

bourgeois (ˈbuəʒwaː) *n* Bürger, Bourgeois *m*. — *adj* bürgerlich, bourgeois. **bourgeoisie** *n* Bürgertum *neu*. Bourgeoisie *f*.

bout (baut) *n* **1** Reihe, Tour *f*. **2** Kampf *m*. **3** *med* Anfall *m*.

bow[1] (bau) *n* Verbeugung, Verneigung *f*. *vi* sich verbeugen, sich verneigen.

bow[2] (bou) *n* **1** *mil* (Schieß)Bogen *m*. **2** *mus* Bogen *m*. **3** Schleife *f*. **4** Kurve *f*.

bow[3] (bau) *n naut* Bug *m*.

bowels (ˈbauəlz) *n pl* **1** Darm *m*. Eingeweide *neu pl*. **2** Innere *neu*.

bowl[1] (boul) *n* **1** Schüssel, Schale *f*. **2** Becken *neu*. **3** Pfeifenkopf *m*.

bowl[2] (boul) *n* Kugel *f*. *vt* werfen, kugeln, schieben, rollen.

box[1] (bɔks) *n* **1** Kasten *m*. Büchse, Schachtel *f*. **2** *Th* Loge *f*. *vt* einpacken, in Schachteln packen. **box number** *n* Postfachnummer *f*. **box office** *n* Theaterkasse *f*.

box[2] (bɔks) *(vi),vt* (sich) boxen. *n* **box on the ear** Ohrfeige *f*. **boxer** Boxer *m*. **boxing match** *n* Boxkampf *m*.

Boxing Day *n* zweite Weihnachtsfeiertag *m*.

boy (bɔi) *n* Junge, Knabe, Bube *m*. **boyfriend** Freund *m*. **boyhood** *n* Jugend *f*. Knabenalter *neu*.

boycott (ˈbɔikɔt) *vt* boykottieren. *n* Boykott *m*.

brace (breis) *n* **1** Stütze *f*. **2** Bohrwinde *f*. **3** Paar *neu*. **4** *pl* Hosenträger *m pl*. *vt* spannen, stützen, festziehen. **brace oneself** sich zusammennehmen.

bracelet (ˈbreislət) Armband *neu*.

bracket (ˈbrækit) *n* **1** Träger *m*. **2** Klammer *f*. **3** Klasse, Kategorie *f*.

brag (bræg) *vi* angeben, prahlen.

braille (breil) *n* Blindenschrift *f*.

brain (brein) *n* **1** (Ge)Hirn *neu*. **2** *pl* Verstand *m*. Intelligenz *f*. **brainwash** *vt* gehirnwaschen. **brainwashing** *n* Gehirnwäsche *f*. **brainwave** *n* Idee, Eingebung *f*. Einfall *m*.

braise (breiz) *vt* schmoren.

brake (breik) *n* Bremse *f*. *vt,vi* bremsen. *vt* aufhalten.

branch (brɑːntʃ) *n* **1** Ast, Zweig *m*. **2** *comm* Zweigstelle, Filiale *f*. *vi* (ab)zweigen.

brand (brænd) *n* **1** *comm* Marke *f*. Fabrikat *neu*. **2** (Feuer)Brand *m*. *vt* einbrennen, brandmarken. **brand-new** *adj* nagelneu.

brandy (ˈbrændi) *n* Branntwein, Weinbrand *m*.

brass (brɑːs) *n* **1** Messing *neu*. **2** Blasinstrumente *neu pl*. **3** *sl* Geld *neu*. **brass band** *n* Blasorchester *neu*. Blaskapelle *f*.

brassiere (ˈbræziə) *n* Büstenhalter *m*.

brave (breiv) *adj* mutig, tapfer.

brawl (brɔːl) *n* Streit *m*. Schlägerei *f*. *vi* streiten, zanken, raufen.

bray (brei) *vi* schreien. *n* Eselsgeschrei *neu*.

brazen (ˈbreizən) *adj* **1** ehern. **2** unverschämt.

Brazil (brəˈzil) *n* Brasilien *neu*. **Brazilian** *adj* brasilianisch. *n* Brasilianer *m*.

breach (briːtʃ) *n* **1** Bruch *m*. Lücke *f*. **2**

Vergehen *neu*. Verstoß *m*. *vt* **1** durchbrechen. **2** verstoßen gegen.

bread (bred) *n* **1** Brot *neu*. **2** Nahrung *f*. **breadcrumb** *n* Brotkrume *f*. **coated with breadcrumbs** paniert. **breadwinner** *n* Brotverdiener, Ernährer *m*.

breadth (bredθ) *n* Breite *f*.

break* (breik) *vt* brechen, zerbrechen, kaputtmachen. *n* **1** Riß, Bruch *m*. **2** Pause *f*. **breakdown** *n* **1** *med* Zusammenbruch *m*. **2** *mot* (Auto)Panne *f*. **breakthrough** *n* Durchbruch *m*.

breakfast ('brekfəst) *n* Frühstück *neu*. *vi* frühstücken.

breast (brest) *n* Brust *f*. Busen *m*. **breaststroke** *n* Brustschwimmen *neu*.

breath (breθ) *n* **1** Atem, Hauch *m*. **2** Atemzug *m*. **breathtaking** *adj* atemraubend.

breathe (bri:ð) *vi,vt* atmen.

breed* (bri:d) *vt* **1** erzeugen, hervorbringen. **2** aufziehen, züchten. *vi* sich fortpflanzen. *n* Rasse, Zucht *f*.

breeze (bri:z) *n* Brise *f*. Wind *m*.

brew (bru:) *n* Gebräu, Getränk *neu*. *vt* brauen. *vi* (of a storm) sich zusammenziehen. **brewery** *n* Brauerei *f*.

bribe (braib) *n* Bestechung *f*. *vt* bestechen.

brick (brik) *n* Ziegelstein, Mauerstein *m*.

bride (braid) *n* Braut *f*. **bridegroom** *n* Bräutigam *m*. **bridesmaid** *n* Brautjungfer *f*.

bridge[1] (bridʒ) *n* **1** Brücke *f*. **2** *mus* Steg *m*. *vt* überbrücken.

bridge[2] (bridʒ) *n* Bridgespiel *neu*.

bridle ('braidl) *n* Zaum, Zügel *m*. *vt* zügeln, bändigen. **bridlepath** *n* Reitweg *m*.

brief (bri:f) *adj* kurz, flüchtig. **in brief** *adv* kurz gesagt, kurz gefaßt. *~n law* Schriftsatz *m*. **briefcase** *n* Aktentasche, Mappe *f*. **briefing** *n* Anweisung, Instruktion *f*. **briefs** *n pl* (Herren) Unterhose *f*.

brigade (bri'geid) *n* Brigade *f*. **brigadier** *n* Brigadekommandeur *m*.

bright (brait) *adj* **1** hell, glänzend, leuchtend. **2** intelligent, klug. **brighten** *vt,vi* erhellen, aufleuchten, aufmuntern.

brilliant ('briliənt) *adj* **1** brillant, strahlend, glänzend. **2** hochbegabt.

brim (brim) *n* **1** Rand *m*. **2** (of a hat) Krempe *f*.

bring* (briŋ) *vt* (her-, mit-)bringen. **bring about** zustande bringen. **bring up** **1** (a child) erziehen, aufziehen. **2** (a question, etc.) aufwerfen.

brink (briŋk) *n* **1** Rand *m*. **2** Ufer *neu*.

brisk (brisk) *adj* frisch, lebhaft, munter.

bristle ('brisəl) *n* Borste *f*.

Britain ('britin) *n* Großbritannien. **British** *adj* britisch. **Briton** *n* Brite *m*.

brittle ('britl) *adj* brüchig, zerbrechlich.

broad (brɔ:d) *adj* breit, ausgedehnt. **broad bean** *n* Saubohne *f*. **broadcast** *n* Radiosendung *f*. *vt* **1** senden, funken. **2** verbreiten. *adj* weit verstreut. **broadcasting** *n* Rundfunk *m*. **broaden** *vt* verbreitern, ausdehnen. **broadminded** *adj* tolerant.

broccoli ('brɔkəli) *n* Brokkoli *pl*. Spargelkohl *m*.

brochure ('brouʃə) *n* Broschüre *f*.

broke (brouk) *v* see **break.** *adj inf* pleite.

broken ('broukən) *v* see **break.** *adj* kaputt.

broker ('brouka) *n* Vermittler, Makler *m*.

bronchitis (brɔŋ'kaitis) *n* Bronchitis *f*.

bronze (brɔnz) *n* **1** Bronze *f*. **2** Bronzefigur *f*.

brooch (broutʃ) *n* Spange, Brosche *f*.

brood (bru:d) *vi* brüten. *n* Brut *f*.

brook (bruk) *n* Bach *m*.

broom (bru:m) *n* Besen *m*.

brothel ('brɔθəl) *n* Bordell *neu*.

brother ('brʌðə) *n* Bruder *m*. **brotherhood** *n* Bruderschaft *f*. **brother-in-law** *n* Schwager *m*. **brotherly** *adj* brüderlich.

brought (brɔ:t) *v* see **bring.**

brow (brau) *n* **1** Augenbraue *f*. **2** Stirn *f*. **3** (of a hill) Rand *m*.

brown (braun) *adj* braun. *n* Braun *neu*. *vt* bräunen.

browse (brauz) *vi* **1** grasen, (ab)weiden. **2** flüchtig lesen, durchblättern, schmökern.

bruise (bru:z) *n* Quetschung *f*. *vt* quetschen.

brunette (bru:'net) *n* Brünette *f*. *adj* brünett.

brush (brʌʃ) *n* **1** Bürste *f*. **2** Pinsel *m*. **3** Unterholz *m*. *vt* **1** bürsten, fegen. **2** berühren, streifen.

brusque (bru:sk) *adj* schroff, angebunden.

Brussels ('brʌsəlz) *n* Brüssel *neu*. **Brussels sprout** *n* Rosenkohl *m*.

brute (bru:t) *n* Unmensch *m*. *adj* roh. **brutal** *adj* brutal.

bubble ('bʌbəl) *n* Blase *f*. *vi* brodeln, aufwallen, sprudeln.

buck[1] (bʌk) *n* **1** (Reh)Bock *m*. **2** (of a rabbit) Männchen *neu*.

buck[2] (bʌk) *vi* bocken. **buck up** sich zusammenreißen, sich beeilen.

bucket ('bʌkit) *n* Eimer *m*.

buckle ('bʌkəl) *n* Schnalle, Spange *f*. *vt* anschnallen, (zu)schnallen.

bud (bʌd) *n* **1** Knospe *f*. **2** Keim *m*. **nip in the**

bud im Keime ersticken. ~*vi* knospen, keimen.

Buddhism ('budizəm) *n* Buddhismus *m.*

budget ('bʌdʒit) *n* Budget *neu.* Staatshaushalt, Etat *m. vi* sparen, Geld einteilen.

buffalo ('bʌfəlou) *n* Büffel *m.*

buffer ('bʌfə) *n* Puffer, Prellbock *m.*

buffet[1] ('bʌfit) *n* Stoß, Schlag *m. vt* schlagen, stoßen.

buffet[2] ('bufei) *n* Büfett *neu.*

bug (bʌg) *n* **1** Wanze *f.* **2** *inf.* Bazillus *m.* **3** *inf* (microphone) Wanze *f. vt sl* stören.

bugger ('bʌgə) *n* **1** Sodomit *m.* **2** *sl* Kerl, Schuft *m.*

bugle ('bju:gəl) *n* (Jagd)Horn *neu.*

build* (bild) *vt* **1** bauen, errichten. **2** zusammenstellen. **building** *n* Gebäude *neu.* **building society** *n* Bausparkasse *f.*

bulb (bʌlb) *n* **1** Glühbirne *f.* **2** *bot* Knolle, Zwiebel *f.*

Bulgaria (bʌl'geəriə) *n* Bulgarien *neu.* **Bulgarian** *adj* bulgarisch. *n* Bulgare *m.*

bulge (bʌldʒ) *n* (Aus)Bauchung, Ausbuchtung *f. vi* sich (aus)bauchen, vorstehen.

bulk (bʌlk) *n* **1** Maße, Größe *f.* **2** Großteil *m.*

bull (bul) *n* Bulle, Stier *m.* **bulldog** *n* Bulldogge *f.* **bulldozer** Bulldozer *m.* **bullfight** *n* Stierkampf *m.*

bullet ('bulit) *n* Kugel *f.* Geschoß *neu.* **bullet-proof** *adj* kugelsicher, gepanzert.

bulletin ('bulətin) *n* Bulletin *neu.*

bully ('buli) *n* Raufbold, Tyrann *m. vt* einschüchtern, tyrannisieren.

bum (bʌm) *n inf* Hintern *m.* Hinterteil *neu.*

bump (bʌmp) *n* **1** Stoß, Schlag *m.* **2** Beule *f. vt* stoßen, schlagen. **bumper** *n mot* Stoßstange *f. adj* ungewöhnlich gut *or* groß.

bun (bʌn) *n* **1** Semmel *f.* Brötchen *neu.* **2** (of hair) Kauz *m.*

bunch (bʌntʃ) *n* **1** Bund *neu.* **2** Strauß *m.* **2** Traube *f.* **4** Büschel *m.* **5** Gruppe *f. vt,vi* zusammenfügen, bündeln.

bundle ('bʌndl) *n* Bündel *neu. vt* einbündeln, (schnell) zusammenpacken.

bungalow ('bʌŋgəlou) *n* Bungalow, Landhaus *neu.*

bungle ('bʌŋgəl) *vt* pfuschen. *vi* verpfuschen.

bunk (bʌŋk) *n* Schlafkoje *f.*

bunker ('bʌŋkə) *n* **1** Bunker *m.* **2** Sandloch *neu.*

buoy (bɔi) *n* Boje *f.* **buoyant** *adj* **1** schwimmfähig. **2** tragfähig.

burden ('bə:dn) *n* Last, Bürde *f. vt* beladen, belasten.

bureau ('bjuərou) *n* **1** Schreibtisch *m.* **2** Büro *neu.*

bureaucracy (bju'rɔkrəsi) *n* Bürokratie *f.* **bureaucrat** *n* Bürokrat, Beamte(r) *m.*

burgle ('bə:gəl) *vt* einbrechen. **burglar** *n* Einbrecher *m.* **burglary** *n* Einbruch *m.*

burn* (bə:n) *vt* (ver)brennen, in Brand stecken. *vi* brennen. *n* Brandwunde *f.*

burrow ('bʌrou) *n* Höhle *f.* Bau *m. vi* sich eingraben, wühlen. *vt* aufwühlen, graben.

burst* (bə:st) *vi* platzen, zerspringen. *vt* sprengen. **burst into tears/out laughing** in Tränen/Lachen ausbrechen. ~*n* Bruch *m.*

bury* ('beri) *vt* begraben. **burial** *n* Beerdigung *f.* Begräbnis *neu.* **burial ground** *n* Begräbnisplatz *m.*

bus (bʌs) *n* (Auto)Bus *m.* **bus-stop** *n* Bushaltestelle *f.*

bush (buʃ) *n* Busch, Strauch *m.* Gebüsch *neu.*

bushy ('buʃi:) *adj* buschig, dicht.

business ('biznis) *n* **1** Geschäft *neu.* **2** Gewerbe *neu.* **3** Angelegenheit *f.* **4** Beruf *m.* **businessman** *n* Geschäftsmann *m.*

bust[1] (bʌst) *n* **1** Büste *f.* **2** (Frauen)Brust *f.* Busen *m.*

bust[2] (bʌst) *vt* brechen, zerbrechen. *adj sl* **1** kaputt. **2** bankrott, pleite.

bustle ('bʌsəl) *n* Gewühl, Gedränge *neu. vi* herumrennen.

busy ('bizi) *adj* (viel)beschäftigt, fleißig.

but (bət; *stressed* bʌt) *conj* **1** aber, jedoch, sondern. **2** außer, als. *adv* nur, bloß. **all but** fast, beinahe. **not only...but also** nicht nur...sondern auch.

butcher ('butʃə) *n* Fleischer *m. vt* schlachten. **butcher's shop** *n* Fleischerei *f.*

butler ('bʌtlə) *n* Butler, Diener *m.*

butt[1] (bʌt) *n* **1** dickes Ende *neu.* **2** Stummel *m.* **3** Gegenstand *m.*

butt[2] (bʌt) *vt* stoßen, schlagen. **butt in** sich einmischen. ~*n* Stoß *m.*

butt[3] (bʌt) *n* Faß *neu.* Tonne *f.*

butter ('bʌtə) *n* Butter *f.* **buttercup** *n* Butterblume *f.* **butterfly** *n* Schmetterling *m.*

buttocks ('bʌtəks) *n pl* Gesäß *neu.*

button ('bʌtn) *n* Knopf *m.* **buttonhole** *n* Knopfloch *neu. vt* anhalten.

buttress ('bʌtrəs) *n* Strebepfeiler *m.* Stütze *f.*

buy* (bai) *vt* kaufen, erwerben, einkaufen. *n* Kauf *m.*

buzz (bʌz) *n* Summen *neu. vi* summen.

by (bai) *prep* bei, neben, an, nahe bei, von, durch. *adv* vorbei, dabei. **by (the time that)**

bis. **by the way** übrigens. **by and by** bald. **by bus** per Bus, mit dem Bus. **by-election** *n* Nachwahl *f*. **bylaw** *n* Ortsstatut *neu*. **bypass** *n* Umgehungsstraße *f*. *vt* umgehen, meiden.

C

cab (kæb) *n* **1** Droschke *f*. Taxi *neu*. **2** Fahrerhaus *neu*.

cabaret ('kæbərei) *n* Kabarett *neu*.

cabbage ('kæbidʒ) *n* **1** Kohl *m*. **2** Kohlkopf *m*.

cabin ('kæbin) *n* **1** Hütte *f*. Häuschen *neu*. **2** Kabine *f*. **cabin cruiser** *n* Kabinenboot *neu*.

cabinet ('kæbinət) *n* **1** Schrank *m*. **2** *pol* Kabinett *neu*. **cabinet maker** *n* Tischler *m*.

cable ('keibəl) *n* Kabel *neu*. Draht *m*. *vt,vi* telegraphieren, kabeln.

cackle ('kækəl) *vi* gackern, schnattern. *n* Geschnatter *neu*.

cactus ('kæktəs) *n* Kaktus *m*.

cadence ('keidns) *n mus* Tonfall *m*.

cadet (kə'det) *n* Kadett *m*.

cafe ('kæfei) *n* Café, Kaffeehaus *neu*.

cafeteria (kæfi'tiəriə) *n* Selbstbedienungsrestaurant *neu*.

caffeine ('kæfi:n) *n* Koffein *neu*.

cage (keidʒ) *n* **1** Käfig *m*. **2** Fahrkorb *m*. *vt* einsperren.

cake (keik) *n* **1** Kuchen *m*. **2** (of soap, etc.) Stück *neu*. *vt* überziehen, bedecken.

calamity (kə'læməti) *n* **1** Unheil *neu*. **2** Katastrophe *f*.

calcium ('kælsiəm) *n* Kalzium *neu*.

calculate ('kælkjuleit) *vt* kalkulieren, ausrechnen, berechnen. **calculator** *n* Rechenmaschine *f*.

calendar ('kælində) *n* Kalender *m*.

calf[1] (kɑ:f) *n, pl* **calves** Kalb *neu*.

calf[2] (kɑ:f) *n, pl* **calves** *anat* Wade *f*.

calibre ('kælibə) *n* **1** Kaliber *neu*. **2** Wert *m*.

call (kɔ:l) *n* **1** Ruf *m*. **2** Anruf *m*. **3** Besuch *m*. **4** *comm* Einforderung, Nachfrage *f*. *vt* **1** rufen. **2** anrufen. **3** benennen. *vi* **1** rufen. **2** besuchen. **be called** heißen. **call for** fordern. **callbox** *n* Telefonzelle *f*.

callous ('kæləs) *adj* gefühllos, hart.

calm (kɑ:m) *adj* ruhig, gelassen. *n* Ruhe, Stille *f*.

calorie ('kælari) *n* Kalorie *f*.

Cambodia (kæm'boudiə) *n* Kambodscha *neu*. **Cambodian** *n* Kambodschaner *m*. *adj* kambodschanisch.

came (keim) *v* see **come.**

camel ('kæməl) *n* Kamel *neu*. **camelhair** *n* Kamelhaar *neu*.

camera ('kæmrə) *n* Kamera *f*. Photoapparat *m*. **cameraman** *n* Kameramann *m*.

camouflage ('kæməflɑ:ʒ) *n* Tarnung *f*. *vt* tarnen.

camp[1] (kæmp) *n* Lager *neu*. Lagerplatz *m*. *vi* lagern, zelten. **camp bed** *n* Feldbett *neu*. **camp fire** *n* Lagerfeuer *neu*. **camping** *n* Zelten, Camping *neu*. **camping site** *n* Zeltlager *neu*. Campingplatz *m*.

camp[2] (kæmp) *adj* **1** weibisch. **2** homosexuell.

campaign (kæm'pein) *n* **1** Feldzug *m*. **2** Kampagne *f*. *vi* kämpfen, Wahlpropaganda machen.

campus ('kæmpəs) *n* Universitätsgelände *neu*.

can[1] (kæn) *v mod aux* **1** können. **2** dürfen. **3** fähig sein.

can[2] (kæn) *n* Dose, Kanne, Büchse *f*.

Canada ('kænədə) *n* Kanada *neu*. **Canadian** *adj* kanadisch. *n* Kanadier *m*.

canal (kə'næl) *n* Kanal *m*.

canary (kə'nɛəri) *n* Kanarienvogel *m*.

cancel ('kænsəl) *vt* **1** stornieren, abbestellen. **2** streichen, entwerten. **3** absagen.

cancer ('kænsə) *n* **1** *med* Krebs *m*. **2** *cap* Krebs *m*.

candid ('kændid) *adj* offen, ehrlich.

candidate ('kændidət) *n* Kandidat, Bewerber *m*.

candle ('kændl) *n* Kerze *f*. **candlelight** *n* Kerzenlicht *neu*. **candlestick** *n* Kerzenhalter *m*.

candour ('kændə) *n* Offenheit *f*.

cane ('kein) *n* **1** Zuckerrohr *neu*. **2** Spazierstock *m*. Rute *f*. *vt* mit der Rute schlagen.

canine ('keinain) *adj* Hunds—. **canine teeth** *n* Reißzähne *m pl*.

cannabis ('kænəbis) *n* Kannabis *neu*.

cannibal ('kænəbəl) *n* Kannibale *m*.

cannon ('kænən) *n* Kanone *f*. Geschütz *neu*. *vi* stoßen gegen. **cannonball** *n* Kanonenkugel *f*.

cannot ('kænət) contraction of **can not.**

canoe (kə'nu:) *n* Kanu *neu*. *vi* paddeln.

canon[1] ('kænən) *n* Kanon *m*. **canonize** *vt* kanonisieren, heiligsprechen.

canon[2] ('kænən) *n* Domherr *m*.

canopy ('kænəpi) *n* Dach *neu*. Traghimmel *m*.

cant (kænt) *n* **1** Jargon *m*. **2** Heuchelei *f*.

canteen (kæn'ti:n) *n* Kantine *f*.

canter ('kæntə) *n* leichter Galopp *m*.

canton ('kæntən) *n* **1** Kanton *m*. **2** Bezirk *m*.

canvas ('kænvəs) *n* **1** Segeltuch *neu*. **2** Zeltleinwand *f*.

canvass ('kænvəs) *vi* **1** untersuchen, prüfen. **2** um Stimmen werben.
canyon ('kænjən) *n* Schlucht *f.*
cap (kæp) *n* **1** Mütze *f.* **2** Kappe *f.* *vt* **1** bedecken. **2** übertreffen.
capable ('keipəbəl) *adj* fähig. **capability** *n* Fähigkeit *f.*
capacity (kə'pæsiti) *n* **1** Fassungsvermögen *neu.* **2** Leistungsfähigkeit *f.*
cape[1] (keip) *n* Cape *neu.* Umhang *m.*
cape[2] (keip) *n* Kap, Vorgebirge *neu.*
caper ('keipə) *n* Kapriole *f.* *vi* hüpfen.
capital ('kæpit|) *n* **1** Hauptstadt *f.* **2** Kapital *neu.* *adj* **1** hauptsächlich. **2** todeswürdig, Todes—. **3** großartig. **capitalism** *n* Kapitalismus *m.* **capitalist** *n* Kapitalist *m.* **capitalize** *vt* kapitalisieren.
capricious (kə'priʃəs) *adj* launisch.
Capricorn ('kæprikɔ:n) *n* Steinbock *m.*
capsicum ('kæpsikəm) *n* spanischer Pfeffer *m.*
capsize ('kæpsaiz) *vi* kentern, umschlagen.
capsule ('kæpsju:l) *n* Kapsel, Hülle *f.*
captain ('kæptin) *n* **1** Kapitän *m.* **2** Hauptmann *m.* **3** Führer *m.* *vt* anführen, leiten.
caption ('kæpʃən) *n* Überschrift *f.* Titel *m.*
captive ('kæptiv) *n* Gefangene(r) *m.* *adj* gefangen, eingesperrt. **captivate** *vt* fesseln, bezaubern. **captivity** *n* Gefangenschaft *f.*
capture ('kæptʃə) *n* **1** Gefangennahme *f.* **2** Fang *m.* **3** Eroberung *f.* *vt* **1** fangen, gefangennehmen. **2** erobern. **3** gewinnen.
car (kɑ:) *n* Wagen *m.* Auto(mobil) *neu.* **car park** *n* Parkplatz *m.*
caramel ('kærəməl) *n* Karamel *m.*
carat ('kærət) *n* Karat *neu.*
caravan ('kærəvæn) *n* **1** Karawane *f.* **2** Wohnwagen *m.*
caraway ('kærəwei) *n* Kümmel *m.*
carbohydrate (kɑ:bou'haidreit) *n* Kohlenhydrat *neu.*
carbon ('kɑ:bən) *n* Kohlenstoff *m.* **carbon dioxide** *n* Kohlensäure *f.* **carbon paper** *n* Kohlepapier *neu.*
carburettor (kɑ:bju'retə) *n* Vergaser *m.*
carcass ('kɑ:kəs) *n* Kadaver *m.*
card (kɑ:d) *n* **1** Karte *f.* **2** Spielkarte *f.* **3** Postkarte *f.* **cardboard** *n* Pappe *f.* **cardboard box** *n* Pappschachtel *f.*
cardigan ('kɑ:digən) *n* Wolljacke *f.*
cardinal ('kɑ:din|) *n* Kardinal *m.* *adj* hauptsächlich.
care (kɛə) *n* **1** Sorge *f.* **2** Pflege *f.* **3** Sorgfalt, Vorsicht *f.* **4** Kummer *m.* **take care of 1** aufpassen auf. **2** erledigen. ~*vi* sich sorgen. **care for 1** sorgen für. **2** sich kummern um. **3** gern haben. **carefree** *adj* sorgenlos. **careful** *adj* **1** sorgfältig. **2** vorsichtig. **careless** *adj* **1** sorglos. **2** unordentlich, nachlässig. **3** unüberlegt. **caretaker** *n* Hausmeister, Hauswart *m.*
career (kə'riə) *n* Karriere, Laufbahn *f.* *vi* rasen, jagen.
caress (kə'res) *n* Liebkosung *f.* *vt* liebkosen, streicheln.
cargo ('kɑ:gou) *n* Fracht *f.* Frachtgut *neu.*
Caribbean (kæri'biən) *adj* karibisch. **Caribbean (Sea)** *n* Karibisches Meer *neu.*
caricature ('kærikətjuə) *n* Karikatur *f.*
carnal ('kɑ:nl|) *adj* fleischlich, geschlectlich.
carnation (kɑ:'neiʃən) *n* Nelke *f.*
carnival ('kɑ:nivəl) *n* Karneval, Fasching *m.*
carnivorous (kɑ:'nivərəs) *adj* fleischfressend.
carol ('kærəl) *n* Weihnachtslied *neu.*
carpenter ('kɑ:pintə) *n* Zimmermann, Tischler *m.*
carpet ('kɑ:pit) *n* Teppich *m.* **carpet-sweeper** *n* Teppichkehrmaschine *f.*
carriage ('kæridʒ) *n* **1** Wagen *m.* Kutsche *f.* **2** (Körper)Haltung *f.* **carriageway** *n* Fahrbahn *f.*
carrier ('kæriə) *n* **1** Träger *m.* **2** Spediteur *m.* **carrier bag** *n* Tragtasche *f.*
carrot ('kærət) *n* Karotte, Mohrrübe *f.*
carry ('kæri) *vt* **1** tragen. **2** befördern. **carrycot** *n* tragbares Babybett *neu.*
cart (kɑ:t) *n* Wagen, Karren *m.* Fuhrwerk *neu.* *vt* tragen, schleppen. **carthorse** *n* Zugpferd *neu.*
cartilage ('kɑ:tlidʒ) *n* Knorpel *m.*
carton ('kɑ:tn) *n* Pappschachtel *f.* Karton *m.*
cartoon (kɑ:'tu:n) *n* **1** Karikatur *f.* **2** Zeichentrickfilm *m.* **3** Musterzeichnung *f.*
cartridge ('kɑ:tridʒ) *n* Patrone *f.*
carve (kɑ:v) *vt* **1** schnitzen. **2** zerlegen, tranchieren. **carving-knife** *n* Vorlegemesser *neu.*
cascade (kæ'skeid) *n* Kaskade *f.* Wasserfall *m.* *vi* herabregnen.
case[1] (keis) *n* **1** Fall *m.* **2** *law* (Rechts)Fall *m.* **3** Sache *f.* **in case** falls. **in case of** im Falle von.
case[2] (keis) *n* **1** Gehäuse *neu.* **2** Tasche, Mappe *f.* **3** Etui *neu.*
cash (kæʃ) *n* Bargeld *neu.* **cash desk** *n* Kasse *f.* **cash register** *n* Registrierkasse *f.* ~*vt* einlösen.
cashier[1] (kæ'ʃiə) *n* Kassierer *m.*
cashier[2] (kæ'ʃiə) *vt* kassieren, entlassen.

cashmere (kæʃ'miə) *n* Kaschmir *m.*
casino (kə'si:nou) *n* Spiellokal, Kasino *neu.*
casket ('kɑ:skit) *n* Kästchen *neu.*
casserole ('kæsəroul) *n* Schmorpfanne *f.*
cassette (kə'set) *n* Kassette *f.*
cassock ('kæsək) *n* Soutane *f.*
cast* (kɑ:st) *n* **1** Wurf *m.* **2** *tech* Guß *m.* Gußform *f.* **3** *Th* Besetzung *f.* **4** Typ *m.* Art *f.* *vt* **1** werfen. **2** *tech* gießen. **3** *Th* Rollen verteilen.
castanets (kæstə'nets) *n* Kastagnetten *f pl.*
caste (kɑ:st) *n* Kaste, Gesellschaftsklasse *f.*
castle ('kɑ:səl) *n* **1** Schloß *neu.* Burg, Festung *f.* **2** *game* Turm *m.*
castrate (kæ'streit) *vt* kastrieren.
casual ('kæʒuəl) *adj* **1** zufällig, beiläufig. **2** gleichgültig, nachlässig. **3** salopp. **4** lässig. **casualty** *n* **1** Verunglückte(r) *m.* **2** *pl* Verluste *m pl.*
cat (kæt) *n* Katze *f.* **cat's eye** *n mot* Katzenauge *neu.* **tom cat** Kater *m.*
catalogue ('kætəlɔg) *n* Katalog *m.*
catamaran (kætəmə'ræn) *n* Katamaran, Auslegerboot *neu.*
catapult ('kætəpʌlt) *n* Katapult *m.* Wurfmaschine *f.* *vt* katapultieren, schleudern.
cataract ('kætərækt) *n* **1** Katarakt, Wasserfall *m.* **2** *med* Star *m.*
catarrh (kə'tɑ:) *n* Katarrh, Schnupfen *m.*
catastrophe (kə'tæstrəfi) *n* Katastrophe *f.*
catch* (kætʃ) *n* Fang *m.* *vt* **1** fangen. **2** fassen. **3** (rechtzeitig) erreichen.
category ('kætigəri) *n* Kategorie, Klasse, Ordnung *f.* **categorical** *adj* kategorisch, unbedingt. **categorize** *vt* kategorisieren.
cater ('keitə) *vi* Lebensmittel anschaffen *or* liefern. **cater for** sorgen für. **catering** (Lebensmittel)Versorgung *f.* Verpflegungswesen *neu.*
caterpillar ('kætəpilə) *n* Raupe *f.* **caterpillar track** *n* Raupe, Gleiskette *f.*
cathedral (kə'Θi:drəl) *n* Dom *m.* Kathedrale *f.*
cathode ('kæΘoud) *n* Kathode *f.*
catholic ('kæΘlik) *adj* **1** allgemein, allumfassend. **2** katholisch.
catkin ('kætkin) *n* Kätzchen *neu.*
cattle ('kætl) *n* Vieh, Rindvieh *neu.*
caught (kɔ:t) *v* see **catch.**
cauliflower ('kɔliflauə) *n* Blumenkohl *m.*
cause (kɔ:z) *n* **1** Ursache *f.* Anlaß, Grund *m.* **2** Sache *f.* *vt* verursachen, bewirken, veranlassen.
causeway ('kɔ:zwei) *n* Damm, Fußweg *m.*
caustic ('kɔ:stik) *adj* **1** ätzend, brennend. **2** scharf, beißend, sarkastisch.
caution ('kɔ:ʃən) *n* **1** Vorsicht *f.* **2** (Ver)-Warnung *f.* *vt* verwarnen.
cavalry ('kævəlri) *n* Kavallerie, Reiterei *f.*
cave (keiv) *n* Höhle *f.*
caviar ('kæviɑ:) *n* Kaviar *m.*
cavity ('kæviti) *n* Höhle *n.* Höhlung *f.*
cayenne (kei'en) *n* Cayennepfeffer *m.*
cease (si:s) *vi* aufhören, unterlassen, einstellen. **cease-fire** *n* Waffenstillstand *m.* Feuereinstellung *f.*
cedar ('si:də) *n* Zeder *f.*
ceiling ('si:liŋ) *n* Decke *f.*
celebrate ('seləbreit) *vt* feiern. **celebration** *n* Feier *f.* Fest *neu.* **celebrity** *n* Berühmtheit, prominente Person *f.*
celery ('seləri) *n* Sellerie *m.*
celestial (si'lestiəl) *adj* himmlisch.
celibate ('selibət) *adj* unverheiratet.
cell (sel) *n* Zelle *f.*
cellar ('selə) *n* Keller(raum) *m.*
cello ('tʃelou) *n* Cello *neu.*
Cellophane ('seləfein) *n Tdmk* Cellophan *neu.*
cement (si'ment) *n* Zement *m.* *vt* zementieren.
cemetery ('semətri) *n* Friedhof *m.*
censor ('sensə) *n* Zensor *m.* *vt* zensieren. **censorship** *n* Zensur *f.*
censure ('senʃə) *vt* tadeln, verurteilen. *n* Tadel *m.* Rüge *f.* **vote of censure** Mißtrauensvotum *neu.*
census ('sensəs) *n* Zensus *m.* Volkszählung *f.*
cent (sent) *n* Cent *m.*
centenary (sen'ti:nəri) *adj* hundertjährig. *n* Hundertjahrfeier *f.*
centigrade ('sentigreid) *adj* Celsius.
centimetre ('sentimi:tə) *n* Zentimeter *m.*
centre ('sentə) *n* **1** Mittelpunkt *m.* Zentrum *neu.* Mitte *f.* **2** Zentrale, Zentralstelle *f.* *vi* sich konzentrieren auf. **central** *adj* zentral. **central heating** *n* Zentralheizung *f.* **centralize** *vt* zentralisieren. **centre-forward** *n* Mittelstürmer *m.* **centre-half** *n* Mittelläufer *m.*
centrifugal (sen'trifjugəl) *adj* zentrifugal.
century ('sentʃəri) *n* Jahrhundert *neu.*
ceramic (si'ræmik) *adj* keramisch. **ceramics** *n pl* Keramik *f.*
cereal ('siəriəl) *n* Getreidepflanze *f.* *adj* Getreide—.
ceremony ('serəməni) *n* **1** Zeremonie, Feier *f.* **2** Feierlichkeit *f.* **ceremonial** *adj* zeremoniell, feierlich. **ceremonious** *adj* steif, förmlich.

certain (ˈsə:tn) *adj* **1** sicher, überzeugt. **2** gewiß, bestimmt, sicher. **3** gewiß.

certificate (səˈtifikət) *n* Schein *m.* Urkunde, Bescheinigung *f.* **certify** *vi,vt* bescheinigen, bestätigen.

chaffinch (ˈtʃæfintʃ) *n* Buchfink *m.*

chain (tʃein) *n* **1** Kette *f.* **2** Reihe *f. vt* (an)-ketten. **chain-smoke** *vi* kettenrauchen. **chain-store** *n* Filialgeschäft *neu.*

chair (tʃɛə) *n* **1** Stuhl *m.* **2** Lehrstuhl *m.* Professur *f. vt* den Vorsitz führen. **chair-lift** *n* Sessellift *m.* **chairman** *n* Vorsitzende(r) *m.*

chalet (ˈʃælei) *n* Chalet, Landhaus *neu.*

chalk (tʃɔ:k) *n* **1** Kreide *f.* **2** Kreidestift *m. vt* ankreiden.

challenge (ˈtʃælənʤ) *n* **1** Herausforderung *f.* **2** Aufforderung *f.* **3** Anfechtung *f. vt* **1** herausfordern. **2** auffordern. **3** anzweifeln.

chamber (ˈtʃeimbə) *n* Kammer *f.* Zimmer *neu.* **chambermaid** *n* Zimmermädchen *neu.* **chamber music** *n* Kammermusik *f.*

chameleon (kəˈmi:liən) *n* Chamäleon *neu.*

chamois *n* **1** (ˈʃæmwɑ:) Gemse *f.* **2** (ˈʃæmi) Sämischleder *neu.*

champagne (ʃæmˈpein) *n* Champagner, Sekt *m.*

champion (ˈtʃæmpiən) *n* **1** Sieger, Meister *m.* **2** Verfechter *m. vt* unterstützen, verfechten, eintreten für. **championship** *n* Meisterschaft *f.*

chance (tʃɑ:ns) *n* **1** Zufall *m.* **2** Schicksal, Geschick *neu.* **3** Risiko *neu.* **4** Chance, Aussicht *f.* **5** Gelegenheit, Chance *f.* **by chance** zufällig. **take a chance** sein Glück versuchen. ~*vt* riskieren.

chancellor (ˈtʃɑ:nsələ) *n* Kanzler *m.*

chandelier (ʃændəˈliə) *n* Kronleuchter *m.*

change (tʃeinʤ) *vi,vt* **1** (ab-, ver-)ändern. **2** (ver)wandeln. **3** (ab)wechseln. *vt* **1** (um-, aus-)tauschen. **change one's clothes** sich umziehen. **change trains** umsteigen. ~*n* **1** (Ab-, Ver-)Änderung *f.* **2** Wechsel *m.* Abwechselung *f.* **3** Wendung *f.* **4** Wandlung *f.* **5** (Aus)Tausch *m.* **6** Kleingeld, Wechselgeld *neu.*

channel (ˈtʃæn|) *n* **1** Kanal *m.* **2** Fahrrinne *f.* **3** (radio, etc.) Station *f.* Sender *m. vt* leiten, lenken.

Channel Islands *n pl* Kanalinseln *f pl.*

chant (tʃɑ:nt) *n* (Kirchen)Gesang *m. vt* intonieren, singen.

chaos (ˈkeiɔs) *n* Chaos, Durcheinander *neu.*

chap[1] (tʃæp) *vt* spalten, aufreißen. **chapped skin** aufgesprungene Haut.

chap[2] (tʃæp) *n* Junge, Kerl, Bursche *m.*

chapel (ˈtʃæpəl) *n* Kapelle *f.*

chaperon (ˈʃæpəroun) *n* Anstandsdame *f. vt* (als Anstandsdame) begleiten.

chaplain (ˈtʃæplin) *n* **1** Kaplan, Geistliche(r) *m.* **2** *mil* Feldgeistliche(r) *m.*

chapter (ˈtʃæptə) *n* Kapitel *neu.*

char[1] (tʃɑ:) *vt* verkohlen, versengen.

char[2] (tʃɑ:) *vi* scheuern, putzen. *n* **1** Putzfrau *f.* **2** *inf* Tee *m.* **charwoman** *n* Scheuerfrau, Putzfrau *f.*

character (ˈkæriktə) *n* **1** Charakter *m.* Persönlichkeit *f.* Natur *f.* **2** (Schrift)Zeichen *neu.* **3** Figur, Gestalt *f.* **characteristic** *adj* **1** charakteristisch, bezeichnend. **2** typisch. **characterization** *n* Charakterisierung, Kennzeichnung *f.* **characterize** *vt* charakterisieren, kennzeichnen.

charcoal (ˈtʃɑ:koul) *n* (Holz)Kohle *f.*

charge (tʃɑ:dʒ) *vt* **1** anstürmen, angreifen. **2** (be)laden, belasten. **3** beauftragen. **4** berechnen. **5** *law* anklagen. **6** befehlen. *n* **1** Ladung *f.* **2** Preis *m.* **3** Sorge, Verantwortung *f.* **4** Anklage *f.* **5** *comm* Belastung *f.* **6** Befehl *m.* **charge hand** *n* Vorarbeiter *m.*

chariot (ˈtʃæriət) *n* Streitwagen *m.*

charisma (kəˈrizmə) *n* Charisma *f.*

charity (ˈtʃæriti) *n* **1** Wohltätigkeit, Nächstenliebe, Güte *f.* **2** Stiftung *f.* Wohltätigkeitsverein *m.* **charitable** *adj* mild, wohltätig.

charm (tʃɑ:m) *n* **1** Zauber *m.* **2** Reiz, Charme *m.* **3** Amulett *neu. vt* entzücken, bezaubern.

chart (tʃɑ:t) *n* **1** Seekarte *f.* **2** Übersichtstafel, Tabelle *f. vt* entwerfen, verzeichnen.

charter (ˈtʃɑ:tə) *n* (Verfassungs)Urkunde *f.* Gnadenbrief *m. vt* chartern, mieten. **charter flight** *n* Charterflug *m.*

chase (tʃeis) *vt* jagen, verfolgen. *n* Jagd, Verfolgung *f.*

chasm (ˈkæzəm) *n* Spalte, Kluft *f.*

chassis (ˈʃæsi) *n* Fahrgestell *neu.*

chaste (tʃeist) *adj* rein, anständig, keusch.

chastise (tʃæˈstaiz) *vt* strafen, züchtigen.

chastity (ˈtʃæstiti) *n* Keuschheit, Reinheit *f.*

chat (tʃæt) *vi* schwatzen, plaudern. *n* Plauderei, Unterhaltung *f.*

chatter (ˈtʃætə) *vi* **1** plaudern, schwatzen, plappern. **2** (of teeth) klappern.

chauffeur (ˈʃoufə) *n* Chauffeur, Fahrer *m.*

chauvinism (ˈʃouvinizəm) *n* Chauvinismus *m.*

cheap (tʃi:p) *adj* **1** billig. **2** gemein, minderwertig.
cheat (tʃi:t) *n* Betrüger, Schwindler *m*. *vi,vt* betrügen, schwindeln.
check (tʃek) *n* **1** Prüfung, Untersuchung, Kontrolle *f*. **2** *game* Schach *neu*. **3** *US* Scheck *m*. *vt* **1** prüfen, untersuchen, kontrollieren. **2** hindern, aufhalten. **checkmate** *n* Schachmatt *neu*. *vt* in Schachmatt stellen *neu*. **checkpoint** *n* Grenzübergang *m*. **checkup** *n* Untersuchung *f*.
cheek (tʃi:k) *n* **1** Wange, Backe *f*. **2** Frechheit *f*. *vt* frech sein gegen. **cheekbone** *n* Backenknochen *m*. **cheeky** *adj* frech, dreist, keck.
cheer (tʃiə) *n* **1** Laune, Stimmung *f*. **2** Hoch, Hurra *neu*. *vt* aufheitern, erfreuen. *vi* hurra rufen. **cheer up** *vt* aufmuntern, aufheitern. **cheerful** *adj* fröhlich, heiter.
cheese (tʃi:z) *n* Käse *m*.
cheetah ('tʃi:tə) *n* Gepard *m*.
chef (ʃef) *n* Küchenchef *m*.
chemistry ('kemistri) *n* Chemie *f*. **chemical** *n* **1** chemisches Präparat *neu*. **2** *pl* Chemikalien *f pl*. *adj* chemisch. **chemist** *n* **1** *sci* Chemiker *m*. **2** *med* Apotheker *m*. **chemist's shop** *n* Apotheke *f*.
cheque (tʃek) *n* Scheck *m*. **chequebook** *n* Scheckbuch *neu*. **cheque card** *n* Scheckkarte *f*.
cherish ('tʃeriʃ) *vt* **1** (wert)schätzen. **2** (feelings) hegen. **3** (an idea) festhalten an.
cherry ('tʃeri) *n* Kirsche *f*.
cherub ('tʃerəb) *n* Cherub *m*.
chess (tʃes) *n* Schachspiel *neu*. **chessboard** *n* Schachbrett *neu*. **chessman** *n* Schachfigur *f*. **chess set** *n* Schachspiel *neu*.
chest (tʃest) *n* **1** Brust *f*. **2** Truhe, Kiste *f*. **chest of drawers** *n* Kommode *f*.
chestnut ('tʃesnʌt) *n* Kastanie *f*.
chew (tʃu:) *vt* kauen. **chewing gum** *n* Kaugummi *m*.
chicken ('tʃikən) *n* Huhnchen, Hähnchen *neu*. *adj sl* feig. **chick** *n* Küchlein, Kuken *neu*. **chickenpox** *n* Windpocken *f pl*.
chicory ('tʃikəri) *n* Zichorie *f*.
chief (tʃi:f) *n* Häuptling, Anführer *m*. Chef *m*. *adj* haupt, Haupt—, hauptsächlich.
chilblain ('tʃilblein) *n* Frostbeule *f*.
child (tʃaild) *n, pl* **children** Kind *neu*. **childbirth** *n* Geburt, Entbindung *f*. **childhood** *n* Kindheit *f*. **childish** *adj* kindisch. **childlike** *adj* kindlich.
Chile ('tʃili) *n* Chile *neu*. **Chilean** *adj* chilenisch. *n* Chilene *m*.
chill (tʃil) *n* **1** Kälte *f*. **2** Erkältung *f*. **3** Schauer *m*. *adj* kalt. *vt* kühlen. **chilly** *adj* kalt, kühl, frostig.
chilli ('tʃili) *n* spanischer Pfeffer *m*.
chime (tʃaim) *n* **1** Geläut *neu*. **2** Glockensatz *m*. *vi* klingen, tönen. **chime in** einstimmen.
chimney ('tʃimni) *n* Schornstein, Rauchfang, Schlot *m*. **chimneypot** *n* Schornsteinaufsatz *m*. **chimneysweep** *n* Schornsteinfeger *m*.
chimpanzee (tʃimpæn'zi:) *n* Schimpanse *m*.
chin (tʃin) *n* Kinn *neu*.
china ('tʃainə) *n* Porzellan *neu*.
China ('tʃainə) *n* China *neu*. **Chinese** *adj* chinesisch. *n* Chinese *m*.
chink[1] (tʃiŋk) *n* Spalt *m*. Lücke *f*.
chink[2] (tʃiŋk) *n* Geklimper, Klingen *neu*. *vi* klingen, klimpern.
chip (tʃip) *n* **1** Span, Splitter *m*. Holzstückchen *neu*. **2** *pl cul* Pommes frites *pl*. *vt* behauen, beschneiden.
chiropody (ki'rɔpədi) *n* Fußpflege *f*. **chiropodist** *n* Fußpfleger *m*.
chirp (tʃə:p) *vi* zwitschern, zirpen.
chisel ('tʃizəl) *n* Meißel *m*. Stemmeisen *neu*.
chivalry ('ʃivəlri) *n* Ritterlichkeit *f*.
chives (tʃaivz) *n* Schnittlauch *m*.
chlorine ('klɔ:ri:n) *n* Chlor *neu*.
chlorophyll ('klɔrəfil) *n* Blattgrün, Chlorophyll *neu*.
chocolate ('tʃɔklit) *n* Schokolade *f*.
choice (tʃɔis) *n* **1** Wahl *f*. **2** Auswahl *f*. *adj* auserlesen.
choir (kwaiə) *n* Chor *m*. **choirboy** *n* Chorknabe *m*. **choirmaster** *n* Chormeister *m*.
choke (tʃouk) *vt* würgen. *vt,vi* ersticken. *n mot* Starterklappe *f*.
cholera ('kɔlərə) *n* Cholera *f*.
choose* (tʃu:z) *vt* wählen, aussuchen, auslesen.
chop (tʃɔp) *vt* hacken, zerhacken. *n* Kotelett *neu*. **chopper** *n* Beil *neu*.
chopstick ('tʃɔpstik) *n* Eßstäbchen *neu*.
chord (kɔ:d) *n* Akkord *m*.
chore (tʃɔ:) *n* Hausarbeit *f*.
choreography (kəri'ɔgrəfi) *n* Choreographie *f*.
chorus ('kɔ:rəs) *n* **1** (Sänger)Chor *m*. **2** Refrain *m*. **choral** *n* Choral *m*. *adj* Chor —.
chose (tʃouz) *v* see **choose.**
chosen ('tʃouzən) *v* see **choose.** *adj* auserwählt.
Christ (kraist) *n* Christus *m*.

christen ('krisən) *vt* taufen. **christening** *n* Taufe *f.*
Christian ('kristʃən) *n* Christ *m.* **Christian name** *n* Vorname *m.* **Christianity** *n* Christentum *neu.*
Christmas ('krisməs) *n* Weihnachten *f pl.* **Christmas card** *n* Weihnachtskarte *f.* **Christmas tree** *n* Weihnachtsbaum *m.*
chromatic (krə'mætik) *adj* chromatisch.
chrome (kroum) *adj* **1** chromgelb. **2** aus Chrom.
chromium ('kroumiəm) *n* Chrom *neu.*
chronic ('krɔnik) *adj* **1** chronisch, (an)dauernd. **2** *inf* schlecht.
chronicle ('krɔnikəl) *n* Chronik, Zeitgeschichte *f.*
chronological (krɔnə'lɔdʒikəl) *adj* chronologisch.
chrysalis ('krisəlis) *n* Puppe *f.*
chrysanthemum (kri'zænθiməm) *n* Goldblume, Chrysantheme *f.*
chubby ('tʃʌbi) *adj* plump, pausbäckig.
chuck (tʃʌk) *vt inf* **1** werfen, schleudern. **2** aufgeben.
chuckle ('tʃʌkəl) *n* Kichern, Gekicher *neu. vi* kichern, vergnügt lachen.
chunk (tʃʌŋk) *n* Stück *neu.* Klotz *m.*
church (tʃə:tʃ) *n* Kirche *f.* **churchgoer** *n* Kirchengänger *m.* **churchyard** *n* Kirchhof *m.*
churn (tʃə:n) *n* Butterfaß *neu. vt* aufwühlen.
chute (ʃu:t) *n* Gleitbahn, Rinne *f.*
chutney ('tʃʌtni) *n* Chutney *neu.*
cider ('saidə) *n* Apfelwein *m.*
cigar (si'gɑ:) *n* Zigarre *f.* **cigarette** *n* Zigarette *f.* **cigarette lighter** *n* Feuerzeug *neu.*
cinder ('sində) *n* **1** ausgeglühte Kohle *f.* **2** *pl* Asche *pl.*
cinecamera ('sinikæmrə) *n* Filmkamera *f.*
cinema ('sinəmə) *n* Kino *neu.*
cinnamon ('sinəmən) *n* Zimt *m.*
circle ('sə:kəl) *n* **1** Kreis *m.* Ring *m.* **2** *Th* Rang *m. vt* umkreisen, umringen. **circular** *adj* kreisförmig, rund. **circulate** *vi* kreisen. *vt* in Umlauf setzen. **circulation** *n* **1** Kreislauf *m.* **2** Umlauf *m.* Verkehr *m.* **3** Auflage *f.*
circuit ('sə:kit) *n* **1** Kreisbewegung *f.* **2** Runde *f.* **3** Stromkreis *m.*
circumcise ('sə:kəmsaiz) *vt* beschneiden.
circumference (sə'kʌmfərəns) *n* Kreisumfang, Umkreis *m.*
circumscribe ('sə:kəmskraib) *vt* umschreiben.
circumstance ('sə:kəmstæns) *n* **1** Umstand *m.* **2** Tatsache *f.* **3** Formalität *f.* **circumstantial** *adj* zufällig, indirekt, nebensächlich.
circus ('sə:kəs) *n* Zirkus *m.*
cistern ('sistən) *n* Zisterne *f.*
cite (sait) *vt* **1** zitieren, anführen. **2** vorladen. **citation** *n* **1** Zitat neu. **2** Vorladung *f.*
citizen ('sitizən) *n* (Staats)Bürger *m.*
citrus ('sitrəs) *n* Zitrusfrucht *f.*
city ('siti) *n* Stadt, Großstadt *f.*
civic ('sivik) *adj* bürgerlich, städtisch.
civil ('sivəl) *adj* **1** bürgerlich, städtisch. **2** höflich. **3** Staats—. **civil engineering** *n* Ingenieurbau *m.* **civil servant** *n* Staatsbeamte(r) *m.* **civil service** *n* Staatsverwaltung *f.* **civil war** *n* Bürgerkrieg *m.*
civilian (si'viliən) *n* Zivilist *m. adj* Zivil—.
civilization (sivilai'zeiʃən) *n* Zivilisation *f.* **civilize** *vt* zivilisieren.
clad (klæd) *adj* bekleidet, bedeckt.
claim (kleim) *n* **1** Anspruch *m.* (An)Recht *neu.* **2** Forderung *f.* **3** Behauptung *f. vt* beanspruchen, fordern.
clam (klæm) *n* Venusmuschel *f.*
clamber ('klæmbə) *vi* klettern.
clammy ('klæmi) *adj* feuchtkalt, klebrig.
clamour ('klæmə) *n* Lärm *m.* Geschrei *neu. vi* schreien, lärmen.
clamp (klæmp) *n* Klammer, Schelle *f. vt* festklemmen, befestigen.
clan (klæn) *n* Stamm *m.* Sippe *f.*
clandestine (klæn'destin) *adj* heimlich.
clang (klæŋ) *vi,(vt)* klingen *or* schallen (lassen). *n* Klang, Schall *m.*
clank (klæŋk) *vi,(vt)* rasseln *or* klirren (mit). *n* Gerassel *neu.*
clap (klæp) *vi,(vt)* klatschen (mit). *n* **1** Donnerschlag *m.* **2** Knall *m.* **clapper** *n* Klöppel *m.*
claret ('klærət) *n* Klarett *m.*
clarify ('klærifai) *vt* klarmachen, erläutern, klären. **clarification** *n* (Er)Klärung *f.* **clarity** *n* Klarheit, Reinheit *f.*
clarinet (klæri'net) *n* Klarinette *f.*
clash (klæʃ) *n* **1** Geklirr *neu.* **2** Zusammenstoß *m.* **3** Konflikt *m. vi* **1** klirren, rasseln. **2** zusammenstoßen.
clasp (klɑ:sp) *n* Schnalle, Spange *f. vt* **1** schnallen. **2** festhalten, umklammern.
class (klɑ:s) *n* **1** Klasse, Kategorie *f.* **2** (Schul)-Klasse *f. vt* einstufen, einreihen. **classify** *vt* klassifizieren, einordnen, einteilen. **classification** *n* Klassifizierung, Einteilung *f.* **classroom** *n* Klassenzimmer *neu.*
classic ('klæsik) *adj* klassisch. *n* Klassiker *m.* **classical** *adj* klassisch.
clatter ('klætə) *vi* rasseln, klappern. *n* Geklapper *neu.*

clause (klɔ:z) *n* **1** Satz *m.* **2** Klausel *f.*
claustrophobia (klɔstrə'foubiə) *n* Klaustrophobie *f.* **claustrophobic** *adj* eng, überfüllt.
claw (klɔ:) *n* Klaue *f.* Kralle *f.*
clay (klei) *n* Ton *m.*
clean (kli:n) *adj* sauber, rein, gewaschen. *vt* **1** reinigen, säubern. *vi,vt* putzen.
cleanse (klenz) *vt* säubern, heilen.
clear (kliə) *adj* **1** klar, durchsichtig. **2** verständlich. **3** rein. **4** offen, frei. *vt* **1** leeren, räumen. **2** freisprechen. **3** (a cheque) einlösen. **4** verzollen. **5** springen über. *vi* sich (auf)klären. **clear away, out,** *or* **up** *vi,vt* ausräumen, aufräumen. **clear off** *vi inf* abhauen. **clearance** *n* **1** Aufräumen *f.* **2** Verzollung *f.* **3** *tech* Spielraum *m.* **4** Räumungsausverkauf *m.* **clear-headed** *adj* besonnen, klardenkend. **clearing** *n* Lichtung *f.*
clef (klef) *n* Notenschlüssel *m.*
clench (klentʃ) *vt* zusammenpressen, ballen.
clergy ('klə:dʒi) *n* Klerus *m.* **clergyman** *n* Geistliche(r) *m.*
clerical ('klerikəl) *adj* **1** geistlich. **2** Büro—. **clerical work** *n* Büroarbeit *f.*
clerk (klɑ:k) *n* Büroangestellte(r) *m.*
clever ('klevə) *adj* geschickt, klug, intelligent.
cliché ('kliʃei) *n* Klischee *neu.*
click (klik) *vi,vt* knipsen, knacken, (zu)schnappen. *n* Schnappen *neu.* Schlag *m.*
client ('klaiənt) *n* Kunde *m.* **clientèle** *n* Kundschaft *f.*
cliff (klif) *n* Klippe *f.* Felsen *m.*
climate ('klaimit) *n* Klima *neu.*
climax ('klaimæks) *n* Höhepunkt *m.*
climb (klaim) *n* Aufstieg *m. vt,vi* klettern, steigen. **climber** *n* Kletterer, Bergsteiger *m.*
cling* (kliŋ) *vi* sich klammern, sich halten, haften.
clinic ('klinik) *n* Klinik *f.*
clip[1] (klip) *vt* schneiden, stutzen, knipsen. *n* Schlag *m.* **clipping** *n* (Zeitungs)Ausschnitt *m.*
clip[2] (klip) *n* Klammer *f. vt* befestigen, zusammenheften.
cloak (klouk) *n* Gewand *neu.* Mantel *m. vt* ummanteln, umhüllen. **cloakroom** *n* Garderobe *f.*
clock (klɔk) *n* Uhr *f.* **three o'clock** drei Uhr. **clocktower** *n* Uhrturm *m.* **clockwise** *adj,adv* im Uhrzeigersinn. **clockwork** *n* Uhrwerk *neu.*
clog (klɔg) *n* Holzschuh *m. (vi),vt* (sich) verstopfen.
cloister ('klɔistə) *n* Kloster *neu.*
close *vt,vi* (klouz) zumachen, schließen. *adj* (klous) **1** dicht, nahe. **2** intim, vertraut. **3** knapp. *n* **1** (klous) Sackgasse *f.* **2** (klouz) Schluß *m.*
closet ('klɔzit) *n* Schrank *m.*
clot (klɔt) *n* Klumpen *m. vi* gerinnen.
cloth (klɔθ) *n* **1** Stoff *m.* Gewebe, Tuch *neu.* **2** Lappen *m.*
clothe (klouð) *vt* bekleiden. **clothes** *n pl* Kleider *neu pl.* Kleidung *f.* **clothes brush** *n* Kleiderbürste *f.* **clothes line** *n* Wäscheleine *f.* **clothes peg** *n* Wäscheklammer *f.* **clothing** *n* Kleidung *f.*
cloud (klaud) *n* Wolke *f. vi,vt* bewölken, umnebeln. **cloudburst** *n* Wolkenbruch *m.* **cloudy** *adj* **1** wolkig, bewölkt. **2** trübe.
clove[1] (klouv) *n* Gewürznelke *f.*
clove[2] (klouv) *n* (Knoblauch)Zehe *f.*
clover ('klouvə) *n* Klee *m.*
clown (klaun) *n* Clown *m.*
club (klʌb) *n* **1** Klub *m.* Verein *m.* **2** *sport* Schläger *m.* **3** Keule *f.*
clue (klu:) *n* Hinweis, Anhaltspunkt *m.*
clump (klʌmp) *n* **1** Haufen *m.* **2** Gruppe *f.*
clumsy ('klʌmzi) *adj* ungeschickt, schwerfällig.
clung (klʌŋ) *v* see **cling.**
cluster ('klʌstə) *n* **1** Gruppe *f.* **2** *bot* Traube *f. vi* sich (ver)sammeln, sich gruppieren.
clutch (klʌtʃ) *n* **1** Kupplung *f.* **2** *pl* Klauen *f pl. vt* packen, greifen, fassen.
clutter ('klʌtə) *n* Unordnung *f.* Durcheinander *neu. vt* vollstopfen.
coach (koutʃ) *n* **1** Kutsche *f.* **2** Bus *m.* **3** *sport* Trainer *m. vt* **1** *sport* trainieren. **2** *educ* Nachhilfeunterricht geben.
coal (koul) *n* (Stein)Kohle *f.* **coalmine** *n* Kohlenbergwerk *neu.*
coalition (kouə'liʃən) *n* Koalition *f.*
coarse (kɔ:s) *adj* **1** grob. **2** rauh, unhöflich.
coast (koust) *n* Küste *f.* **coastguard** *n* Küstenwacht *f.* **coastline** *n* Küstenlinie *f.*
coat (kout) *n* **1** Mantel *m.* **2** Pelz *m.* Fell *neu.* **3** Belag *m.* **4** (of paint) Anstrich *m. vt* bedecken, beschichten. **coat-hanger** *n* Kleiderbügel *m.* **coating** *n* Schicht *f.* Belag *m.*
coax (kouks) *vt* (geduldig) überreden.
cobbler ('kɔblə) *n* Schuster *m.*
cobra ('koubrə) *n* Kobra *f.*
cobweb ('kɔbweb) *n* Spinngewebe *neu.*
cock[1] (kɔk) *n* **1** Hahn *m.* **2** (Vogel)Männchen *neu.* **3** *tab* Penis *m.* **cockpit** *n* Kanzel, Kabine *f.* **cockroach** *n* Küchenschabe *f.* **cocktail** *n* Cocktail *neu.* **cocky** *adj inf* eingebildet, frech.

cock[2] (kɔk) *vt* **1** (one's ears) spitzen. **2** (a hat, etc.) schiefmachen, schief aufsetzen.

cockle ('kɔkəl) *n* Herzmuschel *f.*

cocoa ('koukou) *n* Kakao *m.*

coconut ('koukənʌt) *n* Kokosnuß *f.*

cocoon (kə'ku:n) *n* Puppe *f.*

cod (kɔd) *n* Dorsch *m.*

code (koud) *n* **1** Kodex *m.* **2** Schlüssel *m.* Geheimschrift *f. vt* verschlüsseln.

codeine ('koudi:n) *n* Kodein *neu.*

coeducation (kouedju'keiʃən) *n* Gemeinschaftserziehung *f.*

coerce (kou'ə:s) *vt* zwingen.

coexist (kouig'zist) *vi* koexistieren, zusammenleben. **coexistence** *n* Koexistenz *f.*

coffee ('kɔfi) *n* Kaffee *m.* **coffee bar** *n* Kaffeehaus, Café *neu.* **coffee bean** *n* Kaffeebohne *f.*

coffin ('kɔfin) *n* Sarg *m.*

cog (kɔg) *n* Radzahn *m.*

cognac ('kɔnjæk) *n* Kognak *m.*

cohabit (kou'hæbit) *vi* zusammenleben.

cohere (kou'hiə) *vi* zusammenhängen, zusammenkleben. **coherence** *n* Zusammenhang *m.* **coherent** *adj* zusammenhängend, verständlich.

coil (kɔil) *n* Windung, Spule *f. vt* aufrollen, aufwinden. *vi* sich zusammenrollen.

coin (kɔin) *n* Münze *f. vt* prägen.

coincide (kouin'said) *vi* **1** zusammentreffen. **2** übereinstimmen. **coincidence** *n* Zufall *m.* Zusammentreffen *neu.*

colander ('kʌləndə) *n* Sieb *neu.*

cold (kould) *adj* kalt. *n* **1** Kälte *f.* **2** Erkältung *f.* Schnupfen *m.* **catch a cold** sich erkälten. **cold-blooded** *adj* kaltblütig.

collaborate (kə'læbəreit) *vi* **1** zusammenarbeiten, mitarbeiten. **2** mit dem Feind arbeiten, kollaborieren. **collaboration** *n* **1** Zusammenarbeit *f.* **2** Kollaboration *f.*

collapse (kə'læps) *n* Zusammenbruch, Einsturz *m. vi* zusammenbrechen, einstürzen.

collar ('kɔlə) *n* Kragen *m.* **collarbone** *n* Schlüsselbein *neu.*

colleague ('kɔli:g) *n* Kollege, Mitarbeiter *m.*

collect (kə'lekt) *vt* sammeln, auflesen. **collection** *n* **1** Sammlung *f.* **2** Ansammlung *f.* Anhäufung *f.* **3** (of mail) Abholung *f.* **collective** *adj* vereint, zusammengefaßt, gesamt, kollektiv—. *n* Kollektiv *neu.*

college ('kɔlidʒ) *n* Kollegium *neu.* Hochschule *f.*

collide (kə'laid) *vi* zusammenstoßen. **collision** *n* Zusammenstoß *m.*

colloquial (kə'loukwiəl) *adj* familiär, umgangssprachlich.

Cologne (kə'loun) *n* Köln *neu.*

colon ('koulən) *n* **1** Doppelpunkt *m.* Kolon *neu.* **2** *anat* Dickdarm *m.*

colonel ('kə:nl) *n* Oberst *m.*

colony ('kɔləni) *n* Kolonie, Siedlung *f.* **colonial** *adj* kolonial.

colossal (kə'lɔsəl) *adj* kolossal, riesig.

colour ('kʌlə) *n* Farbe *f.* **colour-bar** *n* Farbschranke *f.* **colour-blind** *adj* farbenblind. **coloured** *adj* farbig, bunt. **coloured (man)** Farbige(r) *m.*

colt (koult) *n* Füllen, Fohlen *neu.*

column ('kɔləm) *n* **1** Säule *f.* Pfeiler *m.* **2** Kolonne *f.* **3** Rubrik *f.* **4** (Zeitungs)Spalte *f.* **columnist** *n* Kolumnist *m.*

coma ('koumə) *n* Koma, anhaltende Bewußtlosigkeit *f.*

comb (koum) *n* Kamm *m. vt* **1** kämmen. **2** durchsuchen.

combat ('kɔmbæt) *n* Kampf *m. vt* bekämpfen.

combine (*v* kəm'bain: *n* 'kɔmbain) *vt* vereinigen, verbinden. *n* **1** Verband *m.* **2** Kartell *neu.* **combine harvester** *n* Mähdrescher *m.*

combustion (kəm'bʌstʃən) *n* Verbrennung *f.*

come* (kʌm) *vi* kommen. **come about** geschehen. **come across** stoßen auf. **comeback** *n* Rückkehr *f.* Comeback *neu.*

comedy ('kɔmədi) *n* Lustspiel *neu.* Komödie *f.* **comedian** *n* Komiker *m.* **comic** *n* **1** Komiker *m.* **2** Witzblatt *neu. adj* witzig, komisch. **comical** *adj* witzig, spaßig.

comet ('kɔmit) *n* Komet *m.*

comfort ('kʌmfət) *n* **1** Trost *m.* **2** Komfort *m.* **3** Gemütlichkeit *f. vt* trösten. **comfortable** *adj* bequem, behaglich.

comma ('kɔmə) *n* Komma *neu.* Beistrich *m.*

command (kə'mɑ:nd) *n* **1** Befehl *m.* **2** Führung. *vt* **1** befehlen. **2** kommandieren. **commander** *n* Kommandant, Befehlshaber, Führer *m.* **commandment** *n* Gebot *neu.*

commemorate (kə'meməreit) *vt* feiern, gedenken.

commence (kə'mens) *vt,vi* anfangen, beginnen. **commencement** *n* Anfang, Beginn *m.*

commend (kə'mend) *vt* empfehlen, loben.

comment ('kɔment) *n* **1** Bemerkung *f.* **2** Stellungnahme *f. vi* bemerken, kommentieren. **commentary** *n* Kommentar *m.* **commentator** *n* Kommentator, Berichterstatter *m.*

commerce ('kɔmə:s) *n* Handel(sverkehr) *m.* **commercial** *adj* kommerziell, kaufmännisch, geschäftlich. *n* Fernsehreklame *f.* **commercialize** *vt* marktfähig machen. **commercial vehicle** *n* Nutzfahrzeug *neu.*

commission (kə'miʃən) *n* **1** Auftrag *m.* **2** *mil* Offizierspatent *neu.* **3** Kommission *f.* Ausschuß *m. vt* **1** bestellen, beauftragen. **2** eine Bestellung geben. **commissioner** *n* Kommissionär *m.*

commit (kə'mit) *vt* **1** begehen. **2** übergeben. **commit oneself** sich verpflichten.

committee (kə'miti) *n* Ausschuß *m.* Komitee *neu.*

commodity (kə'mɔditi) *n* Handelsgut *neu.* Ware *f.*

common ('kɔmən) *adj* **1** allgemein, gemeinsam. **2** gewöhnlich, häufig. **3** alltäglich. *n* Allmende *f.* **Common Market** *n* Gemeinsamer Markt *m.* Europäische Wirtschaftsgemeinschaft *f.* **commonplace** *n* Gewöhnliche(s), Alltägliche(s) *neu.* Gemeinplatz *m. adj* gewöhnlich, alltäglich. **common sense** *n* gesunder Menschenverstand *m.* Vernunft *f.* **commonwealth** *n* **1** Staat *m.* Gemeinwesen *neu.* **2** Commonwealth *neu.*

commotion (kə'mouʃən) *n* Aufruhr *m.* Getue *neu.*

commune[1] (kə'mju:n) *vi* **1** sich unterhalten. **2** *rel* Kommunion empfangen. **communion** *n* Kommunion *f.*

commune[2] ('kɔmju:n) *n* Kommune, Gemeinde *f.* **communal** *adj* Kommunal—, Gemeinschafts—.

communicant (kəmju:nikənt) *n* Kommunikant *m.*

communicate (kə'mju:nikeit) *vt* **1** mitteilen. **2** übertragen. *vi* **1** in Verbindung stehen. **2** *rel* Kommunizieren. **communication** *n* **1** Mitteilung *f.* **2** Verbindung, Kommunikation *f.* Verkehr *m.*

communism ('kɔmjunizəm) *n* Kommunismus *m.* **communist** *n* Kommunist *m. adj* kommunistisch.

community (kə'mju:niti) *n* **1** Gemeinschaft, Gemeinde *f.* **2** Gemeinsamkeit *f.*

commute (kə'mju:t) *vt* umwandeln, austauschen. *vi* zur Arbeit reisen, pendeln. **commuter** *n* Pendler *m.*

compact[1] (kəm'pækt) *adj* dicht, fest, kompakt. *vt* verdichten, verbinden.

compact[2] ('kɔmpækt) *n* Vertrag, Pakt *m.* Übereinkommen *neu.*

companion (kəm'pæniən) *n* Begleiter, Kamerad *m.* **companionship** *n* Gesellschaft, Kameradschaft *f.*

company ('kʌmpəni) *n* **1** *comm* Firma, Gesellschaft *f.* **2** Gesellschaft *f.*

compare (kəm'pεə) *(vi),vt* (sich) vergleichen. **comparable** *adj* vergleichbar. **comparative** *adj* **1** vergleichend. **2** verhältnismäßig. **comparison** *n* Vergleich *m.*

compartment (kəm'pa:tmənt) *n* **1** Abteilung *f.* **2** Fach *neu.* **3** Abteil *neu.*

compass ('kʌmpəs) *n* Kompaß *m.*

compassion (kəm'pæʃən) *n* Mitleid, Erbarmen *neu.* **compassionate** *adj* mitleidsvoll.

compatible (kəm'pætibəl) *adj* vereinbar.

compel (kəm'pel) *vt* zwingen, nötigen.

compensate ('kɔmpənseit) *vi* **1** ausgleichen. **2** wiedergutmachen, entschädigen. **compensation** *n* Entschädigung *f.* Schadenersatz *m.*

compete (kəm'pi:t) *vi* **1** teilnehmen. **2** konkurrieren. **competition** *n* **1** Wettbewerb *m.* **2** Konkurrenz *f.* **competitive** *adj* **1** konkurrenzfähig. **2** wetteifernd, konkurrierend. **competitor** *n* Konkurrent *m.*

competent ('kɔmpitənt) *adj* kompetent, fähig. **competence** *n* Kompetenz, Befähigung.

compile (kəm'pail) *vt* aufstellen, zusammenstellen.

complacent (kəm'pleisənt) *adj* gleichgültig. **complacency** *n* Selbstgefälligkeit.

complain (kəm'plein) *vi* sich beklagen *or* beschweren. **complaint** *n* Klage, Beschwerde *f.*

complement ('kɔmplimənt) *n* **1** Ergänzung. **2** *math* Komplement *neu. vt* ergänzen.

complete (kəm'pli:t) *vt* vervollständigen, beenden, fertigstellen. *adj* ganz, vollständig.

complex ('kɔmpleks) *adj* komplex, kompliziert. *n* Komplex *m.* **complexity** *n* Kompliziertheit, Schwierigkeit *f.*

complexion (kəm'plekʃən) *n* Gesichtsfarbe *f.* Teint *m.*

complicate ('kɔmplikeit) *vt* komplizieren, erschweren. **complicated** *adj* kompliziert.

compliment ('kɔmplimənt) *n* Kompliment *neu. vt* loben, ein Kompliment machen. **complimentary** *adj* **1** höflich, schmeichelhaft. **2** Gratis—, Frei—.

comply (kəm'plai) *vi* einwilligen, nachgeben, sich fügen. **comply with** erfüllen, befolgen.

component (kəm'pounənt) *n* (Bestand)Teil *m. adj* teilbildend.

compose (kəm'pouz) *vt* **1** zusammensetzen. **2** dichten, verfassen. **3** *mus* komponieren. **com-**

pose oneself sich beruhigen, sich fassen. **composed** *adj* ruhig, gelassen. **composition** *n* **1** Zusammensetzung *f.* **2** Aufsatz *m.* **3** *mus* Komposition *f.*

composure (kəm'pouʒə) *n* Gelassenheit *f.*

compound[1] (*v* kəm'paund; *n* 'kɔmpaund) *vt* **1** zusammensetzen, mischen. **2** verbinden. *n* **1** *sci* Verbindung *f.* **2** Gemisch *neu.* Mischung *f.*

compound[2] ('kɔmpaund) *n* eingezäuntes Gelände *neu.*

comprehend (kɔmpri'hend) *vt* **1** verstehen, begreifen. **2** umfassen, einschließen. **comprehensive** *adj* umfassend, allgemein. **comprehensive school** *n* Gesamtschule *f.*

compress (*v* kəm'pres; *n* 'kɔmpres) *vt* komprimieren, zusammendrücken. *n* Kompressionsbinde *f.* **compression** *n tech* Verdichtung *f.*

comprise (kəm'praiz) *vt* einschließen, umfassen.

compromise ('kɔmprəmaiz) *n* Kompromiß *m. vi* übereinkommen, einen Kompromiß schließen. *vt* kompromittieren, gefährden.

compulsion (kəm'pʌlʃən) *n* Zwang *m.* **compulsive** *adj* zwingend, Zwangs—. **compulsory** *adj* zwangsläufig, obligatorisch.

compunction (kəm'pʌnkʃən) *n* Gewissensbisse *m pl.*

computer (kəm'pju:tə) *n* Rechenautomat *neu.* Computer, Datenverarbeiter *m.*

comrade ('kɔmrəd, -reid) *n* **1** Kamerad, Gefährte *m.* **2** *pol* Genosse *m.*

concave ('kɔnkeiv) *adj* konkav, hohl.

conceal (kən'si:l) *vt* **1** verstecken, verbergen. **2** verschweigen.

concede (kən'si:d) *vt* zugestehen, zugeben.

conceit (kən'si:t) *n* Eingebildetheit, Eitelkeit *f.*

conceive (kən'si:v) *vt* **1** (a child) empfangen. **2** begreifen, sich vorstellen, ersinnen.

concentrate ('kɔnsəntreit) *(vi),vt* (sich) konzentrieren. *vt* richten. **concentration** *n* Konzentration *f.*

concentric (kɔn'sentrik) *adj* konzentrisch.

concept ('kɔnsept) *n* Konzept *neu.* Begriff *m.* **conception** *n* **1** Empfängnis *f.* **2** Auffassungsvermögen *neu.* **3** Vorstellung *f.*

concern (kən'sə:n) *n* **1** Teilnahme *f.* Belang *m.* **2** Interesse *neu.* **3** Sorge *f.* **4** *comm* Unternehmen *neu. vt* angehen. **concern oneself** sich beschäftigen.

concert ('kɔnsət) *n* Konzert *neu.*

concertina (kɔnsə'ti:nə) *n* Ziehharmonika *f.*

concerto (kən'tʃeətou) *n* (Solo)Konzert *neu.*

concession (kən'seʃən) *n* **1** Konzession *f.* **2** Zugeständnis *neu.*

conciliate (kən'silieit) *vt* aussöhnen.

concise (kən'sais) *adj* knapp, kurz.

conclude (kən'klu:d) *vt,vi* beenden, schließen. **conclusion** *n* Schluß *m.* **draw conclusions (from)** Schlüsse ziehen (aus).

concoct (kən'kɔkt) *vt* zusammenbrauen.

concrete ('kɔnkri:t) *n* Beton *m. adj* **1** fest, dicht. **2** konkret, greifbar.

concussion (kən'kʌʃən) *n* Gehirnerschütterung *f.*

condemn (kən'dem) *vt* verurteilen. **condemnation** *n* Verurteilung *f.*

condense (kən'dens) *vt* **1** kondensieren. **2** abkürzen, zusammenfassen. **condensation** *n* **1** Kondensation *f.* **2** Abkürzung *f.*

condescend (kɔndi'send) *vi* sich herablassen.

condition (kən'diʃən) *n* **1** Zustand *m.* **2** Bedingung, Voraussetzung *f.* **conditional** *adj* bedingt, abhängig.

condolence (kən'douləns) *n* Beileid *neu.*

condom ('kɔndəm) *n* Kondom *neu.*

condone (kən'doun) *vt* billigen.

conduct (*n* 'kɔndʌkt; *v* kən'dʌkt) *n* **1** Betragen, Verhalten *neu.* **2** Führung *f. vt* **1** durchführen. **2** leiten, dirigieren. **conduct oneself** sich verhalten.

conductor (kən'dʌktə) *n* **1** Schaffner *m.* **2** *mus* Dirigent *m.*

cone (koun) *n* Kegel *m.*

confectioner (kən'fekʃənə) *n* Konditor *m.* **confectionery** *n* Konditorwaren *f pl.*

confederate (*n,adj* kən'fedərət; *v* kən'fedəreit) *n* **1** Verbündete(r) *m.* **2** Mitschuldige(r) *m. adj* verbündet, Bundes—. *(vi),vt* (sich) verbünden.

confer (kən'fə:) *vt* verleihen, erteilen. **conference** *n* Konferenz, Tagung *f.*

confess (kən'fes) *vt,vi* **1** zugeben, bekennen, gestehen. **2** *rel* beichten. **confession** *n* **1** Zugeständnis *neu.* **2** *rel* Beichte *f.* **3** *law* Geständnis *neu.*

confide (kən'faid) *vi* vertrauen. *vt* anvertrauen. **confidence** *n* Vertrauen *neu.* Zuversicht *f.* **confidence trick** *n* Schwindel *m.* **confident** *adj* **1** zuversichtlich. **2** selbstsicher. **confidential** *adj* geheim, vertraulich.

confine (kən'fain) *vt* begrenzen, einschränken.

confirm (kən'fə:m) *vt* bestätigen, bekräftigen. **confirmation** *n* **1** Bestätigung *f.* **2** *rel* Konfirmation *f.*

confiscate ('kɔnfiskeit) *vt* konfiszieren, einziehen.

conflict (*v* kən'flikt; *n* 'kɔnflikt) *vi* **1** streiten. **2** widersprechen. *n* Konflikt, Kampf *m*.
conform (kən'fɔ:m) *(vi),vt* (sich) anpassen.
confound (kən'faund) *vt* verwirren, verblüffen.
confront (kən'frʌnt) *vt* **1** gegenüberstehen, konfrontieren. **2** entgegenhalten. **confrontation** *n* Konfrontation *f*.
confuse (kən'fju:z) *vt* **1** verwirren, durcheinanderbringen. **2** verwechseln. **confusion** *n* Verwirrung *f*. Durcheinander *neu*.
congeal (kən'dʒi:l) *vi* gerinnen, erstarren.
congenial (kən'dʒi:niəl) *adj* kongenial, gleichartig, übereinstimmend.
congested (kən'dʒestid) *adj* verstopft, überfüllt.
congratulate (kən'grætjuleit) *vt* beglückwünschen, gratulieren. **congratulation** *n* Glückwunsch *m*.
congregate ('kɔŋgrigeit) *vi* sich versammeln. **congregation** *n* **1** Versammlung *f*. **2** Kirchengemeinde *f*.
congress ('kɔŋgres) *n* Kongreß *m*.
conical ('kɔnikəl) *adj* kegelförmig.
conifer ('kɔnifə) *n* **1** Nadelbaum *m*. **2** *pl* Nadelhölzer *neu pl*.
conjugal ('kɔndʒugəl) *adj* ehelich.
conjugate ('kɔndʒugeit) *vt gram* konjugieren.
conjunction (kən'dʒʌŋkʃən) *n* **1** *gramm* Konjunktion *f*. **2** Verbindung *f*.
conjure ('kʌndʒə) *vi* zaubern. **conjure up** *vt* **1** heraufbeschwören. **2** hervorrufen. **conjurer** *n* Zauberer *m*.
connect (kə'nekt) *vt* verbinden, verknüpfen, anschließen. **connection** *n* **1** Verbindung, Verknüpfung *f*. **2** Anschluß *m*. **3** Zusammenhang *m*.
connoisseur (kɔnə'sə:) *n* Kenner *m*.
connotation (kɔnə'teiʃən) *n* Nebenbedeutung *f*.
conquer ('kɔŋkə) *vt* besiegen, erobern. **conqueror** *n* Sieger, Eroberer *m*. **conquest** *n* Eroberung *f*.
conscience ('kɔnʃəns) *n* Gewissen *neu*.
conscientious (kɔnʃi'enʃəs) *adj* gewissenhaft.
conscious ('kɔnʃəs) *adj* **1** bei Bewußtsein. **2** bewußt. **3** wissentlich. **consciousness** *n* Bewußtsein *neu*.
conscript (*n* 'kɔnskript; *v* kən'skript) *n* Wehrdienstpflichtige(r) *m*. *vt* (zwangsweise) einziehen. **conscription** *n* Wehrpflicht *f*.
consecrate ('kɔnsikreit) *vt* weihen. **consecration** *n* Weihung *f*.
consecutive (kən'sekjutiv) *adj* aufeinanderfolgend.
consent (kən'sent) *vi* zustimmen, einwilligen. *n* Zustimmung *f*.
consequence ('kɔnsikwəns) *n* Folge *f*. Ergebnis *neu*. **consequent** *adj* folgend. **consequently** *adv* folglich, deshalb.
conserve (kən'sə:v) *vt* **1** erhalten, bewahren. **2** einmachen. **conservation** *n* **1** Erhaltung *f*. **2** Schutz *m*. **conservative** *adj* konservativ. *n* Konservative(r) *m*. **conservatory** *n* Treibhaus *neu*.
consider (kən'sidə) *vt* betrachten (als). **2** bedenken, überlegen. **3** berücksichtigen. **considerable** *adj* beträchtlich, erheblich. **considerate** *adj* überlegt, rücksichtsvoll. **consideration** *n* **1** Betracht(ung), Überlegung, Berücksichtigung *f*. **2** Rücksicht *f*.
consign (kən'sain) *vt* übergeben, überliefern. **consignment** *n* Lieferung *f*.
consist (kən'sist) *vi* bestehen. **consistency** *n* **1** Dichtigkeit *f*. **2** Übereinstimmung *f*. **3** Konsequenz, Folgerichtigkeit *f*. **consistent** *adj* **1** konsequent, folgerichtig. **2** übereinstimmend.
console (kən'soul) *vt* trösten. **consolation** *n* Trost *m*.
consolidate (kən'sɔlideit) *vt* stärken, festigen, konsolidieren.
consonant ('kɔnsənənt) *n* Konsonant, Mitlaut *m*.
conspicuous (kən'spikjuəs) *adj* auffallend.
conspire (kən'spaiə) *vi* sich verschwören.
constable ('kɔnstəbəl) *n* Polizist *m*.
Constance, Lake ('kɔnstəns) *n* Bodensee *m*.
constant ('kɔnstənt) *adj* **1** dauernd, beständig. **2** treu. **3** unveränderlich. **constantly** *adv* stets, ständig.
constellation (kɔnstə'leiʃən) *n* Konstellation *f*.
constipation (kɔnsti'peiʃən) *n* (Darm)Verstopfung *f*.
constitute ('kɔnstitju:t) *vt* **1** ausmachen, bilden. **2** gründen. **constituency** *n* Wahlkreis, Wahlbezirk *m*. **constituent** *adj* teilbildend. *n* **1** Bestandteil *m*. **2** Wähler *m*. **constitution** *n* **1** *pol* (Staats)Verfassung *f*. **2** Struktur, Konstitution *f*. **constitutional** *adj* verfassungsmäßig.
constraint (kən'streint) *n* **1** Zwang *m*. **2** Zurückhaltung *f*.
constrict (kən'strikt) *vt* **1** zusammenziehen. **2** hemmen, einengen.
construct (kən'strʌkt) *vt* bauen, errichten, konstruieren. **construction** *n* **1** Bau *m*. Errichtung *f*. **2** Bau *m*. Gebäude *neu*. **3** Konstruktion *f*. **constructive** *adj* konstruktiv.

consul ('kɔnsəl) *n* Konsul *m*. **consulate** *n* Konsulat *neu*.

consult (kən'sʌlt) *vi;vt* konsultieren, um Rat fragen. **consult a book** in einem Buch nachschlagen. **consultant** *n* **1** Berater *m*. **2** *med* Konsilarius *m*. **consultation** *n* **1** Beratung *f*. **2** Konsultation *f*.

consume (kən'sju:m) *vt* **1** konsumieren, essen. **2** verbrauchen. **3** vernichten. **consumer** *n* Verbraucher *m*. **consumption** *n* **1** Verbrauch *m*. **2** Genuß *m*.

contact ('kɔntækt) *n* **1** Kontakt *m*. Berührung *f*. **2** Anschluß *m*. *vt* sich in Verbindung setzen mit. **contact lenses** *n* Kontaktlinsen *f pl*.

contagious (kən'teidʒəs) *adj* ansteckend.

contain (kən'tein) *vt* **1** enthalten. **2** zurückhalten. **container** *n* Behälter *m*.

contaminate (kən'tæmineit) *vt* verseuchen, vergiften. **contamination** *n* Verseuchung *f*.

contemplate ('kɔntəmpleit) *vt* **1** betrachten, nachdenken, erwägen. **2** vorhaben. **contemplation** *n* **1** Betrachtung *f*. Nachdenken *neu*. **2** Meditation *f*.

contemporary (kən'tempərəri) *adj* zeitgenössisch. *n* Zeitgenosse *m*.

contempt (kən'tempt) *n* **1** Verachtung *f*. **2** *law* Mißachtung (des Gerichts) *f*. **contemptible** *adj* verächtlich. **contemptuous** *adj* verachtungsvoll.

content[1] ('kɔntent) *n* **1** Inhalt *m*. **2** Gehalt *m*.

content[2] (kən'tent) *adj* zufrieden, genügsam. *vt* zufriedenstellen. **contentment** *n* Zufriedenheit *f*.

contest (*n* 'kɔntest; *v* kən'test) *n* **1** Streit *m*. **2** Wettkampf *m*. *vt* bestreiten, anfechten. **contestant** *n* Teilnehmer, Bewerber *m*.

context ('kɔntekst) *n* Zusammenhang *m*.

continent ('kɔntinənt) *n* Kontinent *m*. *adj* mäßig, keusch. **continental** *adj* kontinental.

contingency (kən'tindʒənsi) *n* **1** Möglichkeit *f*. **2** Zufälligkeit *f*. **contingent** *adj* zufällig, nicht notwendig.

continue (kən'tinju:) *vt* fortsetzen, weitermachen. **continual** *adj* fortgesetzt. **continually** *adv* immer wieder, dauernd. **continuation** *n* Fortsetzung, Weiterführung *f*. **continuity** *n* Kontinuität, Stetigkeit *f*. **continuous** *adj* ununterbrochen, (fort)dauernd.

contour ('kɔntuə) *n* **1** Umriß *m*. Kontur *f*. **2** *geog* Höhenlinie *f*.

contraband ('kɔntrəbænd) *n* Schmuggelware *f*.

contraception (kɔntrə'sepʃən) *n* Empfängnisverhütung *f*. **contraceptive** *n* Empfängnisverhütungsmittel *neu*.

contract (*n* 'kɔntrækt; *v* kən'trækt) *n* Vertrag, Kontrakt *m*. *vt* **1** verkürzen, zusammenziehen. **2** (an illness) sich zuziehen. *vi* sich zusammenziehen, kleiner werden.

contradict (kɔntrə'dikt) *vt* widersprechen. **contradiction** *n* Widerspruch *m*.

contralto (kən'træltou) *n* Alt *m*. Altstimme *f*.

contraption (kən'træpʃən) *n inf* (neuartiges) Gerät *neu*. Kniff *m*.

contrary ('kɔntrəri) *adj* **1** entgegengesetzt, widrig. **2** widerspenstig.

contrast (*v* kən'trɑ:st; *n* 'kɔntrɑ:st) *vt* kontrastieren, entgegensetzen, gegenüberstellen. *vi* sich unterscheiden. *n* Kontrast, Gegensatz *m*.

contravene (kɔntrə'vi:n) *vt* **1** übertreten. **2** zuwiderhandeln.

contribute (kən'tribju:t) *vt,vi* beitragen, beisteuern. **contribution** *n* Beitrag *m*.

contrive (kən'traiv) *vt* **1** erdenken, erfinden. **2** zustande bringen.

control (kən'troul) *vt* **1** lenken, steuern. **2** beaufsichtigen. **3** beherrschen. **4** kontrollieren. *n* **1** Macht, Gewalt *f*. **2** Aufsicht, Kontrolle *f*. **controller** *n* **1** Aufseher. **2** (Strom)Regler *m*.

controversy ('kɔntrəvə:si, kən'trɔvəsi) *n* Kontroverse *f*. Streit *m*. **controversial** *adj* umstritten.

convalesce (kɔnvə'les) *vi* genesen, gesund werden.

convenience (kən'vi:niəns) *n* **1** Bequemlichkeit, Annehmlichkeit *f*. **2** Gelegenheit *f*. **convenient** *adj* passend, geeignet, gelegen.

convent ('kɔnvənt) *n* Kloster *neu*.

convention (kən'venʃən) *n* **1** Tagung, Versammlung *f*. **2** Brauch *m*. Sitte, Regel *f*. **conventional** *adj* konventionell.

converge (kən'və:dʒ) *vi* zusammenlaufen, sich nähern.

converse (*v* kən'və:s; *n* 'kɔnvə:s) *vi* sich unterhalten, sprechen. *n* Umkehrung *f*. Gegenteil *neu*. **conversation** *n* Unterhaltung *f*. Gespräch *neu*. **conversational** *adj* Unterhaltungs—.

convert (*v* kən'və:t; *n* 'kɔnvə:t) *vt* **1** umwandeln, verwandeln. **2** umwechseln. **3** *rel* bekehren. *n* Bekehrte(r) *m*.

convex ('kɔnveks) *adj* konvex, gewölbt.

convey (kən'vei) *vt* **1** befördern, transportieren. **2** mitteilen, vermitteln. **conveyor belt** *n* Fließband *neu*.

convict (*v* kən'vikt; *n* 'kɔnvikt) *vt law* überführen. *n* Sträfling *m*.
conviction (kən'vikʃən) *n* **1** *law* Überführung, Verurteilung *f*. **2** Überzeugung *f*.
convince (kən'vins) *vt* überzeugen, überreden.
convoy ('kɔnvɔi) *n* **1** Geleitzug *m*. **2** *mil* Kolonne *f*.
cook (kuk) *n* Koch *m*. Köchin *f*. *vt* kochen. **cookery** *n* Kochen *neu*.
cool (ku:l) *adj* kühl. *vt* kühlen. *vi* sich abkühlen.
coop (ku:p) *n* Brutkorb *m*. *vt* einsperren.
cooperate (kou'ɔpəreit) *vi* zusammenarbeiten, kooperieren. **cooperation** *n* **1** Zusammenarbeit *f*. **2** Hilfe *f*. **cooperative** *adj* **1** zusammenarbeitend. **2** hilfsbereit. **3** *pol* genossenschaftlich. *n* Arbeitsgenossenschaft *f*. **cooperative society** *n* Konsumverein *m*.
coordinate (*adj, n* kou'ɔ:dnət; *v* kou'ɔ:dineit) *adj* koordiniert. *n* Koordinate *f*. *vt* koordinieren, gleichstellen. **coordination** *n* Koordinierung, Gleichstellung *f*.
cope (koup) *vi* sich messen mit, meistern.
Copenhagen (koupən'heigən) *n* Kopenhagen *neu*.
copious ('koupiəs) *adj* reichlich.
copper[1] ('kɔpə) *n* Kupfer *neu*. *adj* Kupfer—.
copper[2] ('kɔpə) *n inf* Polyp, Polizist *m*.
copulate ('kɔpjuleit) *vi* sich paaren.
copy ('kɔpi) *vt* kopieren, nachmachen. *n* **1** Kopie, Abschrift *f*. **2** Exemplar *neu*. **copyright** *n* Verlagsrecht, Copyright *neu*.
coral ('kɔrəl) *n* Koralle *f*.
cord (kɔ:d) *n* Schnur *f*. Strick *m*.
cordial ('kɔ:diəl) *adj* freundlich, herzlich.
cordon ('kɔ:dn) *n* Kette *f*. Gürtel *m*. **cordon off** absperren.
corduroy ('kɔ:dərɔi) *n* Kord(samt) *m*.
core (kɔ:) *n* Kern *m*.
cork (kɔ:k) *n* Korken, Pfropfen *m*. **corkscrew** *n* Korkenzieher *m*.
corn[1] (kɔ:n) *n* Getreide, Korn *neu*. **cornflour** *n* Maismehl *neu*. **cornflower** *n* Kornblume *f*.
corn[2] (kɔ:n) *n med* Hühnerauge *neu*.
corner ('kɔ:nə) *n* Ecke *f*.
cornet ('kɔ:nit) *n* **1** *mus* (Ventil)kornett *neu*. **2** Eiswaffeltüte *f*.
coronary ('kɔrənəri) *adj* koronar. **coronary thrombosis** *n* Koronarthrombose *f*.
coronation (kɔrə'neiʃən) *n* Krönung *f*.
corporal[1] ('kɔ:prəl) *adj* körperlich, physisch.
corporal[2] ('kɔ:prəl) *n* Korporal, Gefreite(r) *m*.
corporation (kɔ:pə'reiʃən) *n* Körperschaft, Korporation *f*.
corps (kɔ:) *n* Armeekorps *neu*.
corpse (kɔ:ps) *n* Leiche *f*. Leichnam *m*.
correct (kə'rekt) *adj* **1** richtig. **2** korrekt. *vt* **1** berichtigen, richtigstellen. **2** korrigieren. **correction** *n* **1** Berichtigung, Verbesserung *f*. **2** Korrektur *f*.
correlate ('kɔrəleit) *vi* entsprechen. *vt* aufeinander beziehen.
correspond (kɔri'spɔnd) *vi* **1** übereinstimmen, entsprechen. **2** einen Briefwechsel führen, korrespondieren. **correspondence** *n* **1** Übereinstimmung *f*. **2** Briefwechsel *m*. **3** Briefe *m pl*. **correspondent** *n* Korrespondent *m*.
corridor ('kɔridɔ:) *n* Korridor, Gang *m*.
corrode (kə'roud) *vt* zerfressen. *vi* rosten.
corrupt (kə'rʌpt) *vt* **1** verderben. **2** verführen. *adj* **1** verdorben, verfault. **2** korrupt.
corset ('kɔ:sit) *n* Korsett *neu*.
cosmetic (kɔz'metik) *adj* kosmetisch. *n* Schönheitsmittel *neu*.
cosmopolitan (kɔzmə'politən) *adj* weltbürgerlich.
cost* (kɔst) *n* **1** Preis *m*. Kosten *pl*. **2** Schaden *m*. *vi* kosten. *vt* die Kosten berechnen von. **costly** *adj* teuer.
costume ('kɔstju:m) *n* Kostüm *neu*. Tracht *f*.
cosy ('kouzi) *adj* bequem, gemütlich.
cot (kɔt) *n* Kinderbett *neu*.
cottage ('kɔtidʒ) *n* Hütte *f*. Häuschen.
cotton ('kɔtn) *n* Baumwolle *f*. **cotton-wool** *n* Watte *f*.
couch (kautʃ) *n* Couch *f*. Liegesofa *neu*.
cough (kɔf) *n* Husten *m*. *vi* husten.
could (kud; *unstressed* kəd) *v* see **can.**
council ('kaunsəl) *n* Rat *m*. **councillor** Ratsherr *m*.
counsel ('kaunsəl) *n* Rat(schlag) *m*. *vt* beraten.
count[1] (kaunt) *vt* **1** zählen. **2** halten für. *vi* **1** zählen. **2** gelten. *n* Zählen *neu*. **countdown** Startzählung *f*.
count[2] (kaunt) *n* Graf *m*.
counter[1] ('kauntə) *n* **1** Ladentisch *m*. **2** Spielmarke *f*. **3** Zähler *m*.
counter[2] ('kauntə) *pref* gegen, entgegen.
counterattack ('kauntərətæk) *n* Gegenangriff *m*.
counterfeit ('kauntəfit) *adj* falsch, unecht, verfälscht. *vt* fälschen.
counterfoil ('kauntəfɔil) *n* Quittung *f*. Kontrollabschnitt *m*.
counterpart ('kauntəpa:t) *n* Gegenstück *neu*.
countess ('kauntis) *n* Gräfin *f*.
country ('kʌntri) *n* **1** Land *neu*. **2** Staat

m. **country house** *n* Landhaus *neu.* **countryside** *n* Landschaft *f.*

county ('kaunti) *n* Grafschaft *f.*

coup (ku:) *n* Coup, Putsch *m.* **coup d'état** *n* Staatsstreich *m.*

couple ('kʌpəl) *n* Paar *neu.* **a couple of** ein Paar. *vt* **1** paaren, verbinden. **2** koppeln.

coupon ('ku:pɔn) *n* Gutschein, Kupon *m.*

courage ('kʌridʒ) *n* Mut *m.* Tapferkeit *f.*

courgette (kuə'ʒet) *n* Courgette *f.*

courier ('kuriə) *n* **1** Kurier, Eilbote *m.* **2** Reiseleiter *m.*

course (kɔ:s) *n* **1** Lauf, Gang *m.* **2** Kurs *m.* Richtung *f.* **3** Rennbahn *f.* **4** *educ* Kursus, Lehrgang *m.* **of course** natürlich, selbstverständlich.

court (kɔ:t) *n* **1** Hof *m.* **2** Spielplatz *m.* *vt* werben um. **court martial** *n* Militärgericht, Kriegsgericht *neu.* **courtship** *n* Werbezeit, Werbung *f.* **courtyard** *n* Hof *m.*

courteous ('kə:tiəs) *adj* höflich, verbindlich. **courtesy** *n* Höflichkeit *f.*

cousin ('kʌzən) *n* Vetter, Cousin *m.* Kusine *f.*

cove (kouv) *n* Bucht *f.*

cover ('kʌvə) *n* **1** Decke *f.* **2** (Be)Deckung *f.* **3** Hülle *f.* *vt* decken, bedecken.

cow (kau) *n* Kuh *f.* **cowboy** *n* Cowboy *m.*

coward ('kauəd) *n* Feigling *m.*

cower ('kauə) *vi* sich ducken, kauern.

coy (kɔi) *adj* scheu, bescheiden.

crab (kræb) *n* Krebs *m.*

crack (kræk) *vi,vt* **1** knallen. **2** spalten, zerbrechen. *n* **1** Spalt, Riß *m.* **2** Knall *m.*

cracker ('krækə) *n* Keks *m.*

crackle ('krækəl) *vi* knistern. *n* Geknister *neu.*

cradle ('kreidl) *n* Wiege *f.* *vt* wiegen.

craft (krɑ:ft) *n* **1** Kunst, Fertigkeit *f.* **2** List, Schlauheit *f.* **craftsman** *n* Künstler, Handwerker *m.* **craftsmanship** *n* Kunstfertigkeit *f.* **crafty** *adj* listig, gerissen.

cram (kræm) *vt* vollstopfen, überladen.

cramp[1] (kræmp) *n* Krampf *m.* **cramped** *adj* beengt, zusammengepfercht.

cramp[2] (kræmp) *n* Klammer, Krampe *f.* *vt* mit Klammern befestigen.

crane (krein) *n* **1** *zool* Kranich *m.* **2** Kran *m.*

crash (kræʃ) *n* **1** Zusammenstoß, Aufprall *m.* **2** Absturz *m.* **3** Krachen *neu.* *vi* **1** zusammenstoßen. **2** abstürzen. **crash-helmet** *n* Sturzhelm *m.*

crate (kreit) *n* Kiste *f.* *vt* verpacken.

crater ('kreitə) *n* Krater, Trichter *m.*

crave (kreiv) *vt* sich sehnen nach, flehen um.

crawl (krɔ:l) *vi* kriechen, sich schleppen. *n* **1** Kriechen *neu.* **2** *sport* Kraulschwimmen *neu.*

crayfish ('kreifiʃ) *n* (Fluß)Krebs *m.*

crayon ('kreiən) *n* Buntstift *m.*

craze (kreiz) *n* Fimmel *m.* Manie, Mode *f.* **crazy** *adj* verrückt, toll.

creak (kri:k) *vi* knarren. *n* Knarren *neu.*

cream (kri:m) *n* **1** Sahne *f.* Rahm *m.* **2** Creme *f.*

crease (kri:s) *n* **1** Falte *f.* **2** Bügelfalte *f.* *vt* **1** falten. **2** bügeln. **crease-resistant** *adj* knitterfrei.

create (kri'eit) *vt* **1** (er)schaffen, kreieren. **2** verursachen. **3** erheben (zu). **creation** *n* Erschaffung, Schöpfung *f.* **creative** *adj* kreativ, schöpferisch. **creator** *n* Schöpfer *m.* **creature** *n* Geschöpf, Wesen *neu.*

credentials (kri'denʃəlz) *n pl* **1** Ausweispapiere *neu pl.* **2** Beglaubigungsschreiben *neu.*

credible ('kredibəl) *adj* glaubwürdig.

credit ('kredit) *n* **1** Kredit *m.* Guthaben *neu.* **2** Anerkennung *f.* **3** Glaube *m.* *vt* **1** kreditieren, gutschreiben. **2** zutrauen. **credit card** *n* Kreditkarte *f.*

credulous ('kredjuləs) *adj* leichtgläubig.

creep* (kri:p) *vi* **1** kriechen, schleichen. **2** sich heimlich nähern. *n sl* Kriecher *m.*

cremate (kri'meit) *vt* einäschern, verbrennen. **crematorium** *n* Krematorium *neu.*

crept (krept) *v* see **creep.**

crescent ('kresənt) *n* Halbmond *m.*

cress (kres) *n* Kresse *f.*

crest (krest) *n* **1** Familienwappen *neu.* **2** Kamm *m.* **3** Gipfel *m.*

crevice ('krevis) *n* Spalte *f.* Riß *m.*

crew[1] (kru:) *n* Mannschaft, Besatzung *f.*

crew[2] (kru:) *v* see **crow**[2].

crib (krib) *n* Krippe *f.* *vi inf* abschreiben.

cricket[1] ('krikit) *n* Grille *f.*

cricket[2] ('krikit) *n* Cricketspiel *neu.*

crime (kraim) *n* Verbrechen *neu.* **criminal** *n* Verbrecher *m.* *adj* kriminell, verbrecherisch.

crimson ('krimzən) *adj* karmesinrot.

cringe (krindʒ) *vi* sich krümmen, kauern.

crinkle ('kriŋkəl) *vi* sich kräuseln. **crinkly** *adj* kraus.

cripple ('kripəl) *n* Krüppel *m.* *vt* lahmlegen, schwer schädigen.

crisis ('kraisis) *n, pl* **crises** Krise *f.*

crisp (krisp) *adj* **1** knusprig. **2** frisch. **crisps** *n pl* Kartoffelscheiben *f pl.*

criterion (krai'tiəriən) *n* Kriterium *neu.*

criticize ('kritisaiz) *vt* kritisieren, tadeln. **critic**

n Kritiker *m*. **critical** *adj* **1** kritisch. **2** entscheidend. **criticism** *n* Kritik *f*.

croak (krouk) *n* Quaken *neu*. *vi* quaken, krächzen.

crochet ('krouʃei) *vt* häkeln. *n* Häkelarbeit *f*.

crockery ('krɔkəri) Geschirr *neu*.

crocodile ('krɔkədail) *n* Krokodil *neu*.

crocus ('kroukəs) *n* Krokus *m*.

crook (kruk) *n* **1** Haken *m*. **2** Krummstab *m*. **3** Schwindler, Gauner *m*. *vt* krümmen.

crooked ('krukid) *adj* schief, gebogen, krumm.

crop (krɔp) *n* **1** Feldfrucht *f*. Getreide *neu*. **2** Ernte *f*. **3** Reitpeitsche *f*. *vi* **1** abgrasen, abweiden. **2** stutzen. **crop up** auftauchen.

croquet ('kroukei) *n* Krocketspiel *neu*.

cross (krɔs) *vt* **1** überqueren, hinübergehen. **2** kreuzen. *vi* sich kreuzen. *n* **1** Kreuz *neu*. **2** Querstrich *m*. *adj* **1** böse, verärgert. **2** Quer—, Kreuz—. **cross-examination** *n* Kreuzverhör *m*. **cross-eyed** *adj* schielend. **cross-fire** *n* Kreuzfeuer *neu*. **crossing** *n* **1** Übergang *m*. **2** Kreuzung *f*. **cross-reference** *vt* kreuzverweisen. *n* Kreuzverweis *m*. **crossroads** *n* **1** (Straßen)Kreuzung *f*. **2** Scheideweg *m*. **crossword** Kreuzworträtsel *neu*.

crotchet ('krɔtʃit) *n mus* Viertelnote *f*.

crouch (krautʃ) *vi* sich bücken, hocken.

crow[1] (krou) *n* Krähe *f*.

crow[2] (krou) *vi* krähen.

crowd (kraud) *n* **1** (Menschen)Menge *f*. **2** *inf* Clique *f*. *vi* sich drängen. *vt* überfüllen.

crown (kraun) *n* Krone *f*. *vt* krönen. **crowning** *adj* krönend, höchst. **crown prince** *n* Kronprinz *m*.

crucial ('kru:ʃəl) *adj* kritisch, entscheidend.

crucify ('kru:sifai) *vt* kreuzigen. **crucifix** *n* Kruzifix *neu*.

crude (kru:d) *adj* **1** roh, unreif. **2** grob, ungehobelt. **crude oil** *n* Rohöl *neu*.

cruel ('kruəl) *adj* grausam, unbarmherzig. **cruelty** *n* **1** Grausamkeit *f*. **2** Quälerei *f*.

cruise (kru:z) *n* Kreuzfahrt *f*. *vi* kreuzen.

crumb (krʌm) *n* Krume *f*. Brösel *m*.

crumble ('krʌmbəl) *vt* zerkrümeln, zerbröckeln. *vi* zerfallen.

crumple ('krʌmpəl) *vt* zerknittern, zusammenbrechen. *vi* faltig werden.

crunch (krʌntʃ) *vt* zerknirschen. *vi* knirschen. **crunchy** *adj* knusprig.

crusade (kru:'seid) *n* Kreuzzug *m*. **crusader** *n* Kreuzfahrer *m*.

crush (krʌʃ) *vt* zerdrücken, zerquetschen.

crust (krʌst) *n* Kruste, Rinde *f*.

crustacean (krʌs'teiʃən) *n* Krustentier *neu*.

crutch (krʌtʃ) *n* Krücke *f*.

cry (krai) *vi* **1** schreien, rufen. **2** weinen. *n* Schrei, Ruf *m*.

crypt (kript) *n* Gruft *f*. **cryptic** *adj* geheim.

crystal ('kristl) *n* Kristall *m*. **crystallize** *vt,vi* kristallisieren.

cub (kʌb) *n* Welpe *m*.

cube (kju:b) *n* Würfel, Kubus *m*. **cubic** *adj* **1** würfelförmig. **2** Kubik—. **cubicle** *n* Kabine *f*.

cuckoo ('kuku:) *n* Kuckuck *m*.

cucumber ('kju:kʌmbə) *n* (Salat)Gurke *f*.

cuddle ('kʌdl) *vt* umarmen, hätscheln. *vi* sich (zusammen)kuscheln. *n* Umarmung *f*.

cue[1] (kju:) *n* **1** *Th* Stichwort *neu*. **2** Wink *m*.

cue[2] (kju:) *n* Billardstock *m*.

cuff[1] (kʌf) *n* Manschette *f*. Ärmelaufschlag *m*. **cufflink** *n* Manschettenknopf *m*.

cuff[2] (kʌf) *vt* schlagen, knuffen. *n* Ohrfeige *f*.

culinary ('kʌlinri) *adj* kulinarisch, Koch—.

culminate ('kʌlmineit) *vi* kulminieren, gipfeln.

culprit ('kʌlprit) *n* Schuldige(r), Täter *m*.

cult (kʌlt) *n* Kult *m*.

cultivate (kʌltiveit) *vt* **1** bebauen, kultivieren. **2** pflegen, hegen. **cultivation** *n* **1** Ackerbau *m*. **2** Bebauung, Kultivierung *f*.

culture ('kʌltʃə) *n* **1** Kultur *f*. **2** Zucht *f*. **cultural** *adj* kulturell.

cumbersome ('kʌmbəsəm) *adj* schwerfällig.

cunning ('kʌniŋ) *adj* listig, schlau.

cup (kʌp) *n* **1** Tasse *f*. **2** *sport* Pokal *m*. **cupful** *n* Tasse(voll) *f*.

cupboard ('kʌbəd) *n* Schrank *m*.

curate ('kjuəreit) *n* Unterpfarrer *m*.

curator (kju'reitə) *n* **1** Verwalter *m*. **2** Museumsdirektor *m*.

curb (kə:b) *vt* bändigen, zügeln. *n* **1** Kinnkette *f*. **2** Zügel *m*.

curdle ('kə:dl) *vi,(vt)* gerinnen (lassen).

cure (kjuə) *vt* **1** heilen. **2** *cul* räuchern. *n* **1** Heilung *f*. **2** Heilmittel *neu*. **3** Kur *f*.

curfew ('kə:fju:) *n* Ausgehvebot *m*.

curious ('kjuəriəs) *adj* **1** neugierig. **2** merkwürdig, seltsam. **curiosity** *n* Neugier *f*.

curl (kə:l) *(vi).vt* **1** (sich) locken, (sich) kräuseln. **2** (sich) zusammenrollen. *n* **1** Locke *f*. **2** Windung *f*.

currant ('kʌrənt) *n* Korinthe *f*.

current ('kʌrənt) *n* Strom *m*. *adj* **1** laufend. **2** gegenwärtig. **current account** *n* Kontokorrent *neu*. **currency** *n* **1** *comm* Währung *f*. **2** Umlauf *m*.

curry ('kʌri) *n cul* Curry m.

curse (kə:s) *vi* fluchen, schimpfen. *vt* (ver)-fluchen. *n* Fluch *m*.
curt (kə:t) *adj* knapp, barsch.
curtail (kə:'teil) *vt* **1** verkürzen. **2** beschneiden. **3** vermindern.
curtain ('kə:tn̩) *n* Gardine *f*. Vorhang *m*.
curtsy ('kə:tsi) *vi* einen Knicks machen. *n* Knicks *m*.
curve (kə:v) *(vi),vt* (sich) biegen, (sich) krümmen. *n* Kurve, Krümmung *f*.
cushion ('kuʃən) *n* Kissen, Polster *neu*. *vt* dämpfen.
custard ('kʌstəd) *n* Eierkrem *f*.
custody ('kʌstədi) *n* **1** Bewachung *f*. Schutz *m*. **2** *law* Haft *f*.
custom ('kʌstəm) *n* Brauch *m*. Gewohnheit, Sitte *f*. **customary** *adj* gebräuchlich, Gewohnheits—. **customer** *n* Kunde, Klient *m*.
cut* (kʌt) *vt* **1** schneiden. **2** vermindern, verkürzen. *n* Schnitt *m*. **2** Schlag *m*. **3** Anteil *m*. **4** Abzug *m*. **5** Kürzung *f*. **cut down 1** fällen. **2** verringern. **cut off** abschneiden. **cut up** zerschneiden. **cut-price** *adj* herabgesetzt. **cutting** *n* Ausschnitt *m*. *adj* beißend, scharf.
cute (kju:t) *adj* süß, niedlich.
cuticle ('kju:tikəl) *n* Oberhaut *f*.
cutlery ('kʌtləri) *n* Besteck *neu*.
cutlet ('kʌtlit) *n* Kotelett *neu*.
cycle ('saikəl) *n* **1** Fahrrad *neu*. **2** Zyklus *m*. Kreislauf *m*. *vi* radfahren.
cyclone ('saikloun) *n* Wirbelsturm *m*.
cygnet ('signit) *n* junger Schwan *m*.
cylinder ('silində) *n* Zylinder *m*.
cymbal ('simbəl) *n* Zimbel *f*. Becken *neu*.
cynic ('sinik) *n* Zyniker *m*. **cynical** *adj* zynisch.
cypress ('saipрəs) *n* Zypresse *f*.
Cyprus ('saipрəs) *n* Zypern *neu*. **Cypriot** *n* Zypriot *m*. *adj* zypriotisch.
Czech (tʃek) *n* Tscheche *m*. *adj* tschechisch.
Czechoslovakia (tʃekəslə'vækiə) *n* Tschechoslowakei *f*. **Czechoslovakian** *adj* tschechoslowakisch. *n* Tschechoslowake *m*.

D

dab (dæb) *vt* (be)tupfen.
dabble ('dæbəl) *vi* **1** benetzen. **2** hineinpfuschen. **dabbler** *n* Dilettant *m*.
dad (dæd) *n inf also* **daddy** Vati *m*.
daffodil ('dæfədil) *n* Narzisse *f*.
daft (da:ft) *adj* blöd, dumm.
dagger ('dægə) *n* Dolch *m*.
daily ('deili) *adj* täglich.
dainty ('deinti) *adj* zierlich.
dairy ('dɛəri) *n* Molkerei *f*. **dairy farm** *n* Meierei *f*.
daisy ('deizi) *n* Gänseblümchen *neu*.
dam (dæm) *n* Damm, Deich *m*. *vt* eindämmen.
damage ('dæmidʒ) *n* Schaden *m*. Beschädigung *f*. *vt* beschädigen.
damn (dæm) *vt* **1** verdammen. **2** verfluchen. **3** verurteilen. *interj* verflucht! **damnable** *adj* verdammt, verflucht. **damnation** *n* Verdammung *f*.
damp (dæmp) *adj* feucht. **dampen** *vt* **1** anfeuchten. **2** *inf* niederschlagen.
damson ('dæmzən) *n* Zwetschge *f*.
dance (da:ns) *n* Tanz *m*. *vi* tanzen. **dancer** *n* Tänzer *m*. Tänzerin *f*.
dandelion ('dændilaiən) *n* Löwenzahn *m*.
dandruff ('dændrʌf) *n* Schuppen *f pl*.
Dane (dein) *n* Däne *m*. **Danish** *adj* dänisch. *n* (language) Dänisch *neu*.
danger ('deindʒə) *n* Gefahr *f*. **dangerous** *adj* gefährlich.
dangle ('dæŋgəl) *vi,(vt)* baumeln, schwenken (lassen).
Danube ('dænju:b) *n* Donau *f*.
dare (dɛə) *vi* wagen, sich getrauen. **daring** *adj* mutig, waghalsig.
dark (da:k) *adj* dunkel, finster. **darken** *vt* verdunkeln. *vi* sich verdunkeln, trüben. **darkness** *n* Dunkelheit, Finsternis *f*.
darling ('da:liŋ) *n* Liebling *m*.
darn (da:n) *vt* stopfen.
dart (da:t) *n* Wurfpfeil *m*. *vi* hervorschießen.
dash (dæʃ) *vt* **1** zerschlagen. **2** zerstören. *vi* eilen, stürzen. *n* Zusatz, Schuß *m*. **dashboard** *n* Armaturenbrett *neu*.
data ('deitə) *n pl* Daten *neu pl*. **data processing** *n* Datenverarbeitung *f*.
date[1] (deit) *n* **1** Datum *neu*. **2** Termin *m*. **3** Periode *f*. *vt* **1** datieren. **2** *inf* sich verabreden mit. **date line** *n* Datumsgrenze *f*.
date[2] (deit) *n* Dattel *f*.
dative ('deitiv) *adj* dativ. *n* Dativ *m*.
daughter ('dɔ:tə) *n* Tochter *f*. **daughter-in-law** *n* Schwiegertochter *f*.
dawdle ('dɔ:dl) *vi* bummeln, trödeln.
dawn (dɔ:n) *n* Morgendämmerung *f*. Tagesanbruch *m*.
day (dei) *n* Tag *m*. **daybreak** *n* Tagesanbruch *m*. **daydream** *n* Träumerei *f*. **daylight** *n* Tageslicht *neu*.

daze (deiz) *n* Verwirrung *f.* *vt* verwirren, betäuben.
dazzle ('dæzəl) *vt* blenden.
dead (ded) *adj* tot, leblos. **deaden** *vt* abtöten, dämpfen. **deadline** *n* Frist *f.* Termin *m.* **deadlock** *n* Stillstand *m.*
deaf (def) *adj* taub, schwerhörig. **deaf-aid** *n* Hörgerät *neu.* **deafen** *vt* taub machen. **deaf-mute** *n* Taubstumme(r) *m.* *adj* taubstumm.
deal* (di:l) *vi* 1 handeln. 2 sich beschäftigen. *vt game* austeilen. *n* 1 Geschäft *neu.* 2 Abkommen *neu.* 3 Menge *f.* **a great** *or* **good deal** sehr viel, eine ganze Menge. **dealer** *n* 1 Händler *m.* 2 Verteiler *m.*
dean (di:n) *n* Dekan *m.*
dear (diə) *adj* 1 lieb, geschätzt. 2 teuer. 3 (in letters) Liebe(r), Sehr geehrte(r). *n* Liebling *neu.* **oh dear!** ach je! **dearly** *adv* 1 herzlich. 2 teuer.
death (deθ) *n* Tod *m.* **death certificate** *n* Sterbeurkunde *f.*
debase (di'beis) *vt* verderben, in Wert mindern.
debate (di'beit) *vt* debattieren, besprechen.
debit ('debit) *vt* belasten. *n* Belastung *f.* Soll *neu.*
debris ('deibri) *n* Trümmer *pl.* Schutt *m.*
debt (det) *n* Schuld, Verpflichtung *f.* **debtor** *n* Schuldner *m.*
decade ('dekeid) *n* Jahrzehnt *neu.*
decadent ('dekədənt) *adj* dekadent. **decadence** *n* Dekadenz *f.*
decant (di'kænt) *vt* umfüllen. **decanter** *n* Karaffe *f.*
decay (di'kei) *n* Verfall *m.* *vi* verfallen, verfaulen.
decease (di'si:s) *vi* sterben. **deceased** *n* Verstorbene(r) *m.*
deceit (di'si:t) *n* Täuschung *f.* Betrug *m.*
deceive (di'si:v) *vt* irreführen, betrügen, täuschen.
December (di'sembə) *n* Dezember *m.*
decent ('di:sənt) *adj* dezent, anständig.
deceptive (di'septiv) *adj* täuschend, trügerisch.
decide (di'said) *vi* sich entscheiden, sich entschließen. *vt* bestimmen, entscheiden.
deciduous (di'sidjuəs) *adj* Laub—.
decimal ('desiməl) *adj* dezimal.
decipher (di'saifə) *vt* entziffern.
decision (di'siʒən) *n* Entscheidung *f.* Entschluß *m.* **decisive** *adj* entscheidend.
deck (dek) *n* 1 Deck *neu.* 2 *game* Spielkarten *f pl.* Pack *neu.* **deckchair** *n* Liegestuhl *m.*
declare (di'klɛə) *vt* erklären, bekanntgeben. *vi* erklären. **declaration** *n* Erklärung, Anmeldung *f.*
decline (di'klain) *vi* 1 verfallen, sich neigen. 2 ablehnen. 3 abnehmen. *vt* 1 ablehnen. 2 *gram* deklinieren. *n* Verfall *m.* **declension** *n* Deklination *f.*
decompose (di:kəm'pouz) *vt* 1 spalten. 2 scheiden. *vi* sich auflösen. 2 verfaulen.
decorate ('dekəreit) *vt* 1 schmücken, dekorieren. 2 tapezieren, streichen. 3 auszeichnen. **decoration** *n* 1 Schmuck *m.* Verzierung *f.* 2 Ausstattung *f.* 3 Auszeichnung *f.* Order *m.*
decoy (*n* 'di:kɔi; *v* di'kɔi) *n* Lockvogel, Köder *m.* *vt* locken, verleiten.
decrease (di'kri:s) *n* Abnahme *f.* Verminderung *f.* *vt* verringern, vermindern. *vi* abnehmen, sich vermindern.
decree (di'kri:) *n* Erlaß, Bescheid *m.*
decrepit (di:krepit) *adj* 1 hinfällig. 2 verfallen.
dedicate ('dedikeit) *vt* 1 (ein)weihen. 2 widmen. **dedicated** *adj* pflichtgetreu. **dedication** *n* Widmung, Hingabe *f.*
deduce (di'dju:s) *vt* folgern, schließen, ableiten.
deduct (di'dʌkt) *vt* abziehen, abrechnen. **deduction** *n* 1 Abzug *m.* 2 Schlußfolgerung *f.*
deed (di:d) *n* 1 Tat, Handlung *f.* 2 Urkunde *f.*
deep (di:p) *adj* tief. *n* Tiefe *f.* **deep-freeze** *n* Tiefkühltruhe *f.* *vt* tiefkühlen.
deer (diə) *n invar* Reh *neu.*
deface (di'feis) *vt* entstellen, verunstalten.
default (di'fɔ:lt) *n* Nichterfüllung, Unterlassung *f.* Versäumnis *neu.* *vi* in Verzug geraten.
defeat (di'fi:t) *n* Niederlage *f.* *vt* schlagen, überwinden, besiegen.
defect (*n* 'di:fekt; *v* di'fekt) *n* Mangel, Fehler *m.* *vi* übertreten. **defection** *n* Treubruch *m.* **defective** *adj* fehlerhaft, mangelhaft.
defend (di'fend) *vt* verteidigen. **defence** *n* Verteidigung *f.* **defender** *n* Verteidiger *m.*
defer (di'fə:) *vt* verschieben. *vi* nachgieben, sich beugen. **deference** *n* 1 Nachgiebigkeit *f.* 2 (Hoch)Achtung *f.* **deferential** *adj* rücksichtsvoll.
defiant (di'faiənt) *adj* trotzig, herausfordernd. **defiance** *n* Trotz, Widerstand *m.* Widerspenstigkeit *f.*
deficient (di'fiʃənt) *adj* mangelhaft, unzulänglich. **deficiency** *n* Mangel *m.* Unzulänglichkeit *f.*
deficit ('defisit) *n* Fehlbetrag, Ausfall *m.*
define (di'fain) *vt* 1 definieren, festlegen, bestimmen. 2 abgrenzen. **definition** *n* 1 Definition *f.* 2 Deutlichkeit *f.*

definite ('defənit) *adj* bestimmt, unbedingt.
deflate (di'fleit) *vt* entleeren, Luft ablassen aus.
deform (di'fɔ:m) *vt* deformieren, verunstalten.
defraud (di'frɔ:d) *vt* betrügen.
defrost (di'frɔst) *vt* entfrosten.
deft (deft) *adj* gewandt, geschickt.
defunct (di'fʌŋkt) *adj* **1** verstorben. **2** nicht mehr bestehend.
defy (di'fai) *vt* **1** trotzen. **2** herausfordern.
degenerate (di'dʒenəreit) *vi* entarten, degenerieren. **degeneration** *n* Entartung, Degeneration *f.*
degrade (di'greid) *vt* degradieren, erniedrigen.
degree (di'gri:) *n* **1** Grad *m.* **2** Stufe *f.* **3** *educ* Grad *m.*
dehydrate (di'haidreit) *vt* trocknen, das Wasser entziehen.
deity ('deiiti) *n* Gott *m.* Gottheit *f.*
dejected (di'dʒektid) *adj* niedergeschlagen, traurig.
delay (di'lei) *n* Verzögerung, Verspätung *f.* *vt* verzögern, verschieben. *vi* zögern.
delegate (*n* 'deligət; *v* 'deligeit) *n* Delegierte(r), Abgeordnete(r) *m.* *vt* **1** bevollmächtigen, delegieren. **2** übertragen.
delete (di'li:t) *vt* (aus)streichen.
deliberate (*adj* di'libərət; *v* di'libəreit) *adj* absichtlich. *vi* nachdenken, überlegen. **deliberation** *n* Überlegung.
delicate ('delikət) *adj* **1** zart, fein. **2** empfindlich. **delicacy** *n* **1** Delikatesse *f.* **2** Feinheit *f.* **delicatessen** *n* Feinkostgeschäft *neu.*
delicious (di'liʃəs) *adj* köstlich, herrlich.
delight (di'lait) *n* Freude, Wonne *f.* *vt* erfreuen, entzücken. *vi* Freude haben, entzückt sein.
delinquency (di'liŋkwənsi) *n* Kriminalität *f.* **delinquent** *adj* kriminell. *n* Verbrecher *m.*
deliver (di'livə) *vt* **1** (ab-, aus-)liefern, austragen. **2** *med* entbinden. **3** befreien. **deliverance** *n* Befreiung *f.* **delivery** *n* **1** (Aus)Lieferung *f.* **2** *med* Entbindung *f.* **3** *sport* Wurf *m.*
delta ('deltə) *n* Delta *neu.*
delude (di'lu:d) *vt* täuschen, irreführen. **delusion** *n* Wahn *m.* Täuschung *f.*
delve (delv) *vi* sich vertiefen.
demand (di'mɑ:nd) *n* Forderung *f.* Verlangen *neu.* *vt* fordern, verlangen.
democracy (di'mɔkrəsi) *n* Demokratie *f.* **democratic** *adj* demokratisch.
demolish (di'mɔliʃ) *vt* abreißen, zerstören. **demolition** *n* Abreißen *neu.*
demon ('di:mən) *n* Dämon *m.*
demonstrate ('demənstreit) *vi,vt* demonstrieren, zeigen. **demonstration** *n* Demonstration *f.*
demoralize (di'mɔrəlaiz) *vt* entmutigen.
demure (di'mjuə) *adj* zurückhaltend, zimperlich.
den (den) *n* Höhle *f.* Loch *neu.*
denial (di'naiəl) *n* **1** Verweigerung *f.* **2** (Ab)-Leugnung *f.*
denim ('denim) *n* Drillich *m.*
Denmark ('denmɑ:k) *n* Dänemark *neu.*
denomination (dinɔmi'neiʃən) *n* **1** *rel* Konfession *f.* **2** Einheit *f.* **3** Bezeichnung *f.*
denote (di'nout) *vt* kennzeichnen, bedeuten.
denounce (di'nauns) *vt* anzeigen, denunzieren.
dense (dens) *adj* **1** dicht. **2** beschränkt. **density** *n* Dichte *f.*
dent (dent) *vt* einbeulen. *n* Beule *f,*
dental ('dentl) *adj* zahnärztlich, Zahn—. **dentist** *n* Zahnarzt *m.* **denture** *n* Zahnprothese *f.*
denunciation (di'nʌnsieiʃən) *n* Verurteilung, Denunziation *f.*
deny (di'nai) *vt* **1** leugnen, verneinen. **2** verweigern.
deodorant (di'oudərənt) *n* Desodorans *neu.*
depart (di'pɑ:t) *vi* **1** weggehen, abfahren. **2** abweichen. **departure** *n* Abfahrt *f.* Abflug *m.*
department (di'pɑ:tmənt) *n* Abteilung *f.* **department store** *n* Warenhaus, Kaufhaus *neu.*
depend (di'pend) *vi* **1** abhängen. **2** ankommen. **dependant** *n* Abhängige(r), Angehörige(r) *m.* **dependence** *n* Abhängigkeit *f.* **dependent** *adj* abhängig.
depict (di'pikt) *vt* **1** zeichnen. **2** schildern.
deplete (di'pli:t) *vt* **1** (ent)leeren. **2** erschöpfen.
deplore (di'plɔ:) *vt* bedauern, mißbilligen.
deport (di'pɔ:t) *vt* deportieren, ausweisen. **deportation** *n* Deportation, Ausweisung *f.*
depose (di'pouz) *vt* absetzen.
deposit (di'pɔzit) *n* **1** Anzahlung *f.* **2** Niederschlag *m.* *vt* **1** niederlegen. **2** hinterlegen, anzahlen.
depot ('depou) *n* Depot, Lagerhaus *neu.*
deprave (di'preiv) *vt* (moralisch) verderben. **depraved** *adj* verdorben. **depravity** *n* Verdorbenheit *f.*
depreciate (di'pri:ʃieit) *vt* entwerten. *vi* im Wert sinken.
depress (di'pres) *vt* **1** bedrücken. **2** niederschlagen, deprimieren. **depression** *n* **1** Depression *f.* **2** Vertiefung *f.* **3** Tiefdruckgebiet *neu.*
deprive (di'praiv) *vt* berauben, vorenthalten. **deprivation** *n* Beraubung, Verlust *f.*

depth (depθ) *n* Tiefe *f.* **in depth** ausführlich, gründlich.
deputy ('depjuti) *n* Stellvertreter *m.*
derail (di'reil) *vt* entgleisen.
derelict ('derəlikt) *adj* verlassen, aufgegeben, verfallen.
deride (di'raid) *vt* verlachen, verhöhnen.
derive (di'raiv) *vt* ableiten, herleiten. *vi* abstammen. **derivation** *n* Ableitung, Abstammung *f.*
derogatory (di'rɔgətri) *adj* herabsetzend, abfällig.
descend (di'send) *vi* **1** herunterkommen. **2** absteigen. **3** aussteigen. **4** sinken. **5** herkommen. **descendant** *n* Nachkomme *m.* **descent** (di'sent) *n* **1** Abstieg *m.* **2** Niedergang *m.* **3** Herkunft *f.*
describe (di'skraib) *vt* beschreiben. **description** *n* Beschreibung *f.*
desert[1] ('dezət) *n* Wüste, Einöde *f.*
desert[2] (di'zə:t) *vt* verlassen. *vi* desertieren. **deserter** *n mil* Deserteur *m.*
desert[3] (di'zə:t) *n* Verdienst *m.*
deserve (di'zə:v) *vt* verdienen.
design (di'zain) *n* **1** Entwurf *m.* Zeichnung *f.* **2** Konstruktion *f.* **3** Muster *neu.* **4** Absicht *f.* Plan *m. vt* entwerfen, planen.
designate ('dezigneit) *vt* bezeichnen, vorsehen.
desire (di'zaiə) *vt* **1** wünschen. **2** begehren. *n* **1** Wunsch, Wille *m.* **2** Begierde *f.* Verlangen *neu.*
desk (desk) *n* Pult *neu.* Schreibtisch *m.*
desolate ('desələt) *adj* **1** wüst, öde. **2** traurig.
despair (di'spɛə) *vi* verzweifeln. *n* Verzweiflung *f.*
desperate ('desprət) *adj* verzweifelt, hoffnungslos.
despise (di'spaiz) *vt* verachten. **despicable** *adj* verächtlich.
despite (di'spait) *prep* trotz, ungeachtet.
despondent (di'spɔndənt) *adj* mutlos, verzweifelt.
dessert (di'zə:t) *n* Nachtisch *m.* **dessertspoon** *n* Dessertlöffel *m.*
destine ('destin) *vt* bestimmen, ausersehen. **destination** *n* Ziel *neu.* Bestimmungsort *m.* **destiny** *n* Schicksal *neu.*
destitute ('destitju:t) *adj* mittellos, verarmt.
destroy (di'strɔi) *vt* zerstören. **destroyer** *n* Zerstörer *m.* **destruction** *n* **1** Zerstorung *f.* **2** Verwüstung *f.*
detach (di'tætʃ) *vt* loslösen, abtrennen. **detached** *adj* **1** abgetrennt. **2** objektiv. **detachment** *n* **1** Abtrennung. **2** Objektivität *f.*
detail ('di:teil) *n* Detail *neu.* Einzelheit *f.* **in detail** ausführlich. *vt* detaillieren. **detailed** *adj* ausführlich.
detain (di'tein) *vt* zurückhalten, festhalten.
detect (di'tekt) *vt* **1** entdecken, (heraus)finden. **2** spuren, empfinden. **detective** *n* Detektiv *m.*
détente (dei'tɑ:nt) *n pol* Entspannung *f.*
detention (di'tenʃən) *n* Haft *f.*
deter (di'tə:) *vt* abschrecken. **deterrent** *n* Abschreckmittel *neu.* Abschreckung *f. adj* abschreckend.
detergent (di'tə:dʒənt) *n* Waschmittel *neu.*
deteriorate (di'tiəriəreit) *vi* sich verschlechtern. **deterioration** *n* Verschlechterung *f.*
determine (di'tə:min) *vt* **1** entschließen, entscheiden. **2** bestimmen, feststellen. **determination** *n* Entschlossenheit *f.*
detest (di'test) *vt* hassen.
detonate ('detəneit) *vi,(vt)* explodieren (lassen).
detour ('di:tuə) *n* Umweg *m.*
detract (di'trækt) *vi* herabsetzen. *vt* entziehen.
devalue (di'vælju:) *vt* entwerten. **devaluation** *n* Entwertung *f.*
devastate ('devəsteit) *vt* verwüsten, verheeren. **devastation** *n* Verwüstung *f.*
develop (di'veləp) *vt* entwickeln. **development** *n* Entwicklung *f.*
deviate ('di:vieit) *vi* abweichen. **deviation** *n* Abweichung *f.* **devious** *adj* unaufrichtig.
device (di'vais) *n* **1** Plan *m.* **2** Apparat *m.* Gerät *neu.*
devil ('devəl) *n* Teufel *m.*
devise (di'vaiz) *vt,vi* ausdenken, erfinden.
devoid (di'vɔid) *adj* ohne, frei von.
devote (di'vout) *vt* widmen. **devote oneself** sich hingeben. **devotee** *n* **1** Verehrer *m.* **2** Anhänger *m.* **devotion** *n* Hingabe *f.*
devour (di'vauə) *vt* **1** fressen, verschlingen. **2** verzehren. **3** vernichten.
devout (di'vaut) *adj* fromm, andächtig.
dew (dju:) *n* Tau *m.*
dexterous ('dekstrəs) *adj* gewandt. **dexterity** *n* Gewandtheit *f.*
diabetes (daiə'bi:tiz) *n* Zuckerkrankheit *f.* **diabetic** *adj* zuckerkrank. *n* Zuckerkranke(r) *m.*
diagonal (dai'agənl) *adj* diagonal.
diagram ('daiəgræm) *n* Diagramm, Schema *neu.*
dial (dail) *n* **1** (telephone) Wählscheibe *f.* **2** Ziffernscheibe *f. vt,vi* wählen.
dialect ('daiəlekt) *n* Mundart *f.* Dialekt *m.*

dialogue ('daiəlɔg) *n* Dialog *m.* Zwiegespräch *neu.*

diameter (dai'æmitə) *n* Durchmesser *m.*

diamond ('daiəmənd) *n* Diamant *m.*

diaphragm ('daiəfræm) *n* **1** Membran *f.* **2** *anat* Zwerchfell *neu.* **3** *phot* Blende *f.*

diarrhoea (daiə'riə) *n* Durchfall *m.*

diary ('daiəri) *n* Tagebuch *neu.* Kalender *m.*

dice (dais) *n pl or s* Würfel *m. vi* würfeln. *vt cul* in Würfel schneiden.

dictate (*v* dik'teit; *n* 'dikteit) *vt* diktieren. *n* Gebot *neu.* **dictation** *n* **1** Vorschrift *f.* Diktieren *neu.* **2** Diktat *neu.* **dictator** *n* **1** Diktator *m.* **dictatorship** *n* Diktatur *f.*

dictionary ('dikʃənri) *n* Wörterbuch *neu.*

did (did) *v* see **do.**

die (dai) *vi* **1** sterben. **2** (of animals) eingehen.

diesel ('di:zəl) *n tech* Diesel *m.* **diesel engine** Dieselmotor *m.*

diet ('daiət) *n* **1** Ernährung, Kost *f.* **2** Diät *f.*

differ ('difə) *vi* **1** (sich) unterscheiden. **2** abweichen. **difference** *n* Unterschied *m.* Verschiedenheit *f.* **different** *adj* verschieden, ander(s).

difficult ('difikəlt) *adj* schwierig, schwer, mühsam. **difficulty** *n* Schwierigkeit, Mühe *f.*

dig* (dig) *vt,vi* graben.

digest (*v* dai'dʒest; *n* 'daidʒest) *vt* verdauen. *n* Auslese *f.* **digestion** *n* Verdauung *f.*

digit ('didʒit) *n* **1** Finger *m.* **2** *math* Stelle *f.*

dignified ('dignifaid) *adj* würdevoll.

dignity ('digniti) *n* Würde, Ehre *f.*

dilapidated (di'læpideitid) *adj* verfallen, schäbig.

dilemma (di'lemə) *n* Dilemma *neu.* Verlegenheit *f.*

diligent ('dilidʒənt) *adj* **1** sorgfältig. **2** fleißig.

dilute (dai'lu:t) *vt* verdünnen, wässern.

dim (dim) *adj* **1** düster, trübe. **2** schwach. *vt* verdunkeln.

dimension (di'menʃən) *n* Dimension *f.* Ausmaß *neu.*

diminish (di'miniʃ) *vt* vermindern, verringern. *vi* sich vermindern, abnehmen.

diminutive (di'minjutiv) *adj* klein, winzig.

dimple ('dimpəl) *n* Grübchen *neu.*

din (din) *n* Lärm *m.* Getöse *neu.*

dine (dain) *vi* speisen, essen. **dining car** *n* Speisewagen *m.* **dining room** *n* Speisezimmer, Eßzimmer *neu.*

dinghy ('diŋgi) *n* Beiboot *neu.*

dingy ('dindʒi) *adj* schmutzig, schäbig.

dinner ('dinə) *n* (Haupt)Mahlzeit *f.* Abendessen, Mittagessen *neu.*

diocese ('daiəsis) *n* Diözese *f.*

dip (dip) *vt* **1** eintauchen. **2** (one's headlights) abblenden. *vi* untertauchen. *n* **1** Vertiefung *f.* **2** Eintauchen *neu.*

diphthong ('difθɔŋ) *n* Doppellaut *m.*

diploma (di'ploumə) *n* Diplom *neu.*

diplomacy (di'plouməsi) *n* Diplomatie *f.* **diplomat** *n* Diplomat *m.* **diplomatic** *adj* diplomatisch.

direct (di'rekt) *adj* **1** direkt. **2** gerade, unmittelbar. *vt* **1** führen, leiten. **2** richten. **3** anweisen. **direction** *n* **1** Richtung *f.* **2** *pl* Vorschrift, Anweisung *f.* **direct object** *n* direktes Objekt *neu.* **director** *n* Direktor *m.* Leiter *m.* **directory** *n* Telephonbuch *neu.*

dirt (da:t) *n* Dreck, Schmutz *m.* **dirty** *adj* schmutzig.

disability (disə'biliti) *n* Unfähigkeit, Behinderung *f.* **disabled** *adj* (körper)behindert.

disadvantage (disəd'va:ntidʒ) *n* Nachteil *m.* **disadvantageous** *adj* nachteilig.

disagree (disə'gri:) *vi* **1** nicht übereinstimmen, nicht einig sein. **2** sich widersprechen. **3** (sich) streiten. **disagreement** *n* **1** Uneinigkeit, Unstimmigkeit *f.* **2** (Meinungs)Verschiedenheit *f.* Streit *m.*

disappear (disə'piə) *vi* verschwinden. **disappearance** *n* Verschwinden *neu.*

disappoint (disə'pɔint) *vt* enttäuschen. **disappointment** *n* Enttäuschung *f.*

disapprove (disə'pru:v) *vt* mißbilligen. **disapproval** *n* Mißbilligung *f.*

disarm (dis'a:m) *vt,vi* entwaffnen, abrüsten. **disarmament** *n* Abrüstung *f.*

disaster (di'za:stə) *n* Unglück *neu.* Katastrophe *f.* **disastrous** *adj* unglücklich, schrecklich.

disc (disk) *n* **1** Scheibe *f.* **2** Schallplatte *f.* **disc jockey** *n* Schallplattenansager *m.*

discard (di'ska:d) *vt* ablegen, aufgeben.

discern (di'sə:n) *vt* **1** unterscheiden. **2** wahrnehmen.

discharge (dis'tʃa:dʒ) *vt* erfüllen. *n* **1** Entlassung *f.* **2** Erfüllung *f.* **3** *med* Absonderung *f.*

disciple (di'saipəl) *n* Schüler, Jünger *m.*

discipline ('disəplin) *n* **1** Disziplin *f.* **2** Wissenszweig *m. vt* bestrafen, zurechtweisen.

disclaim (dis'kleim) *vt* **1** verzichten auf. **2** nicht anerkennen, abstreiten.

disclose (dis'klouz) *vt* offenbaren, enthüllen.

discomfort (dis'kʌmfət) *n* Unbehagen *neu.*

disconnect (ˌdiskəˈnekt) *vt* trennen, unterbrechen.
disconsolate (disˈkɔnsələt) *adj* trostlos.
discontinue (diskənˈtinju:) *vt* unterbrechen. *vi* aufhören.
discord (ˈdiskɔ:d) *n* Uneinigkeit *f.* Mißklang *m.*
discotheque (ˈdiskətek) *n* Diskothek *f.*
discount (ˈdiskaunt) *n* Rabatt *m.*
discourage (disˈkʌridʒ) *vt* **1** abraten. **2** entmutigen.
discover (disˈkʌvə) *vt* **1** entdecken. **2** herausfinden, erkennen. **discovery** *n* Entdeckung *f.*
discredit (disˈkredit) *vt* **1** in Verruf bringen. **2** anzweifeln. *n* **1** schlechter Ruf *m.* **2** Zweifel *m.*
discreet (disˈkri:t) *adj* besonnen, diskret. **discretion** *n* **1** Belieben *neu.* **2** Takt *m.*
discrepancy (disˈkrepənsi) *n* Widerspruch *m.* Unstimmigkeit *f.*
discriminate (disˈkrimineit) *vi* unterschiedlich behandeln. *vt* unterscheiden, absondern. **discrimination** *n* Diskriminierung, Unterscheidung *f.*
discus (ˈdiskəs) *n sport* Diskus *m.*
discuss (disˈkʌs) *vt* besprechen, diskutieren, erörtern. **discussion** *n* Erörterung, Diskussion *f.*
disease (diˈzi:z) *n* Krankheit *f.*
disembark (disimˈbɑ:k) *vi* ausschiffen.
disengage (disinˈgeidʒ) *vt* **1** (los)lösen, freimachen. **2** loskuppeln. *vi* sich freimachen.
disfigure (disˈfigə) *vt* verunstalten.
disgrace (disˈgreis) *n* **1** Schande *f.* **2** Ungnade *f.* *vt* schänden, entehren. **disgraceful** *adj* schändlich.
disgruntled (disˈgrʌntəld) *adj* mürrisch.
disguise (disˈgaiz) *vt* **1** verkleiden. **2** verhüllen. *n* Verkleidung *f.* **in disguise** verkleidet.
disgust (disˈgʌst) *n* Ekel *m.* *vt* anekeln. **disgusting** *adj* ekelhaft, widerlich.
dish (diʃ) *n* **1** *cul* Gericht *neu.* **2** Schüssel *f.* **dishcloth** *n* Abwaschtuch *neu.*
dishearten (disˈhɑ:tn) *vt* entmutigen.
dishevelled (diˈʃevəld) *adj* zerzaust.
dishonest (disˈɔnist) *adj* unehrlich. **dishonesty** *n* Unehrlichkeit *f.*
dishonour (disˈɔnə) *vt* entehren. *n* Schande, Unehre *f.*
disillusion (disiˈlu:ʒən) *n* Enttäuschung, Ernüchterung *f.* *vt* ernüchtern, enttäuschen. **disillusioned** *adj* enttäuscht, verbittert, ernüchtert.
disinfect (disinˈfekt) *vt* desinfizieren. **disinfectant** *n* Desinfektionsmittel *neu.*
disinherit (disinˈherit) *vt* enterben.
disintegrate (disˈintigreit) *(vi),vt* (sich) auflösen, (sich) zersetzen. *vi* verfallen. **disintegration** *n* Auflösung, Zersetzung *f.*
disinterested (disˈintrəstid) *adj* unbeteiligt.
dislike (disˈlaik) *vt* nicht mögen. *n* Abneigung *f.*
dislocate (ˈdisləkeit) *vt med* verrenken. **dislocation** *n* Verrenkung *f.*
dislodge (disˈlɔdʒ) *vt* **1** entfernen. **2** vertreiben.
disloyal (disˈlɔiəl) *adj* untreu.
dismal (ˈdizməl) *adj* traurig, trübe.
dismantle (disˈmæntl̩) *vt* demontieren, auseinandernehmen.
dismay (dismei) *n* Bestürzung *f.* *vt* bestürzen.
dismiss (disˈmis) *vt* **1** entlassen. **2** gehen lassen. **3** abweisen. **dismissal** *n* Entlassung *f.*
dismount (disˈmaunt) *vi* absteigen.
disobey (disəˈbei) *vt* ungehorsam sein gegen, nicht gehorchen. **disobedience** *n* Ungehorsam *m.* **disobedient** *adj* ungehorsam.
disorder (disˈɔ:də) *n* **1** Unordnung *f.* **2** Unruhe *f.* **3** *med* Störung *f.*
disorganized (disˈɔ:gənaizd) *adj* in Unordnung, aufgelöst.
disown (disˈoun) *vt* nicht anerkennen, verleugnen.
disparage (disˈpæridʒ) *vt* verunglimpfen, herabsetzen.
dispassionate (disˈpæʃənət) *adj* **1** leidenschaftslos. **2** sachlich.
dispatch (disˈpætʃ) *n* Absendung, Abfertigung *f.* *vt* (eilig) wegschicken, absenden.
dispel (disˈpel) *vt* zerstreuen, vertreiben.
dispense (disˈpens) *vt* verteilen, ausgeben. **dispense with** entbehren, verzichten auf. **dispensary** *n* Arzneiausgabe, Apotheke *f.*
disperse (disˈpə:s) *(vi),vt* (sich) zerstreuen, (sich) verteilen. **dispersal** *n* Zerstreuung, Vertreibung *f.*
displace (disˈpleis) *vt* **1** verschieben. **2** *naut* verdrängen. **displacement** *n* Verrückung, Verdrängung *f.*
display (disˈplei) *n* **1** Auslage *f.* **2** *mil* Vorführung *f.* *vt* **1** zur Schau stellen. **2** zeigen.
displease (disˈpli:z) *vt* mißfallen. **displeasure** *n* Mißfallen *neu.*
dispose (disˈpouz) *vt* anordnen. **dispose of** beseitigen, abschaffen. **disposal** *n* **1** Verfügung *f.* **2** Erledigung *f.* **disposition** *n* **1** Neigung *f.* **2** Veranlagung *f.*
disproportion (disprəˈpɔ:ʃən) *n* Mißverhältnis *neu.* **disproportionate** *adj* **1** unverhältnismäßig. **2** übertrieben.

disprove (dis'pru:v) *vt* widerlegen.

dispute (dis'pju:t) *n* Streit *m.* Debatte *f.* *vi* (sich) streiten. *vt* bestreiten.

disqualify (dis'kwɔlifai) *vt* **1** ausschließen, disqualifizieren. **2** unfähig erklären.

disregard (disri'gɑ:d) *vt* **1** mißachten. **2** außer Acht lassen.

disreputable (dis'repjutəbəl) *adj* verrufen.

disrespect (disri'spekt) *n* Respektlosigkeit *f.*

disrupt (dis'rʌpt) *vt* **1** spalten, zerbrechen. **2** unterbrechen, stören.

dissatisfy (di'sætisfai) *vt* nicht zufriedenstellen, mißfallen.

dissect (di'sekt) *vt* sezieren, zergliedern.

dissent (di'sent) *n* abweichende Meinung *f.* *vi* anderer Meinung sein.

dissimilar (di'similə) *adj* verschieden, unähnlich.

dissociate (di'sou∫ieit) *vt* trennen. **dissociate oneself** sich lossagen, abrücken.

dissolve (di'zɔlv) *vt* auflösen. *vi* sich auflösen, schmelzen.

dissuade (di'sweid) *vt* abraten.

distance ('distəns) *n* Entfernung *f.* Abstand *m.* **distant** *adj* weit, entfernt.

distaste (dis'teist) *n* Abneigung *f.* **distasteful** *adj* widerlich, unangenehm.

distil (dis'til) *vt* destillieren.

distinct (dis'tiŋkt) *adj* **1** verschieden. **2** deutlich. **3** ausgeprägt. **distinction** *n* **1** Unterschied *m.* **2** Auszeichnung *f.* **3** Würde *f.* **distinctive** *adj* deutlich, kennzeichnend.

distinguish (dis'tiŋgwi∫) *vt,vi* unterscheiden. **distinguish oneself** sich auszeichnen.

distort (dis'tɔ:t) *vt* verzerren.

distract (dis'trækt) *vt* **1** ablenken. **2** beunruhigen.

distraught (dis'trɔ:t) *adj* **1** erregt, verwirrt. **2** wahnsinnig.

distress (dis'tres) *n* **1** Not *f.* Elend *neu.* **2** Leid *neu.* Schmerz *m.* *vt* beunruhigen, quälen.

distribute (dis'tribju:t) *vt* verteilen, ausgeben. **distribution** *n* Verteilung, Verbreitung *f.*

district ('distrikt) *n* Bezirk *m.* Gegend *f.*

distrust (dis'trʌst) *n* Mißtrauen. *vt* mißtrauen.

disturb (dis'tə:b) *vt* **1** stören. **2** beunruhigen. **disturbance** *n* **1** Störung *f.* **2** Unruhe *f.*

ditch (dit∫) *n* Graben *m.* *vt inf* wegwerfen.

ditto ('ditou) *adv* dito, desgleichen.

divan (di'væn) *n* Diwan *m.*

dive (daiv) *n* **1** Kopfsprung *m.* **2** *aviat* Sturzflug *m.* *vi* **1** tauchen. **2** sich stürzen. **3** einen Kopfsprung machen. **4** einen Sturzflug machen. **diving board** *n* Sprungbrett *neu.*

diverge (dai'vəːdʒ) *vi* **1** auseinanderlaufen, sich trennen. **2** abweichen.

diverse (dai'vəːs) *adj* verschieden, vielfältig.

divert (dai'vəːt) *vt* **1** ablenken. **2** umleiten. **3** unterhalten. **diversion** *n* **1** Umleitung *f.* **2** Zerstreuung *f.*

divide (di'vaid) *vt* **1** teilen. **2** verteilen. **3** zerteilen, spalten. **divisible** *adj* teilbar. **division** *n* **1** Teilung *f.* **2** Trennung *f.* **3** *mil,sport* Division *f.*

dividend ('dividend) *n* Dividende *f.* (Gewinn)-Anteil *m.*

divine (di'vain) *adj* göttlich, Gottes— **divinity** *n* **1** Gottheit *f.* **2** Theologie *f.*

divorce (di'vɔ:s) *n* Scheidung *f.* *vi* scheiden, sich scheiden lassen.

divulge (di'vʌldʒ) *vt* enthüllen, bekanntmachen.

dizzy ('dizi) *adj* **1** schwindelig. **2** unbesonnen.

do* (du:) *vt* **1** tun, machen. **2** ausführen. *vi* tun, handeln. **do away with** abschaffen, beseitigen.

docile ('dousail) *adj* gelehrig, fügsam.

dock[1] (dɔk) *n* **1** Dock *neu.* **2** Hafenanlage *f.* **dockyard** *n* Werft *f.*

dock[2] (dɔk) *vt* **1** stutzen. **2** vermindern.

dock[3] (dɔk) *n law* Anklagebank *f.*

doctor ('dɔktə) *n* **1** *med* Doktor, Arzt *m.* **2** *educ* Doktor *m.*

doctrine ('dɔktrin) *n* Lehre, Doktrin *f.*

document ('dɔkjumənt) *n* Urkunde *f.* Dokument, Schriftstück *neu.* *vt* dokumentieren, beurkunden. **documentary** *n* Dokumentarfilm *m.* *adj* dokumentarisch, schriftlich.

dodge (dɔdʒ) *vi* ausweichen. *vt* vermeiden. *n* **1** Seitensprung *m.* **2** Trick, Kniff *m.*

does (dʌz) *v* see **do.**

dog (dɔg) *n* Hund *m.* *vt* nachspüren. **dogged** *adj* verbissen.

dogma ('dɔgmə) *n* Glaubenssatz *m.* Dogma *neu.* **dogmatic** *adj* dogmatisch.

dole (doul) *n* Arbeitslosenunterstützung *f.* *v* **dole out** austeilen, ausgeben.

doll (dɔl) *n* Puppe *f.*

dollar ('dɔlə) *n* Dollar *m.*

Dolomites ('dɔləmaits) *n* Dolomiten *pl.*

dolphin ('dɔlfin) *n* Delphin *m.*

domain (də'mein) *n* Bereich *m.*

dome (doum) *n* Kuppel *f.*

domestic (də'mestik) *adj* **1** häuslich. **2** inländisch. **domestic animal** *n* Haustier *neu.* **domesticate** *vt* **1** zahmen. **2** häuslich machen.

dominate ('dɔmineit) *vt* beherrschen, herrschen über, dominieren. **dominance** *n* (Vor)Herrschaft *f.* **dominant** *adj* (vor)herrschend. **domination** *n* Herrschaft *f.* **domineer** *vi* den Herrn spielen.

dominion (də'miniən) *n* Herrschaft *f.*

donate (dou'neit) *vt* schenken. *vi* eine Schenkung machen.

done (dʌn) *v* see **do.** *adj* fertig. *interj* abgemacht!

donkey ('dɔŋki) *n* Esel *m.*

donor ('dounə) *n* Spender *m.*

doom (du:m) *n* **1** Schicksal, Verhängnis *neu.* **2** Verderben *neu. vt* verdammen. **doomed** *adj* verloren, verdammt.

door (dɔ:) *n* Tür *f.* **door to door** von Haus zu Haus. **out of doors** draußen, im Freien. **doorbell** *n* Türklingel *f.* **doorhandle** *n* Türgriff *m.* Türklinke *f.* **doorstep** *n* Türschwelle *f.* **doorway** *n* Türeingang *m.*

dope (doup) *n sl* Rauschgift *neu.*

dormant ('dɔ:mənt) *adj* schlafend, untätig.

dormitory ('dɔ:mitri) *n* Schlafsaal *m.*

dormouse ('dɔ:maus) *n, pl* **dormice** *n* Haselmaus *f.*

dose (dous) *n* Dosis *f. vt* dosieren. **dosage** *n* Dosierung *f.*

dot (dɔt) *n* Punkt *m. vt* **1** punktieren. **2** verstreuen.

dote (dout) *vi* **dote on 1** schwärmen für. **2** (zärtlich) lieben.

double ('dʌbəl) *adj* doppelt, Doppel—. *adv* doppelt, zu zweien. *n* **1** Doppelte *neu.* **2** Doppelgänger *m. (vi),vt* (sich) verdoppeln. **double bass** *n* Kontrabaß *m.* **doublecross** *vt inf* hintergehen, betrügen.

doubt (daut) *n* Zweifel *m. vi* zweifeln. *vt* bezweifeln. **no doubt** zweifellos, ohne Zweifel, gewiß. **doubtful** *adj* zweifelhaft, ungewiß.

dough (dou) *n* Teig *m.* **doughnut** *n* Berliner Pfannkuchen *m.*

dove (dʌv) *n* Taube *f.*

dowdy ('daudi) *adj* nachlässig, schlampig.

down[1] (daun) *adv* hinunter, herab, abwärts, nieder.

down[2] (daun) *n* Daunen *f pl.*

downcast ('daunka:st) *adj* niedergeschlagen.

downfall ('daunfɔ:l) *n* **1** Fall *m.* **2** Niedergang *m.*

downhearted (daun'ha:tid) *adj* mutlos, niedergeschlagen.

downhill ('daunhil) *adv* bergab. *adj* Abwärts—.

downpour ('daunpɔ:) *n* Regenguß *m.*

downright ('daunrait) *adj* offen, völlig.

downstairs (daun'stɛəz) *adv* **1** nach unten, die Treppe hinunter. **2** unten. *adj* unter, im Erdgeschoß (liegend).

downstream (daun'stri:m) *adv* flußabwärts.

downtrodden ('dauntrɔdn) *adj* getreten, unterdrückt.

downward ('daunwəd) *adj* Abwärts—.

downwards ('daunwədz) *adv* abwärts.

dowry ('dauəri) *n* Mitgift *f.*

doze (douz) *n* Nickerchen *neu.* kurzer Schlaf *m. vi* dösen. **dozy** *adj* schläfrig.

dozen ('dʌzən) *n* Dutzend *neu.*

drab (dræb) *adj* **1** gelbgrau. **2** eintönig, farblos.

draft (dra:ft) *n* **1** Skizze *f.* Entwurf *m.* **2** *comm* Abhebung *f.* **3** *mil* Aushebung *f. vt* **1** entwerfen. **2** (zur Armee) einziehen.

drag (dræg) *(vi),vt* (sich) schleppen, (sich) ziehen. *n sl* langweilige Sache.

dragon ('drægən) *n* Drachen *m.* **dragonfly** *n* Libelle *f.*

drain (drein) *n* **1** Abfluß *m.* **2** Abflußrohr *m.* Gosse *f. vt* **1** entwässern. **2** ableiten. *vi* abfliessen. **drainage** *n* Abfluß *m.* Entwässerung *f.* **draining-board** *n* Abtropfbrett *neu.* **drainpipe** *n* Abflußrohr *neu.*

drake (dreik) *n* Enterich *m.*

dram (dræm) *n* Schluck *m.* Gläschen *neu.*

drama ('dra:mə) *n* Drama *neu.* **dramatic** *adj* **1** dramatisch. **2** spannend. **dramatist** *n* Dramatiker *m.* **dramatize** *vt* dramatisieren.

drank (dræŋk) *v* see **drink.**

drape (dreip) *vt* behängen, drapieren. *vi* schön fallen.

draper ('dreipə) *n* Tuchhändler *m.* **drapery** *n* **1** Tuchwaren *f pl.* **2** Tuchhandel *m.*

drastic ('dræstik) *adj* drastisch, gründlich.

draught (dra:ft) *n* **1** Zug *m.* **2** Entwurf *m.* **3** *pl* Damespiel *neu.* **draught beer** Faßbier *neu.* **draughtsman** *n* Zeichner *m.* **draughty** *adj* zugig.

draw* (drɔ:) *vt* **1** ziehen. **2** zeichnen. **3** anziehen. **4** dehnen. **5** (money) abheben. *vi* **1** ziehen. **2** zeichnen. **3** *sport* unentschieden spielen. **draw near** sich nähern. ~*n* **1** Ziehen *neu.* Zug *m.* **2** Verlosung *f.* **3** *sport* Unentschieden *neu.* **drawback** *n* Nachteil *m.* **drawbridge** *n* Zugbrücke *f.* **drawer** *n* **1** Zeichner *m.* **2** Schublade *f.* **drawing** *n* Zeichnung *f.* **drawing-board** *n* Zeichenbrett *neu.* **drawing-pin** *n* Heftzwecke *f.* **drawing room** *n* Salon *m.*

drawl (drɔ:l) *n* gedehnte Sprechweise *f.* *vi* gedehnt sprechen.

dread (dred) *n* Furcht *f.* Schrecken *m.* *vt* fürchten, sich fürchten vor. **dreadful** *adj* furchtbar, schrecklich.

dream* (dri:m) *vi,vt* träumen. *n* Traum *m.* **dreamer** *n* Träumer *m.* **dreamlike** *adj* traumhaft.

dreary ('driəri) *adj* öde, eintönig.

dredge (dredʒ) *vt* **1** mit dem Schleppnetz fangen. **2** ausbaggern. **dredger** *n* Bagger *m.*

dregs (dregz) *n pl* Bodensatz *m.*

drench (drentʃ) *vt* durchnässen.

dress (dres) *n* **1** Kleidung *f.* Anzug *m.* **2** (Damen)Kleid *neu.* **3** Gewand *neu.* *vi* sich anziehen. *vt* **1** ankleiden. **2** schmücken. **3** bearbeiten. **dress circle** *n Th* erster Rang *m.* **dressing** *n* **1** Ankleiden *neu.* **2** *med* Verband *m.* **3** *cul* Zutat, Soße *f.* **dressing-gown** *n* Morgenrock *m.* **dressing-room** *n* Ankleidezimmer *neu.* **dressing-table** *n* Toilettentisch *m.* **dressmaker** *n* Damenschneiderin *f.*

dresser[1] ('dresə) *n* Anrichter, Dekorateur *m.*

dresser[2] ('dresə) *n* Küchenschrank *m.*

drew (dru:) *v* see **draw.**

dribble ('dribəl) *vi* **1** tröpfeln. **2** geifern.

drier ('draiə) *n* Trockner *m.*

drift (drift) *n* **1** Treiben *neu.* **2** (Schnee)Wehe *f.* **3** Treibenlassen *neu.* **4** Tendenz *f.* *vi* **1** (dahin)treiben. **2** getrieben werden.

drill (dril) *n* **1** Bohrer *m.* **2** *mil* Exerzieren *neu.* *vt,vi* **1** bohren. **2** *mil* exerzieren.

drink* (driŋk) *vi,vt* trinken. *n* **1** Getränk *neu.* **2** Drink *m.* **3** Alkohol *m.* **drinking water** *n* Trinkwasser *neu.*

drip (drip) *vi* tröpfeln, triefen, tropfen. *n* Tröpfeln *neu.* **drip-dry** *adj* bügelfrei.

drive* (draiv) *n* **1** Fahrt *f.* **2** Auffahrt *f.* **3** Trieb, Drang *m.* **4** *tech* Antrieb *m.* *vt,vi* **1** fahren. **2** treiben. **driver** *n* **1** Fahrer, Chauffeur *m.* **2** Führer *m.* **3** Treiber *m.* **driving licence** *n* Führerschein *m.* **driving school** *n* Fahrschule *f.* **driving test** *n* Fahrprüfung *f.*

drivel ('drivəl) *vi* sabbern, geifern. *n inf* Unsinn *m.*

drizzle ('drizəl) *vi* nieseln, sprühen. *n* Sprühregen, Nieselregen *m.*

drone[1] (droun) *n* **1** *zool* Drohne *f.* **2** Faulenzer *m.*

drone[2] (droun) *n* Summen *neu.* *vi* summen.

droop (dru:p) *vi* **1** schlaff werden, herabhängen. **2** verwelken.

drop (drɔp) *n* **1** Tropfen *m.* **2** Fall, Sturz *m.* **3** Bonbon *m.* *vi* **1** tropfen. **2** fallen. *vt* fallen lassen, niederlassen. **drop someone a line** jemandem ein paar Zeilen schreiben. **drop out** *vi* ausscheiden, aufgeben. **dropout** *n inf* Aussteiger, Drop-out *m.*

drought (draut) *n* Trockenheit, Dürre *f.*

drove (drouv) *v* see **drive.**

drown (draun) *vi* ertrinken. *vt* ertränken, überschwemmen.

drowsy (drauzi) *adj* schläfrig.

drudge (drʌdʒ) *n* Kuli, Sklave *m.* *vi* schuften. **drudgery** *n* mühsame Arbeit, Plackerei *f.*

drug (drʌg) *n* **1** Droge *f.* **2** Rauschgift *neu.* **drug-addict** *n* Rauschgiftsüchtige(r) *m.*

drum (drʌm) *n* **1** Trommel *f.* **2** Faß *neu.* *vt,(vi)* trommeln (auf).

drunk (drʌŋk) *v* see **drink.** *adj* betrunken. **get drunk** sich betrinken. ~*n* Betrunkene(r) *m.* **drunken** *adj* betrunken.

dry (drai) *adj* **1** trocken. **2** (of wine) herb. *vt* (ab-, aus-)trocknen. *vi* trocknen. **dry-clean** *vt* chemisch reinigen. **dry-cleaning** *n* chemische Reinigung *f.*

dual ('djuəl) *adj* doppelt, zweifach. **dual carriageway** *n* Doppelfahrbahn *f.*

dubious ('dju:biəs) *adj* zweifelhaft.

duchess ('dʌtʃis) *n* Herzogin *f.*

duck[1] (dʌk) *n* Ente *f.* **duckling** *n* Entchen *neu.*

duck[2] (dʌk) *vi* **1** untertauchen. **2** sich ducken. *vt* untertauchen.

duct (dʌkt) *n* Röhre *f.* Kanal *m.*

dud (dʌd) *n mil* Blindgänger *m.* *adj* falsch, verfälscht, wertlos.

due (dju:) *adj* **1** fällig. **2** erwartet. **3** angemessen, gebührend. **due to** infolge, wegen, zuzuschreiben. *adv* genau, gerade. *n* **1** Recht *neu.* Anteil *m.* **2** *pl* Gebühren *f pl.*

duel ('djuəl) *n* Duell *neu.*

duet (dju'et) *n mus* Duett *neu.*

dug (dʌg) *v* see **dig.**

duke (dju:k) *n* Herzog *m.*

dull (dʌl) *adj* **1** stumpfsinnig. **2** matt. **3** (of light) schwach. **4** langweilig. **5** stumpf. *vi,vt* abstumpfen.

dumb (dʌm) *adj* **1** stumm. **2** *inf* dumm. **dumbfound** *vt* sprachlos machen, verblüffen.

dummy ('dʌmi) *n* **1** Attrappe *f.* **2** Puppe *f.* **3** (for a baby) Schnuller *m.*

dump (dʌmp) *n* Müllabladeplatz *m.* *vt* abladen, auskippen.

dumpling ('dʌmpliŋ) *n* Kloß, Knödel *m.*

dunce (dʌns) *n* Dummkopf *m.*

dune (dju:n) *n* Düne *f.*
dung (dʌŋ) *n* Dung, Mist *m.*
dungeon ('dʌndʒən) *n* Kerker *m.*
duplicate (*adj,n* 'dju:plikət; *v* 'dju:plikeit) *adj* **1** doppelt. **2** Duplikat—. *n* Duplikat *neu.* Kopie *f. vt* **1** duplizieren. **2** verdoppeln.
durable ('djuərəbəl) *adj* dauerhaft.
duration (djuə'reiʃən) *n* Dauer *f.*
during ('djuəriŋ) *prep* während.
dusk (dʌsk) *n* (Abend)Dämmerung *f.* **dusky** *adj* **1** dämmerig. **2** dunkel.
dust (dʌst) *n* Staub *m. vt* abstauben. **dustbin** *n* Mülleimer *m.* **duster** *n* Staubtuch *neu.* **dustman** *n* Müllmann *m.* **dustpan** *n* Kehrichtschaufel *f.*
Dutch (dʌtʃ) *adj* holländisch. *n* (language) Holländisch *neu.* **Dutchman** *n* Holländer *m.*
dutiful ('dju:tifəl) *adj* pflichtgetreu.
duty ('dju:ti) *n* **1** Pflicht *f.* **2** Aufgabe *f.* **3** Zoll *m.* Abgabe *f.* **dutiful** *adj* pflichtbewußt. **duty-free** *adj* zollfrei, abgabenfrei.
duvet ('dju:vei) *n* Federbett *neu.* Daunendecke *f.*
dwarf (dwɔ:f) *n* Zwerg *m. vt* in den Schatten stellen.
dwell* (dwel) *vi* **1** wohnen. **2** verweilen. **dwelling** *n* Wohnung *f.* Wohnsitz *m.*
dwindle ('dwindl) *vi* schwinden, abnehmen.
dye (dai) *n* Färbemittel *neu.* Farbe *f. vt* färben.
dyke (daik) *n* Deich, Damm *m.*
dynamic (dai'næmik) *adj* dynamisch.
dynamite ('dainəmait) *n* Dynamit *neu.*
dynasty ('dinəsti) *n* Dynastie *f.*
dysentery ('disəntri) *n med* Ruhr *f.*
dyslexia (dis'leksiə) *n* Dyslexie, Wortblindheit *f.*

E

each (i:tʃ) *pron, adj* jeder, jede, jedes. *adv* je.
eager ('i:gə) *adj* begierig, eifrig.
eagle ('i:gəl) *n* Adler *m.*
ear[1] (iə) *n* **1** Ohr *neu.* **2** Gehör *neu.* **earache** *n* Ohrenschmerzen *m pl.* **eardrum** *n* Trommelfell *neu.* **earmark** *vt* **1** kennzeichnen. **2** bestimmen. **earring** *n* Ohrring *m.*
ear[2] (iə) *n* (of corn) Ähre *f.*
earl (ə:l) *n* Graf *m.*
early ('ə:li) *adj,adv* **1** früh. **2** vorzeitig.
earn (ə:n) *vt* verdienen, erwerben.
earnest ('ə:nist) *adj* **1** ernst(haft). **2** aufrichtig. *n* Ernst *m.*
earth (ə:θ) *n* **1** Erde *f.* **2** (Erd)Boden *m.* **earthenware** *n* Steingut *neu.* **earthquake** *n* Erdbeben *neu.*
ease (i:z) *n* **1** Leichtigkeit *f.* **2** Behagen *neu.* Ungezwungenheit *f. vt* erleichtern. **easy** *adj* **1** leicht, mühelos. **2** bequem. **3** ungezwungen. **easygoing** *adj* lässig, leichtlebig.
easel ('i:zəl) *n* Staffelei *f.*
east (i:st) *n* **1** Osten *m.* **2** Orient *m.* Morgenland *neu. adj* östlich, Ost—. *adv* nach Osten, ostwärts. **easterly** *adj* östlich. **eastern** *adj* **1** östlich. **2** oriental, morgenländisch. **eastward** *adj* ostwärts. **eastwards** *adv* ostwärts.
Easter ('i:stə) *n* Ostern *neu.*
eat* (i:t) *vt* **1** essen. **2** (of animals) fressen.
eavesdrop ('i:vzdrɔp) *vi* lauschen, heimlich zuhören.
ebb (eb) *n* **1** Ebbe *f.* **2** Abnahme *f. vi* **1** verebben. **2** abnehmen.
ebony ('ebəni) *n* Ebenholz *neu.*
eccentric (ik'sentrik) *adj* exzentrisch. *n* Exzentriker, Sonderling *m.*
ecclesiastical (ikli:zi'æstikəl) *adj* kirchlich.
echo ('ekou) *n, pl* **echoes** Echo *neu. vi* widerhallen.
eclair (ei'klɛə) *n* Cremekuchen *m.*
eclipse (i'klips) *n* Verfinsterung, Finsternis *f. vt* **1** verfinstern. **2** in den Schatten stellen.
ecology (i:'kɔlədʒi) *n* Ökologie *f.*
economy (i'kɔnəmi) *n* **1** Wirtschaft *f.* **2** Sparsamkeit *f.* **3** Sparmaßnahme *f.* **economic** *adj* wirtschaftlich, Wirtschafts—. **economical** *adj* wirtschaftlich, sparsam. **economics** *n pl* Ökonomie, (Volks)Wirtschaft *f.* **economize** *vt* (ein)sparen.
ecstasy ('ekstəsi) *n* Ekstase, Verzückung *f.* **ecstatic** *adj* ekstatisch, verzückt.
edge (edʒ) *n* **1** Rand *m.* **2** Schneide *f. vt* **1** schärfen. **2** umsäumen.
edible ('edibəl) *adj* eßbar.
Edinburgh ('edinbərə) *n* Edinburg *neu.*
edit ('edit) *vt* redigieren, druckfertig machen. **editor** *n* Redakteur *m.* **editorial** *n* Leitartikel *m. adj* Redaktions—.
edition (i'diʃən) *n* **1** Auflage *f.* **2** Ausgabe *f.*
educate ('edjukeit) *vt* erziehen, (aus)bilden. **education** *n* Erziehung, Bildung *f.* **educational** *adj* Erziehungs—, pädagogisch.
eel (i:l) *n* Aal *m.*
eerie ('iəri) *adj* unheimlich.
effect (i'fekt) *n* **1** Wirkung *f.* **2** Einfluß *m.* **3** Eindruck *m.* **4** Gültigkeit *f. vt* **1** bewirken. **2** einwirken auf. **3** ausführen. **effective** *adj* **1** wirksam. **2** eindrucksvoll.

effeminate (i'feminət) *adj* weibisch.
effervesce (efə'ves) *vi* aufbrausen, sprudeln.
efficient (i'fiʃənt) *adj* **1** leistungsfähig. **2** tüchtig. **3** wirksam. **efficiency** *n* **1** Leistungsfähigkeit *f*. **2** Tüchtigkeit *f*. **3** Wirksamkeit *f*.
effigy ('efidʒi) *n* Bildnis *neu*.
effort ('efət) *n* Anstrengung, Bemühung, Mühe *f*. **effortless** *adj* mühelos.
egg[1] (eg) *n* Ei *neu*. **eggcup** *n* Eierbecher *m*. **eggshell** *n* Eierschale *f*. **eggwhisk** *n* Schneebesen *m*.
egg[2] (eg) *vt* **egg on** aufreizen.
ego ('i:gou) *n* Ich *neu*. **egocentric** *adj* egozentrisch. **egoism** *n* Selbstsucht *f*. **egotism** *n* Selbstgefälligkeit *f*.
Egypt ('i:dʒipt) *n* Ägypten *neu*. **Egyptian** *adj* ägyptisch. *n* Ägypter *m*.
eiderdown ('aidədaun) *n* Daunendecke *f*.
eight (eit) *adj* acht. *n* Acht *f*. **eighth** *adj* achte.
eighteen (ei'ti:n) *adj* achtzehn. *n* Achtzehn *f*. **eighteenth** *adj* achtzehnte.
eighty ('eiti) *adj* achtzig. *n* Achtzig *f*. **eightieth** *adj* achtzigste.
either ('aiðə) *pron, adj* **1** einer (von zweien). **2** beide, jeder (von zweien). **either...or** entweder...oder.
ejaculate (i'dʒækjuleit) *vt* ausstoßen.
eject (i'dʒekt) *vt* ausstoßen, vertreiben.
eke (i:k) *vt* **eke out** ergänzen, verlängern.
elaborate (*adj* i'læbrət; *v* i'læbəreit) *adj* ausgearbeitet, kompliziert. *vt* ausarbeiten.
elapse (i'læps) *vi* vergehen, verstreichen.
elastic (i'læstik) *adj* dehnbar, elastisch. **elasticity** *n* Elastizität *f*.
elated (i'leitid) *adj* erfreut, erregt.
elbow ('elbou) *n* Ell(en)bogen *m*.
elder[1] ('eldə) *adj* älter. *n* **1** (Kirchen)Älteste(r) *m*. **2** Respektsperson *f*.
elder[2] ('eldə) *n bot* Holunder *m*. **elderberry** *n* Holunderbeere *f*.
eldest ('eldist) *adj* ältest.
elect (i'lekt) *vt* wählen, auserwählen. *vi* sich entschließen. **election** *n* Wahl *f*.
electorate (i'lektərət) *n* Wählerschaft *f*.
electricity (ilek'trisiti) *n* Elektrizität *f*. **electric** *adj also* **electrical** elektrisch. **electrician** *n* Elektriker *m*. **electrify** *vt* **1** elektrisieren. **2** elektrifizieren. **electrocute** *vt* durch elektrischen Strom töten. **electrode** *n* Elektrode *f*. **electron** *n* Elektron *neu*. **electronic** *adj* elektronisch.
elegant ('eligənt) *adj* elegant, geschmackvoll.
element ('eləmənt) *n* **1** Element *neu*. **2** Grundbestandteil *neu*. **elemental** *adj* wesentlich. **elementary** *adj* elementar, einfach.
elephant ('eləfənt) *n* Elefant *m*.
elevate ('eləveit) *vt* aufrichten, erheben, erhöhen. **elevation** *n* **1** Erhebung *f*. **2** *math* Aufriß *m*. **elevator** *n* Aufzug, Fahrstuhl *m*.
eleven (i'levən) *adj* elf. *n* Elf *f*. **eleventh** *adj* elfte.
elf (elf) *n, pl* **elves** Elf *m*. Elfe *f*.
eligible ('elidʒəbəl) *adj* **1** annehmbar, wünschenswert. **2** berechtigt. **3** heiratsfähig.
eliminate (i'limineit) *vt* eliminieren, ausstoßen. **elimination** *n* Eliminierung, Ausstoßung *f*.
elite (ei'li:t) *n* Elite *f*.
ellipse (i'lips) *n* Ellipse *f*.
elm (elm) *n* Ulme *f*.
elocution (elə'kju:ʃən) *n* Vortragskunst *f*.
elope (i'loup) *vi* (mit ihrem *or* seiner Geliebten) entlaufen.
eloquent ('eləkwənt) *adj* redegewandt.
else (els) *adv* sonst. **anyone else** **1** sonst noch jemand? **2** irgend ein anderer. **something else** etwas anderes. **elsewhere** *adv* anderswo, anderswohin.
elucidate (i'lu:sideit) *vt* erläutern, aufklären.
elude (i'lu:d) *vt* umgehen, ausweichen.
emaciated (i'meiʃieitəd) *adj* abgemagert.
emanate ('eməneit) *vi* ausströmen, ausfließen.
emancipate (i'mænsipeit) *vt* emanzipieren, befreien. **emancipation** *n* Befreiung *f*.
embalm (im'bɑ:m) *vt* einbalsamieren.
embankment (im'bæŋkmənt) *n* **1** Deich, Damm *m*. **2** Uferstraße.
embargo (im'bɑ:gou) *n* Handelssperre *f*. *vt* sperren.
embark (im'bɑ:k) *(vi),vt* (sich) einschiffen.
embarrass (im'bærəs) *vt* in Verlegenheit bringen. **embarrassed** *adj* verlegen.
embassy ('embəsi) *n* Botschaft *f*.
embellish (im'beliʃ) *vt* schmücken, verschönern.
ember ('embə) *n* glühende Asche *f*.
embezzle (im'bezəl) *vt* veruntreuen.
embitter (im'bitə) *vt* verbittern.
emblem ('embləm) *n* Abzeichen, Sinnbild *neu*.
embody (im'bɔdi) *vt* verkörpern.
emboss (im'bɔs) *vt* prägen, in Relief ausarbeiten.
embrace (im'breis) *vt* **1** umarmen. **2** umfassen. *n* Umarmung *f*.
embroider (im'brɔidə) *vt* besticken. **embroidery** *n* Stickerei *f*.
embryo ('embriou) *n* Embryo *m*.

emerald ('emrəld) *n* Smaragd *m*. *adj* smaragdgrün.
emerge (i'mə:dʒ) *vi* **1** auftauchen. **2** hervorkommen. **emergence** *n* Auftauchen, Hervorkommen *neu*.
emergency (i'mə:dʒənsi) *n* Notfall *m*.
emigrate ('emigreit) *vi* auswandern.
eminent ('eminənt) *adj* hervorragend, berühmt. **eminently** *adv* ganz besonders.
emit (i'mit) *vt* **1** ausstrahlen, aussenden. **2** von sich geben.
emotion (i'mouʃən) *n* Gemütsbewegung *f*. Gefühl *neu*. **emotional** *adj* **1** emotionell, gefühlvoll. **2** rührend.
empathy ('empəθi) *n* Einfühlung *f*.
emperor ('empərə) *n* Kaiser *m*.
emphasis ('emfəsis) *n* Betonung *f*. **emphasize** *vt* betonen, unterstreichen. **emphatic** *adj* nachdrücklich, betont.
empire ('empaiə) *n* Reich *neu*.
empirical (im'pirikəl) *adj* empirisch.
employ (im'plɔi) *vt* **1** verwenden. **2** beschäftigen. **employee** *n* Arbeitnehmer *m*. **employer** *n* Arbeitgeber *m*. **employment** *n* **1** Beschäftigung, Arbeit *f*. **2** Verwendung *f*.
empower (im'pauə) *vt* bevollmächtigen, befähigen.
empress ('emprəs) *n* Kaiserin *f*.
empty ('empti) *adj* **1** leer. **2** unbeladen. **3** eitel. *vt* entleeren. **empty-handed** *adj* mit leeren Händen. **empty-headed** *adj* ohne Verstand.
emu ('i:mju:) *n* Emu *m*.
emulate ('emjuleit) *vt* nacheifern.
emulsion (i'mʌlʃən) *n* Emulsion *f*.
enable (i'neibəl) *vt* befähigen, ermöglichen.
enact (i'nækt) *vt* **1** *law* erlassen. **2** *Th* aufführen, darstellen.
enamel (i'næməl) *n* Emaille *f*. *vt* glasieren, emaillieren.
encapsulate (in'kæpsjuleit) *vt* einkapseln.
enchant (in'tʃɑ:nt) *vt* entzücken.
encircle (in'sə:kəl) *vt* einkreisen, umkreisen.
enclose (in'klouz) *vt* **1** einschließen. **2** beifügen. **enclosure** *n* **1** Umzäunung *f*. **2** Anlage *f*.
encore ('ɔŋkɔ:) *interj* noch einmal! *n* Zugabe *f*.
encounter (in'kauntə) *n* Begegnung *f*. *vt* begegnen, stoßen auf.
encourage (in'kʌridʒ) *vt* **1** ermutigen. **2** unterstützen, fördern. **encouragement** *n* Unterstützung, Ermutigung *f*.
encroach (in'kroutʃ) *vi* unbefugt eingreifen.
encumber (in'kʌmbə) *vt* belasten, beschweren.
encyclopedia (insaikla'pi:diə) *n* Enzyklopädie *f*.
end (end) *n* **1** Ende *neu*. **2** Zweck *m*. Ziel *neu*. **3** Tod *m*. **be at an end** am Ende sein. ~*vi* enden, zu Ende kommen. *vt* beendigen, zu Ende führen. **endless** *vt* endlos, unendlich.
endanger (in'deindʒə) *vt* gefährden.
endeavour (in'devə) *n* Bestreben *neu*. *vi* streben, sich bemühen.
endemic (en'demik) *adj* endemisch.
endive ('endaiv) *n bot* Endivie *f*.
endorse (in'dɔ:s) *vt* **1** vermerken. **2** bestätigen. **endorsement** *n* **1** Vermerk *m*. **2** Bestätigung *f*.
endow (in'dau) *vt* **1** schenken. **2** vermachen.
endure (in'djuə) *vi* (fort)dauern. *vt* ertragen.
enemy ('enəmi) *n* Feind, Gegner *m*. *adj* feindlich, Feind—.
energy ('enədʒi) *n* **1** Energie *f*. **2** Tatkraft *f*.
enfold (in'fould) *vt* einhüllen, einschlagen.
enforce (in'fɔ:s) *vt* durchsetzen.
engage (in'geidʒ) *vt* **1** verpflichten. **2** anstellen. **3** *tech* einschalten. *vi* **1** sich verpflichten. **2** sich beschäftigen. **get engaged** sich verloben. **engagement** *n* **1** Verlobung *f*. **2** Beschäftigung *f*. **3** Verabredung *f*.
engine ('endʒin) *n* **1** Motor *m*. **2** Lokomotive *f*. **3** Maschine *f*.
engineer (endʒi'niə) *n* Ingenieur, Techniker *m*. *vt* konstruieren, bauen. **engineering** *n* **1** Ingenieurwesen *neu*. **2** Maschinenbaukunst *f*.
England ('iŋgland) *n* England *neu*. **English** *adj* englisch. *n* (language) Englisch *neu*. **Englishman** *n* Engländer *m*.
English Channel *n* (Ärmel)Kanal *m*.
engrave (in'greiv) *vt* gravieren.
engrossed (in'groust) *adj* vertieft, versunken.
engulf (in'gʌlf) *vt* **1** versenken. **2** verschlingen.
enhance (in'hɑ:ns) *vt* erhöhen.
enigma (i'nigmə) *n* Rätsel *neu*.
enjoy (in'dʒɔi) *vt* genießen, Freude haben an. **enjoy oneself** sich (gut) unterhalten. **enjoyment** *n* Genuß *m*. Freude *f*.
enlarge (in'lɑ:dʒ) *(vi),vt* (sich) vergrößern, (sich) erweitern.
enlighten (in'laitn) *vt* erleuchten, aufklären. **enlightenment** *n* Aufklärung *f*.
enlist (in'list) *mil vt* anwerben. *vi* sich anwerben lassen.
enormous (i'nɔ:məs) *adj* enorm, ungeheuer.
enough (i'nʌf) *adj,adv* genug.
enquire (in'kwaiə) *vi* sich erkundigen. **enquiry** *n* **1** Erkundigung *f*. **2** Untersuchung *f*.
enrage (in'reidʒ) *vt* wütend machen.
enrich (in'ritʃ) *vt* bereichern, verzieren.

enrol (in'roul) *vt* **1** einschreiben. **2** anwerben. *vi* sich einschreiben lassen.
ensign ('ensain) *n* Fahne *f.* Abzeichen *neu.*
enslave (in'sleiv) *vt* versklaven.
ensure (in'ʃuə) *vt* **1** sicherstellen, sichern. **2** dafür sorgen.
entail (in'teil) *vt* mit sich bringen.
entangle (in'tæŋgəl) *vt* verwickeln, verwirren.
enter ('entə) *vt* **1** eintreten (in), betreten. **2** eintragen.
enterprise ('entəpraiz) *n* **1** Unternehmen *neu.* **2** Unternehmungslust *f.* **enterprising** *adj* unternehmungslustig.
entertain (entə'tein) *vt* **1** unterhalten. **2** bewirten. **3** eingehen auf. *vi* Gäste haben *or* einladen. **entertainment** *n* Unterhaltung *f.*
enthral (in'θrɔ:l) *vt* fesseln, bezaubern.
enthusiasm (in'θju:ziæzəm) *n* Begeisterung *f.* Enthusiasmus *m.* **enthusiastic** *adj* beigestert, enthusiastisch.
entice (in'tais) *vt* verlocken.
entire (in'taiə) *adj* vollständig, ganz.
entitle (in'taitl) *vt* berechtigen.
entity ('entiti) *n* Wesen, Dasein *neu.*
entrails ('entreilz) *n pl* Eingeweide *neu pl.*
entrance[1] ('entrəns) *n* **1** Eingang, Eintritt *m.* **2** Eintreten *neu.*
entrance[2] (in'trɑ:ns) *vt* entzücken, bezaubern.
entreat (in'tri:t) *vt* bitten, ersuchen.
entrench (in'trentʃ) *vt mil* verschanzen.
entrepreneur (ɔntrəprə'nə:) *n* Unternehmer *m.*
entrust (in'trʌst) *vt* anvertrauen.
entry ('entri) *n* **1** Eintritt *m.* **2** Einreise, Einfahrt *f.* **3** Eintragung *f.*
entwine (in'twain) *vi* verflechten.
enunciate (i'nʌnsieit) *vt* ausdrücken.
envelop (in'veləp) *vt* einwickeln, umhüllen.
envelope ('envəloup) *n* (Brief)Umschlag *m.*
environment (in'vairənmənt) *n* **1** Umwelt *f.* **2** Umgebung. **environmental** *adj* Umwelt—.
envisage (in'vizidʒ) *vt* ins Auge fassen, sich vorstellen.
envoy ('envɔi) *n* Gesandte(r) *m.*
envy ('envi) *n* Neid *m. vt* beneiden. **envious** *adj* neidisch.
enzyme ('enzaim) *n* Enzym *neu.*
epaulet ('epəlet) *n* Epaulette *f.*
ephemeral (i'femərəl) *adj* vergänglich, flüchtig.
epic ('epik) *adj* episch.
epicure ('epikjuə) *n* Genießer, Feinschmecker *m.*
epidemic (epi'demik) *adj* epidemisch. *n* Epidemie, Seuche *f.*
epilepsy ('epilepsi) *n* Epilepsie, Fallsucht *f.*
epilogue ('epilɑg) *n* Nachwort *neu,* Epilog *m.*
Epiphany (i'pifəni) *n* Dreikönigsfest *neu.*
episcopal (i'piskəpəl) *adj* bischöflich.
episode ('episoud) *n* Episode *f.*
epitaph ('epitɑ:f) *n* Grabschrift *f.*
epitome (i'pitəmi) *n* Auszug, Abriß *m.*
epoch ('i:pɔk) *n* Epoche *f.*
equable ('ekwəbəl) *adj* ausgeglichen.
equal ('i:kwəl) *adj* **1** gleich. **2** entsprechend. **3** fähig, gewachsen. *n* **1** Gleiche(r) *m.* **2** Gleichgestellte(r) *m. vt* gleichen. **equality** *n* Gleichberechtigung *f.* **equalize** *vt* gleichstellen, ausgleichen. *vi sport* ausgleichen.
equate (i'kweit) *vt* gleichsetzen. **equation** *n* Gleichung *f.* **equator** *n* Äquator *m.*
equestrian (i'kwestriən) *n* Reiter *m. adj* Reiter—.
equilateral (i:kwi'lætərəl) *adj* gleichseitig.
equilibrium (i:kwi'libriəm) *n* Gleichgewicht *neu.*
equinox ('i:kwinɔks) *n* Tagundnachtgleiche *f.*
equip (i'kwip) *vt* ausstatten, ausrüsten. **equipment** *n* Ausrüstung, Ausstattung *f.*
equity ('ekwiti) *n* **1** Gerechtigkeit *f.* **2** *pl* Wertpapiere *neu pl.*
equivalent (i'kwivələnt) *adj* **1** gleichwertig. **2** entsprechend.
era ('iərə) *n* Ära *f.*
eradicate (i rædikeit) *vt* ausrotten, vernichten.
erase (i'reiz) *vt* **1** ausradieren. **2** auslöschen.
erect (i'rekt) *adj* aufrecht. *vt* **1** aufrichten. **2** bauen, errichten. **erection** *n* **1** Errichtung *f.* **2** Bau *m.*
ermine ('ə:min) *n zool* Hermelin *neu.*
erode (i'roud) *vt* **1** zerfressen. **2** erodieren. **erosion** *n* **1** Zerfressung *f.* **2** Erosion *f.*
erotic (i'rɔtik) *adj* erotisch.
err (ə:) *vi* **1** sich irren. **2** abweichen.
errand ('erənd) *n* Botengang, Auftrag *m.*
erratic (i'rætik) *adj* **1** unregelmäßig. **2** unberechenbar, nicht konstant.
error ('erə) *n* Irrtum, Fehler *m.*
erupt (i'rʌpt) *vi* ausbrechen. **eruption** *n* Ausbruch *m.*
escalate ('eskəleit) *(vi),vt* eskalieren, (sich) steigern. **escalator** *n* Rolltreppe *f.*
escalope (i'skæləp) *n cul* Schnitzel *neu.*
escape (i'skeip) *n* **1** Flucht *f.* Entkommen *neu.* **2** Befreiung *f. vi* **1** flüchten, entkommen. **2** ausfließen. *vt* **1** entgehen.
escort ('eskɔ:t) *n* **1** Begleitung *f.* **2** Begleiter *m.* **3** *mil* Eskorte *f. vt* **1** geleiten. **2** begleiten.
Eskimo ('eskimou) *n* Eskimo *m.*

esoteric (esə'terik) *adj* esoterisch.
especial (i'speʃəl) *adj* besonder, speziell. **especially** *adv* besonders, hauptsächlich.
espionage ('espiənɑ:ʒ) *n* Spionage *f.*
essay ('esei) *n* Aufsatz *m.* Abhandlung *f.*
essence ('esəns) *n* Essenz *f.* Kern *m.* **essential** *adj* 1 wesentlich. 2 unentbehrlich.
establish (i'stæbliʃ) *vt* 1 festlegen, aufstellen. 2 begründen, errichten. **establishment** *n* 1 Gründung, Errichtung *f.* 2 Firma *f.* 3 Anstalt *m.*
estate (i'steit) *n* 1 Besitz *m.* 2 Nachlaß *m.* **estate agent** *n* Häusermakler *m.* **estate car** *n mot* Kombiwagen *m.*
esteem (i'sti:m) *n* Achtung *f. vt* hochschätzen.
estimate (*n* 'estimət; *v* 'estimeit) *n* Schätzung *f. vt* schätzen. **estimation** *n* 1 Schätzung *f.* 2 Urteil *neu.*
estuary ('estʃuəri) *n* Flußmündung *f.*
eternal (i'tə:nl) *adj* ewig. **eternity** *n* Ewigkeit *f.*
ethereal (i'θiəriəl) *adj* ätherisch.
ethical ('eθikəl) *adj* ethisch, sittlich. **ethics** *n pl* 1 Sitten *f pl.* Moral *f.* 2 Sittenlehre *f.*
Ethiopia (i:θi'oupiə) *n* Äthiopien *neu.* **Ethiopian** *adj* äthiopisch. *n* Äthiopier *m.*
ethnic ('eθnik) *adj* ethnisch, Volks—.
etiquette ('etikit) *n* Etikette *f.*
etymology (eti'mɔlədʒi) *n* Etymologie *f.*
Eucharist ('ju:kərist) *n* heiliges Abendmahl *neu.*
eunuch ('ju:nək) *n* Eunuch *m.*
euphemism ('ju:fəmizəm) *n* Euphemismus *m.*
euphoria (ju:'fɔ:riə) *n* 1 Euphorie *f.* 2 (heftige) Begeisterung *f.*
Europe ('juərəp) *n* Europe *neu.* **European** *adj* europäisch. *n* Europäer *m.*
European Economic Community *n* Europäische Wirtschaftsgemeinschaft, EWG *f.*
euthanasia (ju:θə'neiziə) *n* Sterbehilfe, Euthanasie *f.* Gnadentod *m.*
evacuate (i'vækjueit) *vt* 1 entleeren. 2 evakuieren. 3 räumen.
evade (i'veid) *vt,vi* ausweichen, umgehen, vermeiden. **evasive** *adj* ausweichend.
evaluate (i'væljueit) *vt* abschätzen, berechnen.
evangelical (i:vən'dʒelikəl) *adj* evangelisch. **evangelist** *n* Evangelist *m.*
evaporate (i'væpəreit) *vi,(vt)* verdampfen (lassen).
eve (i:v) *n* Vorabend *m.*
even ('i:vən) *adj* 1 glatt, eben. 2 gleich. 3 *math* gerade. 4 quitt. *adv* gerade, sogar. **even better** noch besser. **not even** nicht einmal. **even-tempered** *adj* gleichmütig, gelassen.
evening ('i:vəniŋ) *n* Abend *m.* **evening dress** *n* 1 Abendkleid *neu.* 2 Smoking *m.*
event (i'vent) *n* 1 Ereignis *neu.* Vorfall *m.* 2 Veranstaltung *f.* **eventual** *adj* schließlich. **eventually** *adv* schließlich, endlich.
ever ('evə) *adv* 1 immer, stets. 2 je, jemals. 3 überhaupt. **ever so** *inf* besonders, sehr. **for ever** für immer, auf ewig, stets. **evergreen** *n* Immergrün *neu. adj* immergrün. **everlasting** *adj* 1 ewig. 2 dauerhaft. **evermore** *adj* immerfort.
every ('evri) *pron* jeder, jede, jedes *m,f,neu.* all. **everybody** *pron also* **everyone** jeder, jedermann. **everyday** *adj* Alltags— alltäglich. **everything** *pron* alles. **everywhere** *adv* überall, überallhin.
evict (i'vikt) *vt law* ausweisen.
evidence ('evidəns) *n* 1 Zeugnis *neu.* 2 Nachweis, Beweis *m.* **evident** *adj* offenbar, klar.
evil ('i:vəl) *adj* böse, übel. *n* Böse, Übel *neu.*
evoke (i'vouk) *vt* hervorrufen.
evolve (i'vɔlv) *vi* sich entwickeln, enstehen. *vt* entwickeln. **evolution** *n* Entwicklung, Evolution *f.*
ewe (ju:) *n* Mutterschaf *neu.*
exact (ig'zækt) *adj* 1 genau, exakt. 2 streng. *vt* verlangen, fordern.
exaggerate (ig'zædʒəreit) *vt,vi* übertreiben.
exalt (ig'zɔ:lt) *vt* verherrlichen. **exaltation** *n* Verherrlichung *f.*
examine (ig'zæmin) *vt* 1 prüfen. 2 untersuchen. 3 verhören. **examination** *n* 1 Prüfung *f.* 2 Untersuchung *f.* 3 Verhör *neu.*
example (ig'zɑ:mpəl) *n* 1 Beispiel *neu.* 2 Vorbild *neu.* **for example** zum Beispiel.
exasperate (ig'zɑ:spəreit) *vt* ärgern, reizen.
excavate ('ekskəveit) *vt* ausgraben, aushöhlen.
exceed (ik'si:d) *vt* 1 überschreiten. 2 hinausgehen über. **exceedingly** *adv* äußerst, höchst.
excel (ik'sel) *vt* übertreffen. **excel oneself** sich auszeichnen. **excellence** *n* Vorzüglichkeit *f.* **excellent** *adj* vorzüglich, ausgezeichnet.
Excellency ('eksələnsi) *n* Exzellenz *f.*
except (ik'sept) *prep* ausgenommen, außer. **except for** abgesehen von. **except that** nur daß, außer daß. *vt* ausnehmen, ausschließen. **exception** *n* Ausnahme *f.*
excerpt ('eksə:pt) *n* Auszug *m.* Szene *f.*
excess (ik'ses) *n* 1 Übermaß *neu.* Überfluß *m.* 2 *pl* Unmäßigkeiten *f pl.* **in excess of** mehr als. **excessive** *adj* übermäßig.
exchange (iks'tʃeindʒ) *vt* (aus-, um-)tauschen, wechseln. *n* 1 (Aus)Tausch *m.* 2 Wechsel *m.* 3

comm Börse *f.* **4** (Telephon)Zentrale *f.* **exchange rate** *n* Wechselkurs *m.*

exchequer (iks'tʃekə) *n* Staatskasse *f.* Finanzministerium *neu.* **chancellor of the exchequer** *n* Finanzminister *m.*

excise ('eksaiz) *n* (indirekte) Steuer *f.*

excite (ik'sait) *vt* erregen, anregen, aufregen. **excitement** *n* Aufregung *f.*

exclaim (ik'skleim) *vt, vi* ausrufen.

exclamation (ekskləˈmeiʃən) *n* Ausruf *m.* **exclamation mark** *n* Ausrufungszeichen *neu.*

exclude (ik'sklu:d) *vt* ausschließen. **exclusive** *adj* **1** exklusiv. **2** ausschließlich.

excommunicate (ekskə'mju:nikeit) *vt* exkommunizieren.

excrete (ik'skri:t) *vi* ausscheiden, absondern. **excreta** *n pl* Auswurf, Kot *m.*

excruciating (ik'skru:ʃieitiŋ) *adj* qualvoll.

excursion (ik'skə:ʒən) *n* Ausflug *m.*

excuse (*n* ik'skju:s; *v* ik'skju:z) *n* Entschuldigung, Ausrede *f.* *vt* entschuldigen. **excuse me** entschuldigen Sie!

execute ('eksikju:t) *vt* **1** ausführen, vollziehen. **2** (a person) hinrichten. **executive** *n* **1** Verwaltung *f.* **2** (hoher) Angestellte(r), *adj* vollziehend.

exempt (ig'zempt) *adj* befreit, ausgenommen. *vt* ausnehmen, befreien.

exercise ('eksəsaiz) *n* **1** Übung *f.* **2** Ausübung *f.* **3** Schulaufgabe *f.* *vt* **1** üben, anwenden. **2** ausüben. **exercise book** *n* Schulheft *neu.*

exert (ig'zə:t) *vt* ausüben. **exert oneself** sich anstrengen. **exertion** *n* Anstrengung *f.*

exhale (eks'heil) *vt, vi* ausatmen.

exhaust (ig'zɔ:st) *n* **1** Abgas *neu.* **2** *mot* Auspuff *m.* *vt* **1** erschöpfen. **2** ermüden. **exhausted** *adj* erschöpft. **exhaust pipe** *n* Auspuffrohr *neu.*

exhibit (ig'zibit) *vt* **1** ausstellen. **2** zeigen, vorführen. *n* Ausstellungsstück *neu.* **exhibition** *n* **1** Ausstellung *f.* **2** Vorführung *f.* **exhibitionism** *n* Exhibitionismus, Öffentlichkeitsdrang *m.*

exhilarate (ig'ziləreit) *vt* erheitern.

exile ('egzail) *n* **1** Verbannung *f.* Exil *neu.* **2** Verbannte(r) *m.* *vt* verbannen, vertreiben.

exist (ig'zist) *vi* **1** existieren, sein. **2** leben. **existence** *n* Dasein *neu.* Existenz *f.*

exit ('eksit) *n* **1** Ausgang *m.* **2** Abgang *m.* *vi Th* (geht) ab.

exonerate (eg'zɔnəreit) *vt* freisprechen.

exorbitant (ig'zɔ:bitənt) *adj* maßlos, übermäßig.

exorcize ('eksɔ:saiz) *vt* beschwören, austreiben.

exotic (ig'zɔtik) *adj* exotisch.

expand (ik'spænd) *(vi), vt* **1** (sich) ausdehnen, (sich) ausbreiten. **2** (sich) erweitern. **expansion** *n* **1** Ausdehnung, Ausbreitung *f.* **2** *pol* Expansion *f.*

expanse (ik'spæns) *n* Weite, weite Fläche *f.*

expatriate (eks'pætriit) *vt* ausbürgern. *adj* im Ausland lebend. *n* Ausgebürgerte(r) *m.*

expect (ik'spekt) *vt* **1** erwarten. **2** annehmen. **expectancy** *n* Erwartung *f.*

expedient (ik'spi:diənt) *adj* ratsam, zweckmäßig. *n* Ausweg *m.* Hilfsmittel *neu.*

expedition (ekspi'diʃən) *n* Expedition *f.*

expel (ik'spel) *vt* (hin)ausstoßen, vertreiben.

expenditure (ik'spenditʃə) *n* **1** (Geld)Ausgabe *f.* **2** Verbrauch *m.*

expense (ik'spens) *n* **1** Kosten *f pl.* Ausgabe *f.* **2** *pl* Unkosten *f pl.* **at the expense of** auf Kosten. **expensive** *adj* teuer.

experience (ik'spiəriəns) *n* **1** Erfahrung *f.* **2** Erlebnis *neu.* *vt* erleben, erfahren. **experienced** *adj* erfahren.

experiment (ik'sperimənt) *n* Versuch *m.* Experiment *neu.* *vi* experimentieren. **experimental** *adj* Experimental—.

expert ('ekspə:t) *n* Fachmann, Experte *m.* *adj* erfahren, fachmännisch. **expertise** (ekspə'ti:z) *n* Spezialwissen *neu.* Erfahrung *f.*

expire (ik'spaiə) *vi* **1** ablaufen. **2** sterben. **3** ausatmen. **expiry** *n* Ablauf *m.*

explain (ik'splein) *vt* erklären, erläutern. **explain oneself** sich rechtfertigen. **explanation** *n* Erklärung, Erläuterung *f.*

expletive (ik'spli:tiv) *adj* ausfüllend. *n* **1** Füllwort *neu.* **2** Fluchwort *neu.*

explicit (ik'splisit) *adj* verständlich, ausdrücklich, deutlich.

explode (ik'sploud) *vi* explodieren. *vt* sprengen. **explosion** *n* Explosion *f.* **explosive** *adj* explosiv. *n* Sprengstoff *m.*

exploit[1] ('eksplɔit) *n* Heldentat *f.* Abenteuer *neu.*

exploit[2] (ik'splɔit) *vt* **1** ausbeuten, ausnutzen. **2** auswerten. **exploitation** *n* **1** Ausbeutung *f.* **2** Ausnutzung *f.*

explore (ik'splɔ:) *vt* **1** erforschen. **2** untersuchen.

exponent (ik'spounənt) *n* Exponent, Vertreter *m.*

export (*v* ik'spɔ:t; *n* 'ekspɔ:t) *vt* exportieren, ausführen. *n* Ausfuhr *f.* Export(handel) *m.*

expose (ik'spouz) *vt* **1** aussetzen. **2** enthüllen. **3** bloßstellen. **4** *phot* belichten. **exposure** *n* **1**

Enthüllung *f.* **2** Aussetzung *f.* **3** *med* Entkräftung *f.* **4** *phot* Belichtung *f.*

express (ik'spres) *vt* ausdrücken, äußern. *adj* **1** ausdrücklich. **2** Expreß—. **expression** *n* Ausdruck *m.* **express letter** Eilbrief *m.* **express (train)** *n* Schnellzug *m.*

exquisite (ek'skwizit) *adj* vorzüglich, vornehm, auserlesen.

extend (ik'stend) *vt* **1** ausdehnen, erweitern. **2** ausbauen. **3** verlängern. **4** gewähren, erweisen. *vi* sich ausdehnen, erstrecken. **extension** *n* **1** Erweiterung, Ausdehnung *f.* **2** Verlängerung *f.* **3** Anbau *m.* **4** (Telephon)-Nebenanschluß *m.* **extensive** *adj* umfassend, ausgedehnt.

extent (ik'stent) *n* **1** Ausdehnung *f.* **2** Größe *f.* **3** (Aus)Maß *neu.* **to some extent** gewissermaßen. **to that/what extent** insofern/inwiefern.

exterior (ek'stiəriə) *adj* außer, Außen—. *n* **1** Äußere *neu.* **2** Außenseite *f.*

exterminate (ik'stə:mineit) *vt* ausrotten, vertilgen.

external (ek'stə:nl) *adj* äußer(lich), Außen—.

extinct (ik'stiŋkt) *adj* **1** ausgestorben. **2** erloschen.

extinguish (ik'stiŋgwiʃ) *vt* auslöschen.

extra ('ekstrə) *adj* zusätzlich, Extra—, Sonder—.

extract (ik'strækt) *vt* (heraus)ziehen. *n* **1** Auszug *m.* **2** Extrakt *m.*

extramural (ekstrə'mjuərəl) *adj educ* außerhalb der Mauern (einer Universität).

extraordinary (ik'strɔ:dənri) *adj* außerordentlich, außergewöhnlich.

extravagant (ik'strævəgənt) *adj* verschwenderisch. **extravagance** *n* Verschwendung *f.*

extreme (ik'stri:m) *adj* **1** äußerst. **2** extrem, radikal. **3** höchst, außerordentlich. *n* Äußerste *neu.* **extremist** *n* Radikale(r), Fanatiker *m.* **extremity** *n* **1** Äußerste *neu.* **2** Spitze *f.* **3** *pl* Gliedmaßen *pl.*

extricate ('ekstrikeit) *vt* herausziehen, freimachen.

extrovert ('ekstrəvə:t) *n* Extravertierte(r), Extravert *m.*

exuberant (ig'zju:bərənt) *adj* **1** üppig. **2** überschwenglich.

eye (ai) *n* **1** Auge *neu.* **2** Blick *m.* **3** Ansicht *f.* *vt* ansehen.

eyeball ('aibɔ:l) *n* Augapfel *m.*

eyebrow ('aibrau) *n* Augenbraue *f.*

eye-catching *adj* auffällig.

eyelash ('ailæʃ) *n* Wimper *f.*

eyelid ('ailid) *n* Augenlid *neu.*

eye-opener *n* aufschlußreiche *or* überraschende Entdeckung *f.*

eye shadow *n* Lidschatten, Augenschatten *m.*

eyesight ('aisait) *n* Sehkraft *f.*

eyesore ('aisɔ:) *n* Dorn im Auge *m.*

eyestrain ('aistrein) *n* Überanstrengung des Auges *f.*

eyewitness (ai'witnis) *n* Augenzeuge *m.*

F

fable ('feibəl) *n* Fabel *f.* Märchen *neu.*

fabric ('fæbrik) *n* **1** Stoff *m.* Gewebe *neu.* **2** Struktur *f.* **fabricate** *vt* erfinden, fabrizieren.

fabulous ('fæbjuləs) *adj* **1** fabelhaft. **2** *inf* toll, fantastisch.

facade (fə'sɑ:d) *n* Fassade *f.*

face (feis) *n* **1** Gesicht *neu.* **2** Oberfläche *f.* **3** Vorderseite *f.* **in the face of** angesichts. **pull faces** Fratzen schneiden. ~*vt* **1** gegenüberstehen. **2** ansehen. **face up to 1** entgegentreten. **2** hinnehmen. **3** gewachsen sein. **face value** *n* Nennwert *m.* **take at face value** für bare Münze nehmen.

facet ('fæsit) *n* Seite *f.* Aspekt *m.*

facetious (fə'si:ʃəs) *adj* witzig, spaßig.

facile ('fæsail) *adj* **1** leicht. **2** gefällig, nachgiebig. **facilitate** *vt* erleichtern, fördern. **facility** *n* **1** Möglichkeit *f.* **2** Leichtigkeit *f.* **3** *pl* Einrichtungen *f pl.*

facing ('feisiŋ) *prep* gegenüber.

facsimile (fæk'siməli) *n* Faksimile *neu.*

fact (fækt) *n* **1** Tatsache, Wahrheit *f.* **2** *pl* Tatbestand *m.* **in fact** tatsächlich, in der Tat. **factual** *adj* tatsächlich.

faction ('fækʃən) *n* **1** Partei, Splittergruppe *f.* **2** Zwietracht *f.*

factor ('fæktə) *n* Faktor, Umstand *m.*

factory ('fæktri) *n* Fabrik *f.* Betrieb *m.*

faculty ('fækəlti) *n* **1** Vermögen *neu.* Kraft *f.* **2** *educ* Fakultät *f.*

fad (fæd) *n inf* Liebhaberei, Mode *f.*

fade (feid) *vi* **1** verblassen. **2** verklingen. **3** verschwinden.

fag (fæg) *n* **1** *sl* Zigarette *f.* **2** Plackerei *f.*

fail (feil) *vi* **1** scheitern, versagen. **2** nachlassen. **3** versäumen. **4** *educ* durchfallen. *vt* **1** *educ* durchfallen lassen. **2** im Stich lassen. **without fail** unbedingt. **failing** *prep* in Ermangelung. *n* Schwäche *f.* **failure** *n* **1** Scheitern, Versagen *neu.* **2** Verfall *m.* **3** Versäumnis *neu.* **4** Mißerfolg *m.* **5** *educ* Durchfallen *neu.*

faint (feint) *adj* **1** schwach, matt. **2** leise. **3** ohnmächtig. *vi* ohnmächtig werden. **faint-hearted** *adj* zaghaft, verzagt.

fair[1] (fɛə) *adj* **1** hübsch, schön. **2** blond, hell. *adj,adv* gerecht, fair. **fairly** *adv* ziemlich, ganz schön. **fair-minded** *adj* gerecht, ehrlich. **fairness** *n* Gerechtigkeit *f.*

fair[2] (fɛə) *n* **1** Ausstellung, Messe *f.* **2** Jahrmarkt *m.* **fairground** *n* Rummelplatz *m.*

fairy ('fɛəri) *n* Fee *f.* Elf *m.* **fairytale** *n* Märchen *neu.*

faith (feiθ) *n* **1** Vertrauen *neu.* Glaube *m.* **2** Treue *f.* **3** Religion *f.* **faithful** *adj* **1** treu. **2** zuverlässig, genau. **3** gläubig. **yours faithfully** hochachtungsvoll.

fake (feik) *n* Fälschung *f. adj* verfälscht. *vt* fälschen, nachmachen.

falcon ('fɔ:lkən) *n* Falke *m.*

fall* (fɔ:l) *n* **1** Fall, Sturz *m.* **2** Niedergang, Verfall *m.* **3** Sinken, Abnehmen *neu.* **3** *US* Herbst *m. vi* **1** fallen, stürzen. **2** sinken, abnehmen. **fall behind** zurückbleiben. **fall down** niederfallen. **fall through** durchfallen, scheitern.

fallacy ('fæləsi) *n* Täuschung *f.* Irrtum *m.*

fallible ('fæləbəl) *adj* fehlbar.

fallow ('fælou) *adj* **lie fallow** brachliegen.

false (fɔ:ls) *adj* **1** falsch. **2** trügerisch. **3** künstlich. **false alarm** *n* blinder Alarm *m.* **falsehood** *n* Falschheit, Unwahrheit *f.* **false pretences** *pl* Vorspiegelung falscher Tatsachen *f.* Betrug *m.* **false teeth** *n pl* künstliche Zähne *m pl.* **falsify** *vt* verfälschen, unrichtig darstellen.

falter ('fɔ:ltə) *vi* **1** stolpern. **2** zögern.

fame (feim) *n* Ruhm, Ruf *m.*

familiar (fə'miliə) *adj* **1** vertraut, bekannt. **2** gewohnt. **familiarity** *n* Vertrautheit *f.* **familiarize** *vt* vertraut machen.

family ('fæmili) *n* **1** Familie *f.* **2** Gruppe *f.*

famine ('fæmin) *n* Hungersnot *f.*

famous ('feiməs) *adj* berühmt.

fan[1] (fæn) *n* **1** Fächer *m.* **2** *tech* Ventilator *m.* **fanbelt** *n mot* Keilriemen *m.*

fan[2] (fæn) *n* Anhänger, Liebhaber *m.*

fanatic (fə'nætik) *n* Fanatiker *m. adj also* **fanatical** fanatisch.

fancy ('fænsi) *n* **1** Neigung, Vorliebe *f.* **2** Einbildung, Phantasie *f. adj* verziert, geschmückt. *vt* mögen, Lust haben auf. **fancy oneself** *inf* sich einbilden. **fancy someone** *inf* auf jemanden ein Auge haben. **fancy dress** *n* Maskenkostüm *neu.* **fanciful** *adj* phantasievoll.

fanfare ('fænfɛə) *n* Fanfare *f.*

fang (fæŋ) *n* Reißzahn *m.*

fantastic (fæn'tæstik) *adj* **1** phantastisch. **2** eingebildet. **3** *inf* wunderbar, toll.

fantasy ('fæntəsi) *n* Phantasie *f.*

far (fɑ:) *adj* weit, entfernt. *adv* weit, fern. **by far** weitaus, bei weitem. **far and wide** weit und breit. **in so far as** insofern als. **faraway** *adj* **1** weit entfernt. **2** verträumt. **far-fetched** *adj* weit hergeholt, phantastisch. **far-off** *adj* entfernt, weit. **far-reaching** *adj* weitreichend.

farce (fɑ:s) *n Th* Posse, Farce *f.*

fare (fɛə) *n* **1** Fahrgeld *neu.* **2** Kost *f. vi* (er)gehen.

Far East *n* Ferne(r) Osten *m.*

farewell (fɛə'wel) *n* Lebewohl *neu.* Abschied *m. interj* lebe wohl!

farinaceous (færi'neiʃəs) *adj* mehlig, Mehl—. **farinaceous food** *n* Teigwaren *f pl.*

farm (fɑ:m) *n* **1** Bauernhof *m.* **2** Farm *f. vt* bewirtschaften. **farmer** *n* Bauer *m.* **farmhouse** *n* Bauernhaus *neu.* **farming** *n* Landwirtschaft *f.* **farmland** *n* Ackerland *neu.* **farmyard** *n* Hofplatz *m.*

farther ('fɑ:ðə) *adv* weiter, ferner. *adj* entfernter.

farthest ('fɑ:ðist) *adj* weitest, fernst. *adv* am weitesten.

farthing ('fɑ:ðiŋ) *n* **1** Farthing *m.* **2** Kleinigkeit *f.*

fascinate ('fæsineit) *vt* faszinieren.

fascism ('fæʃizəm) *n* Faschismus *m.* **fascist** *adj* faschistisch. *n* Faschist *m.*

fashion ('fæʃən) *n* **1** Mode *f.* **2** Art, Weise *f. vt* bilden, gestalten.

fast[1] (fɑ:st) *adj,adv* **1** schnell. **2** fest, befestigt. **3** waschecht.

fast[2] (fɑ:st) *n* Fasten *neu. vi* fasten.

fasten ('fɑ:sən) *vt* **1** befestigen. **2** anschnallen. *vi* sich klammern an.

fastidious (fə'stidiəs) *adj* anspruchsvoll, penibel, wählerisch.

fat (fæt) *adj* fett, dick. *n* Fett *neu. vt* **1** fett machen. **2** (animals) mästen. *vi* fett werden.

fatal ('feitl) *adj* **1** tödlich. **2** verhängnisvoll, fatal. **fatality** *n* Todesfall *m.*

fate (feit) *n* Schicksal *neu.*

father ('fɑ:ðə) *n* Vater *m. vt* zeugen. **father-in-law** *n* Schwiegervater *m.* **fatherland** *n* Vaterland *neu.* Heimat *f.*

fathom ('fæðəm) *n* Faden *m.* *vt* **1** ergründen, begreifen. **2** sondieren.
fatigue (fə'ti:g) *n* Ermüdung *f.* *vi* ermüden.
fatuous ('fætjuəs) *adj* albern, blödsinnig.
fault (fɔ:lt) *n* **1** Fehler *m.* **2** Schuld *f.* **3** *tech* Störung *f.* Defekt *m.* **be at fault** sich irren. **find fault** tadeln.
fauna ('fɔ:nə) *n* Fauna, Tierwelt *f.*
favour ('feivə) *n* **1** Gefallen *m.* **2** Begünstigung *f.* *vt* **1** begünstigen. **2** vorziehen. **favourable** *adj* günstig, vorteilhaft, gelegen. **favourite** *adj* Lieblings—. *n* Liebling *m.* Favorit *m.*
fawn[1] (fɔ:n) *n* Rehkalb *neu.* *adj* rehbraun.
fawn[2] (fɔ:n) *vi* **1** kriechen. **2** schmeicheln.
fear (fiə) *n* Furcht, Angst *f.* *vt* (be)fürchten, sich fürchten vor. **fearless** *adj* furchtlos.
feasible ('fi:zibəl) *adj* möglich, ausführbar.
feast (fi:st) *n* Fest, Festmahl *neu.* *vi* sich ergötzen. **feast-day** *n* Festtag *m.*
feat (fi:t) *n* **1** Kunststück *neu.* **2** Heldentat *f.*
feather ('feðə) *n* Feder *f.* **featherbed** *n* Federbett *neu.* **featherweight** *n* Federgewicht *neu.*
feature ('fi:tʃə) *n* **1** (Gesichts)Zug *m.* **2** Grundzug *m.* **3** Merkmal *neu.* **4** (in a newspaper) Feature *neu.* spezieller Artikel *m.* *vt* **1** charakterisieren. **2** in der Hauptrolle zeigen.
February ('februəri) *n* Februar *m.*
feckless ('fekləs) *adj* **1** hilflos. **2** wirkungslos.
fed (fed) *v* see **feed.**
federal ('fedərəl) *adj* **1** Bundes—, bundesstaatlich. **2** (in Switzerland) eidgenössich. **federate** *adj* verbündet. **federation** *n* Vereinigung *f.* **2** *pol* Bundesstaat *m.*
fee (fi:) *n* Gebühr, Bezahlung *f.* Honorar *neu*
feeble ('fi:bəl) *adj* schwach, lahm, kraftlos. **feeble-minded** *adj* geistesschwach. **feeble-mindedness** *n* Schwachsinn *m.*
feed* (fi:d) *vt* **1** ernähren. **2** füttern. *vi* **1** sich (er)nähren. **2** weiden. *n* **1** Nahrung *f.* **2** Futter *neu.* **be fed up with** satt haben. **feedback** *n* Feedback *m.*
feel* (fi:l) *vt* **1** betasten, (be)fühlen. **2** spüren, wahrnehmen. **3** empfinden. *vi* **1** sich fühlen, sich vorkommen. **2** glauben. **feel like doing something** Lust haben, etwas zu tun. **feeler** *n* Fühler *m.* **feeling** *n* **1** Gefühl *neu.* **2** Empfindung *f.* **3** Ahnung *f.* **with feeling** *adv* gefühlvoll.
feign (fein) *vi,vt* vorgeben, simulieren. *vt* heucheln. **feigned** *adj* vorgeblich, heuchlerisch.
feint[1] (feint) *n* **1** Finte *f.* **2** Verstellung *f.*
feint[2] (feint) *adj,adv* schwach.
feline ('fi:lain) *adj* Katzen—, katzenartig.
fell[1] (fel) *v* see **fall.**
fell[2] (fel) *vt* **1** niederschlagen. **2** fällen.
fellow ('felou) *n* **1** Gefährte *m.* **2** Mitglied *neu.* **3** Kerl, Bursche *m.* **fellow passenger** Mitreisende(r) *m.* **fellowship** *n* Gemeinschaft *f.* Gesellschaft *f.*
felon ('felən) *n* Verbrecher *m.* **felonious** *adj* verbrecherisch. **felony** *n* schwere Verbrechen *neu.*
felt[1] (felt) *v* see **feel.**
felt[2] (felt) *n* Filz *m.*
female ('fi:meil) *n* **1** Weib *neu.* **2** (of animals) Weibchen *neu.* *adj* weiblich.
feminine ('feminin) *adj* weiblich. **femininity** *n* Weiblichkeit *f.* weibliches Wesen *neu.*
feminism ('feminizəm) *n* Frauenrechtlertum *neu.* **feminist** *n* Frauenrechtler *m.*
fence (fens) *n* **1** Einzäunung *f.* Zaun *m.* *vi* fechten. **fence in** einzäunen. **fencing** *n* **1** Fechtkunst *f.* **2** Einzäunung *f.*
fend (fend) *vt* **fend off** abwehren. *vi* **fend for** sorgen für.
fennel ('fenl) *n bot* Fenchel *m.*
ferment (*n* 'fə:ment; *v* fə'ment) *n* Gärungsmittel *neu.* *vi* gären, fermentieren. *vt* gären lassen. **fermentation** *n* Gärung *f.*
fern (fə:n) *n* Farn *m.* Farnkraut *neu.*
ferocious (fə'rouʃəs) *adj* **1** wild. **2** grausam. **ferocity** *n* **1** Wildheit *f.* **2** Grausamkeit *f.*
ferret ('ferit) *n* Frettchen *neu.* *v* **ferret out 1** herausjagen. **2** ausforschen.
ferry ('feri) *n* Fähre *f.* *vt* übersetzen.
fertile ('fə:tail) *adj* **1** fruchtbar. **2** ergiebig. **fertility** *n* Fruchtbarkeit *f.* **fertilize** *vt* **1** fruchtbar machen. **2** *bot* befruchten. **3** düngen. **fertilization** *n* **1** Befruchtung *f.* **2** Düngung *f.* **fertilizer** *n* Düngemittel *neu.*
fervent ('fə:vənt) *adj* glühend, leidenschaftlich. **fervour** *n* Leidenschaft *f.* Eifer *m.*
fester ('festə) *vi* **1** eitern. **2** verfaulen.
festival ('festivəl) *n* Fest *neu.* Feier *f.* **festive** *adj* festlich. **festivity** *n* Festlichkeit *f.*
festoon (fes'tu:n) *n* Girlande *f.* *vt* schmücken.
fetch (fetʃ) *vt* **1** holen. **2** (in a sale) bringen. **fetching** *adj inf* reizend, anziehend.
fete (feit) *n* Fest *neu.* *vt* feiern.
fetid ('fetid) *adj* stinkend.
fetish ('fetiʃ) *n* Fetisch *m.*
fetter ('fetə) *n* Fessel *f.* *vt* fesseln.
feud (fju:d) *n* **1** Fehde *f.* **2** Lehen *neu.* **feudal** *adj* feudal. **feudalism** *n* Feudalismus *m.*
fever ('fi:və) *n* **1** *med* Fieber *neu.* **2** fieberhafte

Aufregung *f.* **feverish** *adj* **1** fiebrig. **2** aufgeregt, fieberhaft.

few (fju:) *adj,pron* wenige. **a few** ein paar.

fiance (fi'ɔnsei) *n* Verlobte(r) *m.* **fiancee** *n* Verlobte, Braut *f.*

fiasco (fi'æskou) *n* Fiasko *neu.*

fib (fib) *n* Schwindelei, (kleine) Lüge *f.*

fibre ('faibə) *n* Faser, Fiber *f.* **fibreglass** *n* Fiberglas *neu.* **fibrous** *adj* faserig.

fickle ('fikəl) *adj* wankelmutig, unbeständig. **fickleness** *n* Wankelmut *m.* Unbeständigkeit *f.*

fiction ('fikʃən) *n* **1** Romanliteratur *f.* **2** Erdichtung *f.* **fictional** *adj* erdichtet, erfunden. **fictitious** *adj* unwirklich, erfunden.

fiddle ('fidl) *n* **1** Geige, Fiedel *f.* **2** *inf* Schwindelei *f.* *vi* **1** fiedeln. **2** tändeln. **3** beschwindeln.

fidelity (fi'deliti) *n* Treue *f.*

fidget ('fidʒit) *vi* (herum)zappeln. **fidgety** *adj* zappelig.

field (fi:ld) *n* **1** Feld *neu.* **2** Gebiet, Fach *neu.* Bereich *m.* **3** *sport* Platz *m.* **fieldwork** *n* praktische (wissenschaftliche) Arbeit *f.*

fiend (fi:nd) *n* **1** Teufel *m.* **2** Unhold *m.* **fiendish** *adj* teuflisch, unmenschlich.

fierce (fiəs) *adj* **1** wild, grimmig. **2** heftig. **3** (of light) grell. **fierceness** *n* **1** Wildheit *f.* **2** Heftigkeit *f.*

fiery ('faiəri) *adj* feurig, leidenschaftlich.

fifteen (fif'ti:n) *adj* fünfzehn. *n* Fünfzehn *f.* **fifteenth** *adj* fünfzehnte.

fifth (fifθ) *adj* fünfte. **fifthly** *adv* fünftens.

fifty ('fifti) *adj* fünfzig. *n* Fünfzig *f.* **fifty-fifty** *adv* halb und halb. **fiftieth** *adj* fünfzigste.

fig (fig) *n* Feige *f.*

fight* (fait) *n* **1** Kampf *m.* **2** Konflikt *m.* **3** Schlägerei *f.* *vt* bekämpfen. *vi* kämpfen, sich schlagen. **fighter** *n* Kämpfer *m.*

figment ('figmənt) *n* (reine) Einbildung *f.*

figure ('figə) *n* **1** Ziffer *f.* **2** Gestalt, Figur *f.* **3** Persönlichkeit *f.* **4** Statue *f.* *vi* **1** erscheinen, auftreten. **2** meinen, denken. *vt* bildlich darstellen. **figure out** ausrechnen. **figurative** *adj* bildlich, symbolisch. **figurehead** *n* Repräsentationsfigur *f.* Strohmann *m.*

filament ('filəmənt) *n* **1** Faden *m.* Faser *f.* **2** (in an electric appliance) Glühfaden *m.*

file[1] (fail) *n* **1** Akte *f.* **2** Mappe *f.* Ordner *m.* **3** Reihe *f.* **in single file** hintereinander. *vt* (ein)ordnen, ablegen. **filing cabinet** *n* Aktenschrank *m.*

file[2] (fail) *n* Feile *f.* *vt* (zu)feilen, glätten.

filial ('filiəl) *adj* kindlich, Kindes—.

fill (fil) *vt* **1** (ab-, er-)füllen. **2** sättigen. **3** besetzen. **4** (a tooth) plombieren. *vi* sich füllen. **fill up (with petrol)** (auf)tanken. **filling** *n* **1** Einlage *f.* **2** Füllung *f.* **3** *med* Zahnplombe *f.* *adj* sättigend. **filling station** *n* Tankstelle *f.*

fillet ('filit) *n cul* Filet *neu.*

filly ('fili) *n* weibliches Füllen *or* Fohlen *neu.*

film (film) *n* **1** Film *m.* **2** Haut, Membrane *f.* **3** *med* Schleier. *vt* (ver)filmen, drehen. *vi* drehen. **film star** *n* Filmstar, Filmschauspieler *m.*

filter ('filtə) *n* Filter *m.* *vt* filtern, filtrieren.

filth (filθ) *n* Dreck, Schmutz *m.* **filthiness** *n* Schmutzigkeit *f.* **filthy** *adj* schmutzig, dreckig.

fin (fin) *n* Flosse, Finne *f.*

final ('fainl) *adj* **1** letzt. **2** End—, Schluß—. **3** endgültig. *n* *sport* Endspiel *neu.* **finale** *n* Finale *neu.* **finalize** *vt* **1** vollenden, abschließen. **2** endgültige Form geben. **finally** *adv* **1** endlich, schließlich. **2** zum Schluß.

finance ('fainæns) *n* Finanz *f.* Finanzwesen *neu.* *vt* finanzieren. **financial** *adj* finanziell, Finanz—. **financier** *n* Finanzier *m.*

finch (fintʃ) *n* Fink *m.*

find* (faind) *vt* **1** finden, entdecken. **2** halten für, denken. **find out** herausfinden. ~*n* Fund *m.*

fine[1] (fain) *adj* **1** fein. **2** schön. **3** scharf. **finery** *n* **1** Putz *m.* **2** Eleganz *f.*

fine[2] (fain) *n* **1** Geldstrafe *f.* *vt* zu einer Geldstrafe verurteilen.

finesse (fi'nes) *n* **1** Finesse *f.* **2** Schlauheit *f.*

finger ('fiŋgə) *n* Finger *m.* *vt* fingern, betasten. **fingermark** *n* Fingerabdruck *m.* **fingernail** *n* Fingernagel *m.* **fingerprint** *n* Fingerabdruck *m.* **fingertip** *n* Fingerspitze *f.*

finish ('finiʃ) *vt* **1** beenden. **2** vollenden. *vi* enden, aufhören. *n* **1** *sport* Ziel *neu.* **2** Ende *neu.*

finite ('fainait) *adj* begrenzt, endlich. **finite verb** *n gram* Verbum finitum *neu.*

Finland ('finlənd) *n* Finnland *neu.*

Finn *n* Finne *m.* **Finnish** *adj* finnisch. *n* (language) Finnisch *neu.*

fir (fə:) *n* Tanne *f.* **fircone** *n* Tannenzapfen *m.*

fire (faiə) *n* **1** Feuer *neu.* **2** Brand *m.* **on fire** in Flammen. ~*vt* **1** anzünden. **2** anfeuern. *vi* feuern. **fire away!** schieß los!

fire alarm *n* Feuermelder, Feueralarm *m.*

fire brigade *n* Feuerwehr *f.*

fire drill *n* Feueralarmübung *f.*
fire-engine *n* Motorspritze *f.* Feuerwehrauto *neu.*
fire-escape *n* Nottreppe *f.*
fire-extinguisher *n* Feuerlöscher *m.*
fireman ('faiəmən) *n* Feuerwehrmann *m.*
fireplace ('faiəpleis) *n* (offener) Kamin *m.*
fireproof ('faiəpru:f) *adj* feuerfest.
fireside ('faiəsaid) *n* Kamin *m. adj* häuslich.
fire station *n* Feuerwache *f.*
firework ('faiəwə:k) *n* Feuerwerk *neu.*
firing squad *n* Exekutionskommando *neu.*
firm[1] (fə:m) *adj* **1** fest. **2** standhaft. **3** entschlossen. **firmness** *n* **1** Festigkeit *f.* **2** Entschlossenheit *f.*
firm[2] (fəim) *n* Firma *f.*
first (fə:st) *adj* **1** erste. **2** beste. *adv* **1** erstens. **2** zuerst. **at first** anfangs, zuerst. **first of all** zuallererst. ~*n* Erste(r) *m.* **first aid** *n* Nothilfe *f. adj* Unfalls—. **first class** *n* erste Klasse *f.* **first-class** *adj* prima, erstklassig, ausgezeichnet. **first-hand** *adv* aus erster Hand, direkt. **first name** *n* Vorname *m.* **first person** *n gram* erste Person *f.* **first-rate** *adj* ausgezeichnet.
fiscal ('fiskəl) *adj* fiskalisch, Finanz—.
fish (fiʃ) *n, pl* **fishes** or **fish** Fisch *m.* **queer fish** *n* komischer Kauz *m.* **a pretty kettle of fish** eine schöne Bescherung *f. vi* fischen, angeln. **fisherman** *n* Fischer *m.* **fish finger** *n* Fischstäbchen *neu.* **fishing** *n* Fischen, Angeln *neu.* **fishing rod** *n* Angelrute *f.* **fishmonger** *n* Fischhändler *m.* **fishslice** *n* Fischheber *m.* **fishy** *adj* **1** fischig. **2** verdächtig.
fission ('fiʃən) *n* Spaltung *f.*
fist (fist) *n* Faust *f.*
fit[1] (fit) *adj* **1** passend. **2** *sport* in Form, fit. **3** fähig. **fit as a fiddle** kerngesund. ~*vt* **1** passen. **2** passend machen, anpassen. *vi* **1** sich eignen. **2** (of clothes) sitzen. *n* (of clothes) Sitz *m.* **fitting** *adj* passend, schicklich.
fit[2] (fit) *n* **1** *med* Anfall *m.* **2** Ausbruch *m.* **fitful** *adj* **1** unbeständig. **2** launenhaft.
five (faiv) *adj* fünf. *n* Fünf *f.*
fix (fiks) *vt* **1** befestigen, anheften. **2** (one's eyes) richten, heften. **3** bestimmen, festsetzen. *vi* fest werden. **fix up** arrangieren. **fixation** *n* Fixierung *f.* **fixed** *adj* starr. **2** bestimmt. **fixture** *n* Zubehör(teil) *m.*
fizz (fiz) *vi* zischen, sprudeln. *n* Zischen *neu.* **fizzle** *vi* zischen. **fizzle out** verpuffen.
fjord (fjə:d) *n* Fjord *m.*
flabbergast ('flæbəgɑ:st) *vt* verblüffen.
flabby ('flæbi) *adj* schlaff, schlapp.
flag[1] (flæg) *n* Fahne, Flagge *f. vt* beflaggen. **flagpole** *n* Fahnenstange *f.*
flag[2] (flæg) *vi* **1** ermatten. **2** mutlos werden.
flagon ('flægən) *n* (bauchige) Flasche *f.*
flagrant ('fleigrənt) *adj* **1** schamlos. **2** offenkundig.
flair ('flɛə) *n* Spürsinn, Flair *m.*
flake (fleik) *n* **1** Flocke *f.* **2** Schuppe *f.* Blatt *neu. vi* (sich) flocken. *vi,vt* abblättern. **flaky** *adj* flockig, schuppig.
flamboyant (flæm'boiənt) *adj* **1** auffallend. **2** überladen. **3** flammend.
flame (fleim) *n* **1** Flamme *f.* **2** Leidenschaft *f. vi* flammen, lodern.
flamingo (flə'miŋgou) *n* Flamingo *m.*
flan (flæn) *n* Torte *f.*
flank (flæŋk) *n* **1** *mil* Flanke *f.* **2** *zool* Weiche *f. vt* flankieren.
flannel ('flænl) *n* **1** Flanell *m.* **2** Waschlappen *m.*
flap (flæp) *n* **1** *anat* Lappen *m.* **2** Klappe *f.* **3** (Flügel)Schlag *m. vi* **1** flattern. **2** lose herabhängen.
flare (flɛə) *vi* **1** flackern. **2** sich bauschen. *n* **1** flackerndes Licht *neu.* **2** Lichtsignal *neu. v* **flare up** **1** aufflackern. **2** aufbrausen.
flash (flæʃ) *n* **1** Blitz *m.* **2** Aufblitzen *neu. vi* (auf)blitzen. *vt* werfen. **flashback** *n* Rückblende *f.* **flashbulb** *n* Blitzlichtlampe *f.* **flashlight** *n* **1** Blitzlicht *neu.* Taschenlampe *f.*
flask (flɑ:sk) *n* **1** (Taschen-, Reise-) Flasche *f.* **2** *sci* Kolben *m.*
flat[1] (flæt) *adj* **1** flach, platt. **2** eben. *n* **1** Fläche *f.* **2** Flachland *neu.* **flatfish** *n* Plattfisch *m.* **flat-footed** *adj* plattfüßig. **flatten** *vt* platt machen, (ein)ebnen. *vi* flach werden.
flat[2] (flæt) *n* Wohnung *f.*
flatter ('flætə) *vt* schmeicheln. **flatterer** *n* Schmeichler *m.* **flattering** *adj* schmeichelhaft. **flattery** *n* Schmeichelei *f.*
flaunt (flɔ:nt) *vt* **1** prunken. **2** offen zeigen.
flautist ('flɔ:tist) *n* Flötist *m.*
flavour ('fleivə) *n* Geschmack *m.* Aroma *neu.* **flavouring** *n* Würze *f.* Geschmackstoff *m.*
flaw (flɔ:) *n* **1** Sprung *m.* **2** Makel *m.* **flawless** *adj* **1** makellos. **2** tadellos.
flax (flæks) *n* Flachs *m.*
flea (fli:) *n* Floh *m.*
fleck (flek) *n* Fleck *m. vt* sprenkeln.
fled (fled) *v* see **flee.**
flee* (fli:) *vi* fliehen. *vt* meiden.

fleece (fli:s) *n* Fell, Vlies *neu.* *vt* schröpfen. **fleecy** *adj* wollig.
fleet (fli:t) *n* Flotte *f.*
fleeting ('fli:tiŋ) *adj* flüchtig, vergänglich.
Flemish ('flemiʃ) *adj* flämisch. *n* (language) Flämisch *neu.*
flesh (fleʃ) *n* Fleisch *neu.* **fleshy** *adj* **1** fleischig. **2** fett.
flew (flu:) *v* see **fly**[1].
flex (fleks) *n* Kabel *neu.* *vt* biegen, beugen. **flexible** *adj* **1** biegsam. **2** flexibel. **flexibility** *n* Biegsamkeit *f.*
flick (flik) *vt* schnellen. *n* (leichter) Hieb *m.*
flicker ('flikə) *n* Flackern *neu.* *vi* flackern.
flight[1] (flait) *n* **1** Flug *m.* **2** Schwarm *m.* **flight deck** *n* Flugdeck *neu.* **flight of stairs** *n* Treppe *f.*
flight[2] (flait) *n* Flucht *f.* **flighty** *adj* flüchtig.
flimsy ('flimzi) *adj* **1** dünn. **2** schwach.
flinch (flintʃ) *vi* zurückschrecken, zucken.
fling* (fliŋ) *vt* werfen, schleudern. *n* Hieb *m.*
flint (flint) *n* **1** Kiesel *m.* **2** Flint *m.*
flip (flip) *n* Klaps *m.* *vt* klapsen, schnellen. **flipper** *n* **1** *zool* Flosse *f.* **2** Schwimmflosse *f.*
flippant ('flipənt) *adj* leichtfertig. **flippancy** *n* Leichtfertigkeit, Frechheit *f.*
flirt (flə:t) *vi* flirten. **flirtation** *n* Liebelei *f.* Flirt *m.* **flirtatious** *adj* kokett.
flit (flit) *vi* **1** flitzen. **2** wegziehen, sich entfernen.
float (flout) *vi* **1** (obenauf) schwimmen. **2** schweben. *vt* **1** bewässern. **2** flottmachen. **3** flößen. *n* **1** *tech* Schwimmer *m.* **2** Floß *neu.*
flock[1] (flɔk) *n* **1** Herde *f.* **2** Schar *f.* *vi* **1** sich scharen. **2** zusammenströmen.
flock[2] (flɔk) *n* (Woll)Flocke *f.*
flog (flɔg) *vt* **1** (aus)peitschen. **2** prügeln, züchtigen. **3** *sl* verkaufen. **flogging** *n* **1** Prügelstrafe *f.* **2** (Aus)Peitschen *neu.*
flood (flʌd) *n* **1** Flut *f.* **2** Überschwemmung *f.* *vt,vi* **1** überfluten. **2** überschwemmen. **floodlight** *n* Scheinwerfer *m.* Flutlicht *neu.*
floor (flɔ:) *n* **1** Fußboden *m.* **2** Stock *m.* Stockwerk, Geschoß *neu.* Etage *f.* *vt* **1** einen Fußboden legen. **2** *inf* verblüffen. **floorboard** *n* Diele *f.* Fußbodenbrett *neu.*
flop (flɔp) *vi* **1** (hin)plumpsen. **2** flattern, schlottern. **3** *Th* durchfallen. *n* **1** Plumps *m.* **2** Versager, Durchfall *m.* **floppy** *adj* schlapp.
flora ('flɔ:rə) *n* Flora, Pflanzenwelt *f.* **floral** *adj* Blumen—, Blüte—. **florist** *n* Blumenhändler *m.*
flounce[1] (flauns) *vi* stürzen.
flounce[2] (flauns) *n* Volant *m.*
flounder[1] ('flaundə) *vi* taumeln, stolpern.
flounder[2] ('flaundə) *n* Flunder *f.*
flour ('flauə) *n* Mehl *neu.* *vt* mit Mehl bestreuen.
flourish ('flʌriʃ) *n* **1** Schnörkel *m.* **2** Schwingen *neu.* **3** *mus* Verzierung *f.* *vi* **1** blühen, gedeihen. **2** Schnörkel machen. *vt* schwingen.
flout (flaut) *vt* verspotten, verhöhnen.
flow (flou) *vi* **1** fließen. **2** wallen. *n* Fluß *m.*
flower ('flauə) *n* **1** Blume *f.* **2** Blüte *f.* *vi* blühen. **flowerbed** *n* Blumenbeet *neu.* **flowerpot** *n* Blumentopf *m.* **flowery** *adj* blumig.
flown *v* see **fly**[1].
fluctuate ('flʌktʃueit) *vi* schwanken, fluktuieren. **fluctuation** *n* **1** Schwanken *neu.* Schwankung *f.* **2** *comm* Fluktuieren *neu.*
flue (flu:) *n* Kaminrohr, Abzugsrohr *neu.*
fluent ('flu:ənt) *adj* fließend. **fluency** *n* Fluß *m.* Geläufigkeit *f.*
fluff (flʌf) *n* **1** Flaum *m.* **2** Staubflocke *f.* **fluffy** *adj* **1** flaumig. **2** flockig.
fluid ('flu:id) *n* Flüssigkeit *f.* *adj* **1** flüssig. **2** fließend. **3** veränderlich.
flung (flʌŋ) *v* see **fling.**
fluorescent (flua'resənt) *adj* fluoreszierend. **fluorescence** *n* Fluoreszenz *f.*
fluoride ('fluəraid) *n* Fluor *neu.*
flush[1] (flʌʃ) *vi* erröten. *vt* (aus)spülen. *n* **1** Erröten *neu.* **2** Spülung *f.*
flush[2] (flʌʃ) *adj* eben, glatt. **be flush** *inf* gut bei Kasse sein.
fluster ('flʌstə) *n* Verwirrung *f.* *vt* verwirren.
flute (flu:t) *n* *mus* Flöte *f.*
flutter ('flʌtə) *vi,(vt)* flattern (lassen).
flux (flʌks) *n* **1** Fluß *m.* **2** beständiger Wechsel *m.*
fly*[1] (flai) *vi* **1** fliegen. **2** fliehen. *vt* fliegen (lassen). **flyover** *n* (Straßen)Überführung *f.*
fly[2] (flai) *n* Fliege *f.*
foal (foul) *n* Fohlen *neu.* *vi* fohlen.
foam (foum) *n* Schaum *m.* *vi* schäumen. **foamy** *adj* schaumig.
focal ('foukəl) *adj* im Brennpunkt stehend, fokal. **focus** *n* Fokus, Brennpunkt *m.* *vt* fokussieren, einstellen.
fodder ('fɔdə) *n* Futter *neu.* *vt* füttern.
foe (fou) *n* Feind *m.*
foetus ('fi:təs) *n* Fötus *m.* Leibesfrucht *f.*
fog (fɔg) *n* **1** (dicker) Nebel *m.* **2** Schleier, Dunst *m.* *vt,vi* verschleiern. **foggy** *adj* **1** nebelig. **2** verschleiert, unklar. **foghorn** *n* Nebelhorn *neu.*

foible (ˈfɔibəl) *n* Schwäche *f.*

foil[1] (fɔil) *vt* vereiteln.

foil[2] (fɔil) *n* Folie *f.* Blattmetall *neu.*

foil[3] (fɔil) *n sport* Florett *neu.*

foist (fɔist) *vt* 1 aufhalsen. 2 unterschieben.

fold[1] (fould) *vt* 1 falten. 2 (one's arms) kreuzen. *vi* 1 sich falten. 2 sich zusammenklappen (lassen). *n* Falte *f.*

fold[2] (fould) *n* 1 (Schaf)Hürde *f.* 2 Herde *f.*

foliage (ˈfouliidʒ) *n* Laub *neu.*

folk (fouk) *n pl* Leute *pl. adj* Volks—. **folkdance** *n* Volkstanz *m.* **folklore** *n* Volkssagen *f pl.* **folksong** *n* Volkslied *neu.*

follicle (ˈfɔlikəl) *n* 1 Follikel *m.* 2 Haarbalg *m.*

follow (ˈfɔlou) *vt,vi* folgen, nachgehen. **follower** *n* 1 Nachfolger *m.* 2 Anhänger *m.* **following** *n* Anhängerschaft *f.*

folly (ˈfɔli) *n* Torheit, Narrheit *f.*

fond (fɔnd) *adj* 1 liebevoll. 2 (of a hope, etc.) töricht. **be fond of** gern haben.

fondle (ˈfɔnd|) *vt* liebkosen, streicheln.

font (fɔnt) *n* Taufstein *m.*

food (fu:d) *n* 1 Nahrung, Kost *f.* Essen *neu.* Lebensmittel *neu pl.* 2 Futter *neu.*

fool (fu:l) *n* Narr, Dumme(r) *m. vt* zum Narren haben. *vi* Spaß machen. **foolish** *adj* 1 närrisch, albern, dumm. 2 unklug. **foolishness** *n* Dummheit *f.*

foolscap (ˈfu:lzkæp) *n* 1 Kanzleipapier *neu.* 2 Aktenformat *neu.*

foot (fut) *n, pl* **feet** 1 Fuß *m.* 2 Fußende *neu.* **on foot** zu Fuß. ~*vt* (bill) bezahlen. **foot it** *inf* zu Fuß gehen. **football** *n* 1 Fußball *m.* 2 Fußballspiel *neu.* **footbridge** *n* Steg *m.* Fußgängerbrücke *f.* **foothold** *n* 1 fester Stand *m.* 2 Halt *m.* **footing** *n* 1 Halt *m.* 2 Grundlage *f.* 3 Verhältnis *neu.* **footlights** *n pl Th* 1 Rampenlichter *neu pl.* 2 Bühne *f.* **footnote** *n* Anmerkung, Fußnote *f.* **footprint** *n* Fußspur *f.* **footstep** *n* 1 Spur *f.* 2 Tritt *m.* **footwear** *n* Schuhwerk *neu.*

for (fə; *stressed* fɔ:) *prep* 1 für. 2 zu, nach. 3 aus, vor. 4 lang. *conj* denn.

forage (ˈfɔridʒ) *n* Futter neu. *vi* 1 Futter holen. 2 durchstöbern, herumsuchen.

forbear* (fɔˈbɛə) *vi* 1 sich enthalten. 2 gedulden. *vt* sich enthalten, unterlassen. **forbearance** *n* 1 Geduld *f.* 2 Unterlassung *f.*

forbid* (fəˈbid) *vt* verbieten, untersagen. **forbidding** *adj* 1 abstoßend. 2 gefährlich.

force (fɔ:s) *n* 1 Kraft, Stärke *f.* 2 Zwang *m.* 3 Gewalt *f.* 4 *pl* Streitkräfte *f pl. vt* 1 zwingen. 2 (a door) aufbrechen. **force-feed** *vt* zwangsweise ernähren. **forceful** *adj* 1 kräftig. 2 eindringlich. **forcible** *adj* gewaltsam.

forceps (ˈfɔ:seps) *n s or pl* Zange *f.*

ford (fɔ:d) *n* Furt *f. vt* durchwaten.

fore (fɔ:) *adv* vorn *n.* Vorderteil *neu. adj* vorder, Vorder—.

forearm[1] (ˈfɔ:rɑ:m) *n* Vorderarm *m.*

forearm[2] (fɔ:ˈrɑ:m) *vt* im voraus bewaffnen.

forebear (fɔˈbɛə) *n* Vorfahr *m.*

forecast (ˈfɔ:kɑ:st) *n* Vorhersage, Voraussage *f.* **weather forecast** *n* Wetterbericht *m.* ~*vt* vorhersagen, voraussagen.

forefather (ˈfɔ:fɑ:ðə) *n* Vorfahr *m.*

forefinger (ˈfɔ:fiŋgə) *n* Zeigefinger *m.*

forefront (ˈfɔ:frʌnt) *n* 1 Vorderseite *f.* 2 vorderste Reihe *f.*

foreground (ˈfɔ:graund) *n* Vordergrund *m.*

forehand (ˈfɔ:hænd) *n* Vorhand *f. adj* mit Vorhand gespielt.

forehead (ˈfɔrid) *n* Stirn *f.*

foreign (ˈfɔrin) *adj* 1 fremd. 2 ausländisch. **foreigner** *n* 1 Ausländer *m.* 2 Fremde(r) *m.* **foreign exchange** *n* Devisen *f pl.*

foreleg (ˈfɔ:leg) *n* Vorderbein *neu.*

forelock (ˈfɔ:lɔk) *n* Stirnlocke *f.*

foreman (ˈfɔ:mən) *n* Aufseher, Vorarbeiter *m.*

foremost (ˈfɔ:moust) *adj* vorderst, erst. *adv* zuerst.

forensic (fəˈrensik) *adj* gerichtlich, Gerichts—.

forerunner (ˈfɔ:rʌnə) *n* Vorläufer *m.*

foresee* (fɔ:ˈsi:) *vt* voraussehen. **foreseeable** *adj* absehbar.

foresight (ˈfɔ:sait) *n* Voraussicht *f.*

forest (ˈfɔrist) *n* Wald, Forst *m. adj* Wald—, Forst—. *vt* beforsten. **forester** *n* Förster *m.* **forestry** *n* Forstwirtschaft *f.*

forestall (fɔ:ˈstɔ:l) *vt* vereiteln.

foretaste (ˈfɔ:teist) *n* Vorgeschmack *m.*

foretell* (fɔ:ˈtel) *vt* 1 voraussagen. 2 vorbedeuten.

forethought (ˈfɔ:θɔ:t) *n* Vorbedacht *m.*

forfeit (ˈfɔ:fit) *n* 1 Verwirkung *f.* 2 Buße *f.* 3 Pfand *neu. vt* 1 verwirken. 2 einbüßen. 3 verlieren. *adj* verwirkt.

forge[1] (fɔ:dʒ) *n* Schmiede *f. vt* 1 schmieden. 2 fälschen.

forge[2] *vi* (fɔ:dʒ) **forge ahead** sich vorwärtsdrängen, an die Spitze kommen.

forgery (ˈfɔ:dʒəri) *n* Fälschung *f.*

forget* (fəˈget) *vt* 1 vergessen. 2 vernachlässigen. **forgetful** *adj* vergeßlich.

forgive* (fəˈgiv) *vt* verzeihen, vergeben. **for-**

giveness *n* Verzeihung, Vergebung *f.* **forgiving** *adj* versöhnlich.

forgo* (fɔːˈgou) *vt* verzichten auf.

fork (fɔːk) *n* **1** Gabel *f.* **2** (in a road, etc.) Gabelung *f.* *vi* sich gabeln. **fork out** Geld herausrücken. **forked** *adj* gabelförmig.

forlorn (fəˈlɔːn) *adj* **1** verloren. **2** hoffnungslos. **3** hilflos.

form (fɔːm) *n* **1** Form, Figur, Gestalt *f.* **2** Art, Weise, Methode *f.* **3** Förmlichkeit *f.* **4** Formular *neu.* **5** (Schul)Klasse *f.* **6** (Schul)Bank *f.* *vt* **1** formen, bilden, gestalten. **2** erdenken. **3** schließen. *vi* sich formen. **formal** *adj* **1** formal, förmlich. **2** formell, feierlich. **formality** *n* Formalität, Förmlichkeit *f.* **formation** *n* **1** Bildung, Gestaltung *f.* **2** Formation *f.* **formative** *adj* bildend, gestaltend. **formative years** *n pl* Entwicklungsjahre *neu pl.*

former (ˈfɔːmə) *adj* **1** vorig. **2** ehemalig. **3** jene. **formerly** *adv* ehemals.

formidable (ˈfɔːmidəbəl) *adj* **1** furchtbar, erschreckend. **2** ungeheuer, gewaltig.

formula (ˈfɔːmjulə) *n* Formel *f.* **formulate** *vt* formulieren.

forsake* (fəˈseik) *vt* **1** aufgeben. **2** verlassen.

fort (fɔːt) *n* Fort *neu.* Festung *f.*

forte (ˈfɔːtei) *n* Stärke *f.* *adv mus* forte.

forth (fɔːθ) *adv* hervor. **from this day forth** von heute an. **forthcoming** *adj* bevorstehend.

fortify (ˈfɔːtifai) *vt* **1** befestigen. **2** stärken. **fortification** *n* **1** Befestigung *f.* **2** Stärkung *f.*

fortnight (ˈfɔːtnait) *n* vierzehn Tage *m pl.*

fortress (ˈfɔːtrəs) *n* Festung *f.*

fortune (ˈfɔːtʃən) *n* **1** Glück *neu.* **2** Schicksal *neu.* **3** Vermögen *neu.* **fortunate** *adj* glücklich. **fortunately** *adv* glücklicherweise.

forty (ˈfɔːti) *adj* vierzig. *n* Vierzig *f.* **fortieth** *adj* vierzigste.

forum (ˈfɔːrəm) *n* **1** Forum *neu.* **2** Tribunal *neu.*

forward (ˈfɔːwəd) *adj* **1** vorder, vornliegend. **2** fortschrittlich. **3** vorlaut. *adv* **1** vorwärts. **2** nach vorn. *vt* **1** befördern. **2** nachsenden. **forwards** *adv* vorwärts.

fossil (ˈfɔsəl) *n* Fossil *neu.* *adj* versteinert.

foster (ˈfɔstə) *vt* pflegen, aufziehen. *adj* Pflege—. **fosterchild** *n* Pflegekind *neu.* **fostermother** *n* Pflegemutter *f.*

fought (fɔːt) *v* see **fight.**

foul (faul) *adj* schmutzig, ekelhaft, übel, widrig. *vi* schmutzig werden. *vt* verschmutzen. *n sport* Regelverstoß *m.* Foul *neu.*

found[1] (faund) *v* see **find.**

found[2] (faund) *vt* (be)gründen, stiften. **foundation** *n* Gründung, Stiftung *f.* *adj* Grund—.

founder (ˈfaundə) *vi* **1** *naut* sinken, untergehen. **2** scheitern. *vt* zum Scheitern bringen.

foundry (ˈfaundri) *n* Gießerei, Hütte *f.*

fountain (ˈfauntin) *n* **1** Springbrunnen *m.* **2** Quelle *f.* **fountain pen** *n* Füllfeder *f.*

four (fɔː) *adj* vier. *n* Vier *f.* **four-poster** *n* Himmelbett *neu.* **foursome** *n* **1** *sport* Viererspiel *neu.* **2** Quartett *neu.* **fourth** *adj* vierte. **fourthly** *adv* viertens.

fourteen (fɔːˈtiːn) *adj* vierzehn. *n* Vierzehn *f.* **fourteenth** *adj* vierzehnte.

fowl (faul) *n* **1** Geflügel *neu.* **2** Huhn *neu.*

fox (fɔks) *n* Fuchs *m.* *vt* täuschen, betrügen, verwirren. **foxglove** *n bot* Fingerhut *m.* **foxhunting** *n* Fuchsjagd *f.*

foyer (ˈfɔiei) *n* Foyer *neu.*

fraction (ˈfrækʃən) *n* **1** *math* Bruch *m.* **2** Bruchteil *m.*

fracture (ˈfræktʃə) *n med* Knochenbruch *m.* *vt* brechen.

fragile (ˈfrædʒail) *adj* zerbrechlich, zart.

fragment (ˈfrægmənt) *n* Bruchstück *neu.* Splitter *m.* Scherbe *f.* **fragmentary** *adj* bruchstückhaft, unvollständig, fragmentarisch.

fragrant (ˈfreigrənt) *adj* duftend.

frail (freil) *adj* **1** zerbrechlich. **2** schwach. **frailty** *n* Schwachheit *f.*

frame (freim) *n* **1** Rahmen *m.* **2** Gestell *neu.* *vt* **1** (ein)rahmen. **2** bilden, bauen. **framework** *n* **1** Gerippe *neu.* **2** Bau *m.* **3** Rahmen *m.*

franc (fræŋk) *n* **1** (französischer) Franc *m.* **2** (schweizerischer) Franken *m.*

France (frɑːns) *n* Frankreich *neu.*

franchise (ˈfrænt∫aiz) *n* **1** Wahlrecht *neu.* **2** Bürgerrecht *neu.* **3** *US* Konzession *f.*

frank (fræŋk) *adj* offen, freimütig. *vt* (maschinell) frankieren.

frankfurter (ˈfræŋkfəːtə) *n* Frankfurter *f.*

frantic (ˈfræntik) *adj* **1** wahnsinnig. **2** verzweifelt, außer sich.

fraternal (frəˈtəːnl) *adj* brüderlich. **fraternity** *n* **1** Brüderlichkeit *f.* **2** Bruderschaft *f.* **fraternize** *vi* sich verbrüdern. **fraternization** *n* Verbrüderung *f.*

fraud (frɔːd) *n* **1** Betrug *m.* **2** Schwindel *m.* **3** Betrüger, Schwindler *m.* **fraudulence** *n* Betrügerei *f.* **fraudulent** *adj* betrügerisch.

fraught (frɔːt) *adj* beladen, voll (von).

fray[1] (frei) *n* Streit *m.* Schlägerei *f.*

fray[2] (frei) *(vt),vi* (sich) ausfransen.

freak (friːk) *n* **1** Laune *f.* Einfall *m.* **2** Abnormität, Mißbildung *f. adj* **1** launenhaft. **2** abnorm, grotesk.

freckle ('frekəl) *n* Sommersprosse *f.*

free (fri:) *adj* **1** frei. **2** ungebunden, unabhängig. **3** kostenlos, umsonst, gratis. **4** freigebig, großzügig. *vt* befreien. **freedom** *n* Freiheit *f.* **freehand** *adj* freihändig. **freehold** *n* eigener Grundbesitz *m.* **freelance** *adj* freischaffend, selbständig. **freely** *adv* **1** freiwillig. **2** reichlich. **Freemason** *n* Freimaurer *m.* **free will** *n* freier Wille *m.*

freeze* (fri:z) *vi* **1** (ge)frieren. **2** erstarren. *vt* **1** frieren, tiefkühlen. **2** (credit) sperren. **3** (wages, prices) stoppen. *n* **1** (Ge)frieren *neu.* **2** Lohnstopp *m.* **3** Preisstopp *m.* **freezing** *adj* eisig. **freezing'point** *n* Gefrierpunkt *m.*

freight (freit) *n* **1** Fracht *f.* **2** Frachtgeld *neu. vt* **1** beladen. **2** befrachten. **freight train** *n* Güterzug *m.*

French (frentʃ) *adj* französisch. *n* (language) Französisch *neu.* **French bean** *n* grüne Bohne *f.* **French horn** *n* Waldhorn *neu.* **Frenchman** *n* Franzose *m.* **French window** *n* Flügeltür *f.* **Frenchwoman** *n* Französin *f.*

frenzy ('frenzi) *n* Wahnsinn *m.* Raserei *f.* **frenzied** *adj* wahnsinnig, rasend.

frequency ('fri:kwənsi) *n* **1** Häufigkeit *f.* **2** *sci* Frequenz *f.* **frequent** *adj* häufig, öfters. *vt* häufig *or* öfters besuchen, frequentieren.

fresco ('freskou) *n* Fresko(gemälde) *neu.*

fresh (freʃ) *adj* **1** frisch. **2** unerfahren. **3** neu. **4** *sl* frech. **freshen up** *vt,vi* auffrischen. **freshwater** *n* Süßwasser *neu. adj* Süßwasser—.

fret[1] (fret) *vt* zerfressen. *vi* sich ärgern. **fretful** *adj* ärgerlich, mürrisch.

fret[2] (fret) *n* Flechtband *neu.* **fretsaw** *n* Laubsäge *f.*

friar ('fraiə) *n* Mönch *m.* **friary** *n* Mönchskloster *neu.*

friction ('frikʃən) *n* Reibung *f.*

Friday ('fraidi) *n* Freitag *m.*

fridge (fridʒ) *n inf* Kühlschrank *m.*

fried (fraid) *v* see **fry.** *adj* gebraten, Brat—. **fried egg** *n* Spiegelei *neu.*

friend (frend) *n* **1** Freund *m.* **2** Bekannte(r) *m.* **make friends with** sich anfreunden mit. **friendliness** *n* Freundlichkeit *f.* **friendly** *adj* **1** freundlich. **2** befreundet. **3** wohlwollend. **friendship** *n* Freundschaft *f.*

frieze (fri:z) *n* Fries *m.*

fright (frait) *n* Schreck, Schrecken *m.* **frighten** *vt* erschrecken. **be frightened of** Angst haben vor. **frightful** *adj* schrecklich.

frigid ('fridʒid) *adj* **1** kalt. **2** frigid. **frigidity** *n* **1** Kälte *f.* **2** Frigidität *f.*

frill (fril) *n* Krause *f. vt* kräuseln.

fringe ('frindʒ) *n* **1** Franse *f.* **2** Rand *m. vt* **1** mit Fransen besetzen. **2** säumen.

frisk (frisk) *vi* hüpfen. *vt sl* durchsuchen, filzen. **frisky** *adj* **1** hüpfend. **2** munter.

fritter[1] ('fritə) *vt* **fritter away** verzetteln, verschwenden, vergeuden.

fritter[2] ('fritə) *n* in Eierteig gebackene Obstscheiben *f pl.*

frivolity (fri'vɔliti) *n* Leichtfertigkeit *f.* **frivolous** *adj* leichtfertig.

frizz (friz) *(vi),vt* (sich) kräuseln. **frizzy** *adj* kraus, gekräuselt.

frizzle[1] ('friz|) *(vi),vt* (sich) kräuseln.

frizzle[2] ('frizəl) *vi* zischen.

fro (fro) *adv* **to and fro** hin und her, auf und ab.

frock (frɔk) *n* **1** Damenkleid, Kinderkleid *neu.* **2** *rel* Kutte *f.* **frockcoat** *n* Gehrock *m.*

frog (frɔg) *n* Frosch *m.* **frogman** *n* Froschmann *m.*

frolic ('frɔlik) *n* **1** lustiger Streich, Spaß *m.* **2** Lustbarkeit *f. vi* scherzen. **frolicsome** *adj* lustig, vergnügt.

from (frəm; *stressed* frɔm) *prep* **1** von, aus, von...her. **2** seit. **3** nach.

front (frʌnt) *n* **1** Vorderseite *f.* Vorderteil *m.* **2** Front *f. adj* Vorder—. **in front** *adv* vorne. **in front of** *prep* vor.

frontier ('frʌntiə) *n* Grenze *f. adj* Grenz—.

frost (frɔst) *n* Frost *m.* **frostbite** *n* Erfrierung *f.* **frosty** *adj* frostig.

froth (frɔθ) *n* Schaum *m. vi* schäumen. *vt* zu Schaum schlagen. **frothy** *adj* schaumig.

frown (fraun) *n* **1** Stirnrunzeln *neu.* **2** finsterer Blick *m. vi* **1** die Stirn runzeln. **2** finster blicken.

froze (frouz) *v* see **freeze.**

frozen ('frouzn) *v* see **freeze.** *adj* **1** gefroren. **2** *cul* Gefrier—. **frozen food** *n* tiefgekühlte Lebensmittel *f pl.*

frugal ('fru:gəl) *adj* **1** frugal, mäßig. **2** sparsam. **frugality** *n* **1** Mäßigkeit. **2** Sparsamkeit *f.*

fruit (fru:t) *n* **1** Frucht *f.* **2** Früchte *f pl.* Obst *neu.* **fruitful** *adj* **1** fruchtbar. **2** ergiebig. **fruition** *n* **1** Genuß *m.* **2** Erfüllung *f.* **fruitless** *adj* **1** unfruchtbar. **2** vergeblich, fruchtlos. **fruit machine** *n* Spielautomat *m.* **fruit salad** *n* Obstsalat *m.* **fruity** *adj* fruchtig, saftig.

frustrate (frʌs'treit) *vt* vereiteln, verhindern. **frustration** *n* Vereitelung, Enttäuschung *f.*

fry (frai) *vt* braten, (in der Pfanne) backen.

frying pan *n* Bratpfanne *f.* **out of the frying pan into the fire** aus dem Regen in die Traufe.

fuchsia (ˈfjuːʃə) *n* Fuschsie *f.*

fuck (fʌk) *vi,(vt) tab* sich paaren (mit).

fudge (fʌdʒ) *n* Weichkaramelle *f. vt inf* (zurecht)pfuschen.

fuel (ˈfjuːəl) *n* 1 Brennstoff *m.* 2 Treibstoff *m. vt* 1 mit Brennstoff versehen. 2 tanken.

fugitive (ˈfjuːdʒitiv) *n* Flüchtling *m. adj* flüchtig.

fulcrum (ˈfʌlkrəm) *n* Drehpunkt *m.*

fulfil (ful'fil) *vt* erfüllen. **fulfilment** *n* Erfüllung *f.*

full (ful) *adj* 1 voll. 2 besetzt. 3 satt. *adv* direkt, gerade, völlig. **to the full** *adv* vollständig. **full-length** *adj* in Lebensgröße *f.* **full moon** *n* Vollmond *m.* **fullness** *n* Fülle *f.* **full stop** *n* Punkt *m.* **full-time** *adj* ganztägig, Vollzeit—. **fully** *adv* voll, ausführlich.

fumble (ˈfʌmbəl) *vi* umhertappen, fummeln. **fumbling** *adj* 1 tappend. 2 linkisch.

fume (fjuːm) *n* 1 Dunst, Dampf, Rauch *m.* 2 *pl* Abgase *neu. vi* 1 dunsten, rauchen. 2 wütend sein, aufgebracht sein.

fun (fʌn) *n* Spaß, Scherz *m.* **make fun of** *vi* sich lustig machen über. **funfair** *n* Rummelplatz, Jahrmarkt *m.*

function (ˈfʌŋkʃən) *n* 1 Funktion, Aufgabe *f.* 2 Veranstaltung *f. vi* funktionieren. **functional** *adj* funktionell. **functionary** *n* Beamte(r) *m.*

fund (fʌnd) *n* 1 Kapital *neu.* Fonds *m.* 2 Vorrat, Schatz *m.* 3 *pl* Geldmittel *neu pl.*

fundamental (fʌndəˈmentl) *adj* Grund—, wesentlich, grundsätzlich, fundamental.

funeral (ˈfjuːnərəl) *n* Beerdigung. *adj* Trauer—.

fungus (ˈfʌŋgəs) *n, pl* **fungi** Schwamm, Pilz *m.*

funnel (ˈfʌnl) *n* 1 Trichter *m.* 2 Schornstein *m.*

funny (ˈfʌni) *adj* 1 komisch. 2 sonderbar. **funny bone** *n inf* Musikantenknochen *m.*

fur (fəː) *n* 1 Pelz *m.* 2 *med* Belag *m.* 3 *pl* Pelzwaren *f pl. adj* Pelz—.

furious (ˈfjuəriəs) *adj* wütend, rasend.

furnace (ˈfəːnis) *n* Schmelzofen *m.*

furnish (ˈfəːniʃ) *vt* 1 versehen. 2 möblieren. **furnished** *adj* möbliert. **furnishing** *n* Einrichtung *f.*

furniture (ˈfəːnitʃə) *n* Möbel *neu pl.*

furrow (ˈfʌrou) *n* Furche, Rinne *f. vt* (durch)furchen.

further (ˈfəːθə) *adj* weiter, ferner. *vt* fördern. **furthermore** *adv* überdies, weiter.

furthest (ˈfəːðist) *adj* weitest. *adv* am weitesten.

furtive (ˈfəːtiv) *adj* verstohlen, heimlich.

fury (ˈfjuəri) *n* Wut *f.* Zorn *m.*

fuse[1] (fjuːz) *n* 1 (Schmelz)Sicherung *f.* 2 Zünder *m. vi* durchbrennen.

fuse[2] (fjuːz) *vt* schmelzen. *vi* verschmelzen.

fuselage (ˈfjuːzəlaːʒ) *n* (Flugzeug)Rumpf *m.*

fusion (ˈfjuːʒən) *n* 1 Schmelzen *neu.* 2 Verschmelzung *f.* 3 *comm* Fusion *f.*

fuss (fʌs) *n* Getue *neu.* Aufregung *f. vi* sich aufregen über. **fussy** *adj* penibel.

futile (ˈfjuːtail) *adj* unnütz, nutzlos, vergeblich. **futility** *n* Nutzlosigkeit, Sinnlosigkeit *f.*

future (ˈfjuːtʃə) *n* 1 Zukunft *f.* 2 *gram* Futur *neu. adj* (zu)künftig.

fuzz (fʌz) *n* 1 Fussel *f.* Flawn *m.* 2 *sl* Polizei *f.* **fuzzy** *adj* 1 fusselig. 2 verschwommen. 3 kraus.

G

gabble (ˈgæbəl) *n* Geschnatter, Geplapper *neu. vi,vt* schnattern, plappern.

gable (ˈgeibəl) *n* Giebel *m.*

gadget (ˈgædʒit) *n* Apparat *m.* Dings *neu.*

gag[1] (gæg) *n* Knebel *m. vt* knebeln.

gag[2] (gæg) *n* Gag *m.* Pointe *f.*

gaiety (ˈgeiəti) *n* Heiterkeit, Fröhlichkeit *f.*

gaily (ˈgeili) *adv* heiter, fröhlich.

gain (gein) *n* 1 Gewinn *m.* 2 Profit *m. vt* 1 gewinnen. 2 erlangen, erreichen. *vi* (of a clock) vorgehen.

gait (geit) *n* 1 Gangart *f.* 2 Haltung *f.*

gala (ˈgaːlə) *n* Fest *neu.* Festlichkeit *f.*

galaxy (ˈgæləksi) *n* Milchstraße *f.*

gale (geil) *n* Sturm *m.*

gallant (ˈgælənt) *adj* 1 tapfer, ritterlich. 2 galant, höflich.

galleon (ˈgæliən) *n* Galeone *f.*

gallery (ˈgæləri) *n* Galerie *f.*

galley (ˈgæli) *n* 1 Galeere *f.* 2 Schiffsküche *f.*

gallon (ˈgælən) *n* Gallone *f.*

gallop (ˈgæləp) *n* Galopp *m. vi* galoppieren.

gallows (ˈgælouz) *n pl* Galgen *m.*

galore (gəˈlɔː) *adv* in Hülle und Fülle.

galvanize (ˈgælvənaiz) *vt* 1 galvanisieren. 2 beleben, anspornen.

gamble (ˈgæmbəl) *vi* (um Geld) spielen. **gamble away** verspielen. ~*n* Risiko *neu.* **gambling** *n* Glücksspiel *neu.*

game (geim) *n* 1 Spiel *neu.* 2 Partie *f.* 3 (animals) Wild *neu. adj inf* bereit, aufgelegt (zu). **gamekeeper** *n* Wildhüter *m.*

gammon ('gæmən) *n* (geräucherter) Schinken *m.*

gander ('gændə) *n* Gänserich *m.*

gang (gæŋ) *n* **1** Arbeitskolonne *f.* **2** Gruppe, Bande *f.* *v* **gang up** sich zusammenrotten. **gangster** *n* Gangster, Verbrecher *m.*

gangrene (gæŋ'gri:n) *n* Gangrän *f.*

gangway ('gæŋwei) *n* **1** Durchgang *m.* **2** *naut* Fallreep *neu.*

gap (gæp) *n* Lücke *f.*

gape (geip) *vi* **1** klaffen. **2** starren, glotzen. **gape at** angaffen.

garage ('gærɑ:ʒ) *n* **1** Garage *f.* **2** Reparaturwerkstatt *f.* *vt* einstellen, garagieren.

garble ('gɑ:bəl) *vt* verstümmeln, entstellen.

garden ('gɑ:dn) *n* Garten *m.* *vi* im Garten arbeiten. **gardner** *n* Gärtner *m.*

gargle ('gɑ:gəl) *vi* gurgeln. *n* Gurgelwasser *neu.*

garland ('gɑ:lənd) *n* Girlande *f.* Kranz *m.* *vt* bekränzen.

garlic ('gɑ:lik) *n* Knoblauch *m.*

garment ('gɑ:mənt) *n* Kleidungsstück, Gewand *neu.*

garnish ('gɑ:niʃ) *vt* **1** *cul* garnieren. **2** verzieren, schmücken. *n* **1** Garnierung *f.* **2** Schmuck *m.* Verzierung *f.*

garrison ('gærisən) *n* Garnison *f.*

garter ('gɑ:tə) *n* Strumpfband *neu.*

gas (gæs) *n* Gas *neu.* *vt* vergasen. **gas cooker** *n* Gasherd, Gasofen *m.* **gas fire** *n* Gasfeuer *neu.*

gash (gæʃ) *n* **1** (klaffende) Wunde *f.* **2** Riß *m.* *vt* tief schneiden in.

gasket ('gæskit) *n tech* Dichtung *f.*

gasp (gɑ:sp) *vi* keuchen. *n* Keuchen *neu.*

gastric ('gæstrik) *adj* gastrisch, Magen—. **gastronomic** *adj* gastronomisch. **gastronomy** *n* Gastronomie, Kochkunst *f.*

gate (geit) *n* **1** Tor *neu.* **2** Pforte *f.* **gatecrasher** *n inf* uneingeladener Gast, Eindringling *m.*

gateau ('gætou) *n* Torte *f.*

gather ('gæðə) *vt* **1** (ein-, ver-)sammeln. **2** ernten, lesen. **3** pflücken. **4** (cloth) raffen. *vi* sich versammeln. **gathering** *n* Versammlung *f.*

gauche (gouʃ) *adj* linkish, taktlos.

gaudy ('gɔ:di) *adj* bunt, grell, protzig.

gauge (geidʒ) *n* **1** Normalmaß *neu.* **2** Maßstab *m.* **3** Meßgerät *neu.* *vt* **1** eichen. **2** (aus)messen. **3** abschätzen, beurteilen.

gaunt (gɔ:nt) *adj* hager, mager.

gauze (gɔ:z) *n* Gaze *f.*

gave (geiv) *v* see **give.**

gay (gei) *adj* **1** heiter. **2** bunt. **3** ausschweifend. **4** *sl* homosexuell.

gaze (geiz) *vi* starren. **gaze at** anstarren. ~*n* (starrer) Blick *m.*

gazelle (gə'zel) *n* Gazelle *f.*

gear (giə) *n* **1** Zeug *neu.* **2** Ausrüstung *f.* **3** Getriebe *neu.* **4** *mot* Gang *m.* **5** (Be)Kleidung *f.* **gearbox** *n* Getriebe *neu.* **gear lever** *n* Schalthebel *m.*

gelatine ('dʒeləti:n) *n* Gelatine *f.*

gelignite ('dʒelignait) *n* Gelatinedynamit *neu.*

gem (dʒem) *n* **1** Edelstein *m.* **2** Gemme *f.*

Gemini ('dʒɛminai) *n pl* Zwillinge *m pl.*

gender ('dʒendə) *n* Geschlecht *neu.*

genealogy (dʒini'ælədʒi) *n* Genealogie *f.*

general ('dʒenərəl) *adj* **1** allgemein. **2** gewöhnlich. **3** Allgemein—. **in general** im allgemeinen. ~*n* General *m.* **general election** *n* allgemeine Wahlen *f pl.* **general practitioner** *n* praktischer Arzt *m.* **generalize** *vi* verallgemeinern. **generalization** *n* Verallgemeinerung *f.*

generate ('dʒenəreit) *vt* **1** *tech* erzeugen, hervorbringen. **2** verursachen. **3** zeugen. **generation** *n* **1** Erzeugung *f.* **2** Menschenalter *neu.* Generation *f.* **generator** *n* **1** Erzeuger *m.* **2** *tech* Generator *m.*

generic (dʒi'nerik) *adj* **1** allgemein, generell. **2** generisch, Gattungs—.

generous ('dʒenərəs) *adj* **1** großzügig. **2** großmütig. **3** reichlich. **generosity** *n* **1** Großzügigkeit *f.* **2** Großmut *f.*

genetic (dʒi'netik) *adj* Entstehungs—, genetisch. **genetics** *n pl* Genetik, Vererbungslehre *f.*

Geneva (dʒi'ni:və) *n* Genf *neu.*

genial ('dʒi:niəl) *adj* **1** freundlich, herzlich. **2** mild. **3** heiter, jovial. **geniality** *n* **1** Freundlichkeit *f.* **2** Herzlichkeit *f.*

genital ('dʒenitl) *adj* **1** Zeugungs—. **2** Geschlechts—. **genitals** *n pl* Genitalien *neu pl.* Geschlechtsteile *m pl.*

genitive ('dʒenitiv) *n gram* Genitiv *m.*

genius ('dʒi:niəs) *n* Genie *neu.* Genius *m.*

genteel (dʒen'ti:l) *adj* **1** vornehm. **2** fein.

gentile ('dʒentail) *n* Heide *m.* *adj* heidnisch.

gentle ('dʒentl) *adj* **1** mild, sanft. **2** vornehm. **gentleman** *n* **1** Herr *m.* **2** Gentleman *m.*

genuflect ('dʒenjuflekt) *vi* die Knie beugen. **genuflection** *n* Kniebeugung *f.*

genuine ('dʒenjuin) *adj* **1** echt. **2** wirklich.

genus ('dʒi:nəs) *n* Gattung *f.*

geography (dʒi'ɔgrəfi) *n* Erdkunde, Geographie *f.*

geology (dʒi'ɔlədʒi) *n* Geologie *f.*

geometry (dʒi'ɔmətri) *n* Geometrie *f.*

geranium (dʒə'reiniəm) *n* Geranie *f.*

germ (dʒə:m) *n* Keim, Bazillus *m.* Bakterie *f.* **germinate** *vi* keimen.

Germany ('dʒə:məni) *n* Deutschland *neu.* **German** *adj* deutsch. *n* **1** Deutsche(r) *m.* **2** (language) Deutsch *neu.* **German measles** *n pl* Röteln *pl.* **Germanic** *adj* germanisch.

gerund ('dʒerənd) *n* Gerundium *neu.*

gesticulate (dʒis'tikuleit) *vi* gestikulieren, sich lebhaft gebärden.

gesture ('dʒestʃə) *n* Gebärde, Geste *f.*

get* (get) *vt* **1** bekommen, erhalten. **2** *inf* kriegen. **3** gewinnen. **4** veranlassen. **5** besorgen. *vi* **1** gelangen, kommen. **2** werden. **get in** einsteigen. **get off** aussteigen. **get over** hinwegkommen über. **get ready** fertig machen. **get up** aufstehen.

geyser ('gi:zə) *n* **1** Geiser, Geysir *m.* **2** Durchlauferhitzer *m.*

ghastly ('gɑ:stli) *adj* gräßlich, schrecklich.

gherkin ('gə:kin) *n* Essiggurke *f.*

ghetto ('getou) *n* Getto *neu.*

ghost (goust) *n* Gespenst *neu.* Geist *m.*

giant ('dʒaiənt) *n* Riese *m. adj* riesig.

giddy ('gidi) *adj* **1** schwindlig. **2** leichtsinnig.

gift (gift) *n* **1** Geschenk *neu.* **2** Begabung *f.*

gigantic (dʒai'gæntik) *adj* riesenhaft, gigantisch.

giggle ('gigəl) *vi* kichern. *n* Gekicher *neu.*

gild (gild) *vt* vergolden.

gill (gil) *n zool* Kieme *f.*

gilt (gilt) *adj* vergoldet. *n* Vergoldung *f.*

gimmick ('gimik) *n inf* Trick, Kniff *m.*

gin (dʒin) *n* Gin, Wacholderschnaps *m.*

ginger ('dʒindʒə) *n* Ingwer *m.* **ginger beer** *n* Ingwerbier *neu.* **gingerbread** *n* Pfefferkuchen *m.*

gipsy ('dʒipsi) *n* Zigeuner *m.*

giraffe (dʒi'rɑ:f) *n* Giraffe *f.*

girder ('gə:də) *n* Tragbalken, Träger *m.*

girdle ('gə:dl) *n* (Hüft)Gürtel *m.*

girl (gə:l) *n* Mädchen *neu.* **girlfriend** *n* Freundin *f.*

Giro ('dʒairou) *n* Giro *neu.*

girth (gə:θ) *n* **1** (Sattel)Gurt *m.* **2** Umfang *m.*

give* (giv) *vt* **1** geben, schenken. **2** erteilen. **give away** verschenken. **give back** zurückgeben. **give in** nachgeben. **give out** **1** verteilen, ausgeben. **2** zu Ende gehen. **give up** aufgeben.

glacier ('glæsiə) *n* Gletscher *m.*

glad (glæd) *adj* **1** froh, erfreut. **2** fröhlich.

glamour ('glæmə) *n* Glanz, Zauber *m.* **glamorize** *vt* verherrlichen. **glamorous** *adj* bezaubernd, schön.

glance (glɑ:ns) *n* (flüchtiger) Blick, Schimmer *m. vi* flüchtig blicken.

gland (glænd) *n* Drüse *f.*

glare (glεə) *vi* **1** (wütend) anblicken, starren. **2** hell glänzen. *n* **1** blendender Glanz *m.* **2** (wütender) Blick *m.*

glass (glɑ:s) *n* **1** Glas *neu.* **2** *pl* Brille *f.*

glaze (gleiz) *n* Glasur *f. vt* **1** verglasen. **2** glasieren.

gleam (gli:m) *n* Schimmer, Lichtstrahl *m. vi* strahlen, schimmern.

glean (gli:n) *vt* (auf-, nach-)lesen.

glee (gli:) *n* Fröhlichkeit *f.*

glib (glib) *adj* zungenfertig, glatt.

glide (glaid) *vi* **1** (vorüber)gleiten, fließen. **2** im Gleitflug fliegen. **glider** *n* Segelflugzeug *neu.*

glimmer ('glimə) *n* Schimmer *m.*

glimpse (glimps) *n* flüchtiger Blick *m.*

glisten ('glisən) *vi* glänzen, schimmern.

glitter ('glitə) *vi* glitzern. *n* Glanz *m.*

gloat (glout) *vi* sich weiden, sich hämisch freuen.

globe (gloub) *n* (Erd)Kugel *f.* Globus *m.*

gloom[1] (glu:m) *n* Dunkelheit, Düsternis *f.*

gloom[2] (glu:m) *n* Schwermut *f.* Trübsinn *m.*

glory ('glɔ:ri) *n* Ruhm, Glanz *m.* **glorify** *vt* verherrlichen. **glorious** *adj* glorreich, herrlich, prachtvoll.

gloss[1] (glɔs) *n* Glanz, Schein *m. v* **gloss over** vertuschen.

gloss[2] (glɔs) *n* Randbemerkung, Glosse *f.*

glossary ('glɔsəri) *n* (Spezial)Wörterverzeichnis *neu.*

glove (glʌv) *n* Handschuh *m.*

glow (glou) *vi* glühen. *n* Glühen *neu.* Glut *f.*

glucose ('glu:kous) *n* Traubenzucker *m.*

glue (glu:) *n* Klebstoff *m. vt* kleben.

glum (glʌm) *adj* mürrisch, verdrießlich.

glut (glʌt) *n* **1** Sättigung, Stillung *f.* **2** *comm* Überangebot *neu.*

glutton ('glʌtn̩) *n* **1** Vielfraß *m.* **2** unersättliche(r) Mensch *m.*

gnarled (nɑ:ld) *adj* knorrig.

gnash (næʃ) *vt* knirschen.

gnat (næt) *n* Mücke *f.*

gnaw (nɔ:) *vt,vi* nagen.

gnome (noum) *n* Zwerg, Erdgeist *m*. Gnom *m*.

go* (gou) *vi* **1** gehen, fahren, laufen. **2** funktionieren. **3** reichen. **go abroad** ins Ausland gehen. **go ahead 1** losgehen. **2** vorausgehen. **go away 1** weggehen. **2** verreisen. **go back** zurückkehren. **go down** hinuntergehen, untergehen. **go into** eintreten. **go off 1** weggehen. **2** (of food) schlecht werden. **go on** weitergehen. **go out** (hin)ausgehen. **go through 1** durchgehen. **2** durchmachen. **go up** (hinauf)steigen.

goad (goud) *vt* anspornen, anstacheln.

goal (goul) *n* **1** Ziel *m*. **2** *sport* Tor *neu*. **goalkeeper** *n* Torwart *m*. **goalpost** *n*/Torpfosten *m*.

goat (gout) *n* Ziege *f*.

gobble ('gɔbəl) *vt* (hinunter-, ver-)schlingen.

goblin ('gɔblin) *n* Kobold *m*.

god (gɔd) *n* Gott *m*. **godchild** *n* Patenkind *neu*. **goddaughter** *n* Patentochter *f*. **godfather** *n* Pate *m*. **godmother** *n* Patin *f*. **godson** *n* Patensohn *m*.

goddess ('gɔdis) *n* Göttin *f*.

goggles ('gɔgəlz) *n pl* Schutzbrille *f*.

going ('gouiŋ) *adj* laufend, im Gang. *n* Gehen *neu*. Abreise *f*.

gold (gould) *n* Gold *neu*. *adj* golden. **golden** *adj* golden. **goldfish** *n* Goldfisch *m*.

golf (gɔlf) *n* Golf(spiel) *neu*. **golfball** *n* Golfball *m*. **golfclub** *n* Golfschläger *m*. **golfcourse** *n* Golfplatz *m*.

gondola ('gɔndələ) *n* Gondel *f*. **gondolier** *n* Gondoliere *m*.

gone (gɔn) *v* see **go**. *adj* **1** vergangen. **2** fort. **3** tot.

gong (gɔŋ) *n* Gong *m*.

good (gud) *adj* **1** gut. **2** ordentlich. **3** artig, brav. **4** *law* gültig. *n* **1** Gut(e) *neu*. **2** Wohl *neu*. **3** *pl* Waren, Güter *pl*. **for good** auf immer. **good afternoon** *interj* guten Tag. **goodbye** *interj* auf Wiedersehen. *n* Lebewohl *neu*. **good evening** *interj* guten Abend. **good-looking** *adj* gut aussehend, schön, hübsch. **good morning** *interj* guten Morgen. **good night** *interj* gute Nacht. **goods train** *n* Güterzug *m*. **goodwill** *n* **1** Wohlwollen *neu*. guter Wille *m*. **2** Kundschaft *f*.

Good Friday *n* Karfreitag *m*.

goose (gu:s) *n, pl* **geese** Gans *f*. **gooseberry** *n* Stachelbeere *f*.

gore[1] (gɔ:) *n* (geronnenes) Blut *neu*.

gore[2] (gɔ:) *vt* durchbohren, aufspießen.

gorge (gɔ:dʒ) *n* Schlucht *f*. *vt,vi* gierig essen. **gorge oneself** sich vollstopfen.

gorgeous ('gɔ:dʒəs) *adj* **1** prächtig, großartig. **2** *inf* phantastisch. **3** *inf* sehr schmackhaft.

gorilla (gə'rilə) *n* Gorilla *m*.

gorse (gɔ:s) *n* Stechginster *m*.

gory ('gɔ:ri) *adj* blutig.

gosh (gɔʃ) *interj* Donnerwetter!

gosling ('gɔzliŋ) *n* Gänschen *neu*.

gospel ('gɔspəl) *n* Evangelium *neu*.

gossip ('gɔsip) *n* **1** Geschwätz *neu*. **2** Klatschbase *f*. *vi* schwatzen.

got (gɔt) *v* see **get**.

Gothic ('gɔθik) *adj* gotisch.

goulash ('gu:læʃ) *n* Gulasch *neu*.

gourd (guəd) *n* Kürbis *m*.

gourmet (guə'mei) *n* Gourmet, Feinschmecker *m*.

govern ('gʌvən) *vt* **1** regieren, beherrschen. **2** bestimmen. *vi* regieren, herrschen. **government** *n* Regierung *f*. **governor** *n* **1** Gouverneur, Statthalter *m*. **2** Direktor *m*.

gown (gaun) *n* **1** (Damen)Kleid *neu*. **2** Robe *f*.

grab (græb) *vt* schnappen, ergreifen. *vi* gierig greifen.

grace (greis) *n* **1** Gnade *f*. **2** Reiz *m*. **3** Tischgebet *neu*. **4** Gunst *f*. **5** Anmut *f*. **His/Her/Your Grace** Sein/Ihr/Euer Gnaden. ~*vt* **1** schmücken. **2** ehren. **graceful** *adj* **1** anmutig. **2** taktvoll. **gracious** *adj* gütig, gnädig, anmutig.

grade (greid) *n* **1** Rang, Grad *m*. **2** Qualität *f*. *vt* ordnen, sortieren, einteilen. **gradient** *n* **1** Neigung *f*. **2** Hang *m*. **3** Steigerung *f*. **4** Gefälle *neu*. **gradual** *adj* allmählich, stufenweise, schrittweise. **graduate** *n* Graduierte(r) *m*. *vi* ein Diplom erwerben. *vt* einteilen.

graffiti (grə'fi:ti) *n pl* Graffiti *neu*.

graft[1] (grɑ:ft) *vt* **1** *bot* (auf-, ein-)pfropfen. **2** *med* verpflanzen. *n* **1** Propfreis *neu*. **2** Verpflanzung *f*.

graft[2] *inf n* **1** Schiebung, Bestechung *f*. **2** Gaunerei *f*. *vt* **1** schieben. **2** (er)gaunern.

grain (grein) *n* **1** Getreide *neu*. **2** Samenkorn *neu*. **3** (Holz)Faser *f*.

gram (græm) *n* Gramm *neu*.

grammar ('græmə) *n* Grammatik *f*. **grammar school** *n* Gymnasium *neu*. **grammatical** *adj* grammatisch, grammatikalisch.

gramophone ('græməfoun) *n* Plattenspieler *m*. Gramophon *neu*.

granary ('grænəri) *n* Kornspeicher *m*.

grand (grænd) *adj* groß, erhaben, stattlich.

grand piano *n* Flügel. *m.* **grandeur** *n* Erhabenheit, Größe *f.* **grandiose** *adj* großartig, grandios.

grandad ('grændæd) *n inf also* **grandpa** Opa *m.*

grandchild ('grænt∫aild) *n* Enkelkind *neu.*

grand-daughter ('grændɔ:tə) *n* Enkelin *f.*

grandfather ('grænfɑ:ðə) *n* Großvater *m.*

grandma ('grænmɑ:) *n inf also* **granny** Oma *f.*

grandmother ('grænmʌðə) *n* Großmutter *f.*

grandparents ('grænpɛərənts) *n pl* Großeltern *pl.*

grandson ('grænsʌn) *n* Enkel *m.*

grandstand ('grændstænd) *n* Zuschauertribüne *f.*

granite ('grænit) *n* Granit *m.*

grant (grɑ:nt) *n* **1** Bewilligung *f.* **2** Verleihung *f.* **3** Zuschuß *m.* **4** *educ* Stipendium. *vt* **1** bewilligen. **2** verleihen. **3** zugestehen.

grape (greip) *n* Weintraube *f.* **grapefruit** *n* Grapefruit, Pampelmuse *f.*

graph (græf) *n* Diagramm *neu.* Kurve *f.* **graphic** *adj* **1** graphisch. **2** anschaulich.

grapple ('græpəl) *vi* ringen. *vt* **1** packen. **2** befestigen (an). **grapple with** in Angriff nehmen, sich auseinandersetzen mit.

grasp (grɑ:sp) *vt* **1** greifen, fassen. **2** begreifen, verstehen. *n* Griff *m.*

grass (grɑ:s) *n* **1** Gras *neu.* **2** Rasen *m.* **grassroots** *n pl* Wurzel *f. adj* volksnah, volkstümlich.

grate[1] (greit) *n* (Feuer)Rost *m.* Gitter *neu.*

grate[2] (greit) *vt* **1** *cul* reiben. **2** krächzen. **3** knirschen mit. *vi* kratzen, knirschen, knarren.

grateful ('greitfəl) *adj* dankbar. **gratify** *vt* erfreuen, befriedigen, zufriedenstellen.

gratitude ('grætitju:d) *n* Dankbarkeit *f.*

grave[1] (greiv) *n* Grab *neu.* **gravestone** *n* Grabstein *m.* **graveyard** *n* Friedhof *m.*

grave[2] (greiv) *adj* ernst(haft).

gravel ('grævəl) *n* Kies *m.*

gravity ('græviti) *n* **1** *sci* Gravität, Schwerkraft *f.* **2** Schwere *f.* Ernst *m.*

gravy ('greivi) *n* (Braten)Soße *f.*

graze[1] (greiz) *n* **1** flüchtige Berührung *f.* **2** Abschürfung *f. vt* **1** streifen. **2** abschürfen.

graze[2] (greiz) *vi* weiden, grasen.

grease (gri:s) *n* **1** Fett *neu.* **2** Schmiere *f. vt* schmieren, einfetten. **greasepaint** *n* Bühnenschminke *f.* **greaseproof** *adj* fettdicht.

great (greit) *adj* **1** groß. **2** beträchtlich. **3** bedeutend. **4** berühmt. **5** *inf* toll, sagenhaft, prima.

Great Britain *n* Großbritannien *neu.*

Greece (gri:s) *n* Griechenland *neu.* **Greek** *adj also* **Grecian** griechisch. *n* **1** Grieche *m.* **2** (language) Griechisch *neu.*

greed (gri:d) *n* (Hab)Gier *f.* **greedy** *adj* gierig.

green (gri:n) *adj* **1** grün. **2** *inf* unerfahren. *n* **1** Grün *neu.* **2** Grünfläche *f.* **3** *pl* Grüngemüse *neu pl.* **greenery** *n* Laub(werk) *neu.* **greenfly** *n* grüne Blattlaus *f.* **greengage** *n* Reineclaude *f.* **greengrocer** *n* Obst- und Gemüsehändler *m.* **greenhouse** *n* Treibhaus *neu.*

Greenland ('gri:nlənd) *n* Grönland *neu.* **Greenlander** *n* Grönlander *m.*

greet (gri:t) *vt* (be)grüßen. **greeting** *n* Gruß *m.*

gregarious (gri'gɛəriəs) *adj* gesellig.

grenade (gri'neid) *n* Granate *f.*

grew (gru:) *v* see **grow.**

grey (grei) *adj* grau. *n* Grau *neu.* **greyhound** *n* Windhund *m.*

grid (grid) *n* **1** Gitter *neu.* **2** Netz *neu.*

grief (gri:f) *n* Kummer, Schmerz *m.*

grieve (gri:v) *vi* trauern, sich kränken über. **grievance** *n* Beschwerde *f.* Groll *m.*

grill (gril) *n* Bratrost *m. vt* grillen, rosten.

grille (gril) *n* Gitter *neu.*

grim (grim) *adj* **1** grimmig, finster. **2** hart.

grimace (gri'meis) *n* Grimasse *f. vi* Grimassen schneiden.

grime (graim) *n* (fettiger) Schmutz *m.*

grin (grin) *vi* grinsen. *n* Grinsen *neu.*

grind* (graind) *vt* (zer)reiben, (zer)mahlen. *n inf* Plackerei *f.*

grip (grip) *vt* packen, (er)greifen. *n* Griff *m.*

gristle ('grisəl) *n* Knorpel *m.*

grit (grit) *n* grober Sand, Kies *m.*

groan (groun) *vi* stöhnen, seufzen. *n* Stöhnen *neu.*

grocer ('grousə) *n* Lebensmittelhändler *m.*

groin (grɔin) *n* Leiste *f.*

groom (gru:m) *n* **1** Stallknecht, Reitknecht *m.* **2** Bräutigam *m. vt* versorgen, pflegen.

groove (gru:v) *n* Rinne, Furche, Rille *f.*

grope (group) *vi* herumtasten, herumtappen.

gross (grous) *adj* **1** *comm* brutto. **2** dick. **3** grob, roh. *n* Gros *neu.*

grotesque (grou'tesk) *adj* grotesk.

grotto ('grɔtou) *n* Grotte *f.*

ground[1] (graund) *n* **1** Grund, Boden *m.* **2** *pl* Gelände *f.* Anlagen *f pl.* **3** (Beweg)Grund *m. vt* **1** begründen. **2** hinlegen. **ground floor** *n* Erdgeschoß *neu.* **groundsheet** *n* Zeltbahn *f.* **groundsman** *n* (Sportplatz)Wärter *m.*

ground[2] (graund) *v* see **grind.**

group (gru:p) *n* Gruppe *f.* *vt* gruppieren.

grouse[1] (graus) *n* Rebhuhn *neu.*

grouse[2] (graus) *vi inf* murren, meckern.

grove (grouv) *n* Gehölz *neu.* Waldung *f.*

grovel ('grɔvəl) *vi* (auf dem Bauch) kriechen.

grow* (grou) *vi* **1** wachsen. **2** werden. **3** zunehmen. *vt* (an)bauen, züchten, wachsen lassen. **growth** *n* **1** Wachstum *neu.* Entwicklung *f.* **2** Zunahme, Vergrößerung *f.*

growl (graul) *vi,vt* grollen, knurren, brummen. *n* Brummen, Knurren, Grollen *neu.*

grub (grʌb) *n* **1** Made *f.* **2** *sl* Futter *neu.* Fraß *m.* *vi* graben.

grubby ('grʌbi) *adj* schmutzig, dreckig.

grudge (grʌdʒ) *n* Groll *m.* *vt* beneiden, mißgönnen.

gruelling ('gru:əliŋ) *adj* erschöpfend.

gruesome ('gru:səm) *adj* grausig.

gruff (grʌf) *adj* **1** schroff, barsch. **2** mürrisch.

grumble ('grʌmbəl) *vi* murren, schimpfen.

grumpy ('grʌmpi) *adj* verdrießlich, mürrisch.

grunt (grʌnt) *vi* grunzen. *n* Grunzen *neu.*

guarantee (gærən'ti:) *n* Garantie, Bürgschaft *f.* *vt* garantieren, gewährleisten. **guarantor** *n* Bürge, Garant *m.*

guard (gɑ:d) *vt* bewachen, (be)schützen. *vi* sich hüten. *n* **1** Wache *f.* **2** (railway) Schaffner *m.* **guardian** *n* **1** *law* Vormund *m.* **2** Wächter *m.* **guard's van** *n* Gepäckwagen *neu.*

guerrilla (gə'rilə) *n* Guerillakämpfer *m.*

guess (ges) *vt* erraten, vermuten. *n* Vermutung, Mutmaßung *f.* **guesswork** *n* Vermutungen *f pl.*

guest (gest) *n* Gast *m.* **guesthouse** *n* Pension *f.*

guide (gaid) *n* **1** Führer *m.* **2** Leitfaden *m.* **3** Ratgeber *m.* *vt* führen. **Girl Guide** *n* Pfadfinderin *f.* **guidebook** *n* Reiseführer *m.* **guide-dog** *n* Blindenhund *m.* **guidance** *n* Führung, Anleitung *f.*

guild (gild) *n* Zunft *f.*

guillotine (gilə'ti:n) *n* Guillotine *f.*

guilt (gilt) *n* Schuld *f.* **guilty** *adj* schuldig, schuldhaft.

guinea ('gini) *n* Guinee *f.* **guinea pig** *n* **1** *zool* Meerschweinchen *neu.* **2** Versuchskaninchen *neu.*

guitar (gi'tɑ:) *n* Gitarre *f.*

gulf (gʌlf) *n* **1** Golf *m.* **2** Abgrund *m.* **3** Kluft *f.*

gull (gʌl) *n* Möwe *f.*

gullet ('gʌlit) *n* Speiseröhre *f.* Schlund *m.*

gulp (gʌlp) *n* Schluck *m.* *vt* hinunterschlingen. *vi* schlucken.

gum[1] (gʌm) *n* Gummi *neu.* *vt* (an)kleben.

gum[2] (gʌm) *n anat* Zahnfleisch *neu.*

gun (gʌn) *n* **1** Gewehr, Geschütz *neu.* **2** Flinte *f.* **3** Revolver *m.* **gunboat** *n* Kanonenboot *neu.* **gunman** *n* bewaffneter Verbrecher *m.* **gunpowder** *n* Schießpulver *neu.* **gunrunning** *n* Waffenschmuggel *m.* **gunshot** *n* **1** Schuß *m.* **2** Schußweite *f.*

gurgle ('gə:gəl) *vi* glucksen, gurgeln.

gush (gʌʃ) *vi* **1** sich ergießen. **2** strömen. *n* **1** Erguß *m.* **2** Flut *f.*

gust (gʌst) *n* Windstoß *m.*

gut (gʌt) *n* **1** Darm *m.* **2** *pl* Eingeweide *pl.* **3** *pl sl* Mut *f.* *vt* ausweiden.

gutter ('gʌtə) *n* **1** Rinnstein *m.* **2** Dachrinne *f.* **3** Gosse *f.*

guy[1] (gai) *n sl* Kerl, Bursche *m.*

guy[2] (gai) *n* Spannschnur *f.*

gymnasium (dʒim'neiziəm) *n* Turnhalle *f.* **gymnast** *n* Leichtathlet, Turner *m.* **gymnastic** *adj* gymnastisch, Turn—. **gymnastics** *n pl* Turnen *neu.* Gymnastik *f.*

gynaecology (gaini'kɔlədʒi) *n* Gynäkologie *f.* **gynaecologist** *n* Frauenarzt, Gynakologe *m.*

gypsum ('dʒipsəm) *n* Gips *m.*

gyrate (dʒai'reit) *vi* wirbeln, kreisen.

H

haberdasher ('hæbədæʃə) *n* Kurzwarenhändler *m.* **haberdashery** *n* Kurzwarenhandlung *f.*

habit ('hæbit) *n* Gewohnheit *f.* **get into the habit of** sich angewöhnen. **habitual** *adj* gewohnt, üblich.

habitable ('hæbitəbəl) *adj* bewohnbar.

hack[1] (hæk) *vt* (zer)hacken. **hacksaw** *n* Metallsäge *f.*

hack[2] (hæk) *n* **1** Mietpferd *neu.* **2** Gaul *m.* **3** Lohnschreiber *m.*

hackneyed ('hæknid) *adj* abgedroschen.

had (hæd) *v* see **have.**

haddock ('hædək) *n* Schellfisch *m.*

haemorrhage ('heməridʒ) *n* Blutung *f.*

hag (hæg) *n* häßliches altes Weib *neu.*

haggard ('hægəd) *adj* **1** verstört. **2** hager.

haggle ('hægl) *vi* streiten, feilschen.

Hague, The (heig) *n* Den Haag *m.*

hail[1] (heil) *n* Hagel *m.* *vi* hageln. **hailstone** *n* Hagelkorn *neu.* **hailstorm** *n* Hagelschauer *m.*

hail[2] (heil) *vt* (be)grüßen, zurufen.

hair (hɛə) *n* Haar *neu.* **hairbrush** *n* Haarbürste

f. **haircut** *n* Haarschnitt *m.* **hairdresser** *n* Friseur *m.* Friseuse *f.* **hairpin** *n* Haarnadel *f.* **hair-raising** *adj* haarsträubend. **hairstyle** *n* Haartracht *f.*

half (hɑːf) *n, pl* **halves** Hälfte *f. adj,adv* halb.

half-dozen *n* halbes Dutzend *neu.*

half-and-half *ädj,adv* halb und halb.

half-back *n sport* Läufer *m.*

half-breed *n also* **half-caste** Mischling *m.*

half-brother *n* Halbbruder *m.*

half-hearted *adj* lau, zaghaft.

half-hour *n* halbe Stunde *f.*

half-mast *n* Halbmast *m.* **at half-mast** halbmast.

half-sister *n* Halbschwester *f.*

half-term *n* Semesterhalbzeit *f.*

half-time *n* Halbzeit *f.*

halfway (hɑːf'wei) *adj,adv* auf halbem Wege, halbwegs.

halfwit ('hɑːfwit) *n* Schwachkopf, Idiot *m.*

halibut ('hælibət) *n* Heilbutt *m.*

hall (hɔːl) *n* **1** Halle *f.* **2** Saal *m.* **3** Diele *f.* Flur *m.*

hallelujah (hæli'luːjə) *interj* halleluja!

hallmark ('hɔːlmɑːk) *n* **1** Feingehaltsstempel *m.* **2** Kennzeichen *neu.*

hallo (hə'lou) *interj* **1** guten Tag! grüß Gott! **2** hallo!

hallowed ('hæloud) *adj* geheiligt.

Hallowe'en (hælou'iːn) *n* Abend vor Allerheiligen *m.*

hallucination (həluːsi'neiʃən) *n* Halluzination, Sinnestäuschung *f.*

halo ('heilou) *n pl* **-os** *or* **-oes** **1** Heiligenschein *m.* **2** *sci* Hof *m.*

halt (hɔːlt) *n* Halt *m.* Pause *f. vt,vi* (an)halten.

halter ('hɔːltə) *n* Halfter *neu.*

halve (hɑːv) *vt* halbieren.

ham (hæm) *n* Schinken *m.*

hamburger ('hæmbəːgə) *n* Frikadelle *f.*

hammer ('hæmə) *n* Hammer *m. vt,vi* hämmern.

hammock ('hæmək) *n* Hängematte *f.*

hamper[1] ('hæmpə) *vt* (be)hindern, hemmen.

hamper[2] ('hæmpə) *n* Packkorb *m.*

hamster ('hæmstə) *n* Hamster *m.*

hand (hænd) *n* Hand *f.* **give** *or* **lend a hand** behilflich sein. **on the one hand...on the other** einerseits...andererseits. ~*vt* überreichen. **hand in** einreichen. **hand on** weitergeben. **hand out** verteilen. **hand over** übergeben.

handbag ('hændbæg) *n* Handtasche *f.*

handbook ('hændbuk) *n* Handbuch *neu.*

handbrake ('hændbreik) *n* Handbremse *f.*

handcart ('hændkɑːt) *n* Handwagen *m.*

handcuff ('hændkʌf) *vt* Handschellen anlegen. **handcuffs** *n pl* Handschellen *f pl.*

handful ('hændful) *n* Handvoll *f.*

handicap ('hændikæp) *n* **1** Nachteil *m.* **2** *sport* Vorgabe *f. vt* benachteiligen.

handicraft ('hændikrɑːft) *n* Handwerk *neu.*

handiwork ('hændiwəːk) *n* **1** Handarbeit *f.* **2** Werk *neu.*

handkerchief ('hæŋkətʃif) *n* Taschentuch *neu.*

handle ('hændl) *n* Griff *m. vt* **1** anfassen. **2** handhaben. **3** behandeln. **handlebars** *n pl* Lenkstange *f.*

handmade (hænd'meid) *adj* handgearbeitet, Hand—.

hand-out *n* **1** Almosen *neu.* **2** Werbezettel *m.*

hand-pick *vt* auslesen, auswählen.

handrail ('hændreil) *n* Geländer *neu.*

handshake ('hændʃeik) *n* Händedruck *m.*

handsome ('hænsəm) *adj* **1** hübsch, schön, gut aussehend. **2** beträchtlich.

handstand ('hændstænd) *n sport* Handstand *m.*

handwriting ('hændraitiŋ) *n* Handschrift *f.*

handy ('hændi) *adj* **1** handlich, zur Hand. **2** geschickt.

hang* (hæŋ) *vt* (auf-, ein-)hängen. *vi* hängen. **hanger** *n* Kleiderbügel *m.* **hangman** *n* Henker *m.* **hangover** *n inf* Kater *m.*

hanker ('hæŋkə) *vi* sich sehnen.

Hanover ('hænəvə) *n* Hannover *neu.*

haphazard (hæp'hæzəd) *adj* zufällig.

happen ('hæpən) *vi* geschehen, sich ereignen, vorkommen, passieren. **happen to do something** etwas zufällig tun.

happy ('hæpi) *adj* **1** glücklich, zufrieden. **2** erfreulich. **happily** *adv* glücklicherweise. **happiness** *n* Glück *neu.*

harass ('hærəs) *vt* belästigen, quälen.

harbour ('hɑːbə) *n* Hafen *m. vt* beherbergen.

hard (hɑːd) *adj* **1** hart. **2** schwer. **3** streng. **4** schlecht. *adv* **1** heftig. **2** mühsam. **3** fleißig. **hardback** *n* Buch mit steifem Einband *or* Leineneinband *neu.* **hardboard** *n* Hartfaserplatte *f.* **hard-boiled** *adj* hartgekocht. **harden** *vt* (ab)härten, hart machen. *vi* hart werden. **hard-headed** *adj* nüchtern, eigensinnig. **hard-hearted** *adj* hartherzig. **hardship** *n* Strapaze, Bedrängnis *f.* **hardware** *n* Eisenwaren *f pl.*

hardly ('hɑːdli) *adv* **1** kaum, schwerlich. **2** mit Mühe.

hardy ('hɑːdi) *adj* abgehärtet, zäh.

hare ('hɛə) *n* Hase *m.*
haricot ('hærikou) *n* weiße Bohne *f.*
hark (hɑ:k) *vi* horchen.
harm (hɑ:m) *n* Schaden *m. vt* Leid *or* Schaden zufügen, schaden. **harmful** *adj* schädlich.
harmonic (hɑ:'mɔnik) *adj* harmonisch. **harmonica** *n* Mundharmonika *f.* **harmonize** *vt* **1** *mus* harmonisieren. **2** in Einklang bringen. *vi* in Einklang sein. **harmony** *n* **1** *mus* Harmonie *f.* **2** Einklang *m.*
harness ('hɑ:nis) *n* Geschirr *neu. vt* anschirren, anspannen.
harp (hɑ:p) *n* Harfe *f.*
harpoon (hɑ:'pu:n) *n* Harpune *f.*
harpsichord ('hɑ:psikɔ:d) *n* Spinett *neu.*
harsh (hɑ:ʃ) *adj* **1** rauh, hart. **2** streng.
harvest ('hɑ:vist) *n* **1** Ernte *f.* **2** (Wein)Lese *f. vt* ernten, einbringen.
has (hæz) *v* see **have.**
haste (heist) *n* Eile, Hast *f.* **hasten** *vi* eilen, sich beeilen. *vt* beschleunigen.
hat (hæt) *n* Hut *m.*
hatch[1] (hætʃ) *vt* ausbrüten. *vi* brüten. *n* Brut *f.*
hatch[2] (hætʃ) *n* Luke, Klapptür *f.*
hatchet ('hætʃit) *n* Beil *neu.*
hate (heit) *vt* hassen. *n* Haß *m.* **hateful** *adj* verhaßt.
haughty ('hɔ:ti) *adj* hochmütig.
haul (hɔ:l) *vt* schleppen, zerren, transportieren. *n* Fang *m.*
haunch (hɔ:ntʃ) *n* Hüfte, Keule *f.*
haunt (hɔ:nt) *vt* **1** häufig besuchen. **2** heimsuchen. **3** spuken. *n* Aufenthalt *m.*
have* (hæv) *vt* haben. *v aux* haben, sein. **have something done** etwas tun lassen. **have to do something** etwas tun müssen.
haven ('heivən) *n* Hafen, Zufluchtsort *m.*
haversack ('hævəsæk) *n* Rucksack *m.*
havoc ('hævək) *n* **1** Verwüstung *f.* **2** Zerstörung *f.* **cause havoc** große Zerstörungen verursachen.
hawk (hɔ:k) *n* Habicht, Falke *m.*
hawthorn ('hɔ:θɔ:n) *n* Hagedorn *m.*
hay (hei) *n* Heu *neu.* **hayfever** *n* Heuschnupfen *m.* **haystack** *n* Heuschober *m.* **go haywire** kaputt gehen.
hazard ('hæzəd) *n* **1** Risiko *neu.* Gefahr *f.* **2** Zufall *m. vt* wagen, riskieren.
haze (heiz) *n* **1** Dunst *m.* **2** Unklarheit *f.*
hazel ('heizəl) *n* Hasel *f.* Haselstrauch *m.* **hazelnut** *n* Haselnuß *f.*
he (hi:) *pron 3rd pers s* er.
head (hed) *n* **1** Kopf *m.* Haupt *neu.* **2** Leiter, Chef *m.* **3** Spitze *f.* vorderes Ende *neu.* **4** Stück *neu.* **5** Höhepunkt *m. vt* führen, vorstehen.
headache ('hedeik) *n* Kopfweh *neu.* Kopfschmerzen *m pl.*
heading ('hediŋ) *n* Überschrift *f.*
headlight ('hedlait) *n* Scheinwerfer *m.*
headline ('hedlain) *n* Schlagzeile *f.*
headlong ('hedlɔŋ) *adv* kopfüber. *adj* ungestüm, unbesonnen.
headmaster (hed'mɑ:stə) *n* (Schul)Direktor *m.*
headphones ('hedfouns) *n pl* Kopfhörer *m.*
headquarters ('hedkwɔ:təz) *n pl* **1** Hauptquartier *neu.* **2** Hauptgeschäftsstelle *f.*
headscarf ('hedskɑ:f) *n* Kopftuch *neu.*
headstrong ('hedstrɔŋ) *adj* starrköpfig, halsstarrig.
headway ('hedwei) *n* Fortschritte *m pl.*
heal (hi:l) *vt,vi* heilen.
health (helθ) *n* Gesundheit *f.* **your health** *interj* prosit! auf Ihr Wohl! **healthy** *adj* **1** gesund. **2** kräftig.
heap (hi:p) *n* **1** Haufen *m.* **2** *inf* Menge *f. v* **heap up** anhäufen.
hear* (hiə) *vi,vt* hören. **hearing** *n* **1** Hören *neu.* **2** Verhör *neu.* **hearing aid** *n* Hörgerät *neu.*
hearse (hə:s) *n* Leichenwagen *m.*
heart (hɑ:t) *n* **1** Herz *neu.* **2** Kern *m.* **3** Mut *m.* **heart attack** *n* Herzanfall *m.* **heartbeat** *n* Herzchlag, Puls *m.* **heartbroken** *adj* untröstlich. **heartless** *adj* herzlos. **hearty** *adj* herzhaft, herzlich.
hearth (hɑ:θ) *n* Herd *m.*
heat (hi:t) *n* **1** Hitze *f.* **2** Eifer *m.* **3** *sport* Runde *f. vt* heizen. **heater** *n* Heizapparat *m.* **heating** *n* Heizung *f.* **heatwave** *n* Hitzewelle *f.*
heath (hi:θ) *n* Heide *f.*
heathen ('hi:ðən) *n* Heide *m. adj* heidnisch.
heather ('heθə) *n* Heidekraut *neu.* Erika *f.*
heave (hi:v) *vt* (hoch)heben. *vi* sich heben und senken.
heaven ('hevən) *n* Himmel *m.* **heavenly** *adj* himmlisch.
heavy ('hevi) *adj* **1** schwer, gewichtig. **2** schwerfällig. **heavyweight** *n* Schwergewicht *neu.*
Hebrew ('hi:bru:) *adj* hebräisch. *n* **1** Hebräer *m.* **2** (language) Hebräisch *neu.*
heckle ('hekəl) *vt* (jemandem) Fangfragen stellen. **heckler** *n* Zwischenrufer *m.*
hectare ('hektɛə) *n* Hektar *neu.*
hectic ('hektik) *adj* hektisch, fieberhaft.
hedge (hedʒ) *n* Hecke *f.* **hedgehog** *n* Igel *m.*
heed (hi:d) *vt* achten auf.

heel (hi:l) *n* **1** Ferse *f.* **2** Absatz *m.*
hefty ('hefti) *adj* kräftig.
height (hait) *n* **1** Höhe *f.* **2** Höhepunkt *m.* **heighten** *vt* **1** erhöhen. **2** verstärken.
heir (ɛə) *n* Erbe *m.* **heirloom** *n* Erbstück *neu.*
held (held) *v* see **hold.**
helicopter ('helikɔptə) *n* Hubschrauber *m.*
hell (hel) *n* Hölle *f. interj* verdammt!
hello (hə'lou) *interj* **1** guten Tag! grüß Gott! **2** hallo!
helm (helm) *n* Ruder *neu.*
helmet ('helmit) *n* Helm *m.*
help (help) *vt* helfen, unterstützen. *vi* helfen. **help oneself** sich bedienen. ~*n* Hilfe *f.* **helpless** *adj* hilflos.
hem (hem) *n* Saum *m. vt* säumen.
hemisphere ('hemisfiə) *n* Halbkugel, Hemisphäre *f.*
hemp (hemp) *n* Hanf *m.*
hen (hen) *n* **1** Huhn *neu.* **2** Weibchen *neu.*
hence (hens) *adv* **1** hieraus, daher, daraus. **2** von hier.
henna ('henə) *n* Henna *f.*
her (hə:) *pron 3rd pers s* **1** sie. **2** ihr. *poss adj 3rd pers s* ihr.
herald ('herəld) *n* Herold *m. vt* ankündigen.
herb (hə:b) *n* Kraut *neu.*
herd (hə:d) *n* Herde *f. vt* weiden, hüten. **herdsman** *n* Hirt *m.*
here (hiə) *adv* **1** hier. **2** hierher.
hereditary (hi'reditri) *adj* erblich.
heredity (hi'rediti) *n* Vererbung *f.*
heresy ('herəsi) *n* Ketzerei *f.*
heritage ('heritidʒ) *n* **1** Erbschaft *f.* **2** Erbrecht *neu.*
hermit ('hə:mit) *n* Einsiedler *m.*
hero ('hiərou) *n, pl* **heroes** Held *m.* **heroine** *n* Heldin *f.*
heroin ('herouin) *n* Heroin *neu.*
heron ('herən) *n* Reiher *m.*
herring ('heriŋ) *n* Hering *m.*
hers (hə:z) *poss pron 3rd pers s* ihrer, der ihre *or* ihrige. **herself** *pron 3rd pers s* **1** sich. **2** sich selbst. **3** sie selbst. **by herself** allein, von selbst.
hesitate ('heziteit) *vi* zögern. **hesitation** *n* Zögern, Schwanken *neu.*
hexagon ('heksəgən) *n* Sechseck *neu.*
hibernate ('haibəneit) *vi* überwintern.
hiccup ('hikʌp) *n* Schluckauf *m. vi* den Schluckauf haben.
hide*[1] (haid) *vt* **1** verstecken, verbergen. **2** verheimlichen. *vi* sich verbergen.
hide[2] (haid) *n* Fell *neu.* Haut *f.*
hideous ('hidiəs) *adj* **1** scheußlich, gräßlich. **2** häßlich.
hiding[1] ('haidiŋ) *n* Versteck *neu.* **hiding-place** *n* Schlupfwinkel *m.*
hiding[2] ('haidiŋ) *n* Prügel *f.*
hierarchy ('haiərɑ:ki) *n* Hierarchie *f.*
high (hai) *adj* **1** hoch. **2** groß. **3** bedeutend. **4** vornehm. **highly** *adv* **1** in hohem Maße, äußerst, hoch. **2** lobend.
highbrow ('haibrau) *adj inf* intellektuell.
high-fidelity *adj* Hi-Fi.
high frequency *n* Hochfrequenz *f.*
high jump *n* Hochsprung *m.*
highland ('hailnd) *n* Hochland *neu.*
highlight ('hailait) *n* **1** Glanzlicht *neu.* **2** Höhepunkt *m. vt* hervorheben.
highness ('hainis) *n* **His/Her/Your Highness** Seine/Ihre/Eure Hoheit *f.*
highpitched ('haipitʃd) *adj* schrill, hoch.
high-rise *adj* vielstöckig. **high-rise building** *n* Hochhaus *neu.*
high-spirited *adj* übermütig, wagemütig.
highway ('haiwei) *n* Landstraße *f.*
hijack ('haidʒæk) *vt* **1** (be)rauben. **2** (an aeroplane) entführen.
hike (haik) *vi* wandern. *n* Wanderung *f.*
hilarious (hi'lɛəriəs) *adj* lustig, fröhlich.
hill (hil) *n* Hügel, Berg *m.* **hillside** *n* Abhang *m.* **hilltop** *n* Bergspitze *f.*
him (him) *pron 3rd pers s* **1** ihn. **2** ihm. **himself** *pron 3rd pers s* **1** sich. **2** sich selbst. **3** er selbst. **by himself** allein, von selbst.
hind (haind) *adj* hinter. **hindleg** *n* Hinterbein *neu.* **hindsight** *n* späte Einsicht, Nachsicht *f.*
hinder ('hində) *vt* (ver)hindern, hemmen.
Hindu ('hindu:) *n* Hindu *m.* **Hinduism** *n* Hinduismus *m.*
hinge (hindʒ) *n* Scharnier *f.* Gelenk *neu. vi* abhängen, ankommen.
hint (hint) *n* Hinweis, Wink *m. vt* andeuten.
hip (hip) *n* Hüfte *f.*
hippopotamus (hipə'pɔtəməs) *n* Nilpferd *neu.*
hire (haiə) *vt* mieten. *n* Miete *f.* **hire car** Mietauto *neu.*
his (hiz) *poss adj 3rd pers s* sein. *poss pron 3rd pers s* seiner, der seine *or* seinige.
hiss (his) *vi* zischen. *n* Zischen *neu.*
history ('histri) *n* Geschichte *f.* **historian** *n* Historiker *m.* **historical** *adj* geschichtlich, historisch.
hit* (hit) *vt,vi* **1** schlagen. **2** treffen. *n* **1** Treffer *m.* **2** Schlag *m.* **3** *mus* Schlager *m.*

hitch (hitʃ) *vt* **1** festmachen. **2** rücken. **hitch-hike** *vi* per Anhalter fahren, trampen.
hive (haiv) *n* Bienenstock *m.*
hoard (hɔ:d) *n* Vorrat, Schatz *m. vi,vt* hamstern, horten.
hoarding ('hɔ:diŋ) *n* **1** Bauzaun *m.* **2** Reklamewand *f.*
hoarse (hɔ:s) *adj* heiser.
hoax (houks) *n* Täuschung, Fopperei *f. vt* zum besten haben, anführen.
hobble ('hɔbəl) *vi* humpeln.
hobby ('hɔbi) *n* Hobby, Steckenpferd *neu.*
hock[1] (hɔk) *n* Sprunggelenk *neu.*
hock[2] (hɔk) *n* Rheinwein *m.*
hockey ('hɔki) *n* Hockey *neu.*
hoe (hou) *n* Haue, Hacke *f. vt,vi* hacken.
hog (hɔg) *n* Schwein *neu. vt sl* an sich reißen.
hoist (hɔist) *vt* hochzichen. *n* Aufzug, Kran *m.* Winde *f.*
hold*[1] (hould) *vt* **1** (fest)halten. **2** zurückhalten. **3** besitzen. **4** abhalten. **5** fassen, enthalten. **6** vertreten. *vi* **1** gelten. **2** sich halten. *n* Griff, Halt *m.* **holdall** *n* Reisetasche *f.* **holder** *n* **1** Behälter *m.* **2** Inhaber *m.*
hold[2] (hould) *n* Laderaum, Schiffsraum *m.*
hole (houl) *n* Loch *neu.* Höhle *f.*
holiday ('hɔlidi) *n* **1** Feiertag *m.* **2** *pl* Ferien *pl.* Urlaub *m.* **holiday camp** *n* Ferienlager *neu.* **holiday-maker** *n* Urlauber *m.*
Holland ('hɔlənd) *n* Holland *neu.*
hollow ('hɔlou) *adj* hohl. *n* Höhle, Aushöhlung *f.*
holly ('hɔli) *n* Stechpalme *f.*
holster ('houlstə) *n* Pistolenhalfter *f.*
holy ('houli) *adj* heilig.
homage ('hɔmidʒ) *n* Huldigung *f.*
home (houm) *n* **1** Heim *neu.* **2** Heimat *f. adv* heim, nach Hause. **at home** zu Hause. ~*adj* **1** einheimisch. **2** häuslich. **homecoming** *n* Heimkehr *f.* **homeland** *n* Heimatland *neu.* Heimat *f.* **homesick** *adj* **be homesick** Heimweh haben. **homework** *n* Schularbeit *f.* Schulaufgaben *f pl.*
homosexual (houmə'sekʃuəl) *adj* homosexuell. *n* Homosexuelle(r) *m.*
honest ('ɔnist) *adj* ehrlich.
honey ('hʌni) *n* Honig *m.* **honeymoon** *n* Flitterwochen *f pl.*
honour ('ɔnə) *n* **1** Ehre, Würde *f.* **2** Ruf *m.* **3** Auszeichnung *f.* **His/Her/Your Honour** Sein/Ihr/Euer Ehrwürden *or* Gnaden. ~*vt* (be)ehren, verehren. **honorary** *adj* Ehren—.
hood (hud) *n* **1** Kapuze *f.* **2** *mot* Verdeck *neu.*
hoof (hu:f) *n* Huf *m.*
hook (huk) *n* Haken *m. vt* (an-, zu-)haken, fangen.
hooligan ('hu:ligən) *n* Rowdy *m.*
hoop (hu:p) *n* Reifen, Ring *m.*
hoot (hu:t) *vi* **1** *mot* hupen. **2** schreien.
Hoover ('hu:və) *n Tdmk* Staubsauger *m. vt* (ab)saugen.
hop[1] (hɔp) *vi* hüpfen, springen. *n* Hüpfer, Sprung *m.*
hop[2] (hɔp) *n bot* Hopfen *m.*
hope (houp) *vt,vi* (er)hoffen. *n* Hoffnung *f.*
horde (hɔ:d) *n* Horde *f.*
horizon (hə'raizən) *n* Horizont *m.* **horizontal** *adj* waagerecht, horizontal.
horn (hɔ:n) *n* **1** Horn *neu.* **2** *mot* Hupe *f.*
horoscope ('hɔrəskoup) *n* Horoskop *neu.*
horrible ('hɔrəbl) *adj* **1** schrecklich, entsetzlich. **2** gräßlich.
horrid ('hɔrid) *adj* gräßlich, scheußlich.
horrify ('hɔrifai) *vt* entsetzen, erschrecken.
horror ('hɔrə) *n* **1** Entsetzen *neu.* **2** Grausen *neu.* **3** Greuel *m.*
hors d'oeuvres (ɔ: 'də:v) *n pl* Vorspeise *f.*
horse (hɔ:s) *n* **1** Pferd *neu.* **2** *mil* Reiterei *f.* **on horseback** *adv* zu Pferde. **horse chestnut** *n* Roßkastanie *f.* **horseman** *n* Reiter *m.* **horse-power** *n* Pferdestärke *f.* **horseracing** *n* Pferderennen *neu.* **horseshoe** *n* Hufeisen *neu.*
horticulture ('hɔ:tikʌltʃə) *n* Gartenbau *m.*
hose (houz) *n* **1** Schlauch *m.* **2** (lange) Strümpfe *f pl.*
hosiery ('houziəri) *n* Strumpfwaren *f pl.*
hospitable ('hɔspitəbəl) *adj* gastfreundlich.
hospital ('hɔspitl) *n* Krankenhaus, Spital *neu.*
hospitality (hɔspi'tæliti) *n* Gastfreundschaft *f.*
host[1] (houst) *n* **1** Gastgeber *m.* **2** Wirt *m.*
host[2] (houst) *n* Menge *f.*
hostage ('hɔstidʒ) *n* Geisel *m,f.*
hostel ('hɔstl) *n* **1** Herberge *f.* **2** Wohnheim *neu.*
hostess ('houstis) *n* Gastgeberin *f.*
hostile ('hɔstail) *adj* feindlich.
hot (hɔt) *adj* **1** heiß. **2** scharf, pikant. **hotplate** *n* Kochplatte *f.* **hot-tempered** *adj* heißblütig, feurig. **hot-water bottle** *n* Wärmflasche *f.*
hotel (hou'tel) *n* Hotel *neu.*
hound (haund) *n* Jagdhund *m.*
hour (auə) *n* Stunde *f.*
house (*n* haus; *v* hauz) *n* Haus *neu. vt* unterbringen.
houseboat ('hausbout) *n* Hausboot *neu.*
housebound ('hausbaund) *adj* gezwungen, zu Hause zu bleiben.

household ('haushould) *n* Haushalt *m.*
housekeeper ('hauski:pə) *n* Haushälterin *f.*
housemaid ('hausmeid) *n* Hausmädchen *neu.*
House of Commons *n* Abgeordnetenhaus, Unterhaus *neu.*
House of Lords *n* Herrenhaus, Oberhaus *neu.*
houseproud ('hauspraud) *adj* penibel.
housewife ('hauswaif) *n* Hausfrau *f.*
housework ('hauswə:k) *n* Hausarbeit *f.*
housing ('hauziŋ) *n* Unterkunft, Unterbringung *f.*
hover ('hɔvə) *vi* schweben. **hovercraft** *n* Luftkissenfahrzeug *neu.*
how (hau) *adv* wie. **how do you do?** wie geht es (Ihnen)? **how much** wieviel. **however** *adv* wie auch (immer). *conj* dennoch, doch, jedoch, aber.
hub (hʌb) *n* **1** Nabe *f.* **2** Angelpunkt *m.*
huddle ('hʌdl) *vi* sich (zusammen)drängen.
huff (hʌf) *n* üble Laune *f.*
hug (hʌg) *vt* umarmen. *n* Umarmung *f.*
huge (hju:dʒ) *adj* ungeheuer, riesig.
hulk (hʌlk) *n* **1** Schiffsgerippe *f.* **2** unförmige Masse *f.*
hull (hʌl) *n* Schiffsrumpf *m.*
hullo (hə'lou) *interj* **1** guten Tag! grüß Gott! **2** hallo!
hum (hʌm) *vi,vt* summen.
human ('hju:mən) *adj* menschlich. *n* Mensch *m.* **humane** *adj* menschlich, human. **humanism** *n* Humanismus *m.* **human nature** *n* menschliche Natur *f.*
humanity (hju:'mæniti) *n* **1** Menschheit *f.* **2** Menschlichkeit *f.* **humanitarian** *adj* menschenfreundlich. *n* Menschenfreund *m.*
humble ('hʌmbəl) *adj* bescheiden, demütig.
humdrum ('hʌmdrʌm) *adj* eintönig, fad, langweilig. *n* Eintönigkeit *f.*
humid ('hju:mid) *adj* feucht.
humiliate (hju:'milieit) *vt* demütigen.
humility (hju:'militi) *n* Demut, Bescheidenheit *f.*
humour ('hju:mə) *n* **1** Humor *m.* **2** Laune *f.* *vt* willfahren, aufheitern. **humorist** *n* Humorist *m.* **humorous** *adj* komisch, lustig.
hump (hʌmp) *n* Buckel *m.*
hunch (hʌntʃ) *vi* nach vorn rücken. *vt* krümmen. *n inf* Ahnung *f.* Verdacht *m.* **hunchback** *n* Bucklige(r) *m.*
hundred ('hʌndrəd) *adj* hundert. *n* Hundert *neu.* **hundredth** *adj* hundertste. **hundredweight** *n* Zentner *m.*
hung (hʌŋ) *v* see **hang.**
Hungary ('hʌŋgəri) *n* Ungarn *neu.* **Hungarian** *adj* ungarisch. *n* **1** Ungar *m.* **2** (language) Ungarisch *neu.*
hunger ('hʌŋgə) *n* Hunger *m.* *vi* hungern (nach). **hunger-strike** *n* Hungerstreik *m.* **hungry** *adj* hungrig. **be hungry** Hunger haben.
hunt (hʌnt) *vt,vi* jagen. *n* Jagd *f.* **hunting** *n* Jagen *neu.* **huntsman** *n* Jäger, Weidmann *m.*
hurdle ('hə:dl) *n* Hürde *f.*
hurl (hə:l) *vt* schleudern.
hurrah (hu'rɑ:) *interj* hurra!
hurricane ('hʌrikein) *n* Orkan *m.*
hurry ('hʌri) *vi* eilen, sich beeilen. *vt* beschleunigen, antreiben. *n* Eile, Hast *f.* **be in a hurry** Eile *or* es eilig haben.
hurt* (hə:t) *vt* **1** verletzen. **2** weh tun. *vi* weh tun. *n* **1** Schmerz *m.* **2** Verletzung *f.*
husband ('hʌzbənd) *n* Ehemann, Mann, Gatte *m.*
hush (hʌʃ) *interj* still! *n* Stille *f.* *v* **hush up** verschweigen.
husk (hʌsk) *n* Hülse, Schale *f.* *vt* schälen.
husky ('hʌski) *adj* heiser.
hussar (hu'zɑ:) *n* Husar *m.*
hustle ('hʌsəl) *vi* eilen. *vt* drängen. *n* Drängen *neu.*
hut (hʌt) *n* Hütte *f.*
hutch (hʌtʃ) *n* **1** Kasten *m.* **2** Verschlag *m.*
hyacinth ('haiəsinθ) *n* Hyazinthe *f.*
hybrid ('haibrid) *n* Mischling *m.* Hybride *f.*
hydraulic (hai'drɔ:lik) *adj* hydraulisch.
hydro-electric *adj* hydroelektrisch.
hydrogen ('haidrədʒən) *n* Wasserstoff *m.*
hyena (hai'i:nə) *n* Hyäne *f.*
hygiene ('haidʒi:n) *n* Hygiene *f.* **hygienic** *adj* hygienisch.
hymn (him) *n* Hymne *f.* Kirchenlied *neu.* **hymnbook** *n* Gesangbuch *neu.*
hyphen ('haifən) *n* Bindestrich *m.*
hypnosis (hip'nousis) *n* Hypnose *f.* **hypnotism** *n* Hypnotismus *m.*
hypochondria (haipə'kɔndriə) *n* Hypochondrie *f.* **hypochondriac** *n* Hypochonder *m.*
hypocrisy (hi'pɔkrəsi) *n* Heuchelei *f.* **hypocrite** *n* Heuchler, Scheinheilige(r) *m.*
hypodermic (haipə'də:mik) *adj* **hypodermic syringe** Spritze *f.*
hypothesis (hai'pɔθəsis) *n pl* **-ses** Hypothese *f.*
hysterectomy (histə'rektəmi) *n* Hysterektomie *f.*
hysteria (his'tiəriə) *n* Hysterie *f.* **hysterical** *adj* hysterisch.

I

I (ai) *pron 1st pers sing* ich.

ice (ais) *n* Eis *neu*. **iceberg** *n* Eisberg *m*. **ice-cream** *n* Eiskrem *f*. (Speise)Eis *neu*. **icerink** *n* Eisbahn *f*. **ice skate** *n* Schlittschuh *m*. **icing** *n* Zuckerguß *m*. **icy** *adj* eisig.

Iceland ('aisland) *n* Island *neu*. **Icelander** *n* Isländer *m*. **Icelandic** (ais'lændik) *adj* isländisch. *n* (language) Isländisch *neu*.

idea (ai'diə) *n* Idee *f*. Begriff, Gedanke *m*.

ideal (ai'diəl) *n* Ideal *neu*. *adj* ideal, vorbildlich. **idealistic** *adj* idealistisch. **idealize** *vt* idealisieren.

identify (ai'dentifai) *vt* identifizieren. **identification** *n* Identifizierung *f*.

identity (ai'dentiti) *n* **1** Identität, Gleichheit *f*. **2** Persönlichkeit *f*. **identical** *adj* **1** identisch. **2** derselbe. **identical twins** *n pl* eineiige Zwillinge *m pl*. **identity card** *n* (Personal)Ausweis *m*.

ideology (aidi'ɔlədʒi) *n* Ideologie *f*.

idiom ('idiəm) *n* **1** Idiom *neu*. **2** Mundart *f*.

idiosyncrasy (idiə'siŋkrəsi) *n* Eigenart *f*.

idiot ('idiət) *n* Idiot, Schwachsinnige(r) *m*.

idle ('aidl) *adj* **1** müßig. **2** faul. **3** unbenutzt.

idol ('aidl) *n* Idol *neu*. Abgott *m*. **idolatry** *n* Abgötterei *f*.

idyllic (i'dilik) *adj* idyllisch.

if (if) *conj* **1** wenn, falls. **2** ob. **as if** als ob.

igloo ('iglu:) *n* Iglu *m*.

ignite (ig'nait) *(vi)*, *vt* (sich) entzünden. **ignition** *n* **1** Entzündung *f*. Anzünden *neu*. **2** mot Zündung *f*.

ignorant ('ignərənt) *adj* **1** unwissend, ungebildet. **2** nicht wissend.

ignore (ig'nɔ:) *vt* ignorieren, nicht beachten *or* berücksichtigen.

ill (il) *adj* krank. *adj,adv* übel, schlecht. **ill-bred** *adj* ungezogen, unhöflich, schlecht erzogen. **illness** *n* Krankheit *f*. **ill-treat** *vt* mißhandeln, mißbrauchen. **ill will** *n* Mißgunst *f*.

illegal (i'li:gəl) *adj* ungesetzlich, illegal.

illegible (i'ledʒəbəl) *adj* unlesbar.

illegitimate (ili'dʒitimət) *adj* unehelich.

illicit (i'lisit) *adj* gesetzwidrig.

illiterate (i'litərət) *adj* analphabetisch. *n* Analphabet *m*.

illogical (i'lɔdʒikəl) *adj* unlogisch.

illuminate (i'lu:mineit) *vt* beleuchten.

illusion (i'lu:ʒən) *n* Illusion, Täuschung *f*.

illustrate ('iləstreit) *vt* **1** illustrieren. **2** erläutern. **illustration** *n* **1** Illustration *f*. Bild *neu*. **2** Erläuterung *f*. **3** Beispiel *neu*.

illustrious (i'lʌstriəs) *adj* berühmt.

image ('imidʒ) *n* **1** Bild, Abbild *neu*. **2** Sinnbild *neu*. **imagery** *n* Bildersprache *f*.

imagine (i'mædʒin) *vt* sich vorstellen. **imaginary** *adj* imaginär, eingebildet. **imagination** *n* Einbildung(skraft), Phantasie, Vorstellungskraft *f*. **imaginative** *adj* phantasievoll, einfallsreich.

imbalance (im'bælənsə) *n* Unausgewogenheit *f*.

imbecile ('imbəsi:l) *n* Schwachsinnige(r) *m*.

imitate ('imiteit) *vt* nachahmen. **imitation** *n* **1** Nachahmung *f*. **2** Nachbildung *f*. *adj* Kunst—.

immaculate (i'mækjulət) *adj* fleckenlos.

immature (imə'tjuə) *adj* unreif.

immediate (i'mi:diət) *adj* unmittelbar, sofortig. **immediately** *adv* sofort, gleich.

immense (i'mens) *adj* gewaltig, ungeheuer.

immerse (i'mə:s) *vt* eintauchen, vertiefen. **immersion** *n* Eintauchen, Vertieftsein *neu*. **immersion heater** *n* Tauchsieder *m*.

immigrate ('imigreit) *vi* einwandern. **immigrant** *n* Einwanderer *m*.

imminent ('iminənt) *adj* bevorstehend.

immobile (i'moubail) *adj* unbeweglich, bewegungslos. **immobilize** *vt* unbeweglich machen.

immoral (i'mɔrəl) *adj* unmoralisch, unsittlich.

immortal (i'mɔ:tl) *adj* unsterblich.

immovable (i'mu:vəbəl) *adj* **1** unbeweglich. **2** unerschütterlich.

immune (i'mju:n) *adj* **1** immun. **2** geschützt. **immunize** *vt med* immunisieren, impfen.

imp (imp) *n* **1** Kobold *m*. **2** Spitzbube *m*.

impact ('impækt) *n* **1** Zusammenstoß, Aufprall *m*. **2** Einfluß *m*. Wirkung *f*.

impair (im'pɛə) *vt* beeinträchtigen.

impart (im'pɑ:t) *vt* **1** mitteilen. **2** geben.

impartial ('im'pɑ:ʃəl) *adj* unparteiisch.

impassable (im'pɑ:səbəl) *adj* unbefahrbar.

impatient (im'peiʃənt) *adj* ungeduldig. **impatience** *n* Ungeduld *f*.

impeach (im'pi:tʃ) *vt* **1** anklagen. **2** zur Rechenschaft ziehen.

impeccable (im'pekəbəl) *adj* **1** sündlos. **2** einwandfrei.

impediment (im'pedimənt) *n* **1** Hindernis *neu*. **2** (of speech) Sprachfehler *m*.

imperative (im'perativ) *adj* **1** erforderlich. **2** befehlend. *n* Befehlsform *f*. Imperativ *m*.

imperfect (im'pə:fikt) *adj* **1** unvollkommen. **2** mangelhaft. *n* Imperfekt *neu*.
imperial (im'piəriəl) *adj* kaiserlich, Reichs—.
impersonal (im'pə:sənl) *adj* unpersönlich.
impersonate (im'pə:səneit) *vt* **1** verkörpern. **2** sich ausgeben als.
impertinent (im'pə:tinənt) *adj* unverschämt, frech.
impetuous (im'petʃuəs) *adj* ungestüm.
impetus ('impitəs) *n* Antrieb, Anstoß *m*.
impinge (im'pindʒ) *vi* **1** stoßen. **2** einwirken.
implement ('impləmənt) *n* Werkzeug, Gerät *neu*. *vt* durchführen.
implicate ('impləkeit) *vt* **1** hineinziehen, verwickeln. **2** implizieren.
implicit (im'plisit) *adj* implizit, inbegriffen.
implore (im'plɔ:) *vt* anflehen.
imply (im'plai) *vt* **1** implizieren, in sich schließen. **2** andeuten, zu verstehen geben. **implication** *n* **1** Bedeutung *f*. **2** Folge *f*.
import (*v* im'pɔ:t; *n* 'import) *vt* einführen, importieren. *n* **1** Einfuhr *f*. Import *m*. **2** *pl* Einfuhrwaren *f pl*. **3** Bedeutung *f*. **importation** *n* Einfuhr *f*. Import *m*.
importance (im'pɔ:tns) *n* **1** Wichtigkeit *f*. **2** Bedeutung *f*. **important** *adj* **1** wichtig. **2** bedeutend. **3** einflußreich.
impose (im'pouz) *vt* auferlegen, aufbürden. **impose upon** zu sehr beanspruchen. **imposing** *adj* imponierend, eindrucksvoll.
impossible (im'posəbəl) *adj* unmöglich.
impostor (im'postə) *n* Betrüger, Hochstapler *m*.
impotent ('impətənt) *adj* **1** unfähig. **2** *med* impotent.
impound (im'paund) *vt* beschlagnehmen.
impoverish (im'pɔvəriʃ) *vt* arm machen.
impress (im'pres) *vt* **1** beeindrucken, Eindruck machen auf. **2** (ein)drücken, einprägen. **impression** *n* **1** Eindruck *m*. **2** Abdruck *m*. **3** (of a book) Auflage *f*.
imprint (*n* 'imprint; *v* im'print) *n* **1** Aufdruck *m*. **2** Eindruck *m*. *vt* aufdrücken, einprägen.
imprison (im'prizən) *vt* einsperren, ins Gefängnis werfen. **imprisonment** *n* **1** Gefangenschaft *f*. **2** Gefängnisstrafe *f*.
improbable (im'prɔbəbəl) *adj* **1** unwahrscheinlich. **2** unglaubhaft.
improper (im'prɔpə) *adj* **1** unanständig. **2** ungeeignet.
improve (im'pru:v) *vt* (ver)bessern. *vi* sich (ver)bessern, besser werden.
improvise ('imprəvaiz) *vt* improvisieren.
impudent ('impjudənt) *adj* unverschämt, frech.
impulse ('impʌls) *n* **1** (An)Trieb, Stoß *m*. **2** Impuls, Drang *m*.
impure (im'pjuə) *adj* unrein, unsauber.
in (in) *prep* **1** in. **2** an. **3** auf. **4** nach. *adv* **1** hinein, herein. **2** innen.
inability (inə'biliti) *n* Unfähigkeit *f*.
inaccurate (in'ækjurət) *adj* **1** ungenau, unrichtig. **2** fehlerhaft.
inadequate (in'ædikwit) *adj* unangemessen, unzulänglich, ungenügend.
inadvertent (inəd'və:tnt) *adj* **1** unachtsam. **2** unabsichtlich. **3** nachlässig.
inane (i'nein) *adj* sinnlos, nichtig, geistlos.
inarticulate (inɑ:'tikjulət) *adj* **1** unartikuliert, undeutlich. **2** sich schlecht ausdrückend.
inasmuch (inəz'mʌtʃ) *conj* **inasmuch as** (in)sofern (als), da, weil.
inaugurate (i'nɔ:gjureit) *vt* einweihen.
incapable (in'keipəbəl) *adj* unfähig.
incendiary (in'sendiəri) *n* **1** Brandstifter *m*. **2** Brandbombe *f*.
incense[1] ('insens) *n* Weihrauch *m*.
incense[2] (in'sens) *vt* in Wut bringen, erzürnen.
incessant (in'sesənt) *adj* unaufhörlich.
incest ('insest) *n* Blutschande *f*. Inzest *m*.
inch (intʃ) *n* Zoll *m*.
incident ('insidənt) *n* **1** Zwischenfall *m*. **2** Zufall *m*. **incidental** *adj* **1** beiläufig. **2** gelegentlich. **3** zufällig. **4** Neben—.
incite (in'sait) *vt* aufregen, anstacheln.
incline (in'klain) *vi* sich neigen, geneigt sein zu. *n* Hang, Abhang *m*.
include (in'klu:d) *vt* einschließen, enthalten.
incoherent (inkou'hiərənt) *adj* unzusammenhängend.
income ('inkʌm) *n* Einkommen *neu*. Einkünfte *f pl*.
incompatible (inkəm'pætibəl) *adj* unvereinbar, nicht zusammenpassend.
incompetent (in'kɔmpətənt) *adj* unfähig.
incomplete (inkəm'pli:t) *adj* unvollständig.
incomprehensible (inkɔmpri'hensibəl) *adj* **1** unverständlich. **2** unbegreiflich.
inconceivable (inkən'si:vəbəl) *adj* unbegreiflich.
incongruous (in'kɔŋgruəs) *adj* unvereinbar.
inconsiderate (inkən'sidərət) *adj* rücksichtslos.
inconsistent (inkən'sistənt) *adj* **1** widersprechend. **2** inkonsequent. **3** unbeständig.
inconvenient (inkən'vi:niənt) *adj* ungelegen, unbequem, lästig.
incorporate (in'kɔ:pəreit) *vt* einverleiben, aufnehmen, vereinigen.

incorrect (inkə'rekt) *adj* unrichtig, falsch.
increase (*v* in'kri:s; *n* 'inkri:s) *vt* **1** erhöhen, steigern. **2** vermehren. *vi* **1** sich vermehren. **2** sich vergrößern, zunehmen. *n* **1** Vergrößerung *f.* **2** Zunahme *f.* Wachstum *neu.*
incredible (in'kredəbəl) *adj* unglaublich.
incubate ('inkjubeit) *vt* ausbrüten.
incur (in'kə:) *vt* **1** sich zuziehen. **2** herbeiführen. **3** eingehen. **4** (debts) machen.
incurable (in'kjuərəbəl) *adj* unheilbar.
indecent (in'di:sənt) *adj* unanständig. **indecency** *n* Unanständigkeit *f.*
indeed (in'di:d) *adv* **1** in der Tat, tatsächlich. **2** zwar. **3** gewiß. *interj* **1** wirklich? **2** so!
indefinite (in'defənit) *adj* unbestimmt.
indemnity (in'demniti) *n* Entschädigung *f.*
indent (in'dent) *vt* **1** auszacken, einschneiden. **2** bestellen. *n* **1** Einschnitt *m.* **2** Bestellung *f.*
independent (indi'pendənt) *adj* unabhängig, selbständig. **independence** *n* Unabhängigkeit, Selbständigkeit *f.*
index ('indeks) *n* **1** Zeiger *m.* **2** Inhaltsverzeichnis *neu.* **index finger** *n* Zeigefinger *m.*
India ('indiə) *n* Indien *neu.* **Indian** *adj* **1** indisch. **2** (of America) indianisch. *n* **1** Inder *m.* **2** (of America) Indianer *m.*
indicate ('indikeit) *vt* (an)zeigen, hinweisen. **indicator** *n* **1** Zeiger *m.* **2** *mot* Winker *m.*
indifferent (in'difrənt) *adj* **1** gleichgültig. **2** mittelmäßig.
indigenous (in'didʒənəs) *adj* eingeboren, einheimisch.
indigestion (indi'dʒestʃən) *n* Verdauungsstörung *f.*
indignant (in'dignənt) *adj* entrüstet, empört.
indirect (indi'rékt) *adj* indirekt.
indiscreet (indi'skri:t) *adj* indiskret.
indispensable (indi'spensəbəl) *adj* unentbehrlich.
individual (indi'vidʒuəl) *adj* **1** einzeln. **2** persönlich. **3** individuell. *n* Individuum *neu.*
indoctrinate (in'dɔktrineit) *vt* schulen, belehren. **indoctrination** *n* Schulung, Belehrung *f.*
indolent ('indələnt) *adj* lässig, träge.
Indonesia (ində'ni:ziə) *n* Indonesien *neu.* **Indonesian** *adj* indonesisch. *n* Indonesier *m.*
indoor ('indɔ:) *adj* **1** Innen—, Haus—, häuslich. **2** *sport* Hallen—. **indoors** *adv* innen, im Hause, drinnen.
induce (in'dju:s) *vt* **1** dazu bringen, bewegen. **2** herbeiführen.
indulge (in'dʌldʒ) *vt* **1** sich hingeben, nachgeben. **2** schwelgen. **3** verwöhnen. *vi* sich hingeben.
industry ('indəstri) *n* **1** Industrie *f.* **2** Fleiß *m.* **industrial** *adj* industriell, gewerblich. **industrialisation** *n* Industrialisierung *f.* **industrious** *adj* fleißig, arbeitsam.
inefficient (ini'fiʃənt) *adj* **1** unwirksam. **2** unwirtschaftlich. **3** untüchtig.
inept (i'nept) *adj* **1** unpassend. **2** ungeschickt.
inequality (ini'kwɔliti) *n* Ungleichheit *f.*
inert (i'nə:t) *adj* **1** träge. **2** *sci* wirkungslos. **inertia** *n* Trägheit, Untätigkeit *f.*
inevitable (in'evitəbəl) *adj* unvermeidlich.
inexpensive (inik'spensiv) *adj* preiswert, billig.
inexperienced (inik'spiəriənst) *adj* unerfahren.
infallible (in'fæləbəl) *adj* unfehlbar.
infamous ('infəməs) *adj* berüchtigt, ehrlos.
infancy ('infənsi) *n* (frühe) Kindheit *f.*
infant ('infənt) *n* (Klein)Kind *neu.*
infantry ('infəntri) *n* Infanterie *f.*
infatuate (in'fætʃueit) *vt* verblenden, betören. **be infatuated with** verliebt *or* vernarrt sein in. **infatuation** *n* Verblendung *f.*
infect (in'fekt) *vt* infizieren, anstecken. **infection** *n* Ansteckung, Infektion *f.* **infectious** *adj* ansteckend.
infer (in'fə:) *vt* folgern, schließen.
inferior (in'fiəriə) *adj* **1** minderwertig. **2** niedriger. **3** untergeordnet. **inferiority** *n* Minderwertigkeit *nf.* **inferiority complex** *n* Minderwertigkeitskomplex *m.*
infernal (in'fə:nl) *adj* teuflisch, höllisch.
infest (in'fest) *vt* **1** (in Schwärmen) überlaufen, überschwemmen. **2** heimsuchen, plagen.
infidelity (infi'deliti) *n* Untreue *f.*
infiltrate ('infiltreit) *vt* durchsickern lassen, infiltrieren. *vi* eindringen.
infinite ('infinit) *adj* unendlich. **infinity** *n* Unendlichkeit *f.*
infinitive (in'finitiv) *n* Infinitiv *m.*
infirm (in'fə:m) *adj* schwach, gebrechlich.
inflame (in'fleim) *vt* **1** *med* entzünden. **2** entflammen, erregen.
inflammable (in'flæməbəl) *adj* **1** (leicht) entzündlich. **2** feuergefährlich.
inflate (in'fleit) *vt* aufblasen, aufpumpen. **inflation** *n* Inflation *f.*
inflection (in'flekʃən) *n* **1** *gram* Flexion, Abwandlung *f.* **2** Modulation *f.*
inflict (in'flikt) *vt* **1** zufügen. **2** auferlegen.
influence ('influəns) *n* **1** Einfluß *m.* **2** Wirkung *f.*
influenza (influ'enzə) *n* Grippe *f.*

influx ('inflʌks) *n* **1** Zustrom *m.* **2** Einfließen *neu.*

inform (in'fɔ:m) *vt* informieren, mitteilen.

informal (in'fɔ:məl) *adj* **1** zwangslos, nicht formell. **2** ungezwungen. **informality** *n* Ungezwungenheit, Zwanglosigkeit *f.*

information (infə'meiʃən) *n* **1** Auskunft *f.* **2** Information, Nachricht *f.*

infringe (in'frindʒ) *vt,vi* verletzen, übertreten.

infuriate (in'fjuərieit) *vt* rasend machen, aufbringen.

ingenious (in'dʒi:niəs) *adj* geistreich, erfinderisch, originell.

ingredient (in'gri:diənt) *n* Bestandteil *m.* Zutat *f.*

inhabit (in'hæbit) *vt* bewohnen. **inhabitant** *n* **1** Einwohner *m.* **2** Bewohner *m.*

inhale (in'heil) *vt* einatmen.

inherent (in'hiərənt) *adj* **1** innewohnend. **2** angeboren.

inherit (in'herit) *vt* erben. **inheritance** *n* Erbschaft *f.*

inhibit (in'hibit) *vt* **1** hemmen. **2** hindern. **inhibition** *n* **1** Hemmung *f.* **2** (Be)Hinderung *f.*

inhospitable (in'hɔspitəbəl) *adj* **1** nicht gastfreundlich. **2** ungastlich.

inhuman (in'hju:mən) *adj* unmenschlich.

iniquity (i'nikwiti) *n* **1** Ungerechtigkeit *f.* **2** Schlechtigkeit *f.* **3** Schandtat *f.*

initial (i'niʃəl) *adj* ursprünglich, anfänglich. *n* Anfangsbuchstabe *m.*

initiate (i'niʃieit) *vt* einweihen. *vt,vi* anfangen, beginnen. *vi* die Initiative ergreifen.

initiative (i'niʃətiv) *n* Initiative *f.*

inject (in'dʒekt) *vt* **1** einspritzen. **2** ausspritzen. **injection** *n* **1** Einspritzung *f.* **2** *med* Injektion, Spritze *f.*

injure ('indʒə) *vt* **1** beschädigen. **2** verletzen. **3** schaden. **4** beleidigen. **injury** *n* **1** Verletzung *f.* **2** Unrecht *neu.* **3** Beleidigung *f.*

injustice (in'dʒʌstis) *n* Ungerechtigkeit *f.*

ink (iŋk) *n* **1** Tinte *f.* **2** Druckerschwärze *f.*

inkling ('iŋkliŋ) *n* Andeutung, Ahnung *f.*

inland ('inlənd) *adj* inländisch, Binnen—. *n* Binnenland *neu. adv* **1** landeinwärts. **2** im Inland. **Inland Revenue** *n* **1** Steuereinnahmen *f pl.* **2** (Einkommens)Steuerbehörde *f.*

inmate ('inmeit) *n* **1** Insasse *m.* **2** Mitbewohner *m.*

inn (in) *n* Wirtshaus, Gasthaus *neu.*

innate (i'neit) *adj* angeboren.

inner ('inə) *adj* inner, Innen—, innerlich.

innocent ('inəsənt) *adj* **1** unschuldig. **2** harmlos. **3** einfältig. **innocence** *n* **1** Unschuld *f.* **2** Harmlosigkeit *f.* **3** Einfalt *f.*

innocuous (i'nɔkjuəs) *adj* harmlos, unschädlich.

innovation (inə'veiʃən) *n* Neuerung *f.*

innuendo (inju'endou) *n* Anspielung *f.*

innumerable (i'nju:mərəbəl) *adj* unzählbar, zahllos.

inoculate (i'nɔkjuleit) *vt* (ein)impfen. **inoculation** *n* (Ein)Impfung *f.*

inquest ('inkwest) *n* gerichtliche Untersuchung *f.*

inquire (in'kwaiə) *vi* (nach)fragen, sich erkundigen. **inquiry** *n* **1** Nachfrage, Erkundigung *f.* **2** Untersuchung *f.* **3** *pl* Auskünfte *f pl.*

inquisition (inkwi'ziʃən) *n* **1** Untersuchung *f.* **2** Inquisition *f.*

inquisitive (in'kwizitiv) *adj* **1** neugierig. **2** wißbegierig. **inquisitiveness** *n* **1** Neugier *f.* **2** Wißbegierde *f.*

insane (in'sein) *adj* **1** wahnsinnig. **2** verrückt. **insanity** *n* **1** Wahnsinn *m.* **2** Verrücktheit *f.*

insatiable (in'seiʃəbəl) *adj* unersättlich.

inscribe (in'skraib) *vt* **1** einschreiben. **2** beschriften. **3** eintragen. **inscription** *n* **1** Inschrift *f.* **2** Eintragung *f.*

insect ('insekt) *n* Insekt *neu.* **insecticide** *n* Insektengift *neu.*

insecure (insi'kjuə) *adj* unsicher. **insecurity** *n* Unsicherheit *f.*

inseminate (in'semineit) *vt* **1** befruchten. **2** einpflanzen. **insemination** *n* Befruchtung *f.*

insensitive (in'sensitiv) *adj* unempfindlich.

inseparable (in'seprəbəl) *adj* untrennbar.

insert (in'sə:t) *vt* **1** einsetzen. **2** (a coin, etc.) einwerfen. **3** (an advertisement, etc.) aufgeben. **insertion** *n* **1** Einsetzung *f.* **2** Einwurf *m.* **3** Inserat *neu.*

inside (in'said) *n* Innere *neu.* Innenseite *f. adj* inner, Innen—. *adv* **1** drinnen. **2** hinein, herein. *prep* innerhalb.

insidious (in'sidiəs) *adj* heimtückisch.

insight (in'sait) *n* Einsicht *f.*

insignificant (insig'nifikənt) *adj* **1** unbedeutend. **2** bedeutungslos.

insincere (insin'siə) *adj* unaufrichtig. **insincerity** *n* Unaufrichtigkeit *f.*

insinuate (in'sinjueit) *vt* **1** anspielen auf. **2** unbemerkt hineinbringen. **3** zu verstehen geben. **4** sich einschmeicheln. **insinuation** *n* **1** Andeutung *f.* **2** Einschmeichelung *f.*

insist (in'sist) *vi* bestehen. **insistence** *n* Bestehen *neu.*

insolent ('insələnt) *adj* unverschämt, frech. **insolence** *n* Unverschämtheit, Frechheit *f.*

insomnia (in'sɔmniə) *n* Schlaflosigkeit *f.*

inspect (in'spekt) *vt* 1 untersuchen. 2 inspizieren, besichtigen. **inspection** *n* 1 Untersuchung *f.* 2 Inspektion, Besichtigung *f.*

inspire (in'spaiə) *vt,vi* 1 inspirieren, eingeben, begeistern. 2 einatmen. **inspiration** *n* 1 Eingebung, Begeisterung *f.* 2 Einatmung *f.* **inspiring** *adj* begeisternd, belebend.

instability (instə'biliti) *n* Unbeständigkeit *f.*

install (in'stɔ:l) *vt* 1 einsetzen. 2 installieren, einrichten. **installation** *n* 1 Einsetzung *f.* 2 Installierung, Einrichtung *f.* Montage *f.*

instalment (in'stɔ:lmənt) *n* 1 Rate *f.* 2 (Teil)-Lieferung *f.* **by instalments** *adv* ratenweise.

instance ('instəns) *n* 1 Beispiel *neu.* 2 (besonderer) Fall *m.* 3 Bitte *f.* 4 *law* Instanz *f.* **for instance** zum Beispiel. **instant** *adj* 1 sofortig, augenblicklich. 2 dringend. *n* Augenblick *m.* **instantaneous** *adj* sofortig, augenblicklich. **instantly** *adv* sogleich, sofort.

instead (in'sted) *adv* statt dessen. **instead of** (an)statt.

instep ('instep) *n* Rist, Spann *m.*

instigate ('instigeit) *vt* anstiften. **instigation** *n* Anstiftung *f.* **instigator** *n* Anstifter *m.*

instil (in'stil) *vt* 1 einträufeln. 2 einflößen. **instillation** *n* 1 Einträufeln *neu.* 2 Einflößung *f.*

instinct ('instiŋkt) *n* (Natur)Trieb, Instinkt *m.* **instinctive** *adj* unwillkürlich, instinktiv.

institute ('institju:t) *vt* einsetzen, einführen, gründen. *n* Institut *neu.* **institution** *n* 1 Institut *neu.* Anstalt *f.* 2 Stiftung *f.* 3 Einführung. 4 Institution, Einrichtung *f.*

instruct (in'strʌkt) *vt* 1 unterrichten. 2 unterweisen. 3 anweisen. **instruction** *n* 1 Unterricht *m.* 2 Unterweisung *f.* 3 Vorschrift, Anordnung. 4 Anweisung *f.* **instructive** *adj* instruktiv, lehrreich.

instrument ('instrumənt) *n* 1 Instrument *neu.* 2 Werkzeug *neu.* 3 Mittel *neu.* **instrumental** *adj* 1 behilflich, förderlich. 2 Instrumental—.

insubordinate (insə'bɔ:dinət) *adj* aufsässig, widersetzlich, ungehorsam. **insubordination** *n* Widersetzlichkeit *f.* Ungehorsam *m.*

insular ('insjulə) *adj* 1 insular, Insel—. 2 beschränkt.

insulate ('insjuleit) *vt* isolieren. **insulation** *n* Isolierung *f.*

insulin ('insjulin) *n* Insulin *neu.*

insult (*v* in'sʌlt; *n* 'insʌlt) *vt* beleidigen, beschimpfen. *n* Beleidigung, Beschimpfung *f.*

insure (in'ʃuə) *vt* versichern. **insurance** *n* Versicherung *f.* *adj* Versicherungs—.

intact (in'tækt) *adj* unberührt, intakt.

intake ('inteik) *n* 1 *tech* Einlaß *m.* 2 (Neu)-Aufnahme *f.*

integral ('intigrəl) *adj* 1 integral, ganz, vollständig. 2 *math* Integral—.

integrate ('intigreit) *vt* 1 ergänzen. 2 integrieren. **integration** *n pol* Integration *f.*

integrity (in'tegriti) *n* 1 Vollständigkeit *f.* 2 Redlichkeit, Integrität *f.*

intellect ('intəlekt) *n* Intellekt, Verstand *m.* **intellectual** *adj* 1 Verstandes—, geistig. 2 intellektuell. *n* Intellektuelle(r) *m.*

intelligent (in'telidʒənt) *adj* 1 intelligent. 2 klug. **intelligence** *n* 1 Intelligenz *f.* 2 Verstand *m.* 3 *pol* (geheimer) Nachrichtendienst *m.* **intelligentsia** *n* Intelligenz, Intelligentsia *f.* **intelligible** *adj* verständlich.

intend (in'tend) *vt* 1 vorhaben, die Absicht haben zu. 2 meinen. 3 bestimmen. **intended** *adj* absichtlich.

intense (in'tens) *adj* 1 intensiv. 2 angespannt. 3 heftig. **intensify** *(vi),vt* (sich) verstärken. **intensity** *n* 1 Intensität *f.* 2 Anspannung *f.* 3 Heftigkeit *f.* **intensive** *adj* 1 intensiv, heftig. 2 verstärkend.

intent[1] (in'tent) *n* 1 Absicht *f.* 2 Plan *m.*

intent[2] (in'tent) *adj* 1 versessen. 2 gespannt.

intention (in'tenʃən) *n* 1 Absicht *f.* 2 Zweck *m.* **intentional** *adj* absichtlich.

inter (in'tə:) *vt* beerdigen.

interact (intə'rækt) *vt* sich gegenseitig beeinflussen. **interaction** *n* Wechselwirkung *f.*

intercept (intə'sept) *vt* 1 abfangen. 2 unterbrechen. **interception** *n* 1 Abfangen *neu.* 2 Unterbrechung *f.*

interchange (intə'tʃeindʒ) *vt* austauschen. *vi* abwechseln. *n* 1 Austausch *m.* 2 Abwechslung *f.* **interchangeable** *adj* austauschbar.

intercourse ('intəkɔ:s) *n* Verkehr, Umgang *m.*

interest ('intrəst) *n* 1 Interesse *neu.* Anteilnahme *m.* 2 Beteiligung *f.* 3 Nutzen *m.* 4 *comm* Zins *m.* *vt* 1 interessieren. 2 angehen. **take an interest in** sich interessieren für. **interesting** *adj* interessant.

interfere (intə'fiə) *vi* 1 sich einmischen. 2 stören. **interference** *n* 1 Einmischung *f.* 2 Störung *f.* 3 Dazwischentreten *neu.*

interim ('intərim) *n* Interim *neu.* Zwischenzeit *f.* *adj* vorläufig, Interims—.

interior (in'tiəriə) *adj* inner, Innen—, innerlich. *n* **1** Innere *neu.* **2** Binnenland *neu.*

interjection (intə'dʒekʃn) *n* Ausruf, Einwurf *m.* Interjektion *f.*

interlude ('intəlu:d) *n* Zwischenspiel *neu.*

intermediate (intə'mi:diət) *adj* **1** dazwischenliegend. **2** Mittel—, Zwischen—. **intermediary** *adj* **1** dazwischen befindlich. **2** vermittelnd. *n* Vermittler *m.*

interminable (in'tə:minəbəl) *adj* endlos, unendlich.

intermission (intə'miʃən) *n* **1** Aussetzen *neu.* **2** Unterbrechung *f.* **3** Pause *f.*

intermittent (intə'mitnt) *adj* aussetzend, mit Unterbrechungen.

intern (in'tə:n) *vt* internieren. **internment** *n* Internierung *f.*

internal (in'tə:nl) *adj* **1** inner(lich). **2** inländisch. **internal-combustion engine** *n* Verbrennungsmotor *m.*

international (intə'næʃnl) *adj* international. *n sport* internationaler Spieler *m.*

interpose (intə'pouz) *vt* **1** einlegen. **2** einwerfen. *vi* **1** dazwischenstellen. **2** vermitteln.

interpret (in'tə:prit) *vt* **1** interpretieren, auslegen, erklären. **2** dolmetschen. **3** darstellen. **interpretation** *n* **1** Interpretation, Auslegung, Erklärung *f.* **2** Darstellung *f.* **interpreter** *n* Dolmetscher *m.*

interrogate (in'terəgeit) *vt* **1** befragen. **2** verhören. **interrogation** *n* **1** Befragen *neu.* **2** Verhör *neu.*

interrogative (intə'rɔgətiv) *adj* fragend, Frage—.

interrupt (intə'rʌpt) *vt* unterbrechen. **interruption** *n* Unterbrechung *f.*

intersect (intə'sekt) *vt* durchschneiden. *vi* (sich) schneiden. **intersection** *n* **1** Durchschnitt *m.* **2** Schnittpunkt *m.* **3** *mot* Kreuzung *f.*

interval ('intəvəl) *n* **1** Zwischenraum *m.* **2** Pause *f.* **3** *mus* Intervall *neu.*

intervene (intə'vi:n) *vi* **1** dazwischenkommen. **2** dazwischenliegen. **3** intervenieren. **intervention** *n* **1** Dazwischenkommen *neu.* **2** Intervention *f.*

interview ('intəvju:) *n* **1** Unterredung *f.* **2** Interview *neu.* *vt* interviewen. **interviewer** *n* Interviewer *m.*

intestine (in'testin) *n* **1** Darm *m.* **2** *pl* Eingeweide *neu pl.*

intimate[1] ('intimeit) *adj* **1** vertraut, intim. **2** innig. **intimacy** *n* Vertraulichkeit, Intimität *f.*

intimate[2] ('intimit) *vt* **1** andeuten. **2** zu verstehen geben.

intimidate (in'timideit) *vt* einschüchtern. **intimidation** *n* Einschüchterung *f.*

into ('intə; *stressed* 'intu:) *prep* in, in...hinein.

intolerable (in'tɔlərəbəl) *adj* unerträglich. **intolerant** *adj* intolerant, unduldsam. **intolerance** *n* Intoleranz, Unduldsamkeit *f.*

intonation (intə'neiʃən) *n* **1** Anstimmung *f.* **2** Tonfall *m.* **3** *mus* Tongebung *f.*

intoxicate (in'tɔksikeit) *vt* berauschen. **intoxication** *n* **1** Berauschung *f.* **2** Rausch *m.*

intransitive (in'trænsitiv) *adj gram* intransitiv.

intricate ('intrikət) *adj* **1** kompliziert. **2** schwierig. **intricacy** *n* **1** Kompliziertheit *f.* **2** Schwierigkeit *f.*

intrigue (in'tri:g) *n* **1** Intrige *f.* **2** (Liebes)-Verhältnis *neu.* *vi* intrigieren. *vt* neugierig machen. **intriguing** *adj* interessant, faszinierend.

intrinsic (in'trinsik) *adj* **1** innerlich. **2** wahr, eigentlich, wesentlich.

introduce (intrə'dju:s) *vt* **1** einführen, einleiten. **2** (a person) vorstellen. **introduction** *n* **1** Einführung, Einleitung *f.* **2** Vorstellung *f.* **introductory** *adj* einführend, einleitend.

introspective (intrə'spektiv) *adj* beschaulich, nach innen gekehrt, introspektiv.

introvert ('intrəvə:t) *vt* einwärts kehren. *n* introvertierter Mensch *m.*

intrude (in'tru:d) *vt* einzwängen. *vi* **1** sich eindrängen. **2** stören. **intruder** *n* Eindringling *m.* **intrusion** *n* Eindringen *neu.*

intuition (intju'iʃən) *n* Intuition *f.* **intuitive** *adj* intuitiv.

inundate ('inʌndeit) *vt* überschwemmen. **inundation** *n* Überschwemmung *f.*

invade (in'veid) *vt* **1** einfallen in, eindringen in. **2** befallen. **invasion** *n* Einfall *m.* Invasion *f.*

invalid[1] ('invəli:d) *n* **1** Kranke(r) *m.* **2** Invalide *m.*

invalid[2] (in'vælid) *adj* ungültig. **invalidate** *vt* ungültig machen.

invaluable (in'væljubəl) *adj* unschätzbar.

invariable (in'vɛəriəbəl) *adj* unveränderlich. **invariably** *adv* immer, stets.

invent (in'vent) *vt* **1** erfinden. **2** erdichten. **invention** *n* **1** Erfindung *f.* **2** Erdichtung *f.* **inventive** *adj* erfinderisch. **inventor** *n* Erfinder *m.*

inventory ('invəntəri) *n* **1** Inventar *neu.* **2** *comm* Inventur *f.*

invert (in'və:t) *vt* umkehren. **inverted commas** Anführungszeichen *neu pl.*

invertebrate (in'və:təbreit) *adj* **1** wirbellos. **2** rückgratlos. *n* wirbelloses Tier *neu.*

invest (in'vest) *vt* **1** *comm* anlegen, investieren. **2** bekleiden. **invest in** *inf* kaufen. **investor** *n* Geldanleger *m.* **investment** *n* Kapitalanlage *f.*

investigate (in'vestigeit) *vt* erforschen, untersuchen. **investigation** *n* Untersuchung *f.*

invincible (in'vinsəbəl) *adj* unüberwindlich.

invisible (in'vizəbəl) *adj* unsichtbar.

invite (in'vait) *vt* **1** einladen. **2** anlocken. **invitation** *n* Einladung *f.*

invoice ('invɔis) *n* Faktura, Rechnung *f.*

invoke (in'vouk) *vt* **1** anrufen. **2** (a spirit) beschwören. **invocation** *n* Anrufung, Beschwörung *f.*

involve (in'vɔlv) *vt* verwickeln, hineinziehen. **involvement** *n* **1** Verwicklung *f.* **2** Schwierigkeit *f.*

inward ('inwəd) *adj* **1** innerlich. **2** nach innen gehend. **inwards** *adv* einwärts, nach innen.

iodine ('aiədi:n) *n* Jod *neu.*

Iran (i'rɑ:n) *n* Iran *m.* **Iranian** *adj* iranisch. *n* Iranier *m.*

Iraq (i'rɑ:k) *n* Irak *m.* **Iraqi** *adj* irakisch. *n* Iraker *m.*

Ireland ('aiələnd) *n* Irland *neu.* **Irish** *adj* irisch. **Irishman** *n* Ire, Irländer *m.* **Irishwoman** *n* Irin, Irländerin *f.*

iris ('airis) *n* **1** *anat* Iris *f.* **2** *bot* Schwertlilie *f.*

iron ('aiən) *n* **1** Eisen *neu.* **2** *dom* Bügeleisen *neu. adj* eisern, Eisen—. *vt* bügeln. **ironing board** *n* Bügelbrett *neu.* **ironmonger** *n* Eisenwarenhändler *m.*

Iron Curtain *n* Eiserner Vorhang *m.*

irony ('airəni) *n* Ironie *f.* **ironic** *adj* ironisch, spöttisch.

irrational (i'ræʃənl) *adj* irrational, unvernünftig. **irrationality** *n* Unvernunft *f.*

irregular (i'regjulə) *adj* unregelmäßig. **irregularity** *n* Unregelmäßigkeit *f.*

irrelevant (i'reləvənt) *adj* **1** irrelevant, nicht zur Sache gehörig. **2** belanglos. **irrelevance** *n* Belanglosigkeit *f.*

irresistible (iri'zistəbəl) *adj* unwiderstehlich.

irrespective (iri'spektiv) *adj* **irrespective of** ohne Rücksicht auf, unabhängig von.

irresponsible (iri'spɔnsəbəl) *adj* verantwortungslos. **irresponsibility** *n* Verantwortungslosigkeit *f.*

irrevocable (i'revəkəbəl) *adj* unwiderruflich.

irrigate ('irigeit) *vt* bewässern. **irrigation** *n* Bewässerung *f.*

irritate ('iriteit) *vt* reizen. **irritable** *adj* reizbar. **irritating** *adj* aufreizend, ärgerlich.

is (iz) *v* see **be.**

Islam ('izlɑ:m) *n* Islam *m.* **Islamic** *adj* islamisch.

island ('ailənd) *n* Insel *f.* **islander** *n* Inselbewohner *m.*

isle (ail) *n* Insel *f.*

isolate ('aisəleit) *vt* **1** absondern. **2** isolieren. **isolated** *adj* **1** abgesondert. **2** abgeschieden, isoliert. **isolation** *n* **1** Absonderung *f.* **2** Isolierung *f.*

Israel ('izreiəl) *n* Israel *neu.* **Israeli** *adj* israelisch. *n* Israeli *m.*

issue ('iʃu:) *n* **1** Herauskommen, Herausgeben *neu.* **2** Ausgabe *f.* **3** Nummer *f.* **4** Ergebnis *neu.* **5** Streitfrage *f. vi* herauskommen. *vt* **1** aussenden. **2** emittieren. **3** herausgeben.

isthmus ('isməs) *n* Landenge *f.* Isthmus *m.*

it (it) *pron 3rd pers s* **1** er *m.* sie *f.* es *neu.* **2** ihn *m.* sie *f.* es *neu.* **3** ihm *m,neu.* ihr *f.*

italic (i'tælik) *adj* kursiv. **italics** *n pl* Kursivdruck *m.*

Italy ('itəli) *n* Italien *neu.* **Italian** *adj* italienisch. *n* **1** Italiener *m.* **2** (language) Italienisch *neu.*

itch (itʃ) *n* Jucken *neu.* Krätze *f. vi* jucken. **itchy** *adj* juckend, krätzig.

item ('aitəm) *n* **1** Einzelheit *f.* **2** (Zeitungs)Notiz *f.* **3** (Rechnungs)Posten *m.*

itinerary (ai'tinərəri) *n* **1** Reiseroute *f.* **2** Reisebericht *m.* **itinerant** *adj* **1** (herum)reisend. **2** Wander—, Reise—.

its (its) *poss adj 3rd pers s* sein *m. neu.* ihr *f.* **itself** *pron 3rd pers s* **1** selbst. **2** sich. **3** sich selbst. **by itself** allein, von selbst.

ivory ('aivəri) *n* Elfenbein *neu. adj* Elfenbein—.

ivy ('aivi) *n* Efeu *m.*

J

jab (dʒæb) *n* **1** Stich *m.* **2** *inf med* Spritze *f. vt* stechen.

jack (dʒæk) *n* **1** *mot* Wagenheber *m.* **2** *game* Bube *m.* **3** *naut* Bugflagge *f. vi* heben.

jackdaw ('dʒækdɔ:) *n* Dohle *f.*

jacket ('dʒækit) *n* **1** Jacke *f.* **2** (Schutz)Umschlag *m.*

jackpot ('dʒækpɔt) *n game* Jackpot *m.*

jade (dʒeid) *n* Jade, Nephrit *m.*

jaded ('dʒeidid) *adj* abgehetzt, ermüdet.

jagged ('dʒægid) *adj* zackig.

jaguar ('dʒægjuə) *n* Jaguar *m.*

jail (dʒeil) *n* Gefängnis *neu. vt* ins Gefängnis bringen, einsperren. **jailer** *n* Gefängniswärter *m.*

jam[1] (dʒæm) *vt* **1** (fest)klemmen. **2** versperren. *vi* sich (ver-, ein-)klemmen. *n* Gedränge *neu.*

jam[2] (dʒæm) *n* Marmelade *f.* **jam-jar** *n* Marmeladenglas *neu.*

Jamaica (dʒə'meikə) *n* Jamaika *neu.* **Jamaican** *adj* jamaikisch. *n* Jamaiker *m.*

January ('dʒænjuəri) *n* Januar *m.*

Japan (dʒə'pæn) *n* Japan *neu.* **Japanese** (dʒæpə'ni:z) *adj* japanisch. *n.* **1** Japaner *m.* **2** (language) Japanisch *neu.*

jar[1] (dʒɑ:) *n* **1** Glas *neu.* **2** Krug *m.*

jar[2] (dʒɑ:) *n* Knarren *neu. vi* knarren.

jargon ('dʒɑ:gən) *n* Jargon *m.* Fachsprache *f.*

jasmine ('dʒæzmin) *n* Jasmin *m.*

jaundice ('dʒɔ:ndis) *n med* Gelbsucht *f.* **jaundiced** *adj* **1** gelbsüchtig. **2** neidisch.

jaunt (dʒɔ:nt) *n* Ausflug *m.* **jaunty** *adj* flott, munter.

javelin ('dʒævlin) *n* **1** Wurfspieß *m.* **2** *sport* Speer *m.*

jaw (dʒɔ:) *n* **1** Kiefer *m.* **2** *pl* Rachen *m. vi sl* schwatzen. **jawbone** *n* Kieferknochen *m.*

jazz (dʒæz) *n* Jazz *m. v* **jazz up** *sl* Leben bringen in, aufmöbeln. **jazzy** *adj inf* grell, schreiend.

jealous ('dʒeləs) *adj* eifersüchtig, neidisch. **jealousy** *n* Eifersucht *f.* Neid *m.*

jeans (dʒ:inz) *n pl* Jeans *pl.*

jeep (dʒi:p) *n* Jeep *m.*

jeer (dʒiə) *vi* höhnen, spotten. *vt* verhöhnen. *n* Spott *m.* **jeering** *adj* spöttisch, höhnisch.

jelly ('dʒeli) *n* Gelee *neu.* **jellyfish** *n* Qualle *f.*

jeopardize ('dʒepədaiz) *vt* gefährden. **jeopardy** *n* Gefahr *f.*

jerk (dʒə:k) *vt* rucken. *vi* ziehen, schleudern. *n* **1** Ruck, plötzlicher Stoß *m.* **jerky** *adj* **1** ruckartig. **2** holperig.

jersey ('dʒə:zi) *n* (Woll)Pullover *m.*

Jersey ('dʒə:zi) *n* (Insel) Jersey *neu.*

jest (dʒest) *n* Scherz, Spaß, Witz *m. vi* scherzen. **jester** *n* (Hof)Narr *m.*

Jesus ('dʒi:zəs) *n* Jesus *m.*

jet (dʒet) *n* **1** (Wasser-, Gas-)Strahl *m.* **2** Düse *f.* **jet-plane** *n* Düsenflugzeug *neu.*

jetty ('dʒeti) *n* **1** Hafendamm *m.* **2** Landungsbrücke *f.*

Jew (dʒu:) *n* Jude *m.* **jewish** *adj* jüdisch. **Jewry** *n* Judentum *neu.*

jewel ('dʒu:əl) *n* Juwel *neu,m.* **jeweller** *n* Juwelier *m.* **jewellery** *n* Schmuck *m.*

jig (dʒig) *n* Gigue *f. vi* Gigue tanzen, (herum) hüpfen.

jiggle ('dʒigəl) *(vi),vt* (umher)wackeln.

jigsaw ('dʒigsɔ:) *n* Zusammensetzspiel *neu.*

jilt (dʒilt) *vt* sitzen lassen.

jingle ('dʒiŋgəl) *n* **1** Geklingel *neu.* **2** Wortgeklingel *neu. vi,vt* klingeln, klimpern.

job (dʒɔb) *n* **1** Arbeit *f.* **2** Stelle *f.* Job *m.* **3** Sache, Aufgabe *f.*

jockey ('dʒɔki) *n* Jockei *m.*

jodhpurs ('dʒɔdpəz) *n pl* Reithose *f.*

jog (dʒɔg) *vt* (an)stoßen, rütteln. *vi* (dahin)trotten. *n* **1** Stoß *m.* **2** Rütteln *neu.* **3** Trott *m.*

join (dʒɔin) *vt* **1** verbinden. **2** fügen. **3** zusammenbringen, vereinigen, **4** eintreten in, Mitglied werden. *vi* **1** sich verbinden. **2** angrenzen. **join in** mitmachen, teilnehmen. ~*n* **1** Verbindung(sstelle) *f.* **2** Fuge *f.* **3** Naht *f.* **joiner** *n* Tischler *m.* **joinery** *n* Tischlerarbeit *f.* **joint** *n* **1** Verbindung(sstelle) *f.* **2** *anat* Gelenk *neu.* **3** *cul* Braten *m.* **4** *sl* Lokal *neu.* Bude *f.* **5** *sl* Marihuana-Zigarette *f.* Joint *m. adj* **1** verbunden. **2** gemeinsam. *vt* **1** zusammenfügen. **2** verbinden. **3** mit Gelenken versehen.

joist (dʒɔist) *n* Querbalken *m.*

joke (dʒouk) *n* Scherz, Witz, Spaß *m. vi* scherzen. **joker** *n* **1** Spaßvogel *m.* **2** *game* Joker *m.* **practical joke** *n* Streich *m.*

jolly ('dʒɔli) *adj* lustig. *adv inf* ganz schön.

jolt (dʒoult) *vt,vi* rütteln. *vi* holpern. *n* Rütteln *neu.*

Jordan ('dʒɔ:dn) *n* Jordanien *neu.* **Jordanian** *adj* jordanisch. *n* Jordanier *m.*

jostle ('dʒɔsəl) *vt* anstoßen. *vi* sich drängen. *n* (Zusammen)Stoß *m.* Gedränge *neu.*

journal ('dʒə:nl) *n* **1** Journal *neu.* **2** Tagebuch *neu.* **3** Zeitschrift *f.* **journalism** *n* Zeitungswesen *neu.* Journalismus *m.* **journalist** *n* Journalist *m.*

journey ('dʒə:ni) *n* **1** Reise *f.* **2** Fahrt *f. vi* reisen, wandern.

jovial ('dʒouviəl) *adj* heiter, jovial. **joviality** *n* Heiterkeit, Jovialität *f.*

joy (dʒɔi) *n* Freude *f.* **joyful** *adj* **1** freudig. **2** froh. **joyfulness** *n* Fröhlichkeit *f.*

jubilee ('dʒu:bili:) *n* Jubiläum *neu.*

Judaism ('dʒu:deiizəm) *n* Judaismus *m.*

judge (dʒʌdʒ) *n* **1** *law* Richter *m.* **2** Schiedsrichter *m.* **3** Beurteiler *m. vi* **1** urteilen. *vt* **1** beurteilen. **2** ein Urteil fällen über. **judgment**

n **1** Urteil neu. **2** Meinung *f*. **3** Urteilvermögen *neu*.

judicial (dʒu:'diʃəl) *adj* **1** Gerichts—, gerichtlich. **2** richterlich. **3** kritisch.

judicious (dʒu:'diʃəs) *adj* einsichtsvoll.

judo ('dʒu:dou) *n* Judo *neu*.

jug (dʒʌg) *n* Krug *m*. Kanne *f*.

juggernaut ('dʒʌgənɔ:t) *n inf* Fernlaster *m*.

juggle ('dʒʌgəl) *vi,vt* jonglieren, Kunststücke machen. **juggler** *n* Jongleur *m*.

juice (dʒu:s) *n* **1** Saft *m*. **2** *mot sl* Sprit *m*. **juicy** *adj* **1** saftig. **2** *inf* pikant.

jukebox ('dʒu'kbɔks) *n* Musikautomat *m*.

July (dʒu'lai) *n* Juli *m*.

jumble ('dʒʌmbəl) *n* Mischmasch *m*. Durcheinander *neu*. *vt* durcheinanderwerfen. *vi* durcheinandergeraten. **jumble sale** *n* Wohltätigkeitsbasar *m*.

jump (dʒʌmp) *vi* **1** springen, hüpfen. **2** auffahren. *vt* hinwegspringen über. **jump the queue** sich vordrängen. ~*n* Sprung, Satz *m*.

jumper ('dʒʌmpə) *n* Pullover *m*.

junction ('dʒʌŋkʃən) *n* **1** Verbindung *f*. **2** Kreuzung *f*. **3** Knotenpunkt *m*.

June (dʒu:n) *n* Juni *m*.

jungle ('dʒʌŋgəl) *n* Dschungel *m*.

junior ('dʒu:niə) *adj* **1** jünger. **2** Unter—. *n* **1** Jüngere(r) *m*. **2** Junior *m*.

juniper ('dʒu:nipə) *n* Wachholder *m*.

junk[1] (dʒʌŋk) *n* Altwaren *f pl*. alter Kram *m*.

junk[2] (dʒʌŋk) *n* Dschunke *f*.

junta ('dʒʌntə) *n* Junta *f*.

Jupiter ('dʒu:pitə) *n* Jupiter *m*.

jurisdiction (dʒuəris'dikʃən) *n* **1** Rechtsprechung *f*. **2** Gerichtsbarkeit, Zuständigkeit *f*.

jury ('dʒuəri) *n* **1** die Geschworenen *pl*. **2** Jury *f*. **juror** *n* Geschworene(r) *m*.

just (dʒʌst) *adj* **1** gerecht. **2** richtig. **3** gehörig. *adv* **1** gerade, eben. **2** genau.

justice ('dʒʌstis) *n* **1** Gerechtigkeit *f*. **2** Recht *neu*. **3** Richter *m*.

justify ('dʒʌstifai) *vt* rechtfertigen.

jut (dʒʌt) *vi* hervorragen, vorspringen. *n* Vorsprung *m*.

jute (dʒu:t) *n bot* Jute *f*.

juvenile ('dʒu:vənail) *adj* jung, jugendlich, Jugend—. **juvenile delinquency** *n* Jugendkriminilität *f*. **juvenility** *n* **1** Jugendlichkeit *f*. **2** Kinderei *f*.

juxtapose (dʒʌkstə'pouz) *vt* nebeneinanderstellen.

K

kaftan ('kæftæn) *n* Kaftan *m*.

kaleidoscope (kə'laidəskoup) *n* Kaleidoskop *neu*.

kangaroo (kæŋgə'ru:) *n* Känguruh *neu*.

karate (kə'rɑ:ti) *n* Karate *neu*.

kebab (kə'bæb) *n* Kebab *m*.

keel (ki:l) *n* Kiel *m*. **on an even keel** *n* gleichmäßig, ausgeglichen.

keen (ki:n) *adj* **1** scharf. **2** eifrig. **3** heftig. **keen on** *inf* erpicht auf, scharf auf.

keep* (ki:p) *vt* **1** halten. **2** unterhalten. **3** (auf)bewahren. **4** (accounts, etc.) führen. *vi* sich halten. *n* **1** Unterhalt *m*. **2** Bergfried *m*. **keeper** *n* Wärter *m*. **keepsake** *n* Andenken *neu*.

keg (keg) *n* Fäßchen *neu*.

kennel ('kenl) *n* **1** Hundehütte *f*. **2** *pl* Hundezwinger *m*.

Kenya ('kenjə) *n* Kenya *f*. **Kenyan** *adj* Kenianisch. *n* Kenianer *m*.

kept (kept) *v* see **keep.**

kerb (kə:b) *n* Strassenkante *f*.

kernel ('kə:nl) *n* **1** Kern *m*. **2** Korn *neu*.

kettle ('ketl) *n* Kessel *m*. **kettledrum** *n* (Kessel)Pauke *f*.

key (ki:) *n* **1** Schlüssel *m*. **2** Taste *f*. **3** *mus* Tonart *f*. **keyboard** *n* Tastatur *f*.

khaki ('kɑ:ki) *n* Khaki *neu*. *adj* khakifarben.

kibbutz (ki'buts) *n* Kibbuz *m*.

kick (kik) *vt* mit dem Fuß stoßen *or* treten. *vi* **1** ausschlagen. **2** (zurück)stoßen. **kick off** anstoßen. **kick-off** *n* Anstoß *m*. **kick one's heels** *inf* wartend herumstehen. **kick the bucket** ins Gras beißen. ~*n* **1** Fußtritt *m*. **2** Rückstoß *m*. **3** *inf* Schwung *m*. Energie *f*. **get a kick out of** Spaß daran haben.

kid[1] (kid) *n* **1** *zool* Zicklein *neu*. **2** Ziegenleder *neu*. **3** *inf* Kind *neu*.

kid[2] (kid) *vt* foppen, aufziehen. *vi* scherzen.

kidnap ('kidnæp) *vt* entführen. **kidnapper** *n* Entführer, Kidnapper *m*.

kidney ('kidni) *n* Niere *f*. **kidney bean** *n* weiße Bohne *f*.

kill (kil) *vt* **1** töten. **2** umbringen, morden. **3** abschlachten. **kill time** die Zeit totschlagen.

kiln (kiln) *n* Ziegelofen, Brennofen *m*.

kilo ('ki:lou) *n* Kilo *neu*.

kilogram ('kiləgræm) *n* Kilogramm *neu*.

kilometre (ki'lɔmitə) *n* Kilometer *m*.

kilt (kilt) *n* Schottenrock, Kilt *m*.

kimono (ki'mounou) *n* Kimono *m*.

kin (kin) *n* 1 Geschlecht *neu*. Sippe *f*. 2 (Bluts)Verwandtschaft *f*. **the next of kin** die nächsten Verwandten.

kind[1] (kaind) *adj* freundlich, gütig, gut.

kind[2] (kaind) *n* 1 Art, Sorte *f*. 2 Geschlecht *neu*. **all kinds of** allerlei. **what kind of?** was für?

kindergarten ('kindəga:tn̩) *n* Kindergarten *m*.

kindle ('kindl̩) *vt* anzünden. *vi* (sich) entzünden, aufflammen.

kinetic (ki'netik) *adj* kinetisch, bewegend. **kinetics** *n pl* Kinetik *f*.

king (kiŋ) *n* König *m*. **kingdom** *n* Königreich *neu*. **kingfisher** *n* Eisvogel *m*.

kink (kiŋk) *n* 1 Schleife *f*. Knick *m*. 2 Fimmel *m*. *vt* knicken. *vi* (sich) verfilzen.

kiosk ('ki:ɔsk) *n* Kiosk *m*.

kipper ('kipə) *n* Räucherhering *m*.

kiss (kis) *vi,vt* küssen. *n* Kuß *m*.

kit (kit) *n* 1 Ausrüstung *f*. 2 Werkzeug *neu*. 3 Bausatz *m*.

kitchen ('kitʃin) *n* Küche *f*.

kite (kait) *n* (Papier)Drachen *m*.

kitten ('kitn̩) *n* Kätzchen *neu*. junge Katze *f*.

kitty ('kiti) *n* (gemeinsame) Kasse *f*.

kiwi ('ki:wi) *n* Kiwi *m*.

kleptomania (kleptə'meiniə) *n* Kleptomanie *f*. **kleptomaniac** *n* Kleptomane *m*.

knack (næk) *n* 1 Kniff, Trick *m*. 2 Geschicklichkeit *f*.

knapsack ('næpsæk) *n* Rucksack *m*.

knead (ni:d) *vt* kneten.

knee (ni:) *n* Knie *neu*. **kneecap** *n anat* Kniescheibe *f*.

kneel* (ni:l) *vi* knien.

knew (nu:) *v* see **know**.

knickers ('nikəz) *n pl* (Damen)Schlüpfer *m*. **knickerbockers** *n pl* Kniehosen *f pl*.

knife (naif) *n, pl* **knives** Messer *neu*. *vt* (er)stechen.

knight (nait) *n* 1 Ritter *m*. 2 *game* Springer *m*. *vt* zum Ritter schlagen. **knighthood** *n* Ritterwürde *f*.

knit* (nit) *vt* 1 stricken. 2 (ver)knüpfen. **knit one's brows** die Stirn runzeln. **knitting** *n* 1 Stricken *neu*. 2 Strickzeug *neu*. **knitting needle** *n* Stricknadel *f*. **knitwear** *n* Strickwaren *f pl*.

knob (nɔb) *n* Knopf *m*.

knobbly ('nɔbli) *adj* knorrig.

knock (nɔk) *vi,vt* klopfen, schlagen, pochen. **knock down** 1 niederschlagen. 2 überfahren. **knock off** 1 abschlagen, abziehen. 2 *inf* Feierabend machen. 3 *sl* stehlen. **knock out** k.o. schlagen. **knockout** *n* knockout *m*. **~n** 1 Klopfen *neu* 2 Stoß, Schlag *m*.

knot (nɔt) *n* 1 Knoten *m*. 2 Ast *m*. 3 Schwierigkeit *f*. *vi,vt* (ver)knoten, (ver)knüpfen.

know* (nou) *vt* 1 wissen. 2 kennen. **get to know** kennenlernen. **know the ropes** sich auskennen. **knowing** *adj* 1 erfahren. 2 verständnisvoll.

knowledge ('nɔlidʒ) *n* 1 Wissen *neu*. 2 Kenntnis *f*. **to my knowledge** meines Wissens. **knowledgeable** *adj* 1 kenntnisreich. 2 gut informiert.

knuckle ('nʌkəl) *n* Knöchel *m*. *v* **knuckle under** nachgeben.

Korea (kə'riə) *n* Korea *neu*. **Korean** *adj* koreanisch. *n* Koreaner *m*.

kosher ('kouʃə) *adj* koscher.

Kuwait (ku'weit) *n* Kuwait *neu*.

L

label ('leibəl) *n* 1 Zettel *neu*. 2 Bezeichnung *f*. *vt* beschriften, mit einem Zettel versehen.

laboratory (lə'bɔrətri) *n* Laboratorium, Labor *neu*. **laboratory assistant** *n* Laborant *m*.

labour ('leibə) *vi* 1 arbeiten. 2 sich anstrengen. 3 sich schwer bewegen. *vt* 1 ausarbeiten. 2 ausführlich eingehen. *n* 1 Arbeit *f*. 2 Mühe, Anstrengung *f*. 3 (Geburts)Wehen *f pl*. 4 Arbeitskräfte *f pl*. **hard labour** *n* Zwangsarbeit *f*. **labour force** *n* Arbeiterschaft *f*. **Labour Party** *n* Labour Party, Arbeiterpartei *f*. **labour-saving** *adj* arbeitssparend. **laborious** *adj* mühsam, anstrengend. **labourer** *n* Arbeiter *m*.

laburnum (lə'bə:nəm) *n* Goldregen *m*.

labyrinth ('læbərinθ) *n* Labyrinth *neu*.

lace (leis) *n* 1 Spitze *f*. 2 Schnur *f*. *vt* 1 mit Spitze besetzen. 2 (zu)schnüren.

lack (læk) *n* Mangel *m*. Fehlen *neu*. *vt* ermangeln. *vi* fehlen, mangeln.

lacquer ('lækə) *n* Lack *m*. *vt* lackieren. **lacquered** *adj* Lack—.

lad (læd) *n* Bursche, Junge *m*.

ladder ('lædə) *n* 1 Leiter *f*. 2 (in stockings) Laufmasche *f*. *vi* eine Laufmasche bekommen.

laden ('leidn̩) *adj* beladen.

ladle ('leidl̩) *n* Schöpflöffel *m*. Kelle *f*. *v* **ladle out** 1 schöpfen. 2 austeilen.

lady ('leidi) *n* **1** Dame *f.* **2** Herrin *f.* **Ladies and Gentlemen!** Meine Damen und Herren! **ladybird** *n* Marienkäfer *m.*

lag[1] (læg) *vi* sich verzögern, zurückbleiben. *n* **1** Rückstand *m.* **2** Zeitabstand *m.*

lag[2] (læg) *vt* verschalen, verkleiden.

lager ('la:gə) *n* Lagerbier *neu.*

laid (leid) *v* see **lay**[1]. **laid up** *adj inf* bettlägerig.

lain (lein) *v* see **lie**[1].

laity ('leiəti) *n* Laien *m pl.*

lake (leik) *n* See *m.*

lamb (læm) *n* **1** Lamm *m.* **2** Lammfleisch *neu.*

lame (leim) *adj* lahm. *vt* lähmen. **lameness** *n* Lahmheit *f.*

lament (lə'ment) *n* **1** (Weh)Klage *f.* **2** Klagelied *neu. vt* beklagen. *vi* trauern.

lamp (læmp) *n* Lampe *f.* **lamppost** *n* Laternenpfahl *m.* **lampshade** *n* Lampenschirm *m.*

lance (la:ns) *n* Lanze *f.*

land (lænd) *n* **1** (festes) Land *neu.* **2** Boden, Grund *m.* **3** Grundbesitz *m. vi,vt* landen. **landing** *n* **1** Landung *f.* **2** Treppenabsatz *m.* **landlady** *n* (Haus)Wirtin *f.* **landlord** *n* (Haus)Wirt *m.* **landmark** *n* **1** Grenzstein *m.* **2** Wendepunkt *m.* **landscape** *n* Landschaft *f.*

lane (lein) *n* **1** Feldweg *m.* **2** Gasse *f.* **3** (on motorways, etc.) Fahrbahn *f.*

language ('læŋgwidʒ) *n* **1** Sprache *f.* **2** *pl* Fremdsprachen *pl.* **bad language** Schimpfworte *m pl.* **language laboratory** *n* Sprachlabor *neu.*

lanky ('læŋki) *adj* schlaksig, schlank.

lantern ('læntən) *n* Laterne *f.*

lap[1] (læp) *n* Schoß *m.*

lap[2] (læp) *vt* **1** übereinanderlegen, umschlagen. **2** *sport* überrunden. *vi* (ein)hüllen. *n sport* Runde *f.*

lap[3] (læp) *vt* (auf)lecken. *vi* plätschern.

lapel (lə'pel) *n* Aufschlag *m.*

Lapland ('læplænd) *n* Lappland *neu.* **Lapp** *adj* lappisch. *n* **1** Lappländer, Lappe *m.* **2** (language) Lappisch *neu.*

lapse (læps) *n* **1** Verlauf *m.* **2** Verfallen *neu.* **3** Versehen *neu. vi* **1** verlaufen. **2** (ver)fallen.

larceny ('la:səni) *n* Diebstahl *m.*

larch (la:tʃ) *n* Lärche *f.*

lard (la:d) *n* Schmalz, Schweinefett *neu.*

larder ('la:də) *n* Speiseschrank *m.*

large (la:dʒ) *adj* **1** groß. **2** reichlich. **3** weitherzig. **largely** *adv* zum großen Teil.

lark[1] (la:k) *n zool* Lerche *f.*

lark[2] (la:k) *n* Streich *m.*

larva ('la:və) *n* Larve, Puppe *f.*

larynx ('læriŋks) *n* Kehlkopf *m.* **laryngitis** *n med* Kehlkopfentzündung *f.*

laser ('leizə) *n* Laser *m.* **laser beams** *n* Laserstrahlen *m pl.*

lash (læʃ) *n* **1** Peitschenschnur *f.* **2** (Peitschen)-Hieb *m.* **3** *anat* Wimper *f. vt* peitschen, geißeln. **lash out** ausschlagen.

lass (læs) *n inf* Mädchen *neu.*

lasso (læ'su:) *n* Lasso *m,neu. vt* mit dem Lasso fangen.

last[1] (la:st) *adj* **1** letzt. **2** vorig. *n* **1** Letzte(r) *m.* **2** Ende *neu.* **at last** **1** schließlich. **2** zuletzt. **last but not least** nicht zuletzt.

last[2] (la:st) *vi* **1** dauern. **2** halten. **3** ausreichen.

latch (lætʃ) *n* **1** Klinke *f.* **2** Sicherheitsschloß *neu.* **on the latch** (nur) eingeklinkt. ~*vt* einklinken.

late (leit) *adj* **1** spät. **2** verspätet. **3** (jüngst) verstorben, selig. **4** ehemalig. **be late** **1** zu spät kommen. **2** Verspätung haben. **lately** *adv* vor kurzem, neulich, in letzter Zeit.

latent ('leitənt) *adj* **1** verborgen. **2** latent.

lateral ('lætərəl) *adj* seitlich, Seiten—. Quer—.

latest ('leitist) *adj* spätest, neuest, letzt. **at the latest** *adv* spätestens.

lathe (leið) *n* Drehbank *f.*

lather ('la:ðə) *n* (Seifen)Schaum *m. vt* einseifen. *vi* schäumen.

Latin ('lætin) *adj* lateinisch. *n* **1** Latiner *m.* **2** (language) Latein *neu.* **Latin America** *n* Lateinamerika *neu.*

latitude ('lætitju:d) *n* **1** *geog* Breite *f.* **2** Spielraum *m.* **latitudinal** *adj* Breiten—.

latter ('lætə) *adj* **1** letzter. **2** neuer.

lattice ('lætis) *n* Gitter *neu.*

laugh (la:f) *vi* lachen. **laugh at** auslachen. ~*n* Lachen *neu.* **laughable** *adj* lächerlich. **laughter** *n* Gelächter *neu.*

launch[1] (lɔ:ntʃ) *vt* **1** *naut* vom Stapel lassen. **2** loslassen. **3** (a rocket) abschießen. **launch into** sich stürzen in. **launching pad** *n* Raketenabschußrampe *f.*

launch[2] (lɔ:ntʃ) *n* **1** Barkasse *f.* **2** Ausflugsdampfer *m.*

launder ('lɔ:ndə) *(vi),vt* (sich) waschen. **launderette** *n* Schnellwäscherei *f.* **laundry** *n* **1** Wäscherei *f.* **2** Wäsche *f.*

laurel ('lɔrəl) *n* Lorbeer *m.*

lava ('la:və) *n* Lava *f.*

lavatory ('lævətri) *n* Toilette *f.*

lavender ('lævində) *n* Lavendel *m.*

lavish ('læviʃ) *adj* **1** verschwenderisch, freigebig. **2** reichlich. *vt* verschwenden. **lavishness** *n* (verschwenderische) Freigebigkeit *f.*

law (lɔ:) *n* **1** Gesetz, Recht *neu.* **2** Jura *neu pl.* **law-abiding** *adj* gesetzestreu, friedlich. **lawsuit** *n* **1** Verfahren *neu.* **2** Klage *f.* **lawyer** *n* **1** Rechtsanwalt *m.* **2** Jurist *m.*

lawn (lɔ:n) *n* Rasen *m.* **lawn-mower** *n* Rasenmäher *m.*

lax (læks) *adj* lax, locker, nachlässig.

laxative ('læksətiv) *n* Abführmittel *neu.*

lay*[1] (lei) *vt* **1** legen. **2** (the table) decken. **3** setzen, (hin)stellen. **layer** *n* Schicht, Lage *f. vt* überlagern. *vi* sich lagern.

lay[2] (lei) *v* see **lie[1]**.

lay[3] (lei) *adj* **1** Laien—. **2** laienhaft. **layman** *n* Laie *m.*

laze (leiz) *vi* faulenzen. **laze away** vertrödeln. **laziness** *n* Faulheit, Trägheit *f.* **lazy** *adj* faul, träge. **lazy bones** *n inf* Faulenzer *m.*

lead*[1] (li:d) *vt,vi* **1** führen, leiten. **2** vorangehen. *n* **1** Führung *f.* **2** *tech* (Zu)Leitung *f.* **3** (Hunde)Leine *f.* **4** *Th* Hauptrolle *f.* **5** Hinweis *m.* Beispiel *neu.* **leading** *adj* Haupt—, herrschend, führend, Leit—. **leader** *n* **1** Führer *m.* **2** Leiter *m.* **3** (in a newspaper) Leitartikel *m.* **leadership** *n* Führerschaft *f.*

lead[2] (led) *n* **1** Blei *neu.* **2** Bleistiftmine *f. adj* bleiern.

leaf (li:f) *n* **1** Blatt *neu.* **2** Flügel *m.* **3** Klappe *f. v* **leaf through** durchblättern. **leaflet** *n* **1** Blättchen *neu.* **2** Prospekt *m.*

league (li:g) *n* **1** Bund *m.* **2** *sport* Liga *f.*

leak (li:k) *n* **1** Leck *neu.* **2** *pol* Durchsickern *neu. vi* **1** lecken. **2** durchsickern. **leakage** *n* **1** Durchsickern *neu.* **2** Schwund *m.*

lean*[1] (li:n) *vi* sich lehnen, sich neigen. *vt* lehnen, stützen. **lean on** sich stützen auf.

lean[2] (li:n) *adj* mager.

leap* (li:p) *vi* springen, hüpfen. *vt* überspringen. *n* Sprung, Satz *m.* **look before you leap** erst wägen, dann wagen. **leapfrog** *n* Bockspringen *neu.* **leap year** *n* Schaltjahr *neu.*

learn* (lə:n) *vt* **1** lernen. **2** erfahren, erlernen. **learned** *adj* **1** gelehrt. **2** erfahren. **learner** *n* **1** Anfänger *m.* **2** *mot* Fahrschüler *m.*

lease (li:s) *n* **1** Pachtvertrag *m.* **2** Pacht *f. vt* (ver)pachten. **leasehold** *n* **1** Pacht *f.* **2** Pachtbesitz *m. adj* Pacht—. **leaseholder** *n* Pächter *m.*

leash (li:ʃ) *n* (Koppel)Leine *f.*

least (li:st) *adj* wenigst, mindest. *adv* am wenigsten. *n* Wenigste, Mindeste *neu.* **at least** wenigstens, mindestens, zumindest.

leather ('leðə) *n* Leder *neu. adj* ledern, Leder—. **leathery** *adj* zäh.

leave[1] (li:v) *vt* **1** verlassen. **2** lassen. *vi* abfahren, (fort-, weg-)gehen.

leave[2] (li:v) *n* **1** Erlaubnis *f.* **2** Urlaub *m.* **take one's leave** Abschied nehmen.

Lebanon ('lebənən) *n* Libanon *m.* **Lebanese** *adj* libanesisch. *n* Libanese(r) *m.*

lecherous ('letʃərəs) *adj* wollüstig.

lectern ('lektən) *n* Lesepult *neu.*

lecture ('lektʃə) *n* **1** Vorlesung *f.* Vortrag *m.* **2** Strafpredigt *f. vi* eine Vorlesung halten. *vt* abkanzeln. **lecturer** *n* Dozent *m.*

led (led) *v* see **lead[1]**.

ledge (ledʒ) *n* **1** Sims *m.* **2** Felsbank *f.*

ledger ('ledʒə) *n comm* Hauptbuch *neu.*

lee (li:) *n* **1** Schutz *m.* **2** *naut* Leeseite *f.*

leech (li:tʃ) *n* Blutegel *m.*

leek (li:k) *n* Lauch *m.*

leer (liə) *vi* schielen. *n* lüsterner Seitenblick *m.*

left[1] (left) *adj* link. *n* linke Seite, Linke *f. adv* (nach) links. **left-hand** *adj* link, linksseitig. **left-handed** *adj* linkshändig. **left-wing** *adj pol* Links—, linksradikal.

left[2] (left) *v* see **leave[1]**. *adj* übrig. **left-luggage office** *n* Gepäckaufbewahrung *f.*

leg (leg) *n* **1** Bein *neu.* **2** *cul* Keule *f.* **pull someone's leg** jemanden auf den Arm nehmen.

legacy ('legəsi) *n* Vermächtnis *neu.*

legal ('li:gəl) *adj* **1** gesetzlich. **2** juristisch. **3** Rechts—. **legality** *n* Gesetzlichkeit *f.* **legalize** *vt* rechtskräftig machen, legalisieren.

legend ('ledʒənd) *n* Legende *f.* Sage *f.*

legible ('ledʒibəl) *adj* leserlich, lesbar.

legion ('li:dʒən) *n* Legion *f.* **legionary** *adj* Legions—. *n* Legionär *m.*

legislate ('ledʒisleit) *vi* Gesetze geben. **legislation** *n* Gesetzgebung *f.*

legitimate (li'dʒitimət) *adj* **1** legitim, rechtmäßig. **2** (of a child) ehelich. **legitimize** *vt* legitimieren, für rechtmäßig erklären.

leisure ('leʒə) *n* Muße, freie Zeit *f.* **at your leisure** wenn es Ihnen paßt. **be at leisure** Muße haben. ~*adj* müßig, Muße—. **leisurely** *adj,adv* gemächlich, ohne Hast.

lemon ('lemən) *n* Zitrone *f.* **lemonade** *n* (Zitronen)Limonade *f.*

lend* (lend) *vt* (ver-, aus-)leihen. **2** leisten, gewähren. **lend a hand** helfen.

length (leŋθ) *n* **1** Länge *f.* **2** Strecke *f.* **3** Dauer *f.* **at length** *adv* **1** ausführlich. **2** endlich.

lengthen *(vi),vt* (sich) verlängern. **lengthy** *adj* **1** sehr lang. **2** weitschweifig.
lenient ('li:niənt) *adj* mild, nachsichtig.
lens (lenz) *n* Linse *f.*
lent (lent) *v* see **lend.**
Lent (lent) *n* Fastenzeit *f.* Fasten *f pl.*
lentil ('lentl̩) *n* Linse *f.*
Leo ('li:ou) *n* Löwe *m.*
leopard ('lepəd) *n* Leopard *m.*
leper ('lepə) *n* Aussätzige(r) *m.* **leprosy** *n* Aussatz *m.* Lepra *f.* **leprous** *adj* aussätzig.
lesbian ('lezbiən) *n* Lesbierin *f. adj* lesbisch.
less (les) *adv* weniger. *adj* kleiner, geringer. **lessen** *(vi),vt* (sich) vermindern.
lesson ('lesən) *n* **1** Lektion *f.* **2** *educ* Stunde *f.* **3** *rel* Lesung *f.* **4** *pl* Unterricht *m.* **teach someone a lesson** jemandem eine Lektion erteilen.
lest (lest) *conj* damit *or* daß nicht.
let* (let) *vt* **1** lassen. **2** vermieten. **let on** *inf* es verraten. **let someone down** jemanden im Stich lassen. ~*n sport* Netzball *m.*
lethal ('li:θəl) *adj* tödlich.
lethargy ('leθədʒi) *n* Lethargie *f.* **lethargic** *adj* lethargisch.
letter ('letə) *n* **1** Brief *m.* **2** Buchstabe *m.* **3** Type *f.* **man of letters** Literat *m.* **to the letter** buchstäblich. **letterbox** *n* Briefkasten *m.*
lettuce ('letis) *n* Kopfsalat *m.*
leukaemia (lu:'ki:miə) *n* Leukämie *f.*
level ('levəl) *adj* **1** eben. **2** ausgeglichen. **level crossing** *n* Bahnübergang *m.* **level-headed** *adj* vernünftig. ~*n* **1** ebene Fläche, Ebene *f.* **2** Niveau *neu.* Höhe *f. vt* **1** gleichmachen. **2** nivellieren. **3** ebnen, planieren.
lever ('li:və) *n* **1** Hebel *m.* **2** Hebestange *f. vt* mit einem Hebel bewegen. **leverage** *n* Hebelkraft *f.*
levy ('levi) *n* **1** Erhebung *f.* Beitrag *m.* **2** *mil* Aushebung *f. vt* **1** erheben. **2** ausheben.
lewd (lu:d) *adj* unzüchtig. **lewdness** *n* Unzucht *f.*
liable ('laiəbəl) *adj* **1** verantwortlich. **2** haftpflichtig. **3** ausgesetzt. **be liable to** neigen zu. **liability** *n* **1** Verantwortlichkeit *f.* **2** Haftpflicht *f.* **3** Neigung *f.* **4** *pl* Verbindlichkeiten *f pl.*
liaison *n* **1** Verbindung *f.* **2** Liebschaft *f.*
liar ('laiə) *n* Lügner *m.*
libel ('laibəl) *n* **1** Schmähschrift *f.* **2** Verleumdung *f. vt* **1** schmähen. **2** (schriftlich) verleumden.
liberal ('libərəl) *adj* **1** liberal. **2** großzügig, freigebig. **2** reichlich. **3** freisinnig. *n* Liberale(r) *m.*
liberate ('libəreit) *vt* befreien. **liberation** *n* Befreiung *f.*
liberty ('libəti) *n* Freiheit *f.*
Libra ('li:brə) *n* Waage *f.*
library ('laibrəri) *n* Bücherei, Bibliothek *f.* **lending library** Leihbücherei *f.* **librarian** *n* Bibliothekar *m.*
libretto (li'bretou) *n* Libretto *neu.*
Libya ('libiə) *n* Libyen *neu.* **Libyan** *adj* libysch. *n* Libyer *m.*
licence ('laisəns) *n* **1** Lizenz *f.* **2** Erlaubnis *f.* **3** Konzession *f.* **4** Zügellosigkeit *f.* **5** Freiheit *f.* **driving licence** Führerschein *m.* **license** *vt* lizenzieren, genehmigen, zulassen. **licensing hours** *n pl* Ausschankstunden *f pl.* **licensee** *n* Lizenzinhaber *m.*
lick (lik) *vt* **1** lecken. **2** *inf* besiegen, übertreffen. *vi* (of flames) züngeln. *n* Lecken *neu.*
lid (lid) *n* **1** Deckel *m.* **2** *anat* Augenlid *neu.*
lie* [1] (lai) *vi* liegen. **lie down** sich (hin-, nieder-) legen. ~*n* Lage *f.*
lie [2] (lai) *n* Lüge *f.* **white lie** Notlüge *f. vi* lügen.
lieutenant (lef'tenənt) *n* Leutnant *m.* **lieutenant colonel** *n* Oberstleutnant *m.*
life (laif) *n, pl* **lives** **1** Leben *neu.* **2** Menschenleben *neu.* **3** Lebendigkeit *f.* **lifebelt** *n* Rettungsgürtel *m.* **lifeboat** *n* Rettungsboot *neu.* **lifebuoy** *n* Rettungsboje *f.* **lifeguard** *n* Bademeister *m.* **lifeline** *n* Rettungsleine *f.* **lifetime** *n* Lebenszeit *f.*
lift (lift) *vt* **1** (auf-, hoch-)heben. **2** erheben. *vi* sich heben. *n* **1** Aufzug, Fahrstuhl *m.* **2** (Auf)Heben *neu.* **3** Erhebung *f.* **give someone a lift** jemanden im Auto mitnehmen.
light* [1] (lait) *n* **1** Licht. **2** Beleuchtung *f.* **3** Lampe *f.* **4** (for tobacco) Feuer *neu.* **5** Leuchte *f.* **lighthouse** *n* Leuchtturm *m.* ~*vt* **1** anzünden. **2** beleuchten. *adj* hell. **lighter** *n* **1** Anzünder *m.* **2** Feuerzeug *neu.* **lighting** *n* Beleuchtung *f.*
light [2] (lait) *adj* leicht. **light-headed** *adj* leichtsinnig. **light-hearted** *adj* leichtherzig, fröhlich. **lightweight** *adj* leicht. *n* Leichtgewichtler *m.*
light [3] (lait) *vi* **light upon** stoßen auf.
lighten [1] ('laitn̩) *vi* **1** erleuchten. **2** sich erhellen. **3** blitzen.
lighten [2] ('laitn̩) *(vi),vt* (sich) erleichtern.
lightning ('laitniŋ) *n* Blitz *m.*
like [1] (laik) *adj,adv* gleich, ähnlich. *prep* wie. **like-minded** *adj* gleichgesinnt. **likeness** *n* **1**

Ähnlichkeit *f.* **2** Abbild *neu.* **likewise** *adv* gleichfalls, auch, ebenso.

like[2] (laik) *vt* mögen, gern haben, lieben; gefallen. **like doing something** etwas gern tun. **I like this picture** dieses Bild gefällt mir.

likely ('laikli) *adj,adv* wahrscheinlich.

lilac ('lailək) *adj* lila. *n* **1** *bot* (spanischer) Flieder *m.* **2** Lila *neu.*

lily ('lili) *n* Lilie *f.* **lily-of-the-valley** *n* Maiglöckchen *neu.*

limb (lim) *n* **1** Glied *neu.* **2** Ast *m.* **artificial limb** *n* Prothese *f.*

limbo ('limbou) *n* **1** Vorhölle *f.* **2** Vergessenheit *f.* **3** Gefängnis, Kittchen *neu.*

lime[1] (laim) *n* Kalk *m. vt* mit Kalk düngen. **limelight** *n* **1** Kalklicht *neu.* **2** Scheinwerferlicht *neu.* **3** Rampenlicht *neu.* **limestone** *n* Kalkstein *m.*

lime[2] (laim) *n* **1** Limone *f.* **2** Linde *f.*

limerick ('limərik) *n* Limerick *m.*

limit ('limit) *n* Grenze *f.* Äußerste *neu.* **that is the limit!** das ist (doch wirklich) die Höhe! ~*vt* begrenzen, beschränken. **limitation** *n* **1** Begrenzung, Beschränkung *f.* **2** Grenze *f.*

limp[1] (limp) *vi* hinken. *n* Hinken *neu.*

limp[2] (limp) *adj* **1** schlaff. **2** kraftlos.

limpet ('limpit) *n* Napfschnecke *f.*

linden ('lindən) *n* Linde *f.* Lindenbaum *m.*

line[1] (lain) *n* **1** Linie *f.* **2** Reihe *f.* **3** Zeile *f.* **4** Fach *neu. vt* **1** linieren. **2** aufstellen. **3** (um)säumen. **lineage** *n* Abstammung *f.* **linear** *adj* linear, Linien—.

line[2] (lain) *vt* (a coat, etc.) füttern.

linen ('linin) *n* **1** Leinen *neu.* Leinwand *f.* **2** Wäsche *f.* **linen basket** *n* Wäschekorb *m.* ~*adj* leinen, Leinen—.

liner ('lainə) *n* Passagierdampfer *m.*

linger ('liŋgə) *vi* **1** zögern. **2** verweilen. **3** sich hinziehen. **4** schlendern.

lingerie ('lɔnʒəri:) *n* Damenunterwäsche *f.*

linguist ('liŋgwist) *n* Linguist, Sprachwissenschaftler *m.* **linguistic** *adj* linguistisch, sprachlich, Sprach—. **linguistics** *n pl* Linguistik, Sprachwissenschaft *f.*

lining ('lainiŋ) *n* **1** Futter *neu.* **2** Verkleidung *f.*

link (liŋk) *n* **1** Glied *neu.* **2** Verbindung *f. (vi),vt* (sich) verketten, (sich) verbinden.

linoleum (li'nouliəm) *n also* **lino** Linoleum *neu.*

linseed ('linsi:d) *n* Leinsamen *m.* **linseed oil** *n* Leinöl *neu.*

lion ('laiən) *n* Löwe *m.*

lip (lip) *n* **1** Lippe *f.* **2** Rand *m.* **3** *inf* Unverschämtheit *f.* **lip-read** von den Lippen ablesen. **lipstick** *n* Lippenstift *m.*

liqueur (li'kjuə) *n* Likör *m.*

liquid ('likwid) *adj* flüssig. *n* Flüssigkeit *f.* **liquidation** *n* **1** *comm* Liquidation *f.* **2** Beseitigung *f.* **go into liquidation** sich auflösen. **liquidize** *(vi),vt* (sich) verflüssigen.

liquor ('likə) *n* **1** Flüssigkeit *f.* **2** Alkohol *m.*

liquorice ('likəris) *n* Lakritze *f.*

lira ('liərə) *n, pl* **lire** *or* **liras** Lira *f.*

lisp (lisp) *vi* lispeln. *n* Lispeln *neu.*

list[1] (list) *n* Liste *f.* Verzeichnis *neu. vt* (in eine Liste) eintragen, verzeichnen.

list[2] (list) *vi naut* Schlagseite haben. *n* Schlagseite *f.*

listen ('lisən) *vi* **1** (an-, zu-)hören. **2** lauschen. **listener** *n* (Zu)Hörer *m.*

listless ('listləs) *adj* lustlos, träg. **listlessness** *n* Lustlosigkeit, Trägheit *f.*

lit (lit) *v* see **light**[1].

litany ('litəni) *n* Litanei *f.*

literal ('litərəl) *adj* **1** buchstäblich, wörtlich. **2** genau.

literary ('litərəri) *adj* **1** literarisch. **2** literarisch gebildet.

literate ('litərət) *adj* gebildet.

literature ('litərətʃə) *n* Literatur *f.*

litre ('li:tə) *n* Liter *m,neu.*

litter ('litə) *n* **1** Tragbahre *f.* **2** (of animals) Wurf *m.* **3** Abfall *m.* **litter-bin** *n* Abfallkorb *m.* ~*vt* **1** verstreuen. **2** verunreinigen.

little ('litl) *adj* **1** klein. **2** kurz. **3** wenig. *adv* wenig. *n* Wenige *neu.* **a little** ein wenig, ein bißchen.

liturgy ('litədʒi) *n* Liturgie *f.*

live[1] (liv) *vi* **1** leben. **2** wohnen. *vt* (a life) führen.

live[2] (laiv) *adj* **1** lebend, lebendig. **2** Direkt—. **3** stromführend. **livestock** *n* Vieh *neu.*

livelihood ('laivlihud) *n* Lebensunterhalt *m.*

lively ('laivli) *adj* lebhaft.

liver ('livə) *n* Leber *f.*

livid ('livid) *adj* **1** bläulich. **2** *inf* wütend.

living ('liviŋ) *adj* lebend(ig), Lebens—. *n* Lebensunterhalt *m.* **living room** *n* Wohnzimmer *neu.*

lizard ('lizəd) *n* Eidechse *f.*

llama ('la:mə) *n* Lama *neu.*

load (loud) *n* **1** Last *f.* **2** Belastung *f.* **3** Ladung *f.* **loads of** *inf* sehr viel, eine ganze Menge. ~*vt* **1** (be-, auf-)laden. **2** überhäufen, überladen.

loaf[1] (louf) *n* Brotlaib *m.*

loaf[2] (louf) *vi* bummeln, gammeln. **loafer** *n* Bummler, Gammler *m*.

loan (loun) *n* **1** Anleihe *f*. **2** Leihgabe *f*. **on loan** leihweise.

loathe (louð) *vt* sich ekeln vor, verabscheuen. **loathsome** *adj* ekelhaft, widerlich.

lob (lɔb) *n sport* Hochschlag *m*. *vt* hochschlagen.

lobby ('lɔbi) *n* **1** Vorhalle *f*. **2** Interessengruppe *f*. **3** Lobby *neu*. *vt* beeinflussen.

lobe (loub) *n* **1** Lappen *m*. **2** (of the ear) (Ohr)Läppchen *neu*.

lobster ('lɔbstə) *n* Hummer *m*.

local ('loukəl) *adj* örtlich, Orts—. Lokal—. *n* Ortsbewohner *m*. **local authority** *n* Ortsbehörden *f pl*. **locality** *n* **1** Örtlichkeit *f*. Ort *m*. **2** Lage *f*. **localize** *vt* lokalisieren. **locate** *vt* **1** ausfindig machen. **2** unterbringen, errichten. **location** *n* **1** Standort *m*. **2** Lage *f*.

loch (lɔx) *n* See *m*. Bucht *f*.

lock[1] (lɔk) *n* **1** Schloß *neu*. **2** (on a canal, etc.) Schleuse *f*. *vt* (ver)schließen. *vi* sich schließen. **locksmith** *n* Schlosser *m*.

lock[2] (lɔk) *n* (of hair, etc.) Locke *f*.

locker ('lɔkə) *n* Kasten *m*.

locket ('lɔkit) *n* Medaillon *neu*.

locomotive (louka'moutiv) *n* Lokomotive *f*.

locust ('loukəst) *n* Heuschrecke *f*.

lodge (lɔdʒ) *n* **1** (Jagd)Hütte *f*. **2** Forsthaus, Parkhaus *neu*. *vt* **1** aufnehmen. **2** unterbringen. **3** hinterlegen. **4** (a complaint) einreichen. *vi* **1** wohnen, logieren. **2** steckenbleiben. **lodger** *n* (Unter)Mieter *m*. **lodgings** *n pl* (Miets)Wohnung *f*.

loft (lɔft) *n* Dachboden *m*. **lofty** *adj* **1** (sehr) hoch. **2** hochmütig. **3** erhaben.

log (lɔg) *n* (Holz)Klotz *m*. **log-book** *n* **1** Logbuch *neu*. **2** *mot* Zulassungsbuch *neu*.

logarithm ('lɔgəriðəm) *n* Logarithmus *m*.

logic ('lɔdʒik) *n* Logik *f*. **logical** *adj* logisch.

loins (lɔinz) *n pl* Lenden *f pl*.

loiter ('lɔitə) *vi* bummeln, herumlungern.

lollipop ('lɔlipɔp) *n* Lutscher *m*.

London ('lʌndən) *n* London *neu*.

lonely ('lounli) *adj* einsam. **loneliness** *n* Einsamkeit *f*.

long[1] (lɔŋ) *vi* sich sehnen.

long[2] (lɔŋ) *adj* lang. **in the long run** auf die Dauer. **long-distance** *adj* Fern—, Weit—. **long jump** *n* Weitsprung *m*. **long-playing record** *n* Langspielplatte *f*. **long-range** *adj* weittragend, auf weite Sicht. **long-sighted** *adj* weitsichtig. **longstanding** *adj* seit langer Zeit bestehend, alt. **long-term** *adj* langfristig. **long wave** *n* Langwelle *f*. **longwinded** *adj* langatmig.

longevity (lɔn'dʒeviti) *n* Langlebigkeit *f*.

longitude ('lɔndʒitju:d) *n* Länge *f*.

loo (lu:) *n inf* Klo *neu*.

look (luk) *n* **1** Blick *m*. **2** Aussehen *neu*. *vi* **1** (an)blicken, sehen, schauen **2** zusehen. **3** nachsehen. **4** aussehen. **look for** suchen. **look up** (for reference) nachschlagen.

loom[1] (lu:m) *n* Webstuhl *m*.

loom[2] (lu:m) *vi* (drohend) aufragen.

loop (lu:p) *n* Schleife *f*. *vt* in Schleifen legen. *vi* eine Schleife machen.

loophole ('lu:phoul) *n* Schlupfloch *neu*.

loose (lu:s) *adj* **1** locker. **2** schlaff. **3** (of clothes) weit. **4** frei. **5** lose, nicht verpackt. **at a loose end** beschäftigungslos. **loosen** *(vi),vt* (sich) lösen, (sich) lockern.

loot (lu:t) *n* Beute *f*. *vi,vt* plündern.

lop (lɔp) *vt* beschneiden, stutzen.

lopsided (lɔp'saidid) *adj* **1** schief. **2** einseitig.

lord (lɔ:d) *n* **1** Herr *m*. **2** Edelmann *m*. **3** Lord *m*. **lordly** *adj* **1** edel. **2** herrisch. **lordship** *n* Herrlichkeit *f*.

lorry ('lɔri) *n* Lastkraftwagen, Lastwagen *m*.

lose* (lu:z) *vt* verlieren. *vi* **1** sich verlieren. **2** (of a clock) nachgehen. **lose weight** abnehmen.

loss (lɔs) *n* **1** Verlust *m*. **2** Schaden *m*. **at a loss** in Verlegenheit.

lost (lɔst) *adj* verloren.

lot (lɔt) *n* **1** Los *neu*. **2** Schicksal *neu*. **3** Menge *f*. **draw lots** losen.

lotion ('louʃən) *n* Schönheitswasser *neu*.

lottery ('lɔtəri) *n* Lotterie *f*.

lotus ('loutəs) *n* Lotos *m*.

loud (laud) *adj* **1** laut. **2** grell. **loud-mouth** *n inf* Maulheld *m*. **loudness** *n* Lautheit, Lautstärke *f*. **loudspeaker** *n* Lautsprecher *m*.

lounge (laundʒ) *n* **1** Wohnzimmer *neu*. **2** Salon *m*. *vi* faulenzen, herumlungern. **lounge suit** *n* Straßenanzug *m*.

louse (laus) *n* Laus *f*. **lousy** *adj* lausig.

love (lʌv) *n* **1** Liebe *f*. **2** Liebling *m*. **3** liebe Grüße *m pl*. **4** *sport* Null *f*. **be in love with** verliebt sein in. **fall in love with** sich verlieben in. ~*adj* Liebes—. *vt* **1** lieben. **2** gern haben. **love affair** *n* Liebschaft *f*. **lovesick** *adj* liebeskrank. **lovely** *adj* **1** lieblich, reizend. **2** *inf* wunderschön. **lover** *n* Liebhaber, Geliebte(r) *m*. **loving** *adj* liebevoll, liebend.

low[1] (lou) *adj* **1** niedrig. **2** tief. **3** niedergeschlagen. **4** gemein. **lowbrow** *adj* nicht intellektuel, geistig anspruchslos. **low frequency** *n* Niederfrequenz *f.* **low-grade** *n* Unterstufe *f.* **lowland** *n* Tiefland *neu.* **low-necked** *adj* tief ausgeschnitten. **low-pitched** *adj* tief.

low[2] (lou) *vi* muhen. *n* Muhen *neu.*

lower ('louə) *adj* **1** niedriger. **2** niedere, untere, Unter—. **lower class** *n* untere Klassen *f pl.* ~*vt* **1** niederlassen, herunterlassen. **2** senken. **3** (one's eyes) niederschlagen.

Lower Saxony ('sæksəni) *n* Niedersachsen *neu.*

loyal ('lɔiəl) *adj* treu. **loyalty** *n* Treue *f.*

lozenge ('lɔzindʒ) *n* Pastille *f.*

lubricate ('lu:brikeit) *vt* schmieren. **lubricant** *n* Schmiermittel *neu.* **lubrication** *n* Schmierung *f.* Ölen *neu.*

Lucerne (lu:'sə:n) *n* Luzerne *f.*

lucid ('lu:sid) *adj* **1** hell. **2** klar, deutlich.

luck (lʌk) *n* **1** Glück *neu.* **2** Geschick *neu.* **bad luck** *n* Unglück, Pech *neu.* **lucky** *adj* glücklich. **be lucky** Glück haben. **luckily** *adv* glücklicherweise.

lucrative ('lu:krətiv) *adj* lukrativ.

ludicrous ('lu:dikrəs) *adj* lächerlich.

lug (lʌg) *vt* schleppen, zerren.

luggage ('lʌgidʒ) *n* Gepäck *neu.*

lukewarm (lu:k'wɔ:m) *adj* lauwarm.

lull (lʌl) *vt* **1** einlullen. **2** beruhigen. *vi* sich legen. *n* Stille *f.* **lullaby** *n* Wiegenlied *neu.*

lumbago (ləm'beigou) *n* Hexenschuß *m.*

lumber[1] (lʌmbə) *n* **1** Gerümpel *neu.* **2** Bauholz *neu.* **lumberjack** *n* Holzfäller *m.* ~*vt* mit Gerümpel vollpacken.

lumber[2] ('lʌmbə) *vi* sich schwerfällig schleppen.

luminous ('lu:minəs) *adj* **1** leuchtend, Leuchter—. **2** hellerleuchtet. **3** klar, einleuchtend.

lump (lʌmp) *n* **1** Klumpen *m.* **2** Beule *f.* **lump sum** Pauschalsumme *f.* ~*vt* zusammenwerfen.

lunacy ('lu:nəsi) *n* Irrsinn, Wahnsinn *m.*

lunar ('lu:nə) *adj* Mond—.

lunatic ('lu:nətik) *adj* wahnsinnig. *n* Irre(r) *m.*

lunch (lʌntʃ) *n* Mittagessen *neu.* **lunch-hour** *n* Mittagspause *f.* ~*vi* zu Mittag essen.

lung (lʌŋ) *n* Lunge *f.*

lunge (lʌndʒ) *n* Ausfall, Stoß *m. vi* **1** ausfallen. **2** (dahin)stürmen.

lurch[1] (lə:tʃ) *vi* taumeln. *n* Taumeln *neu.*

lurch[2] (lə:tʃ) *n* **leave someone in the lurch** jemanden im Stich lassen.

lure (luə) *n* **1** Köder *m.* **2** Lockung *f. vt* **1** ködern. **2** (an)locken.

lurid ('luərid) *adj* unheimlich, düster.

lurk (lə:k) *vi* lauern.

luscious ('lʌʃəs) *adj* köstlich.

lush (lʌʃ) *adj* saftig, üppig.

lust (lʌst) *n* **1** (Wol)Lust *f.* **2** Sucht, Gier *f. v* **lust for** begehren, gelüsten (nach).

lustre ('lʌstə) *n* **1** Glanz *m.* **2** Lüster *m.*

Luxembourg ('lʌksəmbə:g) *n* Luxemburg *neu.*

luxury ('lʌkʃəri) *n* **1** Luxus *m.* **2** Luxusartikel *m.* **luxurious** *adj* luxuriös.

lynx (liŋks) *n* Luchs *m.*

lyre ('laiə) *n* Leier, Lyra *f.*

lyrical ('lirikəl) *adj* lyrisch.

lyrics ('liriks) *n pl* Lyrik *f.*

M

mac (mæk) *n inf* Regenmantel *m.*

macabre (mə'kɑ:b) *adj* grausig, makaber.

mace[1] (meis) *n* **1** Keule *f.* **2** Amtsstab *m.*

mace[2] (meis) *n bot* Muskatblüte *f.*

machine (mə'ʃi:n) *n* Maschine *f. vt* maschinell bearbeiten, herstellen. **machine-gun** *n* Maschinengewehr *neu.* **machinery** *n* **1** Mechanismus *m.* **3** Maschinerie *f.*

mackerel ('mækrəl) *n* Makrele *f.*

mackintosh ('mækintɔʃ) *n* Regenmantel *m.*

mad (mæd) *adj* **1** wahnsinnig, verrückt. **2** toll, wild. **3** *inf* wütend. **madness** *n* Wahnsinn *m.*

madam ('mædəm) *n* gnädige Frau *f.*

made (meid) *v* see **make.**

Madonna (mə'dɔnə) *n* Madonna *f.*

magazine (mægə'zi:n) *n* **1** Magazin *neu.* **2** Illustrierte *f.*

maggot ('mægət) *n* Made *f.*

magic ('mædʒik) *n* **1** Magie *f.* **2** Zauber *m.* Zauberei *f. adj* **1** magisch. **2** zauberhaft, Zauber—. **magician** *n* Zauberer, Magier *m.*

magistrate ('mædʒistreit) *n* Friedensrichter *m.*

magnanimous (mæg'næniməs) *adj* großmütig.

magnate ('mægneit) *n* Magnat *m.*

magnet ('mægnit) *n* Magnet *m.* **magnetic** *adj* **1** magnetisch. **2** anziehend. **magnetic tape** *n* (Ton)Band *m.* **magnetism** *n* **1** Magnetismus *m.* **2** Anziehungskraft *f.* **magnetize** *vt* **1** magnetisieren. **2** anziehen, fesseln.

magnificent (mæg'nifisənt) *adj* herrlich, prächtig, großartig. **magnificence** *n* Herrlichkeit, Pracht *f.*

magnify ('mægnifai) *vt* vergrößern. **magnifying glass** *n* Vergrößerungsglas *neu.* Lupe *f.*

magnitude ('mægnitju:d) *n* **1** Größe *f.* **2** Bedeutung *f.*
magnolia (mæg'noulıə) *n* Magnolie *f.*
magpie ('mægpaı) *n* Elster *f.*
mahogany (mə'hɔgənı) *n* Mahagoni(holz) *neu.*
maid (meıd) *n* **1** Mädchen *neu.* **2** Dienstmädchen *neu.* **old maid** *n* alte Jungfer *f.* **maiden** *n* Jungfrau *f.* **maiden name** *n* Mädchenname *m.*
mail (meıl) *n* Post *f. vt* (mit der Post) schicken. **mailbag** *n* Postsack *m.* **mail order firm** *n* Postversandhaus *neu.*
maim (meım) *vt* verstümmeln, zum Krüppel machen.
main (meın) *adj* Haupt—, hauptsächlich. *n* **1** Hauptleitung *f.* **2** *pl* Stromnetz *neu.* **mainland** *n* Festland *neu.* **mainsail** *n* Großsegel *neu.* **mainspring** *n* **1** Hauptfeder *f.* **2** treibende Kraft *f.* **mainstream** *n* Hauptstrom *m.*
maintain (meın'teın) *vt* **1** erhalten. **2** unterhalten. **3** behaupten. **maintenance** *n* **1** Erhaltung *f.* **2** Unterhalt *m.*
maize (meız) *n* Mais *m.*
majesty ('mædʒıstı) *n* Majestät *f.* **majestic** *adj* majestätisch.
major ('meıdʒə) *adj* **1** größer. **2** bedeutend, wichtig. **3** *law* volljährig, mündig. *n* **1** *law* Volljährige(r). **2** *mil* Major *m.* **3** *mus* Dur *neu.* **major general** *n* Generalmajor *m.* **majority** *n* **1** Mehrheit *f.* größter Teil *m.* **2** *law* Volljährigkeit *f.*
make* (meık) *vt* **1** machen. **2** bauen. **3** herstellen. **4** zwingen. **5** sich belaufen auf. **6** *inf* erreichen. **7** *inf* schaffen. **make for** sich ergeben nach. **make good** wiedergutmachen. **make off** sich davonmachen. **make out 1** ausmachen. **2** ausstellen. **3** vorgeben. **make up 1** erdichten. **2** sich schminken. **3** sich versöhnen. **4** wiedergutmachen. **5** bilden. **makebelieve** *n* Verstellung *f.* Vorwand *m.* **makeshift** *adj* Behelfs—. *n* Notbehelf *m.* **make-up** *n* **1** Schminke *f.* Make-up *neu.* **2** Veranlagung, Natur *f.*
maladjusted (mælə'dʒʌstıd) *adj* **1** schlecht angepaßt. **2** milieu gestört.
malaria (mə'leərıə) *n* Malaria *f.* Sumpffieber *m.*
male (meıl) *adj* männlich, Männer—. *n* **1** Mann. **2** *zool* Männchen.
malfunction (mæl'fʌŋkʃən) *vi* schlecht funktionieren. *n* Funktionsstörung *f.*
malice ('mælıs) *n* **1** Böswilligkeit *f.* **2** *law* böse Absicht *f.* **malicious** *adj* **1** böswillig. **2** boshaft.
malignant (mə'lıgnənt) *adj* **1** *med* bösartig. **2** boshaft.
malinger (mə'lıŋgə) *vi* simulieren, sich krank stellen. **malingerer** *n* Simulant *m.*
mallet ('mælət) *n* **1** Holzhammer *m.* **2** *sport* Schlagholz *neu.*
malnutrition (mælnju:'trıʃən) *n* Unterernährung *f.*
malt (mɔ:lt) *n* Malz *neu. vt* mälzen.
Malta ('mɔ:ltə) *n* Malta *neu.* **Maltese** *adj* maltesisch. *n* Malteser *m.*
maltreat (mæl'tri:t) *vt* mißhandeln, schlecht behandeln. **maltreatment** *n* Mißhandlung, schlechte Behandlung *f.*
mammal ('mæməl) *n* Säugetier *neu.*
mammoth ('mæməθ) *n* Mammut *neu. adj* riesig.
man (mæn) *n* **1** Mann *m.* **2** Mensch *m.* **3** Menschheit *f. vt* bemannen. **manhandle** *vt* **1** durch Menschenkraft bewegen. **2** rauh behandeln, mißhandeln. **manhole** *n* Einsteigeöffnung, Luke *f.* **manly** *adj* männlich. **man-made** *adj* künstlich, Kunst—. **manpower** *n* **1** Arbeitskräfte *f pl.* **2** Menschenkraft *f.* **manslaughter** *n* Totschlag *m.*
Man, Isle of (mæn) *n* (Insel) Man *neu.*
manage ('mænıdʒ) *vt* **1** handhaben. **2** leiten, führen. **3** beaufsichtigen. *vi* **1** es schaffen. **2** auskommen. **management** *n* **1** Handhabung *f.* **2** (Geschäfts)Leitung *f.* Management *neu.* **manager** *n* (Betriebs)Leiter, Manager *m.*
mandarin ('mændərın) *n* **1** Mandarin *m.* **2** *bot* Mandarine *f.*
mandate ('mændeıt) *n* **1** Mandat *neu.* Auftrag *m.* **2** Befehl *m.* **mandatory** *adj* **1** verbindlich, obligatorisch. **2** Mandats—.
mane (meın) *n* Mähne *f.*
mange (meındʒ) *n* Räude *f.*
mangle[1] ('mæŋgəl) *vt* zerstückeln, zerfleischen.
mangle[2] ('mæŋgəl) *n* Wäscherolle, Wringmaschine *f. vt* mangeln, rollen, wringen.
mango ('mæŋgou) *n* Mangopflaume *f.*
mania ('meınıə) *n* **1** Manie *f.* **2** Wahnsinn *m.* **3** *inf* Fimmel *m.* **maniac** *n* Wahnsinnige(r), Verrückte(r) *m.* **manic** *adj* manisch.
manicure ('mænıkjuə) *n* Maniküre, Nagelpflege *f. vt* manikü̈ren. **manicurist** *n* Maniküre *f.*
manifest ('mænıfest) *adj* offenbar, manifest, klar. *vt* **1** offenbaren. **2** zeigen. **manifestation** *n* **1** Offenbarung, Kundgebung *f.* **2** Erscheinung *f.*
manifesto (mænı'festou) *n* Manifest *neu.*
manifold ('mænıfould) *adj* mannigfaltig.

manipulate (mə'nipjuleit) *vt* **1** (geschickt) handhaben. **2** manipulieren. **manipulation** *n* **1** Handhabung *f.* **2** Manipulation *f.*

mankind ('mænkaind) *n* Menschheit *f.*

manner ('mænə) *n* **1** Art, Weise *f.* **2** Manier *f.* **3** Benehmen *neu.* **4** *pl* Manieren *pl.* Betragen *neu.* **mannerism** *n* **1** Manieriertheit *f.* **2** (of style) Manierismus *m.*

manoeuvre (mə'nu:və) *n* Manöver *neu. vi,(vt)* manövrieren (lassen).

manor ('mænə) *n* Gut *neu.* **lord of the manor** *n* Gutsherr *m.* **manor house** *n* Herrensitz *m.*

mansion ('mænʃən) *n* **1** herrschaftliches Wohnhaus *neu.* **2** *pl* Mietshaus *neu.*

mantle ('mæntl) *n* **1** (Deck)Mantel *m.* **2** Hülle *f. vt* verhüllen. **mantlepiece** *n* Kaminsims *m.*

manual ('mænjuəl) *adj* **1** Hand—. **2** handgefertigt. **3** manuell. *n* **1** Handbuch *neu.* **2** *mus* Manual *neu.*

manufacture (mænju'fæktʃə) *n* **1** Herstellung, Fabrikation, Erzeugung *f.* **2** Fabrikat *neu. vt* **1** herstellen, erzeugen, anfertigen. **2** erfinden, erdichten. **manufactured** *adj* Fabrik—, Fertig—.

manure (mə'njuə) *n* Dünger *m. vt* düngen.

manuscript ('mænjuskript) *n* **1** Manuskript *neu.* Handschrift *f.* **2** Druckvorlage *f.*

many ('meni) *adj* viele. **how many** wieviele. **many a** manch (ein). **many times** oft, häufig. **the many** die Masse *f.* die Vielen *pl.*

map (mæp) *n* **1** Landkarte, Seekarte *f.* **2** Stadtplan *m. vt* aufzeichnen, eintragen.

maple ('meipəl) *n bot* Ahorn *m.*

mar (ma:) *vt* **1** verderben. **2** verunstalten.

marathon ('mærəθən) *adj* Dauer—. **marathon race** *n* Langstreckenlauf, Marathonlauf *m.*

marble ('ma:bəl) *n* **1** Marmor *m.* **2** Marmorkunstwerk *neu.* **3** Murmel *f. adj* marmorn.

march (ma:tʃ) *n* Marsch *m.* **march past** *n* Vorbeimarsch *m.* ~*vi,(vt)* marschieren (lassen). **marching** *adj* Marsch—.

March (ma:tʃ) *n* März *m.*

marchioness ('ma:ʃənis) *n* Marquise *f.*

mare (mæə) *n* Stute *f.*

margarine (ma:dʒə'ri:n) *n* Margarine *f.*

margin ('ma:dʒin) *n* **1** Rand *m.* **2** Grenze *f.*

marguerite (ma:gə'ri:t) *n* Gänseblümchen *neu.*

marigold ('mærigould) *n* Dotterblume *f.*

marijuana (mæri'wa:nə) *n* Marihuana *neu.*

marinade (*n* mæri'neid; *v* 'mærineid) *n cul* Marinade *f. vt* marinieren.

marine (mə'ri:n) *adj* **1** See—, Marine—. **2** Schiffs—. *n* **1** Marine *f.* **2** Marineinfantrist *m.* **maritime** *adj* **1** See—. **2** Küsten—. **3** Schiffahrts—.

marital ('mæritl) *adj* ehelich.

marjoram ('ma:dʒərəm) *n* Marjoran *m.*

mark[1] (ma:k) *n* **1** Marke *f.* Zeichen *neu.* **2** Fleck *m.* **3** Kennzeichen *neu.* **4** *educ* Note *f.* **5** Ziel *neu. vt* **1** (aus)zeichnen. **2** *educ* zensieren, korrigieren. **3** beachten. **4** markieren. *vi* beflecken. **marked** *adj* auffällig, deutlich, gezeichnet. **marksman** *n* (guter) Schütze *m.*

mark[2] (ma:k) *n* Mark *f.*

market ('ma:kit) *n* Markt *m. vt* auf den Markt bringen. **market garden** *n* Handelsgärtnerei *f.* **market place** *n* Marktplatz *m.* **market research** *n* Marktforschung *f.*

marmalade ('ma:məleid) *n* Orangenmarmelade *f.*

maroon[1] (mə'ru:n) *adj* dunkelrot.

maroon[2] (mə'ru:n) *vt* **1** (auf einer öden Insel) aussetzen. **2** verlassen, im Stich lassen.

marquee (ma:'ki:) *n* großes Zelt *neu.*

marquess ('ma:kwis) *n* Marquis *m.*

marriage ('mæridʒ) *n* **1** Ehe *f.* **2** Ehestand *m.* **3** Hochzeit, Heirat *f.* **civil marriage** *n* standesamtliche Trauung *f.* **marriage certificate** *n* Trauschein *m.*

marrow ('mærou) *n* **1** (Knochen)Mark *neu.* **2** Kern *m.* **3** *bot* Kürbis *m.* **marrowbone** *n* Markknochen *m.*

marry ('mæri) *vt* **1** (ver)heiraten, trauen. **2** sich verheiraten mit. *vi* sich verheiraten, heiraten.

Mars (ma:z) *n* Mars *m.*

marsh (ma:ʃ) *n* Sumpfland *neu.*

marshal ('ma:ʃəl) *n* **1** (Feld)Marschall *m.* **2** Zeremonienmeister, Festordner *m. vt* **1** ordnen. **2** (feierlich) führen.

martial ('ma:ʃəl) *adj* **1** kriegerisch. **2** Kriegs—.

martin ('ma:tin) *n zool* Mauerschwalbe *f.*

martyr ('ma:tə) *n* Märtyrer *m. vt* zum Märtyrer machen. **martyrdom** *n* **1** Märtyrertum *neu.* **2** Martyrium *neu.*

marvel ('ma:vəl) *n* Wunder *m. vi* sich wundern.

marvellous ('ma:vələs) *adj* wunderbar, erstaunlich.

Marxism ('ma:ksizəm) *n* Marxismus *m.* **Marxist** *adj* marxistisch. *n* Marxist *m.*

marzipan ('ma:zipæn) *n* Marzipan *neu.*

mascara (mæ'skɑ:rə) *n* Wimperntusche *f.*

mascot ('mæskɔt) *n* Maskottchen *neu.*

masculine ('mæskjulin) *adj* männlich. *n gram* Maskulinum *neu.*

mash (mæʃ) *n* **1** Gemisch *neu.* **2** Brei *m.* **3** Mengfutter *neu. vt* **1** mischen. **2** zerquetschen, zerstampfen. **mashed potatoes** *n pl* Kartoffelpüree *m.*

mask (mɑ:sk) *n* Maske *f. vt* verbergen.

mason ('meisən) *n* Maurer *m.* **masonry** *n* Mauerwerk *neu.*

masquerade (mæskə'reid) **1** Maskenball *m.* **2** Maskerade *f. vi* sich maskieren.

mass[1] (mæs) *n* **1** Masse *f.* **2** Menge *f. (vi),vt* (sich) anhäufen, (sich) ansammeln. **mass media** *n pl* Massenmedien *neu pl.* **mass-produce** *vt* serienmäßig herstellen. **mass production** *n* Serienbau *m.* Serienproduktion *f.*

mass[2] (mæs) *n rel* Messe *f.*

massacre ('mæsəkə) *n* Gemetzel, Massaker *neu. vt* niedermetzeln.

massage ('mæsɑ:ʒ) *n* Massage *f. vt* massieren.

massive ('mæsiv) *adj* **1** massiv. **2** schwar. **3** massig. **4** fest.

mast (mɑ:st) *n* Mast *m.* **masthead** *n* Mastkorb *m.*

mastectomy (mæs'tektəmi) *n med* Brustamputation *f.*

master ('mɑstə) *n* **1** Meister *m.* **2** Herr *m.* **3** Lehrer *m. vt* beherrschen. **masterpiece** *n* Meisterstück *neu.* **masterful** *adj* **1** herrisch. **2** meisterhaft. **mastery** *n* **1** Herrschaft *f.* **2** Beherrschung *f.*

masturbate ('mæstəbeit) *vi* masturbieren.

mat (mæt) *n* Matte *f.*

match[1] (mætʃ) *n* Streichholz, Zündholz *neu.* **matchbox** *n* Streichholzschachtel *f.*

match[2] (mætʃ) *n* **1** Passende(r), Gleiche(r) *m.* **2** Wettspiel *neu.* (Wett)Kampf *m.* **3** Partie *f.* **4** Match *neu. vt* **1** anpassen. **2** passen zu. *vi* zusammenpassen, dazupassen.

mate (meit) *n* **1** Gefährte *m.* Gefährtin *f.* **2** Gatte *m.* Gattin *f.* **3** *zool* Männchen, Weibchen *neu.* **4** *naut* Maat *m. (vi),vt* (sich) paaren.

material (mə'tiəriəl) *n* Material *neu.* Stoff *m. adj* materiell, stofflich. **materialism** *n* Materialismus *m.* **materialist** *n* Materialist *m.* **materialize** *vi* sich verwirklichen.

maternal (mə'tə:nl) *adj* **1** mütterlich. **2** mütterlicherseits. **maternity** *n* Mutterschaft *f. adj* Schwangerschafts—, Umstands—.

mathematics (mæθə'mætiks) *n* Mathematik *f.*

matins ('mætinz) *n pl* Frühmesse *f.*

matinee ('mætinei) *n* Nachmittagsvorstellung *f.*

matriarchal ('meitriɑ:kəl) *adj* matriarchalisch.

matrimony ('mætriməni) *n* Ehe *f.* Ehestand *m.*

matrix ('meitriks) *n, pl* **-ices** **1** Matrix *f.* **2** *tech* Matrize *f.* **3** Nährboden *m.*

matron ('meitrən) *n* **1** Matrone *f.* **2** Vorsteherin *f.*

matter ('mætə) *n* **1** Materie *f.* Stoff *m.* Substanz *f.* **2** Sache, Angelegenheit *f. vi* etwas bedeuten, etwas ausmachen. **it doesn't matter** es macht nichts. **what's the matter?** was ist los?

mattress ('mætrəs) *n* Matratze *f.*

mature (mə'tjuə) *adj* reif, entwickelt. *vi* reifen. **maturity** *n* Reife *f.*

maudlin ('mɔ:dlin) *adj* sentimental.

maul (mɔ:l) *vt* verprügeln, zerreißen.

mausoleum (mɔ:sə'liəm) *n* Mausoleum *neu.*

mauve (mouv) *adj* malvenfarbig. *n* Malvenfarbe *f.*

maxim ('mæksim) *n* Grundsatz *m.* Maxime *f.*

maximum ('mæksiməm) *n* Maximum, Höchstmaß *neu.* **maximize** *vt* vergrößern, verstärken.

may* (mei) *v mod aux* **1** mögen, können. **2** dürfen. **maybe** *adv* vielleicht.

May (mei) *n* Mai *m.* **May Day** *n* erster Mai *m.* **maypole** *n* Maibaum *m.*

mayonnaise (meiə'neiz) *n* Mayonnaise *f.*

mayor ('mɛə) *n* Bürgermeister *m.*

maze (meiz) *n* Irrgarten *m.*

me (mi:) *pron 1st pers s* **1** mich. **2** mir.

meadow ('medou) *n* Wiese *f.*

meagre ('mi:gə) *adj* mager, ärmlich.

meal[1] (mi:l) *n* Mahlzeit *f.* Mahl, Essen *neu.*

meal[2] (mi:l) *n* (grobes) Mehl *neu.*

mean*[1] (mi:n) *vt* bedeuten, heißen, meinen. *vi,vt* beabsichtigen.

mean[2] (mi:n) *adj* **1** gering, niedrig. **2** geizig.

meander (mi'ændə) *vi* sich winden. *n* Windung *f.* Krümmung *f.*

meaning ('mi:niŋ) *n* Bedeutung *f.* Sinn *m.*

means (mi:nz) *n pl* Mittel *neu pl.* **by means of** mittels, durch.

meanwhile ('mi:nwail) *adv* inzwischen.

measles ('mi:zəlz) *n* Masern *f pl.*

measure ('meʒə) *vt* (ab-, aus-)messen. *n* **1** Maß *neu.* **2** Maßnahme *f.* **measurement** *n* **1** Messung *f.* **2** Maß *neu.*

meat (mi:t) *n* **1** Fleisch *neu.* **2** Kern *m.*

mechanic (mi'kænik) *n* Mechaniker, Autoschlosser *m.* **mechanical** *adj* mechanisch. **mechanical engineering** *n* Maschinenbau *m.* **mechanics** *n pl* **1** Mechanik *f.* Konstruktion *f.* **mechanism** *n* Mechanismus *m.* Arbeitsweise *f.* **mechanize** *vt* mechanisieren.

medal ('medl) *n* Orden *m.* Medaille *f.* **medallion** *n* Medaille *f.*

meddle ('medl) *vi* sich einmischen.
media ('mi:diə) *n* Nachrichtenmittel, Medien *neu pl.*
medial ('mi:diəl) *adj* durchschnittlich, Mittel—.
median ('mi:diən) *adj* in der Mitte liegend, mittler. *n* Mittelwert *m.*
mediate ('mi:dieit) *vi* vermitteln.
medical ('medikəl) *adj* medizinisch, ärztlich. **medication** *n* medizinische Behandlung, Verordnung *f.* **medicine** *n* **1** Medizin *f.* **2** Arzneimittel *neu.*
medieval (medi'i:vəl) *adj* mittelalterlich.
mediocre (mi:di'oukə) *adj* mittelmäßig. **mediocrity** *n* Mittelmäßigkeit *f.*
meditate ('mediteit) *vi* **1** meditieren. **2** überlegen. **3** nachdenken.
Mediterranean (meditə'reiniən) *adj* Mittelmeer—. **Mediterranean (Sea)** *n* Mittelmeer *neu.*
medium ('mi:diəm) *n, pl* **media** **1** Mitte *f.* **2** Mittel *neu.* **3** Medium *neu. adj* mittler.
meek (mi:k) *adj* sanft, demütig, mild.
meet* (mi:t) *vt* **1** begegnen. **2** treffen. **3** erfüllen. **meeting** *n* **1** Begegnung *f.* **2** Zusammenkunft *f.* **3** Versammlung, Sitzung *f.*
megaphone ('megəfoun) *n* Megaphon *neu.*
melancholy ('melənkəli) *n* Schwermut, Melancholie *f. adj* schwermütig, melancholisch.
mellow ('melou) *adj* **1** ausgereift. **2** mild.
melodrama ('meləɹdrɑ:mə) *n* Melodrama *neu.*
melody ('meləɹdi) *n* Melodie *f.* **melodic** *adj* melodisch.
melon ('melən) *n* Melone *f.*
melt* (melt) *vt,vi* schmelzen. **melting point** *n* Schmelzpunkt *m.*
member ('membə) *n* **1** Mitglied *neu.* **2** *anat* Glied *neu.* **membership** *n* Mitgliedschaft *f.*
membrane ('membrein) *n* Membrane *f.*
memento (mə'mentou) *n* Memento *neu.*
memo ('memou) *n inf* Notiz, Mitteilung *f.*
memoirs ('memwɑ:z) *n pl* Memoiren, Lebenserinnerungen *f pl.*
memorandum (memə'rændəm) *n, pl* **-da** Notiz, Mitteilung *f.*
memory ('meməri) *n* **1** Gedächtnis *neu.* **2** Erinnerung *f.* **memorable** *adj* denkwürdig. **memorial** *n* Denkmal *neu. adj* Gedächtnis—. **memorize** *vt* auswendig lernen, im Gedächtnis behalten.
menace ('menəs) *vt* (be)drohen. *n* **1** Drohung *f.* **2** *inf* lästiger Mensch *m.* lästiges Kind *neu.*
menagerie (mə'nædʒəri) *n* Menagerie *f.*
mend (mend) *vt* reparieren, ausbessern.
menial ('mi:niəl) *adj* niedrig, gemein.
menopause ('menəpɔ:z) *n* Menopause *f.* Wechseljahre *neu pl.*
menstrual ('menstruəl) *adj* **1** monatlich, Monats—. **2** Menstruations—. **menstruate** *vi* menstruieren, die Regel haben. **menstruation** *n* Monatsblutung, Menstruation, Regel *f.*
mental ('mentl) *adj* **1** geistig, intellektuell, Geistes—. **2** *sl* verrückt. **mental hospital** *n* Nervenklinik *f.* **mental illness** *n* Geisteskrankheit *f.* **mentality** *n* Mentalität, Denkweise *f.*
menthol ('menθɔl) *n* Menthol *neu.*
mention ('menʃən) *vt* erwähnen. *n* Erwähnung *f.* **don't mention it!** bitte! gern geschehen! **not to mention** ganz zu schweigen von.
menu ('menju:) *n* Speisekarte *f.*
mercantile ('mə:kəntail) *adj* kaufmännisch.
mercenary ('mə:sənəri) *adj* **1** käuflich. **2** Gewinn—, Geld—. *n* Söldner *m.*
merchant ('mə:tʃənt) *n* **1** (Groß)Händler *m.* **2** (Groß)Kaufmann *m.* **merchant bank** *n* Handelsbank *f.* **merchant navy** *n* Handelsflotte *f.* **merchandise** *n* Güter *neu pl.* Waren *f pl.*
mercury ('mə:kjuri) *n* **1** *sci* Quecksilber *neu.* **2** *cap* Merkur *m.*
mercy ('mə:si) *n* Gnade, Barmherzigkeit *f.*
mere (miə) *adj* bloß.
merge (mə:dʒ) *vi* aufgehen, sich verschmelzen. *vt* verschmelzen, aufgehen lassen. *vt,vi comm* fusionieren. **merger** *n comm* Fusionierung *f.*
meridian (mə'ridiən) *n* Meridian *m.*
meringue (mə'ræŋ) *n* Meringe *f.* Baiser *neu.*
merit ('merit) *n* **1** Verdienst *neu.* **2** Wert *m. vt* verdienen.
mermaid ('mə:meid) *n* Meerjungfer, Seenixe *f.*
merry ('meri) *adj* **1** lustig, fröhlich. **2** *inf* beschwipst, leicht betrunken. **merry-go-round** *n* Karussell *neu.*
mesh (meʃ) *n* Masche *f.* Netz *neu. vt* verfangen. *vi tech* ineinandergreifen.
mesmerize ('mezməraiz) *vt* mesmerisieren.
mess (mes) *n* **1** Unordnung *f.* **2** Verwirrung *f.* Durcheinander *neu.* **3** Schmutz *m.* **4** *mil* Messe *f.*
message ('mesidʒ) *n* **1** Botschaft *f.* **2** Mitteilung *f.* **messenger** *n* Bote *m.*
met (met) *v* see **meet.**
metabolism (mi'tæbəlizəm) *n* Stoffwechsel *m.*
metal ('metl) *n* Metall *neu.* **metallurgy** *n* Metallurgie, Hüttenkunde *f.*
metamorphosis (metə'mɔ:fəsis) *n* Metamorphose, Verwandlung *f.*

metaphor ('metəfə) *n* Metapher *f.*
metaphysics (metə'fiziks) *n* Metaphysik *f.*
meteor ('mi:tiə) *n* Meteor *neu.* **meteorology** *n* Meteorologie, Wetterkunde *f.*
meter ('mi:tə) *n* Messer, Zähler *m.*
methane ('mi:θein) *n* Methan, Sumpfgas *neu.*
method ('meθəd) *n* **1** Methode *f.* **2** Weise *f.* **3** *tech* Verfahren *neu.* **methodical** *adj* methodisch. **methodology** *n* Methodologie *f.*
Methodist ('meθədist) *n* Methodist *m.*
meticulous (mi'tikjuləs) *adj* peinlich genau, penibel, übergenau.
metre ('mi:tə) *n* **1** Meter *m,neu.* **2** *lit* Versmaß *neu.* **metric** *adj* metrisch.
metropolis (mə'trɔpəlis) *n* Hauptstadt, Metropole *f.* **metropolitan** *adj* großstädtisch.
Mexico ('meksikou) *n* Mexiko *neu.* **Mexican** *adj* mexikanisch. *n* Mexikaner *m.*
miaow (mi'au) *n* Miauen *neu. vi* miauen.
microbe ('maikroub) *n* Mikrobe *f.*
microphone ('maikrəfoun) *n* Mikrophon *neu.*
microscope ('maikrəskoup) *n* Mikroskop *neu.*
mid (mid) *adj* in der Mitte, mittler. **midday** *n* Mittag *m.* **midland** *n* Mittelland *neu.* **midnight** *n* Mitternacht *f.* **midstream** *n* Strommitte *f.* **midsummer** *n* Hochsommer *m.* **midway** *adj,adv* auf halbem Wege. **midweek** *n* Mitte der Woche *f.*
middle ('midl) *n* Mitte *f.* Zentrum *neu.* **middle-aged** *adj* im mittleren Alter. **middle class** *n* Mittelstand *m.* Bürgertum *neu.* **middle-class** *adj* Mittelstands—.
Middle Ages *n* Mittelalter *neu.*
Middle East *n* Nahe(r) Osten *m.*
midget ('midʒit) *n* Zwerg *m.*
midst (midst) *n* Mitte *f.* **in the midst of** mitten unter, inmitten.
midwife ('midwaif) *n* Hebamme *f.*
might[1] (mait) *v* see **may.**
might[2] (mait) *n* **1** Macht *f.* **2** Gewalt *f.* **mighty** *adj* mächtig.
migraine ('mi:grein) *n* Migräne *f.*
migrate (mai'greit) *vi* (aus)wandern.
mike (maik) *n sl* Mikrophon *neu.*
Milan (mi'læn) *n* Mailand *neu.*
mild (maild) *adj* **1** mild. **2** sanft.
mildew ('mildju:) *n* **1** Meltau *m.* **2** Moder *m.*
mile (mail) *n* Meile *f.* **mileage** *n* Meilenzahl *f.* **mileometer** *n* Meilenzähler, Kilometerzähler *m.* **milestone** *n* **1** Meilenstein *m.* **2** Markstein *m.*
militant ('militənt) *adj* militant, kämpferisch. *n* Kämpfer *m.* **military** *adj* militärisch. *n* Militär *neu.*
milk (milk) *n* Milch *f.* **milkman** *n* Milchmann *m.* **Milky Way** *n* Milchstraße *f.*
mill (mil) *n* **1** Mühle *f.* **2** Fabrik *f.* *vt* mahlen. *vi* herumirren. **millstone** *n* Mühlstein *m.*
millennium (mi'leniəm) *n* Jahrtausend *neu.*
milligram ('miligræm) *n* Milligramm *neu.*
millilitre ('milili:tə) *n* Milliliter *m.*
millimetre ('milimi:tə) *n* Millimeter *m,neu.*
million ('miliən) *n* Million *f.* **millionth** *adj* millionste. **millionaire** *n* Millionär *m.*
mime (maim) *n* Mime *m. vt,vi* mimen. **mimic** *vt* nachahmen. *n* Mimiker, Nachahmer *m.*
minaret (mina'ret) *n* Minarett *neu.*
mince (mins) *vt* zerhacken, zerstückeln. *n* Hackfleisch *neu.*
mind (maind) *n* **1** Geist, Verstand *m.* **2** Sinn *m.* **3** Meinung *f.* **4** Gedächtnis *neu. vt* **1** achten *or* aufpassen auf. **2** sorgen für, sehen nach. **3** sich kümmern um. **4** sich hüten vor. *vt,vi* etwas dagegen haben. **never mind!** macht nichts!
mine[1] (main) *poss pron 1st pers s* meiner, der meine *or* meinige.
mine[2] (main) *n* **1** *min* Mine *f.* Bergwerk *neu.* **2** *mil* Mine *f. vi* graben. *vt* **1** *mil* verminen. **2** abbauen.
mineral ('minərəl) *n* Mineral *neu.* Bodenschatz *m. adj* mineralisch. **mineral water** *n* Mineralwasser *neu.*
mingle ('miŋgəl) *(vi),vt* (sich) vermischen.
miniature ('miniətʃə) *n* Miniatur *f. adj* Klein—. Miniatur—.
minim ('minim) *n* Halbnote *f.*
minimum ('miniməm) *n, pl* **-ma** Minimum *neu.* **minimal** *adj* Mindest—, minimal.
mining ('mainiŋ) *n* Bergbau *m.*
minister ('ministə) *n* Minister *m.* **ministry** *n* Ministerium *neu.*
mink (miŋk) *n* Nerz *m.*
minor ('mainə) *adj* **1** kleiner, geringer. **2** geringfügig. *n* **1** Minderjährige(r). **2** Moll *neu.* **minority** *n* Minderheit, Minorität *f.*
minstrel ('minstrəl) *n* **1** Minnesänger *m.* **2** Sänger *m.*
mint[1] (mint) *n bot* Minze *f.*
mint[2] (mint) *n* Münzanstalt *f.*
minuet (minju'et) *n* Menuett *neu.*
minus ('mainəs) *prep* weniger, minus.
minute[1] ('minit) *n* Minute *f.*
minute[2] (mai'nju:t) *adj* winzig.

miracle ('mirəkəl) *n* **1** Wunder *neu.* **2** Wundertat *f.* **miraculous** *adj* wunderbar.
mirage ('mirɑːʒ) *n* Täuschung *f.*
mirror ('mirə) *n* Spiegel *m. vt* widerspiegeln.
mirth (məːθ) *n* **1** Fröhlichkeit *f.* **2** Heiterkeit *f.*
misbehave (misbi'heiv) *vi* sich schlecht benehmen.
miscarriage (mis'kæridʒ) *n* Fehlgeburt *f.* **miscarriage of justice** *n* Rechtsbeugung *f.*
miscellaneous (misə'leiniəs) *adj* verschiedenartig. *n* (newspaper column) Verschiedenes *neu.* **miscellany** *n* Gemisch *neu.* Sammlung *f.*
mischance (mis'tʃɑːns) *n* Mißgeschick *neu.*
mischief ('mistʃif) *n* **1** Unheil *neu.* Schaden *m.* **2** Unfug *m.* **mischievous** *adj* **1** schelmisch. **2** verderblich.
misconceive (miskən'siːv) *vt* mißverstehen, falsch begreifen. **misconception** *n* Mißverständnis *neu.*
misconduct (mis'kɔndʌkt) *n* schlechtes *or* unangemessenes Verhalten *neu.*
misdeed (mis'diːd) *n* Missetat *f.*
miser ('maizə) *n* Geizhals *m.*
miserable ('mizərəbəl) *adj* **1** elend, erbärmlich. **2** unglücklich.
misery ('mizəri) *n* Elend *neu.*
misfire (mis'faiə) *vi* **1** *mot* fehlzünden. **2** *mil* versagen. **3** scheitern.
misfit ('misfit) *n* **1** schlechtpassendes Stück *neu.* **2** Mensch, der sich seiner Umwelt nicht anpassen kann *m.*
misfortune (mis'fɔːtʃən) *n* Unglück, Mißgeschick *neu.*
misgiving (mis'giviŋ) *n* Befürchtung *f.* Zweifel *m.*
misguided (mis'gaidid) *adj* irregeführt.
mishap ('mishæp) *n* Unfall *m.* Unglück *neu.*
mislay* (mis'lei) *vt* verlegen.
mislead* (mis'liːd) *vt* irreführen.
misprint ('misprint) *n* Druckfehler *m.*
miss[1] (mis) *vt* **1** verfehlen. **2** vermissen. **3** versäumen, verpassen. *n* Fehlschuß *m.* **missing** *adj* fehlend, abwesend.
miss[2] (mis) *n* **1** Fräulein *neu.* **2** *cap* (title of address) Fräulein, Frl.
missile ('misail) *n* Geschoß *neu.*
mission ('miʃən) *n* **1** Mission *f.* **2** Auftrag *m.* **missionary** *n* Missionar *m.*
mist (mist) *n* Nebel, Dunst *m.*
mistake* (mis'teik) *n* Fehler, Irrtum *m. vt* verwechseln, falsch verstehen.
mister ('mistə) *n* Herr *m.*
mistletoe ('misəltou) *n* Mistel *f.*
mistress ('mistrəs) *n* **1** Lehrerin *f.* **2** Geliebte *f.* **3** Herrin *f.* **4** Frau des Hauses *f.*
mistrust (mis'trʌst) *vt* mißtrauen. *n* Mißtrauen *neu.*
misunderstand* (misʌndə'stænd) *vt* mißverstehen. **misunderstanding** *n* Mißverständnis *neu.*
misuse (*v* mis'juːz; *n* mis'juːs) *vt* mißbrauchen. *n* Mißbrauch *m.*
mitre ('maitə) *n* Bischofsmütze *f.*
mitten ('mitn̩) *n* Fausthandschuh *m.*
mix (miks) *vt* (ver)mischen. **mix up** **1** verwechseln. **2** vermischen. ~*n* Mischung *f.* **mixture** *n* Mischung *f.*
moan (moun) *vi* **1** stöhnen. **2** jammern, meckern.
moat (mout) *n* Burggraben *m.*
mob (mɔb) *n* **1** Pöbel *m.* Gesindel *neu.* **2** Bande *f.*
mobile ('moubail) *adj* mobil, beweglich. **mobility** *n* Beweglichkeit *f.* **mobilize** *vt* mobilisieren.
mock (mɔk) *vt* verspotten, verhöhnen. *adj* nachgemacht, unecht, Pseudo—.
mode (moud) *n* **1** Weise, Methode *f.* **2** Form, Art *f.*
model ('mɔdl̩) *n* **1** Modell *neu.* **2** Vorbild *neu.* *adj* **1** Modell—. **2** vorbildlich.
moderate ('mɔdərət) *adj* mäßig. **moderation** *n* Maß *neu.* Mäßigung *f.*
modern ('mɔdən) *adj* modern. **modernize** *vt* modernisieren.
modest ('mɔdist) *adj* bescheiden. **modesty** *n* Bescheidenheit *f.*
modify ('mɔdifai) *vt* abändern, modifizieren. **modification** *n* Abänderung, Modifikation *f.*
modulate ('mɔdjuleit) *vt* **1** abstimmen, anpassen. **2** abstufen. **3** dämpfen. **4** modulieren.
module ('mɔdjuːl) *n* Modul, Model *m.*
mohair ('mouhɛə) *n* Mohär *m.*
moist (mɔist) *adj* feucht. **moisten** *vt* (be-, an-)feuchten, nässen. **moisture** *n* Feuchtigkeit *f.* **moisturizing cream** *n* Feuchtigkeitscreme *f.*
mole[1] (moul) *n* Muttermal *neu.* Leberfleck *m.*
mole[2] (moul) *n* Maulwurf *m.*
molecule ('mɔlikjuːl) *n* Molekül *neu.*
molest (mə'lest) *vt* belästigen.
mollusc ('mɔləsk) *n* Weichtier *neu.* Molluske *f.*
molten ('moultən) *adj* **1** geschmolzen. **2** (of metal) flüssig.
moment ('moumənt) *n* Moment, Augenblick *m.* **momentary** *adj* momentan, augenblicklich. **momentous** *adj* bedeutend, gewichtig.

momentum *n* Triebkraft, Schwungkraft *f.* Impuls *m.*
monarch ('mɔnək) *n* Monarch *m.*
monastery ('mɔnəstri) *n* (Mönchs)Kloster *neu.*
Monday ('mʌndi) *n* Montag *m.*
money ('mʌni) *n* Geld *neu.* **get one's money's worth** etwas für sein Geld bekommen. **moneybox** *n* Sparbüchse *f.* **money order** *n* Postanweisung *f.* **monetary** *adj* **1** Geld—. **2** finanziell.
mongrel ('mʌŋgrəl) *n* Mischling *m.* Kreuzung *f.*
monitor ('mɔnitə) *n* Monitor *m.* *vt* **1** abhören. **2** kontrollieren, überwachen.
monk (mʌŋk) *n* Mönch *m.*
monkey ('mʌŋki) *n* Affe *m.*
monogamy (mə'nɔgəmi) *n* Monogamie, Einehe *f.*
monologue ('mɔnəlɔg) *n* Monolog *m.*
monopolize (mə'nɔpəlaiz) *vt* monopolisieren. **monopoly** *n* Monopol *neu.*
monosyllable ('mɔnəsiləbəl) *n* einsilbiges Wort *neu.* **speak in monosyllables** einsilbige Antworten geben.
monotone ('mɔnətoun) *n* Eintönigkeit, Monotonie *f.* **monotonous** *adj* eintönig, monoton.
monsoon (mɔn'su:n) *n* Monsun *m.*
monster ('mɔnstə) *n* **1** Ungeheuer *neu.* **2** Scheusal *neu.* **monstrous** *adj* **1** ungeheuer, riesig. **2** ungeheuerlich. **3** scheußlich.
month (mʌnθ) *n* Monat *m.*
monument ('mɔnjumənt) *n* Denkmal, Monument *neu.*
moo (mu:) *vi* muhen.
mood[1] (mu:d) *n* Laune, Stimmung *f.* **be in a good/bad mood** guter/schlechter Laune sein. **moody** *adj* launisch.
mood[2] (mu:d) *n* Modus *m.*
moon (mu:n) *n* Mond *m.* **moonlight** *n* Mondlicht *neu.* Mondschein *m.*
moor[1] (muə) *n* Moor *neu.* **moorhen** *n* Teichhuhn *neu.* **moorland** *n* Moor(land) *neu.*
moor[2] (muə) *vt* festmachen, verankern.
Moor (muə) *n* Maure *m.* **Moorish** *adj* maurisch.
mop (mɔp) *n* Mop, Staubbesen *m.* *vt* (auf)wischen.
mope (moup) *vi* traurig sein.
moped ('mouped) *n* Moped *neu.*
moral ('mɔrəl) *n* **1** Moral, Lehre *f.* **2** *pl* Moral *f.* Sitten *f pl.* *adj* moralisch. **morale** *n* Moral *f.* **morality** *n* **1** Moral(ität) *f.* **2** Sittlichkeit *f.* **moralize** *vi* moralisieren.
morbid ('mɔ:bid) *adj* krankhaft, morbid.
more (mɔ:) *adj* **1** mehr. **2** mehr, noch (etwas), weiter. *adv* **1** mehr. **2** noch. **more and more** immer mehr. **more or less** mehr oder weniger. **moreover** *adv* außerdem, weiter, ferner.
morgue (mɔ:g) *n* Leichenschauhaus *neu.*
morning ('mɔ:niŋ) *n* **1** Morgen *m.* **2** Vormittag *m.* **in the mornings** morgens. **this morning** heute früh, heute morgen..
Morocco (mə'rɔkou) *n* Marokko *neu.* **Moroccan** *adj* marokkanisch. *n* Marokkaner *m.*
moron ('mɔ:rɔn) *n* Schwachsinnige(r) *m.*
morose (mə'rous) *adj* mürrisch, verdrießlich.
morphine ('mɔ:fi:n) *n* Morphium *neu.*
morse code (mɔ:s) *n* Morsealphabet *neu.*
mortal ('mɔ:tl) *adj* sterblich. **mortality** *n* Sterblichkeit *f.*
mortar[1] ('mɔ:tə) *n* Mörser *m.*
mortar[2] ('mɔ:tə) *n* (for building) Mörtel *m.*
mortgage ('mɔ:gidʒ) *n* Hypothek *f.* *vt* **1** eine Hypothek nehmen auf. **2** verpfänden.
mortify ('mɔ:tifai) *vt* **1** demütigen. **2** abtöten.
mortuary ('mɔ:tjuəri) *n* Leichenhalle *f.*
mosaic (mou'zeiik) *n* Mosaik *neu.*
Moselle (mou'zel) *n* **1** Mosel *f.* **2** Moselwein *m.*
mosque (mɔsk) *n* Moschee *f.*
mosquito (mə'ski:tou) *n pl* **-oes** *or* **-os** Mücke *f.* Moskito *m.*
moss (mɔs) *n* Moos *neu.*
most (moust) *adj* **1** die meisten. **2** meist, höchst. *adv* am meisten, Meist—. *n* **1** das meiste, das Höchste *neu.* **2** der größte Teil *m.* **mostly** *adv* **1** hauptsächlich. **2** größtenteils.
motel (mou'tel) *n* Motel *neu.*
moth (mɔθ) *n* Motte *f.*
mother ('mʌðə) *n* Mutter *f.* *vt* bemuttern. **motherhood** *n* Mutterschaft *f.* **mother-in-law** *n* Schwiegermutter *f.* **mother superior** *n* Äbtissin *f.*
motion ('mouʃən) *n* **1** Bewegung *f.* **2** Gang *m.* **3** Antrieb *m.* *vt* zuwinken.
motive ('moutiv) *n* Beweggrund *m.*
motor ('moutə) *n* Motor *m.* **motor car** *n* Auto(mobil) *neu.* Personenkraftwagen *m.* **motorcycle** *n* Motorrad *neu.* **motorcyclist** *n* Motorradfahrer *m.* **motorist** *n* Autofahrer *m.* **motorway** *n* Autobahn *f.*
mottled ('mɔtld) *adj* gefleckt.
motto ('mɔtou) *n* Motto *neu.* Sinnspruch *m.*
mould[1] (mould) *n* **1** *tech* (Guß)Form *f.* **2** Art *f.* *vt* **1** *tech* gießen. **2** formen, bilden.
mould[2] (mould) *n* Schimmel *m.* **mouldy** *adj* schimm(e)lig.

moult (moult) *vi* **1** (of birds) sich mausern. **2** (of animals) sich häuten.
mound (maund) *n* Hügel, Erdwall *m.*
mount[1] (maunt) *vt* **1** besteigen. **2** hinaufgehen. **3** einbauen. **4** aufkleben. **5** montieren.
mount[2] (maunt) *n* Berg *m.*
mountain ('mauntin) *n* Berg *m.* **mountaineer** *n* Alpinist, Bergsteiger *m.*
mourn (mɔ:n) *vt* betrauern. *vi* trauern. **mourning** *n* Trauer *f.* **go into mourning** Trauer anlegen.
mouse (maus) *n, pl* **mice** Maus *f.* **mousetrap** *n* Mausefalle *f.* **mousy** *adj* **1** mausartig. **2** grau.
mousse (mu:s) *n* Kremeis *neu.*
moustache (mə'sta:ʃ) *n* Schnurrbart *m.*
mouth (mauθ) *n* **1** Mund *m.* **2** Öffnung *f.* **3** *geog* Mündung *f.* **mouthpiece** *n* Mundstück *neu.* **mouth-watering** *adj* schmackhaft.
move (mu:v) *(vi),vt* **1** (sich) bewegen. **2** (sich) rühren. **3** umziehen. *n* **1** Bewegung *f.* **2** Umzug *m.* **3** Schritt *m.* **4** (taktischer) Zug *m.* **movable** *adj* beweglich. **movement** *n* **1** Bewegung *f.* **2** *mus* Satz *m.* **3** Lauf *m.* **moving** *adj* **1** (sich) bewegend. **2** rührend, packend.
mow* (mou) *vt* mähen.
Mr ('mistə) (title of address) Herr.
Mrs ('misiz) (title of address) Frau.
much (mʌtʃ) *adj* viel. *adv* **1** sehr. **2** viel. **3** bei weitem. **how much** wieviel.
muck (mʌk) *n* **1** Mist *m.* **2** Dreck, Schmutz *m.* **mucky** *adj* dreckig.
mud (mʌd) *n* Schlamm, Schmutz *m.* **muddy** *adj* schlammig. **mudguard** *n* Kotflügel *m.*
muddle ('mʌd|) *n* Durcheinander *neu.* Wirrwarr *m. vt* verwirren. **muddle up** verwechseln. **muddle through** sich durchwursteln.
muff (mʌf) *n* Muff *m. vt inf* verpfuschen.
muffle ('mʌfəl) *vt* dämpfen, unterdrücken.
mug (mʌg) *n* **1** Becher, Krug *m.* **2** *inf* Dumme(r) *m.*
mulberry ('mʌlbəri) *n* Maulbeere *f.*
mule[1] (mju:l) *n* Maultier *neu.*
mule[2] (mju:l) *n* Pantoffel *m.*
multiple ('mʌltipəl) *adj* mehrfach, vielfach.
multiply ('mʌltiplai) *vt math* multiplizieren. *(vi),vt* (sich) vermehren.
multitude ('mʌltitju:d) *n* Menge, große Zahl *f.*
mum (mʌm) *n inf* Mutti *f.*
mumble ('mʌmbəl) *vi,vt* murmeln.
mummy[1] ('mʌmi) *n* Mumie *f.*
mummy[2] ('mʌmi) *n inf* Mutti *f.*
mumps (mʌmps) *n* Mumps, Ziegenpeter *m.*
munch (mʌntʃ) *vt,vi* hörbar kauen, schmatzen.
mundane ('mʌndein) *adj* **1** alltäglich, banal. **2** weltlich, irdisch.
Munich ('mju:nik) *n* München *neu.*
municipal (mju'nisipəl) *adj* städtisch, Stadt—. **municipality** *n* Stadt *f.* Stadtbezirk *m.*
mural ('mjuərəl) *n* Wandgemälde *neu.*
murder ('mə:də) *n* Mord *m. vt* ermorden. **murderer** *n* Mörder *m.*
murmur ('mə:mə) *n* Murmeln *neu. vt* murmeln.
muscle ('mʌsəl) *n* Muskel *m.*
muse (mju:z) *n* Muse *f. vi* (nach)sinnen, (nach)denken.
museum (mju:'ziəm) *n* Museum *neu.*
mushroom ('mʌʃrum) *n* Pilz, Champignon *m.*
music ('mu:zik) *n* Musik *f.* **musical** *adj* musikalisch. **musician** *n* Musiker *m.*
musk (mʌsk) *n* **1** *zool* Moschus *m.* **2** *bot* Moschuspflanze *f.*
musket ('mʌskit) *n* Muskete, Flinte *f.*
Muslim ('muzlim) *n* Muselmann, Mohammedaner *m. adj* mohammedanisch.
muslin ('mʌzlin) *n* Musselin *m.*
mussel ('mʌsəl) *n* Muschel *f.*
must*[1] (mʌst) *v mod aux* müssen.
must[2] (mʌst) *n* Most *m.*
mustard ('mʌstəd) *n* Senf *m. adj* senfgelb.
mute (mju:t) *adj* **1** stumm. **2** still, schweigend. *n* Stumme(r) *m.*
mutilate ('mju:tileit) *vt* verstümmeln, entstellen. **mutilation** *n* Verstümmelung *f.*
mutiny ('mju:tini) *n* Meuterei *f.*
mutter ('mʌtə) *vt,vi* murren, murmeln.
mutton ('mʌtn) *n* Hammelfleisch *neu.*
mutual ('mju:tjuəl) *adj* **1** gegenseitig. **2** gemeinsam.
muzzle ('mʌzəl) *n* **1** Maul *neu.* Schnauze *f.* **2** (of a gun) Mündung *f. vt* knebeln.
my (mai) *poss adj 1st pers s* mein. **myself** *pron 1st pers s* **1** mich. **2** mich selbst. **3** ich selbst. **by myself** allein.
myrrh (mə:) *n* Myrrhe *f.*
mystery ('mistəri) *n* **1** Geheimnis *neu.* **2** Rätsel *neu.* **mysterious** *adj* geheimnisvoll, mysteriös, rätselhaft.
mystic ('mistik) *n* Mystiker *m. adj* mystisch. **mysticism** *n* Mystizismus *m.*
mystify ('mistifai) *vt* **1** verwirren, irremachen. **2** täuschen. **3** in Dunkel hüllen.
mystique (mi'sti:k) *n* **1** Atmosphäre des Mysteriösen *f.* **2** Geheimnis *neu.*
myth (miθ) *n* Mythos *m.* **mythology** *n* Mythologie *f.*

N

nag[1] (næg) *vt* nörgeln.

nag[2] (næg) *n* Gaul *m.*

nail (neil) *n* Nagel *m.* **hit the nail on the head** den Nagel auf den Kopf treffen. **nailbrush** *n* Nagelbürste *f.* **nailfile** *n* Nagelfeile *f.* **nail varnish** *n* Nagellack *m.* ~*vt* nageln.

naive (nai'i:v) *adj* naiv.

naked ('neikid) *adj* **1** nackt. **2** bloß.

name (neim) *n* Name *m.* **namesake** *n* Namensvetter *m.* *vt* nennen. **nameless** *adj* **1** namenlos. **2** unbekannt. **3** unerwähnt. **namely** *adv* nämlich.

nanny ('næni) *n* Kinderpflegerin *f.*

nap (næp) *n inf* Schläfchen, Nickerchen *neu.*

napkin ('næpkin) *n* Serviette *f.*

Naples ('neipəlz) *n* Neapel *neu.*

nappy ('næpi) *n* Windel *f.*

narcotic (nɑ:'kɔtik) *n* Betäubungsmittel, Narkotikum *neu.* *adj* betäubend, narkotisch.

narrate (nə'reit) *vt* erzählen. **narrative** *n* Erzählung *f.*

narrow ('nærou) *adj* eng, schmal. **narrow-minded** *adj* beschränkt, kleinlich, engstirnig.

nasal ('neizəl) *adj* nasal, Nasen—.

nasturtium (nə'stə:ʃəm) *n* Kapuzinerkresse *f.*

nasty ('nɑ:sti) *adj* **1** unangenehm, widerlich. **2** gemein. **3** schlimm, ernst.

nation ('neiʃən) *n* Nation *f.* Volk *neu.* **nationwide** *adj* allgemein, die Nation umfassend, weit verbreitet. **national** *adj* national. **national anthem** *n* Nationalhymne *f.* **national insurance** *n* Sozialversicherung *f.* **national service** *n* Militärdienst *m.* **nationalism** *n* Nationalismus *m.* **nationality** *n* Nationalität, Staatsangehörigkeit *f.* **nationalize** *vt* nationalisieren, verstaatlichen.

native ('neitiv) *n* **1** Eingeborene(r) *m.* **2** Einheimische(r) *m.* *adj* einheimisch.

nativity (nə'tiviti) *n* Geburt (Christi) *f.* **nativity play** Christfestspiel *neu.*

natural ('nætʃərəl) *adj* natürlich. **natural gas** *n* Erdgas *neu.* **natural history** *n* Naturgeschichte *f.* **natural science** *n* Naturwissenschaft *f.* **naturalize** *vt* naturalisieren, einbürgern.

nature ('neitʃə) *n* **1** Natur *f.* **2** Wesen *neu.* Art *f.* **3** Charakter *m.*

naughty ('nɔ:ti) *adj* unartig, schlimm.

nausea ('nɔ:siə, -ziə) *n* **1** Übelkeit *f.* **2** Ekel *m.* **nauseate** *vt* anekeln.

nautical ('nɔ:tikəl) *adj* nautisch, See—.

naval ('neivəl) *adj* Marine—, See—, Flotten—.

nave (neiv) *n* Kirchenschiff *neu.*

navel ('neivəl) *n* Nabel *m.*

navigate ('nævigeit) *vt* steuern, befahren. *vi* navigieren. **navigation** *n* Nautik, Navigation *f.*

navy ('neivi) *n* Kriegsmarine, (Kriegs)Flotte *f.* **navy blue** *adj* marineblau. *n* Marineblau *neu.*

near (niə) *prep* nahe, in der Nähe von. *adj,adv* nahe. **nearby** *adj* nahe(gelegen). *adv* in der Nähe. **nearly** *adv* nahe, fast, beinahe. **nearside** *n* Fahrerseite *f.*

neat (ni:t) *adj* sauber, nett, ordentlich.

nebulous ('nebjuləs) *adj* nebelhaft, unbestimmt, verschwommen.

necessary ('nesəsəri) *adj* notwendig, nötig, erforderlich. **necessarily** *adv* **1** notwendigerweise. **2** unbedingt. **necessity** *n* **1** Notwendigkeit *f.* **2** Bedürfnis *neu.*

neck (nek) *n* Hals, Nacken *m.* **neckband** *n* Halsband *m.* **necklace** *n* Halskette *f.*

nectar ('nektə) *n* Nektar *m.*

need (ni:d) *n* **1** Notwendigkeit *f.* **2** Bedarf *m.* Bedürfnis *neu.* **3** Not, Armut *f.* *vt* **1** benötigen. **2** brauchen. **needless** *adj* unnötig. **needless to say** selbstverständlich.

needle ('ni:dl) *n* Nadel *f.* **needlework** *n* Näherei *f.* ~*vt sl* sticheln, reizen.

negate (ni'geit) *vt* verneinen, leugnen, negieren. **negation** *n* Verneinung, Negation *f.* **negative** *adj* negativ. *n* **1** (of a photograph) Negativ *neu.* **2** Negation *f.* **answer in the negative** mit Nein antworten, verneinen.

neglect (ni'glekt) *n* Nachlässigkeit *f.* *vt* **1** vernachlässigen. **2** unterlassen. **negligent** *adj* nachlässig. **negligible** *adj* unbedeutend, geringfügig.

negotiate (ni'gouʃieit) *vt* **1** verhandeln. **2** überwinden. *vi* verhandeln. **negotiation** *n* **1** Verhandlung *f.* **2** Überwindung *f.*

Negro ('ni:grou) *n, pl* **-oes** Neger *m.* **Negress** *n* Negerin *f.*

neigh (nei) *vi* wiehern. *n* Wiehern *neu.*

neighbour ('neibə) *n* Nachbar *m.* **neighbourhood** *n* Nachbarschaft *f.* **neighbouring** *adj* angrenzend, benachbart.

neither ('naiðə) *conj* auch nicht. **neither...nor** weder...noch. *adj,pron* keiner (von beiden).

neon ('ni:ən) *n* Neon *neu.*

nephew ('nevju:) *n* Neffe *m.*

nepotism ('nepətizəm) *n* Nepotismus *m.*

Neptune ('neptju:n) *n* Neptun *m.*

nerve (nəːv) *n* **1** Nerv *m.* **2** *inf* Frechheit *f.* Mut *m.* **3** *pl* Nervosität *f.* **nerve-racking** *adj* nervenaufreibend. **nervous** *adj* **1** nervös. **2** Nerven—. **nervous breakdown** *n* Nervenzusammenbruch *m.* **nervous system** *n* Nervensystem *neu.*

nest (nest) *n* Nest *neu. vi* nisten.

nestle ('nesəl) *vi* sich schmiegen an.

net[1] (net) *n* Netz *neu. vt* fangen. **netball** *n* Korbballspiel *neu.* **network** *n* Netz *neu.*

net[2] (net) *adj* netto.

Netherlands ('neðələndz) *n pl* Niederlande *f pl.* **Netherlander** *n* Niederländer *m.*

nettle ('netl̩) *n* Nessel *f.*

neurosis (njuə'rousis) *n* Neurose *f.* **neurotic** *adj* neurotisch.

neuter ('njuːtə) *n* Neutrum *neu. adj* **1** sächlich. **2** geschlechtslos. *vt* kastrieren.

neutral ('njuːtrəl) *adj* **1** neutral. **2** unparteiisch. **neutrality** *n* Neutralität *f.* **neutralize** *vt* neutralisieren.

never ('nevə) *adv* nie, niemals. **on the never-never** *inf* auf Abzahlung. **nevertheless** *adv* dennoch, nichtsdestoweniger.

new (njuː) *adj* neu. **newcomer** *n* Neuankömmling *m.* **newly** *adv* neulich, kürzlich. **news** *n* Nachrichten *f pl.* **a piece of news** Neuigkeit, Nachricht *f.* **newsagent** *n* Zeitungshändler *m.* **newspaper** *n* Zeitung *f.* **newsreel** *n* Wochenschau *f.*

newt (njuːt) *n* Wassermolch *m.*

New Testament *n* Neues Testament *neu.*

New Year *n* Neujahr *neu.* **New Year's Day** *n* Neujahrstag *m.* **New Year's Eve** *n* Silvester *m.*

New Zealand ('ziːlənd) *n* Neuseeland *neu. adj* neuseeländisch. **New Zealander** *n* Neuseeländer *m.*

next (nekst) *adj* **1** nächst. **2** folgend. **next door** nebenan. *~adv* **1** nächstens. **2** das nächste Mal. *n* Nächste(r) *m.*

nib (nib) *n* (of a pen) Spitze *f.*

nibble ('nibəl) *vi,(vt)* knabbern *or* nagen (an).

nice (nais) *adj* **1** nett. **2** schön. **3** lieb, freundlich.

niche (niːʃ) *n* **1** Nische *f.* **2** passende Stelle *f.*

nick (nik) *vt* einkerben. *n* Kerbe *f.* **in the nick of time** gerade rechtzeitig.

nickel ('nikəl) *n* Nickel *neu.*

nickname ('nikneim) *n* Spitzname *m.*

nicotine ('nikəti:n) *n* Nikotin *neu.*

niece (niːs) *n* Nichte *f.*

Nigeria (nai'dʒiəriə) *n* Nigeria *neu.* **Nigerian** *adj* nigerianisch. *n* Nigerianer *m.*

nigger ('nigə) *n derog* Neger, Schwarze(r) *m.*

niggle ('nigəl) *vi* nörgeln, herumtüfteln.

night (nait) *n* **1** Nacht *f.* **2** Abend *m.* **last night** gestern Abend. **spend the night** übernachten. **nightclub** *n* Nachtklub *m.* **nightdress** *n also* **nightgown** Nachthemd *neu.* **nightmare** *n* Alptraum *m.*

nightingale ('naitiŋgeil) *n* Nachtigall *f.*

nil (nil) *n* Null *f.*

Nile (nail) *n* Nil *m.*

nimble ('nimbəl) *adj* flink, behend.

nine (nain) *adj* neun. *n* Neun *f.* **ninth** *adj* neunte.

nineteen (nain'tiːn) *adj* neunzehn. *n* Neunzehn *f.* **nineteenth** *adj* neunzehnte.

ninety ('nainti) *adj* neunzig. *n* Neunzig *f.* **ninetieth** *adj* neunzigste.

nip[1] (nip) *n* leichter Biß, Kniff *m. vt* beißen, kneifen. *vi* flitzen. **nippy** *adj inf* spritzig.

nip[2] (nip) *n* Schlückchen *neu.*

nipple ('nipəl) *n* Brustwarze *f.*

nitrogen ('naitrədʒən) *n* Stickstoff *m.* Nitrogen *neu.*

no[1] (nou) *adv* nein.

no[2] (nou) *adj* kein. **in no way** keineswegs.

noble ('noubəl) *adj* **1** vornehm, edel. **2** adlig. *n* Edelmann *m.* **nobleman** *n* Edelmann, Adlige(r) *m.* **nobility** *n* **1** Adel *m.* **2** Vornehmheit *f.*

nobody ('noubədi) *pron also* **no-one** niemand, keiner. *n inf* Null *f.* Niemand *m.*

nocturnal (nɔk'təːnl̩) *adj* nächtlich.

nod (nɔd) *vt,vi* (mit dem Kopf) nicken. *n* Kopfnicken *neu.*

node (noud) *n* Knoten *m.*

noise (nɔiz) *n* **1** Geräusch *neu.* Lärm *m.* **2** Krach *m.* **noisy** *adj* lärmend.

nomad ('noumæd) *n* Nomade *m.* **nomadic** *adj* nomadisch.

nominal ('nɔminl̩) *adj* nominell.

nominate ('nɔmineit) *vt* (er)nennen, nominieren.

nominative ('nɔminətiv) *n* Nominativ *m.*

non- *pref* nicht—.

nonchalant ('nɔnʃələnt) *adj* **1** gleichgültig. **2** unbekümmert. **3** nonchalant.

nondescript ('nɔndiskript) *adj* schwer zu beschreiben.

none (nʌn) *pron* **1** kein. **2** niemand. *adv* keineswegs.

nonentity (nɔn'entiti) *n* 1 *inf* unbedeutender Mensch, Null *f*. 2 Nichts *neu*.
nonsense ('nɔnsəns) *n* Unsinn *m*.
noodles ('nu:dlz) *n pl* Nudeln *f pl*.
noon (nu:n) *n* Mittag *m*.
noose (nu:s) *n* Schlinge *f*.
nor (nɔ:) *conj* noch, auch nicht. **neither...nor** weder...noch.
norm (nɔ:m) *n* Norm, Regel, Richtschnur *f*. **normal** *adj* normal.
Norman ('nɔ:mən) *adj* normannisch. *n* Normanne *m*.
Normandy ('nɔ:məndi) *n* Normandie *f*.
Norse (nɔ:s) *adj* altnorwegisch. *n* (language) Altnorwegisch *neu*.
north (nɔ:θ) *n* Nord(en) *m*. *adj* nördlich, Nord—. *adv* nördlich. **northeast** *n* Nordost(en) *m*. *adj,adv* nordöstlich. **northeasterly** *adj,adv* nordöstlich. **northeastern** *adj* nordöstlich. **northerly** *adj* nördlich. **northern** *adj* nördlich. **northwards** *adv* nordwärts. **northwest** *n* Nordwest(en) *m*. *adj,adv* nordwestlich. **northwesterly** *adj,adv* nordwestlich. **northwestern** *adj* nordwestlich.
North America *n* Nordamerika *neu*.
Northern Ireland *n* Nordirland *neu*.
North Pole *n* Nordpol *m*.
North Rhine-Westphalia (west'feiliə) *n* Nordrhein-Westfalen *neu*.
Norway ('nɔ:wei) *n* Norwegen *neu*. **Norwegian** *adj* norwegisch. *n* 1 Norweger m. 2 (language) Norwegisch *neu*.
nose (nɔuz) *n* Nase *f*. **nosy** *adj inf* neugierig.
nostalgia (nɔ'stældʒiə) *n* 1 Nostalgie, Sehnsucht *f*. 2 Heimweh *neu*. **nostalgic** *adj* wehmütig, voll Heimweh.
nostril ('nɔstril) *n* Nasenloch *neu*.
not (nɔt) *adv* nicht. **not a** kein.
notch (nɔtʃ) *n* Kerbe *f*. *vt* einkerben.
note (nout) *n* 1 Zettel *m*. 2 Notiz *f*. 3 Vermerk *m*. 4 Ton *m*. 5 Bedeutung *f*. **notebook** *n* Notizbuch *neu*. **notepaper** *n* Briefpapier *neu*. **noteworthy** *adj* bemerkenswert. ~*vt* 1 merken. 2 vermerken, aufschreiben. **notable** *adj* bemerkenswert, beträchtlich, hervorragend. **notation** *n* 1 Aufzeichnung *f*. 2 Schreibweise *f*.
nothing ('nʌθiŋ) *pron* nichts. *n* Nichts *neu*. **nothing of the kind** nichts dergleichen.
notice ('noutis) *n* 1 Notiz *f*. 2 Meldung *f*. Hinweis *m*. 3 Kündigung(sfrist) *f*. 4 Anschlag *m*. Plakat *neu*. **notice board** *n* Anschlagtafel *f*. *vt* bemerken. **noticeable** *adj* 1 bemerkenswert. 2 merklich.
notify ('noutifai) *vt* benachrichtigen, bekanntgeben. **notification** *n* Benachrichtigung *f*.
notion ('nouʃən) *n* 1 Begriff, Gedanke *m*. 2 Idee *f*. 3 Vorstellung *f*.
notorious (nou'tɔ:riəs) *adj* berüchtigt, notorisch, allbekannt.
notwithstanding (nɔtwiθ'stændiŋ) *prep* ungeachtet, trotz.
nought (nɔ:t) *n* Null *f*. *pron* nichts.
noun (naun) *n* Hauptwort *neu*. Substantiv *m*.
nourish ('nʌriʃ) *vt* (er)nähren. **nourishing** *adj* nahrhaft.
novel[1] ('nɔvəl) *n* Roman *m*. **novelist** *n* Romanschriftsteller *m*.
novel[2] ('nɔvəl) *adj* neuartig. **novelty** *n* 1 Neuheit *f*. 2 Ungewöhnlichkeit *f*.
November (nou'vembə) *n* November *m*.
novice ('nɔvis) *n* 1 Anfänger *m*. 2 *rel* Novize *m*.
now (nau) *adv* 1 nun, jetzt. 2 sofort. 3 eben. *conj* nun. **nowadays** *adv* heutzutage.
nowhere ('nouwεə) *adv* nirgends, nirgendwo.
noxious ('nɔkʃəs) *adj* schädlich.
nozzle ('nɔzəl) *n* 1 Schnauze. 2 Ausgußröhre *f*. 3 Düse *f*.
nuance ('nju:əns) *n* 1 Nuance *f*. 2 Abtönung *f*. 3 Schattierung *f*.
nucleus ('nju:kliəs) *n* 1 *sci* Kern *m*. 2 Mittelpunkt *m*. **nuclear** *adj* Kern—, Atom—, nuklear.
nude (nju:d) *adj* nackt. *n* 1 Nackte(r) *m*. 2 *Art* Akt *m*.
nudge (nʌdʒ) *vt* leicht anstoßen.
nugget ('nʌgit) *n* Goldklumpen, Nugget *m*.
nuisance ('nju:səns) *n* 1 Ärgernis *neu*. Belästigung *f*. 2 lästiger Mensch *m*.
null (nʌl) *adj* nichtig, ungültig, null.
numb (nʌm) *adj* starr, empfindungslos. *vt* starr machen, betäuben.
number ('nʌmbə) *n* 1 Nummer *f*. 2 Zahl, Ziffer *f*. 3 (An)Zahl *f*. **numberplate** *n mot* Nummernschild *neu*. **numeral** *n* 1 Zahlzeichen *neu*. 2 Zahlwort *neu*. **numerate** *adj* rechenkundig. **numerical** *adj* zahlenmäßig, numerisch. **numerous** *adj* zahlreich.
nun (nʌn) *n* Nonne *f*.
Nuremberg ('njuərəmbə:g) *n* Nürnberg *neu*.
nurse (nə:s) *n* Krankenschwester *f*. *vt* 1 pflegen. 2 aufzeihen. **nursing home** *n* (Privat)Klinik *f*. Sanatorium *neu*. **nursery** *n* 1 Kinderzimmer *neu*. 2 *bot* Pflanzschule *f*. **nursery rhyme** *n*

Kinderreim *m.* Kinderlied *neu.* **nursery school** *n* Kindergarten *m.*

nurture (ˈnəːtʃə) *vt* **1** ernähren. **2** hegen.

nut (nʌt) *n* **1** Nuß *f.* **2** *tech* (Schrauben)Mutter *f.* **3** *inf* Kopf *m.* **in a nutshell** kurz gefaßt. **nutcrackers** *n* Nußknacker *m.* **nutmeg** *n* Muskatnuß *f.* **nutshell** *n* Nußschale *f.*

nutrition (njuːˈtriʃən) *n* Nahrung, Ernährung *f.*

nuzzle (ˈnʌzəl) *vi* **1** schnüffeln. **2** sich anschmiegen.

nylon (ˈnailən) *n* Nylon *neu.* **nylon stockings** *n pl also* **nylons** Nylonstrümpfe *m pl.*

nymph (nimf) *n* Nymphe *f.*

O

oak (ouk) *n* Eiche *f.*

oar (ɔː) *n* Ruder *neu.* **oarsman** *n* Ruderer *m.*

oasis (ouˈeisis) *n* Oase *f.*

oath (ouθ) *n* Eid, Schwur *m.*

oats (outs) *n pl* **1** Hafer *m pl.* **2** Haferflocken *f pl.* **oatmeal** *n* Hafermehl *m.*

obedient (əˈbiːdiənt) *adj* gehorsam. **obedience** *n* Gehorsam *m.*

obese (ouˈbiːs) *adj* fettleibig.

obey (əˈbei) *vt* **1** gehorchen. **2** befolgen.

obituary (əˈbitjuəri) *n* Todesanzeige *f.*

object (*n* ˈɔbdʒikt; *v* əbˈdʒekt) *n* **1** Gegenstand *m.* Objekt *neu.* **2** Ziel *neu.* Zweck *m. vi* **1** einwenden. **2** protestieren. **objection** *n* **1** Einwand *m.* **2** Abneigung *f.* **objective** *n* Ziel *neu.* Absicht *f. adj* sachlich, objektiv.

oblige (əˈblaidʒ) *vt* **1** binden, verpflichten. **2** nötigen. **3** gefällig sein. **be obliged to do something** etwas tun müssen. **be obliged to someone** jemandem dankbar sein. **obligation** *n* Verpflichtung *f.* **obligatory** *adj* verbindlich, verpflichtend.

oblique (əˈbliːk) *adj* schräg, schief.

obliterate (əˈblitəreit) *vt* **1** auslöschen, ausradieren. **2** unkenntlich machen.

oblivion (əˈbliviən) *n* Vergessenheit *f.* **oblivious** *adj* **1** vergeßlich. **2** nicht bewußt.

oblong (ˈɔblɔŋ) *n* Rechteck *neu. adj* rechteckig, länglich.

obnoxious (əbˈnɔkʃəs) *adj* anstößig, verhaßt.

oboe (ˈoubou) *n* Oboe *f.*

obscene (əbˈsiːn) *adj* obszön, unzüchtig.

obscure (əbˈskjuə) *adj* **1** dunkel, finster. **2** unbekannt. *vt* verdecken, verdunkeln.

observe (əbˈzəːv) *vt* **1** beobachten. **2** bemerken. **observance** *n* **1** Beobachtung *f.* **2** Befolgung *f.* **observant** *adj* aufmerksam, wachsam. **observation** *n* **1** Beobachtung *f.* **2** Bemerkung *f.* **observatory** *n* Sternwarte *f.* Observatorium *neu.*

obsess (əbˈses) *vt* verfolgen, quälen. **obsession** *n* Besessenheit *f.*

obsolescent (ɔbsəˈlesənt) *adj* veraltend.

obsolete (ˈɔbsəliːt) *adj* veraltet, überholt.

obstacle (ˈɔbstəkəl) *n* Hindernis *neu.*

obstinate (ˈɔbstinət) *adj* hartnäckig, eigensinnig. **obstinacy** *n* Hartnäckigkeit *f.*

obstruct (əbˈstrʌkt) *vt* **1** verstopfen, blockieren. **2** (ver)hindern. **obstruction** *n* **1** Verstopfung *f.* **2** Hindernis *neu.*

obtain (əbˈtein) *vt* erhalten, bekommen.

obtrusive (əbˈtruːsiv) *adj* aufdringlich.

obtuse (əbˈtjuːs) *adj* stumpf, stumpfwinkelig.

obverse (ˈɔbvəːs) *adj* Vorder—. *n* Kehrseite *f.*

obvious (ˈɔbviəs) *adj* offensichtlich, klar.

occasion (əˈkeiʒən) *n* **1** Gelegenheit *f.* **2** Anlaß *m.* **on the occasion of** anläßlich.

Occident (ˈɔksidənt) *n* Westen *m.* Abendland *neu.* **occidental** *adj* westlich, abendländisch.

occult (ɔˈkʌlt) *adj* okkult. **occultism** *n* Okkultismus *m.*

occupy (ˈɔkjupai) *vt* **1** besetzen. **2** bewohnen. **3** beschäftigen. **occupy oneself** sich beschäftigen. **occupation** *n* **1** Beruf *m.* Beschäftigung *f.* **2** *mil* Besetzung, Besatzung *f.*

occur (əˈkəː) *vi* **1** vorkommen, sich ereignen. **2** einfallen. **occurrence** *n* **1** Ereignis *neu.* **2** Vorfall *m.*

ocean (ˈouʃən) *n* Meer *neu.* Ozean *m.*

ochre (ˈoukə) *n* Ocker *m. adj* ockergelb.

octagon (ˈɔktəgən) *n* Achteck *neu.* **octagonal** *adj* achteckig.

octane (ˈɔktein) *n* Oktan *neu.*

octave (ˈɔktiv) *n* Oktave *f.*

October (ɔkˈtoubə) *n* Oktober *m.*

octopus (ˈɔktəpəs) *n, pl* **-puses** *or* **-pi** Krake *m.* Polyp *m.*

oculist (ˈɔkjulist) *n* Augenarzt *m.*

odd (ɔd) *adj* **1** ungleich. **2** seltsam, sonderbar. **3** (of numbers) ungerade. **oddity** *n* Seltsamkeit, seltsame Sache *f.* **oddment** Überbleibsel *neu.* Rest *m.* **odds** *n pl* Gewinnchancen *f pl.*

ode (oud) *n* Ode *f.*

odious (ˈoudiəs) *adj* verhaßt.

odour (ˈoudə) *n* Geruch *m.*

oesophagus (iˈsɔfəgəs) *n, pl* **-gi** Speiseröhre *f.*

of (əv; *stressed* ɔv) *prep* **1** von. **2** aus.

off (ɔf) *adv* **1** davon, fort, weg. **2** nicht frisch. **well/badly off** gut/schlecht daran.

offal (ˈɔfəl) *n* Fleischabfall *m.*

offend (əˈfend) *vt* beleidigen. **offence** *n* **1** Beleidigung *f.* Anstoß *m.* **2** Vergehen *neu.* **take offence** Anstoß nehmen. **offensive** *adj* anstößig, beleidigend. *n* Offensive *f.* Angriff *m.*

offer (ˈɔfə) *vt* anbieten. *n* Angebot *neu.*

offhand (ɔfˈhænd) *adj* **1** kurz (angebunden). **2** improvisiert, spontan, aus dem Stegreif. *adv* spontan.

office (ˈɔfis) *n* **1** Büro *neu.* **2** Dienst *m.* Amt *neu.* **officer** *n* **1** *mil* Offizier *m.* **2** Beamte(r) *m.* **official** *adj* offiziell. *n* Beamte(r) *m.*

officious (əˈfiʃəs) *adj* offiziös, aufdringlich.

offing (ˈɔfiŋ) *n* offene See *f.* **in the offing** in (Aus)Sicht, im Werden.

off-licence *n* Ausschank über die Straße *m.*

off-peak *adj* außerhalb der Hauptverkehrszeit.

off-putting *adj* abstoßend.

off-season *adj* außer Saison.

offset (ˈɔfset) *vt* ausgleichen.

offshore (ɔfˈʃɔː) *adj* **1** von der Küste entfernt. **2** vom Land kommend, ablandig.

offside (ɔfˈsaid) *adj,adv sport* abseits. *n* rechte Seite *f.*

offspring (ˈɔfspriŋ) *n* **1** Nachkomme *m.* **2** Nachkommenschaft *f.*

offstage (ɔfˈsteidʒ) *adj* hinter der Bühne *f.*

often (ˈɔfən) *adv* oft, häufig.

ogre (ˈougə) *n* Unhold, Riese *m.*

oil (ɔil) *n* **1** Öl *neu.* **2** Erdöl *neu.* *vt* ölen, schmieren. **oilfield** *n* Ölfeld neu. **oil painting** *n* Ölgemälde *neu.* **oil rig** *n* **1** Ölplattform *f.* **2** Ölbohrturm *m.* **oilskin** *n* **1** Öltuch *neu.* **2** *pl* Ölkleidung *f.*

ointment (ˈɔintmənt) *n* Salbe *f.*

old (ould) *adj* alt. **six years old** sechs Jahre alt. **old age** *n* Alter *neu.* **old-fashioned** *adj* altmodisch, veraltet.

Old Testament *n* Altes Testament *neu.*

olive (ˈɔliv) *n* **1** Olive *f.* Ölbaum *m.* **2** Olive *f.* *adj* olivgrün. **olive oil** *n* Olivenöl *neu.*

omelette (ˈɔmlət) *n* Omelett *neu.*

omen (ˈoumen) *n* Omen *neu.* Vorzeichen *neu.*

ominous (ˈɔminəs) *adj* unheilvoll, drohend.

omit (əˈmit) *vt* auslassen, weglassen. **omission** *n* Auslassung *f.*

omnibus (ˈɔmnibəs) *n* Omnibus, Bus *m.*

omnipotent (ɔmˈnipətənt) *adj* allmächtig.

on (ɔn) *prep* **1** auf. **2** an. **3** über, zu. *adv* **1** auf. **2** an. **3** weiter, vorwärts. **be on** **1** an(geschaltet) sein. **2** los sein. **from...on** von...an.

once (wʌns) *adv* **1** einmal. **2** einst. **at once** **1** auf einmal. **2** sofort. **once and for all** ein für allemal.

one (wʌn) *adj* eins. *n* Eins *f.* *pron 3rd pers s* einer, man. **oneself** *pron 3rd pers s* sich (selbst). **by oneself** allein. **one-sided** *adj* einseitig. **one-way** *adj* Einweg—. **one-way street** Einbahnstraße *f.*

onion (ˈʌniən) *n* Zwiebel *f.*

onlooker (ˈɔnlukə) *n* Zuschauer *m.*

only (ˈounli) *adj* einzig. *adv* **1** nur. **2** erst. **not only...but also** nicht nur...sondern auch. ~*conj* nur daß, jedoch.

onset (ˈɔnset) *n* **1** Anfang *m.* **2** Angriff *m.*

onslaught (ˈɔnslɔːt) *n* (plötzlicher) Angriff *m.*

onus (ˈounəs) *n* Last *f.*

onward (ˈɔnwəd) *adv* vorwärts, weiter. *adj* weitergehend. **onwards** *adv* vorwärts, weiter.

ooze (uːz) *vi* (durch)sickern, triefen.

opal (ˈoupəl) *n* Opal *m.*

opaque (ouˈpeik) *adj* undurchsichtig.

open (ˈoupən) *vt* **1** (er)öffnen. **2** aufmachen. **3** anfangen. *adj* offen, offenstehend, auf. **open-air** *adj* Freiluft—. **in the open air** im Freien. **open-air swimming pool** Freibad *neu.* **open-ended** *adj* offenendig. **open-handed** *adj* großzügig, freigebig. **open-hearted** *adj* offenherzig. **open-minded** *adj* aufgeschlossen, unvoreingenommen. **open-mouthed** *adj* **1** mit offenen Mund. **2** verblüfft, erstaunt. **open-plan** *adj* Großraum—. **opening** **1** Öffnung, Lücke *f.* **2** Eröffnung *f.*

opera (ˈɔprə) *n* Oper *f.* **opera house** *n* Opernhaus *neu.* **operetta** *n* Operette *f.*

operate (ˈɔpəreit) *vi* **1** laufen, funktionieren. **2** handeln, Geschäft betreiben. **3** *med* operieren. *vt* betätigen. **operation** *n* **1** Arbeitslauf, Betrieb *m.* **2** Betätigung *f.* **3** *med* Operation. **4** *mil* Unternehmung, Operation *f.* **operative** *adj* tätig, wirksam. *n* Arbeiter, Handwerker *m.*

opinion (əˈpiniən) *n* Meinung, Ansicht *f.* **opinion poll** *n* Meinungsumfrage *f.*

opium (ˈoupiəm) *n* Opium *neu.*

opponent (əˈpounənt) *n* Gegner *m.*

opportune (ɔpəˈtjuːn) *adj* **1** günstig. **2** rechtzeitig.

opportunity (ɔpəˈtjuːniti) *n* Gelegenheit, Möglichkeit *f.*

oppose (əˈpouz) *vt* **1** ablehnend gegenüberstehen, bekämpfen. **2** gegenüberstellen. *vi* Widerstand leisten, opponieren. **opposed** *adj* **1** entgegengesetzt. **2** feindlich. **as opposed to** im Vergleich zu.

opposite (ˈɔpəzit) *adj* **1** gegenüberliegend. **2**

gegensätzlich. *n* Gegensatz *m*. **opposition** *n* **1** Widerstand *m*. **2** *pol* Opposition *f*.

oppress (ə'pres) *vt* unterdrücken, tyrannisieren. **oppression** *n* Unterdrückung *f*.

opt (ɔpt) *vi* wählen. **opt for** sich entscheiden für.

optical ('ɔptikəl) *adj* optisch. **optician** *n* Optiker *m*.

optimism ('ɔptimizəm) *n* Optimismus *m*. **optimist** *n* Optimist *m*. **optimistic** *adj* optimistisch.

option ('ɔpʃən) *n* **1** Wahl, Alternative *f*. **2** Option *f*. Vorkaufsrecht *neu*.

opulent ('ɔpjulənt) *adj* reich, üppig.

or (ɔ:) *conj* oder.

oral ('ɔ:rəl) *adj* mündlich.

orange ('ɔrindʒ) *n* Apfelsine, Orange *f*. *adj* orangenfarbig.

orator ('ɔrətə) *n* Redner *m*.

orbit ('ɔ:bit) *n* Umlaufbahn *f*. *vt* umkreisen.

orchard ('ɔ:tʃəd) *n* Obstgarten *m*.

orchestra ('ɔ:kistrə) *n* Orchester *neu*. **orchestral** *adj* orchestral.

orchid ('ɔ:kid) *n* Orchidee *f*.

ordain (ɔ:'dein) *vt* **1** bestimmen. **2** *rel* weihen.

ordeal (ɔ:'di:l) *n* Qual, Plage, Nervenprobe *f*.

order ('ɔ:də) *n* **1** Befehl *m*. **2** Ordnung *f*. **3** *comm* Bestellung *f*. Auftrag *m*. **4** Stand *m*. **in order that** damit. **in order to** um...zu. *vt* **1** befehlen. **2** bestellen. **3** ordnen. **orderly** *n* Ordner *m*. *adj* ordentlich.

ordinal ('ɔ:din|) *adj* Ordinal—. *n* Ordnungszahl *f*.

ordinary ('ɔ:dənri) *adj* **1** gewöhnlich, normal. **2** mittelmäßig, Durchschnitts—.

ore (ɔ:) *n* Erz *neu*.

oregano (ɔri'ga:nou) *n* Origanum *neu*.

organ ('ɔ:gən) *n* **1** Organ *neu*. **2** *mus* Orgel *f*.

organism ('ɔ:gənizəm) *n* Organismus *m*. **organic** *adj* **1** organisch. **2** geordnet.

organize ('ɔ:gənaiz) *vt* **1** organisieren. **2** einrichten. **organization** *n* **1** Organisation *f*. **2** systematischer Aufbau *m*. **3** Gesellschaft *f*.

orgasm ('ɔ:gæzəm) *n* Orgasmus *m*.

orgy ('ɔ:dʒi) *n* Orgie *f*.

Orient ('ɔ:riənt) *n* Orient, Osten *m*. Morgenland *neu*. **oriental** *adj* orientalisch, morgenländisch. *n* Orientale *m*.

orientate ('ɔ:rienteit) *vt* orientieren, richten. **orientation** *n* Orientierung *f*.

origin ('ɔridʒin) *n* **1** Ursprung *m*. **2** Herkunft *f*. **original** *adj* **1** original, ursprünglich. **2** originell, schöpferisch. **originate** *vi* entspringen, entstehen, ausgehen.

Orlon ('ɔ:lɔn) *n Tdmk* Orlon *neu*.

ornament ('ɔ:nəmənt) *n* Schmuck *m*. Ornament *neu*. Verzierung *f*. **ornamental** *adj* ornamental. **ornamentation** *n* Verzierung *f*.

ornate (ɔ:'neit) *adj* geschmückt, veriert.

ornithology (ɔ:ni'θɔlədʒi) *n* Ornithologie, Vogelkunde *f*.

orphan ('ɔ:fən) *n* Waise *m*.

orthodox ('ɔ:θədɔks) *adj* **1** *rel* orthodox, rechtgläubig. **2** konventionell.

orthopaedic (ɔ:θə'pi:dik) *adj* orthopädisch.

oscillate ('ɔsəleit) *vi* **1** schwingen, oszillieren. **2** schwanken.

ostensible (ɔ'stensəbəl) *adj* **1** scheinbar. **2** angeblich.

ostentatious (ɔsten'teiʃəs) *adj* prahlerisch, prunkhaft.

osteopath ('ɔstiəpæθ) *n* Chiropraktiker *m*.

ostracize ('ɔstrəsaiz) *vt* verbannen, ausstoßen.

ostrich ('ɔ:stritʃ) *n* Strauß *m*.

other ('ʌðə) *adj* **1** ander. **2** weiter. **3** zweite. *adv* anders. *pron* ander. **each other** einander. **otherwise** *adv* **1** sonst. **2** anders. **3** anderweitig.

otter ('ɔtə) *n* Otter *m*.

ought* (ɔ:t) *v mod aux* sollen.

ounce (auns) *n* Unze *f*.

our (auə) *poss adj 1st pers pl* unser. **ours** *poss pron 1st pers pl* unser, der uns(e)re *or* uns-(e)rige. **ourselves** *pron 1st pers pl* **1** uns. **2** uns selbst. **3** wir selbst.

oust (aust) *vt* vertreiben, verdrängen.

out (aut) *adv* **1** aus. **2** heraus, hinaus. **3** draußen. **4** fort. **out and out** durch und durch.

outboard ('autbɔ:d) *adj* Außenbord—.

outbreak ('autbreik) *n* Ausbruch *m*.

outburst ('autbə:st) *n* Ausbruch *m*.

outcast ('autkɑ:st) *n* Ausgestoßene(r) *m*.

outcome ('autkʌm) *n* Resultat, Ergebnis *neu*.

outcry ('autkrai) *n* Aufschrei *m*.

outdo* (aut'du:) *vt* übertreffen.

outdoor ('autdɔ:) *adj* Außen—, im Freien. **outdoors** *adv* draußen, im Freien.

outer ('autə) *adj* äußere, Außen—.

outfit ('autfit) *n* **1** Ausstattung, Ausrüstung *f*. **2** Gruppe, Mannschaft *f*.

outgoing ('autgouiŋ) *adj* **1** weggehend, abgehend. **2** gesellig. **outgoings** *n pl* Ausgaben *f pl*.

outgrow* (aut'grou) *vt* herauswachsen aus.

outhouse ('authaus) *n* Nebengebäude *neu.*
outing ('autiŋ) *n* Ausflug *m.*
outlandish (aut'lændiʃ) *adj* fremdartig.
outlaw ('autlɔ:) *n* **1** Geächtete(r) *m.* **2** Bandit *m. vt* ächten.
outlay ('autlei) *n* Auslage *f.*
outlet ('autlet) *n* **1** Abfluß, Auslauf *m.* **2** Absatzmarkt *m.*
outline ('autlain) *n* **1** Umriß *m.* **2** Überblick *m.* **3** Abriß *m. vt* umreißen.
outlive (aut'liv) *vt* überleben.
outlook ('autluk) *n* **1** Aussicht *f.* **2** Standpunkt *m.* Weltanschauung *f.*
outlying ('autlaiiŋ) *adj* abgelegen, abseits liegend.
outnumber (aut'nʌmbə) *vt* an Zahl übertreffen.
outpatient ('autpeiʃənt) *n* ambulanter Patient *m.*
outpost ('autpoust) *n* Vorposten *m.*
output ('autput) *n* Leistung, Produktion *f.*
outrage (aut'reidʒ) *n* Gewalttat, Schandtat *f.* Exzeß *m. vt* schockieren, Gewalt antun.
outrageous (aut'reidʒəs) *adj* unerhört, empörend, schändlich.
outright ('autrait) *adj,adv* völlig, total.
outside (aut'said) *n* Außenseite *f. adv* **1** außen, draußen. **2** hinaus. **outsider** *n* Außenseiter *m.*
outsize ('autsaiz) *adj* übergroß.
outskirts ('autskə:ts) *n pl* Randgebiet *neu.* Vororte *m pl.*
outspoken (aut'spoukən) *adj* freimütig, offen.
outstanding (aut'stændiŋ) *adj* hervorragend.
outstrip (aut'strip) *vt* überholen, übertreffen.
outward ('autwəd) *adj* **1** äußere. **2** Auswärts—. *adv* auswärts, nach außen. **outwards** *adv* auswärts, nach außen.
outweigh (aut'wei) *vt* überwiegen.
outwit (aut'wit) *vt* überlisten.
oval ('ouvəl) *adj* oval. *n* Oval *neu.*
ovary ('ouvəri) *n* Eierstock *m.*
ovation (ou'veiʃən) *n* Huldigung, Ovation *f.*
oven ('ʌvən) *n* Ofen, Backofen *m.*
over ('ouvə) *prep* **1** über. **2** zu Ende, aus. **3** während. *adv* **1** (hin-, her-)über. **2** drüben. **3** übermäßig. **over again** nochmals.
overall ('ɔvərɔ:l) *adj* gesamt, Gesamt—. *n* Arbeitsanzug, Schutzanzug *m.*
overbalance (ouvə'bæləns) *vt,vi* umkippen.
overboard ('ouvəbɔ:d) *adv* über Bord.
overcast ('ouvəkɑ:st) *adj* bewölkt.
overcharge (ouvə'tʃɑ:dʒ) *vt* **1** zu viel verlangen von. **2** überladen.
overcoat ('ouvəkout) *n* Mantel *m.*
overcome* (ouvə'kʌm) *vt* überwinden, überwältigen. *adj* überwältigt.
overdo* (ouvə'du:) *vt* übertreiben.
overdose ('ouvədous) *n* Überdosis *f.*
overdraft ('ouvədrɑ:ft) *n* Überziehung *f.*
overdraw* (ouvə'drɔ:) *vt,vi* überziehen.
overdue (ouvə'dju:) *adj* **1** überfällig. **2** verspätet.
overestimate (ouvər'estimeit) *vt* überschätzen.
overfill (ouvə'fil) *vt* überfüllen, überladen.
overflow (*v* ouvə'flou; *n* 'ouvəflou) *vi* überlaufen, überfließen. *n* Überlauf *m.* Überfließen *neu.*
overgrow* (ouvə'grou) *vt* überwachsen.
overhang (*v* ouvə'hæŋ; *n* 'ouvəhæŋ) *vt* überhängen über. *n* Überhang *m.*
overhaul (ouvə'hɔ:l) *vt* überholen. *n* Überholung *f.*
overhead (*adv* ouvə'hed; *adj,n* 'ouvəhed) *adv* oben, droben. *adj* obenliegend, Hoch—. **overheads** *n pl* (allgemeine) Unkosten *f pl.*
overhear* (ouvə'hiə) *vt* (zufällig) hören.
overheat (ouvə'hi:t) *vi* heißlaufen.
overjoyed (ouvə'dʒɔid) *adj* entzückt, überglücklich.
overland (*adv* ouvə'lænd; *adj* 'ouvəlænd) *adv* über Land. *adj* Überland—.
overlap (*v* ouvə'læp; *n* 'ouvəlæp) *vi,(vt)* sich überschneiden (mit). *n* Überschneidung *f.* Übergreifen *neu.*
overlay* (ouvə'lei) *vt* bedecken, überziehen.
overleaf (ouvə'li:f) *adv* umseitig.
overload (*v* ouvə'loud; *n* 'ouvəloud) *vt* überladen, überbelasten. *n* Überladung *f.*
overlook (ouvə'luk) *vt* übersehen.
overnight (*adv* ouvə'nait; *adj* 'ouvənait) *adv* über Nacht *f. adj* **1** Nacht—. **2** plötzlich.
overpower (ouvə'pauə) *vt* überwältigen.
overrate (ouvə'reit) *vt* überbewerten.
overreach (ouvə'ri:tʃ) *vt* (zu weit) hinausreichen über. **overreach oneself** sich übernehmen.
overrule (ouvə'ru:l) *vt* zurückweisen.
overrun* (ouvə'rʌn) *vt* überrennen.
overseas (ouvə'si:z) *adv* in Übersee. *adj* Übersee—.
overshadow (ouvə'ʃædou) *vt* überschatten.
overshoot* (ouvə'ʃu:t) *vt* hinausschießen über, zu weit gehen.
oversight ('ouvəsait) *n* Versehen *neu.*
oversleep* (ouvə'sli:p) *vi* verschlafen.
overspill* ('ouvəspil) *n* Überschuß *m.*

overt (ˈouvəːt) *adj* offen(bar), offensichtlich.
overtake* (ouvəˈteik) *vt* überholen.
overthrow* (*v* ouvəˈθrou; *n* ˈouvəθrou) *vt* umwerfen, umstürzen. *n* Umsturz *m*.
overtime (ˈouvətaim) *n* Überstunden *f pl*. **work overtime** Überstunden machen.
overtone (ˈouvətoun) *n* **1** Unterton, Beiklang *m*. **2** *pl* Nebenbedeutungen, Assoziationen *f pl*.
overture (ˈouvətʃə) *n* **1** Vorspiel *neu*. Einleitung *f*. **2** *mus* Ouvertüre *f*.
overturn (ouvəˈtəːn) *vt* umstürzen, umstoßen, umkippen. *vi* umkippen, umschlagen, umfallen. *n* Umsturz *m*.
overweight (*n* ˈouvəweit; *adj* ouvəˈweit) *n* Übergewicht *neu*. **be overweight** Übergewicht haben.
overwhelm (ouvəˈwelm) *vt* **1** überschütten, überhäufen. **2** überwältigen.
overwork (*v* ouvəˈwəːk; *n* ˈouvəwəːk) *vt* **1** überanstrengen, mit Arbeit überlasten. *vi* sich überarbeiten. *n* Überarbeitung *f*.
overwrought (ouvəˈrɔːt) *adj* überarbeitet, überreizt.
ovulate (ˈɔvjuleit) *vi* ovulieren. **ovulation** *n* Eiausstoßung, Ovulation *f*.
owe (ou) *vt* **1** schulden, schuldig sein. **2** verdanken. *vi* Schulden haben. **owing to** *prep* infolge.
owl (aul) *n* Eule *f*.
own (oun) *adj* eigen. **get one's own back** sich revanchieren. ~*vt* besitzen. *vi* sich bekennen. **own up** *inf* gestehen. **ownership** *n* **1** Eigentumsrecht *neu*. **2** Besitz *m*.
ox (ɔks) *n, pl* **oxen** Ochse *m*. Rind *neu*.
oxygen (ˈɔksidʒən) *n* Sauerstoff *m*.
oyster (ˈɔistə) *n* Auster *f*.

P

pace (peis) *n* **1** Schritt *m*. **2** Tempo *neu*. **3** Gangart *f*. *vt* **1** durchschreiten, überschreiten. **2** *sport* Schritt machen für. *vi* (einher)schreiten.
Pacific (pəˈsifik) *adj* pazifisch. **Pacific (Ocean)** *n* Pazifik, Stiller Ozean *m*.
pacify (ˈpæsifai) *vt* **1** befrieden, den Frieden bringen. **2** besänftigen. **pacifism** *n* Pazifismus *m*. **pacifist** *n* Pazifist *m*. *adj* pazifistisch.
pack (pæk) *n* **1** Paket, Bündel *neu*. **2** Menge *f*. Haufen *m*. **3** Pack *neu*. Bande *f*. **4** Päckchen *neu*. Packung *f*. *vt* **1** (ver)packen. **2** vollstopfen. *vi* **1** packen. **2** sich zusammendrängen. **package** *n* **1** Packung *f*. Paket *neu*. **2** Ballen *m*. *vt* (in Pakete) (ver)packen. **packet** *n* Paket, Päckchen *neu*. **packing** *n* **1** Packen *neu*. **2** Packmaterial *neu*.
pact (pækt) *n* Pakt, Vertrag *m*.
pad[1] (pæd) *n* **1** Polster, Kissen *neu*. Bausch *m*. **2** Stempelkissen *neu*. **3** (Brief)Block *m*. **padding** *n* Wattierung, Polsterung *f*.
pad[2] (pæd) *n* (leises) Tappen, Trotten *neu*.
paddle[1] (ˈpædl) *n* Paddel *neu*. *vi* paddeln.
paddle[2] (ˈpædl) *vi* (im Wasser) spielen, herumpaddeln.
paddock (ˈpædək) *n* Pferdekoppel *f*.
paddyfield (ˈpædifiːld) *n* Reisfeld *neu*.
padlock (ˈpædlɔk) *n* Vorhängeschloß *neu*.
paediatric (piːdiˈætrik) *adj med* pädiatrisch. **paediatrician** *n* Kinderarzt *m*.
pagan (ˈpeigən) *n* Heide *m*. *adj* heidnisch.
page[1] (peidʒ) *n* Seite *f*. Blatt *neu*.
page[2] (peidʒ) *n* Page, Boy *m*.
pageant (ˈpædʒənt) *n* **1** (großartiges) Schauspiel *neu*. **2** Festspiel *neu*. **pageantry** *n* Prunk *m*. Gepränge *neu*.
paid (peid) *v* see **pay**.
pain (pein) *n* **1** Schmerz *m*. Pein *f*. **2** Leid *m*. **3** Strafe *f*. **be in pain** Schmerzen haben. **take pains** sich Mühe geben. ~*vt* weh tun. **painful** *adj* **1** schmerzhaft. **2** schmerzlich. **3** peinlich. **painstaking** *adj* sorgfältig, gewissenhaft.
paint (peint) *vt* **1** malen. **2** anstreichen. *vi* malen. *n* **1** Farbe *f*. **2** Anstrich *m*. **3** Lack *m*. **wet paint!** frisch gestrichen! **paintbrush** *n* Pinsel *m*. **painter** *n* **1** Maler *m*. **2** Anstreicher *m*. **painting** *n* **1** Malen *neu*. Malerei *f*. **2** Gemälde, Bild *neu*.
pair (pɛə) *n* Paar *neu*. *vi* **1** sich paaren. **2** sich verbinden. *vt* paarweise anordnen, paaren.
Pakistan (pɑːkiˈstɑːn) *n* Pakistan *neu*. **Pakistani** *adj* pakistanisch. *n* Pakistaner *m*.
pal (pæl) *n inf* Kumpel, Freund, Kamerad *m*.
palace (ˈpælis) *n* Palast *m*. Schloß *neu*.
palate (ˈpælət) *n* **1** Gaumen *m*. **2** Geschmack *m*. **palatable** *adj* **1** wohlschmeckend. **2** annehmbar, angenehm.
pale (peil) *adj* blaß, bleich. *vi* blaß werden, erblassen. *vt* bleich machen.
Palestine (ˈpælistain) *n* Palästina *neu*. **Palestinian** *adj* palästinisch. *n* Palästiner *m*.
palette (ˈpælit) *n* Palette *f*. Farbenteller *m*.
palm[1] (pɑːm) *n* Handfläche *f*. Handteller *m*. *vt* **1** berühren. **2** (in der Hand) verbergen. **palm off** abschieben. **palmistry** *n* Handlesekunst *f*.

palm[2] (pɑːm) *n bot* Palme *f.* **palm tree** Palmenbaum *m.*
Palm Sunday *n* Palmsonntag *m.*
pamper (ˈpæmpə) *vt* verwöhnen, hätscheln.
pamphlet (ˈpæmflət) *n* **1** Flugschrift *f.* **2** Broschüre *f.* **pamphleteer** *n* Pamphletist *m.*
pan (pæn) *n* Pfanne *f.* **frying pan** Bratpfanne *f.* **pancake** *n* Pfannkuchen *m.* **flat as a pancake** flach wie ein Brett.
Panama (ˈpænəmɑː) *n* Pãnama *neu.*
pancreas (ˈpæŋkriəs) *n* Pankreas *neu.*
panda (ˈpændə) *n* Panda, Katzenbär *m.*
pander (ˈpændə) *n* Kuppler *m. vt* verkuppeln. *vi* **1** kuppeln. **2** Vorschub leisten.
pane (pein) *n* **1** (Fenster)Scheibe *f.*
panel (ˈpænl) **1** (Tür)Füllung, Täfelung *f.* **2** *law* Geschworene *m pl.* **3** Diskussionsteilnehmer *m pl.* Ausschuß *m.* **instrument panel** Armaturenbrett *neu.* ~*vt* täfeln, paneelieren. **panelling** *n* Täfelung *f.* Tafelwerk *neu.*
pang (pæŋ) *n* stechender Schmerz, Stich *m.*
panic (ˈpænik) *adj* panisch. *n* Panik *f. vi* Angst bekommen, in eine Panik ausbrechen. **panic-stricken** von panischem Schrecken ergriffen.
pannier (ˈpæniə) *n* (großer) Korb *m.*
panorama (pænəˈrɑːmə) *n* Panorama *neu.*
pansy (ˈpænzi) *n bot* Stiefmütterchen *neu.*
pant (pænt) *vi* keuchen, schnaufen. *n* Keuchen, Schnaufen *neu.*
panther (ˈpænθə) *n* Panther *m.*
pantomime (ˈpæntəmaim) *n* Pantomime *f.*
pantry (ˈpæntri) *n* Speisekammer *f.*
pants (pænts) *n pl* **1** Herrenunterhose *f.* **2** (lange) Hose *f.*
papal (ˈpeipəl) *adj* päpstlich.
paper (ˈpeipə) *n* **1** Papier *neu.* **2** *pl* (Ausweis)-Papiere, Urkunden *f.* **3** Zeitung *f.* **4** *educ* schriftliche Prüfung *f. adj* Papier—. **paper money** Papiergeld *neu.* ~*vt* tapezieren. **paperback** *n* **1** Buch im Pappeinband *neu.* **2** Taschenbuch, Paperback *neu.* **paperclip** *n* Heftklammer, Büroklammer *f.* **paperwork** *n* Schreibarbeit, Büroarbeit *f.*
papier-mâché (pæpieiˈmæʃei) *n* Papiermaché *neu.*
paprika (ˈpæprikə) *n* Paprika *m.*
par (pɑː) *n* **1** Gleichheit *f.* Pari *neu.* **2** Nennwert *m.* **3** Normalmaß *neu.* **on a par with** auf derselben Ebene wie.
parable (ˈpærəbəl) *n* Parabel *f.* Gleichnis *neu.*
parachute (ˈpærəʃuːt) *n* Fallschirm *m.* **parachutist** *n* Fallschirmabspringer *m.*
parade (pəˈreid) *vt* **1** *mil* vorführen, paradieren. **2** zur Schau stellen. *vi* **1** promenieren. **2** paradieren. *n* Parade, Vorführung *f.*
paradise (ˈpærədais) *n* Paradies *neu.*
paradox (ˈpærədɔks) *n* Paradoxon *neu.* widersprüchliche Aussage *f.* **paradoxical** *adj* paradox, widersinnig.
paraffin (ˈpærəfin) *n* Paraffin *neu.*
paragon (ˈpærəgɔn) *n* Muster, Vorbild *neu.*
paragraph (ˈpærəgrɑːf) *n* Absatz, Paragraph *m.*
parallel (ˈpærəlel) *adj* **1** gleichlaufend, parallel. **2** entsprechend, Parallel—. *n math* Parallele *f.* **2** Parallelfall *m.* **draw a parallel** einen Vergleich anstellen. ~*vt* **1** gleich sein mit. **2** parallel laufen.
paralyse (ˈpærəlaiz) *vt* paralysieren, lähmen. **paralysis** *n* Lähmung, Paralyse *f.*
paramilitary (pærəˈmilitəri) *adj* halbmilitärisch.
paramount (pærəmaunt) *adj* höchst, oberst.
paranoia (pærəˈnɔiə) *n* Paranoia *f.* **paranoiac** *adj* paranoisch.
parapet (ˈpærəpit) *n* **1** *mil* Brustwehr *f.* **2** Geländer *neu.* Brüstung *f.*
paraphernalia (pærəfəˈneiliə) *n pl* **1** *law* Paraphernalgüter *neu.* **2** Ausstattung *f.* Zubehör *neu.* **3** Drum und Dran *neu.*
paraphrase (ˈpærəfreiz) *n* Paraphrase, Umschreibung *f. vt* umschreiben, paraphrasieren.
parasite (ˈpærəsait) *n* Schmarotzer, Parasit *m.* **parasitic** *adj* schmarotzend, parasitisch.
paratrooper (ˈpærətruːpə) *n* Fallschirmjäger *m.*
parcel (ˈpɑːsəl) *n* **1** Paket, Bündel *neu.* **2** Los *neu.* **3** Parzelle *f. v* **parcel out** austeilen, verteilen.
parch (pɑːtʃ) *vt* (aus)dörren, austrocknen. **be parched** vor Durst verschmachten.
parchment (ˈpɑːtʃmənt) *n* Pergament *neu.*
pardon (ˈpɑːdn) *n* Verzeihung, Vergebung *f.* **I beg your pardon** ich bitte um Entschuldigung. ~*vt* verzeihen, entschuldigen. **pardon me** entschuldigen Sie! **pardonable** *adj* verzeihlich.
pare (pɛə) *vt* **1** (be)schneiden. **2** schälen.
parent (ˈpɛərənt) *n* **1** Vater *m.* Mutter *f.* **2** *pl* Eltern *pl.* **3** Elternteil *m.* **parental** *adj* **1** elterlich. **2** väterlich. **3** mütterlich. **parenthood** *n* Elternschaft *f.*
parenthesis (pəˈrenθəsis) *n, pl* **-ses** **1** Parenthese *f.* **2** *pl* Klammern *f pl.*
Paris (ˈpæris) *n* Paris *neu.*
parish (ˈpæriʃ) *n* Pfarrbezirk *m.* Kirchspiel *neu adj* Pfarr—, zum Kirchspiel gehörig.
parity (ˈpæriti) *n* Gleichheit, Parität *f.*
park (pɑːk) *n* Park *m.* Parkanlagen *f pl.* **car**

park Parkplatz *m.* ~*vt* parken, abstellen. *vi* parken. **parking meter** *n* Parkuhr *f.*

parliament ('pa:ləmənt) *n* Parlament *neu.* **parliamentary** *adj* parlamentarisch.

parlour ('pa:lə) *n* Wohnzimmer *neu.* Salon *m.*

parochial (pə'roukiəl) *adj* **1** Pfarr—, Gemeinde—. **2** beschränkt, begrenzt.

parody ('pærədi) *n* Parodie *f.* *vt* parodieren.

parole (pə'roul) *n* **1** Ehrenwort *neu.* **2** *mil* Losungswort *neu.* Parole *f.* **3** bedingte Haftentlassung *f.* **on parole** auf Ehrenwort.

paroxysm (pærəksizm) *n* **1** (krankhafter) Anfall, Krampf *m.* **2** Steigerung (einer Krankheit) *f.*

parquet ('pa:kei) *n* Parkett *neu.*

parrot ('pærət) *n* Papagei *m.*

parsley ('pa:sli) *n* Petersilie *f.*

parsnip ('pa:snip) *n* Pastinak *m.* Pastinake *f.*

parson ('pa:sən) *n* Pastor, Pfarrer, Geistliche(r) *m.* **personage** *n* Pfarrhaus *neu.*

part (pa:t) *n* **1** Teil *m.* Stück *neu.* **2** Aufgabe, Pflicht *f.* **3** *Th* Rolle *f.* **play a part** eine Rolle spielen. ~*vi* **1** sich trennen, auseinandergehen. **2** Abschied nehmen. *vt* **1** teilen, trennen. **2** (the hair) scheiteln. *adv* teils, zum Teil. **parting** *n* **1** Scheiden *neu.* Abschied *m.* **2** (of the hair) Scheitel *m.* *adj* scheidend, Trennungs—. **part-time** *adj* teilzeitbeschäftigt. *adv* halbtags. **part-time job** Nebenbeschäftigung, Teilzeitbeschäftigung *f.*

partake* (pa:'teik) *vi* **1** teilnehmen, teilhaben. **2** etwas an sich haben. *vt* teilen.

partial ('pa:ʃəl) *adj* **1** einseitig, parteiisch. **2** Teil—, partiell. **be partial to** eine Vorliebe haben für.

participate (pa:'tisipeit) *vi* teilnehmen, sich beteiligen. **participation** *n* Teilnahme *f.*

participle ('pa:tisəpəl) *n* Partizip *neu.*

particle ('pa:tikəl) *n* **1** Teilchen, Stückchen *neu.* **2** Partikel *f.*

particular (pə'tikjulə) *adj* **1** individuell, einzeln. **2** ungewöhnlich. **3** ausführlich. **4** peinlich, genau. **nothing particular** nichts Besonderes. ~*n* Einzelheit *f.* **in particular** besonders, insbesondere.

partisan (pa:ti'zæn) *n* **1** Anhänger, Parteigänger *m.* **2** *mil* Partisan *m.*

partition (pa:'tiʃən) *n* **1** (Auf)Teilung, Trennung *f.* **2** Trennwand *f.* **3** Abteilung *f.* *vt* (ver-, auf-)teilen. **partition off** abteilen, abtrennen.

partly ('pa:tli) *adv* teilweise, zum Teil.

partner ('pa:tnə) *n* **1** Teilhaber, Partner *m.* **2** Gatte *m.* Gattin *f.* *vt* sich zusammentun mit, zusammenarbeiten mit. **partnership** *n* Teilhaberschaft, Partnerschaft *f.*

partridge ('pa:tridʒ) *n* Rebhuhn *neu.*

party ('pa:ti) *n* **1** Partei *f.* **2** Gesellschaft, Party *f.* **3** Gruppe *f.* **4** Beteiligte(r) *m.* *adj* Partei—. **party line** *n* festgelegte Parteipolitik, Parteilinie *f.* **follow the party line** linientreu sein.

pass (pa:s) *vt* **1** vorbeigehen. **2** übergehen, überschlagen. **3** bestehen. **4** passieren. **5** verbringen. **6** durchgehen lassen. *vi* **1** vorbeigehen. **2** gehen. **pass away** sterben. **pass off** ausgeben. **pass through** durchfahren. ~*n* **1** Engpaß, enger Weg *m.* **2** Paß *m.* **3** (in an exam) Bestehen *neu.* **password** *n* Losungswort *neu.* Parole *f.*

passage ('pæsidʒ) *n* **1** Durchgang *m.* Passage, Durchfahrt, Überfahrt *f.* **2** enger Gang, Weg *m.* Gasse *f.* **3** (in a book) Stelle *f.*

passenger ('pæsindʒə) *n* Fahrgast, Passagier *m.*

passion ('pæʃən) *n* **1** Leidenschaft *f.* **2** Zorn *m.* Wut *f.* **3** Liebhaberei *f.* **passionate** *adj* leidenschaftlich.

passive ('pæsiv) *adj* **1** passiv. **2** zurückhaltend, still, widerstandslos. *n* Passiv *neu.*

Passover ('pa:souvə) *n* Passahfest *neu.*

passport ('pa:spo:t) *n* (Reise)Paß, Ausweis *m.*

past (pa:st) *adj* **1** vergangen. **2** ehemalig. **past participle** *n* Partizip der Vergangenheit *neu.* *n* Vergangeheit *f.* Vergangene *neu.* *adv* vorbei, vorüber. *prep* **1** nach. **2** an...vorbei. **3** über...hinaus.

pasta ('pæstə) *n* Teigwaren *f pl.*

paste (peist) *n* **1** Kleister, Klebstoff *m.* **2** Teig *m.* Paste *f.* *vt* (fest)kleben, kleistern.

pastel ('pæstəl) *n* Pastellfarbe *f.*

pasteurize ('pæstəraiz) *vt* pasteurisieren.

pastime ('pa:staim) *n* **1** Zeitvertreib *m.* **2** Erholung *f.* Belustigung *f.*

pastoral ('pæstərəl) *adj* Hirten—, Schäfer—.

pastry ('peistri) *n* **1** Gebäck, Backwerk *neu.* **2** Torten *f pl.* **3** Blätterteig *m.*

pasture ('pa:stʃə) *n* Weide *f.* Weideland *neu.*

pasty[1] ('peisti) *adj* **1** teigig, teigartig. **2** bläßlich, kränklich.

pasty[2] ('pæsti) *n* (Fleisch)Pastete *f.*

pat[1] (pæt) *n* Klopfen *neu.* Klaps *m.* *vt,vi* klopfen, klapsen.

pat[2] (pæt) *adj* bereit, glatt. *adv* genau.

patch (pætʃ) *n* **1** Lappen, Flicken *m.* **2** Fleck *m.* **3** (of land) kleines Stück *neu.* *vt* flicken. **patchwork** *n* **1** Flickarbeit *f.* **2** Buntgemustertes *neu.*

pâté ('pætei) *n* Pastete, Leberwurst *f.*

patent ('peitnt) *adj* **1** offen, offenkundig. **2** patentiert. **3** Patent—. *n* **1** Patent *neu.* Patentbrief *m. vt* patentieren. **patent leather** *n* Lackleder *neu.*

paternal (pə'tə:nl) *adj* väterlich, Vater—. **paternity** *n* **1** Vaterschaft *f.*

path (pɑ:θ) *n* **1** Pfad, Weg *m.* **2** Bahn *f.*

pathetic (pə'θetik) *adj* **1** rührend, ergreifend, pathetisch. **2** *inf* jämmerlich, armselig.

pathology (pə'θɔlədʒi) *n med* Krankheitslehre, Pathologie *f.* **pathologist** *n* Pathologe *m.*

patience ('peiʃəns) *n* **1** Geduld *f.* **2** Ausdauer *f.* **patient** *n* Kranke(r), Patient *m. adj* geduldig.

patio ('pætiou) *n* Innenhof, Terasse, Veranda *f.*

patriarchal (peitri'ɑ:kəl) *adj* patriarchalisch.

patrician (pə'triʃən) *n* Patrizier *m. adj* **1** patrizisch. **2** aristokratisch.

patriot ('peitriət) *n* Patriot *m.* **patriotic** *adj* **1** patriotisch. **2** vaterländisch.

patrol (pə'troul) *n* **1** *mil* Patrouille *f.* **2** (Polizei)-Streife *f. (vt),vi* (ab)patrouillieren.

patron ('peitrən) *n* **1** Patron, Schutzherr *m.* **2** Gönner *m.* **3** Kunde *m.* **patronage** *n* **1** Gönnerschaft, Protektion *f.* **2** *law* Patronatsrecht *neu.* **3** Schutz *m.* **4** Kundschaft *f.* **patronize** *vt* **1** gönnerhaft behandeln, **2** in Schutz nehmen, beschützen. **3** Kunde sein bei. **patronizing** *adj* gönnerhaft, herablassend.

patter[1] ('pætə) *vi* **1** klatschen, platschen. **2** trappeln. *n* **1** Platschen, Prasseln. *neu.* **2** Getrappel *neu.*

patter[2] ('pætə) *n* **1** Jargon *m.* **2** Geplapper *neu. vi* schwatzen, plappern.

pattern ('pætən) *n* **1** Muster *neu.* Schablone *f.* **2** Plan *m.* Anlage *f.*

paunch (pɔ:ntʃ) *n* **1** Bauch, Wanst *m.* **2** *zool* Pansen *m.*

pauper ('pɔ:pə) *n* Arme(r) *m.*

pause (pɔ:z) *n* Pause, Unterbrechung *f. vi* innehalten, pausieren, warten.

pave (peiv) *vt* pflastern. **pave the way** den Weg bahnen. **pavement** *n* **1** Gehsteig *m.* **2** Pflaster *neu.*

pavilion (pə'viliən) *n* Pavillion *m.*

paw (pɔ:) *n* Pfote, Tatze *f. vt* mit den Pfoten kratzen, scharren, stampfen. *vi* scharren, kratzen.

pawn[1] (pɔ:n) *vt* verpfänden, versetzen. *n* Pfand *neu.* **pawnbroker** *n* Pfandleiher *m.*

pawn[2] (pɔ:n) *n game* Bauer *m.*

pay* (pei) *vi* **1** zahlen, Zahlung leisten. **2** sich lohnen, sich rentieren. *vt* **1** bezahlen. **2** schenken. **3** abstatten, machen. *n* **1** Bezahlung *f.* **2** Lohn *m.* **3** Belohnung *f.* **pay-packet** *n* Lohntüte *f.* **payroll** *n* Lohnliste *f.*

pea (pi:) *n* Erbse *f.*

peace (pi:s) *n* **1** Frieden *m.* **2** Ruhe *f.* **peaceful** *adj* friedlich, ruhig. **peacemaker** *n* Friedensstifter *m.*

peach (pi:tʃ) *n* Pfirsich *m.*

peacock ('pi:kɔk) *n* Pfau *m.*

peak (pi:k) *n* **1** Spitze, Bergspitze *f.* **2** Gipfel, Höhepunkt *m. adj* Hoch—, Spitzen—. **peak hours** *n pl* Hauptverkehrszeit *f.*

peal (pi:l) *n* **1** Geläute *neu.* **2** Getöse *neu.* Krach *m. vi* **1** läuten. **2** erschallen.

peanut ('pi:nʌt) *n* Erdnuß *f.*

pear (pɛə) *n* Birne *f.*

pearl ('pə:l) *n* Perle *f.*

peasant ('pezənt) *n* Bauer, Landmann *m. adj* bäuerlich, ländlich.

peat (pi:t) *n* Torf *m.*

pebble ('pebəl) *n* Kieselstein *m.*

peck (pek) *n* **1** Picken, Hacken *neu.* **2** Küßchen *neu. vt,vi* picken, hacken.

peckish ('pekiʃ) *adj inf* hungrig.

peculiar (pi'kju:liə) *adj* **1** eigen(tümlich). **2** eigenartig. **peculiarity** *n* Eigentümlichkeit *f.*

pedal ('pedl) *n* Pedal *neu.* Fußhebel *m. vt* fahren, treten. *vi* **1** das Pedal treten. **2** radfahren.

peddle ('pedl) *vt,vi* hausieren.

pedestal ('pedistəl) *n* Postament *neu.* Ständer, Sockel *m.* **put on a pedestal** aufs Podest heben.

pedestrian (pi'destriən) *n* Fußgänger *m. adj* **1** Fuß—, zu Fuß (gehend). **2** prosaisch, alltäglich. **pedestrian crossing** *n* Fußgängerübergang *m.*

pedigree ('pedigri:) *n* Stammbaum *m.*

pedlar ('pedlə) *n* Hausierer *m.*

peel (pi:l) *n* Schale, Rinde, Haut *f. vt* **1** schälen, entrinden. **2** abstreifen. *vi* sich abschälen, sich abblättern.

peep (pi:p) *n* Gucken *neu.* neugieriger Blick *m. vi* neugierig gucken.

peer[1] (piə) *n* **1** Peer, Adlige(r) *m.* **2** Gleiche(r) *m.*

peer[2] (piə) *vi* **1** spähen, scharf blicken. **2** sich zeigen, erscheinen.

peevish ('pi:viʃ) *adj* verdrießlich, mürrisch.

peg (peg) *n* **1** Pflock, Stift *m.* **2** (Wäsche)-Klammer *f. vt* **1** mit Pflocken befestigen, anpflocken. **2** (an)nageln.

pejorative (pi'dʒɔrətiv) *adj* verschlechternd, herabsetzend, pejorativ.

pelican ('pelikən) *n* Pelikan *m.*

pellet ('pelit) *n* **1** Kügelchen *neu.* **2** Schrotkugel *f. vt* mit Kugeln bewerfen.

pelmet ('pelmit) *n* Vorhangfalbel *f.*

pelt[1] (pelt) *vt* (be)werfen. *vi* **1** niederprasseln. **2** eilen. **pelting rain** *n* Platzregen *m.* ~*n* **1** Wurf, Schlag *m.* **2** Prasseln, Klatschen *neu.* **3** Eile, Geschwindigkeit *f.*

pelt[2] (pelt) *n* Pelz, Fell *m.*

pelvis ('pelvis) *n* Becken *neu.*

pen[1] (pen) *n* (Schreib)Feder *f. vt* **1** schreiben. **2** verfassen. **penfriend** *n* Brieffreund *m.* **penknife** *n* Taschenmesser *neu.*

pen[2] (pen) *n* Gehege *neu.* Pferch *m.* Koppel *f. vt* einpferchen, einschließen.

penal ('pi:nl) *adj* **1** Straf—. **2** strafbar. **penalize** *vt* **1** bestrafen. **2** belasten. **penalty** *n* Strafe, Buße *f.* **penalty (kick)** *sport* Strafstoß, Elfmeter *m.*

penance ('penəns) *n* Buße *f.*

pencil ('pensəl) *n* **1** Bleistift *m.* **2** Stift *m.* **pencil-sharpener** *n* Bleistiftspitzer *m.*

pendant ('pendənt) *n* **1** Anhänger *m.* **2** Hängeleuchter *m. adj also* **pendent** **1** herabhängend. **2** schwebend.

pending ('pendiŋ) *adj* **1** hängend. **2** schwebend, unentschieden. **3** bevorstehend. *prep* **1** bis zu. **2** während.

pendulum ('pendjuləm) *n* Pendel *neu.*

penetrate ('penitreit) *vt* **1** eindringen, durchdringen. **2** erforschen, ergründen. *vi* eindringen. **penetration** *n* Eindringen *neu.* Eindringungsvermögen *neu.* **3** Ergründung *f.*

penguin ('peŋgwin) *n* Pinguin *m.*

penicillin (peni'silin) *n* Penicillin *neu.*

peninsula (pə'ninsjulə) *n* Halbinsel *f.*

penis ('pi:nis) *n* **1** Penis *m.* **2** *zool* Rute *f.*

penitent ('penitənt) *adj* reuig, bußfertig. *n* Büßer *m.*

pennant ('penənt) *n* Wimpel *m.* Fähnchen *neu.*

penny ('peni) *n* **1** *pl* **pence** British unit of currency. **2** *pl* **pennies** Pfennig, Penny *neu.* **penniless** *adj* ohne Geld, mittellos. **be penniless** keinen roten Heller haben.

pension ('penʃən) *n* Pension, Rente *f. v* **pension off** pensionieren, in den Ruhestand versetzen. **pensioner** *n* Rentner, Pensionist *m.*

pensive ('pensiv) *adj* gedankenvoll, nachdenklich.

pent (pent) *adj* **pent up** **1** eingepfercht. **2** (of feelings) verhalten.

pentagon ('pentəgən) *n math* Fünfeck *neu.*

Pentecost ('pentikɔst) *n* Pfingsten *neu.*

penthouse ('penthaus) *n* **1** Schutzdach *neu.* **2** Dachterassenwohnung *f.*

people ('pi:pəl) *n pl* **1** Leute *pl.* **2** Volk *neu.* **3** Bevölkerung *f. vt* bevölkern, besiedeln. **people say** man sagt.

pepper ('pepə) *n* Pfeffer *m. vt* **1** pfeffern. **2** bestreuen. **peppercorn** *n* Pfefferkorn *neu.* **peppermill** *n* Pfeffermühle *f.* **peppermint** *n* **1** Pfefferminze *f.* **2** Pfefferminzbonbon *m,neu.* **pepperpot** *n* Pfefferstreuer *m.*

per (pə:) *pre* **1** pro. **2** per, durch, mit. **as per** gemäß, laut.

perambulator (pə'ræmbjuleitə) *n* Kinderwagen *m.*

perceive (pə'si:v) *vt,vi* **1** wahrnehmen, empfinden. **2** erkennen, begreifen.

per cent (pə 'sent) *n* Prozent *neu. adj* —prozentig.

percentage (pə'sentidʒ) *n* **1** Prozentsatz *m.* **2** Gewinnanteil *m.* Provision *f.*

perception (pə'sepʃən) *n* **1** (geistige) Wahrnehmung *f.* **2** Empfindungsvermögen *neu.* **3** Vorstellung *f.* **perceptive** *adj* **1** wahrnehmend, empfindend. **2** auffassungsfähig.

perch (pə:tʃ) *n* (Sitz)Stange *f. vi* sich setzen.

percolate ('pə:kəleit) *vt* **1** filtern, perkolieren. **2** klären. *vi* durchsickern, durchlaufen.

percussion (pə'kʌʃən) *n* **1** Schlag, Stoß *m.* **2** *mus* Schlaginstrumente *neu pl.*

perennial (pə'reniəl) *n* perennierende Pflanze *f. adj* **1** fortdauernd, beständig. **2** perennierend.

perfect (*adj,n* 'pə:fi:kt; *v* pə'fekt) *adj* **1** vollkommen. **2** gründlich. **3** geschickt. **4** gänzlich, vollständig. *n* Perfekt *neu. vt* **1** vollenden. **2** vervollkommnen.

perforate ('pə:fəreit) *vt* durchbohren, durchlochen, perforieren.

perform (pə'fɔ:m) *vi* **1** eine Vorstellung geben. **2** seine Aufgabe erfüllen. **3** arbeiten, leisten. *vt* **1** verrichten, ausführen. **2** vollenden. **3** aufführen, vortragen. **performance** *n* **1** Ausführung, Vollziehung *f.* **2** Aufführung, Darstellung *f.* **3** Leistung *f.* **4** Benehmen *neu.* **5** *inf* Theater, Getue *neu.*

perfume ('pə:fju:m) *n* **1** Parfüm *neu.* **2** Duft *m. vt* parfümieren.

perhaps (pə'hæps) *adv* vielleicht.

peril ('perəl) *n* Gefahr *f.* Risiko *neu.* **at one's peril** auf eigene Gefahr.

perimeter (pə'rimitə) *n* **1** *math* Umkreis *m.* **2** Peripherie *f.*

period ('piəriəd) *n* **1** Periode *f.* Zeitabschnitt *m.* **2** Pause *f.* Absatz *m.* **3** Weile *f.* **4** *med* Periode, Menstruation *f.* **5** *educ* (Unterrichts)-Stunde *f.* **periodical** *n* Zeitschrift *f.* Magazin *neu. adj* regelmäßig wiederkehrend, periodisch.

peripheral (pə'rifərəl) *adj* peripherisch, Umfangs—.

periscope ('periskoup) *n* Periskop *neu.*

perish ('periʃ) *vi* **1** umkommen, sterben. **2** verfallen, vergehen. *vt* zerstören.

perjure ('pə:dʒə) *vt* **perjure oneself** eidbrüchig *or* meineidig werden. **perjurer** *n* Meineidige(r) *m.* **perjury** *n* Meineid *m.*

perk (pə:k) *vi* **1** sich brüsten, den Kopf hochtragen. **2** sich vorrecken. **perk up** munter werden *or* machen, in Stimmung kommen. **perky** *adj* keck, munter.

perm (pə:m) *n inf* Dauerwelle *f.*

permanent ('pə:mənənt) *adj* **1** beständig, (fort)-dauernd, permanent. **2** dauerhaft. **permanence** *n* Beständigkeit, Permanenz *f.*

permeate ('pə:mieit) *vt* durchdringen. *vi* eindringen.

permit (*v* pə'mit; *n* 'pə:mit) *vt,vi* erlauben, gestatten. *n* **1** Erlaubnis, Genehmigung *f.* **2** Passierschein *m.* **permissible** *adj* zulässig. **permission** *n* Erlaubnis, Zulassung, Bewilligung *f.* **permissive** *adj* gestattend, zulassend.

permutation (pə:mju'teiʃən) *n* Permutation *f.*

pernicious (pə:'niʃəs) *adj* verderblich, schädlich.

perpendicular (pə:pən'dikjulə) *adj* senkrecht, lotrecht. *n* Senkrechte *f.*

perpetrate ('pə:pətreit) *vt* verüben, begehen. **perpetrator** *n* Täter *m.*

perpetual (pə'petʃuəl) *adj* **1** unaufhörlich, beständig. **2** lebenslänglich.

perpetuate (pə'petʃueit) *vt* verewigen, immerwährend fortsetzen.

perplex (pə'pleks) *vt* verwirren, verblüffen

persecute ('pə:sikju:t) *vt* **1** verfolgen. **2** plagen, belästigen.

persevere (pə:si'viə) *vi* beharren, nicht nachgeben.

Persia ('pə:ʃə) *n* Persien *neu.* **Persian** *adj* persich. *n* **1** Perser *m.* **2** (language) Persisch *neu.*

persist (pə'sist) *vi* beharren, hartnäckig bestehen.

person ('pə:sən) *n* **1** Person *f.* Individuum *neu.* **2** Persönlichkeit *f.* **personal** *adj* persönlich. **personality** *n* **1** Persönlichkeit *f.* **2** Ausstrahlung *f.*

personify (pə'sɔnifai) *vt* verkörpern, personifizieren.

personnel (pə:sə'nel) *n* Personal *neu.* Angestellte(n) *pl.* **personnel manager** *n* Personalchef *m.*

perspective (pə'spektiv) *n* **1** Perspektive *f.* **2** Aussicht, Fernsicht *f. adj* perspektivisch. **in perspective** in richtiger Perspektive.

Perspex ('pə:speks) *n Tdmk* Plexiglas *Tdmk neu.*

perspire (pə'spaiə) *vi* schwitzen, transpirieren. *vt* ausschwitzen. **perspiration** *n* Schweiß *m.*

persuade (pə'sweid) *vt* **1** überreden, verleiten. **2** überzeugen. **persuasion** *n* **1** Überredung *f.* **2** Überzeugung *f.* **3** Glaube *m.*

pert (pə:t) *adj* **1** keck, schnippisch. **2** munter, flink.

pertain (pə'tein) *vi* **1** (an)gehören. **2** sich ziemen. **pertinent** *adj* **1** angemessen, passend. **2** gehörig.

perturb (pə'tə:b) *vt* beunruhigen, ängstigen.

Peru (pə'ru:) *n* Peru *neu.* **Peruvian** *adj* peruanisch. *n* Peruaner *m.*

pervade (pə'veid) *vt* durchdringen, erfüllen.

perverse (pə'və:s) *adj* **1** schlecht, böse. **2** pervers, widernatürlich. **3** verstockt, störrisch. **4** verkehrt.

pervert (*v* pə'və:t; *n* 'pə:və:t) *vt* **1** verkehren, verdrehen. **2** verführen. *n* **1** perverser Mensch *m.* **2** Abtrünnige(r) *m.*

pessimism ('pesimizəm) *n* Pessimismus *m.* **pessimist** *n* Pessimist *m.* **pessimistic** *adj* pessimistisch.

pest (pest) *n* **1** Pest *f.* **2** Schädling *m.* **pesticide** *n* Schädlingsbekämpfungsmittel *neu.*

pester ('pestə) *vt* plagen, belästigen.

pet[1] (pet) *n* **1** (zahmes) Haustier *neu.* **2** Liebling *m. adj* Lieblings—. *vt* verhätschein.

pet[2] (pet) *n* üble Laune *f. vi* übler Laune *or* mürrisch sein.

petal ('petl) *n* Blumenblatt *neu.*

peter ('pi:tə) *vi* **peter out** allmählich aufhören, sich totlaufen.

petition (pi'tiʃən) *n* Bitte, Bittschrift, Petition *f. vt* bitten, petitionieren. *vi* ansuchen.

petrify ('petrifai) *vt* **1** versteinern. **2** bestürzen, erschrecken. *vi* sich versteinern, zu Stein werden.

petroleum (pi'trouliəm) *n* Petroleum, Erdöl *neu.* **petrol** *n* Benzin *neu.*

petticoat ('petikout) *n* (Frauen)Unterrock *m.*
petty ('peti) *adj* **1** klein, unbedeutend. **2** engstirnig, kleinlich, beschränkt. **petty cash** *n* kleine Summen *f pl.* geringe Beträge *m pl.* **petty officer** *n* Maat *m.*
petulant ('petjulənt) *adj* **1** reizbar, launisch. **2** mürrisch, eigensinnig.
pew (pju:) *n* Kirchenstuhl *m.*
pewter ('pju:tə) *n* (Hart)Zinn *neu.*
phallus ('fæləs) *n* Phallus *m.*
phantom ('fæntəm) *n* Phantom *neu.* Erscheinung *f.*
pharmacy ('fɑ:məsi) *n* **1** Pharmazie *f.* **2** Apotheke *f.* **pharmacist** *n* Apotheker *m.*
pharynx ('færiŋks) *n* Schlund, Rachen *m.*
phase (feiz) *n* **1** Phase *f.* **2** Entwicklungsstadium *neu.* **3** Aspekt *m. v* **phase out** abwickeln.
pheasant ('fezənt) *n* Fasan *m.*
phenomenon (fi'nɔminən) *n* Phänomen *neu.* Erscheinung *f.* **phenomenal** *adj* phänomenal, außerordentlich.
philanthropy (fi'lænθrəpi) *n* Menschenliebe *f.* **philanthropist** *n* Menschenfreund, Philanthrop *m.*
philately (fi'lætəli) *n* Philatelie, Briefmarkenkunde *f.*
Philippines ('filipi:nz) *n pl* Philippinen *pl.*
Philistine ('filistain) *n* **1** Philister *m.* **2** Spießbürger *m. adj* spießbürgerlich, beschränkt.
philosophy (fi'lɔsəfi) *n* Philosophie *f.* **philosopher** *n* Philosoph *m.* **philosophical** *adj* **1** philosophisch. **2** gleichmütig.
phlegm (flem) *n* **1** *med* Phlegma *neu.* Schleim *m.* **2** Gleichgültigkeit *f.*
phlegmatic (fleg'mætik) *adj* **1** phlegmatisch, schleimhaltig. **2** phlegmatisch, gleichgültig, träge.
phobia ('foubiə) *n* Phobie, krankhafte Angst *f.*
phoenix ('fi:niks) *n* Phoenix *m.*
phone (foun) *inf n* **1** Telefon *neu.* Fernsprecher *m. vi, vt* anrufen, telefonieren.
phonetic (fə'netik) *adj* phonetisch.
phoney ('founi) *adj* unecht, falsch, Schein—.
phosphate ('fɔsfeit) *n* Phosphat *neu.*
phosphorescence (fɔsfə'resəns) *n* Phosphoreszenz *f.* Nachleuchten *neu.*
phosphorous ('fɔsfərəs) *n* Phosphor *m.*
photo ('foutou) *n* Photo *neu.*
photocopy ('foutoukɔpi) *n* Photokopie *f. vt* photokopieren.
photogenic (fouta'dʒenik) *adj* photogen.
photograph ('foutəgrɑ:f) *n* Photographie *f.* Lichtbild *neu. vt* photographieren. **photographer** *n* Photograph *m.* **photography** *n* Photographie *f.*
phrase (freiz) *n* **1** Redensart, (Rede)Wendung *f.* **2** Phrase *f.* **3** Satz *m. vt* formulieren, ausdrücken. **phrasebook** *n* Konversations-Handbuch *neu.*
physical ('fizikəl) *adj* **1** physisch, körperlich. **2** physikalisch. **physical education** *n* Leibeserziehung *f.*
physician (fi'ziʃən) *n* Arzt *m.*
physics ('fiziks) *n* Physik *f.* **physicist** *n* Physiker *m.*
physiology (fizi'ɔlədʒi) *n* Physiologie *f.*
physiotherapy (fiziou'θerəpi) *n* Physiotherapie *f.*
physique (fi'zi:k) *n* Körperbau *m.*
piano (pi'ænou) *n* Klavier, Piano *neu.* **pianist** *n* Klavierspieler, Pianist *m.*
pick[1] (pik) *vt* **1** hacken, picken. **2** auswählen. **3** pflücken, lesen. *vi* hacken, picken. **pick out** auswählen. **pick up** **1** aufheben. **2** *sl* auflesen. **3** *mot* mitnehmen. **4** sich erholen. **5** (sound) abnehmen. ~*n* Auswahl, Auslese *f.* **pickpocket** *n* Taschendieb *m.* **pick-up** *n* **1** *sl* zufällige Bekanntschaft *f.* **2** kleiner Lieferwagen *m.*
pick[2] (pik) *n* Spitzhacke, Picke *f.*
picket ('pikit) *n* **1** Pfahl, Pflock *m.* **2** Streikposten *m. vt* einzäunen. *vi* (als) Streikposten stehen.
pickle ('pikəl) *n* **1** Eingepökeltes *neu.* **2** eingelegtes Gemüse *neu. vt* einpökeln, einsalzen, marinieren.
picnic ('piknik) *n* Mahlzeit im Freien *f.* Picknick *neu.*
pictorial (pik'tɔ:riəl) *adj* bildlich, illustriert, Bild—. *n* Illustrierte *f.*
picture ('piktʃə) *n* **1** Bild *neu.* **2** Gemälde *neu.* Zeichnung *f.* **3** *pl* Kino *neu. vt* sich vorstellen, darstellen.
picturesque (piktʃə'resk) *adj* pittoresk, malerisch, anschaulich.
pidgin ('pidʒən) *n* Verkehrssprache *f.* **pidgin English** Pidgin-Englisch *neu.*
pie (pai) *n* **1** Pastete *f.* **2** Torte *f.* **have a finger in the pie** die Hand im Spiel haben.
piece (pi:s) *n* **1** Stück *neu.* **2** Teil *m.* **3** (Geld)Stück *neu.* **4** *game* Figur *f.* **piecemeal** *adv* stückweise, Stück für Stück. **piecework** *n* Akkordarbeit *f.* ~*v* **piece together** **1** zusammensetzen. **2** zusammenreimen.
pied (paid) *adj* buntscheckig.

pier (piə) *n* **1** Pier *m.* **2** Landungssteg *m.* **3** Hafendamm *m.* **4** Pfeiler *m.*

pierce (piəs) *vt* **1** durchstechen, durchbohren. **2** durchdringen. *vi* eindringen.

piety ('paiəti) *n* Frömmigkeit, Pietät *f.*

pig (pig) *n* Schwein, Ferkel *neu.* **pig-headed** *adj* dickschädelig, stur. **pig-iron** *n* Masseleisen, Roheisen *neu.* **piglet** *n* Schweinchen, Ferkel *neu.* **pigskin** *n* Schweinsleder *neu.* **pigsty** *n* Schweinestall *m.* **pigtail** *n* Zopf *m.*

pigeon ('pidʒən) *n* Taube *f.* **pigeonhole** *n* (Brief)Fach *neu. vt* einordnen.

piggyback ('pigibæk) *adj, adv* huckepack.

pigment ('pigmənt) *n* **1** Pigment *neu.* **2** Farbe *f.* Farbstoff *m. vt* pigmentieren, färben.

pike (paik) *n* Hecht *m.*

pilchard ('piltʃəd) *n* Sardine *f.*

pile[1] (pail) *n* Haufen, Stapel, Stoß *m. vt* anhäufen, stapeln. **pile up** sich ansammeln, anhäufen. **pile-up** *n mot* (Massen)Zusammenstoß *m.*

pile[2] (pail) *n* **1** zugespitzter Pfahl *m.* **2** Pfeiler *m.* **piledriver** *n* Ramme *f.*

pile[3] (pail) *n* **1** Flaum *m.* **2** Flor *m.* **3** Haar, Fell *neu.*

piles (pails) *n med* Hämorrhoiden *f pl.*

pilfer ('pilfə) *vt, vi* **1** stehlen. **2** mausen, klauen.

pilgrim ('pilgrim) *n* Pilger, Wallfahrer *m. adj* pilgernd, Wallfahrts—. **pilgrimage** *n* Pilgerfahrt, Wallfahrt *f.* **go on a pilgrimage** pilgern, wallfahren.

pill (pil) *n* Pille *f.* **the pill** *inf* die Pille.

pillage ('pilidʒ) *vt* ausplündern, rauben.

pillar ('pilə) *n* **1** Pfeiler *m.* **2** Säule *f.* **pillar-box** Briefkasten *m.*

pillion ('piliən) *n* **1** Damensattel *m.* **2** Soziussitz *m.*

pillow ('pilou) *n* Kopfkissen *neu.* **pillowcase** *n* Kissenbezug *m.*

pilot ('pailət) *n* Pilot, Flugzeugführer *m. vt* **1** steuern, lotsen. **2** leiten, führen. **pilot-light** *n* **1** Zündflamme *f.* **2** Kontrollampe *f.*

pimento (pi'mentou) *n* Piment *m.*

pimp (pimp) *n* Zuhälter, Kuppler *m.*

pimple ('pimpəl) *n* Pickel, Pustel *f.*

pin (pin) *n* **1** Nadel *f.* **2** Stift, Bolzen *m. vt* **1** mit einer Nadel festmachen. **2** festnageln, festhalten. **pinball** *n* Kugelspiel *neu.* Flipper *m.* **pincushion** *n* Nadelkissen *neu.* **pin-money** *n* **1** Geldbetrag für kleine Sonderausgaben *m.* **2** Nadelgeld *neu.* **pinpoint** *vt* genau feststellen. **pinstripe** *n* Nadelstreifen *m.*

pinafore ('pinəfɔ:) *n* (Kinder)Schürze *f.*

pincers ('pinsəz) *n pl* **1** (Kneif) Zange *f.* **2** *zool* Krebsschere *f.*

pinch (pintʃ) *vt* **1** kneifen, drücken. **2** *inf* klauen. **3** beschränken, einschränken. *vi* drücken, kneifen. *n* **1** Kneifen, Zwicken *neu.* **2** Druck *m.* **3** *cul* Prise *f.*

pine[1] (pain) *n bot* Kiefer, Föhre *f.*

pine[2] (pain) *vi* sich sehnen, schmachten.

pineapple ('painæpəl) *n* Ananas *f.*

ping-pong ('piŋpɔŋ) *n* Tischtennis, Pingpong *neu.*

pinion ('piniən) *n* **1** Flügelspitze *f.* **2** Flügel *m. vt* **1** beschneiden, stutzen. **2** binden, fesseln.

pink (piŋk) *adj* rosa. *n bot* Nelke *f.*

pinnacle ('pinəkəl) *n* **1** Spitzturm *m.* **2** Gipfel *m.* Spitze *f.*

pint (paint) *n* **1** Pinte *f.* **2** Schoppen *m.*

pioneer (paiə'niə) *n* **1** Pionier *m.* **2** Wegbereiter *m. vt* den Weg bahnen für, bahnbrechende Arbeit leisten.

pious ('paiəs) *adj* fromm.

pip[1] (pip) *n* Obstkern *m.*

pip[2] (pip) *n* Ton *m. vi* piepsen.

pipe (paip) *n* **1** Pfeife *f.* **2** Röhre *f.* Rohr *neu.* **3** Rohrleitung *f.* **4** *pl mus* Dudelsack *m. vt* durch ein Rohr leiten. **pipedream** *n* Luftschloß *neu.* **pipeline** *n* Pipeline, Rohrleitung *f.* **pipette** *n* Pipette *f.*

piquant ('pi:kənt) *adj* pikant, würzig.

pique (pi:k) *n* Groll, Ärger *m. vt* ärgern.

pirate ('pairət) *n* Pirat, Seeräuber *m. vi* plündern.

pirouette (piru'et) *n* Pirouette, Kreiseldrehung *f. vi* pirouettieren.

Pisces ('pisi:z) *n* Fische *m pl.*

piss (pis) *vi tab* urinieren, harnen. **piss off!** *interj* schleich dich! verzieh dich!

pistol ('pistəl) *n* Pistole *f.*

piston ('pistən) *n* **1** *tech* Kolben *m.* **2** *mus* Ventil *neu.*

pit (pit) *n* **1** Grube, Höhle *f.* **2** Zeche *f.* **3** Abgrund *m.* **4** (Pocken)Narbe *f. vt* **1** mit Narben bedecken. **2** zerfressen. **pitfall** *n* **1** Falle, Fallgrube *f.* **2** Gefahr *f.*

pitch[1] (pitʃ) *vt* **1** werfen, schleudern. **2** errichten, aufstellen. **3** *mus* stimmen. **4** festsetzen. **5** gabeln. *vi* hinstürzen. *n* **1** Wurf *m.* **2** *mus* Tonhöhe. **3** Stufe *f.* Grad *m.* **pitchfork** *n* Heugabel, Mistgabel *f.*

pitch[2] (pitʃ) *n* Pech *neu. vt* (ver)pechen.

pith (piθ) *n* **1** Mark *neu.* **2** Innere *neu.* Kern *m.* **3** Bedeutung *f.*

pittance (ˈpitn̩s) *n* **1** Hungerlohn *m.* **2** kleiner Anteil *m.*

pituitary gland (piˈtjuətri) *n* Hypophyse *f.* Hirnanhang *m.*

pity (ˈpiti) *n* **1** Mitleid, Erbarmen *neu.* **2** Jammer *m.* **what a pity!** wie schade! ~*vt* bemitleiden.

pivot (ˈpivət) *n* **1** Drehpunkt *m.* **2** (Tür)Angel *f.* *vi* sich drehen. *vt* **1** schwenken. **2** mit Angeln versehen.

pizza (ˈpiːtsə) *n* Pizza *f.*

placard (ˈplækɑːd) *n* Plakat *neu.*

placate (pləˈkeit) *vt* besänftigen, beruhigen.

place (pleis) *n* **1** Ort *m.* **2** Stelle *f.* **3** Platz *m.* **4** Stand, Rang *m.* **5** Stadt *f.* **6** *inf* Wohnung *f.* Haus *neu.* **all over the place** *inf* überall. ~*vt* **1** stellen, legen, setzen. **2** unterbringen. **3** identifizieren. **placename** *n* Ortsname *m.*

placenta (pləˈsentə) *n* Plazenta *f.*

placid (ˈplæsid) *adj* ruhig, gelassen.

plagiarize (ˈpleidʒəraiz) *vt* abschreiben, plagieren, nachahmen. *vi* ein Plagiat begehen.

plague (pleig) *n* **1** Plage *f.* **2** Seuche, Pest *f.* **3** Quälgeist *m.* *vt* quälen, verfolgen, belästigen.

plaice (pleis) *n* Scholle *f.*

plaid (plæd) *n* Plaid *m,neu* Schottenmuster *neu.* *adj* buntkariert.

plain (plein) *adj* **1** klar. **2** offen. **3** einfach, schlicht. **4** schmucklos, ungemustert. **5** unschön. **plain sailing** *n* einfache Sache, reibungslose Affäre *f.* ~*adv* klar. *n* Ebene, Fläche *f.* **plain-clothes** *n* Zivilkleidung *f.*

plaintiff (ˈpleintif) *n law* Kläger *m.*

plaintive (ˈpleintiv) *adj* **1** klagend, kläglich. **2** traurig.

plait (plæt) *n* **1** Falte *f.* **2** Zopf *m.* *vt* **1** (zu einem Zopf) flechten. **2** falten.

plan (plæn) *n* **1** Plan *m.* **2** Skizze *f.* Entwurf *m.* **3** Absicht *f.* *vt* **1** entwerfen, skizzieren. **2** planen, beabsichtigen.

plane[1] (plein) *adj* flach, eben. *n* **1** Ebene *f.* **2** Höhe *f.* Niveau *neu.* **3** Flugzeug *neu.* *vi* gleiten.

plane[2] (plein) Hobel *m.* *vt* ebnen, glätten, hobeln.

planet (ˈplænit) *n* Planet *m.*

plank (plæŋk) *n* Planke, Bohle *f.*

plankton (ˈplæŋktən) *n* Plankton *neu.*

plant (plɑːnt) *n* **1** *bot* Pflanze *f.* **2** Fabrik *f.* Werk *neu.* *vt* **1** pflanzen. **2** bepflanzen. **plantation** *n* (An)Pflanzung *f.* Plantage *f.*

plaque (plɑːk) *n* **1** (Schmuck)Platte *f.* **2** Brosche *f.* **3** Gedenktafel *f.*

plasma (ˈplæzmə) *n* Plasma *neu.*

plaster (ˈplɑːstə) *n* **1** Pflaster *neu.* **2** Mörtel *m.* **3** Gips *m.* **plaster of Paris** *n* (gebrannter) Gips *m.* **sticking plaster** Heftpflaster *neu.* ~*vt* **1** (be)pflastern. **2** verputzen.

plastic (ˈplæstik) *n* Kunststoff *m.* *adj* **1** Plastik—, Kunststoff—. **2** bildend. **3** plastisch.

Plasticine (ˈplæstisiːn) *n* *Tdmk* Plastilin *Tdmk neu.*

plate (pleit) *n* **1** Tafel, Platte *f.* **2** Teller *m.* **3** Silbergeschirr *neu.* *vt* plattieren, überziehen.

platelayer *n* Schienenleger, Streckenarbeiter *m.*

plateau (ˈplætou) *n* Plateau *neu.* Hochebene *f.*

platform (ˈplætfɔːm) *n* **1** Rednerbühne *f.* **2** Bahnsteig *m.* **3** Plattform *f.*

platinum (ˈplætnəm) *n* Platin *neu.*

platonic (pləˈtɔnik) *adj* platonisch.

plausible (ˈplɔːzəbəl) *adj* **1** plausibel, einleuchtend. **2** überzeugend.

play (plei) *n* **1** Spiel *neu.* **2** Schauspiel, Theaterstück *neu.* **3** Verhalten *neu.* **4** Spielraum *m.* *vi* **1** spielen. **2** tändeln, flirten. **3** *mus* Musik machen. *vt* spielen. **playboy** *n* Playboy *m.* **playful** *adj* spielerisch, scherzhaft. **playground** *n* **1** Spielplatz *m.* **2** Schulhof *m.* **playgroup** *n* Spielgruppe *f.* **playhouse** *n* **1** Schauspielhaus *neu.* **2** Puppenhaus *neu.* **playing card** *n* Spielkarte *f.* **playing field** *n* Sportplatz *m.* **playmate** *n* Spielkamerad *m.* **playschool** *n* Kindergarten *m.* **playwright** *n* Dramatiker *m.*

plea (pliː) *n* **1** Gesuch *neu.* Bitte *f.* **2** Vorwand *m.* **3** *law* Einspruch *m.*

plead (pliːd) *vi law* plädieren, sich verteidigen. *vt* **1** vertreten. **2** verteidigen. **3** vorbringen, geltend machen. **plead guilty** sich schuldig bekennen.

please (pliːz) *vt* **1** gefallen, Freude machen. **2** befriedigen. *vi* gefallen, angenehm sein. *adv* bitte. **please yourself** tun Sie, was Sie wollen. **pleasant** *adj* **1** angenehm. **2** freundlich, liebenswürdig. **pleasure** *n* **1** Vergnügen *neu.* Freude *f.* **2** Genuß *m.*

pleat (pliːt) *n* Falte *f.* *vt* in Falten legen, plissieren.

plectrum (ˈplektrəm) *n* Plektron *neu.*

pledge (pledʒ) *n* **1** Pfand *neu.* Bürgschaft *f.* **2** Versprechen *neu.* Zusage *f.* **3** Trinkspruch, Toast *m.* *vt* **1** verpfänden, als Pfand geben. **2** versprechen. **3** verplichten.

plenty (ˈplenti) *n* Fülle *f.* Reichtum *m.* *adj*

reichlich. **in plenty** reichlich, im Überfluß. **plenty of** viel, reichlich.

pliable ('plaiəbəl) *adj* **1** biegsam. **2** nachgiebig, fügsam.

pliers ('plaiəz) *n* (Kneif)Zange *f.*

plight (plait) *n* Notlage, Zwangslage *f.*

plimsoll ('plimsəl) *n* Turnschuh *m.*

plod (plɔd) *vi* **1** (mühsam) daherstampfen, sich hinschleppen. **2** sich abmühen, sich mühsam durcharbeiten.

plonk (plɔŋk) *vt* hinplumpsen.

plot[1] (plɔt) *n* **1** *lit* Handlung *f.* **2** Plan *m.* **3** Verschwörung *f.* *vi* sich verschwören. *vt* **1** (heimlich) planen. **2** entwerfen. **3** ersinnen. **4** graphisch darstellen, aufzeichnen.

plot[2] (plɔt) *n* Parzelle *f.* Grundstück *neu.*

plough (plau) *n* Pflug *m.* *vt* pflügen.

pluck (plʌk) *vt* **1** pflücken. **2** rupfen. **3** reißen, zerren. *vi* reißen, zerren. *n* **1** Ruck, Zug *m.* **2** Mut *m.* Beherztheit *f.*

plug (plʌg) *n* Stöpsel, Pfropf *m.* *vt* verstopfen.

plum (plʌm) *n bot* Pflaume *f.*

plumage ('plu:midʒ) *n* Gefieder *neu.*

plumb (plʌm) *n* Senkblei, Lot *neu.* *adj* senkrecht, lotrecht. *vt* **1** sondieren. **2** erforschen. *vi* klempnern. **plumber** *n* Klempner, Installateur *m.* **plumbing** *n* **1** Kempnerarbeit *f.* **2** Ausloten *neu.*

plume (plu:m) *n* **1** Feder *f.* **2** Federbusch *m.* *vt* mit Federn schmücken.

plump[1] (plʌmp) *adj* rundlich, dick.

plump[2] (plʌmp) *vi* plumpsen. **plump for** sich entscheiden für.

plunder ('plʌndə) *n* **1** Plünderung *f.* **2** Beute *f.*

plunge (plʌndʒ) *vt* **1** tauchen. **2** stürzen. *vi* **1** tauchen. **2** sich hineinstürzen. *n* **1** Tauchen *neu.* **2** Sturz *m.*

pluperfect (plu:'pə:fikt) *n* Plusquamperfekt *neu.*

plural ('pluərəl) *adj* mehrfach, Plural—. *n* Plural *m.* Mehrzahl *f.*

plus (plʌs) *prep* plus, und. *n* Plus, Mehr *neu.* *adj* **1** positiv, Plus—. **2** mehr, Extra—.

plush (plʌʃ) *n* Plüsch *m.* *adj* Plüsch—.

Pluto ('plu:tou) *n* Pluto *m.*

ply[1] (plai) *vt.* **1** ausüben. **2** handhaben. *vi* regelmässig fahren, verkehren.

ply[2] (plai) *n* **1** Schicht *f.* **2** Strähne *f.* **3** Neigung *f.* **plywood** *n* Sperrholz *neu.*

pneumatic (nju:'mætik) *adj* pneumatisch, Luft—. **pneumatic drill** *n* Preßluftbohrer *m.*

pneumonia (nju:'mouniə) *n* Lüngenentzündung, Pneumonie *f.*

poach[1] (poutʃ) *vi* **1** wildern, unerlaubt jagen. **2** widerrechtlich betreten.

poach[2] (poutʃ) *vt cul* pochieren. **poached egg** *n* pochiertes *or* verlorenes Ei.

pocket ('pɔkit) *n* Tasche *f.* *vt* in die Tasche stecken. **pocket-money** *n* Taschengeld *neu.*

pod (pɔd) *n* Schote, Schale *f.* *vt* ausschoten.

poem ('pouim) *n* Gedicht *neu.*

poet ('pouit) *n* Dichter *m.* **poetic** *adj* dichterisch, poetisch. **poetry** *n* **1** Dichtung, Poesie *f.* **2** Gedichte *neu pl.*

poignant ('pɔinjənt) *adj* **1** scharf. **2** pikant. **3** rührend, ergreifend.

point (pɔint) *n* **1** Punkt *m.* **2** Spitze *f.* **3** Frage, Sache *f.* **4** Zweck *m.* Absicht *f.* **5** Stufe *f.* Zeitpunkt *m.* **6** Stelle *f.* **be on the point of doing** eben tun wollen. **beside the point** nicht zur Sache gehörig. **point-blank** *adj, adv* **1** (schnur)gerade. **2** direkt, offen. **3** *mil* Kern—, Kernschuß—. ~*vt* **1** richten. **2** spitzen. **3** deuten auf. **point out** aufmerksam machen auf. **point to** hinweisen auf. **pointed** *adj* **1** spitz. **2** scharf, treffend.

poise (pɔiz) *n* **1** Gleichgewicht *neu.* **2** Haltung *f.* **3** Ruhe, Gelassenheit *f.* *vt* **1** balancieren. **2** im Gleichgewicht halten. *vi* schweben.

poison ('pɔizən) *n* Gift *neu.* *vt* vergiften. **poisonous** *adj* giftig.

poke (pouk) *n* Stoß, Puff *m.* *vi* stoßen, stochern, tasten. *vt* **1** stoßen, knuffen. **2** (a fire) schüren.

poker[1] ('pouka) *n* Feuerhaken *m.*

poker[2] ('pouka) *n* Poker(spiel) *neu.*

Poland ('pouland) *n* Polen *neu.*

polar ('poulə) *adj* polar, Polar—. **polar bear** *n* Eisbär *m.* **polarize** *vt* polarisieren.

pole[1] (poul) *n* **1** Pfahl *m.* **2** Stange *f.* Pfosten *m.* Stock *m.* *vt* staken. **pole-vault** *n* Stabhochsprung *m.*

pole[2] (poul) *n* Pol *m.* **Pole Star** *n* Polarstern *m.*

Pole (poul) *n* Pole *m.*

polemic (pə'lemik) *adj* **1** polemisch. **2** streitsüchtig. *n* Polemik *f.*

police (pə'li:s) *n* Polizei *f.* *vt* **1** polizeilich bewachen. **2** schützen. **3** kontrollieren. **policeman** *n* Polizist, Schutzmann *m.* **police station** *n* Polizeiwache *f.*

policy[1] ('pɔlisi) *n* **1** Politik, politische Linie *f.* **2** Taktik, Methode *f.*

policy[2] ('pɔlisi) *n* (Versicherungs)Police *f.*

polish ('pɔliʃ) *vt* **1** polieren, glätten. **2** bohnern. **3** verfeinern. *vi* glatt werden, Glanz annehmen. *n* **1** Glanz *m.* Politur *f.* **2** Putzmittel *neu.*

Polish ('pouliʃ) *adj* polnisch *n* (language) Polnisch *neu.*

polite (pə'lait) *adj* **1** höflich, zuvorkommend. **2** fein, schön.

politics ('pɔlitiks) *n* Politik *f.* **political** *adj* politisch. **politician** *n* Politiker *m.*

polka ('pɔlkə) *n* Polka *f.*

poll (poul) *n* **1** Wahl, Abstimmung *f.* **2** Wählerliste *f.* **3** Umfrage. **4** Stimmabgabe *f.* **go to the polls** zur Wahl gehen. ~*vt* **1** (votes) erhalten. **2** stutzen, abschneiden. *vi* wählen, stimmen.

pollen ('pɔlən) *n* Blütenstaub, Pollen *m.*

pollute (pə'lu:t) *vt* **1** verschmutzen, verunreinigen. **2** schänden, entweihen. **pollution** *n* (Umwelts)Verschmutzung *f.*

polygamy (pə'ligəmi) *n* Polygamie *f.*

polygon ('pɔligən) *n* Vieleck *neu.*

polytechnic (pɔli'teknik) *adj* polytechnisch. *n* polytechnische Hochschule *f.*

polythene ('pɔliθi:n) *n* **1** *sci* Polyäthylen *neu.* **2** Plastik—.

pomegranate ('pɔmigrænət) *n* Granatapfel *m.*

pomp (pɔmp) *n* Pomp, Prunk *m.* Pracht *f.* **pompous** *adj* **1** pompös, prunkvoll. **2** hochtrabend, anmaßend.

pond (pɔnd) *n* Teich *m.*

ponder ('pɔndə) *vt* erwägen, nachdenken über. *vi* tief nachdenken, nachsinnen.

pony ('pouni) *n* Pony *neu.* **ponytail** *n* Pferdeschwanz *m.*

poodle ('pu:dl) *n* Pudel *m.*

pool[1] (pu:l) *n* **1** Teich *m.* **2** Pfütze *f.*

pool[2] (pu:l) *n* **1** Pool, Ring *m.* Interessengemeinschaft *f.* **2** gemeinsame Kasse *f.* *vt* zusammenlegen, vereinigen.

poor (puə, pɔ:) *adj* **1** arm, bedürftig. **2** schlecht. **3** jämmerlich.

pop[1] (pɔp) *n* **1** Knall, Puff *m.* **2** *inf* Sprudel *m.* Limonade *f.* *vt* knallen lassen. *vi* puffen, knallen. **pop up** plötzlich auftauchen *or* erscheinen. *interj* paff! **popcorn** *n* Popcorn *neu.* Puffmais *m.*

pop[2] (pɔp) *adj inf* populär, beliebt. **pop music** *n* Popmusik *f.* **pop song** *n* Schlager *m.*

pope (poup) *n* Papst *m.*

poplar ('pɔplə) *n* Pappel *f.*

poppy ('pɔpi) *n* Mohn *m.* Mohnpflanze *f.*

popular ('pɔpjulə) *adj* **1** populär. **2** beliebt. **3** volkstümlich.

population (pɔpju'leiʃən) *n* Bevölkerung *f.*

porcelain ('pɔ:slin) *adj* Porzellan—. *n* Porzellan *neu.*

porch (pɔ:tʃ) *n* **1** Portal *neu.* **2** Vorhalle *f.* **3** Veranda *f.*

porcupine ('pɔ:kjupain) *n* Stachelschwein *neu.*

pore[1] (pɔ:) *n anat* Pore *f.*

pore[2] (pɔ:) *vi* **pore over** eifrig studieren, aufmerksam untersuchen.

pork (pɔ:k) *n* Schweinefleisch *neu.*

pornography (pɔ:'nɔgrəfi) *n* Pornographie *f.* **pornographic** *adj* pornographisch.

porous ('pɔ:rəs) *adj* porös, durchlässig.

porpoise ('pɔ:pəs) *n* Tümmler *m.*

porridge ('pɔridʒ) *n* Hafer(flocken)brei *m.*

port[1] (pɔ:t) *n* Hafen *m.*

port[2] (pɔ:t) *adj* Backbord—. *n* Backbord *neu.*

port[3] (pɔ:t) *n* Portwein *m.*

port[4] (pɔ:t) *n* Tor *neu.* Pforte *f.*

portable ('pɔ:təbəl) *adj* tragbar, portabel.

portent ('pɔ:tent) *n* **1** Vorbedeutung *f.* übles Vorzeichen *neu.* **2** Wunder *neu.*

porter[1] ('pɔ:tə) *n* Gepäckträger *m.*

porter[2] ('pɔ:tə) *n* Pförtner, Portier *m.*

portfolio (pɔ:t'fouliou) *n* **1** (Brief)Mappe *f.* **2** Geschäftsbereich (eines Ministers) *m.*

porthole ('pɔ:thoul) *n* Pfortluke *f.*

portion ('pɔ:ʃən) *n* **1** Portion *f.* **2** Anteil *m.* *vt* einteilen, zuteilen.

portrait ('pɔ:trit) *n* Porträt, Bildnis *neu.*

portray (pɔ:'trei) *vt* **1** porträtieren, abmalen. **2** beschreiben, schildern.

Portugal ('pɔ:tjugəl) *n* Portugal *neu.* **Portuguese** *adj* portugiesisch. *n* **1** Portugiese *m.* **2** (language) Portugiesisch *neu.*

pose (pouz) *n* Stellung, Pose *f.* *vi* posieren. *vt* **1** (questions) stellen. **2** aufstellen. **pose as** auftreten als.

posh (pɔʃ) *adj inf* elegant, schick, prima.

position (pə'ziʃən) *n* **1** Position, Stellung *f.* **2** Rang *m.* **3** Standpunkt *m.* Einstellung *f.* **4** Lage *f.* *vt* (richtig hin)stellen.

positive ('pɔzitiv) *adj* **1** positiv. **2** genau, exakt. **3** konstruktiv. **4** definitiv, eindeutig. *n* **1** Postivum *neu.* **2** *phot* Positiv *neu.*

possess (pə'zes) *vt* **1** besitzen, haben. **2** in Besitz nehmen. **3** beherrschen. **possession** *n* **1** Besitz *m.* **2** *pl* Habe *f.* Reichtum *m.* **be in possession of** besitzen. **possessive** *adj* **1** besitzgierig. **2** anhänglich. **3** *gram* Possessiv.

possible ('pɔsəbəl) *adj* **1** möglich. **2** eventuell.

post[1] (poust) *n* Pfosten, Pfahl *m.* *vt* ankleben, anschlagen.

post[2] (poust) *n* **1** Stellung *f.* **2** Posten *m.* *vt* postieren, aufstellen.

post[3] (poust) *n* **1** Post *f.* **2** Postamt *neu.* *vt* (per Post) schicken. **postage** *n* Porto *neu.* Postgebühr *f.* **postal order** *n* Postanweisung *f.* **postbox** *n* Briefkasten *m.* **postcard** *n* Postkarte *f.* **postcode** *n* Postleitzahl *f.* **postman** *n* Briefträger *m.* **postmark** *n* Poststempel *f.* *vt* abstempeln. **post office** *n* Postamt *neu.*

poster ('pousta) *n* Plakat *neu.*

posterior (pɔs'tiəria) *adj* **1** später. **2** folgend, hinter. *n* Hinterteil *neu.*

posterity (pɔs'teriti) *n* **1** Nachkommenschaft *f.* **2** Nachwelt *f.*

postgraduate (poust'grædjuət) *n* Doktorand *m.* *adj* **1** vorgeschritten. **2** Forschungs—.

posthumous ('pɔstjuməs) *adj* **1** posthum. **2** nachträglich.

post-mortem (poust'mɔ:təm) *adj* nach dem Tode. **post mortem (examination)** *n* Autopsie *f.*

postpone (pəs'poun) *vt* **1** verschieben. **2** unterordnen.

postscript ('pouskript) *n* Postskriptum *neu.* Nachschrift *f.* Nachtrag *m.*

postulate (*v* 'pɔstjuleit; *n* 'pɔstjulət) *vt* **1** postulieren. **2** fordern, verlangen. *n* **1** Postulat *neu.* **2** Forderung *f.*

posture ('pɔstʃə) *n* **1** Stellung, Haltung *f.* **2** Lage *f.*

pot (pɔt) *n* **1** Topf *m.* **2** Krug *m.* *vt* **1** in einen Topf tun. **2** einmachen.

potassium (pə'tæsiəm) *n* **1** Pottasche *f.* **2** Kalium *neu.*

potato (pə'teitou) *n* Kartoffel *f.*

potent ('poutnt) *adj* **1** stark, kräftig. **2** potent.

potential (pə'tenʃəl) *adj* möglich, potentiell. *n* Potential *neu.*

pothole ('pɔthoul) *n* Schlagloch *neu.*

potion ('pouʃən) *n* Trank *m.*

potter ('pɔtə) *n* Töpfer *m.*

pottery ('pɔtəri) *n* **1** Töpferwaren *f pl.* **2** Töpferei *f.*

pouch (pautʃ) *n* Tasche *f.* Beutel *m.* *(vi),vt* (sich) bauschen.

poultice ('poultis) *n* Umschlag *m.* Packung *f.*

poultry ('poultri) *n* Geflügel *neu.*

pounce (pauns) *vi* sich stürzen, herabstoßen. *n* Sprung, Satz *m.*

pound[1] (paund) *vt* **1** zerstoßen, zerstampfen. **2** schlagen, stoßen. *vi* schlagen, hämmern.

pound[2] (paund) *n* Pfund *neu.*

pour (pɔ:) *vt* gießen, schütten. *vi* **1** fließen, strömen. **2** stark regnen. *n* **1** Guß *m.* **2** (Regen)Guß *m.*

pout (paut) *vi* **1** die Lippen spitzen. **2** schmollen. *n* Schmollen *neu.*

poverty ('pɔvəti) *n* **1** Armut *f.* **2** Elend *neu.* Not *f.* **poverty-stricken** *adj* verarmt, bedürftig.

powder ('paudə) *n* Pulver *neu.* Puder *m.* *vt* **1** (ein)pudern, bestreuen. **2** pulverisieren. *vi* zu Pulver werden. **powder room** *n* Damentoilette *f.*

power ('pauə) *n* **1** Kraft, Stärke *f.* **2** Macht, Autorität *f.* **3** Gewalt *f.* **4** *math* Potenz *f.* **5** Energie. *vt* antreiben. **powerful** *adj* mächtig, stark, kräftig.

practicable ('præktikəbəl) *adj* ausführbar, möglich.

practical ('præktikəl) *adj* praktisch.

practice ('præktis) *n* **1** Praxis *f.* **2** Brauch *m.* Gewohnheit *f.* **3** Übung *f.* **4** Verfahren *neu.*

practise ('præktis) *vt* **1** ausüben, betreiben. **2** üben. *vi* **1** üben. **2** praktisch tätig sein. **3** *sport* trainieren.

practitioner (præk'tiʃənə) *n* **1** *med* praktischer Arzt *m.* **2** *law* Rechtsanwalt *m.* **3** Praktiker *m.*

pragmatic (præg'mætik) *adj* pragmatisch.

Prague (prɑ:g) *n* Prag *neu.*

prairie ('prəri) *n* Prärie, Steppe *f.*

praise (preiz) *vt* preisen, loben. *n* Lob *neu.* Preis *m.* Anerkennung *f.* **praiseworthy** *adj* lobenswert.

pram (præm) *n* Kinderwagen *m.*

prance (prɑ:ns) *vi* **1** sich bäumen. **2** umherspringen. **3** einherstolzieren.

prank (præŋk) *n* Streich, Ulk *m.*

prattle ('præt|) *vi* schwazen, plappern. *n* Geschwätz, Geplapper *neu.*

prawn (prɔ:n) *n* Garnele *f.*

pray (prei) *vi* beten. *vt* bitten, anflehen. **prayer** *n* Gebet *neu.* **prayerbook** *n* Gebetbuch *neu.*

preach (pri:tʃ) *vi,vt* predigen.

precarious (pri'kəəriəs) *adj* **1** prekär, unsicher, riskant. **2** *law* widerruflich.

precaution (pri'kɔ:ʃən) *n* Vorsichtsmaßnahme *f.* **take precautions** Vorsichtsmaßnahmen treffen.

precede (pri'si:d) *vi,vt* vorausgehen, vorangehen. **precedence** *n* Vorrang *m.* Priorität *f.* **precedent** *n* Präzedenzfall *m.*

precinct ('pri:siŋkt) *n* **1** Bezirk *m.* **2** *pl* Umgebung *f.*

precious ('preʃəs) *adj* kostbar, vertvoll. *adv inf* recht, sehr.

precipice ('presipis) *n* Abgrund *m*.

precipitate (prə'sipiteit) *vt* **1** hinabstürzen. **2** überstürzen, übereilen. *vi* **1** sich übereilen. **2** sich niederschlagen. *adj* voreilig, überstürzt. **precipitation** *n* **1** Niederschlag *m*. **2** Überstürzung *f*.

precis ('preisi) *n* Zusammenfassung *f*. *vt* zusammenfassen.

precise (pri'sais) *adj* **1** präzis, genau. **2** korrekt. **precision** *n* Präzision *f*.

preclude (pri'klu:d) *vt* **1** ausschließen. **2** (ver)hindern.

precocious (pri'kouʃəs) *adj* frühreif, altklug.

preconceive (pri:kən'si:v) *vt* sich vorher vorstellen, vorher ausdenken. **preconception** *n* Vorurteil *m*. vorgefaßte Meinung *f*.

predatory ('predətəri) *adj* räuberisch, Raub—.

predecessor ('pri:disesə) *n* Vorgänger *m*.

predestine (pri:'destin) *vt* vorherbestimmen, vorher festlegen. **predestination** *n* Prädestination, Vorherbestimmung *f*.

predicament (pri'dikəmənt) *n* heikle *or* mißliche Lage *f*.

predicate (*n* 'predikit; *v* 'predikeit) *n* Prädikat *neu*. *vt* **1** aussagen, feststellen. **2** begründen.

predict (pri'dikt) *vt* vorhersagen, prophezeien.

predominate (pri'dɔmineit) *vi* **1** vorherrschen. **2** überlegen sein.

pre-eminent *adj* hervorragend.

preen (pri:n) *vt* (of a bird) putzen.

prefabricate (pri'fæbrikeit) *vt* vorfabrizieren.

preface ('prefis) *n* Vorrede, Einleitung *f*. *vt* einleiten.

prefect ('pri:fekt) *n* **1** *pol* Präfekt *m*. **2** *educ* Aufsichtsschüler *m*.

prefer (pri'fə:) *vt* **1** vorziehen, lieber tun *or* haben. **2** einreichen. **3** begünstigen. **preference** *n* **1** Bevorzugung *f*. **2** Vorliebe *f*. **3** Vortritt, Vorrecht *neu*.

prefix ('pri:fiks) *n* Präfix *neu*. Vorsilbe *f*.

pregnant ('pregnənt) *adj* **1** schwanger. **2** wichtig, gehaltvoll, bedeutsam. **pregnancy** *n* Schwangerschaft *f*.

prehistoric (pri:his'tɔrik) *adj* vorgeschichtlich, urgeschichtlich, prähistorisch.

prejudice ('predʒədis) *n* **1** Vorurteil *neu*. **2** Beeinträchtigung *f*. Schaden *m*. *vt* ungünstig beeinflussen, beeinträchtigen. **prejudiced** *adj* voreingenommen.

preliminary (pri'liminəri) *adj* vorbereitend, einleitend, vorläufig.

prelude ('prelju:d) *n* **1** Einleitung *f*. **2** *mus* Vorspiel *neu*.

premarital (pri:'mæritl) *adj* vorehelich.

premature ('premətʃə) *adj* **1** frühreif. **2** vorzeitig, frühzeitig.

premeditate (pri:'mediteit) *vt* vorher überlegen. **premeditation** *n* Vorbedacht *m*.

premier ('premiə) *n* Premierminister *m*. *adj* **1** erst. **2** frühest.

premiere ('premieə) *n* Erstaufführung, Premiere *f*.

premise ('premis) *n* **1** Prämisse, Voraussetzung *f*. **2** *pl* Grundstück *neu*. **3** *pl* Haus *neu*.

premium ('pri:miəm) *n* Prämie *f*.

preoccupied (pri:'ɔkjupaid) *adj* vertieft, in Gedanken versunken.

prepare (pri'pɛə) *vt* **1** vorbereiten. **2** zubereiten. **3** präparieren. *vi* **1** Vorbereitungen treffen, sich vorbereiten. **2** *mil* sich rüsten. **preparation** *n* **1** Vorbereitung *f*. **2** *pl* Vorkehrungsmaßnahmen *f pl*. **preparatory** *adj* vorbereitend, Vorbereitungs—.

preposition (prepə'ziʃən) *n* Präposition *f*. Verhältniswort *neu*.

preposterous (pri'postərəs) *adj* unnatürlich, unsinnig, grotesk, lächerlich.

prerogative (pri'rɔgətiv) *n* Vorrecht, Privileg *neu*. Prärogative *f*. *adj* bevorrechtet.

prescribe (pri'skraib) *vt* **1** vorschreiben. **2** *med* verordnen. *vi* Vorschriften machen, Anweisungen geben. **prescription** *n* **1** Vorschrift, Verordnung *f*. **2** *med* Rezept *neu*.

presence ('prezəns) *n* **1** Gegenwart *f*. **2** Anwesenheit. **3** Aussehen, Äußere *neu*.

present[1] ('prezənt) *adj* **1** gegenwärtig. **2** anwesend. **3** vorhanden. **4** augenblicklich. **present participle** *n* Partizip des Präsens *neu*. ~*n* Gegenwart *f*. **at present** im Augenblick. **presently** *adv* **1** bald. **2** kurz darauf.

present[2] (*v* pri'zent; *n* 'prezənt) *vt* **1** vorstellen. **2** schenken, überreichen. **3** darbieten, vorführen. *n* Geschenk *neu*.

preserve (pri'zə:v) *vt* **1** bewahren, schützen. **2** *cul* einmachen, konservieren. **3** beibehalten, aufrechterhalten. *n* Konserve *f*.

preside (pri'zaid) *vi* präsidieren, den Vorsitz führen.

president ('prezidənt) *n* **1** Präsident *m*. **2** Vorsitzende(r) *m*.

press (pres) *vt* **1** drücken, pressen. **2** bügeln. *vi* **1** Druck ausüben, drücken. **2** dringend bitten. **3** drängen. *n* **1** Druck *m*. **2** Presse *f*. **3** Gedränge *neu*. **press conference** *n* Pressekonferenz *f*. **press-gang** *n* Anwerbetrupp *m.* **press-stud** *n* Druckknopf *m.* **press-up** *n sport* Liegestütz *m.*

pressure ('preʃə) *n* **1** Druck *m.* Druckkraft *f.* **2** Dringlichkeit *f.* **3** Druck, Zwang *m.* **pressure cooker** *n* Schnellkochtopf *m.* **pressurize** *vt* **1** unter Druck setzen. **2** Druck ausüben auf, zwingen.

prestige (pres'ti:ʒ) *n* Prestige, Ansehen *neu.*

presume (pri'zju:m) *vt* vermuten, annehmen. *vi* **1** vermuten. **2** wagen, sich erlauben. **3** mißbrauchen. **presumption** *n* **1** Vermutung *f.* **2** Anmaßung *f.* **presumptuous** *adj* anmaßend.

pretend (pri'tend) *vt* vorgeben, vorspiegeln. *vi* vorgeben. **pretend to 1** tun, als ob. **2** Anspruch machen auf. **pretence** *n* Vorwand *m.* **pretension** *n* Anspruch *m.* **pretentious** *adj* anspruchsvoll, angeberisch.

pretext ('pri:tekst) *n* Vorwand *m.* Ausrede *f.*

pretty ('priti) *adj* hübsch, schön. *adv inf* ziemlich.

prevail (pri'veil) *vi* **1** die Oberhand gewinnen, sich durchsetzen. **2** vorherrschen. **prevalent** *adj* **1** vorherrschend. **2** überlegen.

prevent (pri'vent) *vt* abhalten, zurückhalten, verhindern, verhüten. **prevention** *n* Verhinderung *f.*

preview ('pri:vju:) *n* (private) Vorschau, Vorbesichtigung *f. vt* vorher sehen.

previous ('pri:viəs) *adj* vorhergehend, früher. **previously** *adv* vorher, früher.

prey (prei) *n* Raub *m.* Beute *f.* **bird of prey** Raubvogel *m. v* **prey on** Jagd machen auf.

price (prais) *n* **1** Preis *m.* **2** Wert *m. vt* **1** bewerten. **2** den Preis festsetzen von. **price-list** *n* Preisliste *f.*

prick (prik) *n* **1** Dorn *m.* **2** Stich *m. vt* stechen. *vi* stechen, prickeln. **prickle** *n* Stachel, Dorn *m. vt* stechen, prickeln.

pride (praid) *n* **1** Stolz *m.* **2** Hochmut *m. v* **pride oneself on** stolz sein auf.

priest (pri:st) *n* Priester, Geistliche(r) *m.* **priesthood** *n* Priesteramt *neu.*

prim (prim) *adj* gekünstelt, (über)korrekt, steif.

primary ('praiməri) *adj* **1** erst, ursprünglich, Grund—. **2** hauptsächlich, Haupt—. **3** elementar. **primary school** *n* Grundschule, Volksschule, Elementarschule *f.*

primate *n* **1** ('praimit) Erzbischof *m.* **2** ('praimeit) *zool* Primat *m.*

prime (praim) *adj* **1** erst, Haupt—, Ober—. **2** höchst. *n* Vollkommenheit, Blüte *f. vt* vorbereiten, fertigmachen. **prime minister** *n* Ministerpräsident, Premierminister *m.*

primitive ('primitiv) *adj* **1** ursprünglich, Ur—. **2** primitiv.

primrose ('primrouz) *n* Primel, Schlüsselblume *f. adj* blaßgelb.

prince (prins) *n* Fürst, Prinz *m.* **princess** *n* Fürstin, Prinzessin *f.*

principal ('prinsəpəl) *adj* **1** hauptsächlich, Haupt—. **2** wichtigst. *n* Chef, Vorsitzende(r) *m.* **principality** *n* Fürstentum *neu.*

principle ('prinsəpəl) *n* Prinzip *neu.* Grundsatz *m.* **in/on principle** im/aus Prinzip.

print (print) *vt* **1** drucken. **2** stempeln. **3** herausgeben, veröffentlichen. *n* **1** Druck *m.* **2** Abzug *m.* **3** Spur *f.*

prior ('praiə) *adj* eher, früher, vorausgehend. *n* Prior *m.* **priority** *n* Priorität *f.* Vorrang *m.*

prise (preiz) *vt* **prise open** aufbrechen.

prism ('prizəm) *n* Prisma *neu.*

prison ('prizən) *n* Gefängnis *neu.* **prisoner** *n* Gefangene(r) *m.*

private ('praivit) *adj* **1** privat. **2** persönlich. **3** nicht öffentlich, Privat—. **4** heimlich. *n* gemeiner Soldat *m.* **in private** im Vertrauen, unter vier Augen. **private eye** *n* Privatdedektiv *m.* **privacy** *n* **1** Geheimhaltung *f.* **2** Ruhe, Ungestörheit *f.* **3** Privatleben *neu.*

privet ('privit) *n* Liguster *m.* Rainweide *f.*

privilege ('privilidʒ) *n* Privileg, Vorrecht *neu. vt* privilegieren, bevorrechten.

privy ('privi) *adj* **1** eingeweiht, mitwissend. **2** Privat—, Geheim—.

prize[1] (praiz) *n* Preis *m.*

prize[2] (praiz) *vt* hoch einschätzen.

probable ('prɔbəbəl) *adj* wahrscheinlich.

probation (prə'beiʃən) *n* **1** Prüfung *f.* **2** Probezeit *f.* **3** *law* Bewährungsfrist *f.* **on probation 1** auf Probe. **2** *law* auf Bewährung. **probation officer** *n* Bewährungshelfer *m.*

probe (proub) *n* **1** *med* Sonde *f.* **2** Untersuchung *f. vt* **1** sondieren. **2** untersuchen.

problem ('prɔbləm) *n* **1** Problem *neu.* **2** Schwierigkeit *f.* **3** *math* Aufgabe *f. adj* Problem—, problematisch. **problematic** *adj* problematisch.

proceed (prə'si:d) *vi* **1** vorwärtsgehen. **2** weitermachen, fortfahren. **3** übergehen. **4** handeln, verfahren. **procedure** *n* **1** Verfahren, Vorgehen *neu.* **2** Prozedur *f.*

process ('prouses) *n* **1** Vorgang *m.* **2** Verfahren *neu.* Prozeß *m.* **in process** im Gang. ~*vt* **1** behandeln, verarbeiten. **2** *law* prozessieren, gerichtlich belangen.

procession (prə'seʃən) *n* Prozession *f.* Umzug, (Fest)Zug *m.*
proclaim (prə'kleim) *vt* proklamieren, verkünden.
procreate ('proukrieit) *vt* **1** erzeugen. **2** hervorbringen.
procure (prə'kjuə) *vt* **1** verschaffen, anschaffen, besorgen. **2** zustandebringen, bewirken. *vi* Kuppelei betreiben. **procurer** *n* Kuppler *m.*
prod (prɔd) *n* **1** Stich *m.* **2** Stoß *m.* *vt* **1** stechen. **2** stoßen.
prodigal ('prɔdigəl) *adj* verschwenderisch.
prodigy ('prɔdidʒi) *n* Wunder *neu.* **child prodigy** Wunderkind *neu.*
produce (*v* prə'dju:s; *n* 'prɔdju:s) *vt* **1** herstellen, erzeugen, produzieren. **2** vorzeigen. **3** veranlassen, bewirken. *n* Ertrag *m.* Frucht *f.* Produkt *neu.* **product** *n* **1** Erzeugnis, Produkt *neu.* **2** Ergebnis *neu.* **3** *math* Resultat *neu.* **production** *n* Erzeugung, Produktion *f.*
profane (prə'fein) *vt* entweihen, profanieren. *adj* **1** weltlich, profan. **2** gottlos.
profess (prə'fes) *vt* **1** gestehen, bekennen. **2** erklären. *vi* ein Bekenntnis ablegen. **profession** *n* **1** Beruf *m.* **2** Bekenntnis *neu.*
professor (prə'fesə) *n* Professor *m.*
proficient (prə'fiʃənt) *adj* **1** geübt, erfahren. **2** tüchtig.
profile ('proufail) *n* Profil *neu.* Querschnitt *m.*
profit ('prɔfit) *n* Gewinn, Profit *m.* *vi* profitieren, Nutzen ziehen.
profound (prə'faund) *adj* **1** (tief)liegend. **2** tiefsinnig, gründlich, profund.
profuse (prə'fju:s) *adj* **1** überreichlich. **2** verschwenderisch.
programme ('prougræm) *n* **1** Programm *neu.* **2** Sendung *f.* **program** (computers) *n* Programm *neu.* *vt* programmieren.
progress (*n* 'prougres; *v* prə'gres) *n* Fortgang, Fortschritt *m.* *vi* fortschreiten, Fortschritte machen. **progression** *n* **1** Fortschreiten *neu.* Fortschritt *m.* **2** Progression *f.* **progressive** *adj* **1** fortschreitend. **2** fortschrittlich.
prohibit (prə'hibit) *vt* verbieten, verhindern.
project (*n* 'prɔdʒekt; *v* prə'dʒekt) *n* Projekt *neu.* Plan *m.* *vt* **1** schleudern. **2** werfen. **3** projizieren. **4** entwerfen. **projectile** *n* Projektil, (Wurf)Geschoß *neu.* **projection** *n* **1** Wurf *m.* **2** Entwurf, Plan *m.* **3** Projektion *f.* **projector** *n* Projektionsapparat *m.*
proletariat (prouli'tɛəriət) *n* Proletariat *neu.*
proliferate (prə'lifəreit) *vi* **1** sprossen. **2** *med* wuchern.
prolific (prə'lifik) *adj* **1** fruchtbar. **2** reich.
prologue ('proulɔg) *n* Prolog *m.* Einleitung *f.*
prolong (prə'lɔŋ) *vt* verlängern.
promenade (prɔmə'nɑ:d) *n* **1** Promenade *f.* **2** Spaziergang *m.* *vi* spazierengehen.
prominent ('prɔminənt) *adj* **1** hervorragend. **2** berühmt, prominent.
promiscuous (prə'miskjuəs) *adj* **1** unterschiedslos. **2** gemeinsam. **3** vermischt.
promise ('prɔmis) *n* Versprechen *neu.* Zusage *f.* *vt* versprechen, zusagen.
promote (prə'mout) *vt* **1** begünstigen, fördern. **2** erheben, befördern. **3** anpreisen. **promotion** *n* **1** Förderung *f.* **2** Beförderung *f.* **3** Werbung *f.*
prompt (prɔmpt) *adj* schnell, rasch, prompt. *vt* anspornen, veranlassen.
prone (proun) *adj* **1** geneigt, neigend. **2** auf dem Gesicht liegend.
prong (prɔŋ) *n* Zinke, Spitze *f.*
pronoun ('prounaun) *n* *gram* Pronomen, Fürwort *neu.*
pronounce (prə'nauns) *vt* **1** aussprechen. **2** verkünden. *vi* sich aussprechen. **pronunciation** *n* Aussprache *f.*
proof (pru:f) *n* **1** Beweis, Nachweis *m.* **2** Abzug *m.* **3** Probe *f.* *adj* fest, sicher, undurchdringlich. *vt* imprägnieren. **proofread** *vt* korrigieren.
prop[1] (prɔp) *n* Stütze, Strebe *f.* *vt* stützen.
prop[2] (prɔp) *n* *Th* (Bühnen)Requisit *neu.*
propaganda (prɔpə'gændə) *n* Propaganda *f.*
propagate ('prɔpəgeit) *vt* **1** fortpflanzen, übertragen. **2** ausbreiten.
propel (prə'pel) *vt* vorwärtstreiben. **propeller** *n* Propeller *m.*
proper ('prɔpə) *adj* **1** passend, angebracht. **2** eigen(tlich). **3** richtig, korrekt. **4** ordnungsgemäß. **proper noun** *n* Eigenname *m.*
property ('prɔpəti) *n* **1** Eigentum *neu.* Besitz *m.* **2** Eigenschaft, Eigentümlichkeit *f.* **3** Grundbesitz *m.* Immobilien *pl.*
prophecy ('prɔfisi) *n* Prophezeiung, Weissagung *f.* **prophesy** *vt* prophezeien, weissagen.
prophet ('prɔfit) *n* Prophet *m.*
proportion (prə'pɔ:ʃən) *n* **1** Proportion *f.* Verhältnis *neu.* **2** Maß *neu.* **3** *pl* Ausmaß *neu.*
propose (prə'pouz) *vt* **1** vorschlagen. **2** (a toast) ausbringen. *vi* **1** beabsichtigen. **2** einen Heiratsantrag machen. **proposal** *n* **1** Vorschlag *m.* **2** (Heirats)Antrag *m.* **proposition** *n* **1** Vorschlag, Antrag *m.* **2** Behauptung *f.*

proprietor (prə'praiətə) *n* Besitzer, Eigentümer *m.*

propriety (prə'praiəti) *n* Anstand *m.* Angemessenheit *f.*

propulsion (prə'pʌlʃən) *n* Antrieb *m.*

prose (prouz) *n* Prosa *f. adj* Prosa—, prosaisch. **prosaic** *adj* prosaisch, alltäglich.

prosecute ('prɔsikju:t) *vt* 1 *law* strafrechtlich verfolgen. 2 verfolgen. 3 betreiben. *vi law* Klage erheben.

prospect ('prɔspekt) *n* 1 Aussicht *f.* 2 Erwartung, Voraussicht *f.* **prospective** *adj* voraussichtlich, künftig. **prospectus** *n* Prospekt *m.*

prosper ('prɔspə) *vi* gedeihen. *vt* begünstigen. **prospe:rity** *n* Wohlstand *m.* **prosperous** *adj* 1 erfolgreich, gedeihend. 2 wohlhabend.

prostitute ('prɔstitju:t) *n* Prostituierte, Dirne *f. vt* 1 prostituieren. 2 entehren. **prostitution** *n* Prostitution *f.*

prostrate (*v* prɔs'treit; *adj* 'prɔstreit) *vt* 1 niederwerfen. 2 entkräften. 3 demütigen. *adj* 1 auf der Erde hingestreckt. 2 unterwürfig. 3 kraftlos.

protagonist (prə'tægənist) *n lit* Held *m.* Hauptperson *f.* Verfechter *m.*

protect (prə'tekt) *vt* (be)schützen, bewahren. **protection** *n* Schutz *m.* Beschützung *f.*

protégé ('prətʒei) *n* Schützling *m.*

protein ('prouti:n) *n* Protein, Eiweiß *neu.*

protest (*n* 'proutest; *v* prə'test) *n* Protest, Einspruch *m. vt* 1 beteuern. 2 protestieren gegen. *vi* protestieren, Einspruch erheben.

Protestant ('prɔtistənt) *adj* protestantisch. *n* Protestant *m.*

protocol ('proutəkɔl) *n* Protokoll *neu.*

prototype ('proutətaip) *n* Prototyp, Urtyp *m.*

protractor (prə'trækta) *n* Winkelmesser *m.*

protrude (prə'tru:d) *vi* (her)vorragen, (her)vorstehen. *vt* (her)vortreten lassen.

proud (praud) *adj* 1 stolz. 2 hochmütig. 3 stattlich, prächtig.

prove (pru:v) *vt* 1 beweisen, erweisen. 2 bestätigen. *vi* sich herausstellen. **proven** *adj* 1 bewiesen. 2 bewährt.

proverb ('prɔvə:b) *n* Sprichwort *neu.*

provide (prə'vaid) *vt* 1 beschaffen, versorgen. 2 bereitstellen. *vi* Vorkehrungen treffen. **provision** *n* 1 Vorsorge, Vorkehrung *f.* 2 Bestimmung *f.* 3 *pl* Proviant *m. vt* mit Proviant versorgen. **provisional** *adj* provisorisch.

province ('prɔvins) *n* 1 Provinz *f.* 2 (Arbeits)-Gebiet *neu.* **provincial** *adj* 1 provinziell. 2 engstirnig, beschränkt. *n* Provinzbewohner *m.*

proviso (prə'vaizou) *n law* Klausel *f.* Vorbehalt *m.*

provoke (prə'vouk) *vt* 1 provozieren, reizen. 2 hervorrufen. 3 veranlassen. **provocation** *n* 1 Provokation *f.* 2 Aufreizung *f.* 3 Anlaß *m.* **provocative** *adj* provozierend.

prow (prau) *n naut* Bug *m.*

prowess ('prauis) *n* 1 Geschicklichkeit *f.* Können *neu.* 2 Tapferkeit *f.*

prowl (praul) *vt* durchstreifen. *vi* umherstreifen. *n* Umherstreifen *neu.* **be on the prowl** umherstreifen.

proximity (prɔk'simiti) *n* Nähe *f.*

proxy ('prɔksi) *n* 1 Vollmacht *f.* 2 Bevollmächtigte(r) *m.* 3 (Stell)Vertreter *m.*

prude (pru:d) *n* Spröde, Prüde *f.* **prudish** *adj* prüde, zimperlich.

prudent ('pru:dn̩t) *adj* 1 klug, weis. 2 vorsichtig. 3 sparsam.

prune[1] (pru:n) *n* (Dörr)Pflaume *f.*

prune[2] (pru:n) *vt* beschneiden, (zu)stutzen.

Prussia ('prʌʃə) *n* Preußen *neu.* **Prussian** *adj* preußisch. *n* Preuße *m.*

pry (prai) *vi* neugierig schauen, spähen. **pry into** seine Nase stecken in.

psalm (sa:m) *n* Psalm *m.*

pseudonym ('sju:dənim) *n* Pseudonym *neu.*

psychedelic (saiki'delik) *adj* psychedelisch.

psychiatry (sai'kaiətri) *n* Psychiatrie *f.* **psychiatric** *adj* psychiatrisch. **psychiatrist** *n* Psychiater *m.*

psychic ('saikik) *adj* 1 psychisch, seelisch. 2 übersinnlich.

psychoanalysis (saikouə'nælisis) *n* Psychoanalyse *f.* **psychoanalyst** *n* Psychoanalytiker *m.*

psychology (sai'kɔlədʒi) *n* Psychologie *f.* **psychological** *adj* psychologisch. **psychologist** *n* Psychologe *m.*

psychopathic (saikə'pæθik) *adj med* psychopathisch.

psychosomatic (saikousə'mætik) *adj* psychosomatisch.

pub (pʌb) *n inf* Kneipe *f.* Lokal, Wirtshaus *neu.*

puberty ('pju:bəti) *n* Pubertät *f.*

public ('pʌblik) *adj* 1 öffentlich, allgemein. 2 national, Volks—. 3 bekannt. *n* 1 Publikum *neu.* 2 Öffentlichkeit *f.* **in public** öffentlich. **public house** *n* Wirtshaus *neu.* Gaststätte *f.* **public relations** *n* öffentliche Meinungspflege *f.* Public Relations *pl.* **public school** *n* Internat *neu.* Privatschule *f.*

publication (pʌbli'keiʃən) *n* **1** Veröffentlichung *f.* **2** Publikation, Druckschrift *f.*

publicity (pʌb'lisiti) *n* **1** Öffentlichkeit, Publizität *f.* **2** Reklame *f.*

publicize ('pʌblisaiz) *vt* bekanntmachen, publizieren.

publish ('pʌbliʃ) *vt* **1** herausgeben, verlegen, veröffentlichen. **2** bekanntmachen.

pucker ('pʌkə) *(vi),vt* (sich) falten, (sich) runzeln. *n* Falte, Runzel *f.*

pudding ('pudiŋ) *n* Pudding *m.* Süßspeise *f.* **black pudding** Blutwurst *f.*

puddle ('pʌdl) *n* Pfütze, Lache *f.*

puff (pʌf) *n* **1** Windstoß *m.* **2** Hauch *m.* **3** Zug *m.* Paffen *neu.* *vi* **1** puffen, blasen. **2** schnaufen, keuchen. **puff up** *or* **out** aufblasen, schwellen. **puff pastry** *n* Blätterteig *m.*

pull (pul) *vt* **1** ziehen. **2** zerren. **3** schleppen. *vi* ziehen, zerren. **pull down** niederreißen, abreißen. **pull oneself together** sich zusammenreißen. **pull through** *inf* durchkommen. ~*n* **1** Zug, Ruck *m.* **2** Anziehungskraft *f.* **pullover** *n* Pullover *m.*

pulley ('puli) *n* (Riemen)Scheibe, Rolle *f.*

pulp (pʌlp) *n* **1** Brei *m.* **2** Fruchtfleisch *neu.* **3** Pulpe *f.* Papierbrei *m.* *vt* in Brei verwandeln.

pulpit ('pʌlpit) *n* Kanzel *f.* Katheder *neu.*

pulsate (pʌl'seit) *vi* pulsieren, pochen.

pulse (pʌls) *n* Puls(schlag) *m.*

pulverize ('pʌlvəraiz) *vt* pulverisieren, zermahlen. *vi* zu Staub zerfallen.

pump (pʌmp) *n* Pumpe *f.* *vt* **1** pumpen. **2** ausfragen. *vi* pumpen.

pumpkin ('pʌmpkin) *n* Kürbis *m.*

pun (pʌn) *n* Wortspiel *neu.* *vi* ein Wortspiel machen, witzeln.

punch[1] (pʌntʃ) *vt* (mit der Faust) schlagen. *n* Faustschlag, Knuff *m.*

punch[2] (pʌntʃ) *vt* **1** lochen. **2** stempeln. *n* **1** Locheisen *neu.* **2** Locher *m.* **3** Stempel *m.*

punch[3] (pʌntʃ) *n* Punsch *m.* Bowle *f.*

punctual ('pʌŋktʃuəl) *adj* pünktlich. **punctuality** *n* Pünktlichkeit *f.*

punctuate ('pʌŋktʃueit) *vt* **1** interpunktieren. **2** unterbrechen. **punctuation** *n* Interpunktion *f.*

puncture ('pʌŋktʃə) *n* **1** Loch *neu.* Stich *m.* **2** *mot* Reifenpanne *f.* **3** *med* Punktur *f.* *vt* **1** durchstoßen, perforieren. **2** *med* punktieren. *vi* (of a tyre) ein Loch bekommen.

pungent ('pʌndʒənt) *adj* scharf, beißend.

punish ('pʌniʃ) *vt* (be)strafen, züchtigen.

punt[1] (pʌnt) *n* **1** Punt, Flachboot *neu.* **2** *sport* Fallstoß *m.* *vt* **1** staken. **2** stoßen.

punt[2] (pʌnt) *vi* wetten.

pupil[1] ('pju:pəl) *n* Schüler *m.* Schülerin *f.*

pupil[2] ('pju:pəl) *n anat* Pupille *f.*

puppet ('pʌpit) *n* Puppe, Marionette *f.*

puppy ('pʌpi) *n* junger Hund, Welpe *m.*

purchase ('pə:tʃis) *vt* kaufen. *n* Kauf *m.*

pure (pjuə) *adj* **1** rein, sauber. **2** unberührt. **purify** *vt* **1** reinigen. **2** klären.

purgatory ('pə:gətri) *n* Fegefeuer *neu.*

purge (pə:dʒ) *vt* **1** reinigen. **2** *pol* säubern. *n* **1** Reinigung *f.* **2** *pol* Säuberung *f.*

Puritan ('pjuəritən) *n* Puritaner *m.* *adj also* **puritanical** puritanisch.

purl (pə:l) *vt* linksstricken.

purple ('pə:pəl) *adj* purpurn. *n* Purpur *m.*

purpose ('pə:pəs) *n* Absicht *f.* Zweck *m.* **purposeful** *adj* **1** entschlossen. **2** zweckmäßig.

purr (pə:) *vi* schnurren.

purse (pə:s) *n* Geldbeutel *m.* Portemonnaie *neu.*

pursue (pə'sju:) *vt* **1** verfolgen. **2** fortsetzen. **3** betreiben. **pursuit** *n* Verfolgung *f.*

pus (pʌs) *n* Eiter *m.*

push (puʃ) *vt* **1** schieben, stoßen. **2** drängen. **3** treiben. **push off** **1** abstoßen. **2** *inf* abhauen. **push on** vordringen. **push through** durchsetzen. ~*n* **1** Stoß *m.* **2** Drang *m.* Energie *f.* **pushbike** *n inf* Fahrrad *neu.* **pushchair** *n* (leichter) Kinderwagen *m.*

pussy ('pusi) *n inf* Kätzchen *neu.* Mieze *f.*

put* (put) *vt* **1** setzen, stellen, legen. **2** ausdrücken. **3** richten, tun. **4** *sport* schleudern, werfen. **put away** **1** weglegen. **2** sparen. **put by** zurücklegen. **put down** **1** niedersetzen. **2** unterdrücken. **3** demütigen. **4** töten. **put forward** **1** vorschlagen. **2** vorbringen. **put off** **1** verschieben. **2** abhalten. **put on** **1** anziehen. **2** herausbringen. **3** zunehmen. **4** vorgeben. **put through** **1** durchführen. **2** verbinden. **put up** **1** errichten, erhöhen. **2** unterbringen.

putrid ('pju:trid) *adj* verfault, verwest.

putt (pʌt) *vt sport* putten. *n* Putten *neu.*

putty ('pʌti) *n* (Fenster)Kitt *m.*

puzzle ('pʌzəl) *n* Rätsel *neu.* *vt* verwirren.

PVC *n* PVC *neu.*

Pygmy ('pigmi) *n* Pygmäe, Zwerg *m.*

pyjamas (pə'dʒa:məz) *n pl* Schlafanzug, Pyjama *m.*

pylon ('pailən) *n* Leitungsmast *m.*

pyramid ('pirəmid) *n* Pyramide *f.*

Pyrenees (pirə'ni:z) *n pl* Pyrenäen *pl.*

Pyrex ('paireks) *n Tdmk* Jenaer Glas *Tdmk neu.*
python ('paiθən) *n* Pythonschlange *f.*

Q

quack[1] (kwæk) *vi* (of a duck, etc.) quaken.
quack[2] (kwæk) *n* Quacksalber, Kurpfuscher *m.*
quadrangle ('kwɔdrəŋgəl) *n* **1** Viereck *neu.* **2** Hof *m.*
quadrant ('kwɔdrənt) *n* Quadrant *m.*
quadrilateral (kwɔdri'lætərəl) *adj* vierseitig. *n* Viereck *neu.*
quadruped ('kwɔdruped) *n* Vierfüßer *m.*
quadruple ('kwɔdrupəl) *adj* vierfach. **quadruplet** *n* Vierling *m.*
quail (kweil) *n* Wachtel *f.*
quaint (kweint) *adj* malerisch, kurios.
quake (kweik) *vi* zittern, beben. *n* **1** Zittern *neu.* **2** Erdbeben *neu.*
Quaker ('kweikə) *n* Quäker *m.*
qualify ('kwɔlifai) *vt* **1** befähigen, qualifizieren. **2** einschränken. *vi* sich eignen. **qualification** *n* **1** Qualifikation, Befähigung *f.* **2** Voraussetzung *f.* **3** Einschränkung *f.*
quality ('kwɔliti) *n* **1** Eigenschaft *f.* **2** Qualität *f.*
qualm (kwɑ:m) *n* **1** Skrupel, Zweifel *m.* **2** Übelkeit *f.*
quandary ('kwɔndəri) *n* Verlegenheit *f.*
quantify ('kwɔntifai) *vt* quantitativ bestimmen, messen.
quantity ('kwɔntiti) *n* Menge, Größe, Quantität *f.*
quarantine ('kwɔrənti:n) *n* Quarantäne *f. vt* isolieren.
quarrel ('kwɔrəl) *n* Streit, Zank *m. vi* streiten, zanken.
quarry[1] ('kwɔri) *n* **1** Steinbruch *m.* **2** Quelle *f. vt* **1** brechen. **2** ausgraben.
quarry[2] ('kwɔri) *n* (verfolgtes) Wild *neu.* Beute *f.*
quart (kwɔ:t) *n* Quart *neu.*
quarter ('kwɔ:tə) *n* **1** Viertel *neu.* **2** *pl* Unterkunft *f.* Quartier *neu. vt* **1** vierteln. **2** einquartieren. **quarterdeck** *n* Achterdeck *neu.* **quartermaster** *n* **1** *mil* Quartiermeister *m.* **2** *naut* Steuerer *m.*
quartet (kwɔ:'tet) *n* Quartett *neu.*
quartz (kwɔ:ts) *n* Quarz *m.*
quash[1] (kwɔʃ) *vt* unterdrücken, vernichten.
quash[2] (kwɔʃ) *vt law* annullieren, abweisen, niederschlagen.
quaver ('kweivə) *vi* **1** zittern. **2** trillern. *n mus* Achtelnote *f.*
quay (ki:) *n* Kai *m.*
queasy ('kwi:zi) *adj* unwohl.
queen (kwi:n) *n* Königin *f.*
queer (kwiə) *adj* **1** wunderlich, sonderbar. **2** komisch, kurios. **3** *sl* schwul, homosexuell.
quell (kwel) *vt* unterdrücken, bezwingen.
quench (kwentʃ) *vt* löschen.
query ('kwiəri) *n* Frage, Erkundigung *f. vt* (be)fragen, sich erkundigen.
quest (kwest) *n* Suche *f.*
question ('kwestʃən) *n* **1** Frage *f.* **2** Problem *neu. vt* **1** (be)fragen. **2** bezweifeln. **question mark** *n* Fragezeichen *neu.* **questionnaire** *n* Fragebogen *m.*
queue (kju:) *n* Schlange, Reihe *f. vi* Schlange stehen.
quibble ('kwibəl) *n* Spitzfindigkeit *f. vi* spitzfindig sein, Haarspalterei betreiben.
quick (kwik) *adj* **1** schnell, rasch, geschwind. **2** flink. **3** scharf. **4** lebend. **quicken** *(vi),vt* **1** (sich) beschleunigen. **2** (sich) beleben. **quicksand** *n* Treibsand *m.* **quicksilver** *n* Quecksilber *neu.* **quickstep** *n* Quickstep *m.* **quick-tempered** *adj* jähzornig, reizbar. **quick-witted** *adj* schlagfertig.
quid (kwid) *n sl* Pfund (sterling) *neu.*
quiet[1] ('kwaiət) *n* Stille, Ruhe *f.* Frieden *m.* **quieten** *vt* beruhigen.
quiet[2] ('kwaiət) *adj* still, ruhig. **quietness** *n* Ruhe, Stille *f.*
quill (kwil) *adj* Feder *f.*
quilt (kwilt) *n* Steppdecke *f. vt* **1** steppen. **2** wattieren.
quinine (kwi'ni:n) *n* Chinin *neu.*
quintessence (kwin'tesəns) *n* Quintessenz *f.*
quintet (kwin'tet) *n* Quintett *neu.*
quirk (kwə:k) *n* Eigenart, Verschrobenheit *f.*
quit* (kwit) *vi inf* seine Stelle aufgeben. *vt* **1** aufgeben. **2** verlassen.
quite (kwait) *adv* **1** ziemlich. **2** ganz, durchaus, völlig.
quiver[1] ('kwivə) *vi* zittern, beben *n.* Zittern, Beben *neu.*
quiver[2] ('kwivə) *n* Köcher *m.*
quiz (kwiz) *n, pl* **quizzes** *Quiz neu.*
quizzical ('kwizikəl) *adj* **1** seltsam, komisch. **2** spöttisch.
quota ('kwoutə) *n* Anteil *m.* Quote *f.*
quote (kwout) *vt* **1** anführen, zitieren. **2** angeben. *n* Zitat *neu.* **quotation** *n* **1** Zitat *neu.* **2**

comm (Kurs)Notierung *f.* **quotation marks** *n pl* Anführungszeichen *neu pl.*

R

rabbi ('ræbai) *n* Rabbiner *m.*
rabbit ('ræbit) *n* Kaninchen *neu.*
rabble ('ræbəl) *n* Pöbel, Mob *m.*
rabies ('reibi:z) *n* Tollwut *f.* **rabid** *adj* **1** tollwütig. **2** wütend, rasend. **3** fanatisch.
race[1] (reis) *vi* rennen. *n* (Wett)Rennen *neu.* **racecourse** *n* Rennbahn *f.* **racehorse** *n* Rennpferd *neu.*
race[2] (reis) *n* Rasse *f.* **race relations** *n pl* Rassenbeziehungen *f pl.* **racial** *adj* rassich, Rassen–. **racialism** *n* Rassenvorurteil *neu.*
rack (ræk) *n* **1** Gestell *neu.* **2** Ständer *m.* **3** Gepäcknetz *neu.* **4** Folterbank *f.*
racket[1] ('rækit) *n* **1** Lärm *m.* **2** Gaunerei *f.*
racket[2] ('rækit) *n* Schläger *m.* Rakett *neu.*
radar ('reida:) *n* Radar *neu.*
radial ('reidiəl) *adj* radial.
radiant ('reidiənt) *adj* strahlend, glänzend
radiate ('reidieit) *vt,vi* ausstrahlen. **radiation** *n* (Aus)Strahlung *f.* Strahlen *m pl.* **radiator** *n* **1** Heizkörper *m.* **2** *mot* Kühler *m.*
radical ('rædikəl) *adj* **1** *pol* radikal. **2** gründlich.
radio ('reidiou) *n* Radio *neu.* Rundfunk *m.*
radioactive (reidiouæk'tiv) *adj* radioaktiv. **radioactivity** *n* Radioaktivität *f.*
radish ('rædiʃ) *n* Radieschen *neu.* Rettich *m.*
radium ('reidiəm) *n* Radium *neu.*
radius ('reidiəs) *n, pl* **radii** **1** Halbmesser, Radius *m.* **2** Bereich *m.*
raffia ('ræfiə) *n* Raffiabast *m.*
raffle ('ræfəl) *n* Verlosung *f. vt* verlosen.
raft (ra:ft) *n* Floß *neu.*
rafter ('ra:ftə) *n* Dachbalken *m.*
rag[1] (ræg) *n* **1** Fetzen, Lumpen, Lappen *m.* **2** Schundblatt *neu.* **ragged** *adj* zerlumpt.
rag[2] (ræg) *vt* **1** anschnauzen. **2** aufziehen. *n* Streich, Ulk, Unfug *m.*
rage (reidʒ) *n* Wut *f. vi* wüten.
raid (reid) *n* **1** Überfall, Angriff *m.* **2** (by the police) Razzia *f.*
rail (reil) *n* **1** Riegel *m.* **2** Geländer *neu.* **by rail** mit der Eisenbahn. **railway** *n* Eisenbahn *f.*
rain (rein) *n* Regen *m. vi* regnen. **rainbow** *n* Regenbogen *m.* **rainfall** *n* Niederschlagsmenge *f.*
raise (reiz) *vt* **1** (auf-, er-)heben. **2** errichten. **3** erhöhen, steigern. **4** aufbringen.
raisin ('reizən) *n* Rosine *f.*
rake (reik) *n* Rechen *m. vt* rechen.
rally ('ræli) *n* **1** Versammlung *f.* **2** *mot* Sternfahrt *f.* **3** *sport* Schlagwechsel *m. vt* **1** wieder sammeln. **2** aufmuntern. *vi* **1** sich wieder sammeln. **2** sich erholen. **rally round** sich scharen um.
ram (ræm) *n* **1** *zool* Widder *m.* **2** Ramme *f.* Rammbock *m. vt* rammen.
ramble ('ræmbəl) *vi* **1** wandern. **2** umherschweifen. *n* Wanderung *f.*
ramp (ræmp) *n* Rampe *f.*
rampage ('ræmpeidʒ) *vi* (herum)toben.
rampant ('ræmpənt) *adj* **1** zügellos. **2** wuchernd.
rampart ('ræmpa:t) *n* (Schutz)Wall *m.*
ramshackle ('ræmʃækəl) *adj* baufällig.
ran (ræn) *v* see **run.**
ranch (ra:ntʃ) *n* Ranch, Viehfarm *f.*
rancid ('rænsid) *adj* ranzig.
rancour ('ræŋkə) *n* Groll *m.* Erbitterung *f.*
random ('rændəm) *adj* zufällig, planlos. **at random** aufs Geratewohl.
rang (ræŋ) *v* see **ring**[2].
range (reindʒ) *n* **1** Reihe *f.* **2** *geog* Kette *f.* **3** Reichweite *f.* **4** Kollektion *f.* **5** Herd *m vt* **1** einreihen. **2** durchstreifen. *vi* **1** sich erstrekken. **2** reichen. **3** streifen.
rank[1] (ræŋk) *n* **1** Reihe *f.* **2** Rang *m.* **3** Stand *m.* Klasse *f. vt* **1** einordnen. **2** rangieren. *vi* gehören. **rank and file** *n* **1** Mannschaftstand *m.* **2** die Masse *f.*
rank[2] (ræŋk) *adj* **1** üppig, überwuchert. **2** stinkend. **3** unanständig. **4** rein, kraß.
rankle ('ræŋkəl) *vi* nagen, wühlen.
ransack ('rænsæk) *vt* durchwühlen, plündern.
ransom ('rænsəm) *n* Lösegeld *neu. vt* loskaufen.
rap (ræp) *vi* klopfen. *n* Klopfen *neu.*
rape (reip) *vt* vergewaltigen. *n* Vergewaltigung, Notzucht *f.*
rapid ('ræpid) *adj* schnell, eilig, rapid.
rapier ('reipiə) *n* Rapier *neu.* (Stoß)Degen *m.*
rapture ('ræptʃə) *n* Entzücken *neu.* Verzückung *f.*
rare[1] (rεə) *adj* selten, rar.
rare[2] (rεə) *adj* nicht durchgebraten.
rascal ('ra:skəl) *n* **1** Schurke *m.* **2** Spitzbube *m.*
rash[1] (ræʃ) *adj* **1** übereilt. **2** tollkühn.
rash[2] (ræʃ) *n* Hautausschlag *m.*
rasher ('ræʃə) *n* Speckschnitte *f.*
raspberry ('ra:zbri) *n* Himbeere *f.*
rat (ræt) *n* Ratte *f.*
rate (reit) *n* **1** Grad *m.* **2** Verhältnis *neu.* Maßstab *m.* **3** Geschwindigkeit *f.* **4** *comm*

Kurs *m.* **5** Gebühr *f.* **6** *pl* Gemeindesteuer *f.* **at any rate** auf jeden Fall. *vt* einschätzen.

rather ('rɑ:ðə) *adv* **1** eher, lieber. **2** ziemlich.

ratio ('reiʃiou) *n* Verhältnis *neu.*

ration ('ræʃən) *n* Ration *f.* *vt* rationieren.

rational ('ræʃənəl) *adj* rational, vernünftig. **rationalize** *vt* **1** rational erklären. **2** rationalisieren.

rattle ('rætl) *vt,vi* rasseln, klappern. *n* **1** Gerassel *neu.* **2** Klapper *f.*

raucous ('rɔ:kəs) *adj* heiser, rauh.

ravage ('rævidʒ) *vt* verwüsten, verheeren.

rave (reiv) *vi* rasen, toben, wüten. **rave about** schwärmen für.

raven ('reivən) *n* Rabe *m.* **ravenous** *adj* gefräßig, heißhungrig.

ravine (rə'vi:n) *n* (Berg)Schlucht *f.*

ravish ('rævi∫) *vt* **1** entzücken, hinreißen. **2** vergewaltigen. **3** fortraffen.

raw (rɔ:) *adj* **1** rauh. **2** roh. **3** unreif, unerfahren.

ray (rei) *n* Strahl *m.*

rayon ('reiən) *n* Kunstseide *f.* Rayon *neu.*

razor ('reizə) *n* Rasiermesser *neu.* **electric razor** elektrischer Rasierapparat *m.* **safety razor** Rasierapparat *m.* **razor blade** Rasierklinge *f.*

reach (ri:t∫) *vt* (er)reichen. *vi* reichen. **1** Reichweite *f.* **2** Bereich *m.*

react (ri'ækt) *vi* reagieren. **reaction** *n* **1** Reaktion *f.* **2** Rückwirkung *f.* **reactionary** *adj* reaktionär. *n* Reaktionär *m.*

read* (ri:d) *vt,vi* lesen.

readjust (ri:ə'dʒʌst) *vt* wieder anpassen, einstellen. *vi* sich umorientieren, sich wieder anpassen.

ready ('redi) *adj* **1** bereit, fertig. **2** schnell. **readily** *adv* bereitwillig, ohne weiteres.

real (riəl) *adj* **1** wirklich, tatsächlich. **2** echt, wahr. **real estate** *n* Grundbesitz *m.* **really** *adv* wirklich, tatsächlich. **realism** *n* Realismus *m.* **realize** *vt* **1** verwirklichen. **2** sich vorstellen. **3** begreifen. **4** *comm* realisieren.

realm (relm) *n* **1** Reich *neu.* **2** Bereich *m.*

reap (ri:p) *vt* **1** ernten. **2** mähen, schneiden.

reappear (ri:ə'piə) *vi* wieder erscheinen.

rear[1] (riə) *n* **1** Rückseite *f.* **2** Hintergrund *m.* *adj* hinterst. **rear admiral** *n* Konteradmiral *m.* **rearguard** *n* Nachhut *f.*

rear[2] (riə) *vt* **1** züchten, (er)ziehen. **2** erheben. *vi* **1** sich (auf)bäumen. **2** hochfahren.

rearrange (riə'reindʒ) *vt* neuordnen.

reason ('ri:zən) *n* **1** Vernunft *f.* **2** Grund, Anlaß *m.* *vi* vernunftig denken. **reasonable** *adj* **1** vernünftig. **2** angemessen, annehmbar.

reassure (ri:ə'∫uə) *vt* **1** beruhigen. **2** wieder beteuern.

rebate ('ri:beit) *n* **1** Rabatt *m.* **2** Zurückzahlung *f.*

rebel (*n,adj* 'rebəl; *v* ri'bel) *n* Rebell *m.* *adj* aufrührerisch. *vi* sich empören, sich auflehnen.

rebound (*v* ri'baund; *n* 'ri:baund) *vi* zurückprallen. *n* **1** Rückprall *m.* **2** Rückschlag *m.*

rebuff (ri'bʌf) *n* Abweisung *f.* *vt* abweisen.

rebuild* (ri:'bild) *vt* wiederaufbauen.

rebuke (ri'bju:k) *vt* tadeln. *n* Tadel *m.*

recall (ri'kɔ:l) *vt* **1** zurückrufen. **2** sich erinnern an. *n* Widerruf *m.*

recede (ri'si:d) *vi* zurückweichen, zurückgehen.

receipt (ri'si:t) *n* **1** Quittung *f.* **2** Empfang *m.*

receive (ri'si:v) *vt* **1** empfangen. **2** erhalten. **3** annehmen. **receiver** *n* **1** Empfänger *m.* **2** *comm* Konkursverwalter *m.* **3** (telephone) Hörer *m.*

recent ('ri:sənt) *adj* letzt, neu, jung. **recently** *adv* kürzlich, in letzter Zeit, neulich.

receptacle (ri'septəkəl) *n* Behälter *m.*

reception (ri'sep∫ən) *n* **1** Empfang *m.* **2** Aufnahme *f.* **receptive** *adj* empfänglich, aufnahmebereit.

recess (ri'ses) *n* **1** Pause *f.* Ferien *pl.* **2** Nische *f.* *vt* einsenken.

recession (ri'se∫ən) *n* **1** Rezession *f.* Konjunkturrückgang *m.* **2** Zurücktreten *neu.*

recipe ('resipi) *n* Rezept *neu.*

recipient (ri'sipiənt) *n* Empfänger *m.* *adj* empfänglich.

reciprocate (ri'siprəkeit) *vi* einen Gegendienst leisten. *vt* **1** erwidern. **2** austauschen. **reciprocal** *adj* gegenseitig, wechselseitig.

recite (ri'sait) *vt* **1** vortragen. **2** Aufzählung *f.* **3** Bericht *m.*

reckless ('rekləs) *adj* **1** unbekümmert. **2** rücksichtslos. **3** fahrlässig.

reckon ('rekən) *vt* **1** zählen, rechnen. **2** *inf* meinen, glauben.

reclaim (ri'kleim) *vt* **1** zurückfordern. **2** urbar machen.

recline (ri'klain) *vi* sich zurücklehnen.

recluse (ri'klu:s) *n* Einsiedler *m.* *adj* **1** abgeschieden. **2** einsiedlerisch.

recognize ('rekəgnaiz) *vt* **1** wiedererkennen. **2** (an)erkennen. **3** zugeben. **recognition** **1** Erkenntnis *f.* **2** Anerkennung *f.*

recoil (ri'kɔil) *vi* **1** zurückschrecken, zurückfahren. **2** zurückweichen. *n* Rückstoß *m.*

recollect (rekə'lekt) *vt* sich erinnern an.
recommence (ri:kə'mens) *vt,vi* wieder beginnen *or* anfangen.
recommend (rekə'mend) *vt* empfehlen. **recommendation** *n* Empfehlung *f.* Vorschlag *m.*
recompense ('rekəmpəns) *vt* **1** entschädigen, belohnen. **2** wiedergutmachen. *n* **1** Entschädigung, Belohnung *f.* **2** Rückerstattung *f.*
reconcile ('rekənsail) *vt* versöhnen.
reconstruct (ri:kən'strʌkt) *vt* **1** wiederaufbauen. **2** rekonstruieren.
record (*v* ri'kɔ:d; *n,adj* 'rekɔ:d) *vt* **1** aufzeichnen. **2** *tech* aufnehmen. **3** eintragen. *n* **1** Niederschrift *f.* Bericht *m.* **2** Schallplatte *f.* **3** *sport* Rekord *m. adj* Rekord—. **recording** *n* Aufnahme *f.* **record-player** *n* Plattenspieler *m.*
recount (ri'kaunt) *vt* erzählen.
recover (ri'kʌvə) *vt* wiederfinden, zurückgewinnen. *vi* sich erholen. **recovery** *n* **1** Rettung *f.* **2** Erholung *f.*
recreation (rekri'eiʃən) *n* Erholung *f.* **recreation ground** Sportplatz, Spielplatz *m.*
recruit (ri'kru:t) *vt* rekrutieren, anwerben. *n* Rekrut *m.* **recruitment** *n* Rekrutierung *f.*
rectangle ('rektæŋgəl) *n* Rechteck *neu.* **rectangular** *adj* rechteckig.
rectify ('rektifai) *vt* berichtigen, korrigieren.
recuperate (ri'kju:pəreit) *vi* sich erholen. **recuperation** *n* Erholung *f.*
recur (ri'kə:) *vi* wiederkehren, zurückkehren.
red (*red*) *adj* rot. *n* Rot *neu.* **caught red-handed** auf frischer Tat ertappt. **redcurrant** *n* Rote Johannisbeere *f.* **redden** *vi* **1** erröten. **2** rot werden.
redeem (ri'di:m) *vt* **1** zurückkaufen. **2** einlösen. **3** wiedergutmachen. **4** (er)retten. **5** *rel* erlösen. **redemption** *n* **1** Rückkauf *m.* **2** Einlösung *f.* **3** Wiedergutmachung *f.* **4** (Er)-Rettung *f.* **5** *rel* Erlösung *f.*
redevelop (ri:di'veləp) *vt,vi* neu entwickeln.
Red Indian *n* Indianer *m.*
redress (ri'dres) *vt* **1** abhelfen, beseitigen. **2** wiederherstellen. *n* Abhilfe, Behebung *f.*
reduce (ri'dju:s) *vt* **1** vermindern. **2** erniedrigen. **3** verwandeln. **4** zwingen. *vi* abnehmen. **reduction** *n* **1** Verminderung *f.* **2** Abnahme *f.*
redundant (ri'dʌndənt) *adj* **1** überflüssig. **2** übermäßig. **make redundant** entlassen. **redundancy** *n* **1** Entlassung *f.* **2** Überfluß *m.*
reed (ri:d) *n* **1** Rohr *neu.* **2** *mus* (Rohr)Blatt *neu.*
reef (ri:f) *n* (Felsen)Riff *m.*
reek (ri:k) *vi* stinken. *n* Gestank *m.*
reel[1] (ri:l) *n* Spule, Rolle *f. vt* spulen.
reel[2] (ri:l) *vi* **1** taumeln. **2** schwanken.
re-establish (ri:i'stæbliʃ) *vt* wiederherstellen.
refectory (ri'fektəri) *n* **1** Speisesaal *m.* **2** Mensa *f.*
refer (ri'fə:) *vt* verweisen. *vi* **1** sich beziehen. **2** hinweisen. **referee** *n* Schiedsrichter *m.* **reference** *n* **1** Hinweis *m.* **2** Bezugnahme *f.* **3** Quellenangabe *f.* **4** Zeugnis *neu.* **referendum** *n, pl* **-da** Volksabstimmung *f.* Referendum *neu.*
refill (*v* ri:'fil; *n* 'ri:fil) *vt* nachfüllen, auffüllen. *n* Nachfüllung, Ersatzfüllung *f.*
refine (ri'fain) *vt* **1** läutern, raffinieren. **2** verfeinern. **refined** *adj* **1** raffiniert. **2** kultiviert. **refinement** *n* **1** Feinheit, Kultiviertheit *f.* **2** Raffinierung *f.* **refinery** *n* Raffinerie *f.*
reflation (ri'fleiʃən) *n* Wirtschaftsbelebung, Reflation *f.*
reflect (ri'flekt) *vt* wiederspiegeln. *vi* **1** zurückstrahlen, reflektieren. **2** nachdenken. **reflection** *n* **1** Rückstrahlung, Reflexion *f.* **2** Spiegelbild *neu.* **3** Überlegung *f.* **reflector** *n* **1** Reflektor *m.* **2** *mot* Rückstrahler *m.*
reflex (*adj,n* 'ri:fleks) *adj* **1** rückwirkend. **2** Reflex—. *n* Reflex *m.* **reflexive** *adj gram* rückbezüglich, reflexiv.
reform (ri'fɔ:m) *n* Reform, Verbesserung *f. vt* reformieren. *vi* sich bessern. **reformation** *n* **1** Umgestaltung *f.* **2** *cap rel* Reformation *f.*
refract (ri'frækt) *vt* brechen.
refrain[1] (ri'frein) *vi* sich enthalten, unterlassen.
refrain[2] (ri'frein) *n mus* Refrain, Kehrreim *m.*
refresh (ri'freʃ) *vt* **1** erfrischen. **2** erneuern. **refreshment** *n* Erfrischung *f.*
refrigerator (ri'fridʒəreitə) *n* Kühlschrank *m.*
refuel (ri:'fju:əl) *vt,vi* (auf)tanken.
refuge ('refju:dʒ) *n* Zuflucht *f.* Zufluchtsort *m.* **refugee** *n* Flüchtling *m.*
refund (*v* ri'fʌnd; *n* 'ri:fʌnd) *vt* zurückzahlen. *n* Rückzahlung *f.*
refuse[1] (ri'fju:z) *vt* **1** ablehnen. **2** verweigern. *vi* sich weigern.
refuse[2] ('refju:s) *n* Abfall, Müll *m.*
refute (ri'fju:t) *vt* widerlegen.
regain (ri'gein) *vt* wiedergewinnen.
regal ('ri:gəl) *adj* **1** königlich. **2** prunkvoll.
regard (ri'gɑ:d) *vt* **1** ansehen, betrachten. **2** berücksichtigen. *n* **1** Rücksicht *f.* **2** Achtung *f.* **regardless** *adj, adv* ohne Rücksicht.
regatta (ri'gɑ:tə) *n* Regatta *f.*
regent ('ri:dʒənt) *n* Regent *m.*
regime (rei'ʒi:m) *n* Regime *neu.*

regiment ('redʒimənt) *n* Regiment *neu.* *vt* reglementieren. **regimental** *adj* Regiments—.
region ('ri:dʒən) *n* Gegend *f.* Gebiet *neu.* Bereich *m.* **in the region of** ungefähr.
register ('redʒistə) *n* **1** Liste *f.* Verzeichnis *neu.* **2** *mus,lit* Register *neu.* *vt* **1** eintragen. **2** zeigen. *vi* sich eintragen, sich (an)melden. **registrar** *n* Standesbeamte(r) *m.*
regress (ri'gres) *vi* zurückgehen. *n* Rückschritt *m.*
regret (ri'gret) *vt* bedauern. *n* Bedauern *neu.* **regrettable** *adj* bedauerlich.
regular ('regjulə) *adj* **1** regelmäßig. **2** ordentlich. **3** gewöhnlich. **regularity** *n* Regelmäßigkeit *f.*
regulate ('regjuleit) *vt* regeln, ordnen, regulieren. **regulation** *n* **1** Vorschrift *f.* **2** Regelung *f.*
rehabilitate (ri:ə'biliteit) *vt* rehabilitieren.
rehearse (ri'hə:s) *Th vt,vi* proben. **rehearsal** *n* Probe *f.*
reign (rein) *n* Regierung(szeit) *f.* *vi* regieren.
reimburse (ri:im'bə:s) *vt* **1** entschädigen. **2** zurückzahlen.
rein (rein) *n* Zügel *m.* *vt* zügeln.
reincarnation (ri:inka:'neiʃən) *n* **1** Wiedergeburt *f.* **2** (Wieder)Verkörperung *f.*
reindeer ('reindiə) *n* Renntier, Ren *neu.*
reinforce (ri:in'fɔ:s) *vt* **1** verstärken. **2** bewehren. **reinforced concrete** *n* Eisenbeton *m.*
reinstate (ri:in'steit) *vt* wiedereinsetzen.
reinvest (ri:in'vest) *vt* wieder anlegen.
reissue (ri:'iʃu:) *vt* wieder ausgeben. *n* Neuausgabe *f.*
reject (*v* ri'dʒekt; *n* 'ri:dʒekt) *vt* **1** zurückweisen, ablehnen. **2** abstoßen. *n* Ausschußartikel *m.* **rejection** *n* Zurückweisung, Ablehnung *f.*
rejoice (ri'dʒois) *vi* sich freuen.
rejoin (ri'dʒoin) *vi* erwidern.
rejuvenate (ri'dʒu:vəneit) *vt* verjüngen.
relapse (ri'læps) *n* Rückfall *m.* *vi* wieder verfallen, rückfällig werden.
relate (ri'leit) *vt* **1** berichten, erzählen. **2** verbinden. *vi* sich beziehen.
relation (ri'leiʃən) *n* **1** Verwandte(r) *m.* **2** Verhältnis *neu.* Beziehung *f.* **relationship** *n* **1** Verwandtschaft *f.* **2** Verbindung *f.* Verhältnis *neu.*
relative ('relətiv) *adj* **1** bezüglich, relativ. **2** verhältnismäßig. *n* Verwandte(r) *m.* **relatively** *adv* verhältnismäßig. **relativity** *n* Relativität *f.*
relax (ri'læks) *vi* **1** sich entspannen. **2** sich lockern. **3** nachlassen. *vt* **1** lockern. **2** entspannen. **3** abschwächen. **relaxation** *n* **1** Entspannung *f.* **2** Lockerung *f.* **3** Nachlassen *neu.*
relay (*n* 'ri:lei; *v* ri'lei) *n* **1** *sport* Staffel *f.* **2** *tech* Relais *neu.* *vt* **1** übertragen. **2** weitergeben. **relay race** Staffellauf *m.*
release (ri'li:s) *vt* **1** freilassen, loslassen. **2** aufgeben. **3** freigeben. *n* **1** Entlassung, Befreiung *f.* **2** Aufgabe *f.*
relent (ri'lent) *vi* sich erweichen lassen. **relentless** *adj* unbarmherzig.
relevant ('reləvənt) *adj* relevant, belangvoll. **relevance** *n* Relevanz, Bedeutung *f.*
reliable (ri'laiəbəl) *adj* zuverlässig, verläßlich. **reliability** *n* Zuverlässigkeit *f.*
relic ('relik) *n* **1** *rel* Reliquie *f.* **2** Überbleibsel *neu.*
relief (ri'li:f) *n* **1** Erleichterung *f.* **2** Ablösung *f.* **3** Entlastung *f.*
relieve (ri'li:v) *vt* **1** erleichtern. **2** entlasten. **3** entheben. **4** ablösen.
religion (ri'lidʒən) *n* Religion *f.* Glaube *m.* **religious** *adj* **1** religiös. **2** fromm.
relinquish (ri'liŋkwish) *vt* aufgeben, loslassen.
relish ('reliʃ) *vt* genießen. *n* **1** pikante Würze *f.* **2** Geschmack *m.*
relive (ri:'liv) *vt* wieder erleben.
reluctant (ri'lʌktənt) *adj* widerwillig, ungern. **reluctance** *n* Abneigung *f.* Widerwille *m.*
rely (ri'lai) *vi* **rely on** sich verlassen auf.
remain (ri'mein) *vi* **1** bleiben. **2** übrigbleiben. **remains** *n pl* Reste *m pl.* **remainder** *n* Rest *m.*
remand (ri'mɑ:nd) *vt* in die Untersuchungshaft zurückschicken. *n* Untersuchungshaft *f.*
remark (ri'mɑ:k) *vt* bemerken. *n* Bemerkung *f.* **remarkable** *adj* bemerkenswert.
remarry (ri:'mæri) *vi* (sich) wieder (ver)heiraten.
remedy ('remədi) *n* **1** Heilmittel *neu.* **2** Gegenmittel *neu.* *vt* **1** abhelfen. **2** in Ordnung bringen.
remember (ri'membə) *vt* **1** sich erinnern an. **2** sich merken. **3** grüßen. **remembrance** *n* **1** Erinnerung *f.* **2** Gedenken *neu.*
remind (ri'maind) *vt* erinnern, mahnen.
reminiscence (remi'nisəns) *n* Erinnerung *f.* **reminiscent** *adj* (sich) erinnernd.
remiss (ri'mis) *adj* nachlässig, säumig. **remission** *n* Erlaß *m.* Ermäßigung *f.*
remit (ri'mit) *vt* **1** überweisen. **2** erlassen. **remittance** *n* (Geld)Sendung, Überweisung *f.*
remnant ('remnənt) *n* **1** Überrest *m.* **2** Spur *f.*

remorse (ri'mɔ:s) *n* Reue *f.*
remote (ri'mout) *adj* entfernt, abgelegen.
remove (ri'mu:v) *vt* 1 entfernen, beseitigen. 2 zurückziehen, wegnehmen. 3 ausziehen. *vi* umziehen. **removal** *n* 1 Entfernung *f.* 2 Abhebung *f.* 3 Umzug *m.*
remunerate (ri'mju:nəreit) *vt* 1 belohnen. 2 vergüten. **remuneration** *n* 1 Lohn *m.* Honorar *neu.* 2 Belohnung *f.*
renaissance (ri'neisəns) *n* 1 Wiedergeburt *f.* 2 *cap* Renaissance *f.*
rename (ri:'neim) *vt* umbennenen.
render ('rendə) *vt* 1 übergeben. 2 leisten, erweisen. 3 machen. 4 interpretieren, darstellen. 5 übertragen.
rendezvous ('rɔndivu:) *n* 1 Treffpunkt *m.* 2 Verabredung *f.* Rendezvous *neu.*
renew (ri'nju:) *vt* 1 erneuern. 2 wieder aufnehmen.
renounce (ri'nauns) *vt* verzichten auf, entsagen, ablehnen.
renovate ('renəveit) *vt* renovieren, erneuern.
renown (ri'naun) *n* Ruhm, Ruf *m.* Ansehen *neu.* **renowned** *adj* berühmt, renommiert.
rent (rent) *n* Miete *f.* *vt* 1 mieten. 2 vermieten. **rental** *n* Mietbetrag *m.*
reopen (ri:'oupən) *vt,vi* wieder (er)öffnen.
reorganize (ri:'ɔ:gənaiz) *vt* reorganisieren.
repair (ri'pɛə) *vt* reparieren, ausbessern. *n* Reparatur, Ausbesserung *f.*
repartee (repa'ti:) *n* 1 Schlagfertigkeit *f.* 2 schlagfertige Antwort *f.*
repatriate (ri'pætrieit) *vt* repatriieren.
repay (ri'pei) *vt* 1 zurückzahlen. 2 erwidern.
repeal (ri'pi:l) *vt* aufheben. *n* Aufhebung *f.*
repeat (ri'pi:t) *vt* 1 wiederholen. 2 nachsagen. *n* Wiederholung *f.*
repel (ri'pel) *vt* 1 zurücktreiben, zurückschlagen. 2 abweisen, abstoßen, zuwider sein.
repent (ri'pent) *vt* bereuen. *vi* Reue empfinden. **repent of** bereuen.
repercussion (ri:pə'kʌʃən) *n* Rückwirkung *f.*
repertoire ('repətwa:) *n* Spielplan *m.* Repertoire *neu.*
repetition (repə'tiʃən) *n* Wiederholung *f.*
replace (ri'pleis) *vt* 1 ersetzen. 2 wieder hinstellen.
replay ('ri:plei) *n sport* Wiederholungsspiel *neu.*
replenish (ri'pleniʃ) *vt* (wieder) auffüllen.
replica ('replikə) *n* 1 Kopie *f.* 2 Ebenbild *neu.*
reply (ri'plai) *vi* antworten, erwidern. *n* Antwort, Erwiderung *f.*
report (re'pɔ:t) *n* 1 Bericht *m.* 2 Gerücht *neu.* 3 Knall *m.* *vt* 1 berichten. 2 melden. *vi* 1 berichten. 2 sich melden. **reporter** *n* Reporter, Berichterstatter *m.*
repose (ri'pouz) *n* Ruhe *f.* *vi* ruhen.
represent (repri'zent) *vt* 1 vertreten, repräsentieren. 2 darstellen. 3 bedeuten. **representation** *n* 1 Vertretung, Repräsentation *f.* 2 Darstellung *f.* 3 Vorstellung, Aufführung *f.* **representative** *adj* 1 darstellend. 2 (stell)vertretend. 3 typisch. *n* 1 Vertreter, Repräsentant *m.* 2 Beauftragte(r) *m.*
repress (ri'pres) *vt* 1 unterdrücken. 2 verdrängen. **repression** *n* 1 Unterdrückung *f.* 2 Verdrängung *f.*
reprieve (ri'pri:v) *vt* begnadigen. *n* Begnadigung, Gnadenfrist *f.*
reprimand ('reprima:nd) *n* Verweis *m.* *vt* einen Verweis erteilen.
reprint (*v* ri:'print; *n* 'ri:print) *vt* neu auflegen *or* drucken. *n* Neudruck *m.*
reprisal (ri'praizəl) *n* Repressalie *f.*
reproach (ri'proutʃ) *vt* vorwerfen. *n* Vorwurf *m.* **reproachful** *adj* vorwurfsvoll.
reproduce (ri:prə'dju:s) *vt* 1 (wieder) hervorbringen. 2 wiedergeben. 3 erzeugen. 4 kopieren. *vi* sich fortpflanzen. **reproduction** *n* 1 Wiedergabe *f.* 2 Kopie, Nachbildung *f.* 3 Fortpflanzung, Vermehrung *f.*
reptile ('reptail) *n* Kriechtier, Reptil *neu.*
republic (ri'pʌblik) *n* Republik *f.*
repudiate (ri'pju:dieit) *vt* 1 nicht anerkennen. 2 ablehnen, abweisen.
repugnant (ri'pʌgnənt) *adj* zuwider, widerlich.
repulsion (ri'pʌlʃən) *n* 1 Widerwille *m.* Abscheu *f.* 2 Abstoßung *f.* **repulsive** *adj* 1 widerwärtig. 2 abstoßend.
repute (ri'pju:t) *n* Ruf *m.* *vt* halten für. **reputed** *adj* angeblich. **reputable** *adj* 1 angesehen. 2 geachtet. **reputation** *n* 1 Ruf *m.* 2 Ansehen *neu.*
request (ri'kwest) *n* Bitte *f.* Gesuch, Verlangen *neu.* *vt* 1 bitten. 2 beantragen.
requiem ('rekwiəm) *n* Requiem *neu.*
require (ri'kwaiə) *vt* 1 verlangen. 2 erfordern.
re-route (ri:'ru:t) *vt* umleiten.
resale ('ri:seil) *n* Weiterverkauf *m.*
rescue ('reskju:) *vt* 1 retten. 2 befreien. *n* 1 Rettung *f.* 2 Befreiung *f.*
research (ri'sə:tʃ) *n* 1 Forschung *f.* 2 Untersuchung *f.*
resell* (ri:'sel) *vt* weiterverkaufen.
resemble (ri'zembəl) *vt* ähnlich sein, gleichen. **resemblance** *n* Ähnlichkeit *f.*

resent (ri'zent) *vt* übelnehmen. **resentful** *adj* ärgerlich, aufgebracht. **resentment** *n* Ressentiment *neu.*

reserve (ri'zə:v) *vt* 1 aufbewahren. 2 reservieren. 3 sich vorbehalten. *n* 1 Reserve *f.* 2 Zurückhaltung *f.* **reservation** *n* 1 Vorbestellung, Reservierung *f.* 2 Vorbehalt *m.* **reserved** *adj* 1 reserviert, zurückgelegt. 2 zurückhaltend.

reservoir ('rezəvwa:) *n* 1 Reservoir *neu.* 2 Staubecken *neu.*

reside (ri'zaid) *vi* wohnen, leben. **residence** *n* 1 Wohnsitz *m.* 2 Aufenthalt *m.* **resident** *adj* wohnhaft, ansässig. *n* Einwohner *m.*

residue ('rezidju:) *n* Rest *m.*

resign (ri'zain) *vi* zurücktreten. *vt* 1 aufgeben. 2 niederlegen. **resign oneself to** sich versöhnen mit. **resignation** *n* 1 Rücktritt *m.* 2 Resignation *f.*

resilient (ri'ziliənt) *adj* 1 federnd. 2 elastisch. 3 nicht unterzukriegen.

resin ('rezin) *n* Harz *neu.*

resist (ri'zist) *vt* 1 sich widersetzen. 2 widerstehen. *vi* sich widersetzen. **resistance** *n* Widerstand *m.*

resit (ri:'sit) *vt* (an exam) wiederholen.

resolve (ri'zɔlv) *vt* 1 auflösen. 2 lösen. 3 beschließen. *vi* 1 sich auflösen. 2 sich entschließen. **resolute** *adj* entschlossen. **resolution** *n* 1 Beschluß *m.* Resolution *f.* 2 Lösung *f.* 3 Entschlossenheit *f.*

resonant ('rezənənt) *adj* 1 widerhallend. 2 mitschwingend.

resort (ri'zɔ:t) *vi* **resort to** 1 sich begeben nach. 2 zurückgreifen auf. ~*n* 1 Mittel *neu.* 2 Ferienort *m.* **last resort** letzter Ausweg *m.*

resound (ri'zaund) *vi* widerhallen.

resource (ri'zɔ:s) *n* 1 Hilfsquelle *f.* 2 Findigkeit *f.* 3 *pl* Rohstoffquellen. 4 *pl* Bodenschätze *m pl.* **resourceful** *adj* findig, einfallsreich.

respect (ri'spekt) *n* 1 Respekt *m.* Achtung *f.* 2 Rücksicht *f.* 3 Hinsicht *f.* 4 *pl* Grüße *m pl.* *vt* 1 achten. 2 respektieren. **respectable** anständig, respektabel. **respective** *adj* jeweilig. **respectively** *adv* beziehungsweise.

respite ('respit) *n* 1 Frist *f.* Aufschub *m.* 2 Ruhepause *f.*

respond (ri'spɔnd) *vi* 1 antworten. 2 entgegenkommen. 3 reagieren. **response** *n* 1 Antwort *f.* 2 Reaktion *f.* **responsibility** *n* 1 Verantwortlichkeit *f.* 2 Verantwortung *f.* 3 *pl* Verpflichtungen *f pl.* **responsible** *adj* 1 verantwortlich. 2 verantwortungsbewußt. **responsive** *adj* 1 empfänglich. 2 zugänglich. 3 entgegenkommend.

rest[1] (rest) *n* 1 Ruhe *f.* 2 Rast *f.* 3 Pause *f.* 4 Stütze *f.* *vi* 1 ruhen. 2 sich verlassen. *vt* 1 stützen. 2 begründen. **restless** *adj* 1 unruhig. 2 ruhelos.

rest[2] (rest) *n* 1 Rest *m.* 2 das Übrige.

restaurant ('restərənt) *n* Restaurant *neu.*

restore (ri'stɔ:) *vt* 1 zurückgeben. 2 wiederherstellen. 3 restaurieren. **restoration** *n* 1 Wiederherstellung *f.* 2 Rückerstattung *f.* 3 *cap* Restauration *f.*

restrain (ri'strein) *vt* 1 zurückhalten. 2 hindern. 3 einschränken. **restraint** *n* 1 Zurückhaltung *f.* 2 Zwang *m.*

restrict (ri'strikt) *vt* einschränken, beschränken.

result (ri'zʌlt) *n* Ergebnis *neu.* Folge *f.* *vi* 1 sich ergeben. 2 zur Folge haben.

resume (ri'zju:m) *vt* 1 wiederaufnehmen. 2 zurücknehmen.

résumé ('rezumei) *n* Zusammenfassung *f.* Resümee *neu.*

resurrect (rezə'rekt) *vt* 1 ausgraben. 2 wieder aufleben lassen. **resurrection** *n* Auferstehung *f.*

retail ('ri:teil) *n* Kleinhandel *m.* *adj* Einzelhandels—. *vt* im kleinen verkaufen. *adv* en detail.

retain (ri'tein) *vt* 1 bewahren. 2 zurückhalten.

retaliate (ri'tælieit) *vi* sich rächen. Vergeltung üben. **retaliation** *n* Vergeltung *f.*

retard (ri'tɑ:d) *vt* verzögern, verlangsamen. **retarded** *adj med* zurückgeblieben.

reticent ('retisənt) *adj* verschwiegen, zurückhaltend.

retina ('retinə) *n* Netzhaut, Retina *f.*

retire (ri'taiə) *vi* 1 in den Ruhestand treten. 2 sich zurückziehen. *vt* 1 in den Ruhestand versetzen.

retort[1] (ri'tɔ:t) *vi* erwidern. *n* Erwiderung *f.*

retort[2] (ri'tɔ:t) *n sci* Retorte *f.*

retrace (ri'treis) *vt* zurückverfolgen.

retract (ri'trækt) *vt* 1 zurücknehmen. 2 widerrufen. 3 einziehen.

retreat (ri'tri:t) *n* 1 Rückzug *m.* 2 Zurückweichen *neu.* 3 Zuflucht *f.* *vi* 1 sich zurückziehen. 2 zurückweichen.

retrieve (ri'tri:v) *vt* 1 wiederbekommen. 2 wiedergewinnen.

retrograde ('retrəgreid) *adj* 1 rückläufig. 2 rückschrittlich. 3 retrograd.

retrogress (retrə'gres) *vi* zurückgehen, sich verschlechtern.

retrospect ('retrəspekt) *n* Rückblick *m.* **in retrospect** rückblickend.

return (ri'tə:n) *vi* zurückkehren. *vt* **1** zurückgeben. **2** erwidern. *n* **1** Rückkehr *f.* **2** Rückgabe *f.* **3** *comm* Umsatz *m.* **4** Bericht *m.*

reunite (ri:ju:'nait) *vt* wiedervereinigen.

reveal (ri'vi:l) *vi* **1** offenbaren, enthüllen. **2** zeigen. **revelation** *n* Offenbarung, Enthüllung *f.*

revel ('revəl) *vi* sich weiden an.

revenge (ri'vendʒ) *n* Rache *f. vt* (sich) rächen.

revenue ('revənju:) *n* Einkommen *neu.* Einnahmen *f pl.*

reverberate (ri'və:bəreit) *vi* widerhallen, reflektiert werden.

reverence ('revərəns) *n* **1** Ehrfurcht *f.* **2** Verehrung *f.*

reverse (ri'və:s) *adj* umgekehrt. *n* **1** Gegenteil *neu.* **2** Rückseite *f.* **3** Rückschlag *m.* **4** *tech,mot* Rückwärtsgang *m. vt* **1** umkehren, umdrehen. **2** rückwärts fahren. *vi* rückwärts fahren.

revert (ri'və:t) *vi* **1** zurückfallen. **2** sich zurückverwandeln.

review (ri'vju:) *n* **1** Überblick *m.* **2** Nachprüfung *f.* **3** Rezension, Besprechung *f.* **4** Rundschau *f. vt* **1** nachprüfen. **2** überblicken. **3** rezensieren.

revise (ri'vaiz) *vt* **1** überprüfen. **2** verbessern, bearbeiten. *vi* studieren.

revive (ri'vaiv) *vt* wiederbeleben.

revoke (ri'vouk) *vt* widerrufen, aufheben.

revolt (ri'voult) *vi* sich erheben, rebellieren. *vt* abstoßen. *n* Revolte *f.* Aufstand *m.* **revolting** *adj* abstoßend.

revolution (revə'lu:ʃən) *n* **1** *pol* Revolution *f.* **2** Umdrehung *f.*

revolve (ri'vɔlv) *vi* sich drehen. *vt* kreisen. **revolver** *n* Revolver *m.*

revue (ri'vju:) *n* Revue *f.*

revulsion (ri'vʌlʃən) *n* Abscheu *f.* Ekel *m.*

reward (ri'wɔ:d) *n* Belohnung *f. vt* belohnen.

rhetoric ('retərik) *n* Rhetorik, Redekunst *f.* **rhetorical** *adj* rhetorisch.

rheumatism ('ru:mətizəm) *n* Rheumatismus *m.*

Rhine (rain) *n* Rhein *m.* **Rhineland-Palatinate** *n* Rheinland-Pfalz *neu.*

rhinoceros (rai'nɔsərəs) *n* Nashorn *neu.*

Rhodesia (rou'di:ʃə) *n* Rhodesien *neu.* **Rhodesian** *adj* rhodesisch. *n* Rhodesier *m.*

rhododendron (roudə'dendrən) *n* Rhododendron *m,neu.*

rhubarb ('ru:bɑ:b) *n* Rhabarber *m.*

rhyme (raim) *n* Reim *m. vt,vi* reimen.

rhythm ('riðəm) *n* Rhythmus *m.*

rib (rib) *n* Rippe *f.*

ribbon ('ribən) *n* Band *neu.* Streifen *m.*

rice (rais) *n* Reis *m.*

rich (ritʃ) *adj* **1** reich. **2** fett. **3** voll. **4** kräftig.

rickety ('rikiti) *adj* wackelig, baufällig.

rid* (rid) *vt* befreien. *adj* los, frei. **get rid of** los werden.

riddance ('ridns) *n* Loswerden *neu.* Befreiung *f.* **good riddance** den wäre ich glücklich los.

riddle[1] ('ridl) *n* Rätsel *neu.*

riddle[2] ('ridl) *vt* **1** durchlöchern. **2** durchsieben.

ride (raid) *vt,vi* **1** reiten. **2** fahren. *n* **1** Ritt *m.* **2** Fahrt *f.*

ridge (ridʒ) *n* **1** *geog* Kamm *m.* **2** Rücken *m.*

ridicule ('ridikju:l) *n* Spott *m.* Verspottung *f. vt* verspotten, lächerlich machen. **ridiculous** *adj* lächerlich.

rife (raif) *adj* **1** weit verbreitet. **2** zahlreich. **3** voll von.

rifle[1] ('raifəl) *n mil* Gewehr *neu.* Büchse *f.*

rifle[2] ('raifəl) *vt* plündern, berauben.

rift (rift) *n* **1** Spalt *m.* **2** Riß *m.*

rig (rig) *n* **1** *naut* Takelwerk *neu.* **2** Ausrüstung *f. vt* **1** einrichten. **2** (auf)takeln.

right (rait) *adj* **1** richtig. **2** recht. *n* **1** Recht *neu.* **2** Rechte *f. adv* **1** richtig. **2** rechts. **3** sehr, ganz. *vt* **1** aufrichten. **2** in Ordnung bringen. **right angle** *n* rechter Winkel *m.* **right-hand** *adj* recht. **right-handed** *adj* rechtshändig. **right of way** *n* **1** Vorfahrtsrecht *neu.* **2** Wegerecht *neu.* **right wing** *n* rechter Flügel *m. adj* Rechts—, rechtradikal.

righteous ('raitʃəs) *adj* gerecht, rechtschaffen.

rigid ('ridʒid) *adj* **1** steif. **2** unbeugsam.

rigour ('rigə) *n* **1** Strenge *f.* **2** Härte *f.*

rim (rim) *n* Rand *m.* Kante *f.*

rind (raind) *n* Rinde, Schale *f.*

ring[1] (riŋ) *n* **1** Ring *m.* **2** Kreis *m.* **3** Bande *f. vt* einkreisen. **ringleader** *n* Rädelsführer *m.* **ring-road** *n* Ringstraße *f.*

ring*[2] (riŋ) *vt* **1** läuten. **2** erklingen. **3** anrufen. *vi* läuten, klingeln, ertönen. **ring up** anrufen. ~*n* **1** Klingeln, Geklingel *neu.* **2** Klang *m.* **3** *inf* Anruf *m.*

rink (riŋk) *n* Eisbahn *f.*

rinse (rins) *vt* (aus)spülen.

riot ('raiət) *n* Aufruhr, Tumult *m. vi* an einem Aufruhr teilnehmen. **run riot** **1** sich austoben. **2** umherschwärmen.

rip (rip) *vt* (zer)reißen. *vi* reißen. *n* Riß *m.*

ripe (raip) *adj* reif. **ripen** *vi* reifen, reif werden. *vt* reifen lassen.

ripple ('ripəl) *n* kleine Welle *f.* *(vi),vt* (sich) kräuseln.

rise* (raiz) *vi* **1** aufstehen. **2** sich erheben. **3** sich empören. **4** aufgehen. **5** (an)steigen. *n* **1** Steigen *neu.* **2** Erhebung *f.* **3** Aufstieg *m.* **4** Erhöhung *f.*

risk (risk) *n* Risiko *neu.* *vt* riskieren, wagen.

rissole ('risoul) *n cul* Frikadelle *f.*

rite (rait) *n* Ritus *m.* Zeremonie *f.*

ritual ('ritjuəl) *adj* feierlich. *n* Ritual *neu.*

rival ('raivəl) *n* Rivale, Nebenbuhler *m.* *adj* rivalisierend, wetteifernd. *vt* wetteifern mit, rivalisieren mit. **rivalry** *n* Rivalität, Wetteifer *m.*

river ('rivə) *n* Fluß, Strom *m.* **riverbed** *n* Flußbett *neu.* **riverside** *n* Flußufer *neu.*

rivet ('rivit) *n* Niet *m.* Niete *f.* *vt* **1** (ver)nieten. **2** (attention) fesseln.

road (roud) *n* **1** (Land)Straße *f.* **2** Weg *m.* **roadblock** *n* Straßensperre *f.* **roadside** *n* Straßenrand *m.*

roam (roum) *vi* umherstreifen. *vt* durchstreifen.

roar (rɔ:) *vi* brüllen. *n* Gebrüll *neu.*

roast (roust) *vt* braten, rösten. *n* Braten *m.* *adj* gebraten, geröstet.

rob (rɔb) *vt* (be)rauben. **robber** *n* Räuber *m.*

robe (roub) *n* **1** Gewand, Kleid *neu.* **2** *rel,law* Talar *m.*

robin ('rɔbin) *n* Rotkehlchen *neu.*

robot ('roubɔt) *n* Roboter *m.*

robust (rou'bʌst) *adj* stark, kräftig, robust.

rock[1] (rɔk) *n* **1** Gestein *neu.* **2** Fels(en) *m.* **rock-bottom** *adj* allerniedrigst. **rockery** *n* Steingarten *m.*

rock[2] (rɔk) *vt,vi* schaukeln. **rocker** *n* **1** Kufe *f.* **2** *tech* Wippe *f.* **rocking-chair** *n* Schaukelstuhl *m.* **rocking-horse** *n* Schaukelpferd *neu.*

rocket ('rɔkit) *n* Rakete *f.* *vi* hochschießen.

rod (rɔd) *n* **1** Rute *f.* **2** Stange *f.*

rode (roud) *v* see **ride.**

rodent ('roudnt) *n* Nagetier *neu.*

roe (rou) *n* Fischlaich, Rogen *m.*

rogue (roug) *n* Schurke, Schelm *m.*

role (roul) *n* Rolle *f.*

roll (roul) *vi* **1** rollen. **2** schwanken. **3** sich wälzen. *vt* **1** rollen, wälzen. **2** walzen. **3** zusammenrollen. *n* **1** Rolle *f.* **2** Verzeichnis *neu.* **3** Brötchen *neu.* **4** Rollen *neu.* **rollcall** *n* **1** Namensaufruf *m.* **2** *mil* Appell *m.* **roller** *n* Rolle, Walze *f.* **roller-skate** *n* Rollschuh *m.* *vi* Rollschuh laufen. **rolling pin** *n* Teigrolle *f.*

Roman Catholic *adj* (römisch-)katholisch. *n* Römisch-Katholische(r), Katholik *m.*

romance ('roumæns) *n* **1** *lit* Romanze *f.* **2** Liebschaft *f.* **3** Übertreibung *f.* **romantic** *adj* romantisch. *n* Romantiker *m.* **romanticize** *vt* romantisch darstellen, romantisieren.

Rome (roum) *n* Rom *neu.* **Roman** *adj* römisch. *n* Römer *m.*

romp (rɔmp) *vi* herumspielen, balgen. *n* Balgerei *f.* **rompers** *n pl* Spielanzug *m.*

roof (ru:f) *n* Dach *neu.* *vt* bedachen.

rook (ruk) *n* Saatkrähe *f.* *vt sl* betrügen.

room (ru:m) *n* **1** Zimmer *neu.* Stube *f.* **2** Raum, Platz *m.*

roost (ru:st) *vi* **1** auf der Stange sitzen. **2** schlafen. *n* **1** Hühnerstange *f.* **2** Ruheplatz *m.*

root[1] (ru:t) *n* **1** Wurzel *f.* **2** Quelle *f.* Kern *m.* *vi* einwurzeln. **take root** Wurzel schlagen.

root[2] (ru:t) *vi* wühlen. *vt* durchwühlen.

rope (roup) *n* Seil, Tau *neu.* *vt* anseilen.

rosary ('rouzəri) *n rel* Rosenkranz *m.*

rose[1] (rouz) *n* **1** Rose *f.* *adj* rosa. **rosette** *n* Rosette *f.* **rosy** *adj* rosig.

rose[2] (rouz) *v* see **rise.**

rosemary ('rouzməri) *n* Rosmarin *m.*

rot (rɔt) *vi* verfaulen. *n* **1** Fäulnis *f.* **2** *inf* Unsinn, Quatsch *m.* **rotten** *adj* **1** faul, verfault, zersetzt. **2** verdorben. **3** *sl* gemein.

rota ('routə) *n* Dienstturnus *m.* Dienstliste *f.* **rotary** *adj* (sich) drehend. **rotate** *vi* sich drehen. *vt* **1** drehen. **2** wechseln. **rotation** *n* **1** Umdrehung *f.* **2** Abwechselung *f.*

rouge (ru:ʒ) *n* (rote) Schminke *f.* Rouge *neu.*

rough (rʌf) *adj* **1** rauh. **2** roh, grob. **3** wild. **roughly** *adv* ungefähr.

roulette (ru:'let) *n* Roulett *neu.*

round (raund) *adj* rund, kreisförmig. *adv* herum, rundum. *n* **1** Runde *f.* **2** Serie *f.* *vt* runden. *prep* um. **roundabout** *adj* indirekt, umständlich, weitschweifig. *n* **1** Kreisverkehr *m.* **2** Karussell *neu.*

rouse (rauz) *vt* (auf)wecken, erregen.

route (ru:t) *n* Route *f.* Weg *m.* *vt* leiten, senden.

routine (ru:'ti:n) *n* Routine *f.* *adj* üblich, Routine—.

rove (rouv) *vi* umherschweifen.

row[1] (rou) *n* Reihe, Zeile *f.*

row[2] (rou) *vi,vt* rudern.

row[3] (rau) *n inf* Krach, Streit *m.* *vi* streiten.

rowdy ('raudi) *n* Raufbold, Rowdy *m.* *adj* rauflustig.

royal ('rɔiəl) *adj* königlich. **royalty** *n* **1** königlicher Rang *m.* **2** Mitglieder der königlichen Familie *pl.* **3** Verfasserhonorar *neu.*

rub (rʌb) *vt,vi* reiben.

rubber ('rʌbə) *n* **1** Gummi *neu.* **2** Radiergummi *neu.* **rubber band** *n* Gummiband *neu.*

rubbish ('rʌbiʃ) *n* **1** Müll, Abfall *m.* **2** *inf* Quatsch *m.*

rubble ('rʌbəl) *n* Bauschutt *m.*

ruby ('ru:bi) *n* Rubin *m.*

rucksack ('rʌksæk) *n* Rucksack *m.*

rudder ('rʌdə) *n* (Steuer)Ruder *neu.*

rude (ru:d) *adj* **1** unhöflich. **2** roh. **3** rauh.

rudiment ('ru:dimənt) *n* **1** Rudiment *neu.* **2** *pl* Rudimente *neu pl.* Grundlagen *f pl.*

rueful ('ru:fəl) *adj* kummervoll, reumütig.

ruff (rʌf) *n* Halskrause *f.*

ruffian ('rʌfiən) *n* Raufbold *m.*

ruffle ('rʌfəl) *vt* **1** kräuseln. **2** sträuben. **3** verärgern. *n* **1** Kräuselung *f.* **2** Kräuseln *neu.*

rug (rʌg) *n* **1** Decke *f.* **2** Vorleger *m.* kleiner Teppich *m.*

rugby ('rʌgbi) *n* Rugby *neu.*

rugged ('rʌgid) *adj* uneben, rauh, derb.

ruin ('ru:in) *n* **1** Ruine *f.* **2** Verfall *m.* **3** Trümmer *m pl. vt* **1** verderben. **2** zugrunde richten, ruinieren.

rule (ru:l) *n* **1** Regel *f.* **2** Gewohnheit *f.* **3** Herrschaft *f.* **4** Lineal *neu. vt* **1** regeln, bestimmen. **2** regieren, beherrschen. **3** ziehen. **ruler** *n* **1** Herrscher *m.* **2** Lineal *neu.*

rum (rʌm) *n* Rum *m.*

Rumania (ru:'meiniə) *n* Rumänien *neu.* **Rumanian** *adj* rumänisch. *n* **1** Rumäne *m.* **2** (language) Rumänisch *m.*

rumble ('rʌmbəl) *vi* rumpeln. *n* Rumpeln *neu.*

rummage ('rʌmidʒ) *vi* (herum)stöbern. **rummage through** durchstöbern.

rumour ('ru:mə) *n* Gerücht *neu.* **rumour has it** es geht das Gerücht.

rump (rʌmp) *n* Steiß *m.* **rump steak** *n* Rumpsteak *neu.*

run* (rʌn) *vi* **1** rennen, laufen. **2** fließen. **3** lauten. **4** im Gang sein. *vt* **1** betreiben. **2** rennen, laufen. **3** in Gang halten. **4** befördern. **run away** davonlaufen. **run out 1** hinauslaufen. **2** zu Ende gehen. **run over** überfahren. ~*n* **1** Lauf *m.* Rennen *neu.* **2** Zustrom *neu.* **3** *comm* Zulauf *m.* **runner** *n* **1** Läufer *m.* **2** Bote *m.* **runner bean** *n* Stangenbohne *f.* **runner-up** *n* Zweitbeste(r) *m.* **running** *n* **1** Laufen, Rennen *neu.* **2** Betrieb *m.* **runway** *n aviat* Startbahn, Landebahn *f.*

rung[1] (rʌŋg) *v* see **ring**[2].

rung[2] (rʌŋ) *n* **1** (of a ladder) Sprosse *f.* **2** Stufe *f.*

rupture ('rʌptʃə) *n* Bruch, Riß *m. vt* sprengen, brechen, (zer)reißen. *vi* einen Bruch *or* Riß bekommen.

rural ('ruərəl) *adj* ländlich, Land—.

rush[1] (rʌʃ) *vi* (sich) stürzen, stürmen. *vt* **1** drängen, hetzen. **2** sich stürzen auf. *n* **1** Hast *f.* **2** Andrang *m.* **rush hour** Hauptverkehrszeit *f.*

rush[2] (rʌʃ) *n bot* Binse *f.*

Russia ('rʌʃə) *n* Rußland *neu.* **Russian** *adj* russisch. *n* **1** Russe *m.* **2** (language) Russisch *neu.*

rust (rʌst) *n* Rost *m. vi* (ver)rosten. **rusty** *adj* **1** verrostet. **2** außer Übung.

rustic ('rʌstik) *adj* **1** bäuerisch. **2** ländlich, rustikal.

rustle ('rʌsəl) *vi,(vt)* rascheln (mit). *n* Geraschel *neu.*

rut (rʌt) *n* **1** Furche *f.* **2** (Rad)Spur *f.* **be in a rut** stagnieren.

ruthless ('ru:θləs) *adj* **1** erbarmungslos. **2** rücksichtslos.

rye (rai) *n* Roggen *m.*

S

Sabbath ('sæbəθ) *n* Sabbat *m.*

sable (seibəl) *n* Zobel *m.*

sabotage ('sæbəta:ʒ) *n* Sabotage *f. vt* sabotieren.

sabre ('seibə) *n* Säbel *m.*

saccharin ('sækərin) *n* Saccharin *neu.*

sachet ('sæʃei) *n* **1** Sachet *neu.* **2** Shampoobeutel *m.* **3** Duftkissen *neu.*

sack (sæk) *n* Sack *m.* **get the sack** *sl* entlassen werden. ~*vt sl* entlassen.

sacrament ('sækrəmənt) *n* Sakrament *neu.*

sacred ('seikrid) *adj* heilig, geweiht.

sacrifice ('sækrifais) *n* **1** Opfer *neu.* **2** Verlust *m. vt* opfern.

sacrilege ('sækrilidʒ) *n* Sakrileg *neu.* Entweihung, Kirchenschändung *f.*

sad (sæd) *adj* **1** traurig. **2** ernst, schlimm. **3** düster. **sadden** *vt* betrüben, traurig machen. *vi* traurig werden.

saddle ('sædl) *n* Sattel *m. vt* satteln.

sadism ('seidizəm) *n* Sadismus *m.* **sadist** *n* Sadist *m.* **sadistic** *adj* sadistisch.

safari (sə'fa:ri) *n* Safari *f.*

safe (seif) *adj* **1** sicher. **2** heil. **3** vorsichtig. **play**

safe kein Risiko eingehen. ~*n* Geldschrank, Safe *m*. **safeguard** *n* Vorsichtsmaßnahme *f*. Schutz *m*. *vt* **1** schützen. **2** sichern. **safety** *n* Sicherheit *f*. **safety belt** *n* Sicherheitsgürtel *m*. **safety pin** *n* Sicherheitsnadel *f*.

saffron ('sæfrən) *n* Safran *m*. *adj* safrangelb.

sag (sæg) *vi* **1** sacken. **2** nachlassen.

saga ('sɑ:gə) *n* Saga *f*.

sage[1] (seidʒ) *n* Weise(r) *m*. *adj* weise.

sage[2] (seidʒ) *n* Salbei *m,f*.

Sagittarius (sædʒi'tɛəriəs) *n* Schütze *m*.

sago ('seigou) *n* Sago *m*.

said (sed) *v* see **say.**

sail (seil) *n* **1** Segel *neu*. **2** Seefahrt *f*. *vi,vt* segeln, fahren. **sailor** *n* Matrose, Seemann *m*.

saint (seint) *n* Heilige(r) *m*.

sake (seik) *n* **for the sake of** um...willen. **for my sake** um meinetwillen.

salad ('sæləd) *n* Salat *m*. **salad dressing** *n* Salatsoße *f*.

salami (sə'lɑ:mi) *n* Salami *f*.

salary ('sæləri) *n* Gehalt *neu*. *vt* besolden.

sale (seil) *n* **1** Verkauf *m*. **2** Ausverkauf *m*. **3** Absatz *m*. **salesman** *n* Verkäufer *m*.

saliva (sə'laivə) *n* Speichel *m*. **salivate** *vi* Speichel absondern.

sallow ('sælou) *adj* blaßlich, gelblich.

salmon ('sæmən) *n* Lachs *m*.

salon ('sælɔn) *n* Salon *m*.

saloon (sə'lu:n) *n* Salon, Saal *m*. **saloon car** Limousine *f*.

salt (sɔ:lt) *n* Salz *neu*. *adj* salzig, Salz— *vt* (ein)salzen. **salt-cellar** *n* Salzfäßchen *neu*. **salty** *adj* salzig.

salute (sə'lu:t) *n* **1** Gruß *m*. **2** *mil* Ehrenbezeichnung *f*. *vi* grüßen. *vt* **1** (be)grüßen. **2** *mil* salutieren vor.

salvage ('sælvidʒ) *n* Bergung *f*. *vt* bergen.

salvation (sæl'veiʃən) *n* **1** *rel* Erlösung *f*. **2** (Er)Rettung *f*.

same (seim) *adj,pron* derselbe, der gleiche. *adv* ebenso. **all the same** trotzdem.

sample ('sɑ:mpəl) *n* **1** Probe *f*. **2** Auswahl *f*. **3** Muster *neu*. *vt* (aus)probieren.

sanatorium (sænə'tɔ:riəm) *n, pl* **-iums** *or* **-ia** Sanatorium *neu*. Heilanstalt *f*.

sanction ('sæŋkʃən) *n* **1** Sanktion, Billigung *f*. **2** Zwangsmaßnahme *f*. *vt* billigen, gutheißen.

sanctity ('sæŋktiti) *n* Heiligkeit *f*.

sanctuary ('sæŋktʃuəri) *n* **1** Asyl *neu*. **2** *rel* Heiligtum *neu*.

sand (sænd) *n* **1** Sand *m*. **2** *pl* Sandfläche *f*. Strand *m*.

sandal ('sændl) *n* Sandale *f*.

sandwich ('sænwidʒ) *n* Sandwich, belegtes Brot, Butterbrot *neu*.

sane (sein) *adj* **1** geistig gesund. **2** vernünftig.

sang (sæŋ) *v* see **sing.**

sanitary ('sænitri) *adj* gesundheitlich, hygienisch. **sanitary towel** *n* Damenbinde *f*.

sank (sæŋk) *v* see **sink.**

sap (sæp) *n bot* Saft *m*.

sapphire ('sæfaiə) *n* Saphir *m*.

sarcasm ('sɑ:kæzəm) *n* Sarkasmus, bitterer Hohn *m*. **sarcastic** *adj* sarkastisch.

sardine (sɑ:'di:n) *n* Sardine *f*.

Sardinia (sɑ:'diniə) *n* Sardinien *neu*.

sardonic (sɑ:'dɔnik) *adj* höhnisch, sardonisch.

sash[1] (sæʃ) *n* Schärpe *f*.

sash[2] (sæʃ) *n* Fensterrahmen *m*. **sash-window** *n* Schiebefenster *neu*.

sat (sæt) *v* see **sit.**

Satan ('seitn) *n* Satan *m*.

satchel ('sætʃəl) *n* Schultasche *f*.

satellite ('sætəlait) *n* Satellit *m*.

satin ('sætin) *n* Atlas, Satin *m*.

satire ('sætaiə) *n* **1** Satire *f*. **2** Spott *m*. **satirical** *adj* satirisch.

satisfy ('sætisfai) *vt* **1** zufriedenstellen, befriedigen. **2** genügen. **3** überzeugen. **satisfaction** *n* **1** Zufriedenheit *f*. **2** Genugtuung *f*.

saturate ('sætʃəreit) *vt* sättigen.

Saturday ('sætədi) *n* Sonnabend, Samstag *m*.

Saturn ('sætən) *n* Saturn *m*.

sauce (sɔ:s) *n* **1** Soße *f*. **2** *inf* Frechheit *f*. **saucepan** *n* Kochtopf *m*. **saucer** *n* Untertasse *f*. **saucy** *adj* frech.

Saudi Arabia ('saudi) *n* Saudi-Arabien *neu*.

sauna ('sɔ:nə) *n* Sauna *f*.

saunter ('sɔ:ntə) *vi* schlendern. *n* Schlendern *neu*.

sausage ('sɔsidʒ) *n* Wurst *f*.

savage ('sævidʒ) *adj* wild. *n* Wilde(r) *m*.

save[1] (seiv) *vt* **1** (er)retten. **2** bewahren. **3** (money) sparen. **savings** *n pl* Ersparnisse *f pl*.

save[2] (seiv) *prep* außer, ausgenommen.

saviour ('seiviə) *n* **1** *rel* Erlöser, Heiland *m*. **2** Retter *m*.

savoury ('seivəri) *adj* **1** schmackhaft. **2** würzig. *n* pikantes Gericht *neu*.

saw[*1] (sɔ:) *n* Säge *f*. *vi,vt* sägen. **sawdust** *n* Sägemehl *neu*.

saw[2] (sɔ:) *v* see **see**[1].

Saxon ('sæksən) *adj* **1** sächsisch. **2** angelsächsisch. *n* **1** Sachse *m.* **2** Angelsachse *m.*

saxophone ('sæksəfoun) *n* Saxophon *neu.*

say* (sei) *vt,vi* **1** sagen. **2** sprechen. **3** äußern. **4** heißen, bedeuten. *n* Wort *neu.* Rede *f.* **saying** *n* **1** Sprichwort *neu.* **2** Redensart *f.*

scab (skæb) *n* Schorf *m.* Krätze *f.*

scaffold ('skæfəld) *n* **1** (Bau)Gerüst *neu.* **2** Schafott *neu.* **scaffolding** *n* Gerüst *neu.*

scald (skɔ:ld) *vt* (ver)brühen. *n* Verbrühung *f.* **scalding** *adj* **1** brühend. **2** brühheiß.

scale[1] (skeil) *n* **1** *zool* Schuppe *f.* **2** Kesselstein *m. vt* abschuppen.

scale[2] (skeil) *n* **1** Waagschale *f.* **2** *pl* Waage *f.*

scale[3] (skeil) *n* **1** Maßstab *m.* **2** Skala *f.* **3** Ausmaß *neu.* **4** *mus* Tonleiter *f. vt* ersteigen.

scallop ('skɔləp) *n* Kammuschel *f.*

scalp (skælp) *n* Kopfhaut *f.*

scalpel ('skælpəl) *n* Skalpell *neu.*

scampi ('skæmpi) *n* Kaiserhummer *m.*

scan (skæn) *vt* **1** untersuchen, prüfen. **2** abtasten. **3** *lit* skandieren.

scandal ('skændl) *n* **1** Skandal *m.* **2** Verleumdung *f.* **scandalous** *adj* skandalös.

Scandinavia (skændi'neivia) *n* Skandinavien *neu.* **Scandinavian** *adj* skandinavisch. *n* Skandinavier *m.*

scapegoat ('skeipgout) *n* Sündenbock *m.*

scar (skɑ:) *n* Narbe, Schramme *f. vt* **1** schrammen. **2** entstellen. *vi* vernarben.

scarce (skɛəs) *adj* **1** knapp. **2** spärlich. **scarcely** *adv* kaum.

scare (skɛə) *vt* erschrecken. *n* Schreck(en) *m.*

scarf (skɑ:f) *n* Schal *m.* Halstuch *neu.*

scarlet ('skɑ:lit) *adj* scharlachrot. **scarlet fever** *n* Scharlachfieber *neu.*

scathing ('skeiðiŋ) *adj* scharf, beißend, ätzend.

scatter ('skætə) *vt* **1** (ver)streuen. **2** zerstreuen. *vi* sich zerstreuen.

scavenge ('skævindʒ) *vt* reinigen. *vi* Nährung suchen. **scavenger** *n* **1** Aasgeier *m.* **2** Straßenkehrer *m.*

scene (si:n) *n* **1** Szene *f.* **2** Schauplatz *m.* **3** Bild *neu.* **behind the scenes** hinter den Kulissen.

scenery ('si:nəri) *n* **1** Bühnenbild *neu.* **2** Landschaft *f.*

scent (sent) *n* **1** Geruch, Duft *m.* **2** Parfüm *neu.* **3** Spur *f. vt* **1** riechen. **2** parfümieren.

sceptic ('skeptik) *n* Skeptiker *m.* **sceptical** *adj* skeptisch. **scepticism** *n* Skeptizismus *m.*

sceptre ('septə) *n* Zepter *neu.*

schedule ('ʃedju:l) *n* **1** Arbeitsplan *m.* **2** Fahrplan *m.* **3** Liste *f. vt* **1** aufzeichnen. **2** planen.

scheme (ski:m) *n* **1** Plan *m.* **2** Intrige *f.* **3** Schema *neu. vi* Ränke schmieden, intrigieren.

schizophrenia (skitsou'fri:niə) *n* Schizophrenie *f.* **schizophrenic** *adj* schizophren. *n* Schizophrene(r) *m.*

scholar ('skɔlə) *n* **1** Gelehrete(r) *m.* **2** Studierende(r) *m. f.* **3** Stipendiat *m.* **scholarship** *n* **1** Stipendium *neu.* **2** Gelehrsamkeit *f.*

scholastic (skə'læstik) *adj* **1** akademisch. **2** Schul—, schulisch.

school[1] (sku:l) *n* Schule *f. vt* schulen. **schoolboy** *n* Schüler *m.* **schoolgirl** *n* Schülerin *f.* **schoolmaster** *n* Lehrer, Schulleiter *m.* **schoolmistress** *n* Lehrerin *f.*

school[2] (sku:l) *n zool* Schule *f.* Schwarm *m.*

schooner ('sku:nə) *n* **1** *naut* Schoner *m.* **2** (hohes) Bierglas *or* Weinglas *neu.*

science ('saiəns) *n* **1** Wissenschaft *f.* **2** Naturwissenschaft *f.* **science fiction** *n* Zukunftsroman *m.* **scientific** *adj* wissenschaftlich. **scientist** *n* (Natur)Wissenschaftler *m.*

scissors ('sizəz) *n pl* Schere *f.*

scoff[1] (skɔf) *vi* spotten. *n* Spott *m.*

scoff[2] (skɔf) *vt sl* fressen.

scold (skould) *vt* ausschimpfen. *vi* schimpfen.

scone (skoun) *n* (flaches) Teegebäck *neu.*

scoop (sku:p) *n* **1** Schaufel *f.* **2** Schöpfkelle *f.* **3** Schub *m.* **4** Erstmeldung *f. vt* schaufeln, schöpfen.

scooter ('sku:tə) *n* (Motor)Roller *m.*

scope (skoup) *n* **1** Spielraum *m.* **2** Gebiet *neu.* Bereich *m.*

scorch (skɔ:tʃ) *vt* **1** versengen. **2** verbrennen. *vi* verbrennen.

score (skɔ:) *n* **1** *sport* (Punkt)Zahl *f.* **2** Rechnung *f.* **4** *mus* Partitur *f.* **5** Kerbe *f. vt* **1** gewinnen. **2** einkerben. **3** (a goal) schießen. *vi* Punkte gewinnen. **scoreboard** *n* Anschreibetafel *f.*

scorn (skɔ:n) *n* Hohn *m.* Verachtung *f. vt* verachten. **scornful** *adj* verächtlich.

Scorpio ('skɔ:piou) *n* Skorpion *m.*

scorpion ('skɔ:piən) *n* Skorpion *m.*

Scotland ('skɔtlənd) *n* Schottland *neu.* **Scot** *n* Schotte *m.* **Scotch** *adj* schottisch. *n* (schottischer) Whisky *m.* **Scots** *n* schottischer Dialekt. *adj* schottisch. **Scottish** *adj* schottisch.

scoundrel ('skaundrəl) *n* Schurke, Schuft *m.*

scour[1] ('skauə) *vt* **1** scheuern. **2** wegwischen.

scour[2] ('skauə) *vt* durchsuchen, durchstreifen.

scout (skaut) *n* **1** Späher, Kundschafter *m.* **2** Pfadfinder *m. vi,vt* kundschaften, spähen.

scowl (skaul) *vi* finster blicken. *n* finsterer Blick *m.*

scramble ('skræmbəl) *vi* **1** krabbeln. **2** sich balgen. *n* **1** Krabbelei *f.* **2** Balgerei *f.*

scrap (skræp) *n* **1** Stückchen *neu.* Brocken *m.* **2** Schrott *m. vt* **1** wegwerfen. **2** verzichten auf. **3** verschrotten. *adj* Schrott—. **scrapbook** *n* Einklebebuch *neu.*

scrape (skreip) *vt* **1** kratzen, schaben. *vi* kratzen. *n* **1** Kratzen *neu.* **2** Klemme *f.*

scratch (skrætʃ) *vt* kratzen. *n* **1** Kratzen *neu.* **2** Schramme *f.* Riß *m.*

scrawl (skrɔ:l) *vt,vi* kritzeln. *n* Gekritzel *neu.*

scream (skri:m) *vi,vt* schreien. *n* Schrei *m.*

screech (skri:tʃ) *vi,vt* kreischen, schreien. *n* Kreischen *neu.*

screen (skri:n) *n* **1** Schirm *m.* **2** (Lein)Wand *f. vt* **1** (ab)schirmen. **2** überprüfen. **3** (a film) vorführen.

screw (skru:) *n* Schraube *f. vt* schrauben. **screwdriver** *n* Schraubenzieher *m.*

scribble ('skribəl) *vt,vi* kritzeln. *n* Gekritzel *neu.*

script (skript) *n* **1** *Th* Manuskript *neu.* **2** (of a film) Drehbuch *neu.* **3** Schrift *f.*

Scripture ('skriptʃə) *n* Heilige Schrift *f.*

scroll (skroul) *n* **1** Schriftrolle *f.* **2** Schnörkel *m.*

scrounge (skraundʒ) *vt,vi* schnorren, klauen.

scrub[1] (skrʌb) *vi,vt* schrubben, scheuern. *n* Schrubben *neu.* **scrubbing brush** *n* Scheuerbürste *f.*

scrub[2] (skrʌb) *n* Gestrüpp *neu.* Busch *m.*

scruffy ('skrʌfi) *adj inf* schäbig.

scruple ('skru:pəl) *n* Skrupel *m.* Bedenken *neu.* **have scruples** sich ein Gewissen machen. **scrupulous** *adj* gewissenhaft.

scrutiny ('skru:tini) *n* **1** Untersuchung *f.* **2** prüfender Blick *m.* **scrutinize** *vt* **1** (genau) prüfen, untersuchen. **2** genau ansehen.

scuffle ('skʌfəl) *n* Balgerei, Schlägerei *f. vi* sich balgen, raufen.

scullery ('skʌləri) *n* Spülküche *f.*

sculpt (skʌlpt) *vt* (heraus)meißeln, schnitzen. *vi* bildhauern. **sculptor** *n* Bildhauer *m.* **sculpture** *n* Bildhauerei, Skulptur *f.*

scum (skʌm) *n* **1** Schaum *m.* **2** Abschaum *m.*

scurf (skə:f) *n* **1** Schuppen *f pl.* **2** Schorf *m.*

scythe (saið) *n* Sense *f. vt* (ab)mähen.

sea (si:) *n* See *f.* Meer *neu.* **by the sea** an der See.

seabed ('si:bed) *n* Meeresgrund *m.*

seafront ('si:frʌnt) *n* Strandpromenade *f.*

seagull ('si:gʌl) *n* Möwe *f.*

seal[1] (si:l) *n* **1** Siegel *neu.* **2** Stempel *m.* **3** Dichtung *f. vt* **1** (ver)siegeln. **2** bestätigen. **3** abdichten.

seal[2] (si:l) *n* Seehund *m.* Robbe *f.* **sealskin** *n* Seehundfell *neu.*

sea-level *n* Meersspiegel *m.* Meereshöhe *f.*

sea-lion *n* Seelöwe *m.*

seam (si:m) *n* **1** Saum *m.* Naht *f.* **2** Spalt *m.* **3** Schicht *f. vt* säumen.

seaman ('si:mən) *n* Seemann, Matrose *m.*

search (sə:tʃ) *vt* durchsuchen. **2** erforschen. *vi* suchen, forschen. *n* Suche *f.* **searchlight** *n* Scheinwerfer *f.*

seashore ('si:ʃɔ:) *n* Seeküste *f.*

seasick ('si:sik) *adj* seekrank.

seaside ('si:said) *n* Seeküste *f.* **go to the seaside** an die See fahren. ~*adj* See—. **seaside resort** *n* Seebad *neu.*

season ('si:zən) *n* **1** Jahreszeit *f.* **2** Saison *f.* **season ticket** *n* Dauerkarte *f. vt* **1** *cul* würzen. **2** ausreifen lassen. **seasoning** *n* Würze *f.*

seat (si:t) *n* **1** Sitz, Platz *m.* **2** Bank *f.* **3** Wohnsitz *m.* **3** Gesäß *neu. vt* **1** setzen. **2** Raum haben für. **seat-belt** *n* Sitzgurt *m.*

seaweed ('si:wi:d) *n* Alge *f.*

secluded (si'klu:did) *adj* abgelegen, abgeschlossen.

second[1] ('sekənd) *adj* **1** zweite. **2** nächst. **second best** *adj* zweitbest. **second-class** *adj,adv* zweiter Klasse. *adj* zweitrangig. **second-hand** *adj* aus zweiter Hand, gebraucht. **secondly** *adv* zweitens. **second-rate** *adj* zweitrangig, minderwertig. **secondary** *adj* **1** untergeordnet. **2** sekundär. **3** Neben—. **secondary school** *n* Oberschule *f.*

second[2] ('sekənd) *n* Sekunde *f.*

secret ('si:krət) *n* Geheimnis *neu. adj* geheim, heimlich. **secrecy** *n* Geheimhaltung, Verschwiegenheit *f.* **secretive** *adj* geheimtuerisch.

secretary ('sekrətri) *n* **1** Sekretär *m.* Sekretärin *f.* **2** Schriftführer *m.* **3** Schreibtisch *m.*

secrete (si'kri:t) *vt* **1** verbergen, verheimlichen. **2** *anat* absondern.

sect (sekt) *n* Sekte *f.* **sectarian** *adj* sektiererisch.

section ('sekʃən) *n* **1** Abschnitt, Teil *m.* **2** Abteilung *f.* **3** Schnitt *m.* **4** Sektion *f.*

sector ('sektə) *n* **1** Abschnitt *m.* **2** *math* Sektor *m.*

secular ('sekjulə) *adj* weltlich, säkular.

secure (si'kjuə) *adj* **1** sicher. **2** fest. *vt* **1** sichern.

2 sicherstellen. **3** festbinden, festmachen. **security** *n* Sicherheit *f.*

sedate (si'deit) *adj* gesetzt, ernst, ruhig. **sedation** *n* Beruhigung *f.* **sedative** *adj* beruhigend, stillend. *n* Beruhigungsmittel *neu.*

sediment ('sedimənt) *n* **1** Satz *m.* **2** Sediment *neu.* **3** Ablagerung *f.*

seduce (si'dju:s) *vt* verführen. **seduction** *n* Verführung *f.*

see* [1] (si:) *vt,vi* **1** sehen. **2** verstehen. **3** besichtigen, ansehen. **4** besuchen. **see off** fortbegleiten. **see out** hinausbegleiten. **see through** **1** durchschauen. **2** durchführen.

see [2] (si:) *n* Bischofssitz *m.*

seed (si:d) *n* **1** Same(n) *m.* Saat *f.* **2** Keim *m.* **seedling** *n* Sämling *neu.* **seedy** *adj* schäbig, mies.

seek* (si:k) *vt,vi* suchen.

seem (si:m) *vi* **1** (er)scheinen. **2** aussehen. **seeming** *adj* anscheinend.

seep (si:p) *vi* sickern.

seesaw ('si:sɔ:) *n* Wippe *f. vi* wippen.

seethe (si:ð) *vi* **1** sieden, kochen. **2** brodeln.

segment ('segmənt) *n* Abschnitt *m.*

segregate ('segrigeit) *vt* absondern, trennen. *vi* sich absondern.

seize (si:z) *vt* **1** ergreifen, packen. **2** an sich reißen. **3** begreifen.

seldom ('seldəm) *adv* selten.

select (si'lekt) *vt* aussuchen, auswählen. *adj* ausgewählt. **selection** *n* Auswahl *f.* **selective** *adj* auswählend, selektiv.

self (self) *n, pl* **selves** Selbst, Ich *neu. pron* selbst.

self-assured *adj* selbstsicher.

self-aware *adj* selbstbewußt.

self-centred *adj* egozentrisch, ichbezogen.

self-confident *adj* selbstsicher.

self-conscious *adj* **1** befangen. **2** selbstbewußt.

self-contained *adj* **1** selbständig. **2** zurückhaltend. **3** (in sich) geschlossen.

self-defence *n* Notwehr, Selbstverteidigung *f.*

self-discipline *n* Selbstdisziplin *f.*

self-employed *adj* selbständig.

self-expression *n* Ausdruck der eigenen Persönlichkeit *m.*

self-indulgent *adj* schwächlich, genußsüchtig.

self-interest *n* Eigennutz *m.*

selfish ('selfiʃ) *adj* selbstsüchtig, eigennützig. **selfishness** *n* Selbstsucht *f.*

self-pity *n* Selbstbemitleidung *f.*

self-portrait *n* Selbstporträt *neu.*

self-respect *n* Selbstachtung *f.*

self-righteous *adj* selbstgerecht, pharisäisch.

self-sacrifice *n* Selbstaufopferung *f.*

selfsame ('selfseim) *adj* eben derselbe.

self-satisfied *adj* selbstzufrieden.

self-service *n* Selbstbedienung *f.*

self-sufficient *adj* unabhängig, selbständig.

self-will *n* Eigensinn *m.*

sell* (sel) *vt* verkaufen. *vi* handeln. **sell out** *or* **up** ausverkaufen.

Sellotape ('selətеip) *n Tdmk* Klebestreifen *m.*

semantic (si'mæntik) *adj* semantisch. **semantics** *n* Semantik *f.*

semaphore ('seməfɔ:) *n* Semaphor *m.*

semibreve ('semibri:v) *n mus* ganze Note *f.*

semicircle ('semisə:kəl) *n* Halbkreis *m.*

semicolon (semi'koulən) *n* Strichpunkt *m.*

semidetached (semidi'tætʃt) *adj* halb freistehend.

semifinal (semi'fainl) *n* Vorschlußrunde *f.* Semifinale *neu.*

seminar ('semina:) *n* Seminar *neu.*

semiprecious (semi'preʃəs) *adj* Halbedel—.

semiquaver (semi'kweivə) *n mus* Sechzehntelnote *f.*

semivowel ('semivauəl) *n* Halbvokal *m.*

semolina (semə'li:nə) *n* Grieß *m.*

senate ('senət) *n* Senat *m.* **Senator** *n* Senator *m.*

send* (send) *vt* schicken, (ab)senden. **send for** kommen lassen. **send word** mitteilen. **sender** *n* (Ab)Sender *m.*

senile ('si:nail) *adj* altersschwach.

senior ('si:niə) *adj* **1** älter. **2** Senior—. *n* **1** Ältere(r) *m.* **2** Senior *m.*

sensation (sen'seiʃən) *n* **1** Empfindung *f.* **2** Sensation *f.* **sensational** *adj* sensationell.

sense (sens) *n* **1** Sinn *m.* **2** Empfindung *f.* **3** Vernunft *f.* **4** Bedeutung *f.* **talk sense** vernünftig reden. ~*vt* empfinden, spüren, fühlen. **senseless** *adj* **1** sinnlos. **2** bewußtlos.

sensible ('sensəbəl) *adj* **1** verständig, vernünftig. **2** fühlbar. **3** empfänglich. **sensibility** *n* **1** Empfindungsvermögen *neu.* **2** Empfindlichkeit *f.*

sensitive ('sensitiv) *adj* empfindlich, sensibel, feinfühlig. **sensitivity** *n* **1** Empfindlichkeit *f.* **2** Empfindungsvermögen *neu.* **3** Feingefühl *neu.*

sensual ('senʃuəl) *adj* sinnlich. **sensuality** *n* Sinnlichkeit *f.*

sensuous ('senʃuəs) *adj* sinnenfreudig, sinnlich.

sentence ('sentəns) *n* **1** Satz *m.* **2** Urteil *neu. vt* verurteilen.

sentiment ('sentimənt) *n* **1** Gefühl *neu.* Empfindung *f.* **2** *pl* Gesinnung *f.* **sentimental** *adj* sentimental. **sentimentality** *n* Sentimentalität *f.*

sentry ('sentri) *n* Wache *f.*

separate (*v* 'sepəreit; *adj* 'seprit) *(vi),vt* (sich) trennen, (sich) scheiden. *adj* getrennt, gesondert. **separation** *n* Trennung, Scheidung *f.*

September (sep'tembə) *n* September *m.*

septic ('septik) *adj* septisch, eitrig.

sequel ('si:kwəl) *n* **1** Folge *f.* **2** Fortsetzung *f.*

sequence ('si:kwəns) *n* **1** (Reihen)Folge *f.* **2** Szene *f.*

sequin ('si:kwin) *n* Zechine *f.*

serenade (sera'neid) *n* Ständchen *neu.* Serenade *f. vt* ein Ständchen bringen.

serene (si'ri:n) *adj* **1** heiter. **2** ruhig. **serenity** *n* **1** Heiterkeit *f.* **2** Ruhe *f.*

serf (sə:f) *n* **1** Leibeigene(r) *m.* **2** Sklave *m.*

sergeant ('sɑ:dʒənt) *n* **1** *mil* Feldwebel *m.* **2** (Polizei)Sergeant *m.* **sergeant-major** *n mil* Hauptfeldwebel *m.*

serial ('siəriəl) *adj* **1** Fortsetzungs—. **2** seriemäßig. *n* Fortsetzungsroman *m.* **serialize** *vt* in Fortsetzungen veröffentlichen.

series ('siəri:z) *n* **1** Reihe *f.* **2** Serie *f.* **3** Folge *f.*

serious ('siəriəs) *adj* ernst, ernsthaft. **seriousness** *n* Ernst *m.* Ernsthaftigkeit *f.*

sermon ('sə:mən) *n* Predigt *f.*

serpent ('sə:pənt) *n* Schlange *f.*

servant ('sə:vənt) *n* Diener *m.*

serve (sə:v) *vt,vi* **1** (be)dienen. **2** erfüllen. **3** nützen. **4** *sport* aufschlagen. **it serves him right** das geschieht ihm recht. *n sport* Aufschlag *m.*

service ('sə:vis) *n* **1** Dienst *m.* **2** Bedienung *f.* **3** *sport* Aufschlag *m.* **4** *rel* Gottesdienst *m.* **5** Kundendienst *m.* **6** *mot* Service *neu.* **serviceable** *adj* **1** dienlich. **2** betriebsfähig. **service station** *n* Tankstelle *f.*

serviette (sə:vi'et) *n* Serviette *f.*

servile ('səvail) *adj* **1** unterwürfig, servil. **2** sklavisch.

session ('seʃən) *n* Sitzung *f.* **be in session** tagen.

set* (set) *vt* **1** setzen. **2** stellen. **3** legen. **4** (ein)richten. *vi* **1** (of the sun) untergehen. **2** *cul* gerinnen. **set an example** ein Beispiel geben. **set off** sich auf den Weg machen. ~*adj* **1** fest. **2** bestimmt. **3** vorgeschrieben. *n* **1** Satz *m.* Sammlung *f.* **2** Serie *f.* **setback** *n* Rückschlag *m.* **setting** *n* **1** Setzen *neu.* **2** (of a gem) Fassung *f.* **3** Bühnenausstattung *f.*

settee (se'ti:) *n* Sofa *neu.*

settle ('setl) *vt* **1** (fest)setzen. **2** erledigen. **3** entscheiden. **4** beruhigen. *vi* **1** sich ansiedeln. **2** (of the weather) beständig werden. **settle down** sich niederlassen. **settle with** sich begnügen mit. **settlement** *n* **1** Regelung *f.* **2** (Be)Siedlung *f.* **settler** *n* Siedler *m.*

seven ('sevən) *adj* sieben. *n* Sieben *f.* **seventh** *adj* siebente, siebte.

seventeen (sevən'ti:n) *adj* siebzehn. *n* Siebzehn *f.* **seventeenth** *adj* siebzehnte.

seventy ('sevənti) *adj* siebzig. *n* Siebzig *f.* **seventieth** *adj* siebzigste.

several ('sevrəl) *adj* **1** mehrere. **2** einige. **3** besonder, eigen. **several times** mehrmals.

severe (si'viə) *adj* **1** streng, hart. **2** schwer. **3** heftig. **severity** *n* **1** Strenge, Härte *f.* **2** Schwere *f.*

sew* (sou) *vt,vi* nähen. **sew up** zunähen. **sewing** *n* Nähen *neu.* **sewing machine** *n* Nähmaschine *f.*

sewage ('su:idʒ) *n* Abwasser *neu.*

sewer ('su:ə) *n* Abwasserkanal *m.* Kloake *f.*

sex (seks) *n* Geschlecht *neu. adj* Geschlechts—. **sexual** *adj* geschlechtlich, Geschlechts—, sexuell, Sexual—. **sexual intercourse** *n* Geschlechtsverkehr *neu.* **sexy** *adj* sexy.

sextet (seks'tet) *n* Sextett *neu.*

shabby ('ʃæbi) *adj* schäbig.

shack (ʃæk) *n* Hütte *f.*

shade (ʃeid) *n* **1** Schatten *m.* **2** Spur *f.* **3** (of a lamp, etc.) Schirm *m. vt* **1** beschatten. **2** abschirmen. **3** schattieren. **shady** *adj* **1** schattig. **2** anrüchig, fragwürdig.

shadow ('ʃædou) *n* **1** Schatten *m.* **2** Phantom *neu.* **3** Spur *f. vt* **1** beschatten. **2** verfolgen. **shadow cabinet** *n* Schattenkabinett *neu.*

shaft (ʃɑ:ft) *n* **1** Schaft *m.* **2** *tech* Welle *f.* **3** (of light) Strahl *m.*

shaggy ('ʃægi) *adj* zottig.

shake* (ʃeik) *vt* **1** schütteln. **2** erschüttern. *vi* zittern, wackeln. **shake hands with someone** jemandem die Hand geben. ~*n* **1** Schütteln *neu.* **2** Erschütterung *f.* **3** Beben *neu.* **shaky** *adj* **1** wacklig. **2** zitterig.

shall* (ʃəl; *stressed* ʃæl) *v mod aux* **1** werden. **2** wollen. **3** sollen.

shallot (ʃə'lɔt) *n* Schalotte *f.*

shallow ('ʃælou) *adj* seicht. *n* Untiefe *f.*

sham (ʃæm) *adj* **1** falsch. **2** Schein—. *vt* vortäuschen, vorgeben. *n* Täuschung *f.*

shame (ʃeim) *n* **1** Scham *f.* **2** Schamgefühl *neu.* **3** Schande *f.* **what a shame!** wie schade! ~*vt* beschämen. **shamefaced** *adj* schamhaft, verschämt. **shameful** *adj* schändlich, schmächlich. **shameless** *adj* schamlos.

shampoo (ʃæm'pu:) *n* Shampoo, Haarwaschmittel *neu*. *vt* schampunieren.

shamrock ('ʃæmrɔk) *n* **1** Feldklee *m*. **2** (Irish emblem) Kleeblatt *neu*.

shanty[1] ('ʃænti) *n* Matrosenlied *neu*.

shanty[2] ('ʃænti) *n* Bude *f*. **shanty town** *n* Elendsviertel *neu*. schäbige Vorstadt *f*.

shape (ʃeip) *n* Gestalt, Form *f*. **in good shape** in gutem Zustand. ~*vt* gestalten, formen, bilden. *vi* sich entwickeln. **shapely** *adj* wohlgestaltet.

share (ʃɛə) *n* **1** Anteil *m*. **2** Beitrag *m*. **3** *comm* Aktie *f*. **have a share in** teilhaben an. **shareholder** *n* Aktionär *m*. *vt* teilen. **share out** verteilen.

shark (ʃɑ:k) *n* **1** Hai(fisch) *m*. **2** Gauner *m*.

sharp (ʃɑ:p) *adj* **1** scharf. **2** spitz. **3** schrill. *n mus* Kreuz *neu*. **sharp-sighted** *adj* scharfsichtig. **sharpen** *vt* **1** (ver)schärfen. **2** (a pencil) spitzen. **sharpener** *n* **1** Schärfer *m*. **2** Spitzer *m*. **sharpness** *n* Schärfe *f*.

shatter ('ʃætə) *vt* zerschmettern, zerbrechen. **shattered** *adj* **1** erschüttert. **2** erschöpft.

shave (ʃeiv) *vt* **1** rasieren. **2** (wood) (ab)schälen. *vi* sich rasieren. *n* Rasieren *neu*. **have a close shave** knapp davonkommen.

shawl (ʃɔ:l) *n* Schal *m*.

she (ʃi:) *pron 3rd pers s* sie.

sheaf (ʃi:f) *n* **1** Garbe *f*. **2** Bündel *neu*.

shear* (ʃiə) *vt* scheren. **shears** *n pl* (große) Schere *f*.

sheath (ʃi:θ) *n* Scheide *f*. **sheathe** *vt* **1** in die Scheide stecken. **2** umhüllen.

shed[1] (ʃed) *n* Hütte *f*. Schuppen *m*.

shed*[2] (ʃed) *vt* **1** vergießen. **2** verbreiten. **3** abwerfen.

sheen (ʃi:n) *n* Glanz *m*.

sheep (ʃi:p) *n, pl* **sheep** Schaf *m*. **sheepdog** *n* Schäferhund *m*. **sheepskin** *n* **1** Schaffell *neu*. **2** Schafleder *neu*. **sheepish** *adj* blöd.

sheer[1] (ʃiə) *adj* **1** steil. **2** rein, bloß.

sheer[2] (ʃiə) *vi naut* abscheren.

sheet (ʃi:t) *n* **1** Bettuch *neu*. **2** Platte *f*. **3** Blatt *neu*. **4** (of water) Fläche *f*.

shelf (ʃelf) *n, pl* **shelves** **1** Brett *neu*. **2** Regal *neu*. **3** *geog* Riff *m*.

shell (ʃel) *n* **1** Muschel *f*. **2** Schale *f*. **3** (of a building) Gerippe *neu*. **4** Granate *f*. *vt* **1** schälen. **2** beschießen, bombardieren. **shellfish** *n* Schalentier *neu*.

shelter ('ʃeltə) *n* **1** Obdach *neu*. Schutz *m*. **2** Schirm *m*. *vt* **1** (be)schützen. **2** Zuflucht gewähren. *vi* Schutz suchen.

shelve (ʃelv) *vt* **1** auf ein Brett stellen. **2** beiseite legen. **3** aufschieben.

shepherd ('ʃepəd) *n* Hirt, Schäfer *m*. *vt* **1** hüten. **2** geleiten, (an)führen.

sheriff ('ʃerif) *n* Sheriff *m*.

sherry ('ʃeri) *n* Sherry *m*.

shield (ʃi:ld) *n* **1** Schild *neu*. **2** Schutz, Schirm *m*. *vt* (be)schirmen.

shift (ʃift) *vt* **1** (ver-, weg-)schieben. **2** umlegen. **3** wechseln. **4** verändern. *vi* sich bewegen. *n* **1** Wechsel *m*. **2** Arbeitsschicht *f*. **shiftwork** *n* Schichtarbeit *f*.

shilling ('ʃiliŋ) *n* Schilling *m*.

shimmer ('ʃimə) *vi* schimmern. *n* Schimmer *m*.

shin (ʃin) *n* Schienbein *neu*.

shine* (ʃain) *vi* **1** scheinen, leuchten. **2** glänzen. *vt* polieren. *n* **1** Schein *m*. **2** Glanz *m*.

ship (ʃip) *n* Schiff *neu*. *vt* **1** an Bord nehmen. **2** verschiffen. **shipment** *n* **1** Verschiffung *f*. **2** Ladung *f*. **shipshape** *adj* ordentlich. **shipwreck** *n* Schiffbruch *m*. *vi* scheitern, Schiffbruch leiden. **shipyard** *n* Schiffswerft *f*.

shirk (ʃə:k) *vt* sich drücken, vermeiden. **shirker** *n* Drückeberger *m*.

shirt (ʃə:t) *n* Hemd *neu*.

shit (ʃit) *n tab* Kot *m*. Exkremente *pl*.

shiver ('ʃivə) *n* Schauer *m*. *vi* **1** schauern. **2** frösteln.

shock[1] (ʃɔk) *n* **1** (An)Stoß *m*. **2** Erschütterung *f*. *vt* **1** (an)stoßen. **2** erschüttern, schockieren. **shock absorber** *n* Stoßdämpfer *m*.

shock[2] (ʃɔk) *n* (Haar)Schopf *m*.

shoddy ('ʃɔdi) *adj* minderwertig, schlecht.

shoe* (ʃu:) *n* **1** Schuh *m*. **2** (of a horse) Hufeisen *neu*. *vt* (a horse) beschlagen. **shoelace** *n* Schnürsenkel *m*.

shone (ʃɔn) *v* see **shine.**

shook (ʃuk) *v* see **shake.**

shoot* (ʃu:t) *n* **1** *bot* Sproß *m*. **2** Jagdgesellschaft *f*. *vt* **1** schießen. **2** erschießen. **3** (a film) drehen. *vi* schießen.

shop (ʃɔp) *n* **1** Laden *m*. Geschäft *neu*. **2** Fabrik, Werkstatt *f*. *vi* einkaufen gehen. **shop assistant** *n* Verkäufer *m*. **shop floor** **1** Werkstatt *f*. **2** Arbeiter *m pl*. **shopkeeper** *n* Ladeninhaber *m*. **shoplifter** *n* Ladendieb *m*. **shop steward** *n* Betriebsrat *m*. **shopwindow** *n* Schaufenster *neu*. **shopping** *n* **1** Einkaufen *neu*. **2** Einkäufe *m pl*. *adj* Einkaufs—.

shore[1] (ʃɔ:) *n* **1** Strand *m*. **2** Küste *f*.

shore[2] (ʃɔ:) *n* Stütze *f*. *v* **shore up** stützen.

shorn (ʃɔ:n) *v* see **shear.**
short (ʃɔ:t) *adj* **1** kurz. **2** klein. **3** knapp. **short cut** *n* Abkürzung *f.* **shorts** *n pl* kurze Hose *f.* **shorten** *vt* (ab-, ver-)kürzen. *vi* kürzer werden.
shortage ('ʃɔ:tidʒ) *n* Mangel *m.* Knappheit *f.*
shortbread ('ʃɔ:tbred) *n* Mürbekuchen *m.*
shortcoming ('ʃɔ:tkʌmiŋ) *n* Unzulänglichkeit *f.*
shorthand ('ʃɔ:thænd) *n* Stenographie *f.* **shorthand typist** *n* Stenotypistin *f.*
shortlived ('ʃɔ:tlivd) *adj* kurzlebig.
short-sighted *adj* kurzsichtig.
short-tempered *adj* reizbar, leicht aufgebracht.
short-term *adj* kurzfristig.
short-wave *adj* Kurzwellen—.
shot[1] (ʃɔt) *n* **1** Schuß *m.* **2** Kugel *f.* **3** Schütze *m.* **4** *sport* Stoß *m.* **5** *phot* Aufnahme *f.* **6** Schrotkugel *f.* **have a shot at** *inf* versuchen. **like a shot** wie der Blitz. **shotgun** *n* Schrotflinte *f.*
shot[2] (ʃɔt) *v* see **shoot.**
should (ʃəd; *stressed* ʃud) *v* see **shall.**
shoulder ('ʃouldə) *n* Schulter *f.* *vt* auf sich nehmen. **shoulder-blade** *n* Schulterblatt *neu.*
shout (ʃaut) *vi* **1** (laut) schreien. **2** jauchzen. *n* (lauter) Schrei *m.*
shove (ʃʌv) *n* Schub *m.* *vt* schieben.
shovel ('ʃʌvəl) *n* Schaufel *f.* *vt* schaufeln.
show* (ʃou) *vt* **1** zeigen. **2** ausstellen. **3** erweisen. *vi* erscheinen. **show off** angeben, sich aufspielen. ~*n* **1** Schau *f.* **2** Ausstellung *f.* **3** Anschein *m.* **4** *Th* Aufführung *f.* **show business** *n* Unterhaltungsindustrie *f.* **showcase** *n* Schaukasten *m.* **show-jumping** *n* Schausprinngen *neu.* **showroom** *n* Ausstellungsraum *m.*
shower ('ʃauə) *n* **1** (Regen)Schauer *m.* **2** Dusche *f.* **3** Fülle *f.* *vt* **1** herabschütten. **2** übergießen. *vi* sich duschen. **showerproof** *adj* wasserdicht.
shrank (ʃræŋk) *v* see **shrink.**
shred (ʃred) *n* **1** Schnitzel *m.* **2** Fetzen *m.* *vt* **1** (zer)schnitzeln. **2** zerfetzen. **3** reißen.
shrew (ʃru:) *n* **1** *zool* Spitzmaus *f.* **2** *inf* Kratzbürste *f.*
shrewd (ʃru:d) *adj* scharfsinnig.
shriek (ʃri:k) *vi* schreien, kreischen. *n* (greller) Schrei *m.*
shrill (ʃril) *adj* **1** schrill, gellend. **2** grell. *vi* schrillen, gellen.
shrimp (ʃrimp) *n* **1** Garnele *f.* **2** Knirps *m.*
shrine (ʃrain) *n* **1** Reliquienschrein *m.* **2** Altar *m.*
shrink* (ʃriŋk) *vi* **1** (ein-, zusammen-)schrumpfen. **2** sich zurückziehen. *vt* einschrumpfen lassen.
shrivel ('ʃrivəl) *vi,(vt)* schrumpfen (lassen).
shroud (ʃraud) *n* **1** Leichentuch *neu.* **2** Umhüllung *f.* *vt* **1** in ein Leichentuch einhüllen. **2** (ein)hüllen.
Shrove Tuesday (ʃrouv) *n* Fastnachtsdienstag *m.*
shrub (ʃrʌb) *n* Strauch, Busch *m.* **shrubbery** *n* Strauchpflanzung *f.* Strauchwerk *neu.*
shrug (ʃrʌg) *(vi),vt* (die Achseln) zucken. **shrug off** abtun. *n* (Achsel)Zucken *neu.*
shrunk (ʃrʌŋk) *v* see **shrink.** *adj* **1** eingeschrumpft. **2** eingefallen.
shudder ('ʃʌdə) *vi* **1** schaudern. **2** erbeben. *n* **1** Schauder *m.* **2** Erbeben *neu.*
shuffle ('ʃʌfəl) *vt* **1** *game* mischen. **2** hin und herschieben. *vi* schlurfen. *n* **1** Mischen *neu.* **2** Schlurfen *neu.* **3** Schiebung *f.*
shun (ʃʌn) *vt* (ver)meiden.
shunt (ʃʌnt) *vt* rangieren. *n* Rangieren *neu.*
shut* (ʃʌt) *vt* (ver)schließen, zumachen. *vi* (sich) schließen, zugehen. **shut out** ausschließen. **shut up!** *inf* halt den Mund! ~*adj* zu, geschlossen.
shutter ('ʃʌtə) *n* **1** Rolladen *m.* **2** *phot* Verschluß *m.*
shuttlecock ('ʃʌtəlkɔk) *n* Federball *m.*
shy (ʃai) *adj* **1** scheu. **2** schüchtern. *vi* scheuen.
Sicily ('sisəli) *n* Sizilien *neu.* **Sicilian** *adj* sizilianisch *n* Sizilianer *m.*
sick (sik) *adj* **1** krank. **2** übel. **3** überdrüssig. **4** *inf* (of humour) schwarz. **be sick** sich erbrechen. **be sick of** satt haben. **sicken** *vi* krank werden. *vt* anekeln. **sickening** *adj* ekelhaft. **sickness** *n* **1** Krankheit *f.* **2** Übelkeit *f.*
sickle ('sikəl) *n* Sichel *f.*
side (said) *n* **1** Seite *f.* **2** Flanke *f.* **3** Partei *f.* *adj* Seiten—, Neben—. *v* **side with** Partei ergreifen für. **sideboard** *n* Büffett *neu.* Anrichte *f.* **side effect** *n* Nebenwirkung *f.* **sidelight** *n* Seitenlampe *f.* **sideline** *n* Nebenbeschäftigung, Seitenlinie *f.* **sideshow** *n* Nebenvorstellung *f.* **sidestep** *vi* beiseite treten. **sidetrack** *vt inf* 1 ablenken. **2** abschieben. **sideways** *adv* seitwärts. **siding** *n* Nebengleis *neu.*
sidle ('saidl) *vi* **sidle up to** sich heranschleichen an.
siege (si:dʒ) *n* Belagerung *f.* **lay siege to** belagern.

sieve (siv) *n* Sieb *neu.* *vt* sieben.
sift (sift) *vt* 1 sieben. 2 prüfen.
sigh (sai) *vi* seufzen. *n* Seufzer *m.*
sight (sait) *n* 1 Sehkraft *f.* 2 Anblick *m.* 3 Sicht *f.* 4 *pl* Sehenswürdigkeiten *f pl.* **catch sight of** erblicken. **know by sight** vom Sehen kennen. ~*vt* sichten. **sightread** *vt* vom Blatt singen *or* spielen. **sightseeing** *n* Besichtigung von Sehenswürdigkeiten *f.*
sign (sain) *n* 1 Zeichen *neu.* 2 Schild *neu.* 3 Wink *m.* *vi* winken. *vt* unterschreiben. **signpost** *n* Wegweiser *m.*
signal ('signl) *n* 1 Signal *neu.* 2 Zeichen *neu.* *vi,vt* signalisieren.
signature ('signətʃə) *n* Unterschrift *f.*
signify ('signifai) *vt* 1 bedeuten. 2 bezeichnen. **significant** *adj* 1 bedeutsam. 2 bezeichnend. **significance** *n* 1 Bedeutsamkeit *f.* 2 Bedeutung *f.*
silence ('sailəns) *n* 1 Schweigen *neu.* 2 Ruhe *f.* *vt* zum Schweigen bringen. **silencer** *n* 1 Schalldämpfer *m.* 2 *mot* Auspufftopf *m.*
silent ('sailənt) *adj* 1 still. 2 ruhig. 3 schweigsam. 4 stumm.
Silesia (sai'li:ziə) *n* Schlesien *neu.*
silhouette (silu:'et) *n* Silhouette *f.* **be silhouetted against** sich abheben gegen.
silk (silk) *n* Seide *f.* *adj* Seiden—. **silkworm** *n* Seidenraupe *f.*
sill (sil) *n* 1 Fensterbrett *neu.* 2 Schwelle *f.*
silly ('sili) *adj* albern, dumm.
silt (silt) *n* Schlamm *m.*
silver ('silvə) *n* Silber *neu.* *adj* silbern, Silber—. *vt* versilbern. *vi* silberweiß werden.
similar ('similə) *adj* ähnlich. **similarity** *n* Ähnlichkeit *f.*
simile ('simili) *n* Gleichnis, Simile *neu.*
simmer ('simə) *vi,(vt)* sieden (lassen).
simple ('simpəl) *adj* 1 einfach. 2 einfältig. **simply** *adv* einfach, nur. **simplify** *vt* vereinfachen.
simultaneous (siməl'teiniəs) *adj* gleichzeitig.
sin (sin) *n* Sünde *f.* *vi* sündigen.
since (sins) *prep* seit. *adv* seitdem, seither. *conj* 1 seitdem. 2 da, weil.
sincere (sin'siə) *adj* aufrichtig, ehrlich. **yours sincerely** Ihr ergebener. **sincerity** *n* Aufrichtigkeit *f.*
sinew ('sinju:) *n* Sehne *f.*
sing* (siŋ) *vt* 1 singen. 2 summen. **singer** *n* Sänger *m.* Sängerin *f.*
singe (sindʒ) *vt* (ver)sengen.
single ('siŋgəl) *adj* 1 einzig. 2 einzeln. 3 ledig. 4 einfach. *v* **single out** auswählen. **single file** *n* Gänsemarsch *m.* **single-handed** *adj,adv* allein, eigenhändig. **single-minded** *adj* 1 zielbewußt. 2 aufrichtig.
singular ('siŋgjulə) *adj* 1 einzigartig. 2 sonderbar. *n gram* Singular *m.* Einzahl *f.*
sinister ('sinistə) *adj* unheilvoll, finster.
sink* (siŋk) *vi* 1 sinken. 2 sich senken. 3 eindringen. *vt* versenken. *n* Spülbecken *neu.*
sinner ('sinə) *n* Sünder *m.*
sinus ('sainəs) *n* (Neben)Höhle *f.* Sinus *m.*
sip (sip) *n* Schlückchen *neu.* *vt* nippen.
siphon ('saifən) *n* 1 Siphon *m.* 2 Siphonflasche *f.* *vt* absaugen.
sir (sə:) *n* 1 Herr *m.* 2 *cap* Sir *m.*
siren ('sairən) *n* Sirene *f.*
sirloin ('sə:lɔin) *n cul* Lendenstück *neu.*
sister ('sistə) *n* 1 Schwester *f.* 2 *med* Oberschwester *f.* **sisterhood** *n rel* Schwesternschaft *f.* **sister-in-law** *n* Schwägerin *f.*
sit* (sit) *vi* 1 sitzen. 2 tagen. **sit down** sich (hin)setzen. **sit-in** *n* Sitzstreik *m.* **sitting** *n* Sitzung *f.* **sitting room** *n* Wohnzimmer *neu.*
site (sait) *n* 1 Lage *f.* 2 Bauplatz *m.* 3 Gelände *neu.*
situation (sitju'eiʃən) *n* 1 Lage *f.* 2 Stellung *f.* **be situated** liegen, sich befinden.
six (siks) *adj* sechs. *n* Sechs *f.* **sixth** *adj* sechste.
sixteen (siks'ti:n) *adj* sechzehn. *n* Sechzehn *f.* **sixteenth** *adj* sechzehnte.
sixty ('siksti) *adj* sechzig. *n* Sechzig *f.* **sixtieth** *adj* sechzigste.
size (saiz) *n* 1 Größe *f.* 2 Maß *neu.* *v* **size up** *inf* einschätzen.
sizzle ('sizəl) *vi* zischen. *n* Zischen *neu.*
skate[1] (skeit) *n* Schlittschuh *m.* *vi* Schlittschuh laufen.
skate[2] (skeit) *n* Rochen *m.*
skeleton ('skelətn) *n* 1 Skelett *neu.* 2 Gerippe *neu.*
sketch (sketʃ) *n* 1 Skizze *f.* 2 Entwurf *m.* *vt* 1 skizzieren. 2 entwerfen.
skewer ('skjuə) *n* Fleischspieß *m.* *vt* spießen.
ski (ski:) *n* Schi *or* Ski *m.* *vi* Schi *or* Ski laufen. **ski-lift** *n* Schilift *m.*
skid (skid) *n* 1 Rutschen *neu.* 2 *mot* Schleudern *neu.* *vi* 1 ausrutschen. 2 schleudern.
skill (skil) *n* Geschicklichkeit *f.* **skilful** *adj* geschickt. **skilled** *adj* gelernt, Fach—.
skim (skim) *vt* entrahmen. **skim over** dahingleiten über. **skim through** durchblättern.

skimp (skimp) *vi* knapp halten. **skimpy** *adj* knapp.
skin (skin) *n* **1** Haut *f.* **2** Fell *m.* **3** Schale *f. vt* **1** enthäuten. **2** schälen. **skin-diving** *n* Sporttauchen *neu.* **skin-tight** *adj* hauteng. **skinny** *adj* mager.
skip (skip) *vi* **1** hüpfen. **2** seilhüpfen. *n* Sprung *m.* **skipping-rope** *n* Springseil *neu.*
skipper ('skipə) *n* Schiffsherr, Kapitän *m.*
skirmish ('skə:miʃ) *n* Scharmützel *neu. vi* plänkeln.
skirt (skə:t) *n* Rock *m. vt* entlangfahren. **skirting board** *n* Scheuerleiste *f.*
skittle ('skitl) *n* Kegel *m.*
skull (skʌl) *n* Schädel *m.* **skull and crossbones** *n* Totenkopf *m.*
skunk (skʌŋk) *n* Stinktier *neu.* Skunk *m.*
sky (skai) *n* Himmel *m.* **sky-high** *adj* himmelhoch. **skylark** *n* Feldlerche *f.* **skyline** *n* Horizont *m.* **skyscraper** *n* Wolkenkratzer *m.*
slab (slæb) *n* **1** Platte, Tafel *f.* **2** Holzschwarte *f.*
slack (slæk) *adj* **1** schlaff. **2** lose. **3** nachlässig. **slacken** *vi* **1** schlaff werden. **2** nachlassen. *vt* **1** schlaff machen. **2** nachlassen.
slacks (slæks) *n pl* Damenhose *f.*
slalom ('slɑ:ləm) *n* Slalom *m.*
slam (slæm) *vt* **1** zuschlagen. **2** knallen. *vi* zuschlagen. *n* **1** Zuschlagen *neu.* **2** Knall *m.*
slander ('slændə) *n* Verleumdung *f. vt* verleumden.
slang (slæŋ) *n* Slang, Jargon *m.*
slant (slɑ:nt) *n* Schräge, Neigung *f. vi* schräg liegen. **slanting** *adj* schräg, schief.
slap (slæp) *n* Klaps, Schlag *m. vt* klapsen, schlagen. **slapdash** *adj* **1** hastig, übereilt. **2** unbekümmert. **slapstick** *n* Schwank *m.*
slash (slæʃ) *vt* **1** (auf)schlitzen. **2** *inf* drastisch kürzen. *n* Schnitt *m.*
slat (slæt) *n* Lamelle *f.* Streifen *m.*
slate (sleit) *n* **1** Schiefer *m.* **2** Schiefertafel *f.*
slaughter ('slɔ:tə) *n* **1** Schlachten *neu.* **2** Blutbad *neu. vt* **1** schlachten. **2** niedermetzeln. **slaughterhouse** *n* Schlachthaus *neu.*
slave (sleiv) *n* Sklave *m. vi inf* schuften. **slavery** *n* Sklaverei *f.*
sledge (sledʒ) *n* Schlitten *m. vi* Schlitten fahren.
sledgehammer ('sledʒhæmə) *n* Schmiedehammer *m.*
sleek (sli:k) *adj* geschmeidig, glatt.
sleep* (sli:p) *vi* schlafen. *n* Schlaf *m.* **go to sleep** einschlafen. **sleeper** *n* **1** Schläfer *m.* **2** (railway) Schwelle *f.* **sleeping-bag** *n* Schlafsack *m.* **sleeping-car** *n* Schlafwagen *m.* **sleeping-pill** *n* Schlafmittel *neu.* **sleepwalk** *vi* nachtwandeln. **sleepy** *adj* schläfrig.
sleet (sli:t) *n* Graupelregen *m. vi* graupeln.
sleeve (sli:v) *n* Ärmel *m.* **have something up one's sleeve** etwas im Schilde führen.
sleigh (slei) *n* Schlitten *m.*
slender ('slendə) *adj* **1** schlank. **2** gering.
slept (slept) *v* see **sleep.**
slice (slais) *n* **1** Scheibe *f.* Schnitte *f.* **2** Kelle *f. vt* in Scheiben schneiden.
slick (slik) *adj* **1** glatt. **2** raffiniert.
slide* (slaid) *vi,(vt)* gleiten (lassen). *n* **1** Gleiten *neu.* **2** *phot* Dia(positiv) *neu.* **3** Schlittenbahn *f.* **slide-rule** *n* Rechenschieber *m.*
slight (slait) *adj* **1** schmächtig. **2** gering. *n* Geringschätzung *f. vt* geringschätzig behandeln. **slightly** *adv* etwas.
slim (slim) *adj* **1** schlank. **2** dürftig. *vi* Schlankheitskur machen, abnehmen.
slime (slaim) *n* Schlamm *m.* **slimy** *adj* schlammig.
sling* (sliŋ) *n* **1** Schleuder *f.* **2** *med* Schlinge *f. vt* **1** schleudern. **2** umhängen.
slink* (sliŋk) *vi* schleichen. **slink off** sich wegschleichen.
slip[1] (slip) *vi* rutschen, schlüpfen. *vt* schlüpfen lassen. **slip on/off** überstreifen/abstreifen. **1** (Aus)Rutschen *neu.* **2** Fehltritt *m.* **3** Fehler *m.* **slippery** *adj* schlüpfrig, glitschig.
slip[2] (slip) *n* Zettel *m.*
slipper ('slipə) *n* Pantoffel, Hausschuh *m.*
slippery ('slipri) *adj* schlüpfrig, glitschig.
slit* (slit) *n* Schlitz *m.* Spalte *f. vt,vi* (zer-, auf-)splittern.
slobber ('slɔbə) *vi* sabbern. *n* Sabber *m.*
sloe (slou) *n* **1** Schlehe *f.* **2** Schlehdorn *m.*
slog (slɔg) *vt* (heftig) schlagen. *vi inf* schuften. *n* **1** Hieb *m.* **2** Plackerei *f.*
slogan ('sougən) *n* **1** Schlagwort *neu.* **2** Werbeslogan *m.*
slop (slɔp) *vt* verschütten. **sloppy** *adj* **1** labberig. **2** schlampig. **slops** *n pl* Spülicht *neu.*
slope (sloup) *n* **1** Abhang *m.* **2** Neigung *f. vi* **1** abfallen. **2** sich neigen. *vt* abschrägen. **sloping** *adj* schräg.
slot (slɔt) *n* Schlitz *m.* **slot-machine** *n* **1** Warenautomat *m.* **2** Spielautomat *m.*
slouch (slautʃ) *vi* latschig gehen *or* sitzen.
slovenly ('slʌvənli) *adj* schlampig.
slow (slou) *adj* **1** langsam. **2** schwerfällig. **3** langweilig. *vt* verlangsamen. *vi* langsamer werden *or* gehen.

slug[1] (slʌg) *n* **1** Schnecke *f.* **2** Kugel *f.* **sluggish** *adj* **1** träge. **2** faul.

slug[2] (slʌg) *vt* (mit dem Faust) heftig schlagen. *n* heftiger Schlag *m.*

sluice (slu:s) *n* Schleuse *f. vt* (aus)spülen.

slumber ('slʌmbə) *n* Schlummer *m. vi* schlummern.

slump (slʌmp) *n* **1** (Preis)Sturz *m.* **2** Tiefstand, Rückgang *m. vi* **1** stürzen. **2** hinplumpsen.

slums (slʌmz) *n pl* Elendsviertel *neu.*

slung (slʌŋ) *v* see **sling.**

slur (slə:) *vt* verschlucken. **2** *mus* binden. *n* **1** Fleck, Tadel *m.* **2** *mus* Bindebogen *neu.*

slush (slʌʃ) *n* **1** Matsch *m.* **2** inf Kitsch *m.*

sly (slai) *adj* schlau. **on the sly** heimlich.

smack[1] (smæk) *n* (Bei)Geschmack *m. v* **smack of** schmecken nach.

smack[2] (smæk) *n* **1** Klatsch, Klaps *m.* **2** Schmatz *m. vt* klatschen, jemandem einen Klaps geben. **smack the lips** mit den Lippen schmatzen.

small (smɔ:l) *adj* **1** klein. **2** gering. **in a small way** bescheiden. **make someone feel small** einen beschämen. **smallholding** *n* Kleinbauernbesitz *m.* **small-minded** *adj* kleinlich, engstirnig. **smallpox** *n* Pocken *f pl,*

smart (sma:t) *adj* **1** heftig. **2** adrett. **3** fein. **4** gescheit. *n* Schmerz *m. vi* schmerzen. **smarten up** *vt* herausputzen. *vi* sich schön machen.

smash (smæʃ) *vt* **1** zerbrechen. **2** vernichtend schlagen. *vi* **1** zerbrechen. **2** zusammenstoßen. **3** krachen. *n* **1** Krach *m.* **2** Zusammenbruch *m.* **3** Zusammenstoß *m.*

smear (smiə) *vt* **1** beschmieren. **2** verleumden. *n* **1** Schmiere *f.* **2** Fleck *m.*

smell* (smel) *n* Geruch *m. vt* riechen. **smelly** *adj* übelriechend.

smile (smail) *vi* lächeln. *n* Lächeln *neu.*

smirk (smə:k) *vi* grinsen. *n* Grinsen *neu.*

smog (smɔg) *n* Smog, rauchiger Nebel *neu.*

smoke (smouk) *n* Rauch *m. vt* **1** rauchen. **2** *cul* räuchern. *vi* rauchen.

smooth (smu:ð) *adj* **1** glatt. **2** fließend. **3** sanft. **4** gewandt. **smoothen** *vt also* **smooth 1** glätten. **2** ebnen. **smoothly** *adv* reibungslos, glatt.

smother ('smʌðə) *vt, vi* ersticken.

smoulder ('smouldə) *vi* **1** glimmen, schwelen. **2** glühen.

smudge (smʌdʒ) *vt* beschmieren. *n* Klecks *m.*

smug (smʌg) *adj* selbstgefällig, überheblich.

smuggle ('smʌgəl) *vt* schmuggeln. **smuggler** *n* Schmuggler *m.* **smuggling** *n* Schmuggel *m.*

snack (snæk) *n* Imbiß *m.* **snack-bar** *n* Imbißstube *f.*

snag (snæg) *n* **1** Aststumpf *m.* **2** Schwierigkeit *f.* Haken *m.* **3** Nachteil *m.*

snail (sneil) *n* Schnecke *f.*

snake (sneik) *n* Schlange *f. vi* sich schlängeln.

snap (snæp) *vt* **1** schnappen. **2** *phot* knipsen. **3** knicken. *vi* **1** (zu)schnappen. **2** knacken. **snap at** anschnauzen. ~*n* **1** Schnappen *neu.* **2** Knacks *m.* **snapshot** *n* Schnappschuß *m.*

snarl (snɑ:l) *vi, vt* knurren. *n* Knurren *neu.*

snatch (snætʃ) *vt* **1** haschen, packen. **2** ergreifen. *n* **1** Haschen *neu.* Griff *m.* **2** Stückchen *neu.*

sneak (sni:k) *vi* **1** schleichen. **2** *sl* petzen. *n* **1** Schleicher, Kriecher *m.* **2** *sl* Petzer *m.*

sneer (sniə) *vi* **1** hohnlächeln. **2** spotten. *n* **1** Hohnlächeln *neu.* **2** Spott *m.*

sneeze (sni:z) *vi* niesen. *n* Niesen *neu.*

sniff (snif) *vt* riechen. *vi* schnüffeln. **sniff at** die Nase rümpfen über. ~*n* **1** Schnüffeln *neu.* **2** Naserümpfen *neu.*

snip (snip) *vt* schnipseln. *n* Schnipsel *m.*

snipe (snaip) *n zool* Schnepfe *f. vt, vi* aus dem Hinterhalt schießen. **sniper** *n* Heckenschütze *m.*

snivel ('snivəl) *vi* **1** aus der Nase triefen. **2** wimmern, schnüffeln, heulen.

snob (snɔb) *n* Snob, Vornehmtuer *m.*

snooker ('snu:kə) *n* eine Art Billardspiel *neu.*

snoop (snu:p) *vi* (herum)schnüffeln.

snooty ('snu:ti) *adj* hochnäsig, arrogant.

snooze (snu:z) *vi* ein Schläfchen machen. *n* Schläfchen *neu.*

snore (snɔ:) *vi* schnarchen. *n* Schnarchen *neu.*

snort (snɔ:t) *vi* schnauben. *n* Schnauben *neu.*

snout (snaut) *n* **1** Schnauze *f.* **2** (of a pig) Rüssel *m.*

snow (snou) *n* Schnee *m. vi* schneien. **snowball** *n* Schneeball *m. vt* mit Schneebällen bewerfen. **snowdrift** *n* Schneewehe *f.* **snowdrop** *n* Schneeglöckchen *neu.* **snowflake** *n* Schneeflocke *f.* **snowman** *n* Schneemann *m.* **snowplough** *n* Schneepflug *m.*

snub (snʌb) *vt* (kurz) abweisen, zurückweisen. *n* Zurückweisung, Abfertigung *f.*

snuff (snʌf) *n* Schnupftabak *m.* **take snuff** schnupfen.

snug (snʌg) *adj* **1** behaglich. **2** eng.

snuggle ('snʌgəl) *vi* **snuggle up to** sich schmiegen an.

so (sou) *adv* so. *conj* deshalb, so. **so that** damit ~*interj* so, also. **and so on** und so weiter. **so-and-so** *n* so und so. **so-called** *adj* sogenannt. **so-so** *adj,adv* so so.

soak (souk) *vt* 1 durchnässen. 2 durchtränken. *vi* 1 einweichen. 2 durchsickern. **soak up** aufsaugen.

soap (soup) *n* Seife *f*. *vt* einseifen. **soap-powder** *n* Seifenpulver *neu*. **soapy** *adj* seifig.

soar (sɔ:) *vi* 1 sich erheben. 2 sich aufschwingen. 3 schweben. 4 (auf)steigen. 5 *comm* in die Höhe schießen.

sob (sɔb) *vi* schluchzen. *n* Schluchzen *neu*.

sober ('soubə) *adj* nüchtern. *vt* ernüchtern. **sober up** nüchtern werden.

social ('sou∫əl) *adj* 1 gesellschaftlich. 2 sozial, Sozial—. **Social Services** *n pl* soziale Einrichtungen *f pl*. **sociable** *adj* gesellig, gemütlich. **socialism** *n* Sozialismus *m*. **socialist** *n* Sozialist *m*. *adj* sozialistisch.

society (sə'saiəti) *n* 1 Gesellschaft *f*. 2 Verein, Verband *m*.

sociology (sousi'ɔlədʒi) *n* Sozialwissenschaft, Soziologie *f*. **sociological** *adj* soziologisch. **sociologist** *n* Soziologe *m*.

sock[1] (sɔk) *n* Socke *f*.

sock[2] (sɔk) *sl vt* (ver)hauen. *n* Schlag *m*.

socket ('sɔkit) *n* 1 *anat* Höhle, Pfanne *f*. 2 *tech* Muffe *f*. 3 (electrical) Steckdose *f*.

soda ('soudə) *n* Soda *f,neu*. **soda-water** *n* Sodawasser, Mineralwasser *neu*.

sofa ('soufə) *n* Sofa *neu*.

soft (sɔft) *adj* 1 weich. 2 leise. 3 weichlich. **soft drink** *n* alkoholfreies Getränk *neu*. **soft-hearted** *adj* weichherzig. **soften** *vt* weich machen. *vi* 1 (sich) erweichen. 2 mildern.

soggy ('sɔgi) *adj* durchnäßt, feucht.

soil[1] (sɔil) *n* Boden *m*. Erde *f*.

soil[2] (sɔil) *vt* 1 beschmutzen. 2 beflecken.

solar ('soulə) *adj* Sonnen—.

sold (sould) *v* see **sell**.

solder ('sɔldə) *vt* löten. *n* Lötmetall *neu*.

soldier ('souldʒə) *n* Soldat *m*.

sole[1] (soul) *adj* einzig, Allein—. **solely** *adv* allein, ausschließlich.

sole[2] (soul) *n* Sohle *f*. *vt* besohlen.

sole[3] (soul) *n* Seezunge *f*.

solemn ('sɔləm) *adj* 1 feierlich. 2 ernst. **solemnity** *n* Feierlichkeit *f*.

solicitor (sə'lisitə) *n* Anwalt *m*.

solid ('sɔlid) *adj* 1 fest. 2 dauerhaft. 3 kräftig. *n* Körper *m*. **solidarity** *n* Solidarität *f*. **solidify** *(vi),vt* (sich) verfestigen.

solitary ('sɔlitri) *adj* 1 einsam. 2 einzeln, allein. **solitary confinement** *n* Einzelhaft *f*.

solitude ('sɔlitju:d) *n* Einsamkeit *f*.

solo ('soulou) *n mus* Solo *neu*. *adj* Allein—, Einzel—.

solstice ('sɔlstis) *n* Sonnenwende *f*.

soluble ('sɔljubəl) *adj* löslich, (auf)lösbar.

solution (sə'lu:∫ən) *n* 1 Lösung *f*. 2 *sci* (Auf)-Lösung *f*.

solve (sɔlv) *vt* (auf)lösen. **solvent** *adj* 1 (auf)lösend. 2 *comm* zahlungsfähig. *n* Lösungsmittel *neu*.

sombre ('sɔmbə) *adj* düster, trübe.

some (sʌm) *adj* 1 irgendein, irgendwelche. 2 einige. 3 etwas. 4 gewisse. 5 manche. 6 etwa, ungefähr. **somebody** *pron also* **someone** jemand. **somehow** *adv* irgendwie. **something** *pron* 1 etwas. 2 irgendetwas. **sometime** *adv* irgendwann, eines Tages. **sometimes** *adv* manchmal. **somewhat** *adv* etwas, ziemlich. **somewhere** *adv* irgendwo(hin).

somersault ('sʌməsɔ:lt) *n* Purzelbaum *m*. **turn a somersault** einen Purzelbaum schlagen.

son (sʌn) *n* Sohn *m*. **son-in-law** *n* Schwiegersohn *m*.

sonata (sə'nɑ:tə) *n* Sonate *f*.

song (sɔŋ) *n* 1 Lied *neu*. 2 Gesang *m*.

sonic ('sɔnik) *adj* Schall—.

sonnet ('sɔnit) *n* Sonett *neu*.

soon (su:n) *adv* 1 bald. 2 gern. **as soon as** sobald wie. **sooner** *adv* 1 eher. 2 lieber. **no sooner than** kaum...als. **no sooner said than done** gesagt, getan.

soot (sut) *n* Ruß *m*. *vt* verrußen.

soothe (su:ð) *vt* 1 beruhigen. 2 lindern.

sophisticated (sə'fistikeitid) *adj* 1 verfeinert. 2 hochentwickelt. 3 kultiviert.

soprano (sə'prɑ:nou) *n* Sopran *m*.

sordid ('sɔ:did) *adj* schmutzig, gemein.

sore (sɔ:) *adj* 1 wund, weh. 2 schlimm. 3 verletzt. *n* wunde Stelle *f*.

sorrow ('sɔrou) *n* 1 Trauer *f*. 2 Kummer *m*. Leid *neu*. *vi* trauern. **sorrowful** *adj* 1 traurig, betrübt. 2 elend.

sorry ('sɔri) *adj* 1 bekümmert. 2 erbärmlich. *interj* Verzeihung! **I am sorry** es tut mir leid.

sort (sɔ:t) *n* Sorte, Art *f*. **what sort of** was für. *vt* sortieren. **sort out** 1 aussortieren. 2 *inf* erledigen.

soufflé ('su:flei) *n* Soufflé *neu*. Auflauf *m*.

sought (sɔ:t) *v* see **seek**. **sought-after** *adj* gesucht, begehrt.

soul (soul) *n* Seele *f*. **soul-destroying** *adj*

seelentötend, bedrückend. **soulful** *adj* seelenvoll. **soulless** *adj* seelenlos.

sound[1] (saund) *n* 1 Ton, Laut *m.* 2 Klang *m.* 3 Geräusch *neu.* *vi* 1 klingen. 2 tönen, lauten. *vt* ertönen *or* erklingen lassen.

sound[2] (saund) *adj* 1 gesund. 2 ganz. 3 fest. 4 vernünftig. 5 kräftig.

sound[3] (saund) *vt* 1 *naut* loten. 2 sondieren.

soup (su:p) *n* Suppe *f.*

sour (saua) *adj* 1 sauer, scharf. 2 bitter, mürrisch. *vi* sauer *or* bitter werden. *vt* 1 säuern. 2 erbittern.

source (sɔ:s) *n* 1 Quelle *f.* 2 Ursprung *m.*

south (saυθ) *n* Süd(en) *m.* *adj* Süd—, südlich. *adv* sudwärts, nach Süden. **south-east** *n* Südosten *m.* **south-eastern** *adj* südöstlich. **southerly** *adj* südlich. **southern** *adj* Süd—, südlich. **southwards** *adv* südwärts, nach Süden. **south-west** *n* Südwesten *m.* **south-western** *adj* südwestlich.

South Africa *n* Südafrika *neu.*

South America *n* Südamerika *neu.*

South Pole *n* Südpol *m.*

souvenir (su:vəˈniə) *n* Andenken *neu.*

sovereign (ˈsɔvrin) *adj* 1 souverän. 2 höchst. *n* Souverän, Monarch *m.*

Soviet Union (ˈsouviət) *n* Sowjetunion *f.*

sow[1] (sou) *vt* 1 (aus)säen. 2 besäen.

sow[2] (sau) *n zool* Sau *f.*

soya bean (ˈsɔiə) *n* Sojabohne *f.*

spa (spɑ:) *n* Kurort *m.* Bad *neu.*

space (speis) *n* 1 Weltraum *m.* 2 Platz *m.* 3 Zwischenraum *m.* 4 Zeitraum *m.* *vt* 1 einteilen. 2 sperren. **spaceship** *n* Raumschiff *m.* **spacious** *adj* 1 geräumig. 2 weit.

spade[1] (speid) *n* Spaten *m.* *vt* graben.

spade[2] (speid) *n game* Pik *neu.*

Spain (spein) *n* Spanien *neu.* **Spaniard** *n* Spanier *m.* **Spanish** *adj* spanisch. *n* (language) Spanisch *neu.*

span (spæn) *n* 1 (Zeit)Spanne *f.* 2 Spannweite *f.* *vt* 1 (um-, über-)spannen. 2 (aus)messen.

spank (spæŋk) *vt* schlagen. *n* Schlag *m.*

spanner (ˈspænə) *n* Schraubenschlüssel *m.*

spare (spεə) *adj* 1 spärlich. 2 mager. 3 übrig. 4 Ersatz—. *n* Ersatzteil *neu.* *vt* 1 (ver)schonen. 2 übrig haben für. **sparing** *adj* sparsam.

spark (spɑ:k) *n* Funken *m.* **spark plug** *n* Zündkerze *f.* ~*vi* Funken sprühen. **spark off** auslösen.

sparkle (ˈspɑ:kəl) *vi* 1 funkeln. 2 sprühen. 3 schäumen. *n* Funkeln *neu.*

sparrow (ˈspærou) *n* Sperling, Spatz *m.*

sparse (spɑ:s) *adj* spärlich, dünn.

spasm (ˈspæzəm) *n* Krampf *m.* **spasmodic** *adj* 1 kramphaft. 2 unregelmäßig. **spastic** *adj* spastisch, Krampf—.

spat (spæt) *v* see **spit.**

spatial (ˈspeiʃəl) *adj* räumlich, Raum—.

spatula (ˈspætjulə) *n* Spatel *m.* Spechtel *f.*

spawn (spɔ:n) *n* Laich *m.* *vi* laichen. *vt* hervorbringen.

speak* (spi:k) *vi* sprechen, reden. *vt* (aus)sprechen, äußern. **speaking!** am Apparat!

spear (spiə) *n* Speer, Spieß *m.* *vt* (auf)spießen.

special (ˈspεʃəl) *adj* 1 besonder. 2 Sonder—, speziell, Spezial—, extra. **specialist** *n* 1 Spezialist, Fachmann *m.* 2 *med* Facharzt *m.* **speciality** *n* 1 Besonderheit *f.* 2 Spezialfach *neu.* 3 Spezialität *f.* **specialize** *vi* sich spezialisieren.

species (ˈspi:ʃi:z) *n, pl* **species** Art, Spezies *f.*

specify (ˈspesifai) *vt* spezifizieren. **specific** *adj* 1 spezifisch. 2 bestimmt. **specification** *n* Spezifizierung *f.*

specimen (ˈspesimən) *n* Muster, Exemplar *neu.*

speck (spek) *n* Fleck *m.* *vt* flecken.

spectacle (ˈspektəkəl) *n* 1 Schauspiel *neu.* 2 Schau *f.* 3 *pl* Brille *f.* **spectacular** *adj* 1 auffallend, spektakulär. 2 eindrucksvoll.

spectator (spekˈteitə) *n* Zuschauer *m.*

spectrum (ˈspektrəm) *n* Spektrum *neu.*

speculate (ˈspekjuleit) *vi* 1 nachsinnen. 2 *comm* spekulieren. **speculation** *n* 1 (theoretische) Betrachtung *f.* 2 *comm* Spekulation *f.*

speech (spi:tʃ) *n* 1 Sprache *f.* 2 Rede *f.* **speechless** *adj* sprachlos.

speed* (spi:d) *n* 1 Geschwindigkeit *f.* 2 Eile *f.* 3 *phot* Lichtempfindlichkeit *f.* **speed-boat** *n* Rennboot *neu.* **speedometer** *n* Geschwindigkeitsmesser *neu.* ~*vi* schnell fahren. **speed up** beschleunigen. **speedy** *adj* geschwind.

spell*[1] (spel) *vt* 1 buchstabieren. 2 *inf* bedeuten. *vi* richtig schreiben. **spelling** *n* Rechtschreibung *f.*

spell[2] (spel) *n* Zauber(spruch), Bann *m.* **spellbound** *adj* gebannt.

spell[3] (spel) *n* 1 Schicht *f.* 2 Weilchen *neu.*

spend* (spend) *vt* 1 (money) ausgeben. 2 (time) verbringen. 3 (energy) verwenden. **spendthrift** *n* Verschwender *m.* *adj* verschwenderisch.

spent (spent) *v* see **spend.** *adj* erschöpft, matt.

sperm (spɑ:m) *n* Same *m.* Sperma *neu.*

sphere (sfiə) *n* 1 Kugel *f.* 2 Sphäre *f.* Bereich *m.* **spherical** *adj* kugelförmig.

spice (spais) *n* Gewürz *neu.* Würze *f.* *vt* würzen. **spicy** *adj* pikant, würzig.

spider ('spaidə) *n* Spinne *f.*

spike (spaik) *n* Spitze *f.* *vt* **1** festnageln. **2** aufspießen. **spiky** *adj* spitzig.

spill* (spil) *vt* **1** verschütten. **2** vergießen. *vi* **1** verschüttet werden. **2** überlaufen.

spin* (spin) *vi,vt* **1** spinnen. **2** wirbeln. **3** (a coin) hochwerfen. **4** (a tale) ausdenken. *n* Wirbeln *neu.* **spin-dry** *vt* schleudern. **spin-dryer** *n* Wäscheschleuder *f.*

spinach ('spinidʒ) *n* Spinat *m.*

spindle ('spindl) *n* Spindel *f.* **spindly** *adj* spindeldürr.

spine (spain) *n* **1** Rückgrat *neu.* Wirbelsäule *f.* **2** Stachel *m.*

spinster ('spinstə) *n* **1** unverheiratete Frau, Junggesellin *f.* **2** alte Jungfer *f.*

spiral ('spairəl) *n* **1** Spirale *f.* **2** Wirbel *m.* *adj* **1** spiralig. **2** schraubenförmig. *vi* sich schrauben.

spire (spaiə) *n* Turmspitze *f.* Kirchturm *m.*

spirit ('spirit) *n* **1** Geist *m.* **2** Temperament *neu.* **3** Mut *m.* **4** Spiritus *m.* **5** *pl* Stimmung *f.* **6** *pl* Spirituosen *pl.* *v* **spirit away** wegzaubern. **spirited** *adj* lebhaft. **spiritual** *adj* **1** geistig. **2** geistlich.

spit*[1] (spit) *vi* **1** spucken. **2** (of rain) sprühen. **spit out** ausspucken. *n* Spucke *f.*

spit[2] (spit) *n* **1** Bratspieß *m.* **2** Landzunge *f.*

spite (spait) *n* Bosheit, Gehässigkeit *f.* **in spite of** trotz. ~*vt* ärgern. **spiteful** *adj* boshaft, gehässig.

splash (spläʃ) *n* **1** Spritzfleck *m.* **2** Patschen *neu.* *vt* (be)spritzen. *vi* patschen.

splendid ('splendid) *adj* **1** herrlich. **2** großartig. **splendour** *n* Herrlichkeit, Pracht *f.*

splint (splint) *n med* Schiene *f.* *vt* schienen. **splinter** *n* Splitter *m.* *vi,vt* (zer)splittern.

split* (split) vt **1** (zer)spalten. **2** teilen. *vi* **1** sich spalten. **2** sich entzweien. **split hairs** Haarspalterei treiben. ~*n* **1** Spalt, Riß *m.* **2** Spaltung *f.*

splutter ('splʌtə) *vi* **1** spritzen. **2** stottern, plappern. *n* **1** Spritzen *neu.* **2** Geplapper *neu.*

spoil* (spɔil) *vt* **1** verderben. **2** (a child) verwöhnen. **3** plündern. *vi* schlecht werden. **spoils** *n pl* Beute *f.* Gewinn *neu.* **spoil-sport** *n* Spielverderber *m.*

spoke[1] (spouk) *v* see **speak.**

spoke[2] (spouk) *n* Speiche *f.*

spoken ('spoukən) *v* see **speak.**

spokesman ('spouksmən) *n* Wortführer *m.*

sponge (spʌndʒ) *n* Schwamm *m.* *vt* mit einem Schwamm (ab)wischen. *vi* schmarotzen.

sponsor ('spɔnsə) *n* **1** Pate *m.* **2** Bürge *m.* **3** Förderer *m.* *vt* **1** fördern. **2** finanzieren.

spontaneous (spɔn'teiniəs) *adj* **1** spontan. **2** freiwillig. **3** *tech* Selbst—. **spontaneity** *n* **1** Spontaneität *f.* **2** Freiwilligkeit *f.*

spool (spu:l) *n* Spule *f.*

spoon (spu:n) *n* Löffel *m.* *vt* löffeln. **spoonfed** *adj* verhätschelt.

sport (spɔ:t) *n* **1** Sport *m.* **2** Scherz *m.* **a good sport** *n* feiner Kerl *m.* **do** *or* **play sport** Sport treiben. **sportsman** *n* Sportler *m.* ~*vi* scherzen. *vt* zur Schau tragen.

spot (spɔt) *n* **1** Fleck *m.* **2** Stelle *f.* **3** Pickel *m.* **be on the spot** zur Stelle sein. **spotlight** *n* Scheinwerfer *m.* *vt* **1** beflecken. **2** bemerken. **spotless** *adj* fleckenlos.

spouse (spaus) *n* Gatte *m.* Gattin *f.*

spout (spaut) *n* **1** Schnauze *f.* **2** Ausgußröhre *f.* **3** Wasserstrahl *m.* *vi* (heraus)spritzen.

sprain (sprein) *vt* verrenken. *n* Verrenkung *f.*

sprang (spræŋ) *v* see **spring.**

sprawl (sprɔ:l) *vi* **1** sich rekeln. **2** *bot* wuchern.

spray[1] (sprei) *n* **1** Gischt *m.* **2** Spray *m.* *vt* besprühen, spritzen.

spray[2] (sprei) *n* **1** Zweig *m.* **2** Blütenzweig *m.*

spread* (spred) *vt* **1** (aus-, ver-)breiten. **2** **aufstreichen** *vi* sich verbreiten. *n* **1** Verbreitung *f.* **2** Spanne *f.* **3** Brotaufstrich *m.*

spree (spri:) *n* **1** Jux *m.* **2** Orgie *f.*

sprig (sprig) *n* **1** Sproß *m.* **2** Sprößling *m.*

sprightly ('spraitli) *adj* lebhaft, munter.

spring* (spriŋ) *vi* **1** springen. **2** entstehen. *vt* sprengen. **spring a leak** leck werden. ~*n* **1** Sprung *m.* **2** Sprungkraft *f.* **3** Triebfeder *f.* **4** Quelle *f.* Brunnen *m.* **5** Frühling *m.* **springboard** *n* Sprungbrett *neu.* **spring-cleaning** *n* Frühjahrsputz *m.*

sprinkle ('spriŋkəl) *vt* (be)streuen. *vi* sprühen.

sprint (sprint) *vi* sprinten. *n* Sprint *m.*

sprout (spraut) *vi* sprießen. *n* Sproß *m.*

sprung (spraŋ) *v* see **spring.**

spun (spʌn) *v* see **spin.**

spur (spə:) *n* **1** Reitsporn *m.* **2** Ansporn *m.* *vt* (an)spornen.

spurt (spə:t) *vi* **1** *sport* spurten. **2** herausspritzen. *n* **1** Spurt *m.* **2** Wasserstrahl *m.*

spy (spai) *n* Spion *m.* *vt* (er)spähen. *vi* spionieren. **spy on someone** jemandem nachspionieren.

squabble ('skwɔbəl) *vi* sich zanken. *n* Zank *m.*

squad (skwɔd) *n* Gruppe *f.* Trupp *m.* Kommando *neu.*

squadron ('skwɔdrən) *n* **1** *mil* Schwadron *f.* **2** *aviat* Staffel *f.* **3** *naut* Geschwader *neu.*

squalid ('skwɔlid) *adj* armselig, verwahrlost. **squalor** *n* Schmutz *m.* Verwahrlosung *f.*

squander ('skwɔndə) *vt* verschwenden.

square (skwɛə) *adj* **1** viereckig. **2** quadratisch. **3** ehrlich. **4** quitt. *n* **1** Viereck *neu.* **2** Quadrat *neu.* **3** (in a town) Platz *m. vt* **1** viereckig machen. **2** quadrieren. **3** (an account) ausgleichen. *vi* passen.

squash (skwɔʃ) *n* **1** Gedränge *neu.* **2** Fruchtgetränk *neu.* **3** *sport* Squash *neu. vt* **1** (zer)quetschen. **2** (er)drücken, zerdrücken.

squat (skwɔt) *vi* **1** kauern, hocken. **2** unbefugt besetzen. *adj* **1** kauernd. **2** untersetzt. **squatter** *n* Siedler ohne Rechtstitel, Squatter *m.*

squawk (skwɔ:k) *vi* kreischen. *n* Kreischen *neu.*

squeak (skwi:k) *vi* **1** quietschen. **2** knarren. *n* **1** Gequieke, Quietschen *neu.* **2** Knarren *neu.*

squeal (skwi:l) *vi* **1** quieken, quietschen. **2** *inf* verpfeifen. *n* Quieken, Quietschen *neu.*

squeamish ('skwi:miʃ) *adj* **1** überempfindlich. **2** heikel.

squeeze (skwi:z) *vt* **1** drücken, pressen. **2** bedrängen. *vi* dringen, drängen. *n* **1** Druck *m.* **2** *inf* Gedränge. **squeezer** *n* Presse *f.*

squid (skwid) *n* Tintenfisch *m.*

squiggle ('skwigəl) *n* Kritzelei *f.* Schnörkel *m. vi* kritzeln.

squint (skwint) *vi* schielen. *n* Schielen *neu.*

squire ('skwaiə) *n* Landjunker, Gutsherr *m.*

squirm (skwə:m) *vi* sich winden, sich krümmen.

squirrel ('skwirl) *n* Eichhörnchen *neu.*

squirt (skwə:t) *vt* spritzen. *n* Spritze *f.*

Sri Lanka (sri:'læŋkə) *n* Sri Lanka *neu.*

stab (stæb) *n* Stich *m.* **stab in the back** hinterlistiger Angriff *m.* ~*vt* erstechen. *vi* stechen.

stabilize ('steibəlaiz) *vt* stabilisieren. **stability** *n* **1** Stabilität *f.* **2** Festigkeit *f.*

stable[1] ('steibəl) *n* Stall *m. vt* einstallen.

stable[2] ('steibəl) *adj* **1** stabil. **2** beständig.

stack (stæk) *n* **1** Schober *m.* **2** Schornstein *m.* **3** Stapel *m. vt* (auf)stapeln.

stadium ('steidiəm) *n* Stadion *neu.*

staff (stɑ:f) *n* **1** Stab *m.* **2** Personal *neu.* Belegschaft *f. vt* (mit Personal) besetzen.

stag (stæg) *n* Hirsch *m.*

stage (steidʒ) *n* **1** Bühne *f.* **2** Schauplatz *m.* **3** Stufe *f.* **4** Teilstrecke *f.* **stage manager** *n* Regisseur *m.* ~*vt* inszenieren, vorführen.

stagger ('stægə) *vi* taumeln, schwanken. *vt* **1** verblüffen. **2** staffeln. *n* Schwanken *neu.*

stagnant ('stægnənt) *adj* **1** stagnierend **2** träge. **stagnate** *vi* stocken, stagnieren.

stain (stein) *n* **1** Flecken *m.* **2** Makel *m.* **3** Beize *f. vt* **1** beflecken. **2** beizen. **stained glass** *n* buntes Glas *neu.* **stainless** *adj* **1** fleckenlos. **2** (of steel) rostfrei.

stair (stɛə) *n* **1** Stufe *f.* **2** *pl* Treppe *f.* **staircase** *n* Treppenhaus *neu.*

stake[1] (steik) *n* Pfahl *m.*

stake[2] (steik) *n game,sport* Einsatz *m.* **be at stake** auf dem Spiele stehen.

stale (steil) *adj* **1** alt, schal. **2** fad.

stalemate ('steilmeit) *n* **1** *game* Patt *neu.* **2** Stillstand *m.*

stalk[1] (stɔ:k) *n* **1** Stiel *m.* **2** (of corn) Halm *m.*

stalk[2] (stɔ:k) *vt* beschleichen. *vi* stolzieren.

stall[1] (stɔ:l) *n* **1** Pferdebox *f.* **2** (Markt)Bude *f.* **3** *pl Th* Parkett *neu.* **4** Chorstuhl *m. vt* einstallen. *vi not* aussetzen, stehenbleiben.

stall[2] (stɔ:l) *n inf* Verwand *m.* Ausflucht *f. vt* ausweichen. *vi* Ausflüchte machen.

stallion ('stæliən) *n* Hengst *m.*

stamina ('stæminə) *n* Ausdauer, Vitalität *f.*

stammer ('stæmə) *vi* stammeln. *n* Stammeln *neu.*

stamp (stæmp) *n* **1** Stempel *m.* **2** (Brief)Marke *f.* **3** Gepräge *neu. vt* **1** stempeln. **2** frankieren. **3** prägen. *vi* stampfen.

stampede (stæm'pi:d) *n* Panik, wilde Flucht *f. vi* flüchten, durchgehen.

stand* (stænd) *vi* stehen. **stand by** **1** treu bleiben. **2** in Bereitschaft halten. **stand-by** *n* Beistand *m.* **stand for** **1** bedeuten. **2** ertragen. **3** kandidieren für. **stand up** aufstehen. ~*n* **1** Stand *m.* **2** Standpunkt *m.* **3** Bude *f.* **standing** *adj* **1** stehend. **2** (be)ständig. *n* **1** Stellung *f.* **2** Ruf *m.* **standstill** *n* Stillstand *m.* **come to a standstill** zum Stehen kommen.

standard ('stændəd) *n* **1** Standarte *f.* **2** Standard *m.* Norm *f.* **3** Stufe *f. adj* maßgebend, Normal—, Standard—.

stank (stæŋk) *v* see **stink.**

stanza ('stænzə) *n* Strophe, Stanze *f.*

staple[1] ('steipəl) *n* **1** Krampe *f.* **2** Heftklammer *f.* **stapler** *n* Heftmaschine *f.*

staple[2] ('steipəl) *adj* Haupt—, Stapel—. *n* **1** Haupterzeugnis *neu.* **2** Hauptgegenstand *m.*

star (stɑ:) *n* **1** Stern *m.* **2** Star *m.* *vi* die Hauptrolle spielen. **starfish** *n* Seestern *m.*
starboard ('stɑ:bəd) *n* Steuerbord *neu.*
starch (stɑ:tʃ) *n* (Wäsche)Stärke *f.* *vt* stärken. **starchy** *adj inf* steif.
stare (stɛə) *vi* große Augen machen, starren. **stare at** anstarren. ~*n* **1** Starren *neu.* **2** starrer Blick *m.*
stark (stɑ:k) *adj* **1** steif, starr. **2** völlig. **stark naked** *adj* splitternackt.
starling ('stɑ:liŋ) *n* Star *m.*
start (stɑ:t) *vi* **1** anfangen. **2** starten. **3** abgehen, abfahren. **4** auffahren. *vt* **1** in Gang bringen. **2** starten lassen. **3** anfangen. *n* **1** Auffahren *neu.* **2** Anfang, Beginn *m.* **3** *sport* Start *m.*
startle ('stɑ:tl) *vt* erschrecken.
starve (stɑ:v) *vi,(vt)* verhungern (lassen). **starvation** *n* (Ver)Hungern *neu.* *adj* Hunger—.
state (steit) *n* **1** *pol* Staat *m.* **2** Zustand *m.* **get into a state** *inf* sich aufregen. ~*vt* **1** angeben. **2** darlegen. **3** feststellen. **4** aufstellen. *adj* Staats—. **stately** *adj* **1** stattlich. **2** prächtig. **3** erhaben. **statement** *n* **1** Angabe *f.* **2** Darlegung *f.* **3** Kontoauszug *m.* **5** Behauptung *f.* **statesman** *n* Staatsmann *m.*
static ('stætik) *adj* statisch.
station ('steiʃən) *n* **1** (railway) Bahnhof *m.* **2** (Polizei)Wache *f.* **3** Platz *m.* **4** Station *f.* *vt mil* stationieren. **station-master** *n* Stationsvorsteher *m.*
stationary ('steiʃənri) *adj* **1** stillstehend. **2** stationär.
stationer ('steiʃənə) *n* Schreibwarenhändler *m.* **stationery** *n* Schreibwaren *f pl.*
statistics (stə'tistiks) *n pl* Statistik *f.*
statue ('stætju:) *n* Statue *f.* Standbild *neu.*
stature ('stætʃə) *n* **1** Statur *f.* Gestalt *f.* **2** Größe *f.*
status ('steitəs) *n* **1** Rang *m.* **2** Status *m.*
statute ('stætju:t) *n* **1** Statut, (Landes)Gesetz *neu.* **2** Satzung *f.* **statutory** *adj* gesetzlich.
stay[1] (stei) *vi* **1** (sich) aufhalten. **2** bleiben. **3** wohnen. *n* Aufenthalt *m.*
stay[2] (stei) *n* Stütze *f.*
steadfast ('stedfɑ:st) *adj* **1** fest. **2** (of a look) unverwandt. **3** standhaft.
steady ('stedi) *adj* **1** (be)ständig. **2** sicher. **3** fest. **4** ruhig. *vt* **1** sicher machen. **2** (sich) festigen. **3** (sich) beruhigen.
steak (steik) *n* **1** Steak *neu.* **2** (Fisch)Filet *neu.*
steal* (sti:l) *vi,vt* stehlen.
steam (sti:m) *n* **1** Dampf *m.* **2** Dunst *m.* *vi* dampfen. *vt cul* dünsten. **steam-engine** *n* Dampfmaschine *f.* **steam-roller** *n* Dampfwalze *f.* **steamer** *n* **1** Dampfer *m.* Dampfschiff *neu.* **2** Dampfkochtopf *m.*
steel (sti:l) *n* Stahl *m.* *adj* stählern, Stahl—. *vt* stählen.
steep[1] (sti:p) *adj* **1** steil, jäh. **2** *inf* stark.
steep[2] (sti:p) *vt* **1** einweichen. **2** versenken.
steeple ('sti:pəl) *n* Kirchturm *m.* **steeplechase** *n* Hindernisrennen *neu.*
steer (stiə) *vt* steuern. **steer clear of** vermeiden. **steering-wheel** *n* Steuerrad *neu.*
stem[1] (stem) *n* **1** Stamm *m.* **2** Stengel *m.* *v* **stem from** stammen von.
stem[2] (stem) *vt* eindämmen.
stencil ('stensəl) *n* **1** Schablone *f.* **2** Matrize *f.* *vt* schablonieren.
step (step) *n* **1** Schritt *m.* **2** (Fuß)Tritt *m.* **3** Stufe *f.* **4** Maßnahme *f.* *vi* **1** schreiten. **2** treten, gehen. **stepladder** *n* Trittleiter *f.*
stepbrother ('stepbrʌðə) *n* Stiefbruder *m.*
stepdaughter ('stepdɔ:tə) *n* Stieftochter *f.*
stepfather ('stepfɑ:ðə) *n* Stiefvater *m.*
stepmother ('stepmʌðə) *n* Stiefmutter *f.*
stepsister ('stepsistə) *n* Stiefschwester *f.*
stepson ('stepsʌn) *n* Stiefsohn *m.*
stereo ('steriou) *adj* Stereo—. *n* Stereoanlage *f.* **stereophonic** *adj* stereophonisch.
stereotype ('steriətaip) *n* Stereotype *f.* *vt* stereotypieren. **stereotyped** *adj* stereotyp.
sterile ('sterail) *adj* **1** steril. **2** unfruchtbar. **sterilize** *vt* **1** sterilisieren. **2** unfruchtbar machen. **sterilization** *n* Sterilisierung *f.*
sterling ('stə:liŋ) *adj* **1** gediegen. **2** Sterling—. *n* Sterling *m.*
stern[1] (stə:n) *adj* streng, hart.
stern[2] (stə:n) *n naut* Heck *neu.* Spiegel *m.*
stethoscope ('steθəskoup) *n* Stethoskop *neu.*
stew (stju:) *n* Schmorgericht *neu.* *vt* schmoren.
steward ('stju:əd) *n* **1** Steward *m.* **2** Verwalter *m.* **3** Ordner *m.* **stewardess** *n* Stewardeß *f.*
stick[1] (stik) *n* Stock *m.* **get hold of the wrong end of the stick** die Geschichte in den falschen Hals kriegen.
stick*[2] (stik) *vt* **1** ankleben. **2** stecken. *vi* **1** kleben. **2** steckenbleiben. **sticker** *n* Klebzettel *m.* **sticky** *adj* klebrig. **come to a sticky end** ein schlimmes Ende nehmen.
stiff (stif) *adj* **1** steif. **2** starr. **3** (of a drink) stark. **stiffen** *vt* steifen. *vi* **1** sich versteifen. **2** erstarren.
stifle ('staifəl) *vt* ersticken.
stigma ('stigmə) *n* Stigma *neu.*
stile (stail) *n* Zauntritt *m.* Steige *f.*

still[1] (stil) *adj* still. *adv* 1 immer noch. 2 noch, immer. *conj* doch, dennoch. *vt* 1 stillen. 2 beruhigen. *n* Photographie *f.* **stillborn** *adj* totgeboren. **still life** *n* Stilleben *neu.*

still[2] (stil) *n* Destillierapparat *m.*

stilt (stilt) *n* Stelze *f.* **stilted** *adj* gespreizt, geschraubt.

stimulus ('stimjuləs) *n* 1 Antrieb *m.* 2 Reizmittel *neu.* **stimulate** *vt* anreizen, stimulieren.

sting* (stiŋ) *vi,vt* 1 stechen. 2 schmerzen. *n* 1 (of an insect) Stachel *m.* 2 Stich *m.*

stink* (stiŋk) *vi* stinken. *n* Gestank *m.*

stint (stint) *vt* einschränken. *n* 1 Einschränkung *f.* 2 Schicht *f.*

stipulate ('stipjuleit) *vt* festsetzen, vereinbaren. **stipulation** *n* 1 Festsetzung *f.* 2 Bedingung *f.*

stir (stə:) *vt* 1 rühren. 2 aufregen. *vi* sich rühren. *n* 1 Rühren *neu.* 2 (Auf)Regung *f.*

stirrup ('stirəp) *n* Steigbügel *m.*

stitch (stitʃ) *n* 1 Stich *m.* 2 Masche *f.* *vt* nähen, heften.

stoat (stout) *n* Hermelin *neu.*

stock (stɔk) *n* 1 Vorrat *m.* 2 Stamm *m.* 3 Stock *m.* 4 *pl* Aktien *f pl.* 5 *cul* Brühe *f.* **take stock of** abschätzen. ~*adj* 1 Standard—. 2 stereotyp. *vt* 1 versehen. 2 vorrätig haben. **stockbreeding** *n* Viehzucht *f.* **stockbroker** *n* Börsenmakler *m.* **stock exchange** *n* Börse *f.* **stockpile** *n* Vorrat *m.* *vt* aufstapeln. **stocktaking** *n* Inventur *f.*

stocking ('stɔkiŋ) *n* Strumpf *m.*

stocky ('stɔki) *adj* untersetzt.

stodge (stɔdʒ) *n* schwerverdauliches Essen *neu.* **stodgy** *adj* 1 schwer. 2 schwerfällig.

stoical ('stouik(l)) *adj* stoisch.

stoke (stouk) *vt* (an)schüren.

stole[1] (stoul) *v* see **steal.**

stole[2] (stoul) *n* Pelzkragen *m.* Stola *f.*

stolen ('stoulən) *v* see **steal.**

stomach ('stʌmək) *n* Magen *m.* *vt* 1 verdauen. 2 ertragen. **stomach-ache** *n* Magenschmerzen *m pl.*

stone (stoun) *n* 1 Stein *m.* 2 Kern *m.* *vt* 1 steinigen. 2 (fruit) entsteinen. **stony** *adj* 1 steinig. 2 steinern.

stood (stud) *v* see **stand.**

stool (stu:l) *n* Hocker *m.*

stoop (stu:p) *vi* 1 sich bücken. 2 sich erniedrigen. 3 krumm gehen.

stop (stɔp) *vt* 1 (an)halten. 2 hindern. 3 aufhören. 4 verstopfen. *vi* 1 anhalten. 2 aufhören. 3 stehenbleiben. *n* 1 Halt *m.* 2 Pause *f.* 3 Hemmung *f.* 4 (Bus)Haltestelle *f.* 5 Punkt *m.* **stopgap** *n* Notbehelf *m.* **stopwatch** *n* Stoppuhr *f.* **stoppage** *n* 1 Stockung *f.* 2 Einstellung *f.* 3 Sperrung *f.* **stopper** *n* Stöpsel *m.* *vt* zustöpseln.

store (stɔ:) *n* 1 Vorrat *m.* 2 Lagerhaus *neu.* 3 Fülle *f.* 4 *pl* Kaufhaus *neu.* 5 Schiffsbedarf *m.* *vt* lagern, aufbewahren. **set store by** Wert legen auf. **storage** *n* 1 Aufbewahrung, Lagerung *f.* 2 (of electricity) Speicherung *f.*

storey ('stɔ:ri) *n* Stock *m.* Stockwerk, Geschoß *neu.*

stork (stɔ:k) *n* Storch *m.*

storm (stɔ:m) *n* Sturm *m.* *vt* stürmen. *vi* toben. **stormy** *adj* stürmisch.

story ('stɔ:ri) *n* 1 Geschichte *f.* 2 Erzählung *f.* 3 Handlung *f.*

stout (staut) *adj* 1 stark. 2 dick. 3 tapfer. *n* Starkbier *neu.*

stove (stouv) *n* 1 Ofen *m.* 2 (for cooking) Herd *m.*

stow (stou) *vt* verstauen. **stowaway** *n* blinder Passagier *m.*

straddle (stræd(l)) *vi* breitbeinig gehen *or* stehen. *vt* spreizen.

straggle ('strægəl) *vi* 1 verstreut hegen. 2 umherschweifen. 3 wuchern. **straggling** *adj* weitläufig, lose.

straight (streit) *adj* 1 gerade. 2 aufrichtig. 3 glatt. **get straight** klarmachen. **put straight** in Ordnung bringen. **straight ahead** *adv* geradeaus. **straight away** *adv* sofort, unmittelbar. **straighten** *vt* gerademachen. *vi* gerade werden. **straightforward** *adj* 1 gerade. 2 redlich.

strain[1] (strein) *n* 1 Anstrengung *f.* 2 Druck *m.* 3 *med* Zerrung *f.* *vt* 1 anstrengen. 2 zerren. 3 (durch)seihen. *vi* sich anstrengen. **strainer** *n* Seiher *m.* Sieb *neu.*

strain[2] (strein) *n* Abstammung, Rasse *f.*

strand[1] (strænd) *vi,(vt)* stranden (lassen).

strand[2] (strænd) *n* Strähne *f.*

strange (streindʒ) *adj* 1 fremd. 2 seltsam. **stranger** *n* 1 Fremde(r) *m.* 2 Neuling *m.*

strangle ('strængəl) *vt* 1 erwürgen. 2 unterdrücken.

strap (stræp) *n* 1 Riemen *m.* 2 Träger *m.* *vt* festschnallen.

strategy ('strætidʒi) *n* Strategie *f.* **strategic** *adj* strategisch.

straw (strɔ:) *n* 1 Stroh *neu.* 2 Strohhalm *m.* *adj* Stroh—. **strawberry** *n* Erdbeere *f.*

stray (strei) *vi* 1 sich verirren. 2 abirren. *adj* verirrt. *n* verirrtes Tier *neu.*

streak (stri:k) *n* **1** Streifen *m.* **2** Spur *f.* *vt* streifen. **streaky** *adj* **1** streifig. **2** (of bacon) durchwachsen.

stream (stri:m) *n* **1** Bach *m.* **2** Strom *m.* *vi* **1** strömen. **2** flattern. **streamer** *n* Papierschlange *f.* **streamline** *n* Stromlinie *f.* *vt* modernisieren.

street (stri:t) *n* Straße *f.*

strength (streŋθ) *n* Kraft, Stärke *f.* **on the strength of** kraft. **strengthen** *vt* (be)kräftigen, (be)stärken. *vi* erstärken.

strenuous ('strenjuəs) *adj* **1** emsig. **2** eifrig. **3** anstrengend.

stress (stres) *n* **1** Ton *m.* Betonung *f.* **2** Nachdruck *m.* Gewicht *neu.* **3** *med* Streß *m.* *vt* **1** betonen. **2** unterstreichen.

stretch (stretʃ) *vt* **1** strecken. **2** (aus)dehnen. **3** anspannen. *vi* **1** sich erstrecken. **2** sich dehnen. *n* **1** Strecke *f.* **2** Dehnung *f.* **at a stretch** in einem Zug. **stretcher** *n* Tragbahre *f.*

strict (strikt) *adj* **1** streng. **2** genau. **strictly speaking** streng genommen.

stride* (straid) *vi* schreiten. *n* (langer) Schritt *m.*

strike* (straik) *vt* **1** schlagen. **2** treffen. **3** auffallen. **4** anzünden. *vi* **1** schlagen. **2** streiken. *n* Streik *m.*

string* (striŋ) *n* **1** Schnur *f.* **2** *mus* Saite *f.* **3** Reihe *f.* *vt* **1** aufreihen. **2** *mus* besaiten. **stringed instruments** *n pl* Saiteninstrumente *neu pl.*

stringent ('strindʒənt) *adj* **1** streng. **2** fest. **3** knapp. **stringency** *n* **1** Strenge *f.* **2** Härte *f.* **3** Knappheit *f.*

strip[1] (strip) *vi* sich ausziehen. *vt* **1** entkleiden. **2** entblößen. **3** abreißen. **striptease** *n* Striptease *neu.*

strip[2] (strip) *n* (schmaler) Streifen *m.*

stripe (straip) *n* Streifen *m.* **striped** *adj* gestreift.

strive* (straiv) *vi* **1** streben. **2** ringen.

stroke[1] (strouk) *n* **1** Schlag, Hieb *m.* **2** Streich *m.* **3** Strich *m.* **stroke of luck** *n* glücklicher Zufall *m.*

stroke[2] (strouk) *vt* streicheln.

stroll (stroul) *vi* **1** bummeln, schlendern. **2** spazierengehen. *n* **1** Bummel *m.* **2** Spaziergang *m.*

strong (strɔŋ) *adj* **1** stark. **2** kräftig. **3** fest. **stronghold** *n* Festung *f.* **strong-minded** *adj* willenstark.

struck (strʌk) *v* see **strike.**

structure ('strʌktʃə) *n* **1** Bau *m.* **2** Struktur *f.* **structural** *adj* **1** Bau—. **2** strukturell.

struggle ('strʌgəl) *vi* **1** sich (ab)mühen. **2** kämpfen, ringen. **3** zappeln. *n* **1** Kampf *m.* **2** Ringen *neu.*

strum (strʌm) *vi,(vt)* klimpern (auf).

strung (strʌŋ) *v* see **string.**

strut[1] (strʌt) *vi* stolzieren. *n* Stolzieren *neu.*

strut[2] (strʌt) *n* Strebe, Stütze *f.*

stub (stʌb) *n* **1** Stumpf *m.* **2** Stummel *m.* *vt* stoßen. **stub out** ausdrücken.

stubborn ('stʌbən) *adj* **1** hartnäckig. **2** halsstarrig. **stubbornness** *n* Hartnäckigkeit *f.*

stud[1] (stʌd) *n* **1** Beschlagnagel *m.* **2** Kragenknopf *m.* *vt* **1** beschlagen. **2** bestreuen.

stud[2] (stʌd) *n* Gestüt *neu.*

student ('stju:dənt) *n* Student *m.* Studentin *f.*

studio ('stju:diou) *n* **1** Atelier *neu.* **2** Senderaum *m.* **3** Studio *neu.*

study ('stʌdi) *n* **1** Studium *neu.* **2** Studierzimmer *neu.* **3** *Art* Studie *f.* *vt* **1** studieren. **2** genau beobachten. *vi* studieren. **studious** *adj* **1** fleißig. **2** beflissen.

stuff (stʌf) *n* **1** Stoff *m.* **2** Zeug *neu.* *vt* **1** (voll-, aus-)stopfen. **2** *cul* füllen. **stuffing** *n* **1** *cul* Füllung *f.* **2** Polsterung *f.* **stuffy** *adj* **1** muffig. **2** *inf* spießig.

stumble ('stʌmbəl) *vi* stolpern. **stumble upon** stoßen auf. ~*n* Stolpern *neu.* **stumbling block** *n* Stein des Anstoßes *m.*

stump (stʌmp) *n* **1** Stumpf *m.* **2** *sport* Stab *m.* *vt inf* verblüffen. *vi* stapfen.

stun (stʌn) *vt* betäuben. **stunning** *adj* **1** betäubend. **2** *inf* sagenhaft, toll.

stung (stʌŋ) *v* see **sting.**

stunk (stʌŋk) *v* see **stink.**

stunt[1] (stʌnt) *vt* im Wachstum hindern.

stunt[2] (stʌnt) *n* **1** Kunststück *neu.* **2** Trick *m.*

stupid ('stju:pid) *adj* **1** dumm. **2** blöd. **stupidity** *n* Dummheit *f.*

sturdy ('stə:di) *adj* **1** derb. **2** stämmig.

stutter ('stʌtə) *vi* stottern. *n* Stottern *neu.*

sty (stai) *n* **1** Schweinestall *m.* **2** *med* Gerstenkorn *neu.*

style (stail) *n* Stil *m.* **in style** *adv* vornehm. **stylish** *adj* **1** stilvoll. **2** elegant.

stylus ('stailəs) *n* **1** Griffel *m.* **2** Grammophonnadel *f.*

subconscious (sʌb'kɔnʃəs) *adj* unterbewußt. *n* Unterbewußte *neu.*

subcontract (sʌbkən'trækt) *n* Nebenvertrag *m.*

subdue (səb'dju:) *vt* **1** unterwerfen. **2** dämpfen.

subject (*n,adj* 'sʌbdʒikt; *v* səb'dʒekt) *n* **1** *pol*

Untertan, Staatsangehörige(r) *m.* **2** Thema *neu.* **3** Fach *neu.* **4** Subjekt *neu.* *adj* **1** unterworfen. **2** abhängig. **subject to** vorbehaltlich. ~*vt* **1** unterwerfen. **2** unterziehen. **3** aussetzen. **subjective** *adj* subjektiv.

subjunctive (səb'dʒʌŋktiv) *n* Konjunktiv *m.* *adj* konjunktivisch.

sublime (sə'blaim) *adj* **1** erhaben. **2** *inf* großartig.

submachine-gun (səbmə'ʃi:ngʌn) *n* Maschinenpistole *f.*

submarine (sʌbmə'ri:n) *n* Unterseeboot *neu.* *adj* Untersee—.

submerge (səb'mə:dʒ) *vt* **1** untertauchen. **2** überschwemmen. *vi* untertauchen.

submit (səb'mit) *vt* vorlegen. *vi* **1** sich unterwerfen. **2** sich ergeben. **submission** *n* **1** Vorlage *f.* **2** Unterwerfung *f.* **submissive** *adj* unterwürfig.

subnormal (sʌb'nɔ:məl) *adj* unternormal, subnormal.

subordinate (sə'bɔ:dinət) *adj* **1** untergeordnet. **2** Neben—. *n* Untergebene(r) *m.* *vt* **1** unterordnen. **2** unterwerfen. **subordination** *n* Unterordnung *f.*

subscribe (səb'skraib) *vt* **1** unterschreiben (mit). **2** (money) zeichnen. *vi* **subscribe to** **1** abonnieren. **2** zustimmen. **subscriber** *n* Abonnent *m.* **subscription** *n* **1** Unterzeichnung *f.* **2** Abonnement *neu.* **3** Mitgliedsbeitrag *m.*

subsequent ('sʌbsikwint) *adj* folgend. **subsequently** *adv* **1** hinterher. **2** anschließend.

subservient (səb'sə:viənt) *adj* **1** unterwürfig. **2** dienlich.

subside (səb'said) *vi* **1** sich senken. **2** sich legen. **subside into** verfallen in. **subsidence** *n* Senkung *f.*

subsidiary (səb'sidiəri) *adj* Hilfs—, Neben—.

subsidize ('sʌbsidaiz) *vt* (mit Geld) unterstützen, subventionieren. **subsidy** *n* **1** Beihilfe *f.* **2** Subvention *f.*

subsist (səb'sist) *vi* **1** leben. **2** bestehen. *vt* unterhalten. **subsistence** *n* **1** Lebensunterhalt *m.* **2** Dasein *neu.*

substance ('sʌbstəns) *n* **1** Substanz *f.* **2** Wesen *neu.* **3** Inhalt *m.* **4** Wirklichkeit *f.* **substantial** *adj* **1** wesentlich. **2** wirklich. **3** solid. **substantive** *adj* **1** *gram* substantivisch. **2** selbständig. **3** fest. *n* Substantiv *neu.*

substitute ('sʌbstitju:t) *vt* ersetzen. *vi* vertreten. *n* **1** Ersatz *m.* **2** Stellvertreter *m.* *adj* Ersatz—.

subtitle ('sʌbtait|) *n* Untertitel *m.*

subtle ('sʌt|) *adj* **1** fein(sinning). **2** spitzfindig. **subtlety** *n* **1** Feinheit *f.* **2** Spitzfindigkeit *f.*

subtract (səb'trækt) *vt* subtrahieren, abziehen. **subtraction** *n* Subtraktion *f.* Abzug *m.*

suburb ('sʌbə:b) *n* Vorstadt *f.* Vorort *m.* **suburban** *adj* vorstädtisch, Vorstadt—.

subvert (sʌb'və:t) *vt* umstürzen. **subversive** *adj* umstürzlerisch, subversiv.

subway ('sʌbwei) *n* Fußgängerunterführung *f.*

succeed (sək'si:d) *vi* **1** Erfolg haben. **2** gelingen. **3** (nach)folgen. *vt* (nach)folgen. **success** *n* Erfolg *m.* **successful** *adj* erfolgreich. **be successful** Erfolg haben. **succession** **1** Nachfolge, Reihenfolge *f.* **2** Erbfolge *f.* **3** Thronfolge *f.* **in succession** *adv* nacheinander. **successive** *adj* aufeinanderfolgend.

succulent ('sʌkjulənt) *adj* **1** saftig. **2** fleischig.

succumb (sə'kʌm) *vi* **1** unterliegen. **2** sich ergeben.

such (sʌtʃ) *adj* **1** solch. **2** derartig. **3** so. *pron* solch. **suchlike** *adj* dergleichen.

suck (sʌk) *vt* **1** saugen. **2** ansaugen. **3** (sweets, etc.) lutschen. **suck up to** *sl* sich einschmeicheln bei.

sucker ('sʌkə) *n* **1** Sauger *m.* **2** *bot* Sprößling *m.* **suckle** *vt* säugen, nähren.

suction ('sʌkʃən) *n* **1** Saugen *neu.* **2** Ansaugung *f.* *adj* Saug—.

Sudan (su:'dæn) *n* Sudan *m.* **Sudanese** *adj* sudanesisch. *n* Sudanese *m.*

sudden ('sʌdn) *adj* plötzlich.

suds (sʌdz) *n pl* (Seifen)Lauge *f.*

sue (su:) *vt* verklagen. *vi* klagen.

suede (sweid) *n* Wildleder *neu.* *adj* Wildleder—.

suet ('su:it) *n* **1** Nierenfett *neu.* **2** Talg *m.*

suffer ('sʌfə) *vi* leiden. *vt* erdulden, erleiden. **suffering** *n* Leiden *neu.*

sufficient (sə'fiʃənt) *adj* genug, genügend. **be sufficient** genügen.

suffix ('sʌfiks) *n* Nachsilbe *f.* Suffix *neu.*

suffocate ('sʌfəkeit) *vi, vt* ersticken. **suffocation** *n* Erstickung *f.*

sugar ('ʃugə) *n* Zucker *m.* *vt* **1** zuckern. **2** versüßen. **sugar beet** *n* Zuckerrübe *f.* **sugar cane** *n* Zuckerrohr *neu.* **sugary** *adj* **1** zuckerig. **2** zuckersüß.

suggest (sə'dʒest) *vt* **1** vorschlagen. **2** andeuten. **3** eingeben. **suggestion** *n* **1** Vorschlag *m.* **2** Andeutung *f.* **3** Eingebung *f.* **suggestive** *adj* **1** andeutend. **2** zweideutig.

suicide ('su:isaid) *n* **1** Selbstmord *m.* **2** Selbstmörder *m.* **suicidal** *adj* selbstmörderisch.

suit (sju:t) *n* 1 (Herren)Anzug *m.* 2 (Damen)-Kostüm *neu.* 3 Bitte *f.* 4 *game* Farbe *f.* *vi,vt* passen. **suit oneself** tun, was einem beliebt. **suitcase** *n* (Hand)Koffer *m.* **suitable** *adj* passend, geeignet.

suite (swi:t) *n* 1 Gefolge *neu.* 2 Garnitur *f.* 3 *mus* Suite *f.* **suite of rooms** Zimmerflucht *f.*

sulk (sʌlk) *vi* schmollen. **sulky** *adj* 1 schmollend. 2 mürrisch, launisch.

sullen ('sʌlən) *adj* verdrossen.

sulphur ('sʌlfə) *n* Schwefel *m.* **sulphuric** *adj* Schwefel–.

sultana (sʌl'tɑ:nə) *n cul* Sultanine *f.*

sultry ('sʌltri) *adj* 1 schwül. 2 stechend heiß.

sum (sʌm) *n* 1 Summe *f.* 2 Rechenaufgabe *f.* **do sums** rechnen. *v* **sum up** zusammenfassen.

summarize ('sʌməraiz) *vt* zusammenfassen. **summary** *n* Zusammenfassung *f.*

summer ('sʌmə) *n* Sommer *m.* **summertime** *n* Sommerzeit *f.*

summit ('sʌmit) *n* Gipfel *m.* **summit conference** *n* Gipfelkonferenz *f.*

summon ('sʌmən) *vt* 1 auffordern. 2 rufen. 3 vorladen. **summon up** aufbieten. **summons** *n* 1 Aufforderung *f.* 2 gerichtliche Vorladung *f.*

sun (sʌn) *n* Sonne *f.* **sunny** *adj* sonnig. *v* **sun oneself** sich sonnen.

sunbathe ('sʌnbeiδ) *vi* ein Sonnenbad nehmen.

sunburn ('sʌnbə:n) *n* Sonnenbrand *m.*

Sunday ('sʌndi) *n* Sonntag *m.*

sundial ('sʌndaiəl) *n* Sonnenuhr *f.*

sundry ('sʌndri) *adj* verschieden. *n pl* Verschiedenes *neu.*

sunflower ('sʌnflauə) *n* Sonnenblume *f.*

sung (sʌŋ) *v* see **sing.**

sunglasses ('sʌnglɑ:siz) *n pl* Sonnenbrille *f.*

sunk (sʌŋk) *v* see **sink.**

sunlight ('sʌnlait) *n* Sonnenlicht *neu.*

sunrise ('sʌnraiz) *n* Sonnenaufgang *m.*

sunset ('sʌnset) *n* Sonnenuntergang *m.*

sunshine ('sʌnʃain) *n* Sonnenschein *m.*

sunstroke ('sʌnstrouk) *n* Sonnenstich *m.*

suntan ('sʌntæn) *n* Sonnenbräune *f.*

super ('su:pə) *adj inf* prima, erstklassig.

superannuation (su:pərænju'eiʃən) *n* 1 Pensionierung *f.* 2 Ruhegehalt *neu.* Pension *f.*

superb (su:'pə:b) *adj* 1 prächtig. 2 herrlich.

superficial (su:pə'fiʃəl) *adj* oberflächlich.

superfluous (su:'pə:fluəs) *adj* überflüssig.

superhuman (su:pə'hju:mən) *adj* übermenschlich.

superimpose (su:pərim'pouz) *vt* auflegen.

superintendent (su:pərin'tendənt) *n* 1 Aufseher *m.* 2 Inspektor *m.* *adj* aufsichtführend.

superior (su'piəriə) *adj* 1 ober. 2 höher. 3 besser, überlegen. *n* 1 höherer Offizier *m.* 2 Vorgesetzte(r) *m.* 3 *rel* Superior *m.* **superiority** *n* Überlegenheit *f.*

superlative (su'pə:lətiv) *adj* 1 höchst. 2 *gram* superlativisch. *n* Superlativ *m.*

supermarket ('su:pəmɑ:kit) *n* Supermarkt *m.*

supernatural (su:pə'nætʃrəl) *adj* übernatürlich.

supersede (su:pə'si:d) *vt* 1 ersetzen. 2 verdrängen. 3 überholen.

supersonic (su:pə'sɔnik) *adj* Überschall—.

superstition (su:pə'stiʃən) *n* Aberglaube *m.* **superstitious** *adj* abergläubisch.

supervise ('su:pəvaiz) *vt* beaufsichtigen. **supervision** *n* 1 Beaufsichtigung *f.* 2 Aufsicht *f.* **supervisor** *n* Aufseher *m.*

supper ('sʌpə) *n* Abendessen, Abendbrot *neu.*

supple ('sʌpəl) *adj* biegsam, geschmeidig.

supplement ('sʌplimənt) *n* 1 Ergänzung *f.* 2 Nachtrag *m.* 3 Beilage *f.* *vt* ergänzen. **supplementary** *adj* 1 Ergänzungs—. 2 Nachtrags—.

supply (sə'plai) *vt* 1 (be)liefern, versorgen, besorgen. 2 decken. *n* 1 Versorgung *f.* 2 Vorrat *m.* 3 Angebot *neu.* 4 *pl* Vorräte *m pl.* **supply and demand** Angebot und Nachfrage. **supplier** *n* Lieferant *m.*

support (sə'pɔ:t) *vt* 1 (unter)stützen. 2 tragen. *n* 1 Unterstützung *f.* 2 Stütze *f.* Träger *m.*

suppose (sə'pouz) *vt* 1 annehmen. 2 voraussetzen. *vi* vermuten, glauben.

suppress (sə'pres) *vt* 1 unterdrücken. 2 hemmen. **suppression** *n* Unterdrückung *f.*

supreme (sə'pri:m) *adj* höchst, oberst.

surcharge ('sə:tʃɑ:dʒ) *n* Zuschlag *m.* *vt* mit Zuschlag belegen.

sure (ʃuə) *adj* 1 sicher, gewiß. 2 zuverlässig. **surely** *adv* 1 gewiß, sicherlich. 2 vermutlich. **surety** *n* 1 Bürge *f.* 2 Sicherheit *f.*

surf (sə:f) *n* Brandung *f.*

surface ('sə:fis) *n* 1 Oberfläche *f.* 2 Äußere *neu.* *vi* auftauchen. *adj* oberflächlich.

surfeit ('sə:fit) *n* Übermaß *neu.* *vt* übersättigen.

surge (sə:dʒ) *vi* 1 branden. 2 aufwallen. 3 vorwärtsdrängen. *n* 1 Brandung *f.* 2 Flut *f.*

surgeon ('sə:dʒən) *n* Chirurg *m.* **surgery** *n* 1 Chirurgie *f.* 2 Sprechzimmer *neu.* 3 Sprechstunde *f.*

surly ('sə:li) *adj* mürrisch.

surmount (sə'maunt) *vt* 1 übersteigen. 2 überwinden.

surname (ˈsɜːneɪm) *n* Zuname, Familienname *m.*

surpass (səˈpɑːs) *vt* übertreffen.

surplus (ˈsɜːplɪs) *n* Überschuß *m. adj* überschüssig.

surprise (səˈpraɪz) *vt* **1** überraschen. **2** ertappen. *n* Überraschung *f.* **surprised** *adj* überrascht, verblüfft.

surrealism (səˈrɪəlɪzəm) *n* Surrealismus *m.*

surrender (səˈrendə) *vt* **1** übergeben. **2** aufgeben. *vi* sich ergeben. *n* Übergabe *f.*

surreptitious (sʌrəpˈtɪʃəs) *adj* heimlich, verstohlen.

surround (səˈraʊnd) *vt* **1** umgeben. **2** umzingeln, einschließen. **surrounding** *adj* umgebend. **surroundings** *n pl* Umgebung *f.*

survey (səˈveɪ) *n* **1** Überprüfung *f.* **2** Überblick *m.* **3** Landvermessung *f. vt* **1** (über)prüfen. **2** überblicken. **3** vermessen.

surveyor (səˈveɪə) *n* **1** Feldmesser, Geometer *m.* **2** Aufseher *m.*

survive (səˈvaɪv) *vt,vi* überleben. **survivor** *n* Überlebende(r) *m.*

susceptible (səˈseptəbəl) *adj* empfänglich, anfällig.

suspect (*v* səˈspekt; *n,adj* ˈsʌspekt) *vt* **1** verdächtigen. **2** vermuten. **3** mißtrauen. *n* Verdächtigte(r) *m. adj* verdächtig.

suspend (səˈspend) *vt* **1** aufhängen. **2** verschieben. **3** einstellen. **4** unterbrechen. **suspense** *n* **1** Spannung *f.* **2** Ungewißheit *f.* **suspension** *n* **1** Aufhängung *f.* **2** *mot* Federung *f.* **3** Verschiebung *f.* **4** Einstellung *f.*

suspicion (səˈspɪʃən) *n* **1** Verdacht *m.* **2** Vermutung *f.* **3** Spur *f.* **suspicious** *adj* **1** verdächtig. **2** mißtrauisch.

sustain (səˈsteɪn) *vt* **1** aushalten. **2** unterstützen.

swab (swɔb) *n* **1** Tupfer *m.* **2** Scheuerlappen *m. vt* **1** aufwischen, scheuern. **2** betupfen.

Swabia (ˈsweɪbɪə) *n* Schwaben *neu.* **Swabian** *adj* schwäbisch. *n* Schwabe *m.*

swagger (ˈswægə) *vi* **1** stolzieren. **2** prahlen. *n* **1** stolzierender Gang *m.* **2** Prahlerei *f.*

swallow[1] (ˈswɔləʊ) *vt* (ver)schlucken, verschlingen. *vi* schlucken. *n* Schluck *m.*

swallow[2] (ˈswɔləʊ) *n zool* Schwalbe *f.*

swam (swæm) *v* see **swim.**

swamp (swɔmp) *n* Sumpf *m. vt* überschwemmen.

swan (swɔn) *n* Schwan *m.*

swank (swæŋk) *n inf* Prahlerei, Angeberei *f. vi inf* aufschneiden, prahlen.

swap (swɔp) *vt also* **swop** (aus)tauschen. *n* Tausch *m.*

swarm (swɔːm) *n* Schwarm *m. vi* **1** schwärmen. **2** wimmeln.

swastika (ˈswɔstɪkə) *n* Hakenkreuz *neu.*

swat (swɔt) *vt* zerquetschen, schlagen.

sway (sweɪ) *vi* schwanken, schaukeln. *vt* **1** beeinflussen. **2** mitreißen. *n* **1** Herrschaft *f.* **2** Einfluß *m.*

swear* (swɛə) *vi* **1** fluchen. **2** schwören. *vt* (be)schwören. **swearword** *n* Fluchwort *neu.*

sweat (swet) *vi,vt* schwitzen. *n* **1** Schweiß *m.* **2** *inf* Plackerei *f.* **sweater** *n* Pullover *m.*

swede (swiːd) *n* Steckrübe *f.*

Sweden (ˈswiːdn) *n* Schweden *neu.* **Swede** *n* Schwede *m.* **Swedish** (ˈswiːdɪʃ) *adj* schwedisch. *n* (language) Schwedisch *neu.*

sweep* (swiːp) *vt* **1** fegen, kehren. **2** durchstreifen. *vi* vorbeirauschen. *n* **1** Schornsteinfeger *m.* **2** Fegen *neu.*

sweet (swiːt) *adj* süß. *n* **1** Bonbon *m.* Süßigkeit *f.* **2** Nachtisch *m.* **sweetbread** *n* Bries *m.* **sweet corn** *n* Zuckermais *m.* **sweetheart** *n* Liebchen *neu.* Liebste(r) *m.* **sweet pea** *n* Wicke *f.* **sweeten** *vt* **1** süßen. **2** versüßen.

swell* (swel) *vi* (an)schwellen. *adj sl* **1** prima. **2** vornehm.

swelter (ˈweltə) *vi* vor Hitze umkommen.

swept (swept) *v* see **sweep.**

swerve (swɜːv) *vi* **1** (plötzlich) abbiegen. **2** ausweichen.

swift (swɪft) *adj* schnell, rasch.

swig (swɪg) *inf n* Schluck, Zug *m. vt* saufen, hinunterschlucken.

swill (swɪl) *n* **1** Schweinefutter *neu.* **2** Spülwasser *neu. vt* spülen.

swim* (swɪm) *vi* schwimmen. *vt* durchschwimmen. *n* Schwimmen *neu.* **swimming** *n* Schwimmen *neu.* **swimming costume** *n* Badeanzug *m.* **swimming pool** *n* Schwimmbad *neu.* **indoor swimming pool** *n* Hallenbad *neu.*

swindle (ˈswɪndl) *vt* betrügen, beschwindeln. *n* Schwindel, Betrug *m.*

swine (swaɪn) *n* Schwein *neu.*

swing* (swɪŋ) *vi,vt* schwingen, schaukeln. *n* **1** Schwung *m.* **2** Schaukel *f.*

swipe (swaɪp) *vt,vi* hauen. *n* wilder Schlag *m.*

swirl (swɜːl) *vi,vt* (herum)wirbeln. *n* Wirbel *m.*

swish (swɪʃ) *vi* **1** schwirren. **2** rascheln. *vt* schwirren lassen. *adj* schick, elegant.

Swiss (swɪs) *adj* schweizerisch. *n* Schweizer *m.*

switch (swɪtʃ) *n* **1** Schalter *m.* **2** Umstellung *f.*

Wechsel *m.* **3** Rute *f.* *vt* **1** wechseln, tauschen. **2** umstellen. *vi* umstellen, übergehen. **switch off** ausschalten. **switch on** anschalten. **switchboard** *n* Schalttafel *f.*

Switzerland ('switsələnd) *n* Schweiz *f.*

swivel ('swivəl) *(vi),vt* (sich) drehen.

swollen ('swoulən) *adj* geschwollen.

swoop (swu:p) *vi* sich stürzen, herabschießen. *n* plötzlicher Angriff, Sturz *m.*

swop (swɔp) *v* see **swap.**

sword (sɔ:d) *n* Schwert *neu.* **swordfish** *n* Schwertfisch *m.* **swordsman** *n* Fechter *m.*

swore (swɔ:) *v* see **swear.**

sworn (swɔ:n) *adj* **1** eidlich. **2** geschworen.

swot (swɔt) *vi inf* pauken. *n* Streber *m.*

swum (swʌm) *v* see **swim.**

swung (swʌŋ) *v* see **swing.**

sycamore ('sikəmɔ:) *n bot* Bergahorn *m.*

syllable ('siləbəl) *n* Silbe *f.*

syllabus ('siləbəs) *n* **1** Lehrplan *m.* **2** Verzeichnis *neu.*

symbol ('simbəl) *n* Symbol, Sinnbild *neu.* **symbolism** *n* **1** Symbolismus *m.* **2** Symbolik *f.* **symbolize** *vt* symbolisieren.

symmetry ('simitri) *n* Symmetrie *f.* Ebenmaß *neu.* **symmetrical** *adj* symmetrisch.

sympathy ('simpəθi) *n* **1** Mitgefühl, Mitleid *neu.* **2** Sympathie *f.* **sympathetic** *adj* **1** mitfühlend. **2** verständnisvoll. **3** wohlwollend. **sympathize** *vi* **1** mitfühlen, Mitleid haben. **2** übereinstimmen. **3** wohlwollen.

symphony ('simfəni) *n* Sinfonie, Symphonie *f.*

symposium (sim'pouziəm) *n* **1** Konferenz *f.* Symposion *neu.* **2** Tagungsbericht *m.*

symptom ('simptəm) *n* Symptom, Anzeichen *neu.* **symptomatic** *adj* symptomatisch.

synagogue ('sinəgɔg) *n* Synagoge *f.*

synchronize ('siŋkrənaiz) *vt* synchronisieren.

syndicate (*n* 'sindikət; *v* 'sindikeit) *n* Syndikat, Kartell *neu.* *vt* zu einem Syndikat vereinigen.

syndrome ('sindroum) *n* Syndrom *neu.*

synonym ('sinənim) *n* Synonym *neu.*

synopsis (si'nɔpsis) *n* Übersicht *f.* Abriß *m.*

syntax ('sintæks) *n* Syntax *f.* Satzbau *m.*

synthesis ('sinθəsis) *n* Synthese, Zusammensetzung *f.* **synthetic** *adj* synthetisch.

syphilis ('sifəlis) *n* Syphilis *f.*

Syria ('siriə) *n* Syrien *neu.* **Syrian** *adj* syrisch. *n* Syrier *m.*

syringe (si'rindʒ) *n* Spritze *f.*

syrup ('sirəp) *n* Sirup *m.*

system ('sistəm) *n* **1** System *neu.* **2** Verfahren *neu.* Methode *f.* **systematic** *adj* systematisch, methodisch.

T

tab (tæb) *n* Aufhänger *m.* Etikett *neu.* **keep tabs on** kontrollieren.

tabby ('tæbi) *n* getigerte Katze *f.*

table ('teibəl) *n* **1** Tisch *m.* **2** Tafel *f.* **3** Liste *f.* **tablecloth** *n* Tischtuch *neu.* **tablemat** *n* Untersatz *m.* **tablespoon** *n* Eßlöffel *m.* **table tennis** *n* Tischtennis *neu.*

tablet ('tæblət) *n* **1** *med* Tablette *f.* **2** Tafel *f.*

taboo (tə'bu:) *n* Tabu *neu.* *adj* tabu, verboten.

tack (tæk) *n* **1** Zwecke *f.* **2** Heftstich *m.* **3** *naut* Lavieren *neu.* *vi naut* lavieren. *vt* (an)heften, befestigen.

tackle ('tækəl) *n* **1** Gerät *neu.* Ausrüstung *f.* **2** *naut* Takelwerk. **3** *sport* Angreifen *neu.* *vt* **1** angreifen. **2** angehen.

tact (tækt) *n* **1** Takt *m.* **2** Feingefühl *neu.* **tactful** *adj* taktvoll.

tactics ('tæktiks) *n pl* Taktik *f.* **tactical** *adj* taktisch.

tadpole ('tædpoul) *n* Kaulquappe *f.*

taffeta ('tæfitə) *n* Taft, Taffet *m.*

tag (tæg) *n* **1** Etikett *neu.* Anhängezettel *m.* **2** Stift *m.* *vt* anheften. **tag along** hinterherlaufen.

tail (teil) *n* **1** Schwanz *m.* **2** Ende *neu.* *vt* beschatten, verfolgen.

tailor ('teilə) *n* Schneider *m.* *vt* schneidern.

taint (teint) *vt* **1** beflecken. **2** verderben. *n* Makel, Fleck *m.*

take* (teik) *vt* **1** nehmen. **2** bringen. **3** ergreifen. **4** gewinnen. **5** fangen. **6** halten. **take in** **1** aufnehmen. **2** einschließen. **take off** *vi* abfliegen. *vt* ausziehen, abnehmen. **take-off** *n aviat* Abflug *m.* **take-over** *n* Übernahme *f.* **take place** stattfinden.

talcum powder ('tælkəm) *n* Talkpuder *m.*

tale (teil) *n* **1** Erzählung *f.* **2** Lüge *f.*

talent ('tælənt) *n* Begabung, Talent *neu.*

talk (tɔ:k) *vi* reden, sprechen. *n* **1** Rede *f.* **2** Gespräch *neu.* **3** Gerede, Geschwätz *neu.* **talkative** *adj* geschwätzig, gesprächig.

tall (tɔ:l) *adj* **1** groß. **2** hoch. **3** lang. **tall story** *n* Spinnerei, unglaubliche Geschichte *f.*

tally ('tæli) *n* Rechnung *f.* *vi* übereinstimmen.

talon ('tælən) *n* Kralle, Klaue *f.*

tambourine (tæmbə'ri:n) *n* Tambourin *neu.*

tame (teim) *adj* zahm, gezähmt. *vt* zähmen.

tamper ('tæmpə) *vi* **tamper with 1** sich einmischen in. **2** herumbasteln an.
tampon ('tæmpɔn) *n* Wattebausch, Tampon *m.*
tan (tæn) *n* **1** Lohe *f.* **2** Bräune *f. adj* gelbbraun. *vt* **1** gerben. **2** bräunen. *vi* braun werden.
tangent ('tændʒənt) *n* Tangente *f.*
tangerine (tændʒə'ri:n) *n* Mandarine *f.*
tangible ('tændʒəbəl) *adj* **1** greifbar. **2** fühlbar.
Tangier (tæn'dʒiə) *n* Tanger *neu.*
tangle ('tæŋgəl) *n* Wirrwarr *m.* Verwirrung *f. vt* **1** verwirren, verwickeln. **2** verknoten.
tank (tæŋk) *n* **1** Zisterne *f.* **2** Tank *m.* **3** *mil* Panzer *m. v* **tank up** tanken. **tanker** *n* Tanker *m.*
tankard ('tæŋkəd) *n* Kanne *f.* Bierkrug *m.*
tantalize ('tæntəlaiz) *vt* quälen.
tantrum ('tæntrəm) *n* Wutanfall *m.*
tap[1] (tæp) *vt,vi* klopfen. *n* Klopfen *neu.*
tap[2] (tæp) *n* Hahn, Zapfen *m. vt* **1** anzapfen. **2** (a telephone) anzapfen.
tape (teip) *n* **1** Band *neu.* **2** Tonband *m. vt* **1** auf Band aufnehmen. **2** mit einem Band befestigen. **tape measure** *n* Maßband *neu.* **tape-recorder** *n* Tonbandgerät *neu.*
taper ('teipə) *vi,(vt)* spitz zulaufen (lassen). *n* dünne Kerze *f.*
tapestry ('tæpistri) *n* Wandteppich *m.*
tapioca (tæpi'oukə) *n* Tapioka *f.*
tar (tɑ:) *n* Teer *m. vt* teeren.
tarantula (tə'ræntjulə) *n* Tarantel *f.*
target ('tɑ:git) *n* **1** Zielscheibe *f.* **2** Ziel *neu.*
tariff ('tærif) *n* **1** Zolltarif *m.* **2** Preisliste *f.*
Tarmac ('tɑ:mæk) *n Tdmk* Asphalt *m.*
tarnish ('tɑ:niʃ) *vt* **1** trüben. **2** beflecken. *vi* sich trüben.
tarragon ('tærəgən) *n* Estragon *m.*
tart[1] (tɑ:t) *adj* **1** sauer, herb. **2** beißend.
tart[2] (tæ:t) *n* **1** (Obst)Torte *f.* **2** *sl* Dirne *f.*
tartan ('tɑ:tn) *n* **1** karierter Wollstoff *m.* **2** kariertes Schottenmuster *neu.*
task (tɑ:sk) *n* Aufgabe *f.* **take someone to task** jemanden zur Rede stellen.
Tasmania (tæz'meiniə) *n* Tasmanien *neu.*
tassel ('tæsəl) *n* Quaste *f.*
taste (teist) *vt* **1** schmecken. **2** kosten. *vi* schmecken. *n* **1** Geschmack *m.* **2** Kostprobe *f.* **tasty** *adj* schmackhaft.
tattoo[1] (tə'tu:) *n mil* Zapfenstreich *m.*
tattoo[2] (tə'tu:) *vt* tätowieren. *n* Tätowierung *f.*
taught (tɔ:t) *v* see **teach.**
taunt (tɔ:nt) *vt* sticheln. *n* Stichelei *f.*
Taurus ('tɔ:rəs) *n* Stier *m.*
taut (tɔ:t) *adj* **1** gespannt, straff. **2** steif.
tautology (tɔ:'tɔlədʒi) *n* Tautologie *f.*
tavern ('tævən) *n* Schenke, Kneipe *f.*
tax (tæks) *n* Steuer *f. vt* **1** besteuern. **2** anstrengen. **income tax** Einkommensteuer *f.* **tax evasion** *n* Steuerhinterziehung *f.*
taxi (tæksi) *n* Taxi *neu. vi aviat* rollen.
tea (ti:) *n* **1** Tee *m.* **2** Teemahlzeit *f.* **high tea** *n* Abendbrot *neu.* **tea-bag** *n* Teebeutel *m.* **tea-break** *n* Teepause *f.* **tea-cloth** *n* Geschirrtuch *neu.* **teacup** *n* Teetasse *f.* **tealeaves** *n pl* Teesatz *m.* **teapot** *n* Teekanne *f.* **teaspoon** *n* Teelöffel *m.*
teach* (ti:tʃ) *vt* lehren, unterrichten. *vi* unterrichten. **teacher** *n* Lehrer *m.* Lehrerin *f.* **teacher training college** *n* pädagogische Hochschule *f.*
teak (ti:k) *n* **1** Tiekbaum *m.* **2** Tiekholz *neu.*
team (ti:m) *n* **1** *sport* Mannschaft *f.* **2** (of horses) Gespann *neu.* **3** Team *neu. v* **team up** sich zusammentun.
tear[1] (tiə) *n* Träne *f.* **tear-gas** *n* Tränengas *neu.*
tear*[2] (tɛə) *vt* (zer)reißen. *vi* **1** (zer)reißen. **2** zerren. **3** *inf* rasen. *n* Riß *m.*
tease (ti:z) *vt* **1** necken, ärgern, quälen. **2** *tech* (aus)zupfen, kämmen.
teat (ti:t) *n* **1** Brustwarze, Zitze *f.* **2** Lutscher *m.*
technical ('teknikəl) *adj* **1** technisch. **2** fachlich. **technician** *n* Techniker *m.* **technique** *n* Technik *f.* Verfahren *neu.* **technology** *n* **1** Technologie. **2** Gewerbekunde *f.*
tedious ('ti:diəs) *adj* langweilig, ermüdend.
tee[1] (ti:) *n tech* T-Stück *neu.*
tee[2] (ti:) *n sport* Abschlagestelle *f. v* **tee off** den Ball abschlagen.
teenage ('ti:neidʒ) *adj* jugendlich, Teenager—. **teenager** *n* Teenager *m.*
teetotal (ti:'tout|) *adj* antialkoholisch, abstinent. **teetotaller** *n* Abstinenzler *m.*
telegram ('teligræm) *n* Telegramm *neu.*
telegraph ('teligrɑ:f) *vt* telegraphieren. *n* Telegraph *m.* **telegraph pole** *n* Telegraphenstange *f.*
telepathy (ti'lepəθi) *n* Telepathie *f.*
telephone ('telifoun) *n* Telephon *neu.* Fernsprecher *m. vt,vi* telephonieren, anrufen. **telephone box** Telephonzelle *f.* **telephone call** Anruf *m.*
telescope ('teliskoup) *n* Fernrohr, Teleskop *neu.*
televise ('telivaiz) *vt* im Fernsehen übertragen. **television** *n* Fernsehen *neu.* **television (set)** *n* Fernsehapparat *m.*

telex ('teleks) *n* Fernschreibnetz *neu.*

tell* (tel) *vt* **1** sagen, erzählen. **2** mitteilen. **3** erkennen. **4** unterscheiden. *vi* **1** erzählen. **2** Wirkung haben. **telltale** *adj* verräterisch. *n* Zuträger *m.*

temper ('tempə) *n* **1** Laune *f.* **2** Wut *f.* **3** *tech* Härtegrad *m. vt* **1** mildern. **2** *tech* härten. **temperament** *n* Temperament *neu.* **temperamental** *adj* temperamentvoll. **temperate** *adj* **1** mäßig. **2** mild. **temperature** *n* Temperatur *f.* **have a temperature** Fieber haben.

tempestuous (tem'pestjuəs) *adj* stürmisch.

temple[1] ('tempəl) *n rel* Tempel *m.*

temple[2] ('tempəl) *n anat* Schläfe *f.*

tempo ('tempou) *n* Tempo *neu.*

temporal ('tempərəl) *adj* **1** weltlich. **2** zeitlich. **temporary** *adj* vorübergehend, vorläufig.

tempt (tempt) *vt* **1** versuchen. **2** verlocken. **temptation** *n* **1** Versuchung *f.* **2** Anreiz *m.*

ten (ten) *adj* zehn. *n* Zehn *f.* **tenth** *adj* zehnte.

tenacious (tə'neiʃəs) *adj* beharrlich, zäh.

tenant ('tenənt) *n* Mieter, Pächter *m.* **tenancy** *n* Mietverhältnis *neu.*

tend[1] (tend) *vi* **1** neigen. **2** führen, gehen.

tend[2] (tend) *vt* **1** pflegen, hüten. **2** bedienen.

tendency ('tendənsi) *n* Neigung, Tendenz *f.*

tender[1] ('tendə) *adj* **1** weich, zart. **2** empfindlich. **tenderness** *n* Zartheit *f.*

tender[2] ('tendə) *vt* anbieten. *n* Angebot *neu.*

tendon ('tendən) *n* Sehne *f.*

tendril ('tendril) *n* Ranke *f.*

tenement ('tenəmənt) *n* **1** Mietwohnung *f.* **2** Miethaus *neu.*

tennis ('tenis) *n* Tennis *neu,* **tennis court** *n* Tennisplatz *m.*

tenor ('tenə) *n* **1** *mus* Tenor *m.* **2** Sinn *m.*

tense[1] (tens) *adj* gespannt, straff. *(vi),vt* (sich) anspannen. **tension** *n* Spannung *f.*

tense[2] (tens) *n gram* Zeit(form) *f.*

tent (tent) *n* Zelt *neu.*

tentacle ('tentəkəl) *n* Fühler *m.*

tentative ('tentətiv) *adj* **1** Versuchs—. **2** zögernd. **tentatively** *adv* versuchsweise.

tenuous ('tenjuəs) *adj* **1** dürftig. **2** dünn.

tepid ('tepid) *adj* (lau)warm.

term (tə:m) *n* **1** Termin *m.* **2** *educ* Trimester, Semester *neu.* **3** Ausdruck *m.* **4** *pl* Bedingungen *f pl.* **5** *pl* (persönliche) Beziehungen *f pl.* **6** *pl* Zahlungsforderungen *f pl. vt* (be)nennen.

terminal ('tə:min|) *adj* letzt, End—. *n* **1** Endstation *f.* **2** (electricity) Pol *m.* **3** Flughafengebäude *neu.*

terminate ('tə:mineit) *vt* **1** (be)endigen. **2** kündigen. *vi* aufhören, zu Ende kommen.

terminology (tə:mi'nɔlədʒi) *n* Terminologie *f.*

terminus ('tə:minəs) *n* **1** Endpunkt *m.* **2** Endstation *f.*

terrace ('terəs) *n* **1** Terrasse *f.* **2** Häuserreihe *f.*

terrestrial (tə'restriəl) *adj* irdisch, Erd—.

terrible ('teribəl) *adj* schrecklich, furchtbar.

terrier ('teriə) *n* Terrier *m.*

terrify ('terifai) *vt* erschrecken. **terrific** *adj* **1** fürchterlich. **2** *inf* großartig.

territory ('teritri) *n* Gebiet *neu.*

terror ('terə) *n* **1** Entsetzen *neu.* Schrecken *m.* **2** *pol* Terror *m.* **terrorist** *n* Terrorist *m.* **terrorize** *vt* terrorisieren.

Terylene ('terili:n) *n Tdmk* Terylene *neu.*

test (test) *vt* **1** prüfen, testen. **2** untersuchen. *n* **1** Prüfung, Probe *f.* **2** Test *m.* **test-tube** *n* Reagenzglas *neu.*

testament ('testəmənt) *n* Testament *neu.*

testicle ('testikəl) *n* Hoden *m.*

testify ('testifai) *vt* bezeugen. *vi* Zeugnis ablegen.

testimony ('testiməni) *n* **1** Zeugenaussage *f.* **2** Beweis *m.* **testimonial** *n* **1** Empfehlungsschreiben *neu.* **2** Gedenkzeichen *neu.*

tether ('teθə) *n* Haltestrick *m.* **be at the end of one's tether** nicht mehr weiter wissen. ~*vt* anbinden.

Teutonic (tju:'tɔnik) *adj* teutonisch.

text (tekst) *n* Text, Wortlaut *m.* **textbook** *n* Lehrbuch *neu.*

textile ('tekstail) *n* **1** Webstoff *m.* **2** *pl* Textilien *pl. adj* gewebt, Textil—. Web—.

texture ('tekstʃə) *n* **1** Gewebe *neu.* **2** Struktur *f.*

Thames (temz) *n* Themse *f.*

than (ðən; *stressed* ðæn) *conj,prep* als.

thank (θæŋk) *vt* danken. **thanks** *n* Dank *m. interj also* **thank you** danke (schön), vielen Dank. **thankful** *adj* dankbar.

that (ðæt) *adj,pron* jener, jene, jenes, der, die, das. *pron* der, die, das, welch. *conj* **1** daß. **2** daß, damit. **in that** insofern als. **so that** so daß.

thatch (θætʃ) *n* Dachstroh *neu. vi* mit Stroh decken.

thaw (θɔ:) *vt,vi* (auf)tauen. *n* Tauwetter *neu.*

the (ðə; *stressed* ði:) *def art* **1** der, die, das. **2** *pl* die. **the...the** je...desto.

theatre ('θiətə) *n* **1** Theater, Schauspielhaus *neu.* **2** *med* Operationssaal *m.* **theatrical** *adj* **1** bühnenmäßig. **2** theatralisch.

theft (θeft) *n* Diebstahl *m.*

their (ðɛə) *poss adj 3rd pers pl* ihr.
theirs (ðɛəz) *poss pron 3rd pers pl* ihrer, der ihre *or* ihrige.
them (ðəm; *stressed* ðem) *pron 3rd pers pl* **1** sie. **2** ihnen. **themselves** *pron 3rd pers pl* **1** sich. **2** sich selbst. **3** sie selbst.
theme (θi:m) *n* Thema *neu.* **thematic** *adj* thematisch.
then (ðən; *stressed* ðen) *adv* **1** dann, da, darauf, damals. **2** dann, demnach, weiter. *conj* also, dann. **until then** bis dahin.
theology (θi'ɔlədʒi) *n* Theologie *f.* **theologian** *n* Theologe *m.* **theological** *adj* theologisch.
theorem ('θiərəm) *n* Lehrsatz *m.* Theorem *neu.*
theory ('θiəri) *n* Theorie *f.* **theoretical** *adj* theoretisch. **theorize** *vi* Theorien aufstellen.
therapy ('θerəpi) *n* Therapie *f.* Heilverfahren *neu.* **therapeutic** *adj* therapeutisch.
there (ðɛə) *adv* dort(hin), da(rin). *interj* na nu! na also! **over there** dort drüben. **there is** es gibt, es ist. **there are** es gibt, es sind. **thereabouts** *adv* **1** da herum, in der Gegend. **2** so etwa, ungefähr. **thereafter** *adv* danach. **thereby** *adv* dadurch. **therefore** *adv* deshalb, deswegen, infolgedessen. **thereupon** *adv* darauf, danach. **therewith** *adv* damit.
thermal ('θə:məl) *adj also* **thermic** **1** thermisch. **2** warm.
thermodynamics (θə:moudai'næmiks) *n* Thermodynamik *f.*
thermometer (θə'mɔmitə) *n* Thermometer *neu.* Temperaturmesser *m.*
thermonuclear (θə:mou'nju:kliə) *adj* thermonuklear.
Thermos ('θə:məs) *n Tdmk also* **thermos flask** Thermosflasche *f.*
thermostat ('θə:məstæt) *n* Thermostat *m.*
these (ði:z) *adj,pron pl* diese, die.
thesis ('θi:sis) *n, pl* **-ses** **1** These, Behauptung *f.* **2** Dissertation *f.*
they (ðei) *pron 3rd pers pl* sie. **they say** man sagt.
thick (θik) *adj* **1** dick, dicht. **2** *sl* dumm. **thick-skinned** *adj* dickfellig. **thicken** *vt* **1** dick machen. **2** eindicken. *vi* **1** dick werden. **2** sich verdichten. **thickness** *n* **1** Dicke *f* **2** Dichtheit *f.*
thief (θi:f) *n, pl* **thieves** Dieb *m.* **stop thief!** haltet den Dieb!
thigh (θai) *n* (Ober)Schenkel *m.* **thigh-bone** *n* Oberschenkelknochen *m.*
thimble ('θimbəl) *n* Fingerhut *m.*
thin (θin) *adj* **1** dünn, mager. **2** spärlich. *vt* **1** dünn machen. **2** verdünnen. **thin-skinned** *adj* empfindlich. **thinness** *n* **1** Dünnheit *f.* **2** Dürftigkeit *f.*
thing (θiŋ) *n* **1** Ding *neu.* Sache *f.* **2** Geschöpf *neu.* **among other things** unter anderem. **no such thing** nichts dergleichen. **the very thing** genau das.
think* (θiŋk) *vt,vi* **1** denken. **2** sich vorstellen. **3** überlegen. **think of/about** denken an/über, halten von. **I think so** ich denke schon.
third (θə:d) *adj* dritte. *n* Drittel *neu.* **third party** *n* Dritte(r) *m.* **third-party insurance** *n* Haftpflichtversicherung *f.* **third person** *n* dritte Person *f.* **third-rate** *adj* drittrangig.
thirst (θə:st) *n* **1** Durst *m.* **2** Sehnsucht *f. vi also* **be thirsty** dürsten, Durst haben. **thirsty** *adj* **1** durstig. **2** begierig.
thirteen (θə:'ti:n) *adj* dreizehn. *n* Dreizehn *f.* **thirteenth** *adj* dreizehnte.
thirty ('θə:ti) *adj* dreißig. *n* Dreißig *f.* **thirtieth** *adj* dreißigste.
this (ðis) *adj,pron* dieser, diese, dies(es). **this minute** augenblicklich. **this morning** heute morgen.
thistle ('θisəl) *n* Distel *f.*
thorn (θɔ:n) *n* Dorn *m.* **thorny** *adj* dornig.
thorough ('θʌrə) *adj* **1** vollständig. **2** gründlich. **thoroughbred** *n* Vollblüter *m. adj* Vollblut—. **throughfare** *n* **1** Verkehrsader *f.* **2** Durchfahrt *f.* **thoroughly** *adv* **1** gründlich. **2** höchst.
those (ðouz) *adj,pron pl* jene, diejenigen.
though (ðou) *conj* **1** obgleich, obschon. **2** zwar. **as though** als ob.
thought[1] (θɔ:t) *n* **1** Denken *neu.* **2** Gedanke *m.* **3** Überlegung *f.* **4** Rücksicht *f.* **thoughtful** *adj* **1** rücksichtsvoll. **2** gedankenvoll. **thoughtless** *adj* **1** rücksichtslos. **2** gedankenlos. **3** unbesonnen.
thought[2] (θɔ:t) *v* see **think.**
thousand ('θauzənd) *adj* tausend. *n* Tausend *neu.* **thousandth** *adj* tausendste.
thrash (θræʃ) *vt* **1** prügeln. **2** besiegen.
thread (θred) *n* **1** Faden *m.* **2** *tech* Gewinde *neu. vt* einfädeln. *vi* sich durchziehen. **threadbare** *adj* fadenscheinig, abgedroschen.
threat (θret) *n* Drohung *f.* **threaten** *(vt),vi* (be)drohen.
three (θri:) *adj* drei. *n* Drei *f.* **three-cornered** *adj* dreieckig. **three-dimensional** *adj* dreidimensional. **threequarters** *adj* dreiviertel. **threesome** *n* Dreier *neu.* Dreiergruppe *f.*
thresh (θreʃ) *vt* (aus)dreschen.
threshold ('θreʃhould) *n* Schwelle *f.*

threw (θru:) *v* see **throw.**
thrift (θrift) *n* Sparsamkeit *f.* **thrifty** *adj* sparsam.
thrill (θril) *n* **1** Schauer *m.* **2** Sensation *f.* *vt* **1** erregen. **2** durchschauern. *vi* beben. **thriller** *n* **1** Sensationsfilm *m.* **2** Sensationsroman.
thrive (θraiv) *vi* gedeihen.
throat (θrout) *n* Kehle *f.* Schlund *m.*
throb (θrɔb) *vi* pochen, klopfen. *n* **1** Klopfen, Pochen *neu.* **2** Erregung *f.*
throne (θroun) *n* Thron *m.*
throng (θrɔŋ) *n* **1** Gedränge *neu.* Andrang *m.* **2** Menge *f.* *vi* (sich) drängen. *vt* bedrängen.
throttle ('θrɔtl) *n* Drosselventil *neu.* *vt* **1** erdrosseln. **2** ersticken.
through (θru:) *prep* **1** durch. **2** mit Hilfe (von). *adv* durch. **throughout** *prep* **1** überall in. **2** während. *adv* **1** überall. **2** durchaus.
throw* (θrou) *vt* werfen, schleudern. *n* Wurf *m.* **throw away** wegwerfen. **throw off** abwerfen. **throw out** hinauswerfen. **throw up** *inf* kotzen.
thrush (θrʌʃ) *n zool* Drossel *f.*
thrust* (θrʌst) *vt* **1** stoßen. **2** stecken. *vi* stoßen. *n* Stoß *m.*
thud (θʌd) *n* dumpfer Schlag *m.* *vi* dumpf aufschlagen.
thumb (θʌm) *n* Daumen *m.* *vt* durchblättern. **well-thumbed** *adj* (of a book) abgegriffen.
thump (θʌmp) *n* (dumpfer) Schlag, Puff *m.* *vt* schlagen. *vi* klopfen.
thunder ('θʌndə) *n* Donner *m.* *vi* donnern. **thunderstorm** *n* Gewitter *neu.*
Thuringia (θju'rindʒiə) *n* Thüringen *neu.*
Thursday ('θə:zdi) *n* Donnerstag *m.*
thus (ðʌs) *adv* so, also, auf diese Weise.
thwart (θwɔ:t) *vt* durchkreuzen, vereiteln.
thyme (taim) *n* Thymian *m.*
thyroid ('θairɔid) *adj* **1** Schilddrüsen—. **2** Schildknorpel—. *n* **1** Schilddrüse *f.* **2** Schildknorpel *m.*
tiara (ti'a:rə) *n* Tiara *f.* Stirnreif *m.*
tick[1] (tik) *vi* **1** ticken. **2** *inf* funktionieren. *vt* abhaken. *n* **1** Ticken *neu.* **2** Häckchen *neu.*
tick[2] (tik) *n zool* Zecke *f.*
ticket ('tikit) *n* **1** Karte *f.* **2** Fahrschein *m.* Fahrkarte *f.* **3** Zettel *m.* **return ticket** Rückfahrkarte *f.* **season ticket** Zeitkarte *f.* **single ticket** einfache Fahrkarte *f.* **ticket collector** *n* Bahnsteigschaffner *m.* **ticket-office** *n* Fahrkartenschalter *m.*
tickle ('tikəl) *vt,vi* kitzeln. **ticklish** *adj* **1** kitz(e)lig. **2** heikel.
tide (taid) *n* **1** Ebbe und Flut *f.* **2** Strom *m.* **high tide** Flut *f.* **low tide** Ebbe *f.* **tidemark** *n* Gezeitenmarke *f.*
tidy ('taidi) *adj* ordentlich, sauber. *vt also* **tidy up** aufräumen.
tie (tai) *vt* (ver)binden, schnüren. *n* **1** Schlips *m.* **2** Band *neu.* **3** *sport* Unentschieden *neu.*
tier (tiə) *n* Reihe *f.* Rang *m.*
tiger ('taigə) *n* Tiger *m.*
tight (tait) *adj* **1** fest. **2** dicht. **3** eng, knapp. **4** straff, gespannt. **5** *sl* beschwipst. **tight-fisted** *adj* knauserig. **tightrope** *n* Drahtseil *neu.* **tights** *n pl* Strumpfhose *f.* **tighten** *vt* **1** straff spannen. **2** enger machen. **3** zusammenziehen.
tile (tail) *n* **1** Dachziegel *m.* **2** Fliese *f.* *vt* mit Ziegeln *or* Fliesen decken.
till[1] (til) *prep,conj* bis.
till[2] (til) *vt* bebauen, bearbeiten.
till[3] (til) *n* Kasse, Geldschublade *f.*
tiller ('tilə) *n* Ruderpinne, Steuerstange *f.*
tilt (tilt) *(vi),vt* (sich) kippen, (sich) neigen. *n* Neigung *f.* Hang *m.*
timber ('timbə) *n* **1** Bauholz, Nutzholz *neu.* **2** Balken *m.* *adj* hölzern.
time (taim) *n* **1** Zeit *f.* **2** Mal *neu.* **3** *mus* Takt *m.* **4** *pl* Zeitalter *neu.* *vi* **1** die Zeit bestimmen. **2** die Zeit messen von. **time bomb** *n* Zeitbombe *f.* **timetable** *n* **1** Stundenplan *m.* **2** Fahrplan *m.*
timid ('timid) *adj* **1** furchtsam. **2** scheu.
tin (tin) *n* **1** Zinn, (Weiß)Blech *neu.* **2** Dose, Büchse *f.* *adj* zinnern. *vt* **1** konservieren. **2** verzinnen. **tin-opener** *n* Büchsenöffner *m.*
tinge (tindʒ) *n* **1** Färbung *f.* **2** Anhauch *m.* *vt* **1** färben. **2** einen Anhauch geben.
tingle ('tiŋgəl) *vi* **1** prickeln. **2** klingen. *n* **1** Klingen *neu.* **2** Prickeln *neu.*
tinker ('tiŋkə) *n* Kesselflicker *m.* *vi* basteln.
tinkle ('tiŋkəl) *vi* klingeln. *n* Geklingel *neu.*
tinsel ('tinsəl) *n* **1** Flitter *m.* **2** Lametta *neu.*
tint (tint) *n* Tönung *f.* *vt* leicht tönen.
tiny ('taini) *adj* winzig.
tip[1] (tip) *n* Spitze *f.* *vt* mit einer Spitze versehen. **tiptoe** *vi* auf Zehenspitzen gehen.
tip[2] (tip) *vt,vi* umkippen. *n* Abladeplatz *m.*
tip[3] (tip) *n* **1** Trinkgeld *neu.* **2** Wink, Tip *m.* *vt* **1** ein Trinkgeld geben. **2** einen Wink geben.
tipsy ('tipsi) *adj* beschwipst.
tire ('taiə) *vt* **1** müde machen. **2** erschöpfen. *vi* müde werden. **tired** *adj* **1** müde. **2** erschöpft. **be tired of something** etwas satt haben.

tissue ('tiʃu:) *n* **1** (feines) Gewebe *neu.* **2** Papiertaschentuch *neu.*

title ('taitl) *n* Titel *m. vt* betiteln.

to (tə; *stressed* tu:) *prep* **1** zu. **2** vor. **3** nach. **4** an. **5** gegen. **6** auf. *conj* um zu. **to and fro** *adv* hin und her. **to-do** *n* Getue *neu.*

toad (toud) *n* Kröte *f.* **toadstool** *n* Giftpilz *m.*

toast[1] (toust) *n* Toast *m. vt* **1** toasten, rösten. **2** wärmen.

toast[2] (toust) *n* Trinkspruch *m. vt* trinken auf.

tobacco (tə'bækou) *n* Tabak *m.* **tobacconist** *n* Tabakhändler *m.*

toboggan (tə'bɔgən) *n* Rodelschlitten *m. vi* rodeln.

today (tə'dei) *adv* heute, heutzutage.

toddler ('tɔdlə) *n* kleines Kind *neu.*

toe (tou) *n* Zehe *f.* **toenail** *n* Zehennagel *m.*

toffee ('tɔfi) *n* Karamelle *f.* Toffee *neu.*

together (tə'geðə) *adv* **1** zusammen, miteinander. **2** zugleich.

toil (tɔil) *vi* arbeiten, sich mühen. *n* Mühe, Plackerei *f.*

toilet ('tɔilət) *n* **1** Toilette *f.* **2** Klo(sett) *neu.* **toilet paper** *n* Klosettpapier *neu.*

token ('toukən) *n* **1** Zeichen *neu.* **2** Andenken *neu.* **3** Gutschein *m.*

told (tould) *v* see **tell.**

tolerate ('tɔləreit) *vt* **1** dulden. **2** aushalten. **3** tolerieren. **tolerance** *n* Duldsamkeit, Toleranz *f.* **tolerant** *adj* tolerant.

toll[1] (toul) *vt,vi* läuten, schlagen.

toll[2] (toul) *n* **1** Wegegeld *neu.* Zoll *m.* **2** Tribut *m.* **tollgate** *n* Schlagbaum *m.*

tomato (tə'ma:tou) *n, pl* **-oes** Tomate *f.*

tomb (tu:m) *n* Grab(mal) *neu.*

tomorrow (tə'mɔrou) *adv* morgen. **the day after tomorrow** übermorgen. **tomorrow morning** morgen früh. **tomorrow week** morgen in acht Tagen.

ton (tʌn) *n* Tonne *f.*

tone (toun) *n* **1** Ton *m.* **2** Tönung *f. vt* abtönen.

tongs (tɔŋz) *n pl* Zange *f.*

tongue (tʌŋ) *n* **1** *anat* Zunge *f.* **2** Sprache *f.* **hold one's tongue** den Mund halten. **tongue in cheek** ironisch. **tongue-tied** *adj* stumm. **tongue-twister** *n* Zungenbrecher *m.*

tonic ('tɔnik) *adj* **1** tonisch, stärkend. **2** *mus* Grundton—. *n* **1** Stärkungsmittel *neu.* **2** *mus* Grundton *m.* **tonic water** *n* Sprudel(wasser) *m, neu.*

tonight (tə'nait) *adv* heute abend *or* nacht.

tonsil ('tɔnsəl) *n* Mandel *f.* **tonsilitis** *n* Mandelentzündung *f.*

too (tu:) *adv* **1** (all)zu. **2** sehr. **3** auch, dazu. **all too** viel zu, allzu.

took (tuk) *v* see **take.**

tool (tu:l) *n* Werkzeug, Gerät *neu.*

tooth (tu:θ) *n, pl* **teeth** Zahn *m.* **toothache** *n* Zahnweh *neu.* Zahnschmerzen *m pl.* **toothbrush** *n* Zahnbürste *f.* **toothpaste** *n* Zahnpasta *f.* **toothpick** *n* Zahnstocher *m.*

top[1] (tɔp) *n* **1** Spitze *f.* Wipfel, Gipfel *m.* **2** Oberfläche *f.* Oberteil *m.* **3** Deckel *m. adj* **1** oberst, höchst. **2** best. *vt* **1** übertreffen. **2** köpfen. **3** anführen. **top hat** *n* Zylinder *m.* **top-heavy** *adj* kopflastig.

top[2] (tɔp) *n* Kreisel *m.*

topaz ('toupæz) *n* Topaz *m.*

topic ('tɔpik) *n* Gegenstand *m.* Thema *neu.* **topical** *adj* **1** aktuell. **2** *med* örtlich.

topography (tə'pɔgrəfi) *n* Topographie *f.*

topple ('tɔpəl) *vi* kippen, stürzen. **topple down** *or* **over** umkippen, niederstürzen.

topsoil ('tɔpsɔil) *n* Ackerkrume *f.*

topsy-turvy (tɔpsi'tə:vi) *adj,adv inf* das Oberste zuunterst, drunter und drüber.

torch (tɔ:tʃ) *n* **1** Taschenlampe *f.* **2** Fackel *f.*

tore (tɔ:) *v* see **tear.**

torment ('tɔ:mənt) *n* Qual *f. vt* quälen.

torn (tɔ:n) *v* see **tear.**

tornado (tɔ:'neidou) *n* Tornado, Wirbelsturm *m.*

torpedo (tɔ:'pi:dou) *n* Torpedo *m. vt* torpedieren.

torrent ('tɔrənt) *n* **1** Sturzbach *m.* **2** Wolkenbruch *m.* **3** Strom *m.* **4** Wortschwall *m.*

torso ('tɔ:sou) *n* Torso *m.*

tortoise ('tɔ:təs) *n* Schildkröte *f.*

tortuous ('tɔ:tʃuəs) *adj* gewunden, krumm.

torture ('tɔ:tʃə) *n* Folter, Marter, Qual *f. vt* foltern, martern, quälen.

Tory ('tɔ:ri) *n* britische(r) Konservative(r) *m.*

toss (tɔs) *vt* **1** (hoch)werfen. **2** schütteln. *vi* **1** sich unruhig bewegen. **2** schlingern. *n* Wurf *m.*

tot[1] (tɔt) *n* Schluck *m.*

tot[2] (tɔt) *vt* **tot up** zusammenrechnen.

total ('tout|) *adj* **1** gesamt. **2** ganz, völlig, total. *n* **1** Ganze *neu.* **2** Summe *f.* Gesamtbetrag *m. vi* sich belaufen auf. **totalitarian** *adj* totalitär.

totem ('toutəm) *n* Totem *neu.* **totem pole** *n* Totempfahl *m.*

totter ('tɔtə) *vi* schwanken, wanken.

touch (tʌtʃ) *vt* (an-, be-)rühren. *vi* in Berührung kommen, berühren. **touch down** *aviat* landen. **touch up** auffrischen. ~*n* **1** Berührung *f.* **2** Tastsinn *m.* **3** Spur *f.* Hauch *m.* **4** Hand *f.* **touchy** *adj* reizbar, überempfindlich.

tough (tʌf) *adj* **1** zäh. **2** hart. **toughen** *vt* zäh(er) machen, abhärten.

toupee ('tu:pei) *n* Toupet *neu.*

tour (tuə) *n* Tour, Reise, Rundfahrt *f.* Rundgang *m. vt* bereisen, besuchen. *vi* reisen. **tourism** *n* Fremdenverkehr, Tourismus *m.* **tourist** *n* Tourist *m.*

tournament ('tuənəmənt) *n* Tournier *neu.*

tow (tou) *vt* **1** (ab)schleppen. **2** bugsieren. **towrope** *n* Schlepptau *neu.*

towards (tə'wɔ:dz) *prep also* **toward** **1** gegen. **2** nach (...zu), auf...zu *or* hin. **3** entgegen.

towel ('tauəl) *n* Handtuch, Badetuch *neu.*

tower ('tauə) *n* Turm *m. vi* sich erheben, emporragen. **tower-block** *n* Hochhaus *neu.*

town (taun) *n* Stadt *f.* **town clerk** *n* Stadtsyndikus *m.* **town hall** *n* Rathaus *neu.* **town-planning** *n* Städteplanung *f.*

toxic ('tɔksik) *adj* giftig, toxisch.

toy (tɔi) *n* Spielzeug *neu. v* **toy with** spielen mit.

trace (treis) *n* Spur *f. vt* **1** folgen, nachgehen. **2** zurückverfolgen. **3** durchzeichnen.

track (træk) *n* **1** Weg, Pfad *m.* **2** (of a railway) Gleis *neu.* **3** Spur *f.* **4** *sport* Bahn *f. vt* (ver)folgen, nachspüren. **tracksuit** *n* Trainingsanzug *m.*

tract[1] (trækt) *n* **1** Strecke *f.* **2** *anat* System *neu.* **3** Zeitraum *m.*

tract[2] (trækt) *n rel* Traktat *m,neu.*

tractor ('trækta) *n* Schlepper, Traktor *m.*

trade (treid) *n* **1** Handel *m.* **2** Gewerbe *f.* Geschäft *neu. vi* handeln. *vt* austauschen. **trademark** *n* Schutzmarke *f.* **tradesman** *n* Ladenbesitzer, Händler *m.* **trade union** *n* Gewerkschaft *f.*

tradition (tra'diʃən) *n* **1** Tradition, Überlieferung *f.* **2** Brauch *m.* **traditional** *adj* traditionell.

traffic ('træfik) *n* **1** Verkehr *m.* **2** *comm* Handel *m.* **traffic jam** *n* Verkehrsstockung *f.* **traffic lights** *n pl* Verkehrsampel *f.* **traffic warden** *n* Verkehrsaufseher *m.*

tragedy ('trædʒədi) *n* Trauerspiel *neu.* Tragödie *f.* **tragic** *adj* tragisch.

trail (treil) *n* **1** Spur *f.* **2** Schweif *m. vt* **1** nachschleppen. **2** verfolgen. *vi* schleifen. **trailer** *n* **1** *mot* Anhänger *m.* **2** (of a film) Vorschau *m.*

train (trein) *n* **1** Zug *m.* **2** Reihe *f.* **3** Gefolge *neu. vt* **1** schulen, ausbilden. **2** *sport* trainieren. *vi sport* trainieren. **trainee** *n* Lehrling, Praktikant *m.*

traitor ('treitə) *n* Verräter *m.*

tram (træm) *n* Straßenbahn *f.*

tramp (træmp) *vi* **1** wandern. **2** trampeln, treten. *n* **1** Landstreicher *m.* **2** Wanderung *f.*

trample ('træmpəl) *vt* zertrampeln. *vi* herumtreten.

trampoline ('træmpəli:n) *n* Trampoline *f.*

trance (trɑ:ns) *n* **1** Verzückung *f.* **2** Trance *f.*

tranquil ('trænkwil) *adj* still, ruhig, gelassen. **tranquillity** *n* **1** Ruhe *f.* **2** Gelassenheit *f.* **tranquillizer** *n* Beruhigungsmittel *neu.*

transact (træn'zækt) *vt* durchführen. **transaction** *n* Geschäft *neu.* Verhandlung *f.*

transatlantic (trænzət'læntik) *adj* transatlantisch.

transcend (træn'send) *vt* übersteigen, überschreiten.

transcribe (træn'skraib) *vt* **1** umschreiben. **2** *mus* umsetzen.

transfer (*v* trans'fə:; *n* 'trænsfə:) *vt* **1** übertragen. **2** versetzen. **3** (money) überweisen. *n* **1** Übertragung *f.* **2** Versetzung *f.* **3** Überweisung *f.* **4** Versand *m.* **5** Abziehbild *neu.*

transform (trans'fɔ:m) *vt* verwandeln, umformen. **transformation** *n* Verwandlung *f.* **transformer** *n tech* Transformator *m.*

transfuse (trans'fju:z) *vt* **1** *med* übertragen. **2** durchtränken. **transfusion** *n* **1** *med* Blutübertragung *f.* **2** Durchtränkung *f.*

transistor (træn'zistə) *n* Transistor *m.* **transistor (radio)** Transistorradio *neu.*

transit ('trænsit) *n* **1** Durchgang *m.* **2** Durchgangsverkehr *m.* **in transit** unterwegs.

transition (træn'ziʃən) *n* Übergang *m.*

transitive ('trænsitiv) *adj* transitiv.

translate (trænz'leit) *vt* übersetzen, übertragen.

translucent (trænz'lu:sənt) *adj* **1** nicht ganz durchsichtig. **2** lichtdurchlässig.

transmit (trænz'mit) *vt* **1** (by radio, etc.) (über)senden, übertragen. **2** überliefern. **transmitter** *n* Sender *m.* **transmission** *n* **1** (by radio, etc.) Sendung *f.* **2** *tech* Getriebe *neu.* **3** Übersendung *f.*

transparent (trans'pærənt) *adj* durchsichtig.

transplant (*v* trans'plɑ:nt; *n* 'transplɑ:nt) *vt* **1** umpflanzen. **2** *med* transplantieren. *n* **1** Umpflanzung *f.* **2** Transplantation *f.*

transport (*v* trans'pɔ:t; *n,adj* 'transpɔ:t) *vt* befördern, transportieren. *n* **1** Beförderung, Spedition *f.* Transport *m.* Versand *m.* **2** Begeisterung *f. adj* Transport—.

transpose (trænsˈpouz) *vt* **1** umsetzen. **2** *mus* transponieren.

trap (træp) *n* Falle *f*. *vt* (ein)fangen, erwischen. **trapdoor** *n* Falltür *f*.

trapeze (trəˈpi:z) *n* Trapez *neu*.

trash (træʃ) *n* **1** wertloses Zeug *neu*. Kitsch *m*. **2** Unsinn *m*. **3** Abfall *m*.

trauma (ˈtrɔ:mə) *n* Trauma *neu*.

travel (ˈtrævəl) *vi* reisen. *vt* bereisen. *n* **1** Reise *f*. Reisen *neu*. **2** *pl* Reisen *f pl*. **travel agency** *n* Reisebüro *neu*. **traveller** *n* Reisende(r) *m*. **traveller's cheque** *n* Reisescheck *m*.

trawl (trɔ:l) *n* Schleppnetz *neu*. *vi* mit dem Schleppnetz fischen. **trawler** *n* Schleppnetzfischerboot *neu*. Trawler *m*.

tray (trei) *n* Tablett, Servierbrett *neu*.

treachery (ˈtretʃəri) *n* Verrat *m*. Untreue *f*. **treacherous** *adj* **1** verräterisch. **2** gefährlich.

treacle (ˈtri:kəl) *n* Sirup *m*. Melasse *f*.

tread* (tred) *vi* treten. *vt* betreten. *n* **1** Schritt, Tritt *m*. **2** *mot* Reifenprofil *neu*.

treason (ˈtri:zən) *n* Verrat *m*. **high treason** Hochverrat *m*.

treasure (ˈtreʒə) *n* Schatz *m*. *vt* **1** (hoch)schätzen. **2** anhäufen. **treasurer** *n* Schatzmeister, Kassenwart *m*. **treasury** *n* **1** Schatzkammer *f*. **2** Finanzministerium *neu*.

treat (tri:t) *vt* **1** behandeln. **2** freihalten. *n* Genuß *m*. Vergnügen *neu*. **treatment** *n* Behandlung *f*.

treatise (ˈtri:tiz) *n* Abhandlung *f*.

treaty (ˈtri:ti) *n* Vertrag *m*. Abkommen *neu*.

treble (ˈtrebəl) *adj* **1** dreifach. **2** *mus* Sopran—. *n mus* Sopran, Diskant *m*.

tree (tri:) *n* Baum *m*.

trek (trek) *vi* trecken. *n* lange Reise *f*. Treck *m*.

trellis (ˈtrelis) *n* **1** Gitter *neu*. **2** Spalier *neu*.

tremble (ˈtrembəl) *vi* zittern, beben.

tremendous (triˈmendəs) *adj* **1** furchtbar. **2** *inf* riesig, gewaltig.

tremor (ˈtremə) *n* Zittern, Beben *neu*.

trench (trentʃ) *n* Graben *m*. *vt* mit Gräben durchziehen.

trend (trend) *n* **1** Neigung, Tendenz *f*. Trend *m*. **2** Mode *f*.

trespass (ˈtrespəs) *n* **1** unerlaubtes Betreten *neu*. **2** Vergehen *neu*. *vi* **1** widerrechtlich betreten. **2** verstoßen.

trestle (ˈtresəl) *n* Bock *m*. Gestell *neu*.

trial (ˈtraiəl) *n* **1** Gerichtsverfahren *neu*. Prozeß *m*. **2** Versuch *m*. Probe *f*. **3** Prüfung *f*.

triangle (ˈtraiæŋgəl) *n* **1** Dreieck *neu*. **2** *mus* Triangel *m*. **triangular** *adj* dreieckig.

tribe (traib) *n* (Volks)Stamm *m*. **tribesman** *n* Stammesangehörige(r).

tribunal (traiˈbju:nl) *n* **1** Gericht, Tribunal *neu*. **2** Gerichtshof *m*.

tributary (ˈtribjutəri) *adj* **1** zinspflichtig. **2** zufließend. *n* Nebenfluß *m*.

tribute (ˈtribju:t) *n* **1** Tribut *m*. **2** Lob *neu*.

trick (trik) *n* **1** Streich *m*. **2** Trick, Kniff *m*. **3** *game* Stich *m*. *vt* überlisten, betrügen. **tricky** *adj* **1** schlau. **2** verwickelt, heikel.

trickle (ˈtrikəl) *vi* tröpfeln. *n* Tröpfeln *neu*.

tricycle (ˈtraisikəl) *n* Dreirad *neu*.

tried (traid) *adj* erprobt.

trifle (ˈtraifəl) *n* **1** Kleinigkeit *f*. **2** *cul* (süßer) Auflauf *m*. *v* **trifle with** tändeln, spielen.

trigger (ˈtrigə) *n* Abzug, Drücker *m*. *vt* auslösen.

trill (tril) *vi* trillern. *n* Triller *m*.

trim (trim) *adj* **1** nett, hübsch. **2** ordentlich, in Ordnung. *vt* **1** beschneiden. **2** garnieren. **3** *naut* trimmen. *n* **1** Schmuck *m*. **2** Ordnung *f*.

trio (ˈtriou) *n* Trio *neu*.

trip (trip) *n* **1** Reise *f*. **2** Ausflug *m*. *vi* stolpern. *vt* ein Bein stellen.

tripe (traip) *n* **1** *cul* Kaldaunen *f pl*. **2** *inf* Quatsch *m*.

triple (ˈtripəl) *adj* dreifach. *(vi).vt* (sich) verdreifachen. **triplet** *n* **1** *lit* Dreireim *m*. **2** Dreiergruppe *f*. **3** Drilling *m*.

tripod (ˈtraipɔd) *n* Dreifuß *m*.

trite (trait) *adj* abgedroschen, platt.

triumph (ˈtraiʌmf) *n* Triumph *m*. *vi* triumphieren, siegen. **triumphant** *adj* triumphierend, jubelnd.

trivial (ˈtriviəl) *adj* trivial, unbedeutend.

trod (trɔd) *v* see **tread.**

trodden (ˈtrɔdn) *v* see **tread.**

trolley (ˈtrɔli) *n* **1** (Hand)Karren *m*. **2** Kontaktrolle *f*. **trolley bus** *n* Obus *m*.

trombone (trɔmˈboun) *n* Posaune *f*.

troop (tru:p) *n* **1** Truppe *f*. **2** Trupp *m*. Schar *f*. *vi* sich sammeln, sich scharen.

trophy (ˈtroufi) *n* Trophäe *f*. Siegeszeichen *neu*. Preis *m*.

tropic (ˈtrɔpik) *n* **1** Wendekreis *m*. **2** *pl* Tropen *pl*.

trot (trɔt) *vi* traben, trotten. *n* Trab *m*. **trotter** *n* **1** Traber *m*. **2** *pl cul* Hammelfüße, Schweinsfüße *m pl*.

trouble (ˈtrʌbəl) *n* **1** Unruhe, Schwierigkeit *f*. **2** Kummer *m*. Unglück *neu*. **3** *tech* Störung *f*. **in trouble** in Verlegenheit or Not. ~*vt* **1**

beunruhigen, stören. **2** belästigen. *vi* sich bemühen. **troublemaker** *n* Unruhestifter, Störenfried *m*. **troublesome** *adj* lästig, störend.

trough (trɔf) *n* Mulde *f*. Trog *m*.

troupe (tru:p) *n* (Theater)Truppe *f*.

trousers ('trauzəz) *n pl* Hose *f*. Hosen *f pl*.

trout (traut) *n* Forelle *f*.

trowel ('trauəl) *n* **1** Maurerkelle *f*. **2** Ausheber *m*.

truant ('truənt) *n* **1** Schulschwänzer *m*. **2** Müßiggänger *m*. *adj* **1** schulschwänzend. **2** müßig. **play truant** (die Schule) schwänzen.

truce (tru:s) *n* Waffenstillstand *m*.

truck (trʌk) *n* **1** Güterwagen *m*. **2** Lastkraftwagen *m*.

trudge (trʌdʒ) *vi* sich (mühsam) schleppen.

true (tru:) *adj* **1** wahr, richtig. **2** echt, wirklich. **3** treu. **truly** *adv* **1** wirklich, tatsächlich. **2** aufrichtig. **yours truly** Hochachtungsvoll.

truffle ('trʌfəl) *n* Trüffel *f*.

trump (trʌmp) *n* Trumpf *m*. *vt* stechen.

trumpet ('trʌmpit) *n* Trompete *f*.

truncheon ('trʌntʃən) *n* Knüttel, Knüppel *m*.

trunk (trʌŋk) *n* **1** *bot* Stamm *m*. **2** *anat* Rumpf *m*. **3** *zool* Rüssel *m*. **4** (Schrank)Koffer *m*. **5** *pl* Badehose *f*.

trust (trʌst) *vt* (ver)trauen, sich verlassen auf. *vi* **1** vertrauen, sich verlassen. **2** (zuversichtlich) hoffen. *n* **1** Vertrauen *neu*. **2** *comm* Kartell *neu*. **3** *law* Pflegschaft *f*. **trustworthy** *adj* zuverlässig, vertrauenswürdig. **trustee** *n* Treuhänder, Vermögensverwalter *m*.

truth (tru:θ) *n* Wahrheit *f*. **truthful** *adj* **1** ehrlich, wahrhaftig. **2** wahrheitsgemäß.

try (trai) *vt* **1** versuchen. **2** probieren. **3** *law* verhören. **4** proben. *n* Versuch *m*. **trying** *adj* **1** unangenehm, lästig. **2** anstrengend.

tsar (tsɑ:) *n* Zar *m*.

T-shirt *n* Trikot, Sporthemd *neu*.

tub (tʌb) *n* **1** Faß *neu*. **2** (Bade)Wanne *f*. **tubby** *adj inf* rundlich, dickbauchig.

tube ('tju:b) *n* Tube *f*.

tube (tju:b) *n* **1** Rohr *neu*. Röhre *f*. **2** Schlauch *m*. **3** Tube *f*. **4** Untergrundbahn, U-Bahn *f*.

tuber ('tju:bə) *n bot* Knolle *f*.

tuberculosis (tju:bə:kju'lousis) *n* Tuberkulose *f*.

tuck (tʌk) *n* **1** Falte *f*. Umschlag *m*. **2** *sl* Süßigkeiten *f pl*. *vt* **1** falten. **2** einschlagen. **tuck away** wegstecken. **tuck in** *inf* zugreifen, einhauen.

Tuesday ('tju:zdi) *n* Dienstag *m*.

tuft (tʌft) *n* Büschel *neu*.

tug (tʌg) *vt* **1** zerren, ziehen. **2** *naut* schleppen. *vi* ziehen. *n* **1** Ruck *m*. **2** *naut* Schlepper *m*. **tug of war** *n* Tauziehen *neu*.

tuition (tju:'iʃən) *n* Unterricht *m*.

tulip ('tu:lip) *n* Tulpe *f*.

tumble ('tʌmbəl) *vi* **1** (hin)fallen. **2** purzeln. *vt* (um)stürzen. *n* Sturz, Fall *m*. **tumbler** *n* Becher *m*. Trinkglas *neu*.

tummy ('tʌmi) *n inf* Magen, Bauch *m*.

tumour ('tju:mə) *n* Geschwulst *f*. Tumor *m*.

tumult ('tumʌlt) *n* Tumult *m*. Getümmel *neu*. Aufruhr *m*.

tuna ('tju:nə) *n* Thunfisch *m*.

tune (tju:n) *n* **1** Melodie *f*. **2** Stimmung *f*. *vt* stimmen. **in tune** (gut) gestimmt. **out of tune** verstimmt. **tuneful** *adj* melodisch.

tunic ('tju:nik) *n* **1** Bluse *f*. Überkleid *neu*. **2** Soldatenrock *m*.

Tunisia (tju:'nizia) *n* Tunesien *neu*.

tunnel ('tʌnl) *n* Tunnel *m*.

tunny ('tʌni) *n see* **tuna**.

turbine ('tə:bain) *n* Turbine *f*.

turbot ('tə:bət) *n* Steinbutt *m*.

turbulent ('tə:bjulənt) *adj* **1** unruhig. **2** aufgeregt, stürmisch, turbulent.

turf (tə:f) *n* **1** Rasen *m*. **2** Torf *m*. **3** Pferderennen *neu*. *vt* mit Rasen belegen. **turf accountant** *n sport* Buchmacher *m*.

Turk (tə:k) *n* Türke *m*.

turkey ('tə:ki) *n* Truthahn *m*. Pute *f*.

Turkey ('tə:ki) *n* Türkei *f*. **Turkish** *adj* türkisch. *n* (language) Türkisch *neu*. **Turkish bath** *n* Schwitzbad *neu*.

turmeric ('tə:mərik) *n* Gelbwurz *f*.

turmoil ('tə:moil) *n* Aufruhr, Tumult *m*.

turn (tə:n) *vt* **1** drehen. **2** machen, verwandeln. **3** (um)wenden. **4** lenken, abbringen. **5** werden. *vi* **1** sich drehen. **2** werden. **3** sich umwenden. **4** gehen. **turn down** ablehnen. **turn off** **1** abbiegen. **2** abstellen, abdrehen. **turn on** anstellen, einschalten. **turn up** auftauchen. ~*n* **1** Drehung *f*. **2** Wendung *f*. **3** Runde *f*. **4** Versuch *m*. **5** Veränderung *f*. **turning** *n* **1** Drehen *neu*. **2** Kurve *f*. **3** Ecke *f*. **4** Querstraße *f*. **turnover** *n* **1** Umschwung *f*. **2** *comm* Umsatz *m*. **3** *cul* (Apfel)Tasche *f*. **turnstile** *n* Drehkreuz *neu*. **turntable** *n* Plattenteller *m*.

turnip ('tə:nip) *n* (weiße) Rübe *f*.

turpentine ('tə:pəntain) *n* Terpentin *m*.

turquoise ('tə:kwɔiz) *n* Türkis *m*.

turret ('tʌrət) *n* Türmchen *neu*. Turm *m*.

turtle ('tə:tl) *n* Schildkröte *f*.

tusk (tʌsk) *n* Stoßzahn *m.*

tussle ('tʌsəl) *n* Kampf *m.* Balgerei *f.* *vi* kämpfen, sich balgen.

tutor ('tju:tə) *n* **1** *law* Vormund *m.* **2** (at a university) Tutor *m.* **3** Privatlehrer *m.* *vt* Unterricht geben.

tweed (twi:d) *n* Tweed *m.*

tweezers ('twi:zəz) *n pl* Pinzette *f.*

twelve (twelv) *adj* zwölf. *n* Zwölf *f.* **twelfth** *adj* zwölfte.

twenty ('twenti) *adj* zwanzig. *n* Zwanzig *f.* **twentieth** *adj* zwanzigste.

twice (twais) *adv* zweimal.

twiddle ('twid|) *vt* müßig herumdrehen, spielen mit.

twig (twig) *n* Zweig *m.*

twilight ('twailait) *n* Zwielicht *neu.* Dämmerung *f.*

twin (twin) *n* Zwilling *m.* *adj* doppelt, Zwillings—.

twine (twain) *n* Bindfaden *m.* Zwirn *m.* *vt* (ineinander) verflechten, winden. *vi* sich winden, sich verflechten.

twinge (twindʒ) *n* **1** (stechender) Schmerz *m.* **2** Gewissensbiß *m.*

twinkle ('twiŋkəl) *vi* blinken, funkeln. *n* Blinzeln, Funkeln *neu.*

twirl (twə:l) *vi,vt* zwirbeln, herumwirbeln. *n* Wirbel *m.*

twist (twist) *vt* **1** (zusammen)drehen, winden. **2** verdrehen. **3** biegen. *vi* sich drehen, sich winden. *n* **1** Drehung, Windung *f.* **2** Biegung *f.* **3** Verdrehung *f.*

twitch (twitʃ) *vi* zucken. *vt* zwicken. *n* Ruck *m.* Zucken *neu.*

twitter ('twitə) *vi* zwitschern. *n* Gezwitscher *neu.*

two (tu:) *adj* **1** zwei. **2** beide. *n* Zwei *f.* **in twos** zu zweit. **in two** entzwei. **two-faced** *adj* **1** doppelgesichtig. **2** heuchlerisch. **twosome** *n* Paar, Pärchen *neu.* **two-way** *adj* **1** Doppel—. **2** Gegen—.

tycoon (tai'ku:n) *n inf* Industriekapitän *m.*

type (taip) *n* **1** Typ *m.* Art, Sorte *f.* **2** Klasse, Kategorie *f.* **3** Muster *neu.* **4** Type *f.* *vi,vt* tippen, mit der Maschine schreiben. **typewriter** *n* Schreibmaschine *f.* **typical** *adj* typisch, kennzeichnend. **typify** *vt* verkörpern, typisch sein für. **typist** *n* Maschinenschreiberin *f.*

typhoid ('taifɔid) *n* Typhus *m.*

typhoon (tai'fu:n) *n* Taifun *m.*

tyrant ('tairənt) *n* Tyrann *m.* **tyranny** *n* Tyrannei *f.*

tyre ('taiə) *n* Reifen *m.*

Tyrol (ti'roul) *n* Tirol *neu.*

U

ubiquitous (ju:'bikwitəs) *adj* allgegenwärtig.

udder ('ʌdə) *n* Euter *neu.*

ugly ('ʌgli) *adj* häßlich. **ugliness** *n* Häßlichkeit *f.*

ukulele (ju:kə'le:li) *n* Ukulele *neu.*

ulcer ('ʌlsə) *n* Geschwür *neu.*

ulterior (ʌl'tiəriə) *adj* **1** jenseitig. **2** verborgen.

ultimate ('ʌltimət) *adj* **1** äußerst. **2** letzt. **ultimatum** *n* Ultimatum *neu.*

ultraviolet (ʌltrə'vaiələt) *adj* ultraviolett.

umbrella (ʌm'brelə) *n* Regenschirm *m.*

umlaut ('umlaut) *n* Umlaut *m.*

umpire ('ʌmpaiə) *n* Schiedsrichter *m.*

umpteen (ʌmp'ti:n) *adj inf* zahllos. **umpteen times** x-mal.

unable (ʌn'eibəl) *adj* unfähig.

unacceptable (ʌnək'septəbəl) *adj* unannehmbar, nicht akzeptabel.

unaccompanied (ʌnə'kʌmpnid) *adj* unbegleitet.

unanimous (ju:'naniməs) *adj* einstimmig.

unarmed (ʌn'ɑ:md) *adj* unbewaffnet.

unattractive (ʌnə'træktiv) *adj* reizlos.

unavoidable (ʌnə'vɔidəbəl) *adj* unvermeidlich.

unaware (ʌnə'wɛə) *adj* **1** nicht bewußt. **2** ahnungslos. **unawares** *adv* unversehens, unerwartet. **catch unawares** überraschen.

unbalanced (ʌn'bælənst) *adj* **1** unausgeglichen, unstet. **2** (of mind) gestört.

unbearable (ʌn'bɛərəbəl) *adj* unerträglich.

unbelievable (ʌnbi'li:vəbəl) *adj* unglaublich, unglaubhaft.

unbend (ʌn'bend) *vi* **1** sich entspannen. **2** gerade werden. *vt* entspannen, losmachen. **unbending** *adj* unnachgiebig.

unbreakable (ʌn'breikəbəl) *adj* unzerbrechlich.

unbridled (ʌn'braid|d) *adj* zügellos.

uncalled-for *adj* unnötig, unangebracht.

uncanny (ʌn'kæni) *adj* unheimlich.

uncertain (ʌn'sə:tn) *adj* **1** unbestimmt, **2** ungewiß. **3** unzuverlässig.

uncle ('ʌŋkəl) *n* Onkel *m.*

uncomfortable (ʌn'kʌmftəbəl) *adj* **1** unbequem. **2** unbehaglich.

unconscious (ʌn'kɔnʃəs) *adj* **1** bewußtlos, ohnmächtig. **2** unbewußt. *n* Unbewußte *neu.*

unconventional (ʌnkən'venʃənəl) *adj* unkonventionell, ungezwungen.
uncooked (ʌn'kukt) *adj* ungekocht, roh.
uncouth (ʌn'ku:θ) *adj* grob, roh, ungebildet.
uncover (ʌn'kʌvə) *vt* 1 aufdecken. 2 bloßlegen.
uncut (ʌn'kʌt) *adj* 1 ungeschnitten. 2 (of a gem) ungeschliffen.
undecided (ʌndi'saidid) *adj* unentschlossen.
undeniable (ʌndi'naiəbəl) *adj* unleugbar.
under ('ʌndə) *prep* unter. *adv* (nach) unten.
under age *adj,adv* minderjährig.
undercharge (ʌndə'tʃɑ:dʒ) *vt,vi* zu wenig berechnen.
undercoat ('ʌndəkout) *n* (of paint) Untergrund, Grundanstrich *m.*
undercover ('ʌndəkʌvə) *adj* Geheim—.
undercut (ʌndə'kʌt) *vt comm* unterbieten.
underdeveloped (ʌndədi'veləpd) *adj* unterentwickelt.
underdone (ʌndə'dʌn) *adj* nicht gargekocht.
underestimate (ʌndər'estimeit) *vt* unterschätzen.
underfoot (ʌndə'fut) *adv* unter den Füßen.
undergo* (ʌndə'gou) *vt* 1 erleben. 2 erdulden. 3 sich unterziehen.
undergraduate (ʌndə'grædjuət) *n* Student *m.* Studentin *f.* Nichtgraduierter *m.*
underground (*adv* ʌndə'graund; *adj.n* 'ʌndəgraund) *adv,adj* 1 unterirdisch. 2 geheim. *n* Untergrund *m.* **underground (railway)** *n* Untergrundbahn, U-Bahn *f.*
undergrowth ('ʌndəgrouθ) *n* Unterholz *neu.*
underhand (ʌndə'hænd) *adj* hinterlistig.
underline (ʌndə'lain) *vt* unterstreichen.
undermine (ʌndə'main) *vt* untergraben.
underneath (ʌndə'ni:θ) *adv* unten, darunter. *prep* unter(halb).
underpants ('ʌndəpænts) *n pl* Unterhose *f.*
underpass ('ʌndəpɑ:s) *n* Unterführung *f.*
underprivileged (ʌndə'privilidʒd) *adj* benachteiligt, unterprivilegiert.
understand* (ʌndə'stænd) *vt* verstehen, begreifen. **understanding** *n* Verständnis *neu.* Verstand *m. adj* verständnisvoll.
understate (ʌndə'steit) *vt* untertreiben.
understudy ('ʌndəstʌdi) *n* 1 Ersatzschauspieler *m.* 2 Ersatzmann *m.*
undertake* (ʌndə'teik) *vt* 1 unternehmen. 2 zusagen. **undertaker** *n* Leichenbestatter *m.* **undertaking** *n* 1 Unternehmen *neu.* 2 Versprechen *neu.*
undertone ('ʌndətoun) *n* 1 gedämpfte Stimme *f.* 2 Unterton *m.*
underwear ('ʌndəwɛə) *n* Unterwäsche *f.*
underworld ('ʌndəwə:ld) *n* Unterwelt *f.*
underwrite* ('ʌndərait) *vt* 1 unterschreiben. 2 *comm* versichern, übernehmen.
undesirable (ʌndi'zaiərəbəl) *adj* unerwünscht.
undo* (ʌn'du:) *vt* 1 aufmachen. 2 aufknöpfen, losbinden. 3 rückgängig machen. 4 ruinieren.
undoubted (ʌn'dautid) *adj* unbezweifelt.
undress (ʌn'dres) *(vi),vt* (sich) ausziehen.
undue ('ʌndju:) *adj* 1 unangemessen, ungebührlich. 2 unnötig. 3 unzulässig.
undulate ('ʌndʒuleit) *vi* wogen, wellen.
unearth (ʌn'ə:θ) *vt* 1 ausgraben. 2 ans Licht bringen. **unearthly** *adj* 1 unirdisch. 2 unheimlich.
uneasy (ʌn'i:zi) *adj* unruhig, ängstlich.
uneducated (ʌn'edjukeitid) *adj* ungebildet.
unemployed (ʌnim'plɔid) *adj* 1 arbeitslos. 2 unbeschäftigt. **the unemployed** *n* die Arbeitslosen *pl.* **unemployment** *n* Arbeitslosigkeit *f.*
unequal (ʌn'i:kwəl) *adj* ungleich.
uneven (ʌn'i:vən) *adj* 1 uneben. 2 unausgeglichen.
unfair (ʌn'fɛə) *adj* unfair, ungerecht.
unfaithful (ʌn'feiθfəl) *adj* treulos, untreu.
unfamiliar (ʌnfə'miliə) *adj* nicht vertraut.
unfit (ʌn'fit) *adj* 1 untauglich. 2 unfähig.
unfold (ʌn'fould) *(vi),vt* (sich) entfalten.
unfortunate (ʌn'fɔ:tʃunət) *adj* unglücklich.
unfurnished (ʌn'fə:niʃt) *adj* 1 nicht ausgerüstet. 2 unmöbliert.
ungrateful (ʌn'greitfəl) *adj* undankbar.
unhappy (ʌn'hæpi) *adj* unglücklich.
unhealthy (ʌn'helθi) *adj* ungesund.
unicorn ('ju:nikɔ:n) *n* Einhorn *neu.*
uniform ('ju:nifɔ:m) *adj* gleich(förmig), einförmig. *n* Uniform *f.*
unify ('ju:nifai) *vt* vereinheitlichen, vereinigen.
unilateral (ju:ni'lætərəl) *adj* einseitig.
uninhabited (ʌnin'hæbitid) *adj* unbewohnt.
uninterested (ʌn'intrəstid) *adj* uninteressiert.
union ('ju:niən) *n* 1 Vereinigung, Verbindung *f.* 2 Union *f.* 3 Verein *m.* 4 Einheit *f.*
Union Jack *n* britische Nationalflagge *f.*
unique (ju:'ni:k) *adj* 1 einzigartig, einmalig. 2 einzig.
unison ('ju:nizən) *n* 1 Einklang *m.* 2 *mus* Unisono *neu.*
unit ('ju:nit) *n* Einheit *f.*
unite (ju:'nait) *(vi),vt* (sich) vereinigen *or* vereinen. **unity** *n* 1 Einheit *f.* 2 Einigkeit *f.*

United Kingdom *n* das Vereinigte Königreich *neu.*
United States of America *n* die Vereinigten Staaten *m pl.*
universe ('ju:nivə:s) *n* Weltall, Universum *neu.* **universal** *adj* **1** allgemein, universal. **2** allumfassend.
university (ju:ni'və:siti) *n* Universität, Hochschule *f.*
unjust (ʌn'dʒʌst) *adj* ungerecht.
unkempt (ʌn'kempt) *adj* zerzaust, ungepflegt.
unkind (ʌn'kaind) *adj* unfreundlich, herzlos.
unknown (ʌn'noun) *adj* unbekannt.
unlawful (ʌn'lɔ:fəl) *adj* ungesetzlich.
unless (ən'les) *conj* **1** es sei denn, daß. **2** wenn...nicht.
unlike (ʌn'laik) *adj* unähnlich, ungleich. *prep* im Gegensatz zu. **unlikely** *adj,adv* unwahrscheinlich.
unload (ʌn'loud) *vt* ausladen, entladen.
unlock (ʌn'lɔk) *vt* aufschließen.
unlucky (ʌn'lʌki) *adj* unglücklich.
unnatural (ʌn'nætʃərəl) *adj* unnatürlich
unnecessary (ʌn'nesəsri) *adj* unnötig.
unofficial (ʌnə'fiʃəl) *adj* nicht amtlich, inoffiziell.
unorthodox (ʌn'ɔ:θədɔks) *adj* unorthodox.
unpack (ʌn'pæk) *vt,vi* auspacken.
unpleasant (ʌn'plezənt) *adj* **1** unangenehm. **2** unfreundlich.
unpopular (ʌn'pɔpjulə) *adj* unbeliebt.
unprecedented (ʌn'presidentid) *adj* einmalig, unerhört, beispiellos.
unravel (ʌnrævəl) *vt* entwirren.
unreasonable (ʌn'ri:zənəbəl) *adj* unvernünftig, unsinnig.
unrelenting (ʌnri'lentiŋ) *adj* unerbittlich.
unreliable (ʌnri'laiəbəl) *adj* unzuverlässig.
unrest (ʌn'rest) *n* Unruhe *f.*
unruly (ʌn'ru:li) *adj* unbändig, ungestüm.
unscrew (ʌn'skru:) *vt* abschrauben, losschrauben.
unsettle (ʌn'setl) *vt* verwirren, durcheinanderbringen, ins Wanken bringen.
unsightly (ʌn'saitli) *adj* unansehnlich.
unsound (ʌn'saund) *adj* **1** ungesund. **2** unsicher. **3** unsolid(e). **4** falsch.
unsteady (ʌn'stedi) *adj* **1** wackelig. **2** unstet, unbeständig.
unsuccessful (ʌnsək'sesfəl) *adj* erfolglos.
untangle (ʌn'tæŋgəl) *vt* entwirren.
untidy (ʌn'taidi) *adj* unordentlich.
untie (ʌn'tai) *vt* aufbinden, auflösen.
until (ʌn'til) *prep,conj* bis. **not until** nicht vor, erst.
untrue (ʌn'tru:) *adj* falsch, unwahr.
unusual (ʌn'ju:ʒuəl) *adj* ungewöhnlich, seltsam.
unwell (ʌn'wel) *adj* unwohl.
unwind (ʌn'waind) *vt* abwinden. *vi* **1** sich abwickeln. **2** *inf* sich entspannen.
unwrap (ʌn'ræp) *vt* auswickeln.
up (ʌp) *adv* **1** auf(wärts). **2** hinauf. **3** empor. **4** nach oben. **5** oben, hoch. *prep* auf. **be up against** gegenüberstehen. **what's up?** *inf* was ist los?
upbringing ('ʌpbriŋiŋ) *n* Erziehung *f.*
upheaval (ʌp'hi:vəl) *n* Erhebung *f.* Umsturz *m.*
uphill (ʌp'hil) *adv* bergauf. *adj* **1** ansteigend. **2** anstrengend.
uphold (ʌp'hould) *vt* aufrecht(er)halten.
upholster (ʌp'houlstə) *vt* polstern. **upholstery** *n* Polsterung *f.*
upkeep ('ʌpki:p) *n* Instandhaltung *f.*
uplift (*v* ʌp'lift; *n* 'ʌplift) *vt* emporheben. *n* Hebung *f.*
upon (ə'pɔn) *prep* auf.
upper ('ʌpə) *adj* ober, höher. **upper class** *n* Oberklasse *f.* **upper house** *n* Oberhaus *neu.* **uppermost** *adj* oberst, höchst. *adv* am höchsten.
upright ('ʌprait) *adj* **1** aufrecht. **2** aufrichtig.
uprising ('ʌpraiziŋ) *n* Aufstand *m.* Erhebung *f.*
uproar ('ʌprɔ:) *n* Aufruhr, Lärm *m.*
uproot (ʌp'ru:t) *vt* entwurzeln.
upset* (*v, adj* ʌp'set; *n* 'ʌpset) *vt* **1** umkippen. **2** (um)stürzen. **3** bestürzen. *adj* **1** umgekippt. **2** außer Fassung. *n* **1** Umsturz *m.* **2** Verstimmung *f.*
upshot ('ʌpʃɔt) *n* (End)Ergebnis *neu.* **in the upshot** am Ende.
upside down (ʌpsaid 'daun) *adv* **1** mit dem Kopf nach unten. **2** drunter und drüber.
upstairs (ʌp'stɛəz) *adv* **1** (nach) oben. **2** die Treppe hinauf. *adj* ober.
upstream (ʌp'stri:m) *adv* stromaufwärts.
upward ('ʌpwəd) *adj* ansteigend. *adv* aufwärts. **upwards** *adv* aufwärts.
uranium (ju'reiniəm) *n* Uran *neu.*
Uranus (ju'reinəs) *n* Uranus *m.*
urban ('ə:bən) *adj* städtisch.
urge (ə:dʒ) *vt* **1** (auf)drängen. **2** dringend bitten. *n* Drang *m.*
urgent ('ə:dʒənt) *adj* dringend.
urine ('juərin) *n* Urin, Harn *m.* **urinate** *vi* urinieren.
urn (ə:n) *n* Urne *f.*

us (ʌs) *pron 1st pers pl* uns.
usage ('ju:sidʒ) *n* **1** Brauch *m.* **2** Gebrauch *m.*
use (*vt* ju:z; *vi,n* ju:s) *vt* **1** benutzen, gebrauchen. **2** anwenden. **3** ausnutzen. *vi* pflegen. *n* **1** Gebrauch *m.* **2** Anwendung *f.* **3** Nutzen *neu.* **useful** *adj* nützlich, brauchbar. **useless** *adj* **1** nutzlos. **2** unbrauchbar.
usher ('ʌʃə) *n* Platzanweiser *m. vt* (her-, hin)-einführen. **usherette** *n* Platzanweiserin *f.*
usual ('ju:ʒuəl) *adj* gewöhnlich, üblich.
usurp (ju'zə:p) *vt* an sich reißen. *vi* sich widerrechtlich bemächtigen. **usurper** *n* **1** Usurpator, Thronräuber *m.* **2** Eindringling *m.*
utensil (ju:'tensəl) *n* Gerät *neu.*
uterus ('ju:tərəs) *n* Gebärmutter *f.*
utility (ju:'tiliti) *n* Nützlichkeit *f.*
utmost ('ʌtmoust) *adj also* **uttermost** äußerst, höchst. *n* Äußerste *neu.*
utter[1] ('ʌtə) *vt* äußern, sagen.
utter[2] ('ʌtə) *adj* **1** äußerst. **2** endgültig. **3** vollkommen.

V

vacant ('veikənt) *adj* **1** leer. **2** frei. **3** unbewohnt. **4** ausdruckslos. **vacancy** *n* **1** freie *or* offene Stelle *f.* **2** Leere *f.* **vacate** *vt* **1** räumen. **2** niederlegen. **vacation** *n* Ferien *pl.*
vaccine ('væksi:n) *n* Impfstoff *neu.* **vaccinate** *vt* impfen.
vacillate ('væsəleit) *vi* **1** schwanken. **2** zaudern.
vacuum ('vækjuəm) *n* Vakuum *neu.* **vacuum cleaner** *n* Staubsauger *m.* **vacuum flask** *n* Thermosflasche *f.*
vagina (və'dʒainə) *n anat* Scheide *f.*
vagrant ('veigrənt) *n* Landstreicher *m. adj* wandernd.
vague (veig) *adj* vage, ungenau, undeutlich.
vain (vein) *adj* **1** eitel. **2** leer. **in vain** umsonst.
valiant ('veliənt) *adj* tapfer, mutig.
valid ('vælid) *adj* gültig. **validity** *n* Gültigkeit *f.*
valley ('væli) *n* Tal *neu.*
value ('vælju:) *n* Wert *m. vt* **1** bewerten. **2** (hoch)schätzen. **valuable** *adj* wertvoll. **valuables** *n pl* Wertsachen *f pl.*
valve ('vælv) *n* **1** Ventil *neu.* **2** Klappe *f.*
vampire ('væmpaiə) *n* Vampir, Blutsauger *m.*
van (væn) *n* Lieferwagen, Lastwagen *m.*
vandal ('vændl) *n* Vandale *m.* **vandalism** *n* Vandalismus *m.*
vanilla (və'nilə) *n* Vanille *f.*
vanish ('væniʃ) *vi* verschwinden.
vanity ('væniti) *n* Eitelkeit *f.*
vapour ('veipə) *n* Dunst, Dampf *m.*
variety (və'raiəti) *n* **1** Vielfalt, Auswahl *f.* **2** Art *f.* **variety show** *n* Varietévorstellung *f.*
various ('vɛəriəs) *adj* verschieden(artig).
varnish ('vɑ:niʃ) *n* **1** Firnis *m.* **2** Politur *f.* **3** Lack *m. vt* **1** firnissen. **2** polieren. **3** lackieren.
vary ('vɛəri) *vt* **1** (ab-, ver-)ändern. **2** wechseln. *vi* variieren. **variable** *adj* **1** veränderlich, wechselnd. **2** *tech* regelbar, variabel. **variant** *adj* abweichend. **variation** *n* **1** Veränderung *f.* Wechsel *m.* **2** Variation *f.*
vase (vɑ:z) *n* Vase *f.*
vasectomy (væ'sektəmi) *n* Vasektomie *f.*
vast (vɑ:st) *adj* **1** riesig. **2** ausgedehnt.
vat (væt) *n* Faß *neu.* Bottich *m.*
Vatican ('vætikən) *n* Vatikan *m.*
vault[1] (vɔ:lt) *n* **1** Gewölbe *neu.* **2** Stahlkammer *f.* **3** Grabgewölbe *neu.* Gruft *f.*
vault[2] (vɔ:lt) *vi* springen. *vt* überspringen.
veal (vi:l) *n* Kalbfleisch *neu.*
veer (viə) *(vi),vt* (sich) drehen, (sich) wenden. *vi* umschwenken.
vegetable ('vedʒtəbəl) *n* **1** Gemüse *neu.* **2** Pflanze *f.* **vegetarian** *n* Vegetarier *m. adj* vegetarisch. **vegetation** *n* Vegetation *f.*
vehement ('vi:imənt) *adj* heftig, vehement.
vehicle ('vi:ikəl) *n* **1** Fahrzeug *neu.* **2** Vehikel *neu.*
veil (veil) *n* Schleier *m. vt* verschleiern.
vein (vein) *n* **1** *anat* Vene *f.* **2** Ader *f.*
velocity (və'lɔsiti) *n* Geschwindigkeit *f.*
velvet ('velvit) *n* Samt *m. adj* **1** samtartig. **2** sanft.
vendetta (ven'detə) *n* Blutrache *f.*
veneer (vi'niə) *n* Furnier *neu. vt* furnieren.
venerate ('venəreit) *vt* (ver)ehren, hochachten.
venereal disease (vi'niəriəl) *n* Geschlechtskrankheit *f.*
Venetian (vi'ni:ʃən) *adj* venezianisch. **Venetian blind** *n* Jalousie *f.*
vengeance ('vendʒəns) *n* Rache *f.*
Venice ('venis) *n* Venedig *neu.*
venison ('venisən) *n* Wildbret, Rehfleisch *neu.*
venom ('venəm) *n* Gift *neu.*
vent[1] (vent) *n* **1** Luftloch *neu.* **2** Öffnung *f.*
vent[2] (vent) *vt* freien Lauf lassen, auslassen.
ventilate ('ventileit) *vt* (durch)lüften.
venture ('ventʃə) *n* **1** Wagnis *neu.* **2** Unternehmen *neu. vt* wagen.
Venus ('vi:nəs) *n* Venus *f.*
verb (vɑ:b) *n* Zeitwort, Verb(um) *neu.*

verdict ('və:dikt) *n* 1 *law* Urteilsspruch, Wahrspruch *m.* 2 Urteil *neu.*
verge (və:dʒ) *n* Rand *m. vi* grenzen.
verify ('verifai) *vt* 1 prüfen. 2 bestätigen. 3 beglaubigen.
vermin ('və:min) *n* Ungeziefer *neu.*
vermouth ('və:miəθ) *n* Wermut *m.*
vernacular (və'nækjulə) *n* 1 Landessprache *f.* 2 Umgangssprache *f.* 3 Jargon *m.*
versatile ('və:sətail) *adj* 1 vielseitig, wendig. 2 wandelbar.
verse (və:s) *n* 1 Vers *m.* Strophe *f.* 2 Poesie *f.*
version ('və:ʃən) *n* 1 Gestaltung *f.* 2 Auffassung, Version *f.*
vertebrate ('və:tibreit) *n* Wirbeltier *neu.*
vertical ('və:tikəl) *adj* senkrecht, vertikal.
verve (və:v) *n* Begeisterung *f.* Feuer *neu.*
very ('veri) *adv* sehr. *adj* 1 genau. 2 bloß. 3 derselbe.
vessel ('vesəl) *n* 1 *naut* Schiff *neu.* 2 Gefäß *neu.*
vest (vest) *n* Unterhemd *neu.*
vestment ('vestmənt) *n* Gewand *neu.*
vestry ('vestri) *n* Sakristei *f.*
vet (vet) *inf n* Tierarzt *m. vt* untersuchen.
veteran ('vetərən) *n* Veteran *m.*
veterinary surgeon ('vetrinəri) *n* Tierarzt *m.*
veto ('vi:tou) *n* 1 Veto *neu.* Einspruch *m.* 2 Einspruchsrecht *neu. vt* verbieten.
vex (veks) *vt* ärgern, plagen. **vexation** *n* 1 Ärger *m.* 2 Belästigung *f.*
via ('vaiə) *prep* über, via.
viable ('vaiəbəl) *adj* 1 lebensfähig. 2 praktisch, ausführbar.
viaduct ('vaiədʌkt) *n* Viadukt *m.* Brücke *f.*
vibrate (vai'breit) *vi* schwingen, vibrieren. **vibration** *n* Schwingung, Vibration *f.*
vicar ('vikə) *n* Vikar, Pfarrer *m.*
vicarious (vi'kɛəriəs) *adj* 1 aus zweiter Hand. 2 stellvertretend.
vice[1] (vais) *n* 1 Laster *neu.* 2 Fehler *m.*
vice[2] (vais) *n* Schraubstock *m.*
vice-chancellor *n* Vizekanzler *m.*
vice-president *n* Vizepräsident *m.*
vice versa ('və:sə) *adj* umgekehrt.
vicinity (vi'sinəti) *n* Nähe, Nachbarschaft *f.*
vicious ('viʃəs) *adj* 1 bösartig. 2 lasterhaft.
victim ('viktim) *n* Opfer *neu.* **victimize** *vt* 1 (auf)opfern. 2 quälen, belästigen.
Victorian (vik'tɔ:riən) *adj* 1 viktorianisch. 2 prüde. *n* Viktorianer *m.*
victory ('viktri) *n* Sieg *m.* **victorious** *adj* siegreich.
video-tape ('vidiouteip) *n* Magnetbildband *neu.*
Vienna (vi'enə) *n* Wien *neu.* **Viennese** *adj* wienerisch. *n* Wiener *m.*
Vietnam (viet'næm) *n* Vietnam *neu.* **Vietnamese** *adj* vietnamesisch. *n* Vietnamese *m.*
view (vju:) *n* 1 Aussicht *f.* 2 Ansicht *f.* 3 Einstellung *f.* **with a view to** zu dem Zweck. **view-finder** *n* Sucher *m.* ~*vt* 1 anschauen. 2 besichtigen.
vigil ('vidʒil) *n* Nachtwache *f.* **vigilant** *adj* wachsam.
vigour ('vigə) *n* 1 Kraft, Lebenskraft *f.* 2 Intensität *f.* **vigorous** *adj* 1 kräftig. 2 lebhaft.
vile (vail) *adj* 1 widerlich. 2 gemein.
villa ('vilə) *n* 1 Landhaus *neu.* 2 Villa *f.*
village ('vilidʒ) *n* Dorf *neu.* **villager** *n* Dorfbewohner *m.*
villain ('vilən) *n* Schurke *m.*
vindictive (vin'diktiv) *adj* rachsüchtig.
vine (vain) *n* 1 Rebe *f.* 2 Weinstock *m.* **vineyard** *n* Weinberg *m.*
vinegar ('vinigə) *n* Essig *m.*
vintage ('vintidʒ) *n* Lese *f. adj* hervorragend.
vinyl ('vainil) *n* Vinyl *neu.*
viola (vi'oulə) *n* Viola *f.*
violate ('vaiəleit) *vt* 1 verletzen, brechen. 2 schänden.
violence ('vaiələns) *n* 1 Gewalt(tätigkeit) *f.* 2 Heftigkeit *f.* **violent** *adj* 1 gewalttätig, gewaltsam. 2 heftig.
violet ('vaiələt) *adj* violett. *n* 1 *bot* Veilchen *neu.* 2 Violett *neu.*
violin (vaiə'lin) *n* Violine, Geige *f.* **violinist** *n* Violinist *m.*
viper ('vaipə) *n* Viper, Natter *f.*
virgin ('və:dʒin) *n* Jungfrau *f. adj also* **virginal** jungfräulich.
Virgo ('və:gou) *n* Jungfrau *f.*
virile ('virail) *adj* männlich.
virtue ('və:tju:) *n* 1 Tugend *f.* 2 Vorzug *m.* **by virtue of** kraft. **virtual** *adj* eigentlich, tatsächlich. **virtuous** *adj* tugendhaft.
virus ('vairəs) *n* Virus *m,neu.*
visa ('vi:zə) *n* Visum *neu.* Einreisebewilligung *f.*
viscount ('vaikaunt) *n* Vicomte *m.*
vision ('viʒən) *n* 1 Sehvermögen *neu.* 2 Erscheinung *f.* 3 Anblick *m.* **visible** *adj* 1 sichtbar. 2 offensichtlich.
visit ('vizit) *vt* besuchen. *n* Besuch *m.*
visual ('vizjuəl) *adj* visuell, Seh—. **visualize** *vt* sich (klar) vorstellen.
vital ('vait|) *adj* 1 lebenswichtig. 2 Lebens—. 3 vital. **vitality** *n* Lebenskraft, *f.*

vitamin ('vitəmin) *n* Vitamin *neu.*
vivacious (vai'veiʃəs) *adj* lebhaft, munter.
vivid ('vivid) *adj* lebhaft, deutlich.
vixen ('viksən) *n zool* Füchsin *f.*
vocabulary (və'kæbjuləri) *n* **1** Wortschatz *m.* Vokabular *neu.* **2** Wörterverzeichnis *neu.*
vocal ('voukəl) *adj* **1** mündlich, stimmlich. **2** stimmhaft. **vocal chords** *n pl* Stimmbänder *neu pl.*
vocation (vou'keiʃən) *n* **1** Berufung *f.* **2** Beruf *m.*
vodka ('vɔdkə) *n* Wodka *m.*
voice (vɔis) *n* Stimme *f. vt* äußern.
void (vɔid) *adj* **1** leer. **2** unwirksam. **3** ungültig. *n* **1** Leere *f.* **2** Lücke *f.*
volatile ('vɔlətail) *adj* **1** flüchtig. **2** vorübergehend. **3** unbeständig. **4** lebhaft.
volcano (vɔl'keinou) *n, pl* **-oes** Vulkan *m.*
volley ('vɔli) *n* **1** *mil* Salve *f.* Hagel *m.* **2** *sport* Flugball *m.*
volt (voult) *n* Volt *neu.*
volume ('vɔlju:m) *n* **1** Umfang *m.* **2** Inhalt *m.* Volumen *neu.* **3** Lautstärke *f.* **4** Band *m.*
volunteer (vɔlən'tia) *n* Freiwillige(r) *m. vi* sich freiwillig melden. *vt* freiwillig anbieten. **voluntary** *adj* freiwillig.
voluptuous (və'lʌptʃuəs) *adj* **1** wollüstig. **2** sinnlich.
vomit ('vɔmit) *vi* sich erbrechen or übergeben. *vt* auswerfen, ausspeien. *n* Erbrochene *neu.*
voodoo ('vu:du:) *n* Wodu, Wudu *m.*
vote (vout) *n* **1** Stimme *f.* **2** Stimmrecht *neu.* **3** Wahl *f. vi* abstimmen, wählen.
vouch (vautʃ) *vi* **vouch for** bürgen für.
voucher ('vautʃə) *n* **1** Gutschein *m.* **2** Unterlage *f.*
vow (vau) *n* Gelübde *neu. vt* geloben.
vowel ('vauəl) *n* Vokal *m.*
voyage ('vɔiidʒ) *n* (See)Reise *f. vi* reisen.
vulgar ('vʌlgə) *adj* **1** gemein, vulgär. **2** unanständig. **3** gewöhnlich.
vulnerable ('vʌlnrəb|) *adj* **1** verwundbar. **2** anfällig.
vulture ('vʌltʃə) *n* Geier *m.*

W

wad (wɔd) *n* **1** Bündel *neu.* Stoß *m.* **2** Bausch *m.* **wadding** *n* Watte, Wattierung *f.*
waddle ('wɔd|) *vi* watscheln. *n* Watscheln *neu.*
wade (weid) *vi* waten. **wade through** sich durcharbeiten durch.
wafer ('weifə) *n* **1** Waffel *f.* **2** *rel* Oblate *f.*
waft (wɔft) *vt,vi* wehen. *n* Wehen *neu.*
wag (wæg) *vt* **1** schütteln. **2** (a tail) wedeln.
wage (weidʒ) *n* Lohn *m.*
waggle ('wægəl) *vt* wackeln.
wagon ('wægən) *n* **1** Lastwagen *m.* **2** Güterwaggon *neu.*
waif (weif) *n* verwahrlostes Kind *neu.*
wail (weil) *vi* wehklagen. *n* Klagen. *neu.*
waist (weist) *n* Taille *f.* **waistband** *n* Bund *m.* **waistcoat** *n* Weste *f.*
wait (weit) *vi* **1** warten. **2** bedienen. **wait for** erwarten, warten auf. **waiting list** *n* Warteliste *f.* **waiting room** *n* **1** Wartezimmer *neu.* **2** (of a station) Wartesaal *m.* **waiter** *n* Kellner *m.* **waitress** *n* Kellnerin *f.*
waive (weiv) *vt* verzichten auf.
wake* (weik) *also* **wake up** *vt* (auf-, er-) wecken. *vi* erwachen, aufwachen. **waken** *vi* erwachen, aufwachen. *vt* (auf-, er-)wecken.
Wales ('weilz) *n* Wales *neu.*
walk (wɔ:k) *vi* **1** laufen, (zu Fuß) gehen. **2** wandern. *n* **1** Spaziergang *m.* **2** Gang *m.* **go for a walk** spazierengehen. **walking stick** *n* Spazierstock *m.* **walkout** *n* Streik *m.* **walkover** ('wɔ:kouvə) *n* leichter Sieg *m.*
wall (wɔ:l) *n* **1** Mauer *f.* **2** Wand *f.* **wallflower** *n* **1** *bot* Goldlack *m.* **2** *inf* Mauerblümchen *neu.* **wallpaper** *n* Tapete *f.*
wallet ('wɔlit) *n* Brieftasche *f.*
wallop ('wɔləp) *inf vt* prügeln, (heftig) schlagen. *n* (heftiger) Schlag *m.*
wallow ('wɔlou) *vi* sich wälzen.
walnut ('wɔ:lnʌt) *n* Walnuß *f.*
walrus ('wɔ:lrəs) *n* Walroß *neu.*
waltz (wɔ:ls) *n* Walzer *m. vi* Walzer tanzen.
wand (wɔnd) *n* **1** (Zauber)Stab *m.* **2** *mus* Taktstock *m.*
wander ('wɔndə) *vi* **1** wandern. **2** irregehen. **3** abbiegen.
wane (wein) *vi* **1** (of the moon) abnehmen. **2** nachlassen, schwächer werden.
wangle ('wæŋgəl) *vt sl* **1** hinkriegen, organisieren. **2** abluchsen.
want (wɔnt) *vt* **1** wollen. **2** benötigen. *vi* mangeln. *n* **1** Bedürfnis *neu.* **2** Not *f.* **3** Begierde *f.*
wanton ('wɔntən) *adj* **1** mutwillig. **2** geil.
war (wɔ:) *n* Krieg *m.* **wage war** Krieg führen. **warfare** *n* Kriegsführung *f.* Krieg *m.*
warble ('wɔ:bəl) *vi,vt* trillern, singen.
ward (wɔ:d) *n* **1** Abteilung *f.* **2** *med* Station *f.* **3** *law* Mündel *neu. v* **ward off** abwehren.

warden *n* 1 Vorsteher. *m.* 2 Jugendherbergsvater *m.* **warder** *n* (Gefängnis)Wärter *m.*
wardrobe ('wɔ:droub) *n* 1 Kleiderschrank *m.* 2 Garderobe *f.*
warehouse ('wɛəhaus) *n* Lagerhaus *neu.*
warm (wɔ:m) *adj* warm. *vt* (er)wärmen. *vi* sich erwärmen. **warm-blooded** *adj* warmblütig. **warm-hearted** *adj* warmherzig.
warn (wɔ:n) *vt* warnen. **warning** *n* Warnung *f.* *adj* warnend.
warp (wɔ:p) *(vi),vt* (sich) werfen, (sich) verziehen. *n* Verwerfung, Verkrümmung *f.*
warrant ('wɔrənt) *n* 1 Vollmacht *f.* 2 Rechtfertigung *f.* 3 Haftbefehl, *m.* *vt* 1 rechtfertigen. 2 haften für. **warrant officer** *n* 1 Stabsfeldwebel *m.* 2 Stabsbootsmann *m.*
warren ('wɔrən) *n* Gehege *neu.*
warrior ('wɔriə) *n* Krieger *m.*
wart (wɔ:t) *n* Warze *f.*
wary ('wɛəri) *adj* vorsichtig, behutsam.
was (wəz; *stressed* wɔz) *v* see **be.**
wash (wɔʃ) *vt* 1 waschen. 2 spülen. *vi* (sich) waschen. **wash up** spülen. ~*n* 1 Wäschen *neu.* 2 Wäsche *f.* 3 *naut* Kielwasser *neu.* **washbasin** *n* Waschbecken *neu.* **washer** *n tech* Dichtungsring *m.* **washing** *n* 1 Wäsche *f.* 2 Waschen *neu.* **washing machine** *n* Waschmaschine *f.* **wash-out** *n sl* Fiasko *neu.* **washroom** *n* Toilette *f.*
wasp (wɔsp) *n* Wespe *f.*
waste (weist) *vt* 1 verschwenden. 2 verwüsten. *vi also* **waste away** abnehmen, schwinden. ~*adj* 1 wüst. 2 unnütz. 3 Ab—. *n* 1 Müll, Abfall *m.* 2 Öde *f.* 3 Verschwendung *f.* **wastepaper basket** Papierkorb *m.*
watch (wɔtʃ) *vt* 1 bewachen. 2 beobachten. 3 zusehen. *vi* 1 aufpassen. 2 zuschauen. 3 wachen. **watch television** fernsehen. ~*n* 1 Armbanduhr *f.* 2 Taschenuhr *f.* 3 Wache *f.* **watchdog** *n* Wachhund *m.* **watchful** *adj* aufmerksam, wachsam.
water ('wɔ:tə) *n* Wasser *neu.* **drinking water** Trinkwasser *neu.* ~*vt* (be)wässern, (be)gießen. **water down** verwässern. **wateringcan** *n* Gießkanne *f.*
water-closet *n* Klosett *neu.*
watercolour ('wɔ:təkʌlə) *n* 1 Aquarell *neu.* 2 Wasserfarbe *f.*
watercress ('wɔ:təkres) *n* Brunnenkresse *f.*
waterfall ('wɔ:təfɔ:l) *n* Wasserfall *m.*
waterlily ('wɔ:təlili) *n* Seerose *f.*
waterlogged ('wɔ:tələgd) *adj* vollgesogen.
watermill ('wɔ:təmil) *n* Wassermühle *f.*
waterproof ('wɔ:təpru:f) *adj* wasserdicht. *n* Regenmantel *m.* *vt* imprägnieren.
water-ski *n* Wasserschi *m.* *vi* Wasserschi fahren.
watertight ('wɔ:tətait) *adj* wasserdicht.
waterway ('wɔ:təwei) *n* Wasserweg *m.*
waterworks ('wɔ:təwə:ks) *n pl* Wasserwerk *neu.*
watery ('wɔ:təri) *adj* wässerig.
watt (wɔt) *n* Watt *neu.*
wave (weiv) *n* Welle *f.* *vi* 1 winken. 2 wehen. *vt* 1 winken. 2 schwingen. 3 wellen. **waveband** *n* Frequenzband *neu.* **wavelength** *n* Wellenlänge *f.* **wavy** *adj* wellig, gewellt.
waver ('weivə) *vi* schwanken, zittern.
wax[1] (wæks) *n* Wachs *neu.* *vt* bohnern, wachsen. *adj also* **waxen** *or* **waxy** wächsern.
wax[2] (wæks) *vi* 1 wachsen, zunehmen. 2 werden.
way (wei) *n* 1 Weg *m.* 2 Mittel *neu.* 3 Richtung *f.* 4 Weise *f.* **by the way** übrigens, nebenbei. **under way** 1 unterwegs. 2 im Gange. **way in** Eingang *m.* **way out** Ausgang *m.*
waylay (wei'lei) *vt* auflauern.
wayward ('weiwəd) *adj* 1 widerspenstig. 2 launisch.
we (wi:) *pron 1st pers pl* wir.
weak (wi:k) *adj* schwach. **weak-minded** *adj* 1 schwachsinnig. 2 charakterschwach. **weakwilled** *adj* willensschwach. **weaken** *vt* 1 schwächen. 2 verdünnen. *vi* schwächer werden. **weakling** *n* Schwächling *m.*
wealth (welθ) *n* Reichtum *m.* **wealthy** *adj* wohlhabend, reich.
weapon ('wepən) *n* Waffe *f.*
wear* (wɛə) *vt* tragen. *vi* haltbar sein. **wear out** 1 abtragen, abnutzen. 2 ermüden.
weary ('wiəri) *adj* erschöpft, müde. *vt* 1 ermüden. 2 langweilen.
weasel ('wi:zəl) *n* Wiesel *neu.*
weather ('weðə) *n* Wetter *neu.* *vt* überstehen.
weave* (wi:v) *vt* 1 weben, wirken. 2 (ver)flechten. *vi* 1 weben. 2 sich verflechten.
web (web) *n* 1 Gewebe *neu.* 2 Netz *neu.*
wedding ('wediŋ) *n* Hochzeit *f.* **wedding anniversary** *n* Hochzeitstag *m.* **wedding ring** *n* Trauring *m.*
wedge (wedʒ) *n* Keil *m.* *vt* verkeilen.
Wednesday ('wenzdi) *n* Mittwoch *m.*
weed (wi:d) *n* Unkraut *neu.* *vt* jäten. **weed out** aussondern.
week (wi:k) *n* Woche *f.* **weekday** *n* Wochentag *m.* **weekend** *n* Wochenende *neu.*

weekly *adj,adv* wöchentlich. *n* Wochenzeitung *f.*
weep* (wi:p) *vt,vi* weinen.
weigh (wei) *vt* (ab)wiegen, abwägen. *vi* wiegen. **weighbridge** *n* Brückenwaage *f.* **weight** *n* **1** Gewicht *neu.* **2** Last *f.* **weightlifting** *n* Gewichtheben *neu.*
weird ('wiəd) *adj* **1** unheimlich. **2** *inf* ulkig.
welcome ('welkəm) *adj,interj* willkommen. *vt* willkommen heißen, begrüßen. *n* Willkommen *neu.*
weld (weld) *vt* schweißen.
welfare ('welfɛə) *n* Wohlfahrt *f.*
well[1] (wel) *n* Brunnen *m. vi* quellen. **well up** hervorquellen.
well[2] (wel) *adv* **1** gut. **2** wohl. *adj* gesund. *interj* also, na. **as well** auch. **do well: 1** gut tun. **2** wohlauf sein. **3** Erfolg haben. **feel good** wohlauf sein. **just as well** ebenso gut.
well-bred *adj* wohlerzogen.
well-built *adj* gut gebaut.
well-known *adj* (wohl)bekannt.
well-off *adj* wohlhabend.
well-paid *adj* wohlbezahlt.
well-spoken *adj* redegewandt.
well-worn *adj* abgenutzt.
Welsh (welʃ) *adj* walisisch. *n* (language) Walisisch *neu.* **Welshman** *n* Waliser *m.*
went (went) *v* see **go.**
wept (wept) *v* see **weep.**
were (wə:) *v* see **be.**
west (west) *n* **1** West(en) *m.* **2** *cap* Westen *m.* Abendland *neu. adj* westlich. *adv* westwärts, nach Westen. **westerly** *adj* westlich. *n* Westwind *m.* **western** *adj* westlich. *n* Wildwestfilm *m.* **westward** *adj* nach Westen. **westwards** *adv* westwärts.
West Indies ('indiz) *n pl* Westindien *neu.* **West Indian** *adj* westindisch. *n* Westindier *m.*
Westphalia (west'feiliə) *n* Westfalen *neu.*
wet (wet) *adj* naß, feucht. *n* Nässe *f. vt* naßmachen, nässen.
whack (wæk) *inf vt* schlagen. *n* **1** heftiger Schlag *m.* **2** Anteil *m.*
whale (weil) *n* Wal(fisch) *m.*
wharf (wɔ:f) *n* Kai *m.* Landungsbrücke *f.*
what (wɔt) *pron,interj* was, wie. *adj* welch, was für ein. **what for?** wozu? **what sort of?** was für? **whatever** *pron* was auch immer, alles was. *adj* **1** welch auch immer. **2** überhaupt.
wheat (wi:t) *n* Weizen *m.*
wheedle ('wi:d|) *vt* beschwatzen, überreden. *vi* schmeicheln.
wheel (wi:l) *n* Rad *neu. vt* **1** rollen. **2** drehen. *vi* rollen. **wheelbarrow** *n* Schubkarren *m.* **wheelchair** *n* Rollstuhl *m.*
wheeze (wi:z) *vi* keuchen. *n* Keuchen *neu.*
whelk (welk) *n* Wellhornschnecke *f.*
when (wen) *adv* wann, zu welcher Zeit. *conj* als, wenn. **whenever** *adv* wann auch immer. *conj* wenn (immer), so oft als.
where (wɛə) *adv,conj* wo, wohin, woher. **whereabouts** *n pl* **1** Aufenthalt(sort) *m.* **2** Verbleib *m. adv* wo herum. **whereas** *conj* während. **whereby** *adv,conj* wodurch, wie. **whereupon** *adv,conj* worauf. **wherever** *adv* wo(hin) auch immer.
whether ('weðə) *conj* ob.
which (witʃ) *pron* **1** welch. **2** der. **3** was. *adj* welch. **whichever** *pron* welcher auch immer.
whiff (wif) *n* Hauch *m. vt,vi* paffen.
while (wail) *conj also* **whilst** während, solange. *n* Weile *f.*
whim (wim) *n* Laune, Grille *f.*
whimper ('wimpə) *vi,vt* wimmern.
whimsical ('wimzikəl) *adj* wunderlich.
whine (wain) *vi* wimmern, winseln.
whip (wip) *n* Peitsche *f. vt* **1** peitschen, schlagen. **2** reißen.
whippet ('wipit) *n* Whippet *m.*
whirl (wə:l) *vi,vt* wirbeln. *n* **1** Wirbeln *neu.* **2** Wirbel *m.* **whirlwind** *n* Wirbel(wind) *m.*
whirr (wə:) *vi,(vt)* schwirren (lassen). *n* Schwirren *neu.*
whisk[1] (wisk) *vt* **1** fegen. **2** rasch wegnehmen.
whisk[2] (wisk) *cul vt* schlagen. *n* Schneebesen *m.*
whiskers ('wiskəz) *n pl* **1** Backenbart *m.* **2** *zool* Schnurrhaare *neu pl.*
whisky ('wiski) *n* Whisky *m.*
whisper ('wispə) *vi* flüstern. *n* Geflüster *neu.*
whistle ('wisəl) *vi,vt* pfeifen. *n* **1** Pfeife *f.* **2** Pfiff *m.*
white (wait) *adj* weiß. *n* **1** Weiß *neu.* **2** Weiße(r) *m.* **whitewash** *n* (weiße) Tünche *f. vt* **1** tünchen, weißen. **2** reinwaschen. **whiting** *n* Weißfisch *m.*
Whitsun ('witsən) *n* Pfingsten *neu.*
whiz (wiz) *vi* sausen. *n* Sausen *neu.*
who (hu:) *pron* **1** wer. **2** der, welch. **whoever** *pron* **1** wer auch immer. **2** jeder der.
whole (houl) *adj* ganz, vollständig. *n* Ganze *neu.* Gesamtheit *f.* **wholehearted** *adj* rückhaltslos. **wholemeal** *adj* Vollkorn—. **wholesale** *n* Großhandel *m. adj* **1** Großhandels—. **2** vollständig. *adv* **1** im großen. **2** en gros.

wholesome *adj* gesund, heilvoll. **wholly** *adv* ganz, völlig.
whom (hu:m) *pron* **1** wen, wem. **2** den, welchen.
whooping cough ('hu:piŋ) *n* Keuchhusten *m.*
whore (hɔ:) *n* Hure *f. vi* huren.
whose (hu:z) *pron* **1** wessen. **2** dessen.
why (wai) *adv, conj* warum, weshalb, wozu. *interj* nun, doch.
wick (wik) *n* Docht *m.*
wicked ('wikid) *adj* böse, boshaft.
wicket ('wikit) *n sport* Tor *neu.* Dreistab *m.*
wide (waid) *adj* breit, weit. **widely** *adv* **1** weit, breit. **2** in hohem Maße. **widen** *vt* erweitern. **widespread** *adj* weit verbreitet.
widow ('widou) *n* Witwe *f.* **widower** *n* Witwer *m.*
width (widθ) *n* Breite, Weite *f.*
wield (wi:ld) *vt* **1** handhaben. **2** ausüben.
wife (waif) *n, pl* **wives** (Ehe)Frau *f.*
wig (wig) *n* Perücke *f.*
wiggle ('wigəl) *vi,(vt)* wackeln mit.
wigwam ('wigwæm) *n* Wigwam *m.*
wild (waild) *adj* wild. **run wild** **1** sich austoben. **2** wild wachsen. **wildlife** *n* Wild *neu.*
wilderness ('wildənəs) *n* Wildnis, Wüste *f.*
wilful ('wilfəl) *adj* **1** eigensinnig. **2** absichtlich.
will* [1] (wil) *v mod aux* **1** werden. **2** wollen. **3** sollen.
will [2] (wil) *n* **1** Wille *f.* **2** Testament *neu.* **willpower** *n* Willenskraft *f.*
willing ('wiliŋ) *adj* (bereit)willig.
willow ('wilou) *n* Weide *f.*
wilt (wilt) *vi* (ver)welken.
win* (win) *vt* **1** gewinnen. **2** erlangen. *vi* gewinnen, siegen. *n* Sieg *m.*
wince (wins) *vi* zusammenzucken.
winch (wintʃ) *n* Winde, Kurbel *f.*
wind [1] (wind) *n* Wind *m.* **windbag** *n* Windbeutel *m.* **windfall** *n* **1** Glücksfall *m.* **2** Fallobst *m.* **wind instrument** *n* Blasinstrument *neu.* **windmill** *n* Windmühle *f.* **windpipe** *n* Luftröhre *f.* **windscreen** *n* Windschutzscheibe *f.* **windscreen wipers** *n pl* Scheibenwischer *m.* **windswept** *adj* sturmgepeitscht. **windy** *adj* windig.
wind* [2] (waind) *vt* **1** winden, wickeln. **2** drehen. *vi* sich winden.
windlass ('windləs) *n* Winde, Haspel *f.*
window ('windou) *n* Fenster *neu.* **window box** *n* Blumenkasten *m.* **window-shop** *vi* einen Schaufensterbummel machen.
wine (wain) *n* Wein *m.*

wing (wig) *n* **1** Flügel *m.* **2** *aviat* Tragfläche *f.* **3** Gruppe *f. vi* fliegen. **wing commander** *n* Oberstleutnant der britischen Luftwaffe *m.*
wink (wiŋk) *vi,vt* blinzeln. *n* Blinzeln *neu.*
winkle ('wiŋkəl) *n* Strandschnecke *f.*
winter ('wintə) *n* Winter *m. vi,vt* überwintern.
wipe (waip) *vt* (ab)wischen. *n* Wischen *neu.*
wire ('waiə) *n* **1** Draht *m.* **2** Telegramm *neu. vt* **1** telegraphieren. **2** mit Draht versehen.
wise (waiz) *adj* weise, klug.
wish (wiʃ) *vt,vi* wünschen. *n* Wunsch *m.*
wisp (wisp) *n* **1** Wisch *m.* **2** Streifen *m.*
wisteria (wis'tiəriə) *n* Glyzine *f.*
wistful ('wistfəl) *adj* sehnsüchtig.
wit (wit) *n* **1** Witz, Esprit *m.* **2** Verstand *m.*
witch (witʃ) *n* Hexe *f.* **witchcraft** *n* Hexerei *f.*
with (wið) *prep* mit, bei.
withdraw (wiðˈdrɔ:) *vi* sich zurückziehen, ausscheiden. *vt* zurückziehen.
wither ('wiðə) *vi* (ver)welken, vertrocknen.
withhold (wiðˈhould) *vt* **1** zurückhalten. **2** vorenthalten.
within (wiðˈin) *prep* in, innerhalb, binnen. *adv* drinnen.
without (wiðˈaut) *prep* ohne. *adv* (dr)außen.
withstand* (wiðˈstænd) *vt* widerstehen.
witness ('witnəs) *n* Zeuge *m. vt* **1** bezeugen. **2** Zeuge sein von.
witty ('witi) *adj* geistreich, witzig.
wizard ('wizəd) *n* Zauberer, Hexenmeister *m.*
wobble ('wɔbəl) *vi* wackeln.
woke (wouk) *v* see **wake.**
woken ('woukən) *v* see **wake.**
wolf (wulf) *n* Wolf *m.*
woman ('wumən) *n* **1** Frau *f.* **2** Weib *neu.*
womb (wu:m) *n* Gebärmutter *f.*
wonder ('wʌndə) *n* **1** Wunder *neu.* **2** Verwunderung *f. vi* **1** sich fragen. **2** sich wundern. **wonderful** *adj* wunderbar.
wonky ('wɔŋki) *adj inf* schwankend, wackelig.
wood (wud) *n* **1** Holz *neu.* **2** Wald *m.* **woodcock** *n* Waldschnepfe *f.* **wooden** *adj* **1** hölzern. **2** ausdruckslos, steif. **woodland** *n* Wald *m.* Waldland *neu.* **woodpecker** *n* Specht *m.* **woodpigeon** *n* Ringeltaube *f.* **woodwind** *n* Holzblasinstrument *neu.* **woodwork** *n* Holzwerk *neu.* **woodworm** *n* Holzwurm *m.*
wool (wul) *n* Wolle *f.* **woollen** *adj* wollen, Woll—. **woolly** *adj* **1** wollen. **2** wollig. **3** verschwommen.
word (wə:d) *n* Wort *neu. vt* ausdrücken.
wore (wɔ:) *v* see **wear.**

work (wə:k) *n* **1** Arbeit *f.* **2** Werk *neu.* **3** *pl* Werk *neu.* Betrieb *m. vi* **1** arbeiten. **2** funktionieren. *vt* **1** bearbeiten. **2** betätigen, bedienen. **3** *min* ausbeuten. **worker** *n* **1** Arbeiter *m.* **2** *pl* Arbeiterschaft *f.* **working class** *n* Arbeiterklasse *f.* **workman** *n* Arbeiter, Handwerker *m.* **workmanship** *n* **1** Kunstfertigkeit *f.* **2** Arbeit *f.*

world (wə:ld) *n* Welt *f. adj* Welt—. **not for the world** um keinen Preis. **man/women of the world** *n* Weltmann, Weltdame *m,f.* **worldly** *adj* weltlich. **worldwide** *adj* weltweit.

worm (wə:m) *n* Wurm *m.*

wormwood ('wə:mwud) *n* Wermut *m.*

worn (wɔ:n) *adj* abgenutzt.

worry ('wʌri) *vi* sich sorgen *or* beunruhigen. *vt* **1** beunruhigen. **2** plagen. *n* **1** Sorge *f.* Kummer *m.* **2** Ärger *m.*

worse (wə:s) *adj,adv* schlechter, schlimmer. **worsen** *(vi),vt* (sich) verschlechtern, (sich) verschlimmern.

worship ('wə:ʃip) *vt* anbeten, verehren. *vi* beten. *n* Anbetung, Verehrung *f.*

worst (wə:st) *adj* schlechtest, schlimmst. *adv* am schlimmsten. *vt* überwältigen.

worth (wə:θ) *n* Wert *m. adj* wert. **it is worth doing** es lohnt sich, es zu tun. **worthwhile** *adj* der Mühe wert. **worthy** *adj* würdig, wert.

would (wəd; *stressed* wud) *vi* see **will**[1].

wound[1] (wu:nd) *n* Wunde, Verletzung *f. vt* verwunden, verletzen.

wound[2] (waund) *v* see **wind**[2].

wove (wouv) *v* see **weave.**

wrangle ('ræŋgəl) *vi* zanken. *n* Zank *m.*

wrap (ræp) *vt* (um-, ein-)wickeln. *n* **1** Hülle *f.* **2** Schal *m.* **wrapper** *n* Hülle *f.* Umschlag *m.* **wrapping** *n* Hülle, Verpackung *f.* **wrapping paper** *n* Packpapier *neu.*

wreath (ri:θ) *n* **1** Kranz *m.* **2** Gewinde *f.*

wreathe (ri:ð) *vt* **1** winden. **2** bekränzen. *vi* sich winden *or* kräuseln.

wreck (rek) *n* **1** Wrack *m.* **2** Schiffbruch *m. vt* **1** zertrümmern. **2** zerstören. **wreckage** *n* Trümmer.

wren (ren) *n* Zaunkönig *m.*

wrench (rentʃ) *vt* verrenken, verdrehen. *n* **1** (heftiger) Ruck *m.* **2** *tech* Schraubenschlüssel *m.*

wrestle ('resəl) *vi* ringen, kämpfen mit. *vt* ringen *n* Ringkampf *m.*

wretch (retʃ) *n* Elende(r) *m.* **wretched** *adj* elend, unglücklich.

wriggle ('rigəl) *vi* sich winden. *n* Winden *neu.*

wring* (riŋ) *vt* **1** (aus)wringen. **2** (an animal's neck) abdrehen. **3** (one's hands) ringen.

wrinkle ('riŋkəl) *n* Runzel, Falte. *f. (vi),vt* (sich) falten, (sich) runzeln.

wrist (rist) *n* Handgelenk *neu.* **wristwatch** *n* Armbanduhr *f.*

writ (rit) *n* **1** Erlaß *m.* **2** *law* Vorladung *f.*

write* (rait) *vt,vi* schreiben. **write down** aufschreiben, niederschreiben. **write off** abschreiben. **write up** (ausführlich) beschreiben. **writer** **1** Verfasser *m.* **2** Schriftsteller *m.* **writing paper** *n* Schreibpapier *neu.*

writhe (raið) *vi* sich krümmen, sich winden.

wrong (rɔŋ) *adj* **1** verkehrt, falsch. **2** unrecht. **3** irrtümlich. *adv* falsch, verkehrt. **be wrong** unrecht haben. **go wrong** schiefgehen. **something is wrong** etwas stimmt nicht. **what is wrong?** was ist los?

wrote (rout) *v* see **write.**

wrought iron (rɔ:t) *n* Schmiedeeisen *neu.*

wrung (rʌŋ) *v* see **wring.**

wry (rai) *adj* schief, verzogen.

X

xenophobia (zenə'foubiə) *n* Fremdenhaß *m.*

Xerox ('ziərɔks) *Tdmk n* Photokopiergerät *neu. vt* photokopieren.

X-ray *n* Röntgenstrahl *m. vt* röntgen.

xylophone ('zailəfoun) *n* Xylophon *neu.*

Y

yacht (jɔt) *n* Jacht *f. vi* segeln. **yachtsman** *n* **1** Jachtsegler. **2** Jachtbesitzer *m.*

yank (jæŋk) *vi,vt inf* heftig ziehen.

yap (jæp) *vi* kläffen.

yard[1] (jɑ:d) *n* Yard *neu.* **yardstick** *n* Maßstab *m.*

yard[2] (jɑ:d) *n* Hof *m.*

yarn (jɑ:n) *n* **1** Garn *neu.* Faden *m.* **2** Erzählung *f.* **spin a yarn** ein Seemannsgarn spinnen.

yawn (jɔ:n) *vi* gähnen. *n* Gähnen *neu.*

year (jiə) *n* Jahr *neu.* **yearly** *adj,adv* jährlich.

yearn (jə:n) *vi* sich sehnen. **yearning** *n* Sehnsucht *f.* Sehnen *neu.*

yeast (ji:st) *n* Hefe *f.*

yell (jel) *vi,vt* (gellend) schreien. *n* gellende(r) Schrei *m.*

yellow ('jelou) *adj* gelb. *n* Gelb *neu.*

yelp (jelp) *vi* kläffen.

yes (jes) *adv* ja, jawohl. *n* Ja *neu.*
yesterday ('jestədi) *adv* gestern. *n* der gestrige Tag *m.* **the day before yesterday** vorgestern. **yesterday's** *adj* gestrig.
yet (jet) *adv* **1** (schon) noch. **2** sogar. **3** schon. **4** bis jetzt. *conj* jedoch. **not yet** noch nicht.
yew (ju:) *n* Eibe *f.*
Yiddish ('jidiʃ) *n* Jiddisch *neu.*
yield (ji:ld) *vt* **1** hervorbringen, einbringen. **2** hergeben. **3** tragen. *vi* **1** nachgeben. **2** sich ergeben. **3** tragen. *n* Ertrag *m.*
yodel ('joudl) *vi* jodeln.
yoga ('jougə) *n* Joga *m.*
yoghurt ('jɔgət) *n* Joghurt *m.*
yoke (jouk) *n* Joch *neu. vt* anjochen.
yolk (jouk) *n* Dotter *m.* Eigelb *neu.*
yonder ('jɔndə) *adv* dort drüben. *adj* jener.
you (ju:) *pron 2nd pers* **1** *fam* du, dich, dir. **2** *fml* Sie, Ihnen. **3** *pl fam* ihr, euch. **4** *pl fml* Sie, Ihnen. **5** *imp* man, einen, einem.
young (jʌŋ) *adj* jung. **youngster** *n* Junge *m.*
your (jɔ:, juə) *poss adj 2nd pers* **1** *fam* dein. **2** *fml* Ihr. **3** *pl fam* euer. **4** *pl fml* Ihr. **yours** *poss pron 2nd pers* **1** *fam* deiner, der deine *or* deinige. **2** *fml* Ihrer, der Ihre *or* Ihrige. **3** *pl fam* eurer, der eure *or* eurige. **4** *pl fml* Ihrer, der Ihre *or* Ihrige. **yourself** *pron 2nd pers s* **1** *fam* dich, dich selbst, du selbst. **2** *fml* sich, sich selbst, Sie selbst. **yourselves** *pron 2nd pers pl* **1** *fam* euch, euch selbst, ihr selbst. **2** *fml* sich, sich selbst, Sie selbst.
youth (ju:θ) *n* **1** Jugend *f.* **2** Jüngling *m.* **youth hostel** *n* Jugendherberge *f.*
Yugoslavia (ju:gou'slɑ:viə) *n* Jugoslawien *neu.* **Yugoslav** *n* Jugoslawe *m. adj* jugoslawisch.

Z

Zambia ('zæmbiə) *n* Sambia *neu.*
zeal (zi:l) *n* Eifer *m.*
zebra ('zebrə) *n* Zebra *neu.* **zebra crossing** *n* Zebrastreifen *m pl.*
zero ('ziərou) *n* **1** Null *f.* **2** Gefrierpunkt *m.*
zest (zest) *n* Begeisterung *f.* Reiz *m.*
zigzag ('zigzæg) *n* Zickzack *m. adj, adv* im Zickzack.
zinc (ziŋk) *n* Zink *neu.*
Zionism ('zaiənizəm) *n* Zionismus *m.*
zip (zip) *n* Zischen *neu. vi* sausen. *vt* mit einem Reißverschluß schließen. **zip (fastener)** *n* Reißverschluß *m.*
zodiac ('zoudiæk) *n* Tierkreis *m.*
zone (zoun) *n* **1** Zone *f.* **2** Erdgürtel *m.*
zoo (zu:) *n* Zoo *m.* **zoology** *n* Zoologie *f.* **zoological** *adj* zoologisch. **zoologist** *n* Zoologe *m.*
zoom (zu:m) *vi* **1** summen. **2** *aviat* hochschnellen.
Zurich ('zjuərik) *n* Zürich *neu.*